JN182615

Middle range theory

看護実践に活かす

中範囲理論

編著

野川道子

桑原ゆみ

神田直樹

メヂカルフレンド社

●編　集
野川　道子（北海道医療大学名誉教授）
桑原　ゆみ（北海道医療大学看護福祉学部）
神田　直樹（北海道医療大学看護福祉学部）

●執筆者（執筆順）
野川　道子（北海道医療大学名誉教授）
唐津　ふさ（北海道医療大学看護福祉学部）
髙木　由希（北海道医療大学看護福祉学部）
平　　典子（元北海道医療大学看護福祉学部）
石岡　明子（北海道大学病院がん患者サポートナースセンター）
法橋　尚宏（神戸大学大学院保健学研究科）
渡邉　幹生（神戸大学大学院保健学研究科）
太田　浩子（純真学園大学保健医療学部）
森　　菊子（兵庫県立大学看護学部）
三好智佳子（国立精神・神経医療研究センター病院看護部）
米田　昭子（山梨県立大学大学院看護学研究科）
橋本　　茜（愛知医科大学看護学部）
江川　幸二（神戸市看護大学）
川村三希子（札幌市立大学看護学部）
二本柳玲子（安田女子大学看護学部）
鹿内あずさ（北海道文教大学人間科学部）
安保　寛明（山形県立保健医療大学）
中安　隆志（北海道医療大学看護福祉学部）
二井矢ひとみ（東札幌病院看護部）
黒江ゆり子（関西看護医療大学看護学部）
高橋　奈美（札幌市立大学看護学部）
桑原　ゆみ（北海道医療大学看護福祉学部）
坂野　恵子（国立病院機構北海道医療センター難病診療センター）
福良　　薫（北海道科学大学保健医療学部）
神田　直樹（北海道医療大学看護福祉学部）
熊谷　歌織（北海道医療大学看護福祉学部）
伊藤加奈子（北海道医療大学看護福祉学部）
登喜　和江（千里金蘭大学看護学部）
青柳　道子（札幌医科大学保健医療学部）
添田百合子（創価大学看護学部）
髙山　　望（株式会社プリコーション）
小野　美穂（香川県立保健医療大学保健医療学部）
東　めぐみ（順天堂大学保健看護学部）
河口てる子（聖隷クリストファー大学看護学部）
井上　智恵（京都済生会病院看護部）
太田　美帆（東京家政大学健康科学部）

序

本書は，様々な看護現象を説明する中範囲理論を活用することにより，看護実践の質を高め発展させられることを願って作成した．本書で収録した中範囲理論は，健康問題に取り組む人々の心理や行動の理解，患者・家族が体験する世界の理解，または看護の必要性をアセスメントし適切な援助を導いたり，健康行動を促したりして，看護の対象者のウェルビーイングやQOLを高めることに役立つ．そのため，本書を臨床ナースやエキスパートナースはもとより，看護の初学者である基礎教育の学生，大学院生，ならびに看護教育・研究者にも勧めたい．

編者は，これまで，助産師または看護師として臨床で働き，様々な健康問題や困難を抱えた妊産婦，小児，成人，高齢者およびその家族と出会ってきた．やっと授かった子が死産し哀しむ女性，骨肉腫で下肢を切断し幻肢痛におびえる思春期の少年，脊髄損傷で手足が動かず怒りをぶつける働き盛りの男性などである．そのとき，私にできたのは，その人から逃げ出さないことくらいで，ケアの糸口を見出せずに試行錯誤する毎日であった．

しかし，脊髄損傷で怒りをぶつけてきた男性を受け持ったときに，上田の障害受容の５段階モデルと出会い，男性が大きな喪失感を抱え苦悩していること，障害受容においては支援者が肯定的環境として機能することが不可欠であることを知り，実践に活かしたことで男性の信頼を得ることができ，看護実践に活かすことができる確かな道具を手にした喜びを感じることができた．そのモデルが中範囲理論であることを知る由もなかったが，一気に病気や障害体験に関する理論への関心が深まった．

その後，大学教員となり，修士課程で慢性看護の専門看護師の養成を担当し，慢性病者の理解に役立つ病気の不確かさ理論をはじめとする複数の中範囲理論を教える必要性に迫られた．慣れない英語の文献との格闘が始まり，振り子理論，苦悩と希望の理論などに触れるうちに，学生に限らず多くの看護職に活用してもらいたいと思うようになった．そのような折り，看護の学会でメヂカルフレンド社の佐々木満氏と出会う機会に恵まれ，雑誌『看護技術』への連載が実現した．

連載に当たっては，理論の適切かつ有効な活用を願って，理論の説明に加えて，実践事例への活用の実際を示した．時を経ずしてこれらのことが，本書『看護実践に活かす中範囲理論』の作成へとつながった．看護実践に有用だと思われる18の理論を掲載するために，当該理論を論文や事例報告で用いていた看護の研究者や実践者に執筆への協力をお願いし，2010年に第１版の発行にこぎつけた．続いて2016年に第２版，そして本書第３版に至った．

本書はこれまで，基礎教育の学生，大学院生，臨床ナース，エキスパートナース，看護の教育・研究者など幅広い層の方々に手にしていただいている．また，多くの論文や事例報告において本書を引用または参考文献として取り上げられているのを目にし，喜びとともに責任の重さを実感しているところである．

第３版での改訂ポイント

本書第３版では26の理論を掲載した．第１版（18の理論），第２版（24の理論）に続くものであり，主な改訂ポイントは，以下の３つである．

１つ目は掲載理論の選択である．まず，第１版，第２版収録の理論の活用状況を看護関連の発表論文や報告をもとに把握した．加えて，最近，看護の教育・研究・実践において関心が払われている理論に注目し，看護実践での活用可能性を重視して26理論を選択した．新たに加えたのは４理論である．１）メレイスの移行理論，２）コンフォート理論，そして，わが国の看護研究者・実践者により開発された３）家族同心球環境理論，４）看護の教育的関わりモデルである．なお，わが国において看護実践に活用できる中範囲理論が看護者自らの力で誕生したことは看護学の成熟を裏づけるうえで特記すべきことである．

２つ目は提供事例の変更である．第１版の発行からはすでに14年を経ている．この間，少子高齢化が急激に進み，医療や福祉提供体制も地域包括ケアシステムへとシフトしている．そのため，第１版から変更のない事例については，現状の保健医療福祉の環境を反映させるために一新した．

３つ目は，編集体制の充実である．１～２版は野川一人での担当であったが，第３版では，より広い視野で吟味するため，慢性期看護を専門とする野川に加えて，地域看護を専門とする桑原氏と急性期看護を専門とする神田氏の参画を得て，３名体制とした．

本書の特徴

本書には次のような４つの特徴がある．

１．研究者・教育者と実践者の共同による執筆

理論と実践の統合が図れるように，著者は，その理論を探究している研究者に加えて，教育・研究での活用に意欲的な若手の研究者，および臨床実践のエキスパートであり，中範囲理論を臨床で積極的に活用されている，専門看護師や臨床ナースにお願いした．

２．看護実践での用途という視点での分類

看護実践での活用を容易にするため，看護実践での用途という視点から，本書に収録した26の理論を以下５つに分類した．詳細は第Ⅰ章表２－３のとおりである（p.10参照）．

①看護のアセスメントと援助に関する理論
②病気・障害・人生の体験を説明する理論
③危機・ストレス・不確かさの認知や対処に関する理論
④行動変容，健康行動に関する理論
⑤看護の対象者や看護師の認識変容に関する理論

３．基本的な構成の統一

理論の基本的な理解や臨床での適切な活用を促すために，本書の基本的な構成を，以下の８つに統一し，実践でも研究でも役立つように解説した．

A 理論家との出会い
B 理論家の紹介
C 理論誕生の歴史的背景
D 理論の説明
E 研究の動向
F 理論の臨床実践での活用
G 臨床での活用の実際

H 理論を看護実践につなげるために

4．アセスメントの枠組みの提示と，それに沿った事例の展開

理論の理解や臨床での活用を促進するために，「F 理論の臨床実践での活用」「G 臨床での活用の実際」では，理論家がアセスメントの枠組みを示している場合は，それに沿って事例を展開することを試みた．また，理論家がアセスメントの枠組みを示してない場合は，執筆担当者が，それぞれの理論に基づいてアセスメントの枠組みを独自に作成し，それに沿って事例を展開することに挑戦した．

本書が，中範囲理論を理解するのに少しでも役立つことを願うとともに，ぜひ，この理論を日々の看護実践で使っていただき，矛盾している点や使い勝手の善し悪しについてご意見をいただきたい．中範囲理論は開発途上のものも少なくなく，実践や研究をとおして精錬することが求められている．

本書は看護の研究者・教育者と実践者の共同による執筆である．理論の基本的な理解や臨床での適切な活用を願って遂行を重ねてくださった執筆者の皆様の熱意と努力に敬意を表したい．

おわりに，第３版の企画を提案いただいたことはもとより，2010年の第１版からの長きにわたって，企画，編集，作成の全プロセスをとおして温かな励ましと適切なアドバイスをくださった，メヂカルフレンド社の佐々木満氏に心から感謝したい．

2023年11月

編者を代表して　野川道子

目次

6 ヒューマンケアリング理論（橋本 茜）……115

7 コンフォート理論（江川幸二）……132

8 peaceful end of life（川村三希子）……152

9 協働的パートナーシップ理論（二本柳玲子，鹿内あずさ）……168

第Ⅰ章

看護における
中範囲理論とは

1 看護理論の種類

看護理論は抽象化のレベルが高い順に，大理論，中範囲理論，実践理論の 3 つまたは，さらに抽象化のレベルが高いメタ理論を加えて 4 つに分類されることが多い．これら 4 つのレベルの理論について，バンセルら（Van Sell & Kalofissudis, 2003）のインターネット文献に基づいて述べ，ウォーカーら（Walker & Avant, 2005）の論文を用いて補足する．

なお，4 つの理論が看護知識の構造のどこに位置づけられるかについては，星・林・金井（2000）が図 1－1 のとおり簡潔かつ的確に示してくれており，様々なレベルの看護理論の整理や理解を助けてくれる．

A メタ理論（meta theory）

メタ理論は，理論の第 4 のレベルであり，最高のレベルである．看護のための理論ベースの開発に関連する哲学的・方法論的問題に焦点を当てている（Walker & Avant,

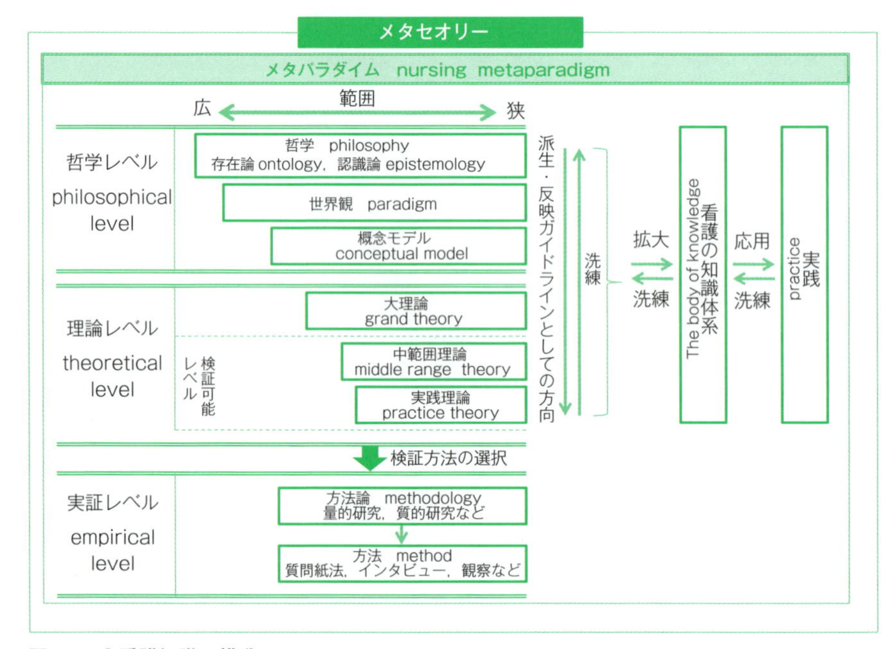

図 1－1 ●看護知識の構造
星美和子，林さとみ，金井Pak雅子（2010）．看護知識の構造における中範囲理論の位置づけ，看護研究，*43*(2)，100．より引用

キー概念

□**概念（concept）**：理論の基本的構成要素を言語で簡潔に表現したものである．ある現象の心的なイメージ，アイデア，または1つの事柄や行動についての心象である．

□**命題（proposition）**：概念と概念，または2つ以上の概念の関連を記述したものである．

□**理論（theory）**：ある現象に系統的な見方を提供する，内的に一致している一連の論述であり，現象を記述，説明，予測，またはコントロールするのに役立つ．

□**モデル（model）**：大きく2つに定義づけられる．1つは概念と命題により看護についての特定の見方を与える論述であり，概念モデルがその例である．もう1つは，理論を説明するための図示または数式である．

□**メタ理論（meta theory）**：看護の理論基盤の開発に関する哲学的・方法論的な問いに焦点を当てた理論である．

□**概念モデル（conceptual model）**：概念枠組み，概念システム，パラダイム，そして学問のマトリックスとよばれている．その学問において重大な関心事である現象を概念と命題によって表したものである．ジョンソンの行動システムモデルやロイの適応モデルなどであり，現象に種々の見方を提供しており，大理論の発展に影響を及ぼす．

□**大理論（grand theory）**：実践を幅広い観点で定義するグローバルな概念枠組みと，その観点に基づいて看護現象を検討する方法から構成されている理論である．

□**中範囲理論（middle range theory）**：看護の大理論と実践理論のギャップを埋めるために生まれた理論である．

□**実践理論（practice theory）**：小範囲理論（micro theory）や状況設定理論（situation-specific theory）と同義的に使われている．実践のための処方箋または手順であり，より幅広く実践のための方法が詳細に記述されている理論である．

2005)．接頭語のメタは超えるまたは超越という意味がある．看護のメタ理論は最も壮大な見方をしている特有の方法で，重大な現象を識別し評価することによって看護の領域にグローバルな視点を提供する．看護のメタ理論は抽象的すぎて実証するのが容易ではないが，グローバルなスケールで看護師が観察する状況や出来事に関連した意味，センテンス，構造を提供する．メタ理論の文献で一貫しているのは，看護は科学であり，かつ専門職でもあるとする「実践の学問」としての看護の意味を探究していることである（Walker & Avant, 2005)．

メタ理論で主として議論されるレベルは，以下のとおりである（Walker & Avant, 2005)．

①看護において必要とされる理論と種類の分析

②看護の理論開発の情報と方法の提案と批判

③看護理論を最も適切に評価する基準の提案

大理論（grand theory）

理論の第3のレベルであり，看護実践に対する広い視野と看護現象に対する明確な視点をもつというグローバルな視点を強調する．フォーセット（Fawcett, 1995）は，大理論は範囲は最も広いが，概念モデルよりは抽象度が低く，しかしながら比較的抽象的，普遍的な概念からなっており，概念間の関係を実証することが難しいと述べている．大理論としてはたとえば，レイニンガーの文化的ケアの多様性と普遍性の理論（Leininger, 1991）やマーガレット・ニューマン（Margaret Newman）の拡張する意識としての健康（Marchione, 1992）などがあげられる．また，大理論が中範囲理論の土台となっていることもある．ドロセア・オレム（Dorothea E. Orem）のセルフケア不足理論はセルフケア理論（Orem, Renpenning & Taylor, 2003）を発展させたものである．

中範囲理論（middle range theory）

理論の第2のレベルであり，中程度の抽象化と包括性があり，限られた範囲で組織化されている．つまり，直接的に実証可能な限られた数の概念で構成されている．中範囲理論は研究と実践とを強く結びつける．マートン（Merton, 1968）によると実践学において研究と実践を結びつける中範囲理論は非常に重要であることを示している．ウォーカーら（Walker & Avant, 2005）は，理論のなかでも，中範囲理論は大理論と比較するとより明確で，使用されている概念も少ない．そして，現実世界のより限定された範囲を扱っている．そのため，実証可能であり，加えて，科学的な関心を呼ぶにも十分な程度に抽象的である．このように中範囲理論は，大理論の概念的な簡潔さと共通する部分があるとともに，実践においても研究においても役立つために，必要な特異性も有すると述べている．

実践理論（practice theory）

理論の第1のレベルであり，実践のための処方箋または手順である．実践理論の決定には次の4つのステップが含まれる．

①因子の明確化：現象を特定し記述する．

②因子を関連づける：可能な説明や現象の原因を特定したり記述したりする．

③状況を関連づける：原因があるとき現象が起こることを予測する（例：心臓手術後，血清カリウム値が3.5mEq/L以下になると不整脈が生じる）．

④状況をコントロールする：原因をコントロールしたり，取り除いたりして現象が起こるのを防ぐ（例：寝たきりの人が時々寝返りをしたり，体位変換をすると褥瘡が予防できる）．

文献

Fawcett, J. (1995). Analysis and evaluation of conceptual models of nursing. 3rd ed, Philadelphia : Davis.

星美和子，林さとみ，金井Pak雅子（2010）．看護知識の構造における中範囲理論の位置づけ．看護研究，*43*(2), 99-104.

Leininger, M.M. (Ed.). (1991). Culture care diversity and universality : A theory of nursing. New York : National League of Nursing.

Marchione, J. (1992). Margaret Newman : Health as expanding consciousness (notes on nursing theories). New York : Sage Publications.

Merton, R.K. (1968). Social theory and social structure. enlarged ed, New York : Free Press.

Orem, D.E., Renpenning, K.M., & Taylor, S.G. (2003). Self-care theory in nursingea Orem : Self-care theory in nursing. New York : Springer.

Van Sell, S.L., & Kalofissudis, I.A. (2003). Formulating nursing theory.
〈http://www.scribd.com/doc/22269586/Formulating-Nursing-Theory〉 [2010, February 11].

Walker, L.O., & Avant, K.C. (2005). Strategies for theory construction in nursing. 4th ed, NJ : Pearson Prentice Hall.

2 中範囲理論の特徴と分類

中範囲理論との出会い

筆者と中範囲理論との出会いは，臨床で看護をしていたときの頸髄損傷者との出会いに始まる．看護師が機能訓練を勧めても，「リハビリなんかしなくても明日歩けるようになる」とかたくなに拒否し，顔を片手で覆ってうつうつとしてベッドから出てこない日が続いていた．そんな患者を前に，看護チームは，「私たちが，いくら言ってもあの患者さんはやる気がないから」と手を焼き，無力感を覚えていた．そんなときに出会ったのが，上田の「障害受容の理論」(1980) であった．ショック－否認－混乱（怒り，うらみと悲嘆，抑うつ）－解決への努力－受容の 5 段階と，受容の本質としての価値転換という考え方を知ったことにより，障害を背負って苦悩している患者の心情が痛いほど理解できた．また，看護チームが自立へのゴールを急ぐばかりに，患者を置き去りにしていたことに気づかされた．

その後，看護チームで学習会を開き，患者の気持ちに寄り添うことから始めたところ，次第に，患者がやり場のない怒りや悲しみを表出してくれるようになった．それに伴い，患者に笑顔が戻り，機能訓練に積極的となり，車椅子での生活を受け入れ，家族と相談のうえリハビリテーション施設に移って生活するという決断ができた．

筆者はこのとき，障害受容の理論が中範囲理論であるとは知るよしもなかったが，看護実践において理論を実践で活用することの意義を強く感じることができた．その後，大学教員となり，大学院生と共に看護理論を学習するようになって，抽象化のレベルで看護理論をメタ理論，大理論，中範囲理論，実践理論と 4 つに分類していることや，実践や研究での活用が比較的容易な中範囲理論が注目されていることを知った．

中範囲理論について

本項では中範囲理論についてマックイーンら（McEwen & Wills, 2006）の文献に基づいて説明する．

1 中範囲理論とは

看護の中範囲理論は抽象度の高い理論（大理論，モデル，概念枠組み）と，より範囲を限定している具体的な理論（実践理論・小範囲理論）の中間に位置するものである．中範囲理論は大理論と比較するとより明確で，使用されている概念も少ない．そして，現実世界のより限定された範囲を扱っている．つまり，概念は比較的具体的で操作可能なように定義されている．命題も比較的具体的で経験的に検証されている（empirically tested）．看護学は知識開発の最終段階として中範囲理論を重視しており，看護実践をサポートするために中範囲理論の開発を必要としている．

2 中範囲理論開発の歴史的要請

1）歴史的推移

中範囲理論の開発は，看護学の発展から以下の3段階を経て要請されている．

①第1段階（1950～1960年代）：医学との違いを明らかにすることで，看護学を学問として登場させる．

②第2段階（1970～1980年代）：制度的な合法性や学問としての独立を求めた時期．看護独自の見方，学問的に興味ある現象を明らかにする．

③第3段階（1990年代～）：中範囲理論の開発や検証を含んだ実践的知識に注意が向けられている．

2）中範囲理論が注目される理由

大理論が抽象的すぎるため実践や研究に活用できないという批判から，中範囲理論の開発が支持された．中範囲理論の機能（役割）は，現象の記述，説明，予測することである．大理論とは異なり，明確で検証可能でなければならない．それにより実践に適用でき，研究の枠組みとしても使える．なお，中範囲理論は看護介入を導く可能性があり，看護ケアを促進するため場の状況を変える可能性がある（Morris, 1996）．中範囲理論の主要な役割は，看護科学や看護実践の実質的な構成要素を規定したり（明確にしたり），精練したりすることである（Higgins & Moore, 2000）．

中範囲理論は看護研究の分野で用いられることも増えている．理由は，検証できる仮説を生み出しやすいことと，ある特定の患者集団について注意を向けるということである．看護雑誌の研究論文や博士論文においても，中範囲理論の開発や検証が行われ，調査の枠組みとしても使用されている．さらに，中範囲理論は研究結果のレベルで洗練されている．しかし，看護のなかで，何が中範囲理論とされるかが明確になっていない（中範囲理論の構成要素が明確になっていない）．たとえば，peaceful end of lifeは中範囲理論に分類されたり（Liehr & Smith, 1999），実践理論として分類されたりしている（Walker & Avant, 2005）．

3 中範囲理論の源泉

中範囲理論は1960年代に社会学者ロバート・マートン（Robert K. Merton）によって提唱されたものである．マートンは社会を行為のシステムととらえるタルコット・パーソンズ（Talcott Parsons）の社会システム理論などのように，社会を全体としてとらえようとする大理論を批判し，経験的な社会調査と社会理論とを融合し，個別の事例を説明できる中範囲理論の必要性を主張した（Merton, 1968）．看護には1974年に紹介され，中範囲理論は大理論より操作可能であり，研究にも活用されているので新しい学問にとって有用であると評価された.

4 中範囲理論が看護で支持される要因

中範囲理論が看護で支持される要因として，以下のことがあげられる

①抽象度が低く，操作可能なので大理論より研究にとって有用である.

②限られた範囲の明確な概念を扱うので，大理論より予測することが可能となる.

③比較的わかりやすいので，特定された健康問題に対する介入を発展させるプロセスが容易であり，実践に適用できる可能性が高い.

5 中範囲理論の特徴

中範囲理論の特徴として，以下のことがあげられる（表2－1）.

①主たる着想は比較的単純で，直接的かつ一般的である.

②限定された数の変数または概念を扱う．つまり，ある特定の実質的なことに焦点を当て，現実の限られた側面を検討する．なお，実証研究が行われたり，より範囲の広い理論に統合されたりすることもある.

③中範囲理論は，第一義的には，患者の問題や結果と看護介入が患者にどのような成果をもたらすかに関心を向けている.

④中範囲理論は，看護に特有でかつ実践の一分野，ある年齢層の患者，看護活動または看護介入，そして，期待される成果について扱う（Liehr & Smith, 1999）.

6 中範囲理論の分類

リーアら（Liehr & Smith, 1999）は，中範囲理論を抽象化のレベルにより，高中範囲（high-middle），中範囲（middle）低中範囲（low-middle）の3つに分類している．表2－2にそれぞれに該当する中範囲理論の例を示す.

7 中範囲理論の生成の方法

中範囲理論を生成する方法としては，以下のものがあげられる.

①研究と実践をとおして帰納的に生成する.

②研究と実践から演繹的にまたは大理論の適用により生成する.

③看護理論と看護以外の中範囲理論を統合する.

④看護に関連する他の学問分野から導き出す.

表2－1●看護の中範囲理論の特徴

- 包括的ではなくかつ狭小的でもないこと
- ある状況や専門分野について，ある程度の一般化がなされていること
- 限られた数の概念を扱っていること
- 命題が明確に述べられていること
- 実証可能な仮説を生み出せること

McEwen, M., & Wills, E.M. (2006). Theoretical basis for nursing. 2nd ed, New York : Lippincott Williams & Wilkins, 227. をもとに筆者作成

表 2－2 ●抽象化のレベルによる中範囲理論の例

抽象化レベル	中範囲理論の例
高中範囲 (high-middle)	caring（ケアリング），facilitating growth and development（成長と発達の促進），interpersonal perceptual awareness（相互知覚的意識），self-transcendence（自己超越），resilience（レジリエンス），psychological adaptation（心理的適応）
中範囲 (middle)	uncertainty in illness（病気の不確かさ），unpleasant symptoms（不快症状），chronic sorrow（慢性的悲嘆），peaceful end of life（平和な死），negotiating partnerships（協働するパートナーシップ），cultural brokering（文化的調停），nurse-expressed empathy and patient distress（看護師の共感と患者の苦悩）
低中範囲 (low-middle)	hazardous secrets and reluctantly taking charge（有害な隠し事と不本意な責任の引き受け），affiliated individuation as a mediator of stress（ストレス緩和としての親和的個性化），women's anger（女性の怒り），nurse midwifery care（助産師ケア），acute pain management（急性疼痛管理），balance between analgesia and side effects（鎮痛と副作用のバランス），homelessness-helplessness（ホームレス一無気力），individualized music intervention for agitation（焦燥感に対する個別的音楽療法），chronotherapeutic intervention for post-surgical pain（術後疼痛に対する時間治療的介入）

Liehr, P., & Smith, M.J. (1999). Middle range theory : Spinning research and practice to create knowledge for the new millennium, *Advances in Nursing Science*, *21*(4), 86. をもとに筆者作成

⑤臨床の実践ガイドラインと研究によって導き出された基準から演繹的に生成する．

本書で取り上げた中範囲理論

本書では，臨床の看護実践に活用でき，かつ有用だと思われる26の中範囲理論を取り上げる．分類方法は，看護での活用を願って，看護実践での用途という視点から大きく5つに分類した（表 2－3）．なお3版では新たに4つの理論「家族同心球環境理論」「コンフォート理論」「メレイスの移行理論」「看護の教育的関わりモデル」を加えた．

1 看護のアセスメントと援助に関する理論

ここには，看護分野で開発された11の理論を含めた．いずれも適切な看護援助を導き出すのに有用な理論である．

1つ目は，オレムの「セルフケア不足理論」である．自分の生命や健康を維持するために生後に学習・獲得してきたセルフケア能力が，ある時点における健康問題に対応するのに十分であるか不足しているかをアセスメントし，不足している場合には不足に応じた看護援助の必要性があることを説明する理論である．対象者を被援助者ではなく，自らの健康問題に取り組むことができる力を備えた主体としてとらえている点が特徴的である．

2つ目は，「カルガリー家族アセスメント/介入モデル」である．家族を1つのシステムとしてとらえ，系統的なアセスメント枠組みと介入法を用いて家族自身が問題解決に向けて変化するよう支援するための実践モデルである．

3つ目は，「家族同心球環境理論」である．時間軸と空間軸から家族システムユニットをとらえ，ホリスティックな家族の高次な存在を射程とし，家族ウェルビーイングに作用す

表2−3●本書で取り上げた中範囲理論の特徴と分類

看護実践での用途による分類	No	理論・モデル名	理論家		中心テーマ	理論の起源
			氏名	学問領域		
1. 看護のアセスメントと援助に関する理論	1	セルフケア不足理論	オレム（Orem）	看護学	セルフケア（健康管理）	看護実践に裏づけられた独自の看護観
	2	カルガリー家族アセスメント/介入モデル	ライト（Wright） リーヘイ（Leahey）	看護学	家族システム看護	システム理論，コミュニケーション理論，変化理論などの統合
	3	家族同心球環境理論	法橋	看護学	家族アセスメントと支援	家族機能学，システム理論，ロイの適応モデル
	4	症状マネジメントの統合的アプローチ	ラーソン（Larson）	看護学	患者の症状マネジメント力の強化	看護独自の視点（ヘルスアセスメントとセルフケア理論）
	5	不快症状理論	レンツ（Lenz） ピュー（Pugh） ミリガン（Milligan） ギフト（Gift） スッペ（Suppe）	看護学	複数症状の主観的体験，不快症状の管理	臨床実践と臨床研究の統合
	6	ヒューマンケアリング理論	ワトソン（Watson）	看護学	人間科学 ヒューマンケアリング	実存主義哲学，現象学，心理学
	7	コンフォート理論	コルカバ（Kolcaba）	看護学	基本的ニーズとしてのコンフォート（快適性）	ヒューマンケアリング理論と彼女自身の実践
	8	peaceful end of life	ルーランド（Ruland）	看護学	good death	good deathに関するスタンダードケアの構築
	9	協同的パートナーシップ理論	ゴットリーブ（Gottlieb） フィーリー（Feeley）	看護学	協働的関係で，患者の闘病力を強化	マギル看護モデル（患者・家族との協働による健康増進）
	10	コンコーダンス	グレイ（Gray）	精神看護学	患者と専門家との協働での意思決定	認知行動療法 動機づけ面接
	11	ノーバックのソーシャルサポートのモデル	ノーバック（Norbeck）	看護学	ソーシャルサポート	Kahn & Antonucci（1980）のソーシャルサポートのモデル
2. 病気・障害・人生の体験を説明する理論	12	病みの軌跡モデル	コービン（Corbin） ストラウス（Strauss）	看護学・医療社会学	病気体験 病気の管理	シンボリック相互作用論
	13	メレイスの移行理論	メレイス（Meleis）	看護学	病気・人生の体験 移行体験	シンボリック相互作用論，フェミニスト理論，役割理論
	14	モースの病気体験における苦悩と希望の理論	モース（Morse）	看護学・自然人類学	病気・障害体験，自己の再構築	質的方法での病気体験の描写

表2－3●本書で取り上げた中範囲理論の特徴と分類（つづき）

看護実践での用途による分類	No	理論・モデル名	理論家		中心テーマ	理論の起源
			氏　名	学問領域		
	15	ヨシダの振り子理論	ヨシダ（Yoshida）	理学療法	病気・障害体験，自己の再構築	自己心理学
3．危機・ストレス・不確かさの認知や対処に関する理論	16	危機理論 ・フィンクの障害受容型危機モデル	フィンク（Fink）	心理学	障害受容・適応	マズロー動機づけ理論
		・アギュララの問題解決型危機モデル	アギュララ（Aguilera）	看護学	生来の精神の均衡を保つメカニズムの発揮	問題解決過程による危機回避
	17	ストレス・コーピング理論	ラザルス（Lazarus）	心理学	ストレスの認知的評価ー対処	認知心理学
	18	病気の不確かさ理論 ・オリジナル理論 ・再概念化理論	ミシェル（Mishel）	看護学・心理学	・不確かさの軽減・適応 ・自己組織化・成長	・ストレスコーピング理論 ・カオス理論
	19	レジリエンス	ラター（Rutter）	児童精神医学	柔軟な対応での適応	心理学　精神医学
4．行動変容，健康行動に関する理論	20	保健信念モデル	ローゼンストック（Rosenstock） ベッカー（Becker）	社会心理学	行動変容，健康行動	予防医学 公衆衛生学
	21	自己効力感	バンデューラ（Bandura）	心理学	行動変容，健康行動	社会的認知理論
	22	トランスセオレティカルモデル（変化ステージモデル）	プロチャスカ（Prochaska）	心理学	行動変容，健康管理	予防医学
5．看護の対象者や看護師の認識変容に関する理論	23	エンパワーメント	フレイレ（Freire）	教育哲学	行動強化	識字教育 対話的行動理論
	24	成人教育（アンドラゴジー）	ノールズ（Knowles）	教育学	自己主導型学習	生涯教育，発達心理学，ペタゴジー
	25	リフレクション	ショーン（Schon）	教育学	行為の中の省察	デューイの省察的思考
	26	看護の教育的関わりモデル	河口＆患者教育研究会メンバー	看護学	行動変容，患者教育，教育的看護実践	熟練看護師の教育事例の分析，人間観

る家族環境に焦点化した家族看護理論である．多様な家族を対象とした家族・家族環境アセスメント／インターベンションモデル，治療的コミュニケーションなどの実践体系も整備されており，日本だけではなく世界で通用するグローバルな理論である．

４つ目と５つ目は症状に関する理論である．

まず，４つ目は，**「症状マネジメントの統合的アプローチ」**である．症状を人々の生理的・心理的・社会的機能や感覚，認知の変化を反映した主観的な体験であるととらえ，患者自身が自らの症状をマネジメントするために必要な知識，技術，サポートを看護師が提供することに重点を置いている．症状に対するその人の知覚や評価，セルフケア方略に注目して，その人の体験に寄り添いセルフケア能力に応じた援助の提供により，症状の改善やQOLを高めるという，個々人に合わせたマネジメントが提供される点が評価されている．

５つ目は，**「不快症状理論」**である．多くの場合，患者は単一の症状に限らず，複数の症状を体験している．この複数の症状の体験には，先行する影響要因や相互作用しながら増幅する複数の症状が絡み合い，結果として，その人の日常生活におけるパフォーマンスを脅かす．またその状況が，繰り返し影響要因や複数症状に影響を与えるというように，この理論ではフィードバックループを提供していることや，複数の症状の体験を説明していることから，現実に即していると評価されている．

６つ目は，**「ヒューマンケアリング理論」**である．人間の尊厳を守り，人間性を保持するという看護の道徳的理念であるヒューマンケアリングを実施するプロセスを提示している．実践においては，基盤となる道徳的理念に基づき，患者とのトランスパーソナルな人間関係を築き，すべてのレベルで治癒環境を創造するために心と魂の不調和の調整を図るよう支えることにより，患者が調和・一致感という自己実現を達成することを目指している．看護者が患者の身体的・精神的な安寧を図るための基本的または根源的なケアであり，看護の基本に立ち返ることを導いてくれる理論である．

７つ目は，**「コンフォート理論」**である．コンフォート（安楽）を，４つのコンテクスト（身体的コンフォート，サイコスピリット的コンフォート，社会文化的コンフォート，環境的コンフォート）とコンフォートの３つの状態（緩和；病気や治療に伴う苦痛が緩和，安心；平静または満足，超越；苦痛や問題を克服）で総合的にとらえて，状況に応じて３つのコンフォートケア（技術的な苦痛の緩和，コーチング，魂・精神の癒し）を用いることを提案している．

８つ目は，**「peaceful end of life」**である．個々人にとってのgood death（望ましい死）を達成するために満たすべきスタンダードケアの要素を示した理論である．構成概念として「苦痛がないこと」「安楽であること」「尊重されていること」「穏やかであること」「自分にとって大切な人が近くにいると感じられること」の５つをあげている．

９つ目は，**「協働的パートナーシップ理論」**である．従来の医療における医療者主導の一方的な関係性とは異なり，患者と看護師が患者の健康問題に対して，それぞれがもっている能力，経験，知識などを認め合い，発揮して積極的に参加するという開放的な関係を築き，共通理解や合意のもと，患者中心の目標を協働で追求する方法やプロセスを示してくれる理論である．

10番目は，**「コンコーダンスモデル」**である．服薬や治療に関して，患者が医療者の指示に従うという専門家主導でもなく，患者の考えだけで決めるという患者主導でもなく，患者と専門家がパートナーシップを形成して，患者にとっての望ましい健康状態を目指して，服薬や治療に関する意思決定プロセスをたどるというものである．専門家主導のコンプライアンス，患者主導のアドヒアランスという概念を超えて，患者と専門家が協働することでのプラスの面に目を向けている．

11番目は，**「ノーバックのソーシャルサポートのモデル」**である．臨床看護実践において，ソーシャルサポートのアセスメント，計画，介入，看護プロセスの評価をとおして対象者にとって適切かつ積極的なソーシャルサポートの活用を図ることを可能にするモデルである．

2 病気・障害・人生の体験を説明する理論

ここには，病気体験，障害体験，人生体験を描写し，その時々の状況に応じた支援を提供して，自己の再構築へと導くことを説明する4つの理論を含めた．

1つ目は，**「病みの軌跡モデル」**である．長きにわたる慢性状況において慢性病者は，急性期，安定期，下降期などの局面をたどるなかで，病気の仕事，日常の生活活動の仕事，生活史の仕事に取り組んでいる．慢性病者の病みの行路を良い方向に導くためには，慢性病者，家族，医療者が今後の病いの行く末に対する共通の予想，目標を共有して，病いをうまく管理できるかが鍵を握る．病いとの取り組みをその人の生活や人生のなかでとらえることができる理論である．

2つ目は，**「メレイスの移行理論」**である．4つのタイプの状況（発達的・状況的・健康-疾病・組織的）が移行経験の引き金となる．移行には特性（時間・プロセス・接続が断たれた状態・気づき・臨界点）があり，変化の状況（個人的・地域的・社会的・世界的）により影響を受ける．このような移行経験に対して，予防的・治療的な看護介入が実施され，個人・家族・組織は反応のパターン（プロセス指標・アウトカム指標）を示すという様子を描写した理論である．

3つ目は，**「モースの病気体験における苦悩と希望の理論」**である．病気体験において，もちこたえ，不確かさに揺れ，苦悩しながら希望を見出し，自己の再構築へと循環しながらもたどり着くプロセスを，知ることのレベル（気づき-認識-承認-受容）との関連で描写した理論である．

4つ目は，**「ヨシダの振り子理論」**である．自己が崩壊するほどの障害体験において，以前の障害されていない自己から完全に障害された自己へと振り子のように揺れながら，次第に中間的自己へと落ち着き，自己の再構築が図られるプロセスを描写した理論である．

3 危機・ストレス・不確かさの認知や対処に関する理論

ここには，人生において，または病気体験において認知する危機・ストレス・不確かさに対する，その人の評価，反応，対処について述べた4つの理論を含めた．

1つ目は，**「危機理論」**である．危機理論は様々あるが，看護分野でよく知られ，活用されている2つを紹介した．一方は〈フィンクの障害受容型危機モデル〉である．事故や災害での受傷体験によりショック性危機に陥った中途障害者の障害受容を，段階的に進む心理的適応の過程で記述し，各段階における介入方法をマズローの動機づけ理論に基づいて提示している．もう一方は〈アギュララの問題解決型危機モデル〉である．発達課題や生活課題への取り組みのなかで生じる，ショック性危機とは異なり，より時間的なスパンが長い状況で生じる危機の体験における，危機の認知から回避までを，危機の評価と問題解決過程という視点で記述している．

2つ目は，**「ストレス・コーピング理論」**である．ストレスの決定には，ストレッサーの種類や性質よりも，その人がストレッサーをどのように認知し評価しているかという影響のほうが大きいことに着目し，ストレスの認知的評価から対処の過程をストレスの先行要因である個人の価値観・信念，社会的・環境的背景の影響を含めて説明している．

3つ目は，**「病気の不確かさ理論」**である．ミシェルは状況に応じた2つの理論を提示している．一方は〈オリジナル理論〉である．病気の診断前後や治療段階または急性状況を想定したもので，ストレス・コーピング理論にヒントを得て，ストレスを不確かさに置き換えて，不確かさの認知-評価-対処-適応の過程で説明している．もう一方は〈再概念化理論〉である，病気の慢性状況や再燃・再発などを想定したもので，カオス理論を適用することにより，不確かさに揺さぶられ混乱しながら，外界とのエネルギーの交換により自己組織化・自己成長する過程を説明している．

4つ目は，**「レジリエンス」**である．逆境や病気体験などによる深刻なストレス状況下において，一時的に傷つきながらも，肯定的な反応パターンを維持する能力である「個人の内的能力」と「周囲との関係性」を駆使しながら状況に適応できる精神的回復力ともいえるものである．

4 行動変容，健康行動に関する理論

ここには，疾病予防やヘルスプロモーション，疾病の自己管理において，行動変容を促進し，望ましい健康行動を強化する方法について述べている3つの理論を含めた．

1つ目は，**「保健信念モデル」**である．個人の保健信念に焦点を当て，予防的保健行動をとる際のメカニズムを説明する理論である．推奨される予防的保健行動をとる見込みを，疾病への罹患性と疾病への重篤性の認識，予防行動の利益と障壁の認識，および行動のきかっけとの関連で説明している．

2つ目は，**「自己効力感」**である．行動変容をもたらすには，行動変容によりどのような効果が得られるかという結果期待より，その行動が自分にとれそうかという効力期待の影響のほうが大きいことに注目し，効力期待を高める方法として「成功体験」「代理体験」「言語的説得」「生理的，感情的状態」という4つの情報源を駆使することを提案している．

3つ目は，**「トランスセオレティカルモデル（変化ステージモデル）」**である．行動変容に至る前熟考期，熟考期，準備期，行動期，維持期，完了期という6つのステージと，それぞれのステージで変化していくものとして意思決定バランス，自己効力感，そして10の変化プロセスを提示し，ステージに合った行動変容を促すアプローチの必要性を説明して

いる．

5 看護の対象者や看護師の認識変容に関する理論

ここには，認識の変容や経験型学習をとおして，対象者がもてる力を発揮して，主体的に考え，行動することを促す4つの理論を含めた．

1つ目は，**「エンパワーメント」**である．パワーレスな状態になった人々が自分たちの置かれている状況を把握し，自らの力を取り戻してその力を発揮するプロセスとそのプロセスを支援するときに傾聴-対話-行動アプローチを用いることを説明している理論である．

2つ目は，**「成人教育（アンドラゴジー）」**である．学習者の主体性を尊重し，参加者にとって関心の高い現実の問題の解決に焦点を当てて支援し，学習者の主体的な学習を促進しようとするものである．

3つ目は，**「リフレクション」**である．看護職者が，よりよいケアの提供を目指して，行為のなかの省察という，看護職者が行為をしながらその状況をとらえ，次の行為につなげるということをとおして，状況を良い方向に変化させ，かつ，看護職者としての洞察力や，技を磨いていることを説明している．

4つ目は，**「看護の教育的関わりモデル」**である． 看護職者の教育実践力を高めることを目的に，熟練看護師の高度な教育実践を可視化したモデルである．人は主体的で自分自身で変わる存在であるという人間観に基づき，健康行動が求められる患者と看護師が協同することで患者の認識や行動の変容が起こることを「とっかかり／手がかり言動とその直感的解釈」「生活者としての事実とその意味のわかち合い」「疾患・治療に関する知識・技術の看護仕立て」「協同探索型関わり技法」「患者教育専門家として醸し出す雰囲気」の5つの概念で説明している．

文 献

Higgins, P.A., & Moore, S.M. (2000). Levels of theoretical thinking in nursing. *Nursing Outlook, 48*, 179-183.

Liehr, P., & Smith, M.J. (1999). Middle range theory: Spinning research and practice to create knowledge for the new millennium. *Advances in Nursing Science, 21*(4), 81-91.

McEwen, M., & Wills, E. M. (2006). Theoretical basis for nursing. 2nd ed, New York : Lippincott Williams & Wilkins.

Merton, R.K. (1968). Social theory and social structure, enlarged ed (Ed), New York : Free Press.

Morris, D.L.(1996). Middle range theory - Role in education. In Allen Holmes, L.M., LEE, S. H. & Queen, M. T. (Eds.) Proceedings of the sixth Rosemary Ellis Scholar's Retreat - Nursing science: implications for the 21st century (pp. 19-37). Cleveland: Frances Payne Bolton School of Nursing of Case Western Reserve University.

上田敏 (1980). 障害の受容―その本質と諸段階について．総合リハビリテーション，*8*(7), 515-520.

Walker L. O., & Avant, K. C. (2005). Strategies for theory construction in nursing. 4th ed, New Jersey , Pearson .

[illegible]として、対象者がもてる力を発揮して、主体的[illegible]

[illegible]議論を含めた。

[illegible]である。ハヴィーレイな状態になった人々が自分たちの[illegible]を取り戻してその人を発揮するプロセスとその[illegible]セスを支援するときに[illegible]行動的アプローチを用いることを説明している[illegible]る。

2[illegible]「[illegible]人[illegible]」[illegible]である。[illegible]

[illegible]問題の解決に焦点を当てた[illegible]

[illegible]

[illegible]、精神障害者[illegible]のである。[illegible]

[illegible]認知行動療法[illegible]

[illegible]

第Ⅱ章

看護実践への活用

● 看護のアセスメントと援助に関する理論

1 セルフケア不足理論

A 理論との出会い

筆者がオレムのセルフケア不足理論に出会ったのは，学生時代に一人の理論家を選び，グループでプレゼンテーションをするという講義にさかのぼる．その前年，実習で糖尿病のため食事療法とインスリンによる治療を必要とする老年期の女性を受け持った．糖尿病網膜症による視力障害も進行しており，注射器（その当時まだペン型のインスリン注射が主流ではなかった）や食事を計量するためのはかりの目盛りも読めなかった．近所に娘夫婦が住んでいたが，共働きのため十分なサポートを得られる状況にはなく，インスリン自己注射と食事療法が自立してできなければ帰せないという医師の方針に，どのようなケアをすればよいのか途方に暮れた．

「本当にできないのだろうか？」という実習指導者の言葉に，「これもできない，あれもできない，だから帰ることができない」と考えていてはいつまでも答えが出ないことに気づいた．そこで，「できていること，できていないこと，力を借りればできそうなこと」を丁寧にアセスメントし，段階を追ってかかわっていくことで，患者自身が力を発揮し，自ら代替案を見出すなど，一歩ずつ退院へと近づくことができていった．

この実習体験がセルフケアという概念とフィットするのではないかと思い，オレムを選択して本を読み進めたのだが，耳慣れない用語に悪戦苦闘し，消化不良のままプレゼンテーションに臨んだ．そのときの担当教員のコメントのメモ書き（セルフケア要件と3つの理論の関係など）が残っているが，この原稿を書きあげることでようやくその意味が理解でき，講義でのプレゼンテーションが完結したような気がする．

療養法の実践が必要な人をケアするとき，看護師は相手のできないことに着目してしまう傾向がある．しかし，その後の多くの慢性病者との出会いは，病者が自分なりの対処法を獲得し，病いと共に生きようとする大きな力をもっていることを教えてくれた．対象となる人を力のある存在としてとらえ，その人の主体的な取り組みを支えるという，相手を一人の人間として尊重したかかわりの大切さを示唆するこのモデルは，成人を対象にした看護を考えていくうえでは慢性期・急性期を問わず非常に有用なモデルであると考える．

B 理論家紹介

ドロセア・オレム（Dorothea E. Orem，1914-2007）は1914年米国メリーランド州ボル

キー概念

□セルフケア（self-care）：個人が生命，健康および安寧を維持するために自分自身で開始し，遂行する諸活動の実践をいう．

□セルフケア能力（self-care agency）：自分自身の人間としての機能と発達を調整するために必要な意図的・目的的行動に対する自らの持続的要求を知り，充足する複合的・後天的な能力のことである．

□セルフケア要件（self-care requisite）：セルフケアを充足するために必要な活動をいう．

□看護システム（nursing system）：治療的セルフケアデマンドの充足，患者のセルフケア能力を調整するためになされる一連の継続的な行動であり，計画されたものとして存在する．看護システムは，セルフケア行動を誰が遂行できるか，あるいは遂行するべきかという問いの答えによって，全代償的，一部代償的，支持-教育的という3つのタイプに分けられる．

□看護エージェンシー（nursing agency）：看護師として教育された人々のもつ発達した能力であり，個人および看護への要求を知り，充足するための力・能力のこと．エージェンシーを行使することによって患者の生命・健康および安寧に寄与する看護の目標達成に向けての行為が生み出される．

□治療的セルフケアデマンド（therapeutic self-care demand）：その人の条件と事情によって特定されたセルフケア要件を充足するうえで一定期間必要とするセルフケア方策の総和．つまり，その人がセルフケア要件を満たすうえで一定期間必要とするセルフケア方策をすべて合わせたものである．

チモアで2人姉妹の妹として生まれた．幼少時は砂遊びや読書が好きで最低でも1週間に2度の図書館通いをしていたが，医療に関する本は読んだことがなかったという．看護師になるか栄養士（オレムの料理の腕前は評判だったようだ）になるか迷ったが，看護師になることを選択し，伯母の勤めていたプロヴィデンス病院の看護学校に進学し，卒業後は米国カトリック大学で看護教育の看護学士号・修士号を取得した．様々な大学から名誉学位も授与されているが，主なものとしてジョージタウン大学から理学博士，ミズーリ大学から看護学博士などがある．また，彼女は病院や在宅での個人付き添い看護，小児科や外科病棟でのスタッフ看護師としての経験があり，さらに救急での経験はその後の考えに大きな影響を及ぼしている．

1958～1960年まで米国保健福祉省（DHEW）でカリキュラムのコンサルタントとして実務看護師訓練を向上させるプロジェクトに従事した．この頃から彼女の「看護の中心的問題とは何か」という追究が始まり，のちの理論開発のベースとなっていった．1959年には米国カトリック大学の看護教育の准教授となり，そのかたわら看護開発協議会のメンバーとして看護とセルフケアに関する概念を開発し続けた．1970年には大学を離れ，看護教育・看護サービスに関するコンサルタント事務所を開所した．

1971年には，『Nursing：Concept of practice』（邦訳は1979年『オレム看護論』）が出版された．その著作は，看護開発協議会メンバーの所属する教育・臨床機関における吟味を踏まえて改訂が重ねられ，2001年には第６版が出版された．

オレムは，1984年以降ジョージア州サバンナで暮らし，2007年６月に92歳の人生に幕を降ろすまで看護理論の開発に情熱を傾け続けた．

理論誕生の歴史的背景

社会全体がセルフケアへの関心を高めてきた背景には，大きく分けて以下の４つの理由があるとされている．１つ目は，疾病構造が感染症が主要だった時代からライフスタイルを起因とするような慢性疾患の増大へと変化したことによって，人々のライフスタイルの改善が注目されるようになったこと，２つ目は高騰する医療費の負担増への対応策として行政のみならず，市民もセルフケアに期待したこと，３つ目は，1960年以降に市民運動や消費者運動に関連して，自己管理や自己決定権を重視する動きがみられ，これに伴い反権威主義が高まり，その結果市民は専門的治療を拒み，自ら疾病予防および管理行動をとろうとする流れがみられたこと，４つ目は，教育レベルの向上とメディアによる情報の増大に伴い，人々の健康や医療に対する関心と知識が増大し，セルフケアへの関心が高まったことである．

1940〜60年代の米国は，疾病構造の変化に伴うヘルスニーズの変化，医学・予防・リハビリテーションにおける知識・技術の進歩，病院におけるケアを求める人と提供する人の増大，人々の健康行動の変化など，看護を取り巻く条件に大きな変化が生じた．この変化は，看護師が看護の領域と境界についての関心と洞察を深めるよい契機となり，それまで予防的ヘルスケアに関心を向けていたオレムも，看護独自のものへと関心を向け，セルフケア理論の開発へと踏み出していったとされる．

上記のような流れを受けてセルフケアに注目が集まり，セルフケアという用語が広く用いられるようになったが，その意味するところは様々であり，概念の曖昧さが指摘されている．セルフケアには大きく分けて３つの意味内容がある．１つ目として専門家の援助なしに自らの体験や専門家の知識や技術を活用する（Levin & Idler, 1983）というもの，２つ目に専門家主導のもと，指示された療養法を実践し，自己管理行動をとるというコンプライアンス行動としてのセルフケア，最後にオレムに代表されるような，個人が生命，健康，安寧を維持するうえで自分自身のために積極的に行う活動の実践をセルフケアとし，専門家の援助を活用して自らのもつ問題に取り組むという考え方である．

オレムの看護論（セルフケア不足理論）とは

オレムの看護論はセルフケア理論，セルフケア不足理論，看護システム理論の３つの理論から構成され，それぞれが相互に関連し合い理論を構築している（図１−１）．

セルフケア理論は，人間の生命や健康を維持するためにセルフケアが必要であることを説明している．セルフケア不足理論は，人が看護援助を必要とする理由を説明しているも

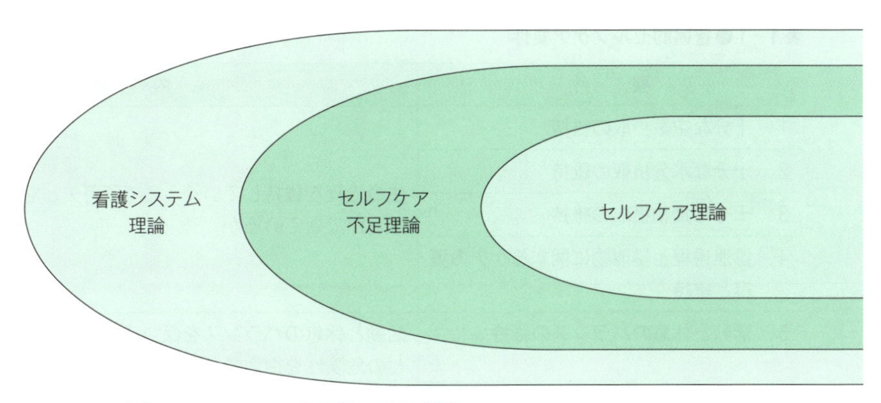

図1－1●看護のセルフケア不足理論の理論構成
Orem, D.E.（2001）／小野寺杜紀（訳）（2005）．オレム看護論．第4版，医学書院，133．より転載一部改変

のであり，オレムの看護論の中核を成すものである．また，看護システム理論は患者のセルフケア不足に働きかけるために，患者と看護師の関係を位置づけ，どのように看護を提供するのかということを説明しているものである．

つまり，セルフケア不足理論はセルフケア理論に基づいてセルフケア不足をアセスメントする枠組みであり，看護システム理論に基づき，アセスメントによって導き出されたセルフケア不足に対して援助方法を決定するといえる．このことからも，これら3つの理論が相互に関連し合い，かつ順序性をもつものであるということを理解することができる．

1 セルフケア理論

オレムはセルフケアを「成熟した人および成熟しつつある人が自分自身の人間としての生命と健康な機能，持続的な個人的成長，および安寧を維持するために開始し，遂行する諸活動の実践」と定義している（Orem, 2001b）．

セルフケアを遂行するうえで不可欠なものがセルフケア能力であり，この能力は複合的で，学習することによって新たに獲得したり，伸ばしたりすることのできる後天的能力である．また，セルフケア能力は「基本的条件づけ要因」「パワー構成要素」「セルフケアを遂行するための能力」の3つの部分から構成される．

そのセルフケアを遂行するために必要であり，かつセルフケアの目的でもあるものとしてセルフケア要件がある．この要件には，①普遍的セルフケア要件，②発達的セルフケア要件，③健康逸脱に対するセルフケア要件の3つのタイプがあり，年齢や健康状態などの基本的条件づけ要因によって影響を受けるとしている．

1）普遍的セルフケア要件

普遍的セルフケア要件とは，「ライフサイクルのあらゆる段階のすべての人間に共通してみられるもの」であり，「人間の生命維持」「人間の心理社会的機能の維持」「人間としての発達」に関連する8つの要件からなる（表1－1）．この8つの要件は発達状態や環境およびその他の要因によって変化する．また，それぞれが独立して存在しているのではなく，たとえば「危険を予防するために空気摂取をどのようにコントロールすることで正常な機能を促進できるか」というように，相互に影響し合っている（図1－2）．

表１－１●普遍的セルフケア要件

要　件	内　容
1．十分な空気摂取の維持	生命過程を維持していくうえで不可欠となる機能を維持することができているか
2．十分な水分摂取の維持	
3．十分な食物摂取の維持	
4．排泄過程と排泄物に関するケアの獲得と維持	
5．活動と休息のバランスの維持	活動と休息のバランスを保つことができ，疲労やストレスなどの危険性を抱えていないか
6．孤独と社会的相互作用のバランスの維持	社会と関係をもち人間として社会化を促進する一方で，自己を取り巻く環境や自己や他者の存在について振り返る機会をもっているか
7．人間の生命，機能，安寧に対する危険の予防	生命に対する危険を予防するための行動や学習をすることができているか
8．正常さの促進	現実的な自己概念をもち，自分自身の発達を促進することができているか

Orem, D.E.（2001）／小野寺杜紀（訳）（2005）．オレム看護論．第４版，医学書院．をもとに筆者作成

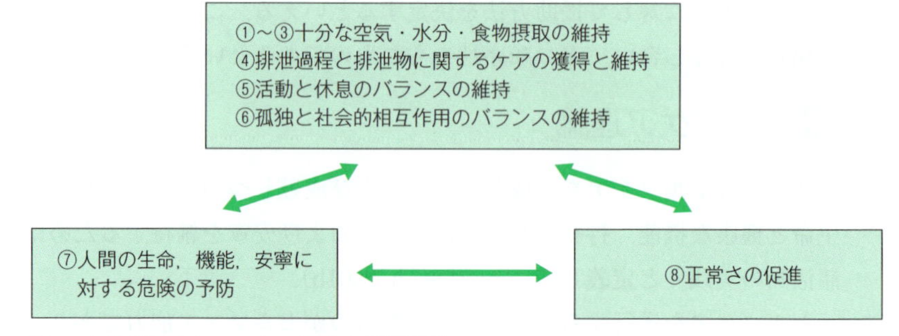

図１－２●普遍的セルフケア要件の相互関係
Orem, D.E.（2001）／小野寺杜紀（訳）（2005）．オレム看護論．第４版，医学書院．をもとに筆者作成

２）発達的セルフケア要件

発達的セルフケア要件とは，発達段階や結婚・出産などのライフイベントに関連して生じる状態や出来事に関連する要件であり，普遍的セルフケア要件とも関連している（表１－２）．

３）健康逸脱に対するセルフケア要件

健康逸脱に対するセルフケア要件とは，人が病気や障害をもったり，医学的診断や治療を受けているときに必要とされるものであり，６つの要件からなる（表１－３）．

2 セルフケア不足理論

人が看護援助を必要としているか否かを判断するためには，人がセルフケア不足に陥っているか否かをアセスメントしなければならない．セルフケア不足とは「現存する限界のためにセルフケア能力が治療的セルフケアデマンドを充足できない場合」をいい，セルフケア能力と治療的セルフケアデマンドの関係を査定することによって導き出される．治療

表1－2●発達的セルフケア要件

発達に関係する出来事などが認められるライフサイクルの段階	発達に影響を及ぼす条件
1．胎児の段階および誕生の過程 2．①満期産もしくは早産， および ②正常体重もしくは低体重で生まれた新生児の段階 3．乳幼児期 4．思春期および青年期を含む小児期の発達段階 5．成人期の発達段階 6．小児期もしくは成人期における妊娠	a．教育の機会が与えられない b．社会的適応上の問題 c．健全な個性をもつことの失敗 d．親族や友人，同僚を失う e．財産や職業を失う f．生活環境の急激な変化 g．社会的状態の変化 h．健康状態の不良，障害を受ける i．苦しい生活状態 j．末期状態および差し迫った死

Orem, D.E.（2001）／小野寺杜紀（訳）（2005）．オレム看護論．第4版，医学書院．をもとに筆者作成

表1－3●健康逸脱に対するセルフケア要件

要　件	内　容
1．適切な医療援助を求め，確保する	病気発症の危険性や病気の徴候があるとき，適切な医療援助を求め，確保することができているか
2．病気の影響と結果を自覚して注意を払う	病気や病気がもたらす影響と結果を自覚し，それらに対して注意を払うことができているか
3．診断的・治療的処置やリハビリテーションの効果的実施	医学的に処方された診断的・治療的処置，リハビリテーションを効果的に実施することができているか
4．医学的ケアの副作用への注意と調整	医師が処方・実施した医学的ケアの悪影響を知り，注意したり，調整したりすることができているか
5．病気である自己の受け入れと自己概念の修正	自己概念を修正し，かつ自分が特別な健康状態にあって特定のセルフケアを必要としていることを受け入れているか
6．病気の影響とともに生活することを学ぶ	病気や治療の影響のもと，人間としての発達を促進するようなライフスタイルを維持して生活することができているか

Orem, D.E.（2001）／小野寺杜紀（訳）（2005）．オレム看護論．第4版，医学書院．をもとに筆者作成

的セルフケアデマンドがセルフケア能力を上回っているときにセルフケア不足とされ，セルフケア不足があるとき，もしくは不足が予測されるときに看護が必要とされる（図1－3）．

「セルフケアの限界」には「知ることの限界」（必要な知識の欠如もしくは不足，知識を求めることに対する精神的・認知的制限など），「判断と意思決定の限界」（判断・意思決定するのに必要な知識・技術を入手する力などの欠如，意思決定の拒否など），「結果達成行為の限界」（行為を維持するエネルギーの欠如，身体運動をコントロールする能力の不足，行為遂行を妨げる家族・環境要因など）がある．これらは，人がセルフケア行動を起こすことを妨げるものであり，セルフケア不足に関連する．セルフケア不足は，治療的セルフケアデマンドを構成する要素の種類，セルフケアの限界の数と多様性に関連する．人がどのようなタイプの限界を有しているのかを見出すことは，必要なケアの量と種類を決

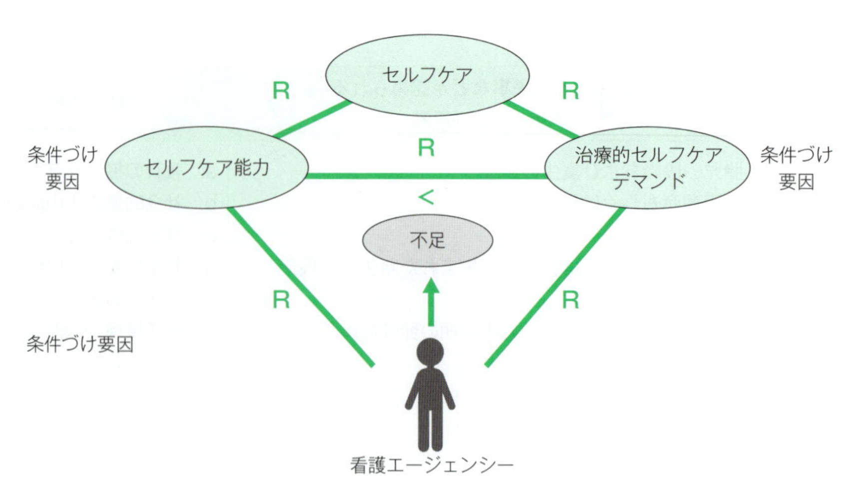

図1－3●看護のための概念枠組み
R：関係，＜：不足関係（現存の，あるいは予測される）
Orem, D.E.（2001）／小野寺杜紀（訳）（2005）．オレム看護論．第4版，医学書院．449より転載一部改変

定する際のよりどころとなる．

3 看護システム理論

オレムは看護師と患者の関係は補完的であると述べている．つまり，患者にセルフケア不足があるときあるいは不足が予測されるときに看護師がセルフケア不足を補うために援助をするということである．

患者のセルフケア能力と治療的セルフケアデマンドの関係を査定した結果，セルフケア不足がどの程度あるのか，セルフケア不足を補うために患者と看護師のいずれか，あるいは両者がどの程度セルフケア要件を満たすために行為するのかによって，①全代償的システム，②一部代償的システム，③支持・教育的システムの3つの看護システムに分類される（図1－4）．

1人の患者に用いられるシステムのタイプは1つとは限らず，また状況の変化に合わせて用いるタイプも変化させることが必要であり，看護師は患者のセルフケア要件を充足するための適切なシステムのタイプとタイプの連続的な組み合わせを選択していくことが求められる．

また，患者がセルフケアを遂行できるようにするための援助方法には次の5点がある．①他者に代わって行為をする，②指導し方向づける，③支持する，④発達を促進する環境を整え，維持する，⑤教育する（表1－4），であり，患者のセルフケア能力に合わせて用いる援助方法を検討し，選択することが求められる．

E 研究の動向

オレムのセルフケア理論はセルフケアの構成要素が明確であるため，質問紙の開発や介入評価などが容易である。そのため，「セルフケア」をキーワードとして文献検索を行う

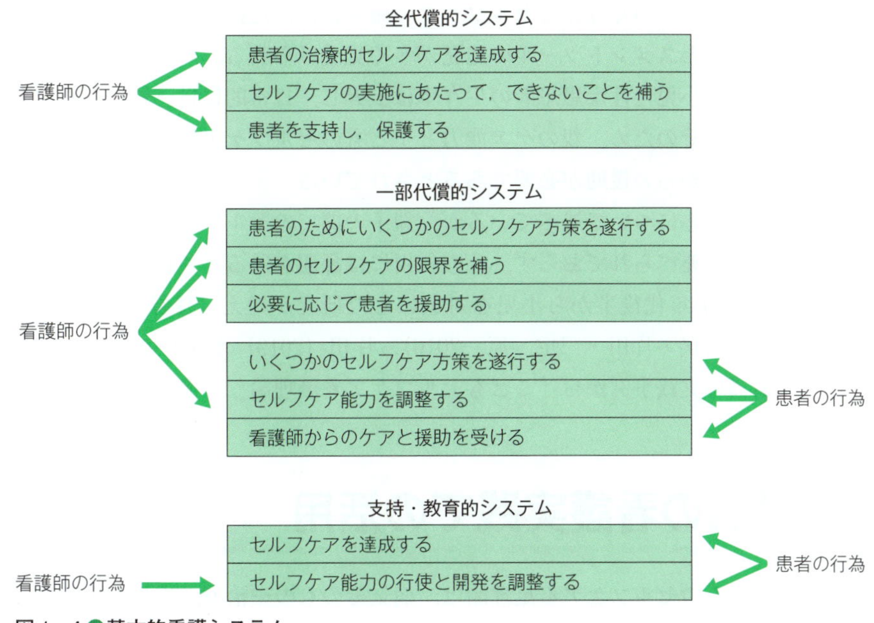

図 1－4 ●基本的看護システム
Orem, D.E.（2001）／小野寺杜紀（訳）（2005）．オレム看護論．第４版，医学書院．321．より転載一部改変

表 1－4 ●援助の方法

援助の方法	援助の内容
他者に代わって行為をする	患者のために，患者に代わって行為する
指導し方向づける	患者を指導し，行為を遂行できるようにする
支持する	努力を支持し，失敗や不快な状況に陥るのを防ぐ
発達を促進する環境を整え，維持する	目標を設定し，結果を達成するための行為をとるのを促進するような環境を整える
教育する	患者が何を学ぶ必要があるのかを明らかにし，知識や技能を身につけるための指導をする

Orem, D.E.（2001）／小野寺杜紀（訳）（2005）．オレム看護論．第４版，医学書院．をもとに筆者作成

と，成人看護領域はもとより，精神看護，小児看護など幅広い領域で研究がなされているのがわかる。しかし，前述したようにセルフケアといっても，コンプライアンス行動としてのセルフケアや日常生活動作（ADL）と同義としてのセルフケアなど，その意味するところは様々であり，研究者がどのような意味合いでセルフケアという用語を定義しているのかについて吟味を要する。

セルフケア能力は実践度を査定するための測定用具が国内外で開発されている。なかでも本庄（2001）の測定用具は日本の文化や45~65 歳という発達課題の特性を踏まえており，セルフケア能力に影響する基本的条件づけ要因を加味したものといえる。しかし，基本的条件づけ要因のなかで特に影響を及ぼすものとして健康状態があることを考えると，対象者の疾患の特徴によって求められるセルフケア能力が異なることが考えられる。そこを踏まえ，最近は疾患別にツール開発が行われているが，特に糖尿病患者に対しては療養法を実践していくうえでセルフケアの確立に向けた援助が必要であるため，セルフケアに関するアセスメントツールの開発が多く見受けられる。

また，小児慢性疾患患者の生存率は上昇し，日常的に自己管理を必要とする患者が増えている。そのため，親のケア能力と子どものセルフケア能力の向上が求められ，セルフケアの視点からの援助が必要であるとされている。オレムは初版から子どもへのセルフケア理論の適応について述べているが，親子の間でのセルフケアの補完・置き換えについては具体的に述べられておらず，その使用には課題が残るとされている。そのような状況に伴い，2010 年代後半から小児を対象にした研究が増え（長谷・櫻井・辻本・瀧田・添田，2022；河俣・片田・三宅・原，2016），片田（2019）がオレムの理論を基軸とし，かつ小児看護の実践事例から「こどもセルフケア看護理論」を構築している。

F 理論の看護実践での活用

オレムのセルフケア不足理論は，病気そのものや治療，症状を生涯にわたって管理する必要のある患者の理解や看護ケアを考えていくうえで特に有用である．

オレムは，看護過程は「看護診断と看護処方」「デザインと計画立案」「処置・調整とコントロール」の３つのステップからなり，ステップは連続しているが，その過程は直線的ではないとしている．治療的セルフケアデマンドの査定の仕方など理解が難しいところはあるが，このように看護過程の展開方法が明示されているのは，オレムのセルフケア不足理論の特徴でもあり，臨床実践において活用しやすいといわれている所以である．

次にステップの概要について示す．

1 ステップ１：患者に関するデータの収集とアセスメント

１）情報収集

「普遍的セルフケア要件」「発達的セルフケア要件」「健康逸脱に対するセルフケア要件」の３つの要件の各項目について情報収集し，整理する．

２）アセスメント

（１）治療的セルフケアデマンドの査定

セルフケア要件に影響を与えている基本的条件づけ要因（表１－５）は何か，どのような影響を及ぼしているのかという視点から情報を解釈し，セルフケア要件を満たすために必要となる行動を導き出す．

基本的条件づけ要因とは，その人の個性やセルフケア能力や治療的セルフケアデマンドに影響を与える要因であり，個人を特徴づける状況や出来事である．

（２）患者のセルフケア能力の査定

治療的セルフケアデマンドを充足するうえで，患者がどのようなセルフケア能力を有しているのか，パワー構成要素（表１－６）の視点を入れて，現在の患者の行動から明らかにする．

パワー構成要素とは，セルフケアの実施を可能とするための10の能力である．セルフケアは意図的な行動であるため，個人の動機づけや意思決定といったその人自身の意図に関する能力も大切とされる．

（3）セルフケア不足の査定

治療的セルフケアデマンドを，患者の現在のセルフケア能力で充足できない場合，セルフケアの遂行を妨げているセルフケアの制限が何であるのかを明らかにする．

2 ステップ2：患者に必要とされる看護ケアの決定

1）看護システムの決定

患者の治療的セルフケアデマンドを充足するための行動を「実行するのは誰か」，患者のセルフケア能力の発揮・向上を「調整するのは誰か」を考慮して，看護システムを決定する．

2）望ましい・期待される患者の成果の決定

患者を中心とした行動を示す看護目標を設定する．

3）ケア計画の立案

看護目標を達成するための計画を立案する．その際，誰が，いつ行うのか，またどのよ

表1－5●基本的条件づけ要因

1. 年齢
2. 性
3. 発達状態（心理的レベルや心理状態など）
4. 健康状態（客観的，主観的）
5. 文化社会的背景（考え方，価値観，習慣など）
6. 医学的診断や治療法
7. 家族関係・家族構成
8. 生活パターン
9. 生活環境，生活状況
10. ケアに役立つ資源とその適切性

Orem, D.E.（2001）／小野寺杜紀（訳）（2005）．オレム看護論．第4版，医学書院．238．をもとに筆者作成

表1－6●パワー構成要素

1. 自己とセルフケアにとって重要な条件と要因に注意を払い，警戒する
2. セルフケアの遂行に必要な身体的エネルギーをコントロールする
3. セルフケアの遂行に必要な運動をするにあたって，身体・身体部分の位置をコントロールする
4. セルフケアの枠組みのなかで推論する
5. 動機づけ
6. セルフケアについて意思決定し，実施する
7. セルフケアに関する技術的知識を獲得して，実施する
8. セルフケアの遂行に必要な様々な技能をもつ
9. セルフケアの達成に向けたセルフケア行為を前後の行為と関係づける
10. セルフケアの実施を生活の側面に統合し，一貫して行う

Orem, D.E.（2001）／小野寺杜紀（訳）（2005）．オレム看護論．第4版，医学書院．をもとに筆者作成

うな方法や設備・資源を用いて行うのかということを明記する.

3 ステップ3：看護ケアの実施と評価

1）看護ケアの実施

立案したケア計画に沿って実施する.

2）実施したケアの評価と修正

次の視点から評価を行う.

①立案した計画の実施が対象者にとって効果的であったか，効果的ではなかったとしたらそれはなぜか.

②患者のセルフケア不足は解決したか，解決しなかったとしたらそれはなぜか.

③看護目標は達成されたか.

G 臨床での活用の実際

オレムのセルフケア不足理論を活用するうえでポイントとなるのは，3つのセルフケア要件のどこに着目すると患者のセルフケア不足をとらえやすいか，という点である.

慢性期にある患者の場合，「健康逸脱」していることが日常的となり，「健康逸脱」に対するセルフケアと「普遍的」なセルフケアどちらの切り口がより適切にセルフケア不足をとらえられるのかを考えることが必要である．また，急性期にある患者では，セルフケア不足が生じる期間が一時的かつ短い場合が多く，介入のタイミングを見きわめることが必要となる.

そこで，本項では，病気の経過により慢性期と急性期を体験する1事例を用いて看護過程を展開し，オレムのセルフケア不足理論の活用の実際について述べる.

1 事例紹介

Aさんは，潰瘍性大腸炎で外来通院中の25歳の女性である．父（58歳，教師），母（52歳，保母）の3人家族であり，大学入学時より一人暮らしを始めた．大学3年生（20歳）の春に全大腸炎型潰瘍性大腸炎と診断され，当初は内服治療で寛解し，栄養指導や生活指導の内容を守り，定期的に外来通院をしていた．22歳で就職し特に病状の悪化もなく経過していたが，24歳頃より仕事が忙しくなり通院が途絶えた．25歳の春に粘血便と排便回数の増加，微熱，腹痛を訴えて半年ぶりに受診したところ，潰瘍性大腸炎の再燃（慢性持続型）と診断され入院した．数週間で症状は軽快し退院したものの，腹部症状の悪化と脱水で救急外来受診を繰り返している．主訴は，腹痛，微熱，粘血便，下痢であり，身長162cm，体重46kg，BMI17.5と疾患の影響もあり，やせ気味である．現在，プレドニン®20mg/日を内服しており，主治医からは内科的治療で改善が得られなければ手術適応になる可能性があるといわれている.

2 「慢性期にあるAさん」への理論活用に至った経緯

内科外来の担当看護師は，Aさんが食習慣が原因と考えられる症状の悪化で救急外来受診を繰り返し，主治医や看護師の再三の指導にもかかわらず改善する兆しがないため，途方に暮れていた．そこで，療養指導室の看護師に介入を依頼した．

相談を受けた療養指導室の看護師は，医療チームが「Aさんは自己管理ができない」と否定的にとらえていることが気になった．そこで，「自己管理ができない」と判断されてしまうAさんのセルフケアの現状を，オレムのセルフケア不足理論を用いてアセスメントし，セルフケア獲得に向けた長期的なプランを立案することにした．

―「慢性期にあるAさん」の状況―

療養指導室の看護師は中立的立場でAさんと面談し，Aさんの生活が病気によりどのような影響を受けているのか，生活習慣や生活信条について情報収集を行った．

（1）発達状態

Aさんにとって，家族はAさんの自己決定を理解し応援してくれる存在である．恋人（27歳，会社員）もいるが，互いに仕事も忙しくまだ結婚は考えていない．職場の人間関係も良好であり，やりがいをもって働いている．

（2）健康状態

発症した頃は“自分はお腹を壊しやすい体質だ”ととらえ，指導内容を守り生活してきた．22歳で就職した後も，大学在学中と同様の生活リズムを維持でき体調も安定して過ごせた．しかし，やりがいのある部署に異動したいと希望し，24歳で念願の企画課に配属された．その頃から生活リズムが乱れ始め，疲労やストレスを自覚し徐々に体調を崩しはじめた．Aさんは持病の悪化を心配したが，仕事の都合がつかず定期受診日を逃すうちに通院が途絶えた．25歳で再入院したときは，“すぐ良くなる”と思っていたが，退院後仕事が忙しくなると，また症状が悪化した．食事療法が思うようにいかないストレスから暴飲暴食をすることも増え，食べ過ぎた翌日は1日絶食するという自己流の方法で症状を落ち着かせようとした．しかし症状は改善せず，夜間・休日に受診し点滴治療を受けることもしばしばである．

（3）日常生活の状況

食事は自炊していたが，部署異動後は残業が増え，仕事帰りに同僚とファストフード店や居酒屋で夕食を済ませることが増えた．ストレス発散は友人と焼き肉やラーメンを食べることであり，飲み会でも暴飲暴食をしてしまう．看護師に「大学生のときにはできたのだからやればできるのよ」と励まされ頑張ろうと思ったが，仕事で疲れると継続できない自分が歯がゆかった．排便回数の増加や腹痛により，夜間も断眠しがちで十分な休息はとれていない．

（4）社会的背景

Aさんは現在の生活環境を維持し自立した生活を続けたいと考えている．そのため，両親は心配しながらも見守っている状況である．また，病気を理由に仕事量を減らしてもらうよりも，早く一人前と認められたいと思っている．そのため，職場では体調不良を隠して我慢することが多い．恋人には持病のことは伝えていない．医療者との関係は良好であったが，最近の自分は「ダメな患者」と思われている気がしており，相談しにくいと感じている．

3 セルフケアアセスメントの実際

療養指導室の看護師は，事例の特性を踏まえ普遍的セルフケア要件のなかから【十分な食物摂取の維持】【正常さの促進】に焦点を絞り，担当看護師と共に追加の情報収集を踏まえアセスメントを行った（表1－7）．「自己管理できない」という先入観にとらわれず，Aさんがこれまでに獲得してきたセルフケア能力をアセスメントし，問題の本質を明らかにすることが狙いである．

4 看護計画の立案と実施・評価

アセスメントを展開していく過程で，Aさんに対する担当看護師の評価が「自己管理できない患者」というマイナスの評価から，「セルフケア能力がある患者」というプラスの評価に変わった．そこで，療養指導室の看護師は，Aさんおよび担当看護師と共に話し合い目標を設定し，段階を踏んでケアプランの実施評価を繰り返した（表1－8）．

Aさん自身が意図的にセルフケアを行っていると実感できるようにケアプランを立て，評価もAさんと一緒に行うことで，自らのセルフケア能力の変化に気づけるようにすることが狙いである．

5 「急性期にあるAさん」への理論活用に至った経緯

面接終了から1年後，難治性のステロイド抵抗例であると診断されたAさん（27歳）は，将来的に結婚や出産を視野に入れ，根治性の高い外科的治療を選択した．大腸全摘＋回腸嚢肛門吻合術（一時的回腸人工肛門造設）目的で，外科病棟に入院し，予定どおり手術は無事に終了した．術後4日目に病棟を訪問した療養指導室の看護師は，Aさんがストーマケアの習得に意欲的ではなく，離床も進まないため退院予定日までに指導が進まない可能性がある，と受け持ち看護師より相談を受けた．

そこで，療養指導室の看護師は，Aさんのセルフケア獲得を妨げる要因がどこにあるのか，オレムのセルフケア不足理論を用いて明らかにし，短期間でのセルフケア獲得に向けたプランを立案することにした．

―急性期にあるAさんの概要―

（1）発達状態

Aさんは現在，同じ会社に勤める男性（29歳）と同棲中であり，人工肛門を閉鎖した後に結婚を考えている．外科的治療選択については2人で相談し決定した．また，2人の決定を家族や職場の上司も応援している．

（2）健康状態

手術後の経過は順調で，特に合併症もない．術後の創痛で，1日3回程度鎮痛薬を使用している．ストーマケア習得後，退院予定である．

（3）ライフスタイル

体動により創痛が増強すること，また，水様便の量が多く，頻回に便の処理を行うために，夜間も断眠しがちである．今後経口摂取量を増やしていく予定であるが，電解質バランスを補正するために現在は点滴を行っている．ストーマケアは，便の処理から開始し，術後3日目から自立して行うことになった．しかし，その日の夜，ストーマ装具がはずれて便が漏れてしまったことがあった．

（4）社会的背景

Aさんは術後1か月間休職し，社会復帰予定である．入院中は，母が毎日面会に訪れ身の回りの世話をしている．同棲中の恋人は，面会時間内に仕事が終わらないため，術後はまだ顔を合わせていない．週末に面会に訪れたときに，ストーマケアに参加してもらってはどうかと病棟看護師が提案したが，Aさんは拒否している．

ストーマ装具交換は，皮膚・排泄ケア認定看護師の指導のもとで一度行ったが，あまり積極的ではない様子だったと報告があった．

6 セルフケアアセスメントの実際

療養指導室の看護師は，Aさんの現在の状況を踏まえ，普遍的セルフケア要件から【活動と休息のバランスの維持】，健康逸脱に対するセルフケア要件から【適切な医療援助を求め確保する】に焦点を絞り，受け持ち看護師と共にアセスメントを行った（表1－9）．本来のセルフケア能力が発揮できない急性期においては，適切に看護師がAさんのセルフケア不足を補うことが必要であり，またAさんも看護師を活用し，互いに補完的関係であることを認識することが狙いである．

7 看護計画の立案と実施・評価

回復とともに本来のセルフケア能力が発揮できるようになると考え，基本的看護システムの【支持・教育システム】だけではなく，【一部代償的システム】【全代償システム】を組み合わせることを視野に入れた，短期間で達成可能な看護計画を立案した（表1－10）．Aさんが，看護師の協力を得て，術後の疼痛をコントロールし，疲労感を改善することで，本来のセルフケア能力が発揮できるようにすることが狙いである．

今回取り上げたAさんの事例は，「自己管理ができない」「自己管理指導がうまく進まない」という先入観をもたれやすい患者の例である．そして，事例で登場する看護師たちのAさんに対する印象が，一連の看護過程の展開をとおし肯定的に変化していく経過は，筆者がこれまでに臨床や教育の場で幾度となく遭遇してきた体験の一端でもある．

セルフケア不足理論を臨床で活用する利点として，①患者が獲得してきたセルフケア能力を再評価できること，②患者のセルフケア能力の発揮を妨げている要因を見きわめ問題の本質を見出すことができること，③看護過程を展開するなかで患者のセルフケア能力を肯定的にとらえ直せること，が挙げられる．

先入観を払拭し，患者自身のもつ力を信じて看護援助を実践できるということが，この理論を活用する醍醐味ともいえるだろう．

表１－７●慢性期におけるＡさんのセルフケア不足アセスメントの実際

セルフケア要件	セルフケア要件に関連する情報	治療的セルフケアディマンド（健康の維持・回復上必要となるケア方策の総和）とそれを導き出した根拠
十分な食物摂取の維持	・大学３年生（20歳）で全大腸炎型の潰瘍性大腸炎と診断されたときに，栄養指導（低脂肪・低繊維・高蛋白食）を受けている ・当時は一人暮らしで自炊していたが，母親が週に一度食事を作りに訪れていた ・もともと料理は好きであり，食事療法にも慣れてすぐ自立した ・友達と焼き肉やラーメンなど食べ歩くことが好きだが，控えなくてはと思っている ・就職してからは昼に弁当を持参していたが，部署異動後は，３食ほとんど自炊できていない ・ストレス発散の手段として暴飲暴食をしてしまう ・暴飲暴食の後は絶食して症状を落ち着かせているが，自己流であるため脱水傾向となり電解質バランスを崩して時間外に受診している ・ここ１年は体重が減少しており，直近の採血データは，貧血傾向も進み，栄養状態も悪化している ・再入院時に，潰瘍性大腸炎の慢性持続型と診断された	≪治療的セルフケアディマンド≫ 現在の重症度にふさわしい腸管に負担が少なく栄養価の高い食事療法を実践することができる 食品選択や調理方法の工夫について新たに学び，現在のライフスタイルのなかで活用できる自己管理方法を見出すことができる ≪導き出した根拠≫ 現在のＡさんの重症度は，潰瘍性大腸炎重症度分類の中等度に該当する．中等度～重症の場合，脂肪の摂取を控え，高蛋白で高エネルギーの低残渣食により腸管の安静を保つ必要がある．また，腸管を刺激し，下痢を起こしやすい食物を避けることも必要である Ａさんが過去に受けた栄養指導は重症度が軽度の時期に合わせた内容である．現在の状況に合わせた食事療法の知識と，それを実践するための具体的な食品選択や調理方法の工夫について身につけることが，自己管理を行ううえで必要である
正常さの促進	・発症当初は薬物療法ですぐに寛解したため，病気について深く考えることはなかった ・“すぐよくなる”と思っていたが，思うように病気がコントロールできないことにイライラする ・やりがいのある仕事を行っている自分に誇りがあり，これからも仕事を頑張り早く一人前と認められたい ・病気のことは心配だが，それを理由に仕事を減らしてもらうつもりはない ・付き合いとして飲み会や食べ歩きなどを自分だけ断るのが難しい ・ストレス発散方法として暴飲暴食を行ってしまうが，症状が悪化しても絶食したら良くなると思っている ・家族は心配するのであまり病気のことを相談したくない，恋人や職場の同僚にも病気のことは知られたくないので“お腹を壊しやすい”とだけ伝えている ・自分は勉強でも仕事でも優等生だったが，患者としてはそうではないと自覚している ・大学生のときにできていた食事療法が，今はできないことに歯がゆさを感じる	≪治療的セルフケアディマンド≫ 社会人としてキャリアアップしていくためにも，自らの病気との付き合い方を見直すことができる 無理をせず自尊心を損なわぬ範囲で周囲の協力を得ながら日常生活を送ることができる ≪導き出した根拠≫ Ａさんは，レビンソンの発達段階理論によると成人前期にあたり，大人の世界へ入る時期である．親からの情緒的・経済的自立や，職業を選択し自己の目標に向かって努力するなど，自己発達に意図的に取り組むことが望ましい 潰瘍性大腸炎は厚生労働省の「特定疾患治療研究事業対象疾患」に指定される難治性疾患であり，多くの患者は長期にわたり寛解と再燃を繰り返す。そのため，潰瘍性大腸炎による症状とうまく付き合いながら，自らの発達課題の達成に向けて自己の生活目標を設定することが望ましい

セルフケア能力（理解，意思，実践力）／ セルフケアの実施を妨げているものと セルフケア不足	援助方法の選択 （代行・指示・支持・教育・環境調整）
◇食事療法について基本的な指導は受けており，食事療法の必要性や自炊できる程度の食品選択および調理方法の知識はある．しかし，外食を想定した食品選択や，忙しいときの調理の工夫といったライフスタイルの変化に対応できる知識が含まれているかは不明である．また，疾患の重症度に合った知識を備えているかも不明である ◇学生時代は母親のサポートを受けながら食事療法を実践し，すぐに自立できた．また，就職後も仕事の負担が少ないときはサポートがなくとも継続できており，食事療法を実践しようという意思と実践力はある．しかし，仕事が忙しくなり外食中心の食生活になると，効果的な食品選択ができておらず，これまでに獲得したセルフケア能力では対応できていないと考えられる ◇ここ１年間で疾患の重症度が悪化しており，症状コントロールが難しい原因の一つとも考えられる．本人の努力が症状コントロールの成果として実感しにくいことも，セルフケアの実施を妨げる要因と考えられる 以上より，Ａさんは現在の病状およびライフスタイルにふさわしい食事療法を実施するためのセルフケア不足が生じている	【支持】 Ａさんがこれまで食事療法に取り組み努力してきたことを認め，現在，うまくできていないというつらさに共感する．もともと食べることが好きであり，ストレス解消方法としてだけでなく，周囲とのコミュニケーション手段として食事を楽しんできた価値観をもっていることに理解を示す．また，医療チームが相談にのりサポートすることを伝える 【教育】 過去に受けた栄養指導の内容をＡさんと振り返り，知識の再確認を行う．また，生活リズムや外食の傾向を含め，Ａさんのライフスタイルを振り返り，取り入れやすい自己管理方法について検討する 現在の重症度に合わせた食事療法の新たな知識を習得するために，栄養指導をセッティングする．また，具体的な調理方法だけでなく，外食時のメニュー選択，簡単な自炊の工夫，体調を崩しかけたときの工夫，栄養価の高い食品選択など，栄養士の協力を得て検討する．また，食事管理ノートによるセルフモニタリングを取り入れ，症状と食事内容を関連づけて意識できるように工夫する 【環境調整】 Ａさんが医療者と相談しやすい関係を再構築できるように，必要に応じＡさんの思いを代弁して医療チームに伝え，情報共有の機会や面接などのセッティングを行う．また，Ａさんが必要とする情報を得られるように，医療チームメンバーを活用する
◇Ａさんは，自らの発達課題に対して積極的に取り組もうという意思があり，努力をすることができる人である．しかし，「大学生のときには食事療法を実践できていたのに今はできていない」という苛立ちやプレッシャーを感じており，自尊心の高さが周囲に助けを求めようとする行動を妨げている可能性がある ◇病気について周囲にあまり知られたくないという思いがあり，他者との関係性を築き，環境を調整するセルフケアを制限していると考えられる ◇病気に対する関心はあり，症状を改善したいという意思がある．しかし，「すぐに良くなる」と病気の性質を十分理解できていないことが，症状コントロールへのストレスおよび，症状を悪化させるストレス対処行動につながっている可能性がある 以上より，Ａさんは，潰瘍性大腸炎とうまく付き合いながら，自らの人生や生活の目標達成に向けて取り組むためのセルフケア不足が生じている	【支持】 Ａさんの考える生活目標，人生設計など思いを傾聴する．また，その達成に向けて，どのように病気と付き合っていけばよいか話し合い，Ａさんの気持の変化に寄り添う姿勢でサポートする 【教育】 Ａさんが現在の病状を正しく理解し，セルフモニタリングできるように知識および方法について指導を行う．また，本人の趣向を確認し，新たなストレス対処方法を提案する 食事管理ノートの中に，自身の思いを記入する欄を設けることを提案し，自己表現の手段として医療者とのコミュニケーションが円滑になるように工夫する 指導の場面では，自己効力感を高め，自信のもてるようなかかわりを心がける 【環境調整】 病状について正しい情報が得られるように医師との面接をセッティングする Ａさんの病気について，どのように周囲に伝えていけば，Ａさん自身も納得して周囲のサポートを得られるのか，一緒に検討する

表1－8●慢性期におけるAさんの看護計画

目　標 身体症状の変化を把握しながら，ライフスタイルに合わせた食事療法を実践できる		
期待される患者の状態 治療的セルフケアディマンドを踏まえ患者の望ましい姿を記述する	**ケアプラン** アセスメントから導いた援助の方向性をもとに具体的に計画する	**実施および評価** 患者のセルフケア能力が高まっているか，あるいはセルフケア不足が解消しているか否かという視点から評価する
◆現時点での生活リズムを含めた食習慣を自ら把握できる	1．次回の外来受診日までの間に，自己管理ノートを活用して自らの食習慣および現在の生活リズムを把握することを提案する．そのうえで，食事管理ノートに記載する内容について相談し，決定する 【内容】 ①食習慣：食事内容，食事量，間食，食事時間，水分量，外食時のメニューなど具体的に書き，食事選択の理由も記す ②生活リズム：残業や睡眠時間，疲労度，ストレスなど気になったことをコメントで記す ③身体症状：排便回数・性状・腹痛の程度・体温・体重など ④その他，自らの思いを書き記す欄を設ける	【初回面接～2回目まで】 食事管理ノートを記載して自らの食習慣を再評価する方法はスムーズに導入でき，提案した項目についてほぼ毎日記載して自らの食習慣の把握に努めることができた．外食では高脂質で刺激の強いメニューを選ぶ傾向があり，特に疲労が強いときに顕著に表れていた．症状が悪化したときには食事量を極端に減らすという手段しかもっておらず，自炊では以前と比べ作り置きすることが増え，食事の偏りが出やすく，体調より冷凍庫の中身を優先したメニューになっていた．Aさん自身が食習慣の傾向を把握し，自分に不足している知識を明確にできたため，次の段階として栄養指導を調整した．また，Aさんは自己価値が低下しており自らに失望している様子が伺えたため，面接を継続し精神的なサポートを行う必要性があると判断した
◆適切な食事療法を実践するために必要な新しい知識を得る	2．外来受診日に看護師との面談時間を定期的に設け，自己管理ノートの内容について一緒に振り返り，食事療法に関する知識や，身体症状に合わせた食品選択ができているか確認する．また，Aさんが努力している部分を認め，より効果的な食事療法を実践するためにどのような知識が必要か（場合によってはソーシャルサポート），Aさん自らが気づくことができるように話し合う	【栄養指導（3回目面接）～5回目まで】 栄養指導により，Aさんは自分に不足していた知識や考え方を習得できたと評価していた．また，完璧に実施するのではなくできそうなところから徐々に取り入れること，失敗してもよいこと，現在の病状では，食事療法だけですべての症状が改善するとは限らないと考えるようになっていた
◆身体症状の変化と食事内容の関係について，自らの体験をとおして理解できる	3．面談をとおして明らかになった食習慣と生活リズムを踏まえ，外食時のメニュー選択，出来合の惣菜を取り入れた簡単な自炊の工夫，症状の変化に合わせた食品選択の工夫など，実践可能な方法について栄養士の協力を得て栄養指導を行う．また，本やインターネットなど信頼できる情報源を吟味し，情報が得られるようにサポートする	栄養指導から3週間後の次回受診日までは，数回外来への相談電話があった以外は，予定外の受診や入院もなく過ごすことができた．時々，食べ過ぎた日や，好きな物だけ食べている日があったが，翌日には腸管に負担をかけないメニューを取り入れるなど，症状を悪化させないことを意識しつつライフスタイルに合わせた食事療法の実践に取り組んでいた
	4．面談のなかで病気に対する思いを把握し，必要に応じて，医師からの説明を受けられるように調整する．また，仕事に穴をあけたくないというAさんの思いを尊重するためにも，日々の体調管理方法について改善策を相談する．特にストレス発散方法については改善が必要である	また，この頃から今まで自分の内にため込んでいた思いを自己管理ノートに書き込むことが増えてきた．症状に対する苛立ちや食事療法に対する思いなど負の感情を書きこむことで，本人の思いを医療チームも共有することができ，互いに意思疎通がスムーズになったと理解していた

表1－8●慢性期におけるAさんの看護計画（つづき）

期待される患者の状態 治療的セルフケアディマンドを踏まえ患者の望ましい姿を記述する	ケアプラン アセスメントから導いた援助の方向性をもとに具体的に計画する	実施および評価 患者のセルフケア能力が高まっているか，あるいはセルフケア不足が解消しているか否かという視点から評価する
◆病気の性質について正しい知識を得て，平日と休日の過ごし方を見直すことができる ◆食事が原因である予定外の入院がなく定期受診日まで過ごせる ◆食事療法を継続するために必要なソーシャルサポートについて検討し，自ら調整できる	ため，リラクゼーションを取り入れることを勧める 5．自己管理ノートの記載はしばらく継続し，セルフモニタリングを習慣化するように指導する．診察時には，自己管理ノートの内容を医師にも提示し，経過を踏まえて臨床的な評価が受けられるように連携する．また，臨床データによる評価について医師に調整し，以下の項目について検査予定を確認する 【内容】 ①貧血：RBC，Hb，Htなど ②炎症所見：CRP，WBC，α_2グロブリンなど ③その他：肝機能，電解質，便鮮血，画像検査 6．定期受診日前でも，体調の変化や相談したい事柄が出てきたときには電話相談でも対応できることを伝え，必要時受診日を調整して予定外の入院となることを回避する．また，そうすることが，仕事に穴をあけないためにも必要であると伝える 7．調理方法や料理メニューなどの相談相手として母親の協力を得ることが可能であるか，Aさんの意向を確認する．Aさん自身で調整が可能であれば必要に応じてサポートを求めることを提案し，母親への栄養指導を調整する 8．自らの病気について，周囲にどのように伝えているのか，伝えたくない思いとその背景について面談時に確認する．そのうえで，周囲の理解や協力を得るには，どのように伝えることが望ましいのかを一緒に検討する 【例】 ・職場の同僚との食事の付き合い方 ・上司との仕事時間，定期受診日の確保などの相談 ・友人との食事の付き合い方 ・恋人への病気の伝え方	Aさんが少しずつ食事療法に対する自信を取り戻しつつあるため，自己効力感を高められるようなかかわりを継続する．食生活が安定してきたため，次回以降，病気に対する思いや，周囲との付き合い方などを面談のなかに含めることにする 【6回目～介入終了（7回目）まで】 定期検査では，貧血や炎症所見は改善傾向であり，Aさんの努力が反映されていた．また，内視鏡検査でAさんは自らの病変を初めて目視し，漠然としていた疾患のとらえが自身の体に確実に起きている変化だと実感していた 病気との付き合い方についても，日々の生活で継続した自己管理を行うことが仕事を継続するためにも重要であると考えられるようになっていた．また，ライフスタイルに合わせた食事療法を実践することで生活リズムを整えられるようになってきたため，最終段階として周囲との付き合い方についての相談を行った 自らの病気については，職場の管理責任者にのみ疾患名を伝えており，他の同僚と差をつけられたくない思いから同僚や部署の上司には伝えていないことがわかった．そこで，定期受診が可能となるように部署の上司に事情を伝え調整することを勧めた．また，食事の付き合いに関しては，食事の場でのコミュニケーションは保ちつつ自分の食べられない物や体調不良を伝えるなど，当日の体調に合わせてうまく周囲に伝えられるようになったと自ら評価できた．母親へは料理のレパートリーを増やすためのサポートを自ら調整しており，食事療法を継続するうえで必要な環境は整いつつある 以上より，Aさんは，身体症状の変化やライフスタイルに合わせて効果的な食事療法を実践する力を獲得したと判断する．今後も仕事を続けながら長期的に食事療法を継続して，結果として疾患の寛解に至ることが望ましい．将来，結婚，出産と新たなライフステージに進むことが予測されるため，支持のかかわりを継続しつつ，変化に合わせてタイミングよく教育，環境調整の援助を行うことが必要である

表１－９●急性期におけるＡさんのセルフケア不足アセスメントの実際

セルフケア要件	セルフケア要件に関連する情報	治療的セルフケアディマンド（健康の維持・回復上必要となるケア方策の総和）とそれを導き出した根拠
活動と休息の十分なバランスの維持	・術後，離床とセルフケア獲得のために，便の処理はトイレまで歩いて行っている ・日中は２時間ごと，夜間は２～３回トイレに通う ・起き上がりや前かがみになるときに痛みを感じ，歩き出すまで時間がかかる ・ベッドに戻って休んでいても痛みが治まるまで時間がかかりつらい ・術後から満足する睡眠や休息がとれているという実感がない ・疲労感が強く，気持ちもすぐれない ・トイレに通う以外はうとうとしているが十分休めない ・鎮痛薬は１日の使用上限があるため，できるだけ我慢してから希望するようにしている ・鎮痛薬を使用しても満足する効果がない ・筋肉注射の鎮痛薬は，注射自体が痛くて希望したくない	≪治療的セルフケアディマンド≫ 鎮痛薬を使用し，活動時の疼痛増強を予防することで十分な休息を得ることができる ≪導き出した根拠≫ 術後の疼痛を軽減することは早期離床を可能とし，術後合併症の予防につながる．また，回復を実感しセルフケア獲得に向けた活動に取り組むうえでも重要である．疼痛を効果的に軽減するためには，適切なタイミングで鎮痛薬を使用することが必要である 現在のＡさんにとって排泄行動は離床の機会でもあり，新しく獲得するセルフケアの第１歩でもある．したがって，排泄行動に伴う疼痛増強を予防することは，新たなセルフケア獲得を進めるうえで重要と考える．また，十分な休息を確保できるようにすることも，活動を促すうえで必要である
適切な医療援助を求め確保する	・術後の痛みはいずれよくなるため，今は自分でコントロールできなくても仕方がない ・外科病棟のスタッフは手術前日に入院したため知らない人が多い ・その他【活動と休息の十分なバランスの維持】情報参照 ・手術前の説明で，術後早期からストーマケアを練習して自立することが必要であるといわれ，頑張ろうと思っていた ・看護師と相談し，便の処理から自立して行うことに決めた ・一度決めたことはやらなければと思うタイプである ・思っていたよりも水様便の量が多く，頻回にトイレまで通うのがつらい ・夜熟睡してしまうと，また便が漏れて周囲に迷惑をかけるのではと不安である ・排便量が多く，脱水傾向にて24時間点滴を行い補正している ・便の処理でさえ自信をもってできないのに，他のストーマケアまでできる気がしない ・ストーマケアに自信がもてるようになるまで，恋人には会いたくない	≪治療的セルフケアディマンド≫ 疼痛管理における自己コントロール感を高めるために，効果的な鎮痛薬の使用方法について看護師と相談することができる 疲労感が強く排便量が多い期間は，看護師の協力を得て段階的に排泄行動の自立に向かう方法を相談できる ≪導き出した根拠≫ 期待される鎮痛効果を得るには，活動予定や痛みの変化に合わせてタイミングよく鎮痛薬を使用することが必要である．そのため，医療者を活用し，自らの活動と休息に合わせた疼痛管理に主体的に参加することが望ましい Ａさんは，現在脱水傾向であり，24時間点滴を行い水分出納バランスと電解質バランスを補正している状況である．今後，排便量は減少し現在より管理しやすい状況になることが予想される したがって，夜間の休息を確保するために，現在の排泄管理の方法について見直し，医療者の協力を得ることが望ましい

セルフケア能力（理解，意思，実践力）／ セルフケアの実施を妨げているものと セルフケア不足	援助方法の選択 （代行・指示・支持・教育・環境調整）
◇Ａさんは，術後の離床とセルフケア獲得のためにトイレに通う意思があり，トイレまでの往復歩行と便の処理を自力で行おうと努力している．しかし，活動に伴う疼痛の増強を予防するために鎮痛薬を希望しようとは考えられていない ◇Ａさんは疼痛を軽減するために鎮痛薬を使用する意思があり，１日の使用上限を踏まえて希望している．しかし，上限を守るためにできるだけ我慢しようと考えてしまい，効果的なタイミングで鎮痛薬を使用することができていない．そのため，鎮痛薬の効果を実感しにくいという悪循環につながっている ◇日中だけでなく夜間もトイレに通っているため，活動時の痛みを軽減できないことが休息の確保にも影響している 以上より，Ａさんは活動に伴う疼痛の増強を予防し，活動と休息のバランスを維持するためのセルフケア不足が生じている	【指示】 活動時の疼痛増強を予防するために鎮痛薬を使用することを促す．また，十分な休息をとることが身体回復のためにも必要であることを説明し，休息の確保に鎮痛薬を使用してよいと伝える 【支持】 痛みがあるなかでも離床とトイレ歩行を行えている意欲を認め，鎮痛薬の使用を我慢しなくてもよいと伝える 【教育】 できるだけ腹筋に力を入れずに起き上がる方法や，ベッドに戻るときの方法について，ベッドサイドで指導し，痛みを感じにくい方法を取り入れられるようにする 【環境調整】 夜間だけでなく，日中でも休息が確保できるように，病室の環境に配慮する Ａさんの希望を確認し，鎮痛薬の投与方法，投与間隔について医師と調整する
◇Ａさんは，術後の疼痛は一時的なものであり，今はコントロールできなくても仕方がないと考えている．また，効果的な鎮痛薬の使用方法についての知識をもっていない．そのため，積極的に疼痛をコントロールしたいと考えることができず，鎮痛薬の使用について適切な医療援助を求めるセルフケア能力が妨げられている ◇現在の排便量の多さは，術後回復期のＡさんの身体状況に鑑みると医療者のサポートを必要とする状況と判断できる ◇Ａさんは自立心が強く，ストーマケアの習得を頑張りたいという意思があり，術後早期から自立に向けて便の処理を行うことを決め，取り組むことができている．しかし，一度決めたことは必ず実行するという信念をもっているため，思っていたより水様便の量が多く頻回にトイレに通うことがつらいと感じていても，看護師に助けを求めようと考えることができていない ◇夜間にベッド上で便が漏れてしまった失敗体験が，セルフケア獲得への自信喪失と自尊心低下につながり，周囲に迷惑をかけたくないという思いが生じている 以上より，Ａさんは疼痛管理および排泄行動において適切な医療援助を求めるためのセルフケア不足が生じている	【指示】 痛みの程度や変化について具体化するために痛みの評価スケールを用いることを提案する．鎮痛薬の使用タイミングと使用前後のスケールの変化を確認しながら，Ａさんが自ら鎮痛薬の使用を希望するタイミングを見出せるようにアドバイスを行う 【支持】 Ａさんの頑張りを認め，一時的に看護師の手助けを受けることは自立を妨げることにはならないと伝える．また，疼痛が軽快し体力が回復すると，Ａさん本来のセルフケア能力が発揮できることを伝える．ストーマケアの練習も並行して進めていくため，Ａさんの思いを傾聴し自信をもつことができるような声かけを行う 【教育】 夜間の失敗体験を振り返り，対応策について相談する．疼痛や疲労感，排便量に合わせた方法を提案し，適切に実施できるように指導する．Ａさんの意向を確認し，看護師が手助けする内容について相談する 【環境調整】 現在の排便性状と量に合わせたストーマ装具の選択や，ゲル化剤の使用，夜間のみ排泄バッグを接続するなど，様々な管理方法があることを紹介する また，希望時には皮膚・排泄ケア認定看護師との面談をセッティングする 家族や恋人のストーマケア参加については，本人の意向を尊重しタイミングをみて再調整する

表 1-10●急性期におけるＡさんの看護計画

目　標 活動後の安静時に痛みの評価スケールが３以下で過ごすことができる　（評価日：術後10日目）		
期待される患者の状態 治療的セルフケアディマンドを踏まえ患者の望ましい姿を記述する	**ケアプラン** アセスメントから導いた援助の方向性をもとに具体的に計画する	**実施・評価** 患者のセルフケア能力が高まっているか，あるいはセルフケア不足が解消しているか否かという視点から評価する
◆痛みの評価スケールを用いて，痛みの程度と変化を自ら把握することができる ◆使用できる鎮痛薬の種類と使用間隔について理解することができる ◆鎮痛薬を使用するタイミングを看護師と相談できる ◆便の処理に伴う一連の動作を安楽に行うための起き上がり方法や姿勢を身につけることができる ◆病棟内のトイレから戻った後の安静時に，痛みの評価スケール３を超えずに痛みがコントロールできる ◆夜間に十分な休息を得るための鎮痛薬の使用と排泄管理方法について，看護師と相談できる	1．痛みの評価スケール（０～10までの11段階の数字を用いて，患者自身に痛みのレベルを数字で示してもらう）を使用し，痛みの程度と変化を記録することを提案する．記載時には，活動時，安静時など状況と合わせて把握する 2．疼痛時指示を確認し，使用できる薬剤の種類と作用出現までの時間，効果持続時間について病棟薬剤師の協力を得て説明する．また，鎮痛薬に対するＡさんの要望を確認し，必要時主治医と調整する 3．活動予定やスケールの数値，薬剤の特性を踏まえ，鎮痛薬の使用希望するタイミングを相談する 4．鎮痛薬の使用希望があったときにはスケールの数値だけでなく，痛みの部位，バイタルサイン，その他フィジカルアセスメントを行い，鎮痛薬使用が適切かを看護師が判断する 5．鎮痛薬の効果を評価し，活動や休息に支障が出ていないか，我慢しすぎていないか確認する．また，訪室時には声をかけ相談できる機会をつくる 6．夜間の便の処理について，本人と相談して，疲労感が強いときは看護師が介助することを提案する．また，排泄バッグの一時的な使用も検討する	スケールを用いてＡさん自ら痛みの評価を行った結果，術後３日目は，ほぼスケール５程度で過ごしており，鎮痛薬を希望するときはスケール７～８とかなり痛みが強くなってから希望していた．Ａさんは，活動時に多少痛みが強まるのは仕方ないが，ベッドに戻って休むときにも痛みが続くのはつらいと考えており，活動後の安静時にスケール３以下で過ごせることを目標とした 疼痛時指示は，筋肉注射，静脈内注射の２種類であり，Ａさんは筋肉注射を希望しないため，医師，病棟薬剤師にＡさんの希望を伝え調整した．その結果，内服の鎮痛薬を１日３回定期処方し，頓用で１日３回８時間あけて静脈内注射を使用することになった．また，静脈内注射を希望するタイミングとして，活動量が多い日中は，スケール４を目安に使用し，内服の鎮痛薬の効果を確認しながらそのつど相談することにした．病棟薬剤師から薬剤の作用出現時間，効果持続時間，副作用症状について説明を受け，Ａさんは自ら疼痛コントロールを行うことが可能であると考えるようになった 鎮痛薬の内服開始後は，活動時に痛みがスケール５を超えることもあったが，ほぼスケール３程度で経過することができ，Ａさんも鎮痛薬の効果を実感し，表情良く過ごせるようになった．今後は，自宅での鎮痛薬の使用について相談にのり退院準備を進めていく 夜間の便の処理については，24時間の輸液が必要な期間はもう少しスムーズに起き上がりや歩行ができるまで介助や排泄バッグの使用を行うことを提案した．術後４日目は排泄バッグを接続し，看護師が夜間ドレナージ状況を確認することで熟睡することができた．術後７日目，Ａさんより排泄バッグを使用せずに管理してみたいと希望があり，相談し，夜間０時と３時に看護師が声をかけて起こし，トイレに通うこととした．夜間に痛みが増強し，睡眠に影響することもなく今後は退院に向けて自宅での生活を視野に入れた自立の方法を検討していく 以上より，上記目標は達成と判断する

理論を看護実践につなげるために

オレムのセルフケア不足理論は，看護過程の展開方法が明示されているのが特徴でもあるため，臨床実践においても活用しやすいといえる．その反面，用語の難解さやアセスメントの複雑さがあり，実際のところオレムのセルフケア不足理論の活用を苦手とする人も多い．

しかし，この理論は対象理解を深め，その人のもつセルフケア能力を尊重したケアを提供するうえで有用な示唆を与えてくれるものである．難解な用語を日頃の実践に置き換えて説明を試みると，さほど難解なものではなく，日頃の実践を説明するのに十分なものになるのではないだろうか．理論をこのまま実践に当てはめようとするのではなく，理解・活用するための修正や工夫を重ねることによって，実践において十分に活用可能なものになると考える．

また，慢性期の状況にある人に活用されることが多いが，急性期状況にある人の看護においてこの理論を活用することは，身体面の的確なアセスメントの枠組みのみならず，対象者を一人の生活者としてとらえる視点を与えてくれるという点では有用である．そういった意味で，様々な状況で活用の可能性をもった理論であるといえ，実践のなかで工夫をしながら用いることで，理論をさらに発展させていくことができるであろう．

文献

片田範子（2019）．こどもセルフケア看護理論．医学書院．

河俣あゆみ，片田範子，三宅一代，原朱美（2016）．小児のセルフケア看護理論の構築に向けた必要要素の抽出，日本小児看護学会誌，*25*（2），38-44.

Cavanagh, S.J.（1991）／数間恵子，雄西智恵美（訳）（1993）．看護モデルを使う①オレムのセルフケア・モデル理論．医学書院．

Gast, H.L., Denyes, M.J., Campbell, J.C., Hartweg, D.L., Schott-Baer, D., Isenberg, M., et al.（1989）．Self-care agency : Conceptualizations and operationalizations. *Advances in Nursing Science, 12*(1)，26-38.

長谷美智子，櫻井育穂，辻本健，瀧田浩平，添田啓子（2022）．入院中の子どものセルフケア能力・親のケア能力向上への看護を測定する尺度の開発．日本小児看護学会誌．*31*，53-60.

Hartweg, D.H.（1991）／黒田裕子（監訳）（2000）．コンサイス看護論―オレムのセルフケア不足理論．照林社．

本庄恵子（1997a）．セルフケア能力の概念の文献的考察．日本保健医療行動学会年報，*12*，256-273.

本庄恵子（1997b）．壮年期の慢性病者のセルフケア能力を査定する質問紙の開発―開発の初期の段階．日本看護科学学会誌，*17*(4)，46-55.

本庄恵子（2001）．慢性病者のセルフケア能力を査定する質問紙の改訂．日本看護科学学会誌，*21*(1)，29-39.

本庄恵子（2007）．セルフケア理論．黒田裕子（監），看護診断のためのよくわかる中範囲理論．月刊ナーシング，*27*(12)，18-26.

Levin, L.S., & Idler, E.L.（1983）．Self-care in health. *Annual Review of Public Health, 4*, 1181-1201.

宗像恒次（1987）．保健行動学からみたセルフケア．看護研究，*20*(5)，20-29.

西田真寿美（1992）．セルフケアの概念をめぐる文献的考察．日本保健医療社会学会，*3*，64-74.

西田真寿美（1995）．セルフケアをめぐる論点とその評価．園田恭一，川田智恵子（編），健康観の転換（pp.157-174）．東京大学出版会．

Orem, D.E.（1971）／小野寺杜紀（訳）（1979）．オレム看護論．医学書院．

Orem, D.E.（1991）／小野寺杜紀（訳）（1995）．オレム看護論．第３版．医学書院．

Orem, D.E.（2001a）／小野寺杜紀（訳）（2005）．オレム看護論．第４版．医学書院．

Orem, D.E.（2001b）．Nursing concepts of practice. 6th ed, St Louis : Mosby.

園田恭一（1989）．セルフケア概観．日本保健医療科学会年報―健康問題とセルフケア／ソーシャルサポートネットワーク．*4*，103-108.

Taylor, S.G.（1988a）．Nursing theory and nursing process : Orem's theory in practice. *Nursing Science Quarterly, 1*, 111-119.

Taylor, S.G.（1998b）．The development of self-care deficit nursing theory : An historical analysis. *International Orem Society Newsletter, 6*(2)，7-10.

●看護のアセスメントと援助に関する理論

2 カルガリー家族アセスメント/介入モデル

A 理論との出会い

筆者が初めてライト（Lorraine M. Wright）とリーヘイ（Maureen L. Leahey）の家族看護に対する考えに触れたのは，『Trends in nursing of families』（Wright & Leahey, 1990）という論文であった．当時，修士課程において，がん患者の家族の体験を対象にした研究に取り組んでいた筆者には，何とも刺激的なタイトルであった．今思えば，論文中に出てくる図は，個人，すべての家族員，家族システムに焦点を合わせたアプローチ法を示したものであるが，当時はこれらの意味や違いを理解するために，自分の研究に引き寄せて何度も論文を読み返したことを記憶している．果たして，自分の行っている研究はどれを対象にしているのか思案した．論文中の実例をみると，家族システムではなさそうだが，個人なのか，すべての家族員なのかと思考は堂々巡りをしたものである．容易には結論に到達しなかったが，それでも，家族の体験を対象にするからにはこのあたりを曖昧にしてはいけないということは理解できた．これが，1993年の出会いである．

その後，1995年，『家族看護モデル』（森山，1995）の本を手にし，カルガリー家族アセスメント/介入モデルの存在を知るに至った．当時は，このモデルについて，臨床経験やフィールドワークで出会った家族とのかかわりを整理するために活用を試みていた．しかし，モデルの開発者と自分がかつて大きな影響を受けた一論文の著者が同一の人であることは，もう少し後で判明することになる．振り返れば，これが，カルガリー家族アセスメント/介入モデルとの第2の出会いであった．

モデルは，筆者の家族に対する介入にいくつかのヒントと保証を与えてくれた．最も有益だったことは，家族員間で生じている関係性の特徴や変化に「説明する言語」をもたらしてくれたことである．研究のためのフィールドワークにおいて，自分にみえてくる家族像と臨床の看護師たちが語る家族像の乖離に遭遇し，幾度となく戸惑いと不思議さを経験した．筆者が提示する家族像について，看護師たちは「研究だから」「研究しないとみえない」ととらえていたこともまた伝わってきた．しかし，モデルと出会って，この現象の本質がみえてきたのである．家族を患者の背景とする伝統的なとらえ方から脱却し，誰かを問題の中心とするのではなく，家族員間の円環的パターンに注目することでしかこのような乖離は解消できないものであった．カルガリー家族アセスメントにおける15分という短い家族インタビューでも，家族システムの考え方をもとに，意図的に質問することでいかに有益なものになるかということを，今なら自信をもって言える．

そして，本節は，モデルとの3度目の出会いとなっている．『Nurses and families：A

キー概念

□カルガリー家族アセスメントモデル（Calgary family assessment model：CFAM）：家族看護におけるアセスメントの枠組みで，CFAMともいわれる．この枠組みは，家族構造，家族発達，家族機能の３要素から構成される．

□カルガリー家族介入モデル（Calgary family intervention model：CFIM）：家族看護における介入の枠組みで，CFIMともいわれる．介入は，家族機能の認知，感情，行動の３領域に対し，円環的質問の技法によって実施される．

□家族システム（family system）：家族を１つのユニットとして全体的にとらえるための概念である．家族システムでは，家族を，地域や国という大きな上位システムの一部であり，かつ個々の家族員という下位システムから構成されるシステムとしてとらえ，家族員間の関係について円環的な見方で注目する．

□円環的コミュニケーション（circular communication）：家族員間のコミュニケーションで生じている相互関係を表したものである．

□ビリーフ（belief）：家族機能のアセスメント内容で，個々の家族員あるいは家族全体のものの考え方や感じ方，価値観など，行動やライフスタイルの基盤になるものを指す．

□円環パターン（circular pattern）：円環的コミュニケーションが表す相互関係のパターンを指す．円環パターンには，支援的パターンや悪循環パターンがある．

□円環パターン図（circular pattern diagram：CPD）：円環パターンについて，図式で描き出したものである．この図は，２人の間の認識，感情，行動を基本的要素として描かれる．

□エコマップ（ecomap）：家族構造を視覚的に描くツールで，上位システムであるコミュニティや種々のサービスとのかかわりについて，方向性や程度を表す記号を用いて記載したものをいう．

□円環的質問（circular question）：問題に影響すると考えられる内容について，人と人，事柄と事柄，人あるいは事柄とビリーフとの関連を尋ねる方法をいう．これには，違いを見出す質問，行動に与える影響を探る質問，仮定的・将来指向的質問がある．

guide to family assessment and intervention』第４版，５版，６版（Wright & Leahey, 2005, 2009, 2013）の比較をとおして，モデルがいかに進化しているかがみえ，その進化の源は，ライトらによる臨床実践やモデルの活用者が研究で実証してきたエビデンスであることがわかる．ライトらの活動は，真に，実践から理論が創出され，またその理論が実践へ帰還していくものであることを伝えてくれる．また，第７版，８版（Shajani & Snell, 2019, 2023）は，『Wright & Leahey's Nurses and families：A guide to family assessment and intervention』として，カルガリー大学看護学部准教授ザーラ・シャジャニ（Zahara Shajani），ダイアナ・スネル（Diana Snell）編として出版されている．

B 理論家紹介

ロレイン・ライト（Lorraine M. Wright）は，現在，カルガリー大学の名誉教授である．同大学に着任後，1982～2007年まで，看護学部に設立した家族看護ユニット（family nursing unit）において，自らが臨床実践を行い，その結果を研究しながら家族看護に関する理論を構築してきた．本節で紹介しているカルガリー家族アセスメント/介入モデル（CFAM/CFIM）は，その成果から生まれたモデルである．ライトは，カルガリージェネラルホスピタル卒業後，アルバータ大学，ハワイ大学，およびブリガムヤング大学で学業を修めている．臨床的・研究的関心は，病いのナラティブ，家族介入，病いのビリーフ，苦悩とスピリチュアリティである．1993年，2003年に来日し，CFAMについて紹介している（宮下他，2003）．また，2008年にカナダのモントリオール大学，2012年にはスウェーデンのリンネ大学から名誉博士号を授与されている．

主な著書には，『Nurses and families：A guide to family assessment and intervention』『Beliefs：The heart of healing in families and illness』（邦題『ビリーフ―家族看護実践の新たなパラダイム』Wright, Watson & Bell, 1996　杉下監訳，2002），『Spirituality, suffering and illness：Ideas for healing』などがある．

モーリン・リーヘイ（Maureen L. Leahey）は，コーネル大学ニューヨーク病院看護学部およびカルガリー大学卒業後，カルガリーのメンタルヘルス外来プログラムのマネージャー，家族療法トレーニングプログラムのリーダーとして活躍している．また，カルガリー大学看護学部の非常勤准教授も務めている．

C 理論誕生の歴史的背景

北米では，1970年代後半から90年代にかけて，家族中心の看護（family centered care），家族に焦点を当てたケア（family focused care），家族インタビュー（family interviewing），家族ヘルスケアナーシング（family health care nursing），家族システム看護（family system nursing）など，家族を対象にした看護実践に関心が寄せられてきた．また，2001年，ICN（国際看護師協会）において『The family nurse：Frameworks for practice』が紹介されたことにより，家族看護は，看護学の新たな領域として認識され始めた（Shajani & Snell, 2023, p.5）．

そのような動向のなかで，1981年，カルガリー大学では，修士課程に家族看護学課程が設立され，翌年ライトにより看護学部に家族看護ユニットが設立された．

CFAM/CFIMは，このユニットにおける家族看護の実践とその検証に基づき，ライトとリーヘイらによって開発された家族システム看護モデルである．モデルの原型は，ミラノ学派のトムとサンダース（Tomm & Sanders, 1983）の家族アセスメントモデルをもとに開発されたが，看護界では初の家族看護に関するモデルといわれている．また，CFAM/CFIMは，1984年，『Nurses and families：A guide to family assessment and intervention』の初版で紹介されて以降，1994年，2000年，2005年，2009年，2013年，2019年，2023年の第８版まで改訂が加えられ続け，フランス，韓国，スイス，ポルトガルなどで翻訳されている．なお，第７版および８版では，最終章に掲載された事例により，理論の活用法や有用性を理解することができる．

カルガリー家族アセスメント/介入モデルとは

カルガリー家族アセスメント/介入モデル（CFAM/CFIM）は，家族を一つのシステムとしてとらえ，系統的なアセスメント枠組みと介入法を用いて，家族自身が問題解決に向けて変化するよう支援するための実践モデルである．このモデルの特徴は，介入へのアプローチを含んでいること，家族システムの考えに基づき，関係性やコミュニケーションパターンから家族の機能面に注目すること，家族がもつ回復力を信じ，自らが解決できるよう治療的に支援すること，および家族インタビューを介してアセスメントと介入が実施されることである．

ライトらは，本モデルの背景として６つの理論をあげている．各理論は，それぞれ難解な概念であり，理論のみをひもといてもにわかには理解できないかもしれない．しかし，筆者の経験でいえば，臨床現場で家族と対応し，モデルを適用しながら，「なぜ家族にはこのようなことが起こっているのだろう」「何を実践したらよいのだろう」と自問自答する過程において，その重要性と意味が浸透してくる．

以下，本モデルの背景となっているいくつかの理論に対する概要，およびCFAM/CFIMの概要を述べる．

1 カルガリー家族アセスメント/介入モデルの理論的背景

1）ポストモダニズム（postmodernism）

ポストモダニズムとは，諸学問において，自由な様式や差異を求めようとする動きを指す．本モデルでは，家族が置かれている状況のなかで何を感じ，どのように対応しているのかを理解するために，多元性（pluralism）と知識に対する話し合い（a debate about knowledge）が重要とされる（Shajani & Snell, 2023, p.23）．家族は，それぞれ特有の病いの体験をもつユニークな存在である．ライトらは，家族の体験を医学的な物語（medical narrative）ではなく，家族自身の病いの物語（illness narrative of family members）からとらえなければならないと強調している（Shajani & Snell, 2023, p.24）．

2）システム理論（system theory）

ライトらは，家族を一つのユニットとして全体的にとらえるために家族システムの考えを採用している．家族システムは，地域や国という上位システムの一部であり，かつ，個々の家族員という下位システムから構成される．家族は，より上位の社会システムの影響を受けながら，家族内での変化に対応し，安定に向けてバランスを獲得しようとするシステムといえる．

また，家族システムでは，一人の家族員の変化が他の家族員に影響を与えるため，家族員の行動を円環的な見方で理解する．このような特徴について，ライトらはモビールになぞらえて説明している．風にそよぐモビールは，それぞれのピースが同じ方向に同じような強さで運動するとは限らず，また一つのピースが他のピースの動きを引き出したり邪魔したりすることもあるが，いずれは何らかのバランスのなかにおさまる．モビールの変化を見るとき，それぞれのピースの動きだけを追っていたのではモビール全体の変化は見えてこないし，ピース間での双方向的な影響を見なければモビール全体の動きの意味をとらえることもできないわけである．家族をシステムでとらえることにより，一人の家族員に注目する，あるいは家族員の誰かを問題視するのではなく，中立的な立場で家族員間における影響の連鎖やコミュニケーションパターンに注目することができる．

3）サイバネティクス（cybernetics）

サイバネティクスとは，ギリシャ語の「舵を取る人」という言葉を語源としているように，通信，自己制御，情報処理に関する学問である．ライトらは，この考えを応用し，家族システムでは，自己調整能力を有しつつ，様々なシステムレベルにおいて同時にフィードバックが起こると考えている（Shajani & Snell, 2023, pp.31-32）．すなわち，家族システムでは，Aの行動がBに影響を及ぼし，このBの行動によってさらにAが影響を受けるというようにフィードバックの連鎖がみられる．このとき，否定的なフィードバックは相手の否定的な反応を呼び起こし，これが悪循環の円環パターンに結びついていくことがある．

4）コミュニケーション理論（communication theory）

ライトらは，すべてのコミュニケーションは内容と関係の２つのレベルから構成されるとし，コミュニケーション内容から家族の関係性に注目することを説いている（Shajani & Snell, 2023, pp.33-35）．本モデルが家族療法の流れを汲んでいることを考えると，この理論は，家族自身が新たな円環パターンを獲得し，変化していく過程を支援するうえで中核となる概念といえる．何も話さない家族員の「話さない」という状況や家族員間でのコミュニケーションパターンから，家族システムで生じている事柄や関係性の変化にどれだけ肉薄できるか，介入の成果に影響する家族との関係性をどれだけ築けるか，それは，看護師のコミュニケーション能力にかかっていると言っても過言ではない．

5）変化理論（change theory）

CFIMの介入ゴールは，家族自身が新しい円環的パターンや変化を促進するための新たなビリーフを獲得することである（森山，1995，p.８）．このような成果をもたらすためには，変化とはどのようなものなのか，どのように生じるのかなどその概念を理解することが重要となる．ライトらは，変化は常に起こっているにもかかわらず気づきにくいものであるとし，変化が生じる要因と変化を促進する要因を説明している（Shajani & Snell, 2023, pp.36-48）．すなわち，変化は，問題に対する家族の知覚，問題が生じる家族の構造と機能，家族員の身体的・心理的状況などによって影響を受ける．また，変化を起こすのは家族自身であるが，変化は必ずしもすべての家族員に同じように生じる必要はない．さらに，看護師には変化を促進する責務があり，看護師の介入が家族員の状況と調和したときにのみ変化は生じる．

2 カルガリー家族アセスメントモデル（CFAM）

CFAMは，家族看護のアセスメントについて系統的に示した枠組みで，図 2－1 に示すように，構造，発達，機能の 3 つの要素から構成されている．初回の家族アセスメントでは，家族が表出した問題や家族に生じている現象について仮説を立て，アセスメントする領域を選択しながら家族にインタビューする．

1）家族構造のアセスメント

家族構造では，家族構成として誰がいるのか，親族や友人など家族以外で親密にかかわ

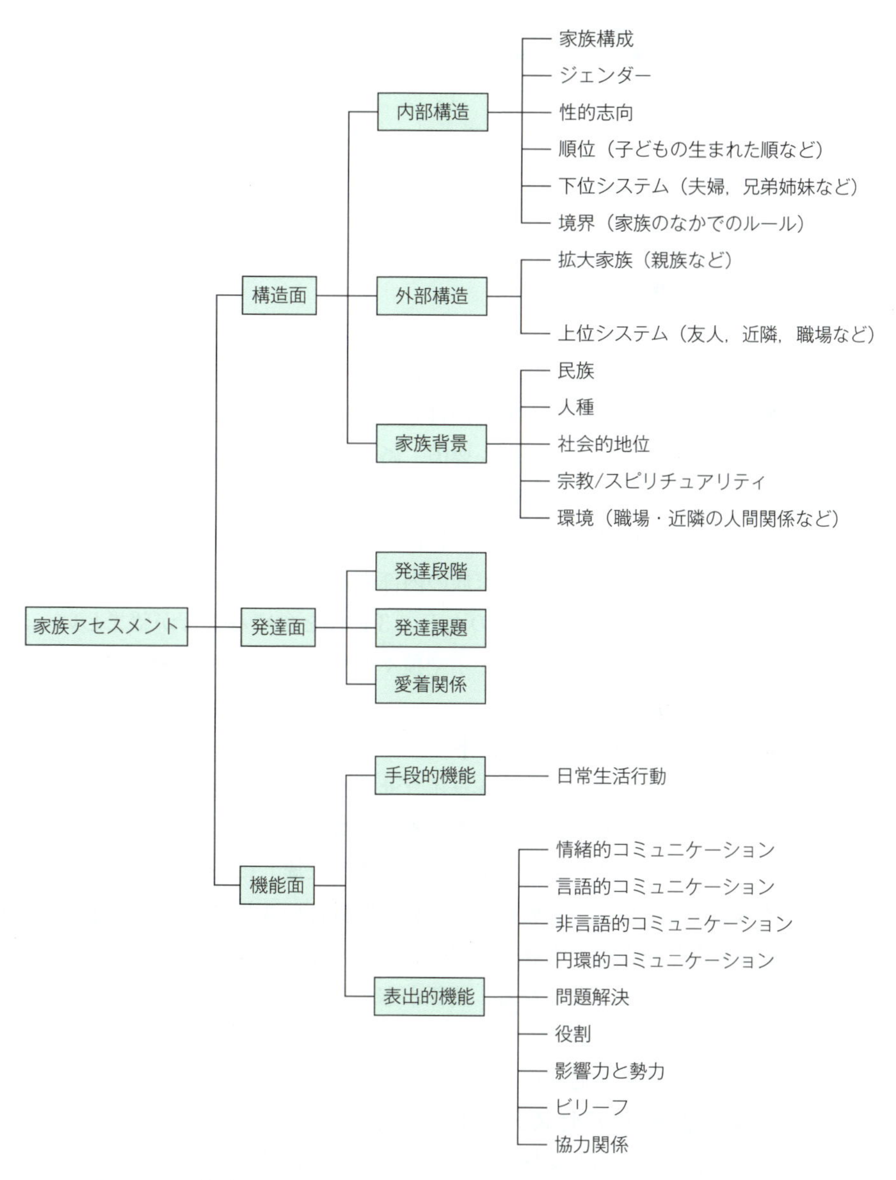

図 2－1 ●CFAMの構成

Shajani, Z., Snell, D.（2023）.Wright & Leahey's Nurses and families : A guide to family assessment and intervention. 8th ed, Philadelphia : F.A. Davis, 54. より引用

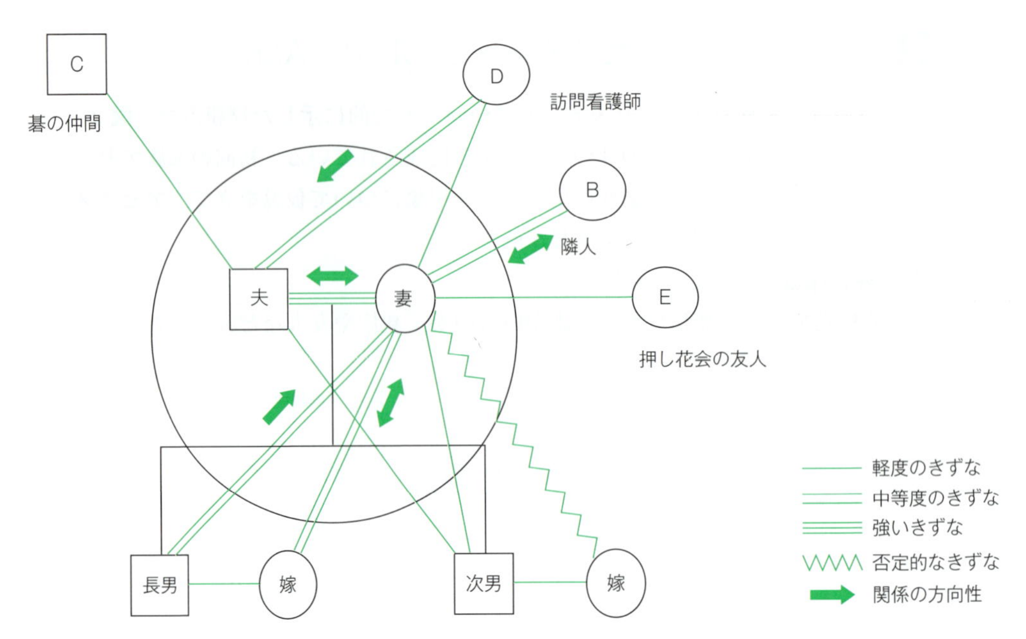

図 2－2 ●エコマップの例

っている人は誰か，社会的地位や宗教のような家族の経験に影響を与えている背景は何かなどをアセスメントする．家族が自分の家族だという人がすべて家族となるため（Shajani & Snell, 2023, p.54），地理的な要因，婚姻関係や血のつながり，性別などにとらわれることなく広くとらえる．

家族構造を視覚的に描くツールには，ジェノグラム（家系図）とエコマップがある（図 2－2）．ジェノグラムでは，家族の内部構造のアセスメントとして，インタビューの対象となる家族員を中心としてその上下の3世代を含めることが望ましい．エコマップでは，上位システムであるコミュニティや種々のサービスとのかかわりについて，方向性や程度を表す記号を用いて記載する．

2）家族発達のアセスメント

家族発達では，家族が，家族ライフサイクルのどの段階にあり，その段階に固有の発達課題をどのように乗り越えているのかアセスメントする．家族は，単に，婚姻や同居，出産といったライフイベントを境にいわゆる「家族」になるわけではない．家族は，これらのイベントを契機に，家族構成や家族の関係性の変化に対応し，時には変化に伴う心理的な動揺を乗り越えつつ家族としての強いきずなを形成していく．また，発達段階の移行により，時にきずなが弱くなる，関係がぎくしゃくするなどが生じ，それを乗り越えるために変化を繰り返している．家族発達のアセスメントでは，このような家族発達の歴史を踏まえながら家族に生じている事柄を理解していく．

3）家族機能のアセスメント

家族機能では，ある家族員が他の家族員との関係において，どのようなかかわりをもちどのように行動しているのか，その根底にある考え方は何かなどをアセスメントする．アセスメント内容は，手段的機能と表出的機能に分けられる．

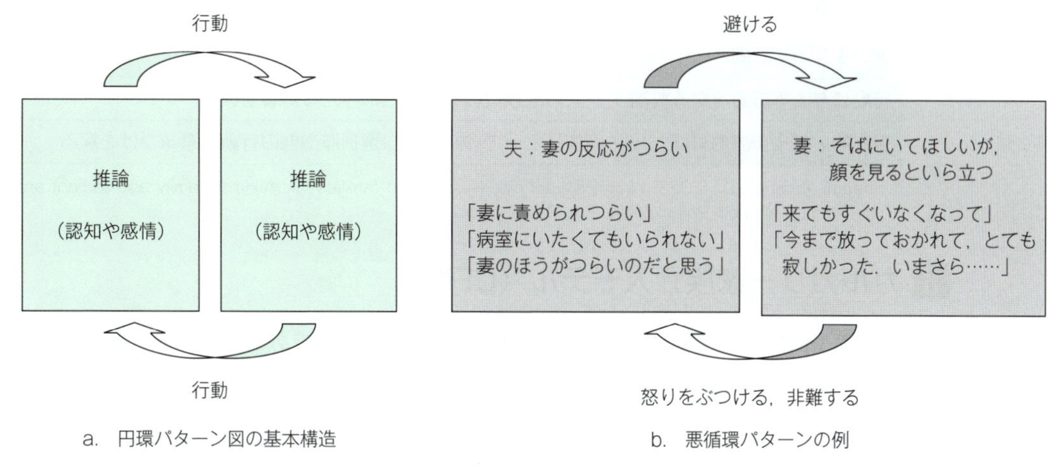

図2－3●円環パターン図

手段的機能とは，食事の準備，睡眠や活動の範囲と状況，衣服の着替えなど，個々人の日常生活の営みに関する機能のことである．一方，表出的機能とは，他の家族員に対する感情や関係性について表現された内容，家族員間で交わされるコミュニケーションの特徴など，家族員間での関係性を表す機能である．両方を関連させてアセスメントすると，日常生活行動には何ら支障がないように思える家族員でも，他の家族員からの協力が得られず負担感や不満を抱いていることなどが浮き彫りになってくる．

CFAM/CFIMでは，家族関係や家族のコミュニケーションパターンに注目することから，家族機能のアセスメントのなかで，円環的コミュニケーションおよびビリーフがキー概念といえる．

（1）円環的コミュニケーション

家族員間のコミュニケーションで生じている相互関係を表したものであり（Shajani & Snell, 2023, p.119），この理解には円環パターン図（circular pattern diagram：CPD）の作成が有用である．図2－3にあるように，それぞれの認識や感情を四角の枠の中に記載し，相手の認識や感情から引き出された行動について影響の方向を表す矢印と共に記載する．これらは，インタビューの過程において徐々に明らかになってくるため，双方の認識や感情，行動と影響の方向性などは少しずつ書き足されていく．

円環パターンには，支援的パターンと悪循環パターンがみられる．支援的パターンとは，肯定的なフィードバックによる円環パターンを意味し，感謝やいたわり，相手の状況を理解するなど肯定的な感情と認知が特徴となる．他方，悪循環パターンとは，否定的なフィードバックによるパターンを指し，非難や怒り，不信感など否定的内容が特徴となる．

（2）ビリーフ

ビリーフは個々の家族員あるいは家族全体のものの考え方や信条，価値観など，行動やライフスタイルの基盤になるものを指す（Wright, et al., 1996　杉下監訳，2002，p.1）．ビリーフは，円環パターンが支援的なものになるか，悪循環的なものになるかに大きく影響する．

表2－1●円環的質問のタイプ

違いを見出す質問	人，関係，時間，考え，ビリーフに関する違いを探る
行動に与える影響を探る質問	一人の家族員の行動が他に与える影響を探る
仮定的・将来志向的質問	家族にとっての将来的な選択肢や他の行動，意味づけを探る

Shajani, Z., Snell, D. (2023).Wright & Leahey's Nurses and families : A guide to family assessment and intervention. 4th ed, Philadelphia : F.A. Davis, 140. より引用

3 カルガリー家族介入モデル（CFIM）

CFIMは，家族看護の介入について系統的に示した枠組みである．この介入モデルでは，看護師は，家族機能における認知，感情および行動の3領域において変化が生じるよう，介入的質問の技法を用いて働きかける．

①**認知領域への介入**：家族が問題に対して新たなとらえ方に気づく，異なった角度からビリーフをとらえる，あるいは解決法を発見するなどを目指して働きかける．

②**感情領域への介入**：問題解決を妨げる情緒的緊張の緩和を目指して働きかける．

③**行動領域への介入**：他の人々とこれまでと異なる方法で関係がもてるよう働きかける．

介入的質問とは，家族員間の円環パターンを探り，かつ解決の可能性を示唆するための質問であり，円環的質問の技法が特徴といえる．円環的質問とは，問題に影響すると考えられる内容について，人と人，事柄と事柄，人あるいは事柄とビリーフとの関連を尋ねる方法である．円環的質問には3つのタイプ（表2－1）があり，これらはそれぞれどの介入領域にも適用される．

E 研究の動向

欧米での動向では，介入的質問や治療的会話の有効性（Bohn, Wright & Moules, 2003 ; Duhamel & Talbot, 2004），15分インタビューの臨床への適用と効用（Holtslander, 2005 ; Martinez, D'Artois & Rennick, 2007）など，CFIMの手法に対する実証的研究を経て，特定の看護領域における適用（Gisladottir & Savarsdottir, 2017; Kern & Meng, 2019）へと発展してきている．一方，日本においても，透析を受ける患者の家族（有賀・河西・小林・前田，2009），認知症高齢者の家族（尾ノ上，2011）など特定の看護領域において活用されている．また，2000～2018年の文献検索においては，欧米，日本を問わずカルガリー家族アセスメント/介入モデルを用いた研修や実践に関するものが最も多いという見解（隍・菊池・山崎，2019）もある．

F 理論の看護実践での活用

CFAM/CFIMは，家族員の病気や入院，死に直面し情緒的に動揺している家族，出産や育児に何らかの困難を抱えている家族，慢性疾患や認知症のような長期療養を必要とし

ている家族員を世話している家族など，家族が巻き込まれる多くの状況に適用が可能といえる（森山，1995，p.139）.

以下，家族インタビューによるアセスメントおよび介入の4段階を示す（Shajani & Snell, 2023, p.162）.

1）導入の段階

導入は，思いやり，協同や相談によって家族との治療的関係を形成する段階である．この段階では，インタビューをとおして家族に興味，関心を示し，家族を対等であるとみなして家族がもつ回復力や対処能力に敬意を払わなければならない．家族の健康増進や病気のマネジメントに向け関係性を築くことにより，家族は自身が理解している健康や病気に関する体験についてユニークな見解を提示するようになる．インタビュー前の準備として，インタビューの目的や家族機能の問題現象について何らかの仮説をもって臨むことが重要となる．仮説とは，どのような因子が関連してどのような円環パターンを形成しているのか推論することであり，この推論を円環パターンの仮説図として描いてみると整理しやすい（Shajani & Snell, 2023, pp.181-185）.

2）アセスメントの段階

この段階では，家族がもつ強みとともに生じている問題が明確になる．アセスメントでは，円環的質問法を活用し，家族に注目すべき状況について物語（story）を語ってもらう．この物語は個々の家族員によって異なり，家族は，自らの問題を心理的緊張感や何かうまくいっていないという感覚で漠然と感じていることが多い．誰が，いつ，どのような形でどのような問題に気づいたのか，それはどのように発生し，どうしたら解決の方向に向かうと考えているのかなど，過去の出来事，現在の関心事，そして将来の方向性についてなど質問をすることによって，家族員個々の問題のとらえ方，円環パターンの特徴が浮き彫りになってくる（Shajani & Snell, 2023, p.186）.

アセスメントの過程で家族の問題と強みは変化し，またアセスメントの終わりでは治療的会話になっていくことがある．

3）介入の段階

この段階は，円環的質問の技法を用い，認知，感情および行動の側面に対して介入し，家族のなかに小さなあるいは重要な変化をもたらす環境を提供する．

家族が変化を起こす内容や時間は，家族がもともともっている家族機能，問題の内容と持続している時間，問題が家族に与える影響の強さなどにより異なる．時間経過が浅く，本来の家族機能が高い場合，アセスメントと介入の各1回のセッションで解決の方向まで進むこともある．逆に，時間経過が長い，あるいは家族にみられる悪循環パターンが長い経過で続いているような場合には，一度は解決に向かいつつ家族員の何らかの行動によって元に戻るこもあれば，変化の一歩手前で足踏みすることもみられる．しかし，家族がもつ回復力を信じ，家族自身が変化の兆しへと移行していくことを待つことが肝要である．

4）終結の段階

終結の時期は，看護師か家族の判断によって決定される．看護師が判断する場合は，単に，家族が呈していた症状が消失するというのではなく，問題に対する新たな対応を発見する，あるいは問題を解決するための新たなビリーフを獲得するなどを指標とし，家族と話し合いながら決定する．変化は容易に生じないし，当事者ですら気づきにくいこともあれば，小さくとも，確実に問題に対する変化が起きていると判断できることもある．

家族が終結を決定する場合は，家族が介入の意義を見出せない，問題がさらに悪化することなどが生じている場合がある．このようなとき，やむなく終結しなければならないとしても，なぜ家族がそのように感じているのか，何が起こっているのか検討し，アセスメントから介入の過程を再評価し，時には他の専門職の紹介などを考慮に入れる必要がある．

G 臨床での活用の実際

1 事例紹介

Aさんは67歳の男性で，最近まで建築現場で重機作業を行う仕事をしていた．現在は64歳の妻と２人暮らし．30歳の息子がいる．

半年前に左耳下部の痛みを感じ近医を受診．徐々に痛みと腫れ，咳が強くなり専門病院を受診すると，耳下腺がん，頸部リンパ節転移，反回神経麻痺の診断を受けた．入院してまず放射線単独療法を開始したが，すでにAさんは会話がしづらくなっていた．医療者が聞き取れないとイライラして怒りを表す口調であったが，薬剤による疼痛コントロールが図れ，治療効果がみられると「しゃべりやすくなった．痛くて以前は怒鳴ってばかりいた」と振り返った．無事に放射線治療が終了し，一度退院をして体力が回復したら薬物療法を開始する予定となった．退院時には痛みが残っており，医療用麻薬の調整が必要と予測された．Aさんは放射線治療中に嚥下困難となり誤嚥性肺炎も生じたため，食事は軟らかく調理する必要があり，妻は退院後の食事の準備に不安を感じていた．看護師は，Aさんの体調管理および嚥下と食事に不安をもつ妻のためにも，訪問看護の導入を夫妻に提案したところ妻は賛成し，Aさんも渋々ながら「妻のためなら」と同意した．

体力が回復したらがん薬物療法を行うことが検討されていたが，２週間後の外来では痛みが悪化しており医療用麻薬が増量となった．その１週間後の外来では，訪問看護師からさらに痛みが強く食事摂取量が減っていると報告があり，Aさんも表情が固く落ち込んでいた．すぐに入院を勧めたところ，妻に「どうしたらよいか」と相談する姿があり，妻の後押しもあって入院となった．入院後は，面会制限もあり夫婦は携帯メールでやりとりしていたが，Aさんは顔面の浮腫が増し画面が見えづらいと述べるようになり，メールを打ち返すのも難しくなってきた．そのようななか，Aさんは「妻の質問に答えるのが大変．妻に会ってほしい．心配するなと伝えてほしい．今の自分は顔が腫れて人と会うのが恐怖」と看護師に筆談で伝えた．妻は，受診にはいつも付き添い，一緒に医師の説明を聞いてAさんの意見を尊重する声かけをしているが，Aさんの病状が悪化し病気になる前のようにコミュニケーションが図れず心配している．

2 理論に照らしてのアセスメントと援助のポイント

カルガリー家族アセスメント（CFAM）は，インタビューに基づいて行われる。家族アセスメントの枠組みは，３つの領域（構造，発達，機能）から構成されており，特にアセスメントする必要があると思われる領域を選択しインタビューを行う．また，問題領域を予測して初期仮説を立ててからインタビューを行う．そこから，悪循環や問題となる信念や考え方を明らかにする．カルガリー家族介入モデル（CFIM）は，CFAMを用いたアセスメントの結果から直接導かれる介入方法ではなく，CFAMの結果から介入に最も適した家族の領域（認知，感情，行動）を特定し，それぞれの領域を変化させるのに有効と思われる介入技術を選択して行う．この事例では，家族アセスメントにCFAMを，介入はCFIMを用いた．

3 活用例

1）事例のアセスメントまたは解釈

（1）準備の段階

看護師は，Aさん夫婦が互いに思いやっていながらも，思うように話し合いができずコミュニケーション不足になっているのが気になっていた．病状が進行しているAさんは，これからがん治療を続けるのか，どこで療養をするのかなどの意思決定をしなければならない．そのためには，お互いの考えを伝え合う，何を大切にするかを夫婦で話し合うことが必要だと考えた．そこで，Aさん夫婦とインタビューを行うにあたり，以下の仮説を立てた．

①Aさんは，妻に迷惑をかけている自分を責めているのではないか．
②Aさんは，妻の期待に応えられないことに負担を感じているのではないか．
③妻はAさんの役に立ちたいを考えているが，不安な気持ちが募りAさんに様々な質問をしているのではないか．
④上記の結果，相手を思いやりながらもお互いの気持ちを確認できていないのではないか．

（2）導入の段階

Aさんから，妻に気持ちを伝えてほしいと頼まれたことを伝え，妻に来院を提案した．今後，病状が変化するなか，Aさんと妻を支援したいと思っていること，そのために，ご家族のことを含め，悩んでいることや感じていることを知りたいとAさん夫婦に伝え，インタビューの了解を得た．

（3）アセスメントの段階

①家族構造のアセスメント

Aさんの家族は，本人，妻と息子である．Aさんの両親は亡くなっており，兄とはたまに連絡する程度である．妻の母は認知症であり，妻は介護を担当している姉には迷惑をかけられないと感じている．妻は慢性疾患の持病があり，月１回通院し内服治療を受けている．以前パート勤務をしていたが今は無職である．息子は現在独居で作業所に通っている．Aさん夫妻は一軒家で暮らしており，近所づきあいは言葉を交わす程度であるが，妻は子育

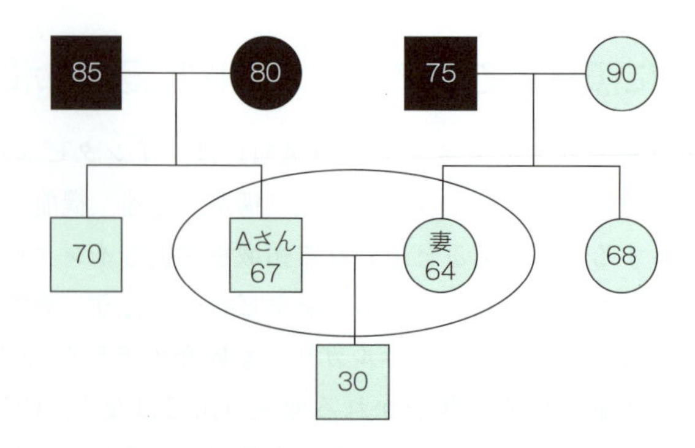

図２－４●Aさんのジェノグラム

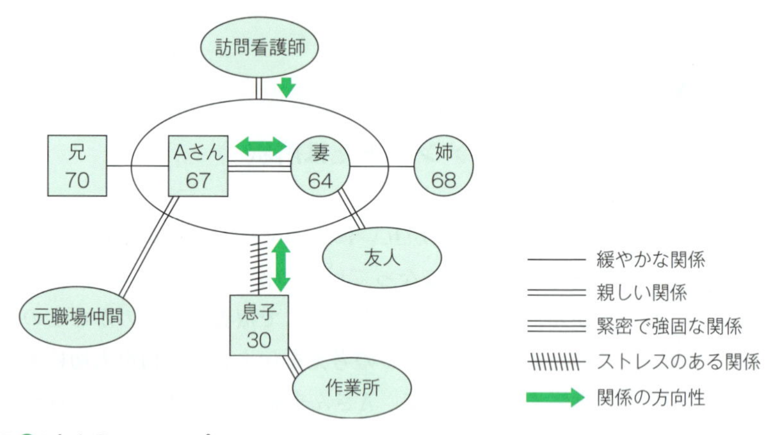

図２－５●Aさんのエコマップ

て中に知り合った友人がおり，Aさんの病気について時々悩みを打ち明けている．Aさんは病気になるまで仕事を続けていたので，元の職場仲間が心配して時々メールで連絡が来る．Aさんは年金と貯蓄で生活をしており，今のところ経済的に困窮はしていない．前回退院後から週２回訪問看護を利用している．

Aさんのジェノグラムを図２－４に、エコマップを図２－５に示す．

②家族発達のアセスメント

夫婦のライフサイクルは，子どもが独立する「排出期」である．この時期は，２人だけの夫婦システムとして調整し直す，成長した子どもと親が大人としての関係を築くという家族の発達課題があり，夫婦間の情緒的なつながりを強化しながら独立した子どもとの良好な関係も維持する時期である．息子のことが話題になると，２人とも口を濁すが，結婚してしばらく子どもができなかったがやっと授かった子どもであること，大学を中退して就職したが職場でうまくいかず，原因は精神疾患だとわかったこと，当時はかなりショックを受けていろいろ手を尽くしたが，息子は親と同居するとストレスを抱えるため，今は別居してサポートする関係になったと打ち明けた．Aさんは，「治療を頑張れるのは，普段あまり話さない息子が頑張ってと言ってくれたことが大きい」と話した．また，妻は，結婚後に体調不良で長く臥せっていた時期があり，その際に夫が家事を担当し，自分を責めずに励まし続けてくれたため，今はその恩返しをしたいと話していた．

③家族機能のアセスメント

Aさんの日常生活行動は概ね自立しているが，シャワーは短時間で妻が介助している．食事も妻がミキサーを購入して工夫して準備している．薬の管理は本人が主体で行っているが，混乱するので妻と訪問看護師が定期的に確認していた．妻は訪問看護師が週2回訪問し，相談にのってくれアドバイスをくれたことが心強かったと感じていた．妻は近くに寝ているが，痛みで夫が起きるのが心配だった．Aさんは嚥下困難があり痰や唾液を口から出していることが多い．面談時には，スマートフォンと筆記用具を持参しており，短い単語は口頭で伝えるが，詳しく語るときは筆談をする．妻はAさんを筆談が終わるのを待ち，不明点は質問する．Aさんはなかなか伝わらないと苛立つ様子があるが，伝わると安心した表情をした．時々冗談も書いている．Aさんは建築現場で真面目に働き，妻が子育て・家事を担う関係だった．夫婦関係は良好で愛称で呼び合い，お互いを尊重している様子が伝わった．結婚以後，妻の病気を乗り越え，突然立ちはだかった息子の障害を乗り越えていた．一緒に考え，尊重してきた関係だったのだろう．Aさんは妻に対して筆談で「迷惑をかけて申し訳ない」と何度か表現することがあり，家計や息子のことは大丈夫か確認している姿があった．妻は夫が金融機関などの様々な手続きを行っていたので，Aさんと思うように連絡がとれないことに戸惑っていた．また，スマートフォンからのメールを通じてAさんから体調の報告やつらさの表現があるが，ミスタッチも多く理解が難しいこと，尋ね返す質問や医療者に相談するように伝える返事が増えているかもしれないと振り返っていた．

以上の家族アセスメントから仮説を修正した．

①Aさんは，コミュニケーションがうまく図れないことで，自分の気持ちや病状を説明することにプレッシャーを感じており，返事を避けがちになっている．

②妻は，Aさんの様子がわからず心配が募り，メールでの質問が増えている．

Aさん夫妻の円環的コミュニケーションの悪循環を図2－6に示す．

インタビュー後に，看護師はAさんがメールへの返信がつらくなっていることを妻に伝えた．悪循環のパターンに気づくように，Aさんは眼が見えづらく，薬の影響で眠気もあるため，メールの操作が難しくなっていること，そのようななかでも妻にメールを送るの

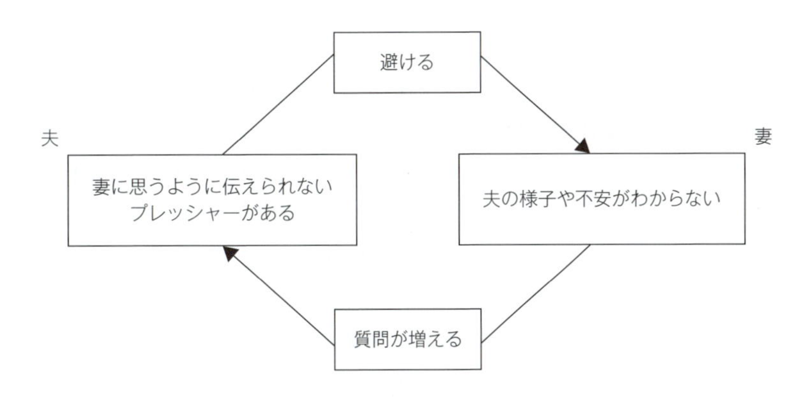

図2－6●Aさん夫妻の円環的コミュニケーション（悪循環パターン）

は不安を聴いてほしい気持ちの表れであるだろうと伝えた．妻をねぎらいながら，心配する気持ちは当然であり，不明点が生じた場合はAさんに確認するのを控え看護師を活用してほしいこと，大事なことを話し合うときはAさんと妻が同席できるように調整すること，コミュニケーションが難しい場合には，看護師も同席することを提案した．すると，Aさんから「妻が心配していると思っていたけど，段々うまく伝えられなくて，返信することがプレッシャーになっていた．ごめんね」と話し，妻も「そんなこと気にしなくていいのに．今日会ってどんな状況かわかりました」と応じた．

2）援助計画と看護介入の実際

家族アセスメントから，Aさん夫妻はゆっくりと対面で意思疎通を図る機会をもてば，気持ちがすれ違うことはなさそうである．しかし，進行がんを抱えるAさんは，今後のがん治療をどこまで行えるのか，どこで過ごすのかを決めなければならないという課題をもつ．悪循環を断ち切り，好循環のもとに様々な意思決定をしなければならない．そのために，決断が必要な場で円環的コミュニケーションが図れるように，援助する必要があると考えた．

看護師は，Aさんと妻に引き続き援助したいことを伝え，２人から同意が得られたためカルガリー家族介入モデル（CFIM）を用いた看護介入を開始した．CFIMでは，家族機能の認知領域，感情領域，行動領域のうち，家族が最も困難に感じている領域や最も効果的に看護の変化を促せる領域を査定し，その領域に対して重点的に介入を行う．Aさんのケースでは，２つの意思決定の場面で援助を行った．

（1）治療中止に関する意思決定場面

インタビューから１週間後，今後の治療方針について医師から説明の場が設けられた．Aさんは，「治療は受けるつもりだが，いろいろ考えると怖くもある．専門用語ばかりだとわからなくてもうなずいてしまうので，同席してほしい」と看護師に希望した．そして妻も同席のもと，医師から体力や難治性の疼痛を考えると治療は難しいだろうと説明がされた．Aさん夫妻は，病状の悪化に不安を感じ治療に期待をしていたため，その説明にショックを受けていた．特に妻は狼狽し，「放射線治療後にも抗がん剤治療ができると聞いていたのに…．夫が可愛そう」と泣いた．看護師は，治療だけに目を向けるのではなく，これからの生き方に視点を置いて夫妻に意思決定をしてほしいと考え，認知領域への働きかけを行った．具体的には，「Aさんは，治療にかかわらずどのような生活をしたいとお考えですか？」と尋ね，妻にも「Aさんにどのように過ごしてもらいたいと思っていますか？」とビリーフに注目した“違いを見出す質問”をした．すると，Aさんは「本音は痛みが和らいで家族が側にいるところで過ごしたい．でも治療しないと死が近づくようで怖い」と筆談した．妻も「治療はしてもらいたいけど，体力が心配」とメリットとデメリットを考えていた．そこで，「もし抗がん剤治療をしたら，その希望は叶えられると思いますか？」と“仮定的・将来志向的質問”をしたところ，Aさんは「治療が始まると思って鎮痛剤を増やすのを我慢していた」と自分なりの対処行動をとっており，「無駄な抵抗はしたくない」と自らが大切にしたい価値観に気づき，妻もその言葉に涙しうなずいていた．

（2）療養場所の選択に関する意思決定場面

Aさんは痛みと通過障害により経口摂取がかろうじてできるほどに嚥下困難が進んでお

り，誤嚥性肺炎の再燃が懸念された．そこで退院前に高カロリー輸液を導入することになった．そのようななか，自宅で生活したいと希望していたAさんから，「自宅に帰りたいが病弱な妻に点滴などの負担をかけるから迷っている」との発言があった．そこで，退院調整看護師との面談に同席した．妻は，急変する可能性がある夫を一人で支えることが不安だったらしく，「大丈夫かしら，大丈夫かしら」と何度も言葉に出ていた．その言葉がAさんをさらに迷わせているようだった．そこで，妻とだけ面談の機会をもち，円環的コミュニケーションを用いた質問をした．妻に「この前お会いしたときと比べて，Aさんの病状に変化は感じますか？　それはどのような変化ですか？」と認知領域に働きかける“違いを見出す質問”をすると，「段々弱っているのを感じる」と話し，「残された時間はどのように思いますか？」と尋ねると，「考えたくないが覚悟はしている」と述べた．「ご本人が帰りたいと言ったら奥さんは受け入れる気持ちですか？　それとも迷っていますか？」と“仮定的・将来志向的質問”で尋ねると，「本人が一度帰りたいと言うので短時間でも叶えてあげるつもり．メールもわかりづらく，話も聞き取れなくなっている．自分が大変なのに，夫は私のことを『頑張れよ』と気づかってくれる」と涙し，不安ながらにも在宅療養を受け入れる気持ちが固まっていることがわかった．

妻の予期悲嘆に寄り添いながら，これまで夫婦で乗り越えてきたことを強みとして伝え，妻の不安が患者に伝わりやすい時期であることも伝えた．また，Aさんにも「退院したいと言ったら奥さんは反対すると思いますか？」「病気になってから奥さんの態度は変わりましたか？」と行動領域に関する“違いを見出す質問”を尋ねた後に，「奥さんは帰って大丈夫と言っていますよ」と伝えると，「自分も不安だから遠慮していた．妻と一緒に頑張ります」と述べ，夫婦で退院に向けて準備を進めていった．

3）評　価

訪問診療医，訪問看護師，ケアマネジャー，福祉用具業者の支援者が参加した退院前カンファレンスでは，Aさんから「皆さん，どうぞよろしくお願いします」と挨拶があり，妻からも「本人は頑張ると言っています．私もただ一緒にいたいので頑張ります」という言葉が聞かれ，数日後に自宅退院された．息子も退院時には迎えに来ており，Aさんは嬉しそうだった．

Aさん夫妻が，一緒に最期の時を過ごす希望を叶えるためには，がん治療を諦め，家で過ごす準備を早急に進めることが必要だった．病状は進行し，症状緩和も難しく，心身ともに余裕がないなかで面会も思うようにできず，Aさん夫妻はお互いに思いやりながらも，本音を伝えることを遠慮する関係になっていた．看護師は，同じ目標に向かえるように夫婦の力を信じ，大きな不安や迷う気持ちに寄り添いながら気づきをもたらす助言をすること，悩みや希望に応答する存在でいることが大切であった．

カルガリー家族看護アセスメント/介入モデルは意図的なインタビューに基づいて行われるため，多忙な臨床現場ではインタビューの技術を習得し時間を確保することは難しいかもしれない．しかし本事例のように，アセスメントの視点や介入の視点はとても有用であり，日々の家族看護に活かすことができる．

理論を看護実践につなげるために

CFAM/CFIMは，家族システムの考えに基づく治療的介入を実践するための枠組みである．この枠組みでは，看護師は，家族に起こっている現象に何らかの仮説をもち，中立的立場で家族関係の円環的つながりに注目しながら治療的介入を目指す．筆者が『Trends in nursing of families』と出会った1990年代からみると，家族をケアの対象としてとらえ，システムとして介入することは誰もが理解しているといえる．そうはいっても，それを実践する，しかも治療的にかかわり家族に変化をもたらすとなると，CFAM/CFIMを熟知していなければならないと思われるかもしれない．しかし，本モデルは，ケア時間が限られる臨床場面でも，治療としての意図を明確にし，適切な質問法を活用すれば，短時間の家族インタビューでも成果が得られること（小林, 2011, p.84）が特徴である．また，臨床において，家族による合意形成から終結に至るという段階にこだわらず，円環パターン図を描くことを試みることも可能である．このような応用は，家族員間で何が生じているのかを理解することを助けると同時に，患者が前面で家族をその背景とするとらえ方を打開する有益な方法になる．筆者は，教育の現場において，２者間のコミュニケーションや相互作用の理解に円環パターン図を活用し，非常に有効だと実感している．さらに，日常的な活用はトレーニング法としても推奨したい．理論は，観念的な理解が道半ばであっても，活用しながらいわゆる使える知識となっていくのである．

文献

有賀ゆみ子，河西加代，小林充，前田美和(2009)．透析指導における家族看護の重要性を学んだ一例．長野県透析研究会誌，*32*(1)，75-77.

Bohn, U., Wright, L.M., & Moules, N.J. (2003). A family system nursing interview following a myocardial infarction : The power of commendations. *Journal of Family Nursing, 9* (2), 151-165.

Duhamel, F., & Talbot, L.R. (2004). A constructivist evaluation of family systems nursing interventions with families experiencing cardiovascular and cerebrovascular illness. *Journal of Family Nursing, 10* (1), 12-32.

Gisladottir, M. & Savarsdottir, E.K. (2017). The effectiveness of therapeutic conversation for caregiver of adolescents with ADHD：A quasi-experimental design. *Journal of psychiatric and Mental Health Nursing, 24*(1), 15-27.

隍智子，菊池良太，山崎あけみ（2019）．家族看護実践に影響を与える要因に関する文献検討．大阪大学看護学雑誌，*25*(1)，89-95.

Holtslander, L. (2005). Clinical application of the 15-minute family interview : Addressing the needs of postparturn families. *Journal of Family Nursing, 11* (2), 5-18.

Kern, S. & Meng, J. (2019). "Nurse, I need help, too!"：Nursing intervention to support partners of patients suffering from chronic pain. ZHAW Zrurcher Hochshule fur Angewandte Wissernshaften, 1-87.

小林奈美（2011）．グループワークで学ぶ家族看護論　カルガリー式家族看護モデルファーストステップ，第2版，医歯薬出版，86.

Martinez, A., D'Artois, D., & Rennick, J.E. (2007). Does the15 minute (or less) family interview influence nursing practice? *Journal of Family Nursing, 13* (2), 1-22.

宮下弘子，宮原春美，半澤節子，鷹居樹八子，浦田秀子，大石和代，他（2003）.「家族看護学ワークショップin長崎」の開催概要とその評価．長崎大学医学部保健学科紀要，*16*（1），71-77.

森山美知子（1995）．家族看護モデル．医学書院，*8*，139.

尾ノ上美香（2011）．認知症高齢者を介護する家族への看護―カルガリー家族アセスメント・介入モデルを用いて．福岡赤十字看護研究会集録，39-42.

Shajani, Z., Snell, D. (2023). Wright & Leahey's Nurses and families：A guide to family assessment and intervention. 8th ed, Philadelphia：F.A. Davis, 5, 23-24, 31-48, 51, 54, 119, 140, 162, 181-186.

Tomm, K., & Sanders, G. (1983). Family assessment in a problem oriented record. In J.C. Hansen, & B.F. Keeney (Eds.), Diagnosis and assessment in family therapy (pp.101-122). London：Aspen Systems.

Wright, L.M. & Leahey, M. (1990). Trends in nursing of families. *Journal of Advanced Nursing, 15*, 148-154.

Wright, L.M.,Watson, W.L. & Bell, J.M. (1996) /杉下和子（監訳）(2002)．ビリーフ―家族看護実践の新たなパラダイム．日本看護協会出版会，1.

3 家族同心球環境理論

A 理論との出会い

家族同心球環境理論（Concentric Sphere Family Environment Theory：CSFET）は，本稿の著者である法橋自身が提唱した“家族”を対象とした数少ない家族看護中範囲理論である（Hohashi & Honda, 2011）．法橋は，がん遺伝子の研究に勤しんでいたが，東京大学に家族看護学講座が新設されることになり，着任への誘いを受けた．少子高齢化社会における家族のありようが問われていたなか，新しい学問の構築にやりがいを感じ，1993年に家族看護学講座開設時の教員となり，看護の世界に方向転換した．その後，教鞭をとる傍ら，東京大学に再入学し，看護師・保健師の資格を取得した．このような異色の経歴から，看護の世界を内なるアウトサイダーの視点からとらえ，伝統的な思考様式にとらわれず独特の創造性を発揮し，新しい価値を生み出している．

分子生物学研究者であった法橋は，看護過程を学んだとき，システマティックなアプローチであることに感動し，看護はサイエンスであると認識した．また，“過去を理解し，現在をアセスメントし，未来をデザインする”ことが看護実践であると悟り，過去から未来に流れる時間的存在としての家族を意識するようになった．東京大学医学部附属病院分院などでの臨床研修から，個人看護における家族の存在意義を見出し，Johns Hopkins Children's Centerなどでの臨床研修から，家族は地域生活圏，宗教，文化などの家族外部環境と交互作用している社会的存在であることを理解した．さらに，Madeleine M. Leininger博士，Jean Watson博士，Marilyn A. Ray博士などの北米の看護理論家との邂逅から，看護実践における理論の重要性に気づいたが，日本における翻訳理論の適用限界を感じた（法橋，2023j）．

このような多様な国内外での経験を統合し，日本発の家族看護中範囲理論の開発をライフワークとすることを決意した．1999年から理論開発に着手し，研究と実践に基づいたモダンで，ホリスティックな理論を目指した．家族と共にいることを第一義とし，特に家族エスノグラフィックリサーチ（法橋・太田・林・和辻，2022）を中心として理論開発を継続している．日本の幅広い地域および様々な国・地域において，家族事例を1,100以上蓄積することにより，時間環境という概念を創出し，複数の特殊理論を提唱し，家族アセスメント/インターベンションモデルを実装するなどしてきた．様々な家族症候を軽減・改善，消失させ，家族全体のウェルビーイングの実現を可能にするのが本理論である．

キー概念

□**家族システムユニット**：家族がシステムかつユニットであることを明確にするための家族の別称である．

□**球体家族**：3つの評価軸（構造的距離，機能的距離，時間的距離）によって形成される3次元時空をなす家族環境の中において，三体（物理体，心理体，スピリチュアル体）で組織化され，球体システムとして存在する家族である．

□**構造的距離（物的距離）**：物理的（客観的）な視点からみたある家族環境の存在，それが家族システムユニットと物理的（客観的）に離れている程度である．

□**機能的距離（心的距離）**：心理的（主観的）な視点からみたある家族環境の状態，それが家族システムユニットと心理的（主観的）に離れている程度である．

□**時間的距離**：時間的な視点からみたある家族システムユニットと家族環境の変容とそのプロセス，それが現在と時間的に離れている程度である．

□**スープラシステム**：家族環境システムをつくり出し，直接的あるいは間接的にその他の家族環境システムと関連し，家族環境システム全体を包括する外枠である．

□**マクロシステム**：物理的/客観的かつ心理的/主観的な包括的評価により，家族システムユニットから遠所にある日常生活の場である．

□**ミクロシステム（マイクロシステム）**：物理的/客観的かつ心理的/主観的な包括的評価により，家族システムユニットから近所にある身近な地域である．

□**家族外部環境システム**：家族システムユニットに外在する家族環境システム（スープラシステム，マクロシステム，ミクロシステム）である．

□**家族内部環境システム**：家族システムユニットに内在する家族環境システムであり，家族員同士が相互作用している家族システムユニット内の範囲である．

□**クロノシステム（家族時間環境システム）**：家族内部環境システム・家族外部環境システム・家族システムユニットの過去から未来にベクトルを向けた時間的変化・変容のプロセスを時間枠で示すための概念である．

□**家族症候**：主観的かつ客観的な家族データに基づき，看護職者が総合的に査定した家族システムユニットの困難状態（問題・課題・困難・苦悩）である．

B 理論家紹介

本理論は，日本の家族看護学研究者・実践者の法橋が提唱者である（法橋・本田・島田・道上，2016；法橋，2023d）．兵庫県の田舎で生まれ，両親と姉との4名家族で育った．小学校では，野山を駆け抜ける野性的でガキ大将的な存在であり，心も体も健康で，優しさと思いやりをもって仲間に接していた．しかし，高学年になってから，個別指導塾で恐ろしいスパルタ教育を受けたことが，人生で最初のターニングポイントとなった．

1989年東京大学医学部を卒業し，1993年東京大学大学院医学系研究科博士課程を中退した（1995年博士号取得）．その直後，東京大学医学部家族看護学講座の開設時教員となり，日本の家族看護学の創設に尽力した．2006年神戸大学医学部・教授，2008年神戸大学大学院保健学研究科・教授となり，現在に至る．2008年，家族支援専門看護師（certified nurse specialist：CNS）コースを開設し，高度実践看護師の確立に尽力している．東京大学医学部附属病院分院，東邦大学医学部付属大橋病院，Johns Hopkins Children's Center，MassGeneral Hospital for Childrenなどにおいて臨床研修を積んだ．

International Family Nursing Associationの発起人，創設理事である．その他，*Journal of Transcultural Nursing* 編集委員，*International Journal for Human Caring* 編集顧問委員，*Journal of Holistic Nursing* 編集委員，*Journal of International Nursing Research* 編集長などを歴任している．

2014年にTranscultural Nursing SocietyよりTranscultural Nursing Scholar，2015年にInternational Family Nursing AssociationよりInnovative Contribution to Family Nursing Award，2016年にAmerican Academy of NursingよりFellow of the American Academy of Nursing（FAAN）の称号（日本人２人目）などを授与される．法橋の個人ポータルサイトは，https://nursingresearch.jp/である．

理論誕生の歴史的背景

法橋は，日本の家族看護学の黎明期に，複数の科学研究費補助金を獲得し，家族機能を中心とした研究に従事していた．1996年からSuzanne L. Feetham博士と共同研究を始め，その成果の一つとして，家族機能は，対家族システムユニット，対家族内部環境システム，対家族外部環境システム，対家族時間環境システムに分類できることを見出した（法橋，2023i）．時間環境は，家族機能が時間的に変化・変容するプロセスを示すために創出した概念である．家族機能のアセスメントだけではなく，家族全体のアセスメントを体系的に行う必要性を学び，1999年に家族看護中範囲理論の構築に着手した．

家族とは何か，家族環境とは何か，家族問題とは何かのように，根源的な問いを探求することで，球体家族，家族症候などの概念にたどり着いた．空間と時間の論理時空間である３次元家族時空間の中に球体家族を位置づけ，研究と実践によって得られた家族の機能性項目を配置するという発想は，広い分野の知識と深い専門の学術に立脚している．2005年，日本家族看護学会第12回学術集会において，CSFETのプロトタイプを初公表した（法橋，2005）．その後，理論開発論文を公開するために，日本，香港，アメリカで研究を継続しながら論文を執筆し，2011年に *Journal of Transcultural Nursing* に原著論文として掲載された（Hohashi & Honda, 2011）．この論文には，家族アセスメントツールの開発も掲載されている．

その後も，概念，定義，命題の追加，変更，削除を繰り返している．開発研究と臨地応用の相乗的な往還により，理論の破れを発見したり，創造的な検証と改良を繰り返しながらより堅固な理論に発展させており，最新バージョンは3.4である．CSFETの開発研究は，日本の幅広い地域（都心部，地方部，島嶼部，山間部など）で生活する家族，様々な国・地域（アメリカ，カナダ，日本，中国本土・香港，インドネシア，フィリピンなど）で生活する家族を対象としている．そして，国内外の1,100を超える家族を対象とした家族インタビュー/ミーティングの実施，約９万件の質問紙調査（家族環境アセスメントツールを含む）の実施，延べ約1,400日の家族エスノグラフィックリサーチなどのマルチメソッド研究に基づいて開発した世界で通用するグローバルな理論である．

D 家族同心球環境理論とは

1 家族看護学のメタパラダイム

法橋（2005）は，家族看護学とは何であるのかという本質的なところに関心をもち，家族看護学のメタパラダイムは，家族環境，家族資源，家族機能，家族症候の４つの概念で構成されていると提唱した（図３－１）（法橋，2023i）．すなわち，家族看護学は，家族システムユニットが家族環境と相互作用/交互作用していることを理解し，家族資源を制御し，家族システムユニットの家族機能と家族症候にかかわり，家族インターベンションを実施することである．これは，本理論の支軸となる中心概念でもある（法橋，2023d）．

なお，CSFETでは，家族環境は“家族システムユニットに外在あるいは内在するあらゆる事物（ヒト・モノ・コト・トキ）や現象であり，家族内部環境，家族外部環境，家族時間環境から構成される統一体”，家族資源は“家族システムユニットが現在利用可能，あるいは潜在的に利用可能な家族環境”，家族機能は“家族員による家族役割行為の遂行により生じ，家族が家族と家族環境に果たす認識的働きならびに認識的力”と定義している（法橋，2023d）．

2 家族同心球環境理論

CSFETは，“家族看護学研究者・実践者の法橋（2005）が提唱者であり，時間軸と空間軸から家族システムユニットをとらえ，ホリスティックな家族の高次な存在を射程とし，家族ウェルビーイングに作用する家族環境に焦点化した家族看護中範囲理論”である．

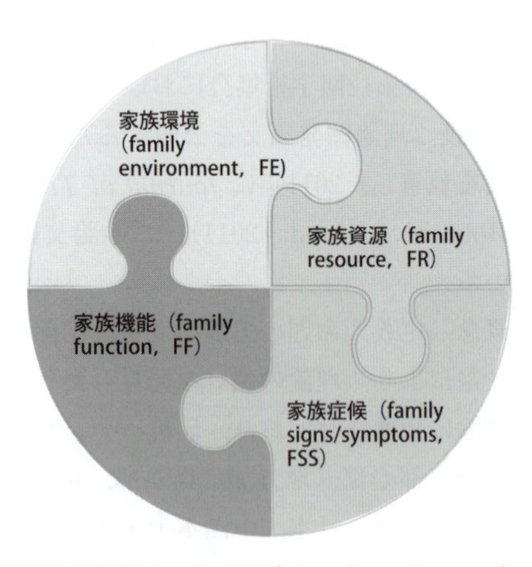

図３－１●家族看護学のメタパラダイム（バージョン1.2）

CSFETを踏み込んで理解するうえで，家族システムユニット，球体家族，家族システムユニットの三元理論などの知識が前提となる．

1）家族システムユニット

家族システムユニット（図3－2）は，“家族がシステムかつユニットであることを明確にするための家族の別称”である（法橋，2023i）．家族インターベンションの対象とする家族は，家族システムユニットとして理解し，扱う必要があり，法橋が専門用語として提唱した（法橋他，2010）．家族看護学では，個々の家族員が円環的に影響し合うシステム（家族システム）として家族をとらえ，家族員・家族・家族外部環境のシステム連関を包括的に理解し，家族を1単位（家族ユニット）として支援するので，家族がシステムかつユニットであるというパラダイムが前提となる．すなわち，家族看護学の対象は，家族システムや家族ユニットという表現では不十分であり，家族システムユニットと表現するのが適切である．

システムは，相互に影響を及ぼし合う要素から構成され，全体として機能するまとまりや仕組みである．家族内部では家族員同士が相互作用し，家族は家族外部と交互作用しており，これらは円環的に影響し合っている（すなわちシステム）．家族看護学では，この家族全体を1単位として（すなわちユニット），大局的視点（過去・現在・未来の3つの時間軸を含み，全体を見渡す視点）をもつことが不可欠である．

家族看護学は家族システムユニットという組織を対象にするため，“片想いの家族員”問題と“妻たちの家族看護学”問題が存在し，法橋が国際的に問題提起しているが完全解決にはいたっていない（法橋，2019）．

2）球体家族

球体家族（図3－3）は，“3つの評価軸（構造的距離，機能的距離，時間的距離）によって形成される3次元時空をなす家族環境の中において，三体（物理体，心理体，スピリチュアル体）で組織化され，球体システムとして存在する家族”である（法橋，2023i）．

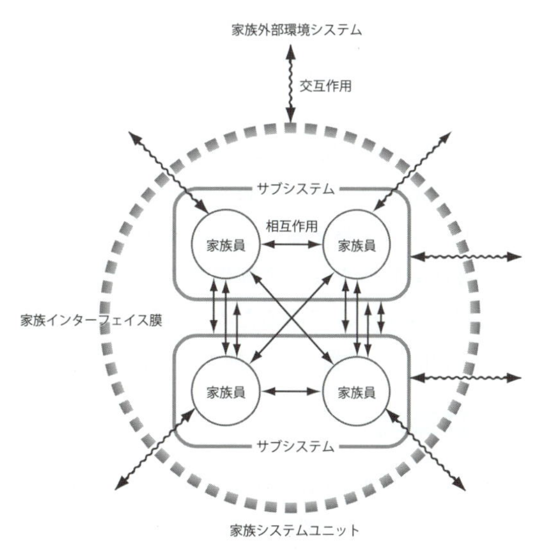

図3－2●家族システムユニットのとらえ方（バージョン2.1）

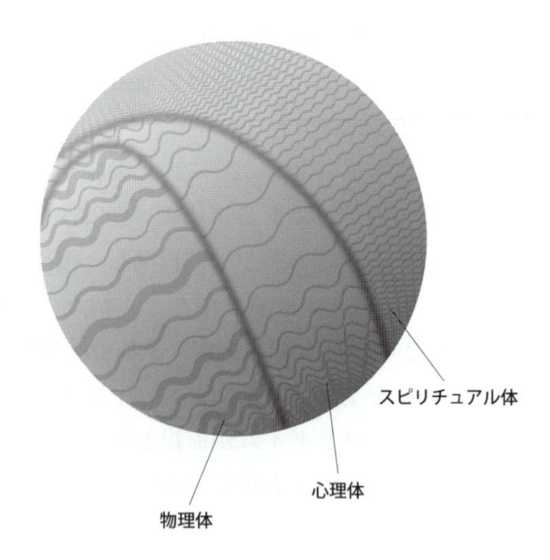

図３－３●球体家族の概念図（バージョン1.0）

構造的距離は家族形態，機能的距離は家族関係，時間的距離は過去・現在・未来の家族を示しているといえる．球体家族は，全方向性，作用性，多面的機能性という特質（特性）を備える．全方向性は，家族システムユニットは球体であるために，全方向に広がるあらゆる家族環境と一体化していることである．作用性は，家族環境と相互作用/交互作用することである．多面的機能性は，多くの家族役割をもち，多様な家族機能を発揮することである．

３）家族システムユニットの三元理論

家族システムユニットの三元理論（Trichotomous Theory of the Family System Unit：TTFSU）（図３－４）は，“家族看護学研究者・実践者の法橋（2005）が提唱者であり，家族システムユニットは，物理体，心理体，スピリチュアル体で組織化されている球体システムであり，これらの三体が相互連関している統一体（ユニット）であることを規定する家族看護大理論”である（法橋，2023i）．

体は“物事が働きをする，もとをなす存在”である．TTFSUは，家族看護学の対象論において，“家族とは何か”という根源的な問いに対して，普遍妥当な原理を特定する大理論である．物理体，心理体，スピリチュアル体が一体として家族全体を組織化しており，家族症候の根本原因は三体に求めることができる．物理体，心理体，スピリチュアル体を機能させ，バランスを整えることが家族支援になる．家族システムユニットは球体システムであり，３次元時空をなす家族環境の中に存在する複雑系融合体である．家族システムユニットは球体システムであるため，球体システム内外の全方向のあらゆる家族環境と相互作用/交互作用し，多機能を発揮できる．

3 家族同心球環境モデル

家族同心球環境モデル（Concentric Sphere Family Environment Model：CSFEM）は，CSFETを図式化した時空図である（図３－５）．CSFEMは，３つの評価軸（構造的距離，機能的距離，時間的距離）を座標軸として，空間と時間の論理時空間である３次元家

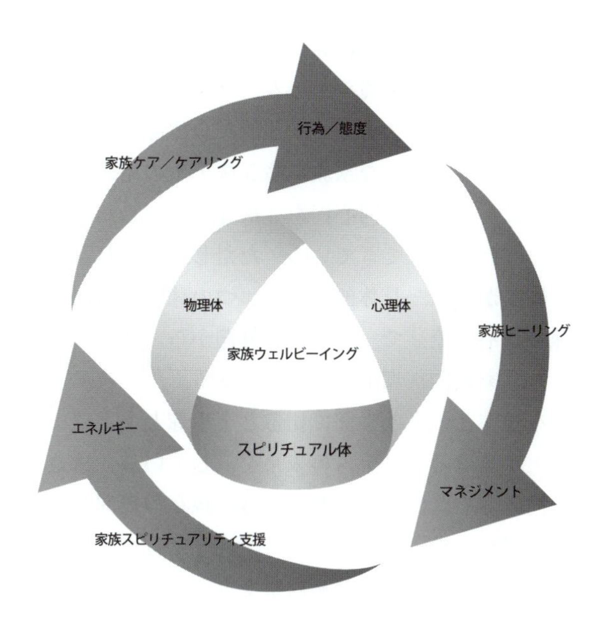

図３－４●家族システムユニットの三元理論の概念図（バージョン1.3）

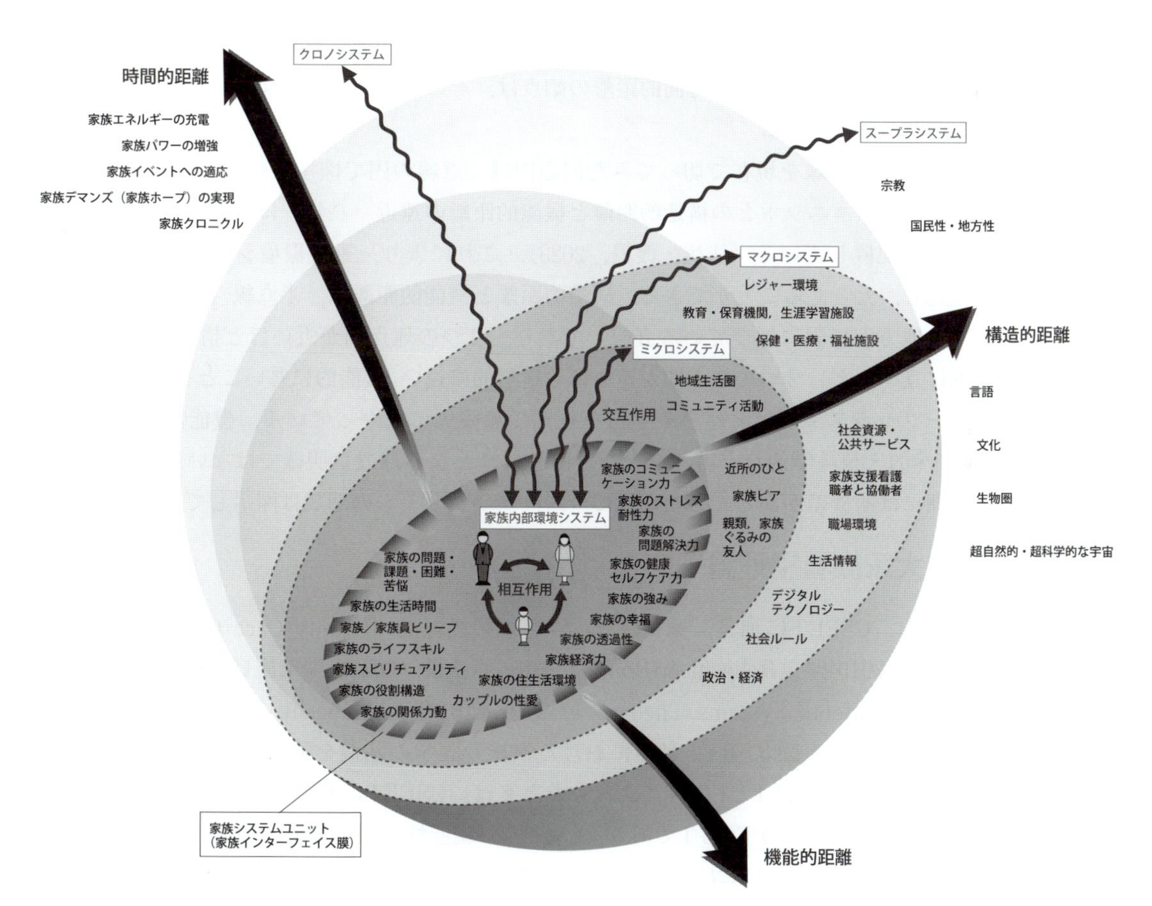

図３－５●家族同心球環境モデル（バージョン3.4）

族時空間を形成し，その中に5つのシステム（スープラシステム，マクロシステム，ミクロシステム，家族内部環境システム，クロノシステム）が配置された同心球構造で表現されており，家族環境システムの立体的な全体像を可視化する．これは，家族ウェルビーイングに作用する全方位的な家族環境システムの見取り図である．

同心球とは，2次元の同心円を3次元に応用したものであり，異なる半径の球殻が中心を同じくして置かれてできている．ただし，必ずしも正球である必要はなく，各球殻の範囲には家族差がある．具体的には，4つの球体が入れ子になった4重同心球（ただし，最外側の球殻は不明瞭）で，それらは外側から，スープラシステム，マクロシステム，ミクロシステム，家族内部環境システムである．

同心球を現在という水平面で切ると下半球と上半球に分かれるが，下半球は各システムの過去，上半球は各システムの未来を表している．構造的距離と機能的距離で構成される水平面（同心球の共時的な横断面）は，現在の空間を意味している．4重同心球は，時間とともに時間軸に沿って，3次元時空内を上方へ平行移動する．その移動の軌跡を視覚化し，家族の通時的な変容を経過観察できる．

家族システムユニットは家族環境ではない．CSFEMは家族環境システムの概念図であり，家族インターフェイス膜は家族システムユニットの機能であることから，便宜上，家族システムユニットは家族インターフェイス膜として設定している．水平軸である構造的距離と機能的距離の始点は，家族システムユニットを意味する家族インターフェイス膜にある．また，垂直軸である時間的距離の始点は，その家族システムユニットが形成された過去のある時点である．

立体的な同心球を現在で切ってみた同心円は，点線の円で図示されている．そこには，家族システムユニットとの構造的距離と機能的距離の遠近（長短）に従い，43の機能性項目を空間配置している（法橋・渡邉，2023）．これにより，家族環境システムの全体像を可視化し，とらえることができる．構造的距離と機能的距離は，半直線（一方に始点があって，他方が無限に延びている直線）であり，2つの地点間が近いほど構造的に近い/機能的に良いこと，2つの地点間が遠いほど構造的に遠い/機能的に悪いことを意味する．

スープラシステムは，惑星や宇宙を越えて無限大に広がっている．機能性項目として“超自然的・超科学的な宇宙”を含むため，外枠となる球殻は明確ではない．また，外枠の範囲には家族差がある．したがって，スープラシステムの球殻は図示していない．

4 3大家族看護理論

法橋は，CSFETに加え，家族ケア/ケアリング理論（Family Care/Caring Theory：FC 2 T）（2015年）（Hohashi & Honda，2015a；法橋，2023c），家族ビリーフシステム理論（Family Belief Systems Theory：FBST）（2019年）（Hohashi，2019；法橋，2023g）も提唱しており（図3－6），世界における家族看護学の基盤を強靱化している．CSFETの特殊理論が，FC 2 TとFBSTである．たとえば，CSFETに基づいた家族ケア/ケアリングを行うための理論がFC 2 Tであり，CSFETの機能性項目である“家族支援看護職者と協働者”と家族システムユニットとの関係で生じる現象を説明する．また，CSFETの機能性項目である“家族/家族員ビリーフ”に特化した家族看護活動を行うための理論が

図3－6●3大家族看護理論（バージョン2.0）

FBSTである．

これらに加え，家族トランセンデンス理論（Family Transcendence Theory：FTT）（法橋，2023h），家族システムユニットの成長・発達区分理論（Theory of Growth and Development Segments of the Family System Unit：TGDSF），家族システムユニットストレス理論（Family System Unit Stress Theory：FSUST）なども提唱しており，これらを組み合わせて，最善の家族支援を実現できる．たとえば，FTTは，CSFETの機能性項目である“超自然的・超科学的な宇宙”と“家族スピリチュアリティ”に関する家族アセスメント/インターベンションを可能にする．

5 家族症候

家族症候（family symptoms/signs：FSS）は，“主観的かつ客観的な家族データに基づき，看護職者が総合的に査定した家族システムユニットの困難状態（問題・課題・困難・苦悩）”である（法橋，2023e）．家族症候は，法橋（2010年）が提唱した専門用語であり，家族員の困難状態ではなく，家族全体の困難状態を意味する．したがって，家族症候は，家族員が主語ではなく，家族を主語として記述する．家族症候のラベリングは，家族の困難現象を言語化し，家族看護学の視座で家族の問題現象に迫るための最善策である．

家族症候の“症”は家族症状の“症”，家族症候の“候”は家族兆候（家族徴候）の“候”である．家族症候は，家族システムユニットが主観的に認識している“家族症状”と看護職者が客観的に観察できる“家族兆候（家族徴候）”から判断する家族事例の診立てである．すなわち，家族・家族環境アセスメントモデル（Family/Family Environment Assessment Model：FFEAM）により，主観的かつ客観的に評価，自他覚的にラベルする家族の問題・課題・困難・苦悩である．なお，家族症候の変動に対して使用する用語は，出現/消失，治療/予防，悪化・増悪/軽減・改善などである．

家族症候には，量的なものと質的なものがある．量的なものは家族ウェルビーイングからの偏りであり，たとえば，家族レジリエンスの発達不足は，質問紙で量的に評価することにより同定できる．一方，質的なものは測定できない異質なものであり，たとえば，ネガティブ家族ビリーフは，家族ナラティヴでその存在を同定できる．

家族症候は階層的に主要家族症候群（大分類）と家族症候分類コード（小分類）として体系化してあり，家族症候チェックリスト（Family s/s Checklist：FSSC）として提供している（法橋，2023b）．FSSCは，家族症候名とその判定状態で構成している．家族症候分類コードでは，62の家族症候（家族のソーシャルサポートの非効果的活用，家族の意思決定上の葛藤，家族デマンズの未充足，家族スピリチュアリティの低下など）が一覧になっている．

6 家族・家族環境アセスメントモデル

FFEAM（図3－7）は，“家族同心球環境理論を基軸とし，家族ウェルビーイングと家族環境の状態をアセスメントするためのモデル”である（法橋，2023f）．“家族・家族環境”という名称になっているのは，家族と家族環境とは異なるものであり，家族とその家族環境の両方をアセスメントするからである．FFEAMは，“家族観察とインタビュー”と“測定検査”から構成している．“家族観察とインタビュー”は定性的なアセスメント，“測定検査”は定量的なアセスメントを行う．そして，家族症候診断（統合家族アセスメント）では，定性的および定量的な情報を有機的に関連づけて，家族システムユニットを統合体としてアセスメントする．このような定性的かつ定量的な家族情報からミックスドメソッドによって，CSFETの視座から巨視的かつ複眼思考によって家族システムユニッ

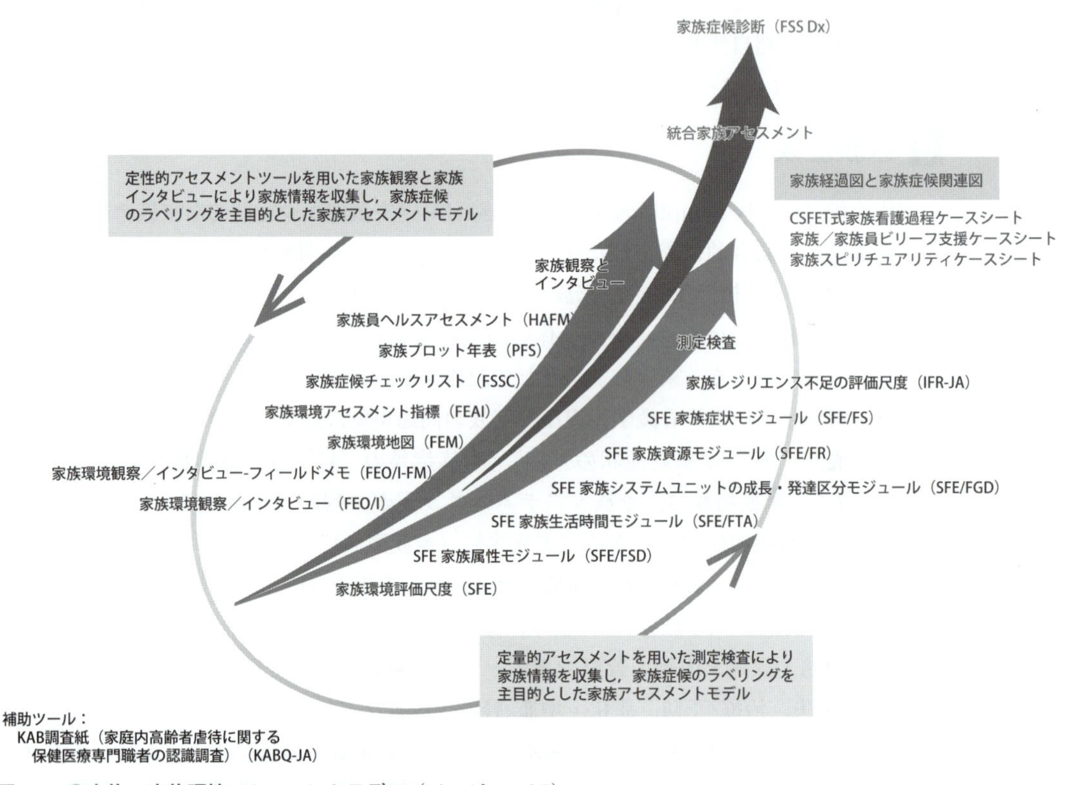

図3－7●家族・家族環境アセスメントモデル（バージョン3.5）

トをアセスメントできるのがFFEAMの特徴である．

“家族観察とインタビュー”と“測定検査”には，複数のツール（家族・家族環境アセスメントツール）が開発されており，初心者でも効率的に信憑性・信頼性・妥当性の高い家族情報を収集し，家族アセスメントが可能である．ターゲットファミリーに最適なツールを能動的に取捨選択し，有機的に組み合わせて使用する．アセスメントツールの使用順序は問わない．

たとえば，家族環境地図（Family Environment Map：FEM）は，“家族の基本情報を数値・線・記号を使って図式化し，俯瞰的な理解を図るための家族アセスメントツール”である（法橋，2023a）．FEMでは，家族の構成（家族構成と親類構成），家族と家族内部環境の相互作用（相互関係レベルと関係の向き），家族と家族外部環境との交互作用（交互関係レベルと関係の向き），インターフェイス膜（特に家族インターフェイス膜）の所在とその機能状態などを記述する．ただし，FEMを家族と一緒にマッピングすること（地図を作ること）が，家族が自らの家族構造や家族関係などを客観視する機会，家族クロニクルを振り返る時間になり，家族自らの気づきを促すことになるため，それ自体が家族インターベンションになることを理解しておく．

7 家族・家族環境インターベンションモデル

家族・家族環境インターベンションモデル（Family/Family Environment Intervention Model：FFEIM）（図3－8）は，“家族同心球環境理論を基軸とし，家族全体と家族環境への意図的なインターベンションを可能にするモデル”である（法橋，2023f；法橋，2023j）．“家族・家族環境”という名称になっているのは，家族と家族環境とは異なるものであり，家族とその家族環境の両方にインターベンションするからである．FFEIMは，“CSFET式家族看護過程”と“家族仮説演繹的臨地推論と家族症候の影

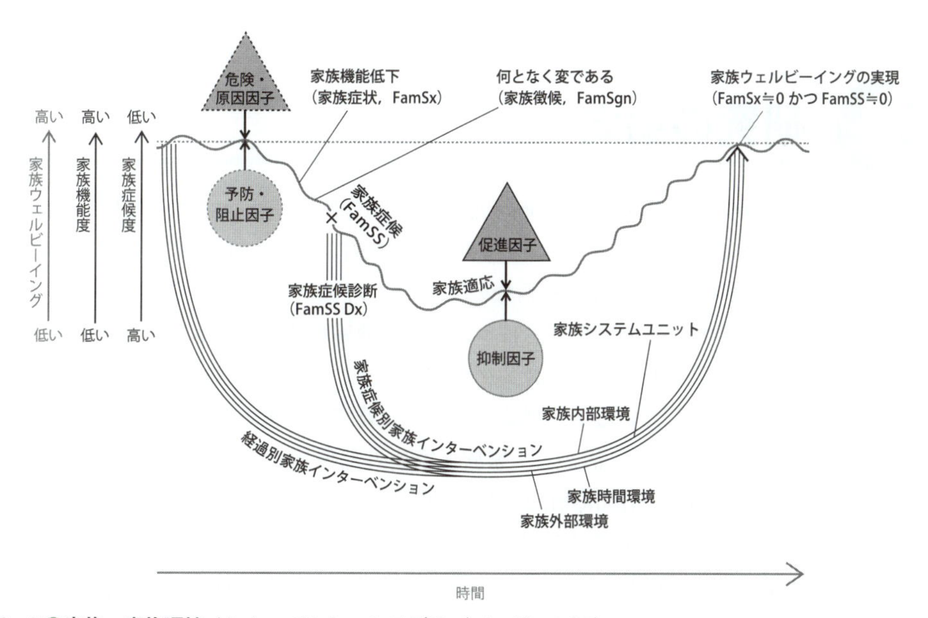

図3－8●家族・家族環境インターベンションモデル（バージョン3.5）

響因子スキーマ”から構成されている．これらは，FC２TやFBSTなどを応用し，家族システムユニットと看護職者にとって望ましい“家族全体像”を描写し，合同家族ミーティングなどを実施することによって，意図的かつ計画的にターゲットファミリーに家族インターベンションを実施する．

“CSFET式家族看護過程”は，家族同心球環境理論を理論的枠組みとし，帰納的推論過程を活用した家族看護過程である．これは，家族症候診断を組み込んだ家族看護の過程であり，具体的には，“１）家族情報収集→２）家族アセスメント→３）家族症候診断，家族看護問題の明確化，家族インターベンション目標の設定→４）家族インターベンション計画の立案→５）家族インターベンションの実施→６）家族インターベンションの評価・リフレクション”という６段階のサイクルで構成される．

“家族仮説演繹的臨地推論と家族症候の影響因子スキーマ”は，家族仮説演繹的臨地推論と家族症候の影響因子スキーマを使った家族アセスメント/インターベンションである．家族症候学においては，危険・原因/促進因子を除去・減弱し，予防・阻止/抑制因子を付加・増強することにより，家族症候を消失させるのが家族インターベンションである．これは，具体的には，“１）特有の家族症状・家族兆候の気づき→２）家族症候の仮説→３）仮説の裏付けとなる家族情報収集→４）家族症候診断と家族症候の影響因子の同定，家族看護問題の明確化，家族インターベンション目標の設定→５）家族インターベンション計画の立案→６）家族インターベンションの実施→７）家族インターベンションの評価・リフレクション”という７段階のサイクルで構成される．

このように，CSFETは，家族インターベンションのための理論体系，これを基盤とした実践体系をもつという特徴がある．看護職者が家族を看護する必要性を認識していながらも，家族看護の現場適用が困難な現状もある．CSFETは実践的な理論であり，家族インターベンションが難しいと感じている看護職者に対して，特にこれを基盤としたモデルとツールによって具体的な家族インターベンションのメソッドを提供できる．

研究の動向

法橋自身による理論開発研究は継続しており，最近では，たとえば，CSFETの特殊理論である家族ビリーフシステム理論（FBST）（Hohashi, 2019），家族トランセンデンス理論（FTT）（法橋，2023h）など，複数の理論開発を行っている．これらは1999年より開発に着手したものであり，日本の幅広い地域で生活する家族，様々な国・地域で生活する家族を対象とし，家族エスノグラフィックリサーチ（法橋・太田・林・和辻，2022）などにより開発しているが，理論開発には複雑で，莫大な労力と時間が必要である．

CSFETの特徴を活かし，家族と家族外部環境との交互作用に関する研究，トランス文化家族看護学（Hohashi, 2017）に関連する研究がある．たとえば，アメリカに家族帯同赴任をしている日本人家族の環境と家族支援ニーズを明らかにした研究がある（Honda & Hohashi, 2015b）．CSFETを理論的枠組みとした家族エスノグラフィックリサーチにより，家族看護現象を体系的に分析し，その複雑さや多様性の理解を深めることができる．

また，日本の離島で暮らす家族に対するCOVID-19の影響を明らかにした研究では，CSFETに基づいてダイレクトコンテントアナリシス（directed content analysis）を行い，家族外部環境システム，家族内部環境システム，クロノシステム，家族システムユニットにおいて，ネガティブな影響を経験したが，その困難のなかにポジティブな影響も見出した（Hohashi, Pinyo, Araki & Taniguchi, 2023）．

家族アセスメントモデルに関しては，アセスメントツールの開発を進めている．CSFETのグランドデザインとしては，家族インターベンションモデルの実用化が最終段階である．家族症候ごとの影響因子を明らかにし，家族インターベンションのメソッドの開発が最新の研究テーマである．

理論の看護実践での活用

CSFETは，家族インターベンションの基盤となる原理・原則を提供し，CSFETに基づいた家族アセスメントモデルと家族インターベンションモデルが開発されている．家族インタビュー（家族情報の収集と家族アセスメントが主たる目的）を実施していると，対話の流れから家族ミーティング（家族インターベンションの実施が主たる目的）に切り替わることがある．家族インタビューと家族ミーティングは別の目的で行うものであるが，両者を切り離すことが難しい場合が往々にしてある．したがって，家族インタビューと家族ミーティングではなく，家族インタビュー/ミーティングと表記する．同様に，FFEAMとFFEIMを合わせて，家族・家族環境アセスメント/インターベンションモデル（Family/Family Environment Assessment and Intervention Model：AIM）と表記する．

CSFETでは，“家族症候別×経過別×家族システムユニットの成長・発達区分別”の家

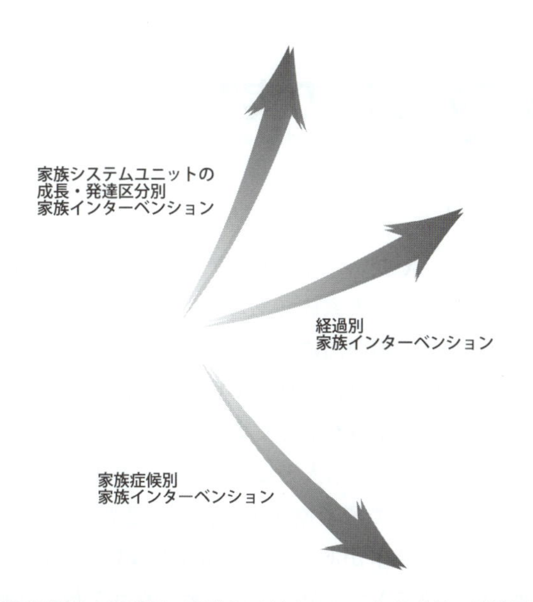

図3-9●“家族症候別×経過別×家族システムユニットの成長・発達区分別”の家族インターベンション（バージョン1.2）

族インターベンションの3軸のマトリックスでターゲットファミリーをとらえて家族インターベンションを実践する（図3－9）．家族症候を経時的にとらえることで，家族インターベンションにおける経過は，予防期，潜伏期，急性期，慢性期（維持期），回復期（移行期），終末期に分類できる（法橋，2023f）．家族が置かれている期によって家族インターベンションの目標が異なるため，経過別で家族症候をとらえる必要がある．すなわち，家族システムユニットがどの期にあるのか，今後どの期に移行するのかをアセスメントし，その期の特徴を踏まえた家族インターベンションを実施する必要がある．さらに，家族システムユニットは，常に変化している動的な実体であり，消滅するまで常に成長・発達を遂げている．家族システムユニットの成長・発達の各区分にはそれぞれに共通かつ特徴的な家族全体像があるため，その特徴をとらえた視点で家族インターベンションを実施することが重要である．

なお，2017年に外来クリニックとして，CSFET式ナースの家族お悩み相談室を開設している（https://familyconsultation.org/）（法橋・島田・道上・吉川・平谷・西元，2019）．これは，“CSFETに基づいて，世界最先端の家族支援を実践するための家族看護クリニック”である．CSFET式ナースの家族お悩み相談室では，法橋研究室が行った研究のエビデンスに基づき家族インターベンションを実施しており，研究成果の社会還元という位置づけもある．現在，大学における外来家族看護，国内外各地における訪問家族看護，ソーシャルソフトウェアやビデオ会議ソフトウェアを使用したオンライン家族看護などを実践している．CSFETに精通する看護職者が，様々なツールを用いた家族インタビュー/ミーティングにより，家族の個別性に配慮して，家族全体の幸福と家族機能を高めるためにテーラーメイド家族支援を提供している．ウェブサイトの運用，保健医療福祉施設，保育・教育機関，行政施設などでのフライヤー配布によって，相談室の案内を出している．ウェブサイトの入力フォームと専用電話にて，相談予約を受け付けている．

G 臨床での活用の実際

1 事例紹介

Aさん家族は，Aさん本人58歳，妻53歳，母親83歳，長女28歳，長女の夫27歳，長女の子ども4歳と2歳の7人家族である．長女の結婚に伴い，Aさん・妻・母親の3人は，市街から車で約40分の山間部にある一軒家で暮らしている．長女とその夫と子どもは，実家から車で約1時間の他県に在住している．

今回，Aさんが急性心不全で薬物治療が必要となり，緊急入院となった．入院加療を経て，医師からは，Aさん本人と妻に対して，心不全症状は改善しているが，肺気腫の悪化により退院後も在宅で酸素療法を継続する必要があると説明を受けた．Aさんは，「製品開発の残している仕事がある．早く退院しないといけない」と早期退院を希望している．妻は，面会のたびにAさんがリハビリテーション後に「疲れた」と言って，すぐに横になって休む様子を見て，妻から「在宅酸素をしながら仕事に戻れる状況なのでしょうか？

母も，退院しても家で介護が必要な状態ではないかと心配しています」という発言が聞かれ，妻と母親が困惑している様子がうかがえた．

Aさんは，50歳までIT企業の開発部門で研究職として勤務していた．研究職という仕事に誇りをもっており，朝9時から夜10時頃まで職場にこもり，仕事をする日々であった．多忙な仕事のストレスのため27歳頃から喫煙をはじめ，1日1箱（20本）以上喫煙することもあった．50歳頃に健康診断で肺気腫を指摘された．また，同時期に，軽度の貧血と心臓弁膜症を指摘され，これをきっかけに自宅から車で約1時間の公共機関の研究職に転職し，通院しながら仕事を継続している．体調のこともあり，以前より勤務時間が短くなっている．現在の職場は，転職して間もないことや新型コロナウイルス感染症のパンデミックにより同僚とのコミュニケーションに制限があったため，仕事以外でかかわることはない．

妻は，子育てが落ち着いたことと，Aさんの転職に伴う家計の変化を考慮して，建設会社の事務職員として平日9時から17時まで勤務している．職場は自宅から車で20分のところにあり，事務職員は6名の中小企業である．職場は，主介護者として母親の介護を担っていることに理解を示し，母親の介護のため急な対応が生じる場合にも協力的である．

母親は，要介護1と認定されており，高齢に伴う筋力低下のため，週2回デイケアを利用しており，デイケアのない日は自宅で過ごしている．認知機能に問題はない．

長女は，4歳と2歳の子育てに追われており，月に1回程度，子どもを連れて実家であるAさん宅へ遊びに来ている．

Aさんは，転職後，勤務時間が短くなったため自宅で過ごす時間は増えたものの，家庭内の役割は妻任せであった．Aさんと妻は，お互いの生活時間の違いから普段から顔を合わせることは少なく，必要最低限のコミュニケーションしかとらないため，お互いに相談することがなかった．母親は，嫁を話しやすい存在であると感じているが，息子のAさん家族に同居してもらっているという気兼ねや，自宅での介護に対してこれ以上の迷惑をかけたくないという思いが強く，デイケアで失禁したことを家族へ伝えることができなくなっている．Aさんの「職場復帰のために早く退院したい」という強い希望とリハビリテーション後の態度や行為が伴っていないことに，妻と母親が困惑している様子がうかがえたことから，何となく気になりAさん家族にかかわることにした．

2 理論に照らしてのアセスメントと支援のポイント

CSFETは，家族をホリスティックな存在としてとらえるため，Aさんだけでなく，ほかの家族員である妻や母親などの状況をアセスメントできる．看護師は，妻の発言や様子から“何となく変である”（法橋，2023i）と察知し，“家族仮説演繹的臨地推論と家族症候の影響因子スキーマ”を採用し，困惑している家族の状況に家族症候チェックリスト（FSSC）（法橋，2023b）を用いて3つの家族症候の仮説を立てる．

その後，仮説を実証するために，CSFETに基づいた家族アセスメントツールである家族環境地図（FEM）（法橋，2023a）を用いて家族関係などを確認し，家族環境アセスメント指標（FEAI）（法橋・渡邉，2023）のキラークエスチョンを用いて家族インタビュー（家族情報の収集と家族アセスメントが主たる目的）を行うが，家族インタビューを実施していると，対話の流れから家族ミーティング（家族インターベンションの実施が主たる目的）に切り替わることがある（法橋，2023j）．

追加の家族情報を含めた統合家族アセスメントにより，家族症候診断と家族症候の影響因子の同定を行い，家族看護問題の明確化，家族インターベンション目標の設定，家族インターベンション計画の立案，家族インターベンションの実施，家族インターベンションの評価・リフレクションを行う．

3 活用例

1）特有の家族症状・家族兆候の気づき

Aさんの“職場復帰のために早く退院したい”という強い希望とリハビリテーション後の態度や行為とが伴っていないことに，妻と母親が困惑している様子がうかがえた．看護師は，この様子をみて，“このままAさん家族とかかわらずに退院となるのは，何となくよくない気がする”と感じ（法橋，2023i），この暗黙知（法橋，2023j）に従ってAさん家族に意図的にかかわることにした．

2）家族症候の仮説

現状の家族情報に基づき家族症候チェックリスト（FSSC）を用いて，次の3つの家族症候（法橋，2023e）を仮説した．

仮説#	判定状態（家族症候分類コード）
仮説 1	家族の意思を決定するうえで，家族員間あるいは家族員内に葛藤が生じている状態（FSS-1601．家族の意思決定上の葛藤）
仮説 2	在宅酸素療法を導入して社会復帰するという家族イベントに対して，家族員（妻・母親）の不適応な感情を生じさせる家族ビリーフが存在している状態（FSS-1401．イベントに対する不適応な感情を生じる家族ビリーフの存在）
仮説 3	家族員間（Aさんと妻･母親間）でメッセージを共有する意思がなく，家族でコミュニケーションがとれる環境が整備されていない状態（FSS-1801．家族内でのコミュニケーション環境の未整備）

3）仮説の裏づけとなる家族情報収集

仮説した家族症候の実在を確認するために，まず，家族環境地図（FEM）を用いて家族関係を可視化した（図 3-10）．その結果，家族内部環境におけるAさんと妻・母親との関係，家族外部環境におけるAさんとAさんの職場との関係を定量化できた．

次に，FEMでAさんと妻・母親との関係が不良であったため，各家族員の思いを語る場をつくり，さらに詳細な家族情報を収集する必要があると判断した．そのため，家族員（Aさん・妻・母親）に対して，問いかけ話法（質問話法）（法橋，2023f）（図 3-11）を基盤とし，インタビューガイドであるFEAIを援用して，個々の家族員に家族インタビュー/ミーティングを実施した．

なお，法橋が開発した問いかけ話法は，一つの話題を深掘りする問いかけである垂直問いかけ（垂直質問），他の話題に転換する問いかけである水平問いかけ（水平質問），思考の制限を取り払って，未来志向・解決思考へと視野を広げる問いかけである仮説問いかけ（仮説質問）で構成している．また，FEAIは，S質問，F質問，T質問で構成している（法橋・渡邉，2023）．S質問は，家族環境の存在（あるのか？　ないのか？）を明らかにするための構造的距離に関する質問である．F質問は，家族システムユニットと家族環境の相互作用/交互作用の状態（なぜ？　どのように？）を明らかにするための機能的距離に関する質問である．T質問は，家族システムユニットと家族環境の変容（どうだったか？どうなるのか？）を明らかにするための時間的距離に関する質問である．

今回選択したFEAIの機能性項目（法橋，2023d）は，仮説した家族症候に関連が強い

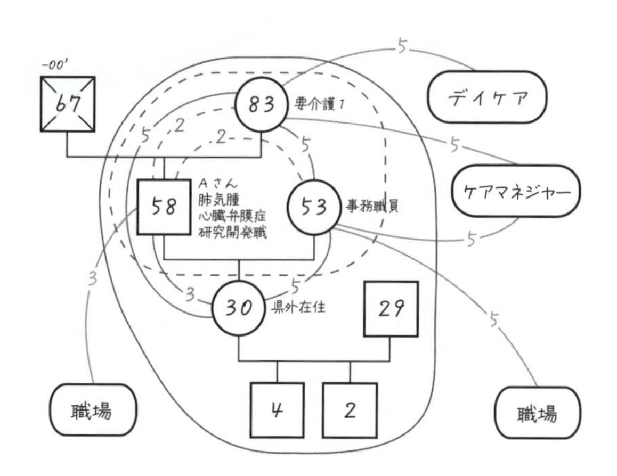

凡　例

記　号	意　味
□	男　性
○	女　性

記　号	意　味
（点線の枠）	同居者の範囲（赤色の点線で記入）
（実線の枠）	家族インターフェイス膜の所在（赤色の実線で記入）

関係線の図示法

家族内部環境との関係／家族外部環境との関係	図示法（家族内部環境との関係は青色，家族外部環境との関係は緑色で記入）[a]
レベル 5．大変うまくいっている／適切な距離にある	── 5 ──　── 4.5 ── ── 5 ──　── 4.5 ──
レベル 4．ややうまくいっている／ほぼ適切な距離にある	── 4 ──　── 3.5 ── ── 4 ──　── 3.5 ──
レベル 3．どちらでもない／どちらでもない距離にある	── 3 ──　── 2.5 ── ── 3 ──　── 2.5 ──
レベル 2．あまりうまくいっていない／やや不適切な距離にある	---- 2 ----　--- 1.5 --- ---- 2 ----　--- 1.5 ---
レベル 1．まったくうまくいっていない／不適切な距離にある	∧∧∧ 1 ∧∧∧ ∧∧∧ 1 ∧∧∧
注意：関係の向き（一方的な関係）は，上記の関係線の終点にアローヘッド（矢尻）を付けることによって示すことができる	（例）── 5 ──→　── 5 ──→ ---- 2 ---→　---- 2 ---→ ∧∧∧ 1 ∧∧→　∧∧∧ 1 ∧∧→

a) 家族の主観的判断ではなく，看護職者が推定した関係レベルは，丸括弧の中に数値を入れる．また，家族外部環境同士の関係線は緑色にする．

図 3-10●家族環境地図（FEM）（記入年月日：家族症候の仮説直後）

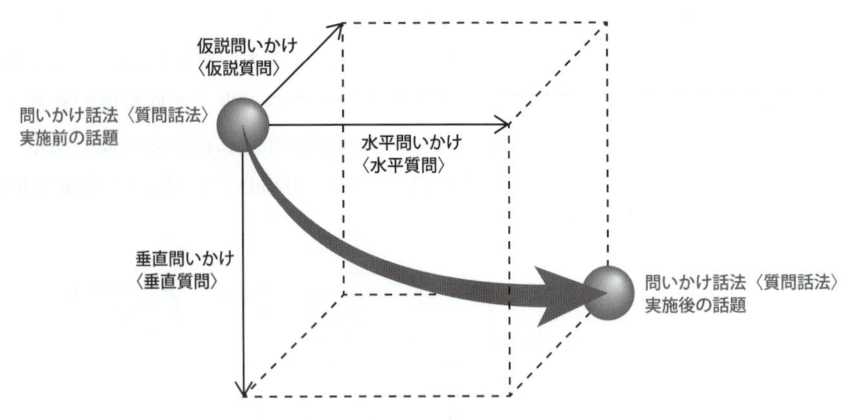

図3-11●問いかけ話法（質問話法）の三次元構造（バージョン1.1）

と考えた“家族/家族員ビリーフ（FEAI-03）”“家族の役割構造（FEAI-06）”“家族の関係力動（FEAI-07）”“家族のコミュニケーション力（FEAI-08）”とした．次には，家族症候に最も関連すると判断した“家族/家族員ビリーフ（FEAI-03）”に関する家族インタビュー/ミーティングの一例を示す．

（1）Aさんへの家族インタビュー/ミーティング

発話者	家族/家族員ビリーフ（FEAI-03）に関する発言内容
看護師	「ご家族のルール，モットー，大切に思っていることには，何があげられますか？」（S質問）
Aさん	「私は家長ですので，仕事をして家族の生計を立てる中心であるべきだと思っています」
看護師	「ご家族の生活に深く関係するものですね．それは，ご家族にどのように関係していますか？」（F質問）
Aさん	「私の意見が，家族の意見になっていると思います」
看護師	「そのように感じているのはなぜでしょうか？」（F質問，垂直問いかけ）
Aさん	「家長である私の意見が尊重されるべきだ…と思っているからでしょうか」と，少し悩みながら話した．
看護師	「ほかのご家族の方は，そのお考えについてどのように思っておられると思いますか？」（F質問，水平問いかけ）
Aさん	「母は，同じように思っていると思います．妻も，同じように思っていると思うのですが…」
看護師	「もし，Aさんが妻の立場だったとしたら，同じように思うでしょうか？」（F質問，仮説問いかけ）
Aさん	「どうでしょうか…そうですね，思いますかね．そうでないと，きょうだいからもちゃんとしていない家長だとか，私がしっかりしていないと，家がうまくいっていないのは妻がちゃんと支えていないからだとか言われますからね」
看護師	「ご家族のそのお考えが，現在のようになったのは，いつから，どのようなきっかけでしょうか？」（T質問）
Aさん	「いつからかはわかりませんが，まわりもそのような考え方ですし，親からもそのように言われて育ってきましたから，ちょっとわからないですね」
看護師	「ご家族のそのお考えには，満足していますか？」（F質問）

発話者	家族/家族員ビリーフ（FEAI-03）に関する発言内容
Aさん	「満足していますよ」
看護師	「過去にご家族のお考えが，大きく変わったことはありましたでしょうか？」（T質問）
Aさん	「転職したときに収入が減ったので，その考えが変わってはいませんが，しっかりしないといけないと思いました．だから，１日でも早く職場復帰したい．仕事で成果をあげ，貢献することが生きがいなので，中途半端にはできないし，家族のためにもしたくない」と，以前の転職時に妻に経済的な負担をかけたことを大変気にしている様子であった．

（2）妻への家族インタビュー/ミーティング

発話者	家族/家族員ビリーフ（FEAI-03）に関する発言内容
看護師	「ご家族のルール，モットー，大切に思っていることには，何があげられますか？」（S質問）
妻	「夫が家長ですので，その意見は従わないといけない．女は家のことを全てするとかでしょうか…」
看護師	「それは，ご家族の生活にどのように関係していますか？」（F質問）
妻	「夫である家長の言うことが全てですので，私はそれに従って，夫は家計を担当し，私は家事や育児，介護などをするという，それぞれの役割が決まっていますね」
看護師	「そのように感じているのはなぜでしょうか？」（F質問，垂直問いかけ）
妻	「なぜ？　そんなこと考えもしなかったです．ずっとそのような環境にいましたので，当たり前というか，そういうものだと思っていました」
看護師	「ほかのご家族の方は，そのお考えについてどのように思っておられると思いますか？」（F質問，水平問いかけ）
妻	「義母は同じように思っていると思います．私の母もそうでしたから…」
看護師	「そのご家族のお考えには，満足していますか？」（F質問）
妻	「満足ですか？　そんなことはあまり考えたことはないですが，今回の退院を夫が勝手に決めたことは，ちょっと…不満ですかね．私たち家族だけではなく，夫の職場や私の職場にもかかわることですし，そんなことを勝手に決められると，あの人にはついていけないというか，こっちのことも少しは考えてもらわないと，夫とはもう一緒にいられないですよね．これから先の不安もありますし…」と，真剣に考え込んだ表情で話した．
看護師	「そのように思われるのはなぜですか？」（F質問，垂直問いかけ）
妻	「私たち家族にだけかかる迷惑ならいいんです．でも，ほかを巻き込んで迷惑をかけることも考えてくれないとね．自分だけのことで決めるのは，ちょっと違いますよね」と，強い口調で家族以外の人々を巻き込みたくないことを強調された．
看護師	「もし，Aさんが今回のことについて相談してくれたとしたら，どうでしょうか？」（F質問，仮説問いかけ）
妻	「相談ですか？　今までそんなことなかったので，最初はびっくりするかもしれませんね．でも，相談したらお互いに気になるところを解決できますし，本当はそのほうが良いでしょうね」と，先ほどの発言のときとは異なり，ゆっくりと穏やかに話した．
看護師	「今後，ご家族の大切にしているお考えをどのようにしていきたいと思いますか？」（T質問）
妻	「“家長の意見は尊重されるべきである”というのは，このままでもいいんです．それで今までうまくいっていたので…．退院についても，できる限り夫の希望をかなえたいし，そのために必要なことは行いたいと思っています．でも，今回のことのように，家族以外にも迷惑をかけることは，家族で話し合って，それから決めていきたいかなと思います」

（3）母親への家族インタビュー/ミーティング

発話者	家族/家族員ビリーフ（FEAI-03）に関する発言内容
看護師	「ご家族のルール，モットー，大切に思っていることには，何があげられますか？」(S質問)
母親	「昔から，家長である長男は家の中心であり，絶対的に従うものだったし，息子もそのように育ったので，家長の言うことは絶対だということでしょうかね…」
看護師	「それは，ご家族にどのように関係していますか？」(F質問)
母親	「息子である家長の言うことが全てですので，私たち家族はそれに従って，ということでしょうか．私も，夫には意見したことはありません」と，淡々と話した．
看護師	「ほかのご家族の方は，そのお考えについてどのように思っておられると思いますか？」(F質問，水平問いかけ)
母親	「息子も嫁も，同じように思っていると思いますよ」
看護師	「そのご家族のお考えには，満足していますか？」(F質問)
母親	「満足するとかしないとかじゃないです．ずっとそうでしたから．古いと思われるかもしれませんが…，私も介護は嫁の役割だからと，母親を家で看取りました．でも，嫁は，本当によくやってくれています．仕事もしながらなので，大変だと思いますよ．私は，何もできないので，息子夫婦には迷惑ばかりかけていますし，これ以上はかけられない．今回の息子の入院もですし，酸素が必要なこともあり，心配で心配でつらいです．だから，施設に入ろうかと思っているのですが，今の嫁を見ていると大変そうで，とてもじゃないけど相談できませんし…」と，息子であるAさんのことを話す際には涙ぐみながら話された．
看護師	「息子さんのことも，お嫁さんのことも心配されているのですね．では，もし，息子さんが，何か気になることがあったら相談しようと言ってくれたらどうでしょうか？」(F質問，仮説問いかけ)
母親	「本当は，相談しないといけないんでしょうね．勝手に施設に入ったら，息子も怒るでしょうし…．嫁もどう思っているのか，最近，話していないのでわからないですもんね」

（4）家族インタビュー/ミーティング

家族員個々への家族インタビュー/ミーティングにより，Aさん家族が意思決定するうえで葛藤を生じている原因因子には，“家長は絶対であり，尊重すべき存在である”という家族ビリーフが存在しており，家族/家族員ビリーフ支援（図3-12）が必要であると考えられたため，家族/家族員ビリーフについて得られた情報を家族ビリーフケースシート（法橋，2023g）に記載して整理した．なお，家族インタビュー/ミーティングでは，以下の情報も収集した．

FEAIの機能性項目	家族インタビュー/ミーティングで収集した情報
家族の役割構造(FEAI-06)	・Aさんは，転職時に妻に経済的に迷惑をかけたことを気にしている． ・Aさんは，妻に家事や母親の介護を任せている． ・Aさんは，妻が家族内のことは対応するものであると思っている． ・妻は，家族内のことは嫁である自分の務めであると思っている． ・妻は，Aさんの病状の予後や介護の可能性に不安を抱いている． ・妻は，母親を良き相談相手であると思っている． ・妻と母親は，母親担当のケアマネジャーとの関係が良好である． ・妻は，娘である長女には心配をさせたくない． ・母親は，自分が家族内で役割を果たしていないと思っている．

FEAIの機能性項目	家族インタビュー/ミーティングで収集した情報
	・母親は，家族に迷惑をかけたくないという思いが強い.
家族の関係力動（FEAI-07）	・Aさんは，自分の家族はうまくいっていると思っている. ・Aさんは，家族内の全てのことを妻に任せている. ・妻は，Aさんの肺気腫に対して禁煙を強く勧めなかった自分に，自責の念を抱いている. ・妻の家族役割の過重に対して，相談相手がいない. ・母親は，息子の嫁にこれ以上迷惑をかけたくないため相談できない. ・母親は，息子のAさん家族に同居してもらっていることから気兼ねがある. ・長女は，禁煙できないAさんを責めている.
家族のコミュニケーション力（FEAI-08）	・Aさんの入院前までは，家族で話し合う必要がなかった. ・妻は，自分や母親がかかわることについては，Aさんと相談したいと思っている. ・母親は，息子の嫁を話しやすい存在であると感じている. ・母親は，息子の嫁にこれ以上迷惑をかけたくないため，デイケアで失禁したことや施設入所を考慮していることを家族員に言い出せない.

4）家族症候診断と家族症候の影響因子の同定，家族看護問題の明確化，家族インターベンション目標の設定

（1）家族症候診断と家族症候の影響因子の同定

家族情報収集により，Aさん家族が意思決定するうえで葛藤を生じている原因には，“家長は絶対であり，尊重すべき存在である”という家族ビリーフが存在していた．Aさんは，この家族ビリーフから自分の意思は家族の意思であると思っており，これまで夫婦の生活時間の違いからコミュニケーションをとって相談する機会はほとんどなかった．ほかの家族員も，家長の意思が家族全体の意思であると発言している．また，この家族ビリーフは，Aさん家族の住む地域に根づいた考え方でもあり，今まではAさん家族において

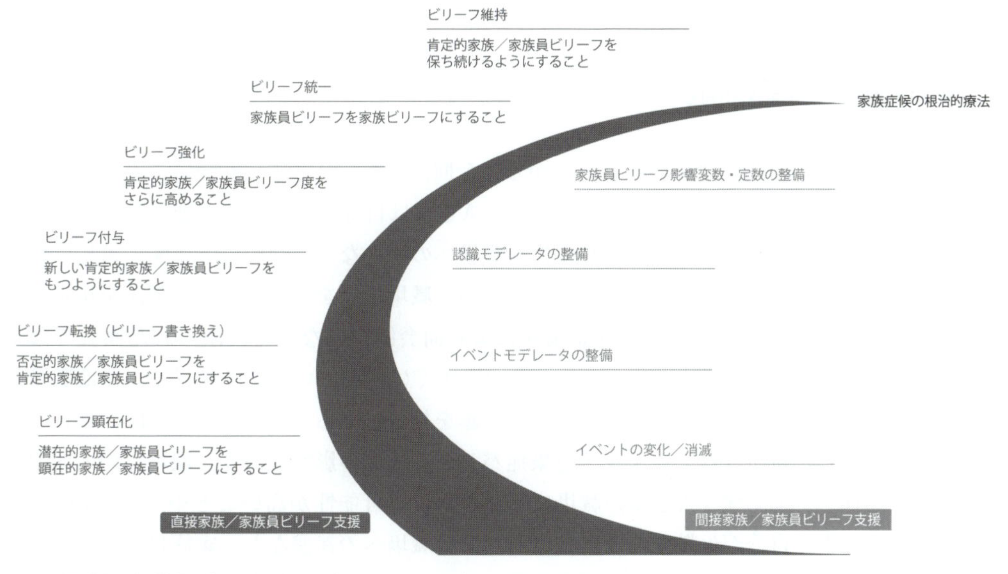

図3-12●家族/家族員ビリーフ支援（バージョン1.1）

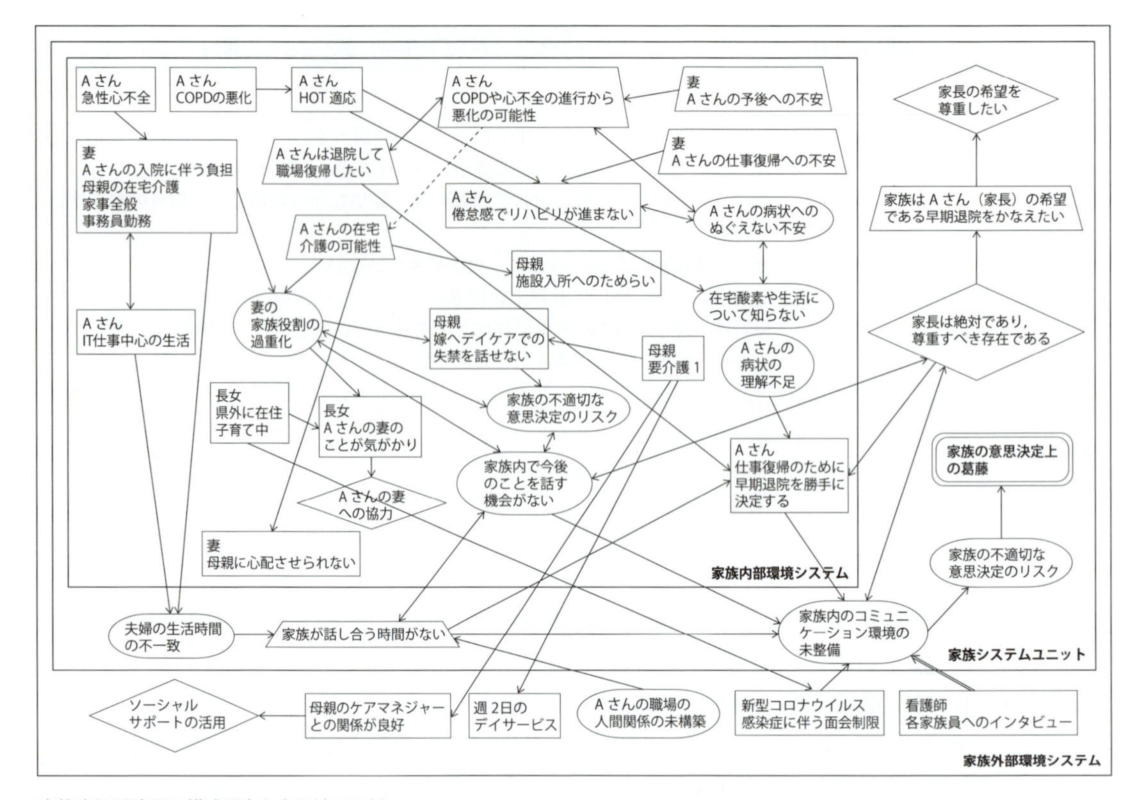

家族症候関連図の構成要素と表記法の凡例

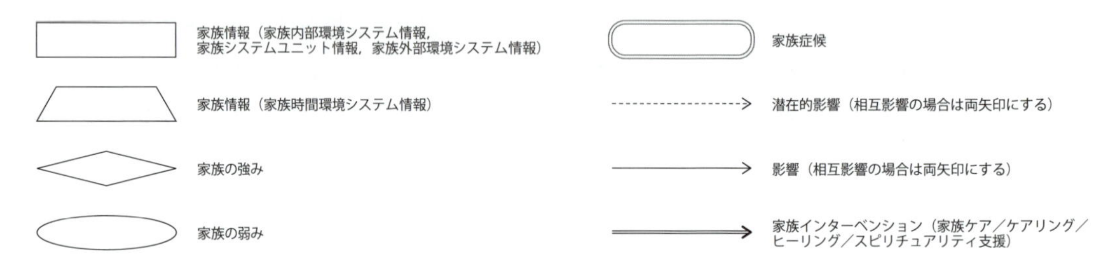

図3-13●Aさん家族の家族症候関連図

顕在化する問題ではなかった．しかし，今回，Aさんの急性心不全による入院と在宅酸素療法の導入という家族イベントにより，Aさんは自身の持病である肺気腫という疾患に関する知識不足から在宅酸素の必要性や職場への協力などについて考えず，家族に経済的に迷惑をかけたくないという思いから，早期の職場復帰を望んでおり，退院を決定した．

妻は，新型コロナウイルス感染症による面会制限のなかでの限られた面会ではあったが，Aさんのリハビリテーションとその後すぐに休んでいる様子を見て，早期職場復帰のための退院というAさんの意思決定に葛藤を抱いている．また，Aさんは転職して間もなく発生した新型コロナウイルス感染症パンデミックの影響もあり，職場での人間関係の構築が図れておらず，Aさんの職場に迷惑をかける可能性が高いことや，Aさんの急な症状悪化により自分が欠勤することによる自分の職場への迷惑など，家族以外にも迷惑をかけるような意思決定であるととらえている．さらに，Aさんが自分勝手な意思決定を行うの

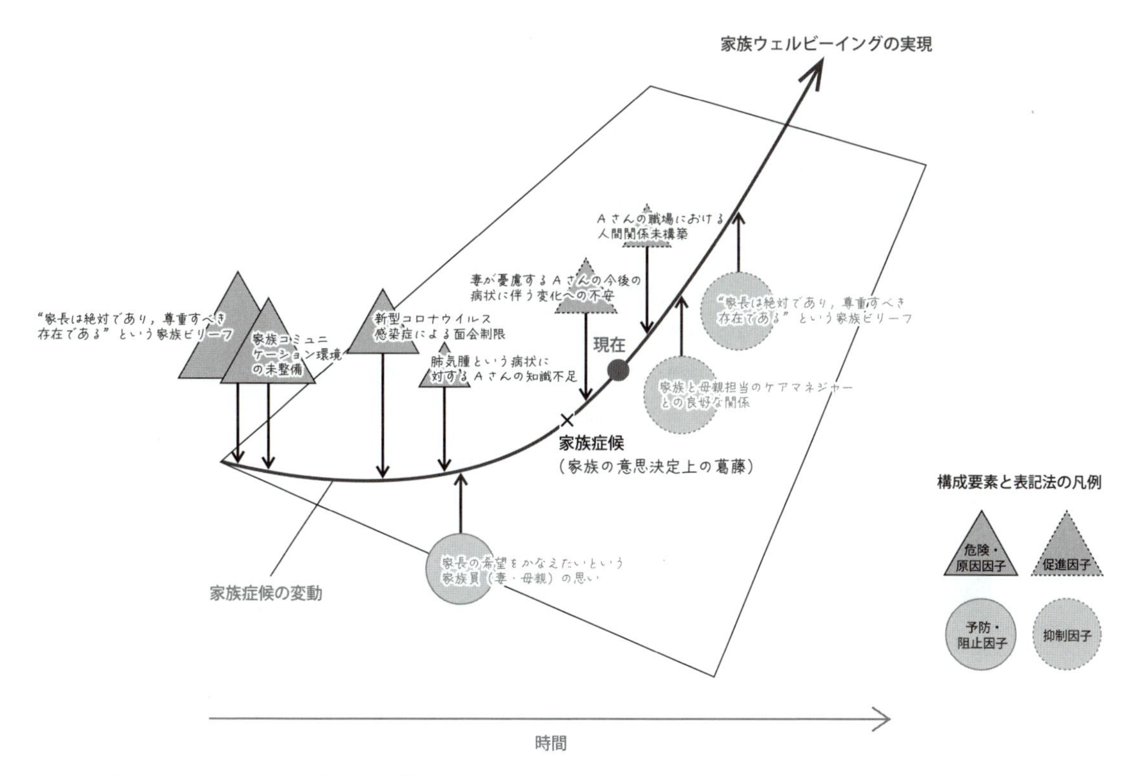

図3-14●“家族の意思決定上の葛藤”の影響因子スキーマ

であれば，これから先Aさんと一緒にいられないと発言しており，家族の存在意義である家族スピリチュアリティ低下（法橋，2023h）にも影響を与えていることが明らかとなった．Aさん家族は，もともと家族内で相談する機会が少ないうえに，新型コロナウイルス感染症による面会制限や娘である長女の県をまたいだ移動の自粛もあり，退院後の介護負担やAさんの病状や予後に対する不安，家族に負担をかけたくないという家族員の思いが，お互いに確認できない状態にある．その結果，Aさんの早期退院という意思決定に対して，家族員それぞれに葛藤が生じていることが明らかになった．一方，家長の意思を尊重したいという思いは家族員全員で一致していることから，職場復帰のために早期退院をかなえたいという希望が存在することは家族の強みであると考えられる．

これらを踏まえて，Aさん家族の家族症候関連図（図3-13）を作成し，家族症候は“FSS-1601．家族の意思決定上の葛藤（家族の意思を決定するうえで，家族員間あるいは家族員内に葛藤が生じている状態）”であると確定した．さらに，“家族の意思決定上の葛藤”の影響因子スキーマ（図3-14）を作成し（法橋，2023e），危険・原因/促進因子は“家族コミュニケーション環境の未整備”などの6因子，予防・阻止/抑制因子は“家長の希望をかなえたいという家族員（妻・母親）の思い”などの3因子を明確にした．さらに，“家長は絶対であり，尊重すべき存在である”という家族ビリーフは，状況依存性因子であることも明らかとなった．

（2）家族看護問題の明確化

“家長は絶対であり，尊重すべき存在である”という家族ビリーフによって，家長の意思決定が家族の意思決定となるAさん家族である．今回の入院と在宅酸素療法を導入して職場復帰のための早期退院をするというAさんの意思決定により，もともと家族員間のコミュニケーション環境が未整備であったうえに，家族員の役割過重や家族の関係力動から家族員間に葛藤が生じ（法橋，2023d），“家長は絶対であり，尊重すべき存在である”という家族ビリーフによって，その葛藤を家族員に表出できないことで，強みであった家族の紐帯が弱まる可能性がある．

（3）家族インターベンション目標の設定

家族インターベンション目標は，“家族員が一堂に会してコミュニケーションがとれる環境をつくり，現状の家族員の思いを表出し，納得した意思決定ができる”ことに設定した．

5）家族インターベンション計画の立案

家族インターベンション計画は，OP（観察計画，observation plan），TP（家族インターベンション計画，therapeutic plan），EP（説明計画，education plan）の3つの視点（法橋，2023f）で立案した．

家族インターベンション計画

OP：

1．退院に向けた家族員全員の不安や思いを確認する．
2．Aさんの病状に対する家族員全員の理解度を確認する．
3．家族員全員の発言・態度・行為を観察する．

TP：

1．家族ミーティングの実施機会を設け，“家長であるAさんの職場復帰のための早期退院への思い”“妻のAさんが退院した後の在宅酸素療法の継続や病状悪化の可能性，在宅介護についての不安”，“母親の嫁に迷惑をかけたくないという思い”といった各家族員の思いを表出し，家族員全員で共有する．
2．“5なぜの法則”（法橋，2023g），“仮説問いかけ”（法橋，2023f），“アハクエスチョン（気づきを促す発問）”（法橋，2023g）などのメソッドを用いて，“家長は絶対であり，尊重すべき存在である”という思いをネガティブ家族ビリーフととらえている妻と母親に対して，治療的コミュニケーション（法橋，2023g）によりポジティブ家族ビリーフへ転換する．
3．家族のAさんの希望をかなえたいという家族ビリーフを承認し，ビリーフ強化（法橋，2023g）を図る．
4．新型コロナウイルス感染症による面会制限や県をまたいだ移動の自粛を考慮し，遠方にいる娘の長女も参加できるように日程を調整し，ビデオ会議ソフトウェアを用いた家族ミーティングにする．
4．家族がAさんの退院後の生活をイメージできるように，在宅酸素療法を用いた退院後の生活について，母親担当のケアマネジャーとの関係を活用し，相談できる環境を整える．
5．妻が，Aさんの職場にAさんの病状や在宅酸素をしながらの職場復帰が可能であるのか，仕事内容の調整が可能なのか，Aさんの職場のサポート体制を確認する．

EP：

1．Aさんの肺気腫についての知識の理解度を確認し，早期職場復帰のために必要な知識を家族員全員に伝える．

6）家族インターベンションの実施

家族員それぞれの思いを表出する機会を設け，家族員全員で共有する必要があるため，Aさんの退院という意思決定に対しての疑問点や心配なことについて，家族ミーティング（法橋，2023f）を開催した．長女は，遠方に住んでいるためビデオ会議ソフトウェアでの参加となった．ここでは，TP-1，TP-2，TP-3に絞った治療的コミュニケーション

(therapeutic communication：TC)（法橋，2023g）を説明する．法橋が提唱した治療的コミュニケーションは，看護職者と家族/家族員との間の言語コミュニケーションと非言語コミュニケーションのうち，意図的・非意図的にかかわらず家族インターベンションの効果をもつ相互作用のプロセスである．

発話者	発言内容（治療的コミュニケーション）
看護師	「退院に向けて心配なことがあるようですが，いかがでしょうか？」
Aさん	「仕事を残してきているので，早く退院しないといけない」と，強い口調で話した．
妻	「酸素をしながら，仕事がすぐにできるとは限らないでしょう」と，声高に話した．
看護師	「Aさんは，仕事を残しているので，早く退院したいと思っておられるのですね．そのように思われているのはなぜですか？」と，Aさんに説明を促した． 5なぜの法則（法橋，2023g）を用いて，Aさんのビリーフを深掘りした．
Aさん	「仕事は，自分にとって大事なことで，中途半端に終わらせることはしたくないんです」
看護師	「Aさんは，仕事は自分にとって大切だと思っておられるのは，なぜですか？」と，5なぜの法則を用いて，Aさんのビリーフをさらに深掘りした．
Aさん	「家長である自分は，仕事をして家族の生計を立てる中心であるべきだと思っていますから」
看護師	「Aさんは，そのように思っておられるのですね．その思いをお聞きして，奥様は，どのように思いましたか？」と，妻に現在の思いを確認した．
妻	「私は医師から在宅で酸素をしながら生活しないといけないと言われて，これからどうしたらよいのか，ずっと不安だった．私も働いているし，そんなに焦らなくても…．酸素をしながらだと，職場の人も気を遣ったり，迷惑をかけたりすることを考えなかったの？」
Aさん	「以前，体調を壊して転職した際に，妻には経済的に迷惑をかけてしまった．だから，妻にはもう経済的に負担をかけたくはない」と，落ち着いた声で話した．続けて，「退院できれば何とかなると思っていた」と話した．
妻	「何とかなるって…」と絶句した．
母親	「嫁に迷惑をかけることになるとは思わないの？　私の介護もしてくれているのに…」と，Aさんを諭すように話した．
Aさん	「私がしっかりしていないと，きょうだいからはいろいろ言われるし，私の体調が悪いのは，妻がちゃんと支えていないからだと言われるじゃないか」
看護師	「今回の退院について，どなたかに相談されましたか？」
Aさん	「していません．そんな弱みを見せるようなことはできません．」
看護師	「そのように思われるのはなぜですか？」
Aさん	「私が家長だからです．しっかりしないといけませんから．私の父親の家長としての姿を見て育ちましたし，どんなときでも家族のために決断を下していましたから」
看護師	「Aさんのお父様は素晴らしい方だったのですね．では，Aさんのお父様が家長だったときは，ご家族でどのように意思決定をされていたのでしょうか？」と，コンプリメント（称賛）（法橋，2023j）を入れた後，アハクエスチョン（気づきを促す発問）（法橋，2023g）を援用して問いかけた．
Aさん	「親父は，随分自分勝手に決めていたので，振り回されたというか，困ったことはよく…」と言いながら，“はっ”と何かに気づき，続けて，「そのときに，ちょっとは相談してくれたらいいのにって思ったことがありました」と話した．アハ体験によるビリーフ転換（法橋，2023g）が起こった．

発話者	発言内容（治療的コミュニケーション）
妻	「私は，家族にだけかかる迷惑なら，私が耐えればよいと思っていたけど，今回はあなたの職場にも迷惑がかかるかもしれないし，あなたのきょうだいだって，酸素をつけていたら心配するでしょう」
母親	「私は，もう心配で心配で…．家でも酸素がいるって言われて，嫁も大変だろうし…．これ以上お前にも嫁にも迷惑をかけたくないから，施設に入ろうと思っていたんだよ」と話すと，Aさんと妻がびっくりした様子で母親の顔を見た．
Aさん	「お母さん，そんなに心配させてごめん」
妻	続けて，「お母さん，私も何も気づかなくてごめんなさい」と，最近，母親とコミュニケーションをとっていなかったことを悔やんだ．
看護師	「今回の退院については，どうされますか？」
妻	「“家長の意見は尊重されるべきである”というのは，このままでもいいんです．それで今までうまくいっていたので…．退院についても，できる限り夫の希望をかなえたいし，そのために必要なことはしたいと思っています．でも，私は，今回のように，家族以外に迷惑をかける場合は，家族で話し合って決めてほしいのです．そうでないと，私は，あなたとこれからも一緒にいれません」
看護師	「ご家族は，Aさんの希望をかなえたいと思っておられるようですが，Aさんはいかがですか？」
Aさん	「そうですね．家長だから，頼らず自分がしっかりしないといけないと思っていました」
長女	「お父さん，家族には弱みは見せてもいいんじゃない？」
Aさん	「そうだな，これからは家族で話し合って，最終的に私が決めるようにしないといけないね」
看護師	「ご家族皆様が，Aさんの希望である退院について尊重されているのは，Aさん，心強いですね．ご家族の皆様もとても素晴らしいと思います」と，家族へのコンプリメント（称賛）（法橋，2023j）を入れ，家族ビリーフ強化（法橋，2023g）を実践した．
Aさん 家族	「ありがとうございます．でもこれからは肩肘張らずに相談するところは相談して決めないといけないですね」

7）家族インターベンションの評価・リフレクション

Aさん家族には，“家長は絶対であり，尊重すべき存在である”という家族ビリーフが存在し，家族員間でのコミュニケーションが図れない状態にあった．しかし，この家族ビリーフは，家長の意思を尊重しようとする強みでもあった．ネガティブな家族ビリーフ（法橋，2023g）をポジティブに変換するための家族ミーティングを重ねることにより，Aさんの希望を尊重しながら妻や母親の不安や疑問を表出することで，退院に向けてイメージ化を図り，在宅酸素療法を継続して退院生活を送る準備を整えるまでに至った．また，長女のビデオ会議ソフトウェアを活用した家族ミーティングへの参加は，Aさんに意欲を喚起する機会となり，家族間の退院に向けて意思を強固にすることを可能とした．

理論を看護実践につなげるために

CSFETは，家族員や家族のみではなく，家族の周囲である家族外部環境，家族の過去・現在・未来である時間環境をも射程とする理論である．したがって，家族員に対する個人看護とは異なり，家族をホリスティックな存在としてとらえることができる．CSFETに実装された仮説演繹法（法橋，2023f）を用いることで，Aさんや妻だけの家族員の問題（家族員症候）として考えるのではなく，家族に潜在している家族症候やその影響因子をアセスメントすることにより，家族インターベンションの糸口を見つけることができる．Aさん家族では，“家長は絶対であり，尊重すべき存在である”という家族ビリーフの存在が明らかとなり，その家族ビリーフが入院という家族イベントによって家族の葛藤を引き起こしていることが明らかになった．また，家族症候の危険・原因/促進因子のアセスメントに加えて，家族の強みをアセスメントすることにより，予防・阻止/抑制因子が明らかとなり，家族症候を軽減・改善，消失（法橋，2023g）するための家族に適した最善の家族インターベンションを実施することができた．Aさん家族のように一見表面的には地域につなげるための支援を必要としている家族にみえても，CSFETを用いて家族をホリスティックにとらえることで，より深く家族症候をとらえることができる．

文献

法橋尚宏（2005）．「家族同心球環境モデル」の視座から「異文化家族看護学」構築に向けて：家族機能の量的・質的な通文化研究からみえる日本家族への家族看護．家族看護学研究，*11*（2），24．

Hohashi, N. (2017). Establishing transcultural family health care nursing. *Journal of Transcultural Nursing, 28* (4), 430. 〈https://doi.org/10.1177/1043659617709075〉[2023.August 10]

Hohashi, N. (2019). A Family Belief Systems Theory for transcultural family health care nursing. *Journal of Transcultural Nursing, 30* (5), 434-443. 〈https://doi.org/10.1177/1043659619853017〉[2023.August 10]

法橋尚宏（2019）．FEM-J（家族環境地図）のアセスメントガイド（バージョン3.0対応版）．エディテクス．

法橋尚宏（2023a）．FEM-JA（家族環境地図）バージョン3.2JA．エディテクス．

法橋尚宏（2023b）．FSSC-JA（家族症候チェックリスト）バージョン3.4JA．エディテクス．

法橋尚宏（2023c）．用語から理解する家族看護学：家族ケア/ケアリング理論（バージョン2.0）．エディテクス．

法橋尚宏（2023d）．用語から理解する家族看護学：家族同心球環境理論（バージョン3.4）．エディテクス．

法橋尚宏（2023e）．用語から理解する家族看護学：家族症候学（バージョン3.4）．エディテクス．

法橋尚宏（2023f）．用語から理解する家族看護学：家族・家族環境アセスメント/インターベンションモデル（バージョン3.5）．エディテクス．

法橋尚宏（2023g）．用語から理解する家族看護学：家族ビリーフシステム理論（バージョン1.1）．エディテクス．

法橋尚宏（2023h）．用語から理解する家族看護学：家族トランセンデンス理論（バージョン2.1）．エディテクス．

法橋尚宏（2023i）．用語から理解する家族看護学：基礎家族看護学・家族機能学（バージョン3.1）．エディテクス．

法橋尚宏（2023j）．用語から理解する家族看護学：理論家族看護学・実践家族看護学（バージョン3.5）．エディテクス．

法橋尚宏，樋上絵美，小林京子，山下知美，永冨宏明，本田順子他（2010）．新しい家族看護学─理論・実践・研究．法橋尚宏（編）．メヂカルフレンド社．

Hohashi, N., & Honda, J. (2011). Development of the Concentric Sphere Family Environment Model and companion tools for culturally congruent family assessment. *Journal of Transcultural Nursing, 22* (4), 350-361. 〈https://www.doi.org/10.1177/1043659611414200〉[2023.August 10]

法橋尚宏，本田順子，島田なつき，道上咲季（2016）．家族同心球環境理論への招待─理論と実践．法橋尚宏（編）．エディテクス．

法橋尚宏，太田浩子，林綺婷，和辻雄仁（2022）．エスノグラフィックリサーチの方法と研究事例．日本看護研究学会雑誌，*45*（2），159-175．〈https://doi.org/10.15065/jjsnr.20220519160〉[2023.August 10]

Hohashi, N., Pinyo, J., Araki, S., & Taniguchi, M. (2023). Ethnographic research on the impact of COVID-19 on families with older adults residing on remote islands in Japan: Directed content analysis based on the Concentric Sphere Family Environment Theory. *Journal of Rural Community Nursing Practice, 1* (1), 1-19. 〈https://doi.org/10.58545/jrcnp.v1i1.89〉[2023.August 10]

法橋尚宏，島田なつき，道上咲季，吉川由希子，平谷優子，西元康世（2019）．理論と実践の架橋・往還─“家族同心球環境理論研究会”と“CSFET式ナースの家族お悩み相談室”の運営・参加から．日本看護研究学会雑誌，*42*（3），393-394．〈https://doi.org/10.15065/jjsnr.20190731032〉[2023.August 10]

法橋尚宏，渡邉幹生（2023）．FEAI-JA（家族環境アセスメント指標）（バージョン3.4対応版）．法橋尚宏（編）．エディテクス．

Hohashi, N. & Honda, J. (2015a). Concept development and implementation of Family Care/Caring Theory in Concentric Sphere Family Environment Theory. *Open Journal of Nursing, 5* (9), 749-757. 〈https://doi.org/10.4236/ojn.2015.59078〉[2023.August 10]

Honda, J., & Hohashi, N. (2015b). The environment and support needs of Japanese families on temporary work assignments in the United States. *Journal of Transcultural Nursing, 26* (4), 376-385. 〈https://doi.org/10.1177/1043659614526248〉[2023.August 10]

看護のアセスメントと援助に関する理論

4 症状マネジメントの統合的アプローチ

理論との出会い

症状があること，そしてその症状が適切に緩和されないことは，その人の生活の多くを症状による苦痛が支配し，QOLを低下させる．

筆者が症状マネジメントの統合的アプローチに出会ったのは1998年である．症状とはその患者が表現するとおりのものであり，その人が痛みがあるというときにはいつでも存在するものである．当時，この症状のとらえ方や，症状マネジメントの中心は常に患者であるという考え方に感銘を覚えた．症状をゼロにすることは難しい場合もあるが，患者と一緒に目標を考え，その目標に向かって緩和方法を考えていくことはとても大切である．看護師が患者のつらい体験を理解することが，患者が自分の症状をマネジメントしていくうえで大切であるという考えにも共感できた．

B 理論家紹介

症状マネジメントの統合的アプローチは，1994年にカリフォルニア大学サンフランシスコ校（UCSF）の看護病態学講座の教員によって「症状マネジメントのためのモデル」が発表されて以降，モデルを臨床的実践に使うにはどうしたらよいかという問い合わせがあり，パトリシア・ラーソン（Patricia J. Larson）らにより開発された（Larson，1997）．

ラーソンは，カリフォルニア大学サンフランシスコ校において看護病態学領域の准教授として，修士課程のがん専門看護師の養成，博士課程の教育に携わっていた．1996年 9 月から兵庫県立看護大学の教授に就任し，症状マネジメントの統合的アプローチを変更，修正していった．

理論誕生の歴史的背景

看護師は症状マネジメントを任されているが，症状マネジメントをするための効果的で一貫したアプローチ方法をもっているわけでない．看護師がケースバイケースで対応しているのが実状であったことから，カリフォルニア大学サンフランシスコ校の教員が症状マネジメントモデルを開発した．

キー概念

□症状（symptom）：それを体験している本人だけが感じる不快な，あるいは苦痛の感覚である．
□症状の体験（symptom experience）：患者の症状の認知や症状のもつ意味の評価，症状に対する反応などが相互に影響し合ったものをいう．
□症状の認知（perception of symptoms）：特定の環境や状況の文脈のなかで，感覚によって集められた情報を意識的・認知的に解釈することを指す．
□症状の評価（evaluation of symptoms）：症状の強度や部位，間隔，頻度など，体験している症状の性質を示す．
□症状への反応（response to symptoms）：症状に対する身体的・心理的・行動的反応である．
□症状マネジメントの方略（symptom management strategies）：症状の主な機序と現れ方を理解したうえで，患者の症状の体験と症状に伴うサインをアセスメントし，導かれた症状マネジメントの計画を立てる．
□症状の結果（symptom outcomes）：症状マネジメントの結果として望まれるものをいう．

看護師たちは症状マネジメントモデルに非常に強い関心を示し，患者を中心とした考えに強く共感した．その一方，臨床の看護ケアのなかでどのように使えばよいのかということに確信がもてない状況にあった．つまり，症状マネジメントのために看護師が知っておくべきことの内容が明確でなく，マネジメントのためのアプローチが曖昧であった．そこで，ラーソンらは症状の機序と現れ方に関する基本的な知識と，患者のセルフケアによる症状マネジメントを援助するための知識・技術・サポートの提供とを併せた教育的アプローチを追加した症状マネジメントの統合的アプローチを開発した（Larson，1997）．

D 症状マネジメントの統合的アプローチとは

1 症状マネジメントの概念モデル

症状マネジメントの概念モデル（図4－1）では，症状を人々の生理的・心理的・社会的機能や感覚，認知の変化を反映した主観的な体験であるとしている．

症状マネジメントの概念モデルは，「症状の体験」「症状マネジメントの方略」「症状の結果」という3つの要素をもつ．効果的に症状をマネジメントするためには，これらの要素が相互にかかわり合っているという前提が必要である（The University of California，San Francisco School of Nursing Symptom Management Faculty Group，1994；UCSF症状マネジメント教員グループ，1997）．

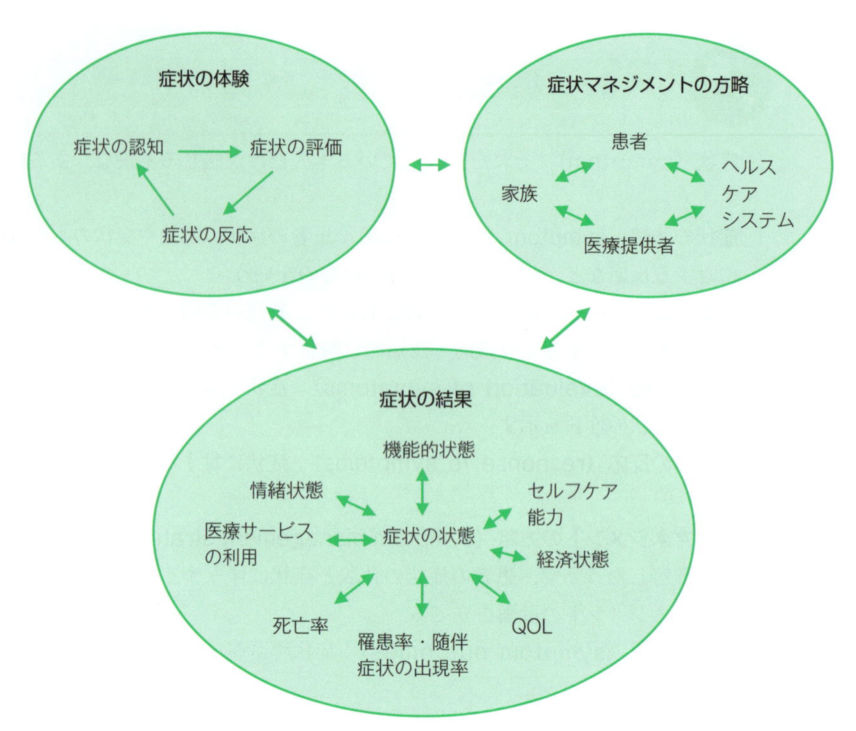

原典）Larson P.J., Carrieri-Kohlman V., Dodd M.J., Douglas M., Faucett J., Froelicher E., Gortner S., Halliburton P., Janson S., Lee K.A., Miaskowski C., Savedra M., Stotts N., Taylor D. & Underwood, P. (1994). A model for symptom management. *Image Journal of Nursing Scholarship, 26*(4), 272-276.

図 4－1 ●症状マネジメントの概念モデル
UCSF 症状マネジメント教員グループ（1997）．症状マネジメントのためのモデル．インターナショナルナーシングレビュー，*20*（4），24．より転載

2 症状マネジメントの統合的アプローチ（図 4－2）

症状マネジメントの統合的アプローチ（The Integrated Approach to Symptom Management：IASM）は前述したとおり，症状マネジメントの概念モデルに基づいて開発された．IASM（Larson, 1997, 1998a, 1998b, 1998c, 1999）では，患者自身が自らの症状をマネジメントするために必要な知識・技術・サポートを看護師が提供することに重点を置いている．そこで焦点が当てられているのは看護師であるが，症状マネジメントの中心は常に患者であることが強調されている．このモデルは，IASM 研究班によって改訂されており，患者のセルフケア能力をアセスメントし，看護援助を検討することが追加されている（内布，2014）．

1）症状を定義する

患者の症状をマネジメントしていくうえで，その症状にかかわる患者，看護師，医師の誰にとっても受け入れられる症状の明確な定義を共有することが大切である．それによって，その現象に対する簡潔で明瞭な方向性を示すことが可能になる．

2）症状のメカニズムと出現形態を定義する

看護師は患者がどのように症状を体験しているのかを理解したり，症状を有している理由を知るために，症状の生理的・病態的・心理的な機序を理解する必要がある．症状のメ

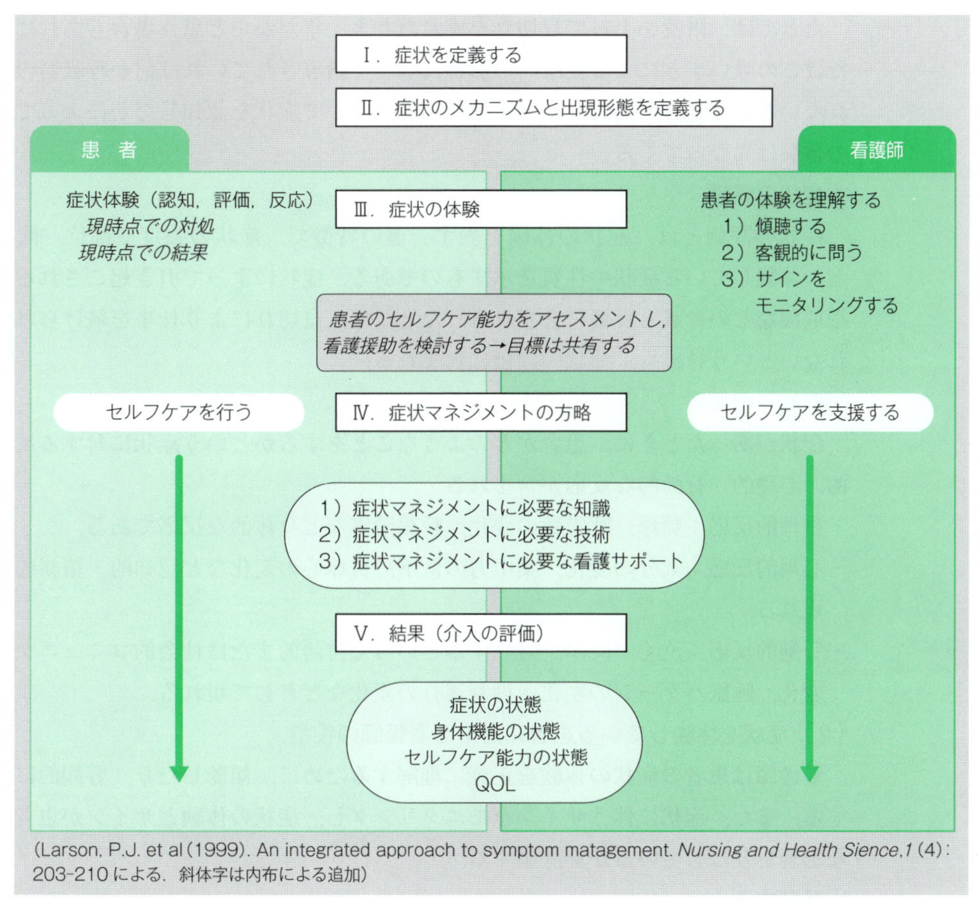

図 4－2 ●IASM モデル
内布敦子（2014）．症状マネジメントにおける看護技術．系統看護学講座専門分野Ⅱ成人看護学〔1〕成人看護学総論（p.333）．医学書院．より転載

カニズムと出現形態を定義することで，何を観察，測定すればよいのかがわかる．

3）症状の体験

（1）患者の症状の体験

症状は，患者のその時々の状況，そのときの気持ちによって現れ方が異なる．つまり，症状の体験とは，症状の認知，症状の評価，症状の反応という3つの要素が相互に関連したダイナミックな体験である．

①症状の認知

症状を体験しているときに患者は，特定の状況という文脈のなかで，感覚によって集められた情報を意識的・認知的に解釈している．症状を認知するにあたり，個人がもつ生物学的・心理学的・社会的な因子や，環境，健康あるいは疾病などの影響を受ける．

個人的な因子としては，性別，年齢，性格，婚姻の有無，認知能力，動機，家族，文化や宗教がある．環境の因子としては，家庭，職場，社会的サポート，民族的・文化的要因がある．健康あるいは疾病の因子としては，病気や障害などの状態やリスクファクターがある．

たとえば，階段を上って息切れを感じたとき，年だからと思う場合もあれば，日頃からたばこの吸いすぎによる健康への影響について指導されていれば何か呼吸器の病気かもしれないと思う場合もある．どのような文脈のなかで症状を認知したかによって，その症状の体験は異なってくる．

②症状の評価

症状の評価とは，症状の体験を表す一連の特徴で，症状の強度や部位，間隔，頻度など，体験している症状の性質を示すものである．症状によって引き起こされる能力の喪失や危険などの脅威も評価に含まれる．たとえば，息切れにより仕事を続けられないかもしれないという脅威も，症状の評価に含まれる．

③症状への反応

症状があったときに，患者がどのようなことをするかという症状に対する反応で，生理的，心理的，行動的な反応が含まれる．

・生理的反応：動悸，呼吸数の変化，睡眠障害など身体的な反応である．
・心理的反応：気分の変化，集中力の低下，自尊心の変化など認知的・情緒的変化として現れる．
・行動的反応：泣く，叫ぶ，対立するといった言語的または社会的コミュニケーションの変化，睡眠パターンの変化，役割遂行の変化などとして現れる．

（2）症状を体験している患者に対する看護師の役割

看護師は患者の症状の体験を正確に理解するために，傾聴したり，客観的に質問したりする．また，症状に伴うサインをモニタリングし，症状の体験とサインが患者にどのような影響を及ぼしているかを評価する．

①傾聴する

今まで経験したことがない症状を体験していたり，症状の出現の仕方が様々なときには，患者は自分の体験していることについてうまく表現することができない場合がある．それゆえ，看護師は傾聴の技術をもって患者の体験を聴くことが求められる．そのことにより，看護師が患者にとってその症状はどのような意味をもっているのかを知るだけでなく，患者も病気が自分にとってどのような意味をもっているのかに気づくことができる．

②具体的に問う

看護師は傾聴の技術を用いて聴くと同時に，症状をアセスメントするうえで必要な情報を得るために，具体的な質問をする．

③サインをモニタリングする

看護師は，症状に伴ってみられるサインについての知識をもち，患者に現れたサインを把握する．

4）症状マネジメントの方略

症状の機序と現れ方を理解したら，患者の症状の体験と症状に伴うサインのアセスメントを行う．また，症状マネジメントを行うために関係する患者，家族，医療提供者，ヘルスケアシステムがどのような方略をとっているかを明らかにする（荒尾，2002b）．そのうえで，症状マネジメントの方略を決定する．最も効果的な症状マネジメントのアプローチを決めたり，最も状況に適した望ましい症状の結果を決めるプロセスに，可能な限り患者自身に参加してもらうようにする．症状マネジメントは単に結果を変えるだけでなく，症状の体験自体にも影響を及ぼしコントロールすることである．たとえば，息切れが改善することは，苦しさからくる不安が緩和されるとともに，苦しくてできていなかった趣味をやってみようという希望をもたらすかもしれない．患者自身が症状マネジメントを実行していくにあたっては，患者のセルフケア能力を伸ばすことができるように支援していくことが重要である．

また，患者のケアに携わる医療者が，選択されたマネジメントの方略と望ましい結果に賛同できるように調整することも看護師の大切な役割となる．

（1）基本的知識

患者に提供される知識は，症状を理解し，症状をコントロールするために必要な技術を身につけたり，どのような結果が得られるかを理解するためのものである．患者は知識の量が多すぎると，すべての知識を理解することができなかったり，知識を学ぶのに身体的に疲れたりすることにより，勧められた症状マネジメントができなくなるので，知識は必要最少限がよい．

（2）基本的技術

基本的知識と同じように，習得すべき技術を限定することにより，確実に技術を身につけ，実行することができるという自信をもつことができる．

（3）基本的看護サポート

看護師は，患者が症状マネジメントをするために必要な知識と技術を提供する．その際には，看護師から患者への一方向のかかわりでなく，患者のメッセージを受け取りながら，患者がどのようなサポートを必要としているかを明らかにし，対応していく．

5）結果（介入の評価）

症状マネジメントの結果として望まれることは，症状の改善，患者の機能の向上あるいは維持，症状マネジメントにおけるセルフケア能力の向上，QOLの向上あるいは維持などである．これらのすべての項目において改善がみられることが望ましいが，症状マネジメントを始めるにあたり，このなかのどの項目が患者の状況において現実的に可能であるか，また改善される必要があるかを検討する．

E 研究の動向

症状マネジメントモデルは，2001年に改変され，症状の体験，症状マネジメントの方略，症状の結果に，看護の関心領域である個人，環境，健康と病気が影響していることが示された（Dodd, et al., 2001）．また，方略として求めることが多いとノンアドヒアランスになることが追加された（図4－3）．

レンツら（Lenz，Pugh，Milligan，Gift & Suppe，1997）は，不快症状に関する中範囲理論の開発に取り組み，複数の症状を理解するための理論的枠組みを示しているが（本章5節，p.98参照），症状マネジメントモデル，症状マネジメントの統合的アプローチのいずれも，単一の症状に焦点を当てていた．しかし，同時に複数の症状を経験している場

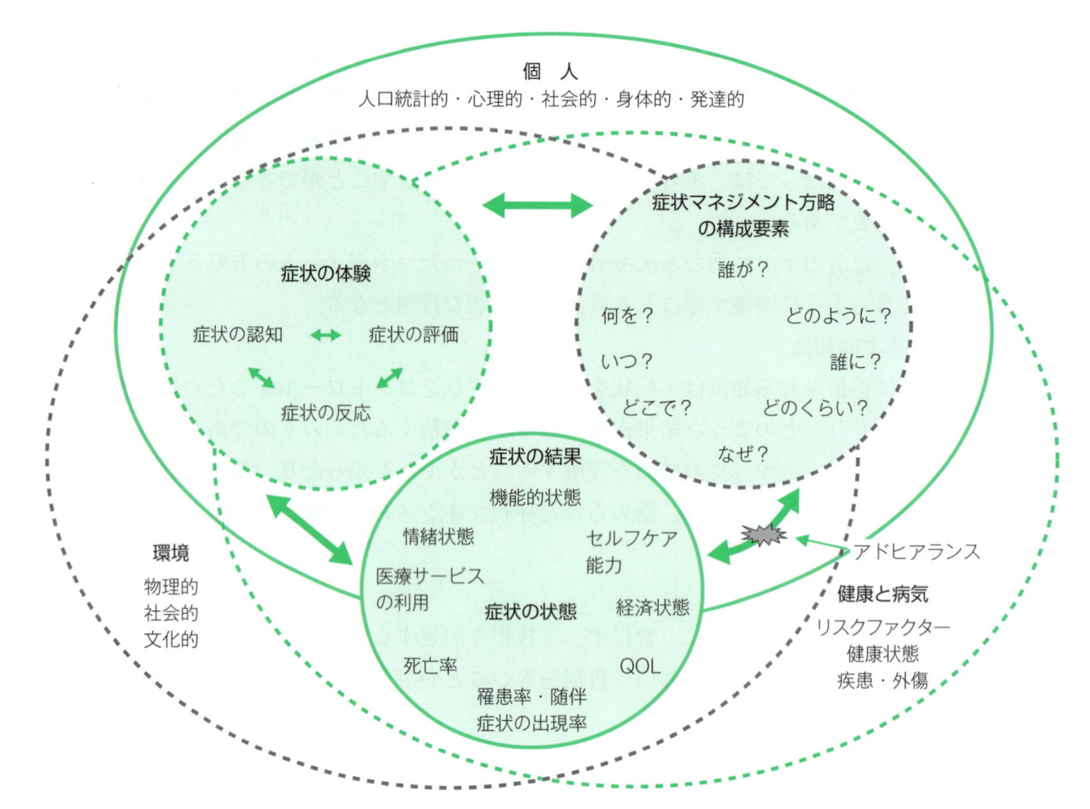

図4－3●修正された症状マネジメントの概念モデル

Dodd, M., et al. (2001). Advancing the science of symptom management. *Journal of Advanced Nursing, 33*(5), 670. より引用改変.

合もあるので，互いに影響し合う複数の症状をクラスターとしてとらえた研究が行われている（Miaskowski, Dodd & Lee, 2004；Dodd, Miaskowski & Lee, 2004）．慢性閉塞性肺疾患患者においては，呼吸器に関連した症状，心理的な症状，咳−不眠に関連した症状があることが明らかになっている（Fei, Siegert, Zhang, Gao, Koffman, 2023）．

症状マネジメントに関する研究はがん看護の領域で多く行われているが，症状マネジメントモデルを使用した研究では，化学療法による口内炎予防を目的とした研究において口内炎の発症率の減少が示されている（Larson, et al.,1998）．また，薬物療法を受ける造血器腫瘍患者の口腔トラブルに関する研究において，患者が取り組んでいる口腔トラブルへの対処方法においては，QOLが低く，取り組んでいる効果が実感できていないことが明らかとなっている（菊田他，2017）．２型糖尿病患者への血糖コントロールに関する研究において，HbA1c，セルフケア行動，QOLが改善したことが報告されている（Lin, Lee, Wang, 2019）．

症状マネジメントの統合的アプローチを用いた研究では，乳がん患者の倦怠感緩和のためのウォーキングエクササイズプログラムの開発に関する研究において，倦怠感への方略が増えたことや，体験などを表現する力が身についたことが報告されている（宮脇・藤田，2012）．また，慢性呼吸器疾患患者の息切れマネジメント支援に関する認定看護師への教育プログラム評価に関する研究では，認定看護師の息切れマネジメント支援の質向上に効果があることが示されている（今戸他，2021）．

理論の看護実践での活用

慢性疾患患者（がんを含む）においては，呼吸困難，痛み，悪心・嘔吐，下痢，便秘などの症状をもちながら生活をしていかなければいけない人もいる．症状マネジメントの統合的アプローチは，患者の症状の体験を理解し，その人のセルフケア能力に合わせて，症状をマネジメントするための知識や技術を提供していくことから，より患者の個別性に沿った介入の方向性を示すことができる．

臨床での活用の実際

1 事例紹介

Aさん，68歳，男性．妻と2人暮らしである．5年前からうつ病を患い，さらに2年前からはパーキンソン病と診断され，自宅で療養生活を送っていた．今回は腹痛を訴え，精査加療目的で緊急入院した．

精査の結果，器質的な問題は見つからない一方で，Aさんからは便秘や排便困難感の訴えが多くあった．入院前から便秘はあり，緩下剤の内服とともに妻の介助で時々浣腸も行っていた．今回の入院前は夜間に腹痛を訴えることが連日続き，妻は休息を取れず疲弊していた．入院後に緩下剤の種類と量が増えたが，3日以上自然排便がなく浣腸と摘便をすることが続いていた．Aさんは便秘症状について，便が出そうなのに出せなくて一日中トイレにこもっていてつらい，便を出すのに疲れ切ってしまう，便秘が3日以上続くと頭痛やイライラ感が生じる，と語った．

パーキンソン病の重症度はホーンヤール2であり，動作は緩慢だがベッドからの起き上がりや歩行は独力で行うことができた．しかし，朝など調子の悪い時間帯もあり，その場合は起き上がりや車椅子での移送介助を必要とした．また，うつ病に対する治療も受けているが抑うつ状態が続いていた．

普段の一日の過ごし方は，6時に起床し，7時に朝食を摂り，妻が就労する平日の9～16時頃まではデイサービスで過ごしていた．一方，妻が休みの日は食事以外の時間は多くの時間をベッドで臥床して過ごしていた．活動は午後に短時間の散歩をする程度だった．

2 理論に照らしてのアセスメントと援助のポイント

Aさんは，便が出そうなのに出せなくて一日中トイレにこもっていてつらい，便を出すのに疲れ切ってしまうと語っていることから，単に排便頻度が増えればよいのではなく，安楽に排便できるようになることも望んでいると推測された．そのため，Aさんがどのような便秘の体験をしているのかを具体的に聴き，Aさんの期待する結果を共有することが重要である．

また，Aさんはパーキンソン症状による運動機能の低下によって，これまで自身で行えていたことでも行えないことが増えてきている．さらに抑うつ状態も重なり，意欲の低下もその要因の一つと考えられる．そのため，Aさんのセルフケア能力のアセスメントを慎重に行う必要がある．Aさんの残存能力のなかで実行可能なセルフケアを見出し，その能力を高めることが重要である．

3 活用例

1）事例のアセスメントまたは解釈

Aさんは便秘を改善したいと思っている．パーキンソン症状は時間帯によっては介助を要するものの，Aさん自身でセルフケアを行う運動能力は保たれていると考えられた．しかし，強い便秘症状があるゆえにこれまで講じてきたセルフケアでは効果が不十分となり，Aさんは自身の身体のコントロール感を失ってしまっていると推測された．また，抑うつ症状によっても，セルフケアの方略を検討したり実行する力を失ってしまっていると推測された．そのため，便秘症状の改善だけではなく，Aさん自身がセルフケアを行っているという自負を取り戻せるようになることも必要だと考える．

援助において，まずは看護師がケアを代理で行うことでAさんの負担を減らしつつ，Aさん自身がセルフケアを行っていると感じられるようAさんでできることを見出すことが必要である．

2）援助計画と援助の実際（図4－4）

（1）症状を定義する

便秘を「排便が十分にできず，不快な感覚」と定義する．

（2）症状のメカニズムと出現形態を定義する

パーキンソン病における便秘の原因は，嚥下障害による水分摂取量不足，二次的な運動不足の影響，さらにパーキンソン病に起因した一時的な腸管運動障害の結果であり，複合的なものであると考えられている（三輪，2004）．また，パーキンソン病では中枢で迷走神経核，胸髄中間質外側核，中枢神経から独立した腸管神経系で消化管の腸管筋間と粘膜下の神経叢で自律神経の変性が認められ，この自律神経の変性が腸管内容物の移動速度の低下と関連している（坪井，2011）．

以上のことより，パーキンソン病における便秘は，腸の蠕動運動をつかさどる自律神経の変性が大腸の通過時間を延長させ，そこへ水分摂取量の不足による硬便化と，運動障害による二次的な運動不足が，さらなる腸管内容物の移動速度の低下させることで引き起こされると考えられる．

（3）症状の体験

傾聴する，客観的に問う，サインをモニタリングすることをとおして，Aさんの便秘の体験を理解した．Aさんの症状の認知，評価，反応は以下のようであった．

①症状の認知

・便が出そうなのに，トイレに行っても出ない．
・排便は一度で出切らず，複数回になる．

②症状の評価

・たいてい3日以上排便がない.
・便性状はブリストルスケール1（硬い便）～5（やや軟らかい便）.
・便が出せないと一日中トイレにこもっていてつらい.
・排便しようと踏ん張って，疲れ切ってしまう.
・ふらつくことがあり，看護師の付き添いがないと移乗できないため，便意を感じたときにすぐにトイレに行くことはできていない.
・浣腸や摘便をしなければ排便できないと思う.

③症状の反応

・便秘が続くと頭痛 やイライラ感が生じる.
・疲れ切ってしまう.
・一日中トイレにこもる.

Aさんは便秘が続くと頭痛やイライラ感が生じると評価しており，3日に1回は排便があるよう緩下剤を調整したり，浣腸を依頼していた．しかしそれらの効果は不十分で，自然排便を諦めかけていた．さらに，踏ん張ることでの疲労や頭痛やイライラ感といった他の症状の追加，トイレにこもるなど，Aさんの体調や日常生活は便秘によって翻弄されている状態であると考えられた.

（4）症状マネジメントの方略

Aさんのセルフケアレベルは，部分的に看護師のケアを必要とする一部代償レベルであるとアセスメントした．ADLや意欲の低下があるAさんであるからこそ，新たなセルフケア方法を獲得するうえでは，Aさんにとって無理なくできることを見極めることが重要だと考えた．そして看護師がセルフケアを代償していても，Aさんが症状をマネジメントしていると感じられるようにかかわることも意識した.

Aさんの希望を確認し，まずは3日に1回は排便でき，Aさんが便秘に支配されている状態を軽減することを目標とした．また，Aさんは症状の認知・評価・反応について明確に言語化することができたため，症状マネジメントの評価はAさんが主体的に行えるようになることも目標とした.

①便秘予防のために必要な水分摂取量を説明する

成人が1日に必要な水分量は1.5L程度であることを説明し，普段どのくらいの水分を摂取しているか確認した．Aさんは「喉が渇くから1日に500mLのペットボトルを2本は飲んでいると思う」と話した.

②緩下剤の調整を行う

介入前は毎日4種類の緩下剤を内服しており，さらに便秘3日目から排便があるまで頓用の緩下剤を追加していた．硬便であることと排便困難が続いていたため，頓用の緩下剤の内服のタイミングを早め，便秘2日目に内服することとした.

③腹部マッサージを行う

緩下剤以外の方法でも腸蠕動運動を促進するため，腹部マッサージを行った．Aさんにおいての腹部マッサージの効果は不明であったため，初めは看護師が代償して行った．腹部マッサージは，腹部が2～3cmくぼむ程度で実施し，食後30分～1時間以内に行った.

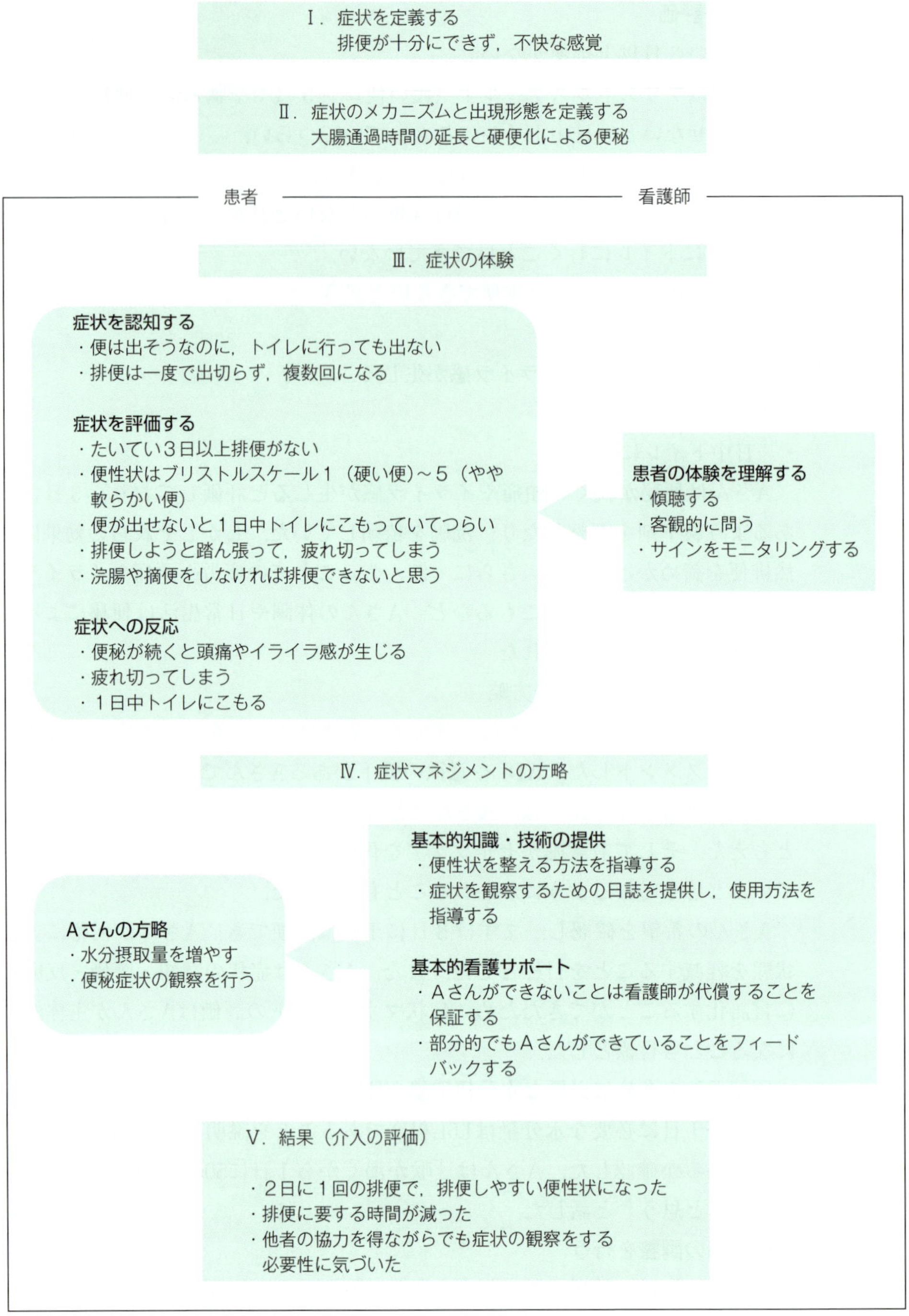

Ⅰ．症状を定義する
排便が十分にできず，不快な感覚

Ⅱ．症状のメカニズムと出現形態を定義する
大腸通過時間の延長と硬便化による便秘

患者　看護師

Ⅲ．症状の体験

症状を認知する
・便は出そうなのに，トイレに行っても出ない
・排便は一度で出切らず，複数回になる

症状を評価する
・たいてい3日以上排便がない
・便性状はブリストルスケール1（硬い便）～5（やや軟らかい便）
・便が出せないと1日中トイレにこもっていてつらい
・排便しようと踏ん張って，疲れ切ってしまう
・浣腸や摘便をしなければ排便できないと思う

症状への反応
・便秘が続くと頭痛やイライラ感が生じる
・疲れ切ってしまう
・1日中トイレにこもる

患者の体験を理解する
・傾聴する
・客観的に問う
・サインをモニタリングする

Ⅳ．症状マネジメントの方略

Aさんの方略
・水分摂取量を増やす
・便秘症状の観察を行う

基本的知識・技術の提供
・便性状を整える方法を指導する
・症状を観察するための日誌を提供し，使用方法を指導する

基本的看護サポート
・Aさんができないことは看護師が代償することを保証する
・部分的でもAさんができていることをフィードバックする

Ⅴ．結果（介入の評価）
・2日に1回の排便で，排便しやすい便性状になった
・排便に要する時間が減った
・他者の協力を得ながらでも症状の観察をする必要性に気づいた

図4－4●Aさんの症状マネジメント

腹部マッサージの指導については，その効果があると判断され，かつAさん自身ができると思えた場合に行うこととした．腹部マッサージの評価は前後の腸蠕動音の変化の有無とした．

④排便日誌へ記録する

Aさんへ排便日誌の記録を依頼したところ,「字がうまく書けなくなって,○とかそれくらいしか書けないかもしれない」と話した．ベッド上に臥床している時間が多いこともあり，簡素化した内容にする必要があると判断した．そこで，排便があった時間・便性状・使用した緩下剤もしくは浣腸の３点に内容を絞った．また，記録ができていなくてもよしとし，看護師がAさんへの聴き取りを行い記入した場合でも，Aさんの主観的な感覚を言語化できていることが症状の改善に役立つデータとなっていることをフィードバックし続けた．

３）結果（介入の評価）

（１）便秘予防のために必要な水分量を摂取する

当初Aさんは「喉が渇くから１日に500mLのペットボトルを２本は飲んでいると思う」と話していたが，後日「排尿が多くなるから，気づいたらあまり飲めていなかった．これから意識して２本は飲むようにします」と話し，水分摂取量不足に自ら気づき，摂取量を増やすようになっていた．

（２）緩下剤の調整を行う

頓用の緩下剤を内服するタイミングを早め，便秘２日目に内服した翌朝，それまでと異なり腸蠕動音が聴取できた．このことから，その緩下剤は効果があると判断した．Aさんは頓用の緩下剤以外に毎日４種類もの緩下剤を内服しており，薬が効果を発揮しているのかどうかわからない状態だったが，効果のある緩下剤を見出せたことは次の新たな方略につながった．

（３）腹部マッサージを行う

腹部マッサージを行う前に腸蠕動音を確認すると，ほとんど聴取できない状態であった．腹部マッサージ施行後は腸蠕動音がわずかに聴取できるようになった．わずかだが変化があったことを意図的にAさんへ伝えると,「腸の反応あるんだね」と語った．

（４）排便日誌へ記録する

Aさんが記載できるよう項目を減らし，数字や○のみで記載できるようにしたものの,「忘れていた」と言い主体的に記載はできていなかった．その場合には看護師が問いかけ，Aさんの返答を記載した．記録したことによって，３日ごとの排便では便性状が硬くなってしまい，排便困難につながっていることが推測された．そのため，２日ごとに排便が出るよう頓用の緩下剤を内服できれば，Aさんが希望する自然排便ができるようになる可能性が考えられた．医師や薬剤師にも相談し，内服の頻度に問題ないことを確認したうえで，Aさんへ頓用の緩下剤の内服のタイミングについて提案し実施した．その結果，便秘２日目で自然排便があり，かつブリストルスケール４（普通）～５（やや軟らかい）の便性状となった．その後も腸蠕動音の聴取をしたところほとんど聴こえない状態はなくなり，毎日もしくは２日に１回の頻度で自然排便がある状態が続いた．Aさんは「浣腸しなくても排便があるなんて数年ぶりだよ」と話し，症状の改善においては嬉しそうだった．

退院後，Aさんの便秘の症状マネジメントには妻や訪問看護師がかかわっていく予定であった．そのため，行った便秘のマネジメントのための方略とその結果は，妻や訪問看護師と共有していくことが重要だと説明した．他者にセルフケアを代償してもらっても，A

さんでないと主観的な評価はできないことを伝え，今後も部分的でもよいので便秘症状のマネジメントを行っていくよう促した．Aさんは「(退院後も) 排便日誌を書くから予備をください」と話した．

当初の目的どおり，排便頻度は増え，自然排便になったことから，Aさんの便秘症状は改善した．セルフケア能力においては，水分摂取の必要性を再認識して自ら摂取したり，排便日誌は記載できなくても言葉で看護師へ伝えていけるようになった．QOLにおいては，排便に時間を要さなくなったため，トイレにこもることがなくなり，改善があったと推測された．

Aさんは運動機能の低下や意欲の低下によって自身で腹部マッサージを行うことや排便日誌を記載することはできなかった．しかし認知機能は維持されていたため，観察した症状を言語化するというセルフケア能力があることが明らかとなったため，それを生かし続けていけるよう基本的知識・技術の提供を行った．それはAさんができなくなっていることが多いなかでも，まだできることが残っているということを伝える基本的看護サポートにもつながった．

H 理論を看護実践につなげるために

症状への対処は，その症状がどのような原因で生じているかによって対処方法も違ってくるが，人は過去の経験や医療者から得た情報などの影響を受け，新たな方法を受け入れられない場合もある．しかし，その人の行動はそれぞれの認識に基づいて行われるが，症状マネジメントの統合的アプローチを用いて介入することで，患者の行動を支えている認識を見きわめ，適切な症状マネジメントの行動に変容することを可能にするといわれている（荒尾，2000）．

また，症状マネジメントの統合的アプローチを用いた介入では，患者のセルフケア能力を詳細にみていくため，できないことが多いなかでも患者のできるところを探していこうとするかかわりができるといわれている（荒尾他，2002）．

以上のように，症状マネジメントの統合的アプローチは有効であることが示されているものの，痛みについては研究されているが，他の症状については研究が進んでいない．今後は他の症状においても，症状マネジメントの統合的アプローチが有効であるか研究されることが望まれる．

文献

荒尾晴恵（2000）. An Integrated Approach to Symptom Management（IASM）に基づく看護活動の有効性―がん性疼痛のある１事例への適応. *がん看護*, *5*(3), 246-252.

荒尾晴恵（2002a）. 症状マネジメントにおけるIASMの有効性の検討―がん性疼痛の症状マネジメントにおける比較から. 看護研究, *35*(3), 213-227.

荒尾晴恵（2002b）. がん患者の症状マネジメント. 田村恵子（編），症状マネジメントにおける看護の役割とチームアプローチ（pp.14-20）. 学習研究社.

荒尾晴恵，宇野さつき，内田香織，泉本由華子，神作真澄，滋野みゆき，他（2002）. 終末期がん患者の症状マネジメントに関する研究. がん看護，*7*(5)，435-441.

Dodd, M., Janson, S., Facione, N., Faucett, J., Froelicher, E.S., & Humphreys, J., et al. (2001). Advancing the science of symptom management. *Journal of Advanced Nursing*, *33*(5), 668-676.

Dodd, M.J., Miaskowski, C., & Lee, K.A. (2004). Occurrence of symptom clusters. *Journal of the National Cancer Institute Monographs, 32*, 76-78.

Fei, F., Siegert, R. J., Zhang, X., Gao, W., Koffman, J. (2023). Symptom clusters, associated factors and health-related quality of life in patients with chronic obstructive pulmonary disease: A structural equation modelling analysis. *Journal of Clinical Nursing*, 32, 298-310.

今戸美奈子，竹川幸恵，本城綾子，伊藤史，河田照絵，，毛利貴子，松本麻里，森菊子，森本美智子(2021)．慢性呼吸器疾患患者の息切れマネジメント支援に関する認定看護師教育プログラムの評価．日本呼吸ケア・リハビリテーション学会誌，*29*(3)．467-474.

菊田美穂，方尾志津，安達美樹，大内紗也子，脇口優希，中野宏恵，内布敦子（2017）．薬物療法を受ける造血器腫瘍患者の口腔トラブルの実態とそのマネジメント．日本がん看護学会誌，*31*，155-164.

Larson, P.J.（1997）．症状マネジメント：看護婦の役割と責任．インターナショナルナーシングレビュー，*20*(4)，29-37.

Larson, P.J.（1998a）症状コントロールのためのモデル．ホスピスケア，*9*(1)，77-88.

Larson, P.J.（1998b）．症状コントロールモデルの臨床看護への適応．ホスピスケア，*9*(1)，89-99.

Larson, P.J.（1998c）. Symptom management―看護婦の役割と責任．P.J. Larson，内布敦子（編著），Symptom management―患者主体の症状マネジメントの概念と臨床応用（pp.32-45）．日本看護協会出版会.

Larson, P.J.（1999）．症状マネジメントのための統合的アプローチ．内布敦子，P.J. Larson（編著），実践基礎看護学（pp.164-174）．建帛社.

Larson P.J., Carrieri-Kohlman V., Dodd M.J., Douglas M., Faucett J., Froelicher E., Gortner S., Halliburton P., Janson S., Lee K.A., Miaskowski C., Savedra M., Stotts N., Taylor D., & Underwood P. (1994). A model for symptom management. *Image Journal of Nursing Scholarship*, *26*(4), 272-276.

Larson, P.J., Miaskowski, C., MacPhail, L. Dodd, M.J, Greenspan, D., & Dibble, S.L., et al. (1998). The PRO-SELF mouth aware program : An effective apporoach for reducing chemotherapy-induced mucositis. *Cancer Nursing, 21*(4), 263-268.

Lenz, E.R., Pugh, L.C., Milligan, R.A., Gift, A., & Suppe, F. (1997). The middle-range theory of unpleasant symptoms : An update. *Advances in Nursing Science, 19*(3), 14-27.

Lin, L. Y., Lee, B. O., Wang, R.H. (2019). Effects of a symptom management program for patients with type 2 diabetes: Implications for evidence-based practice. *Worldviews on Evidence-Based Nursing, 16*(6), 433-443.

Miaskowski, C., Dodd M., & Lee, K. (2004). Symptom clusters : The new frontier in symptom management research. *Journal of the National Cancer Institute Monographs, 32*, 17-21.

三輪英人（2004）．合併症とその対策，パーキンソン病のすべて．脳の科学2004年増刊号，333-337.

宮脇聡子，藤田佐和（2012）．乳がん患者の倦怠感緩和のためのウォーキングエクササイズプログラムの開発－効果の検討．高知女子大学看護学会誌，*37*(1)，20-27.

岡崎久美，米田由美子，深井喜代子，清水恵子，土井二三子，飯田百合子（2001）．腹部マッサージが腸音と排便習慣に及ぼす影響．臨床看護研究の進歩，*12*，113-117.

The University of California, San Francisco School of Nursing Symptom Management Faculty Group (1994). A model for symptom management. *IMAGE, 26*(4), 272-276.

坪井義夫（2011）．パーキンソン病治療 - New Standards　パーキンソン病治療ガイドライン2011の意義と活用法　非運動症状への対応．*Clinical Neuroscience*，*29*（5），539-541.

UCSF症状マネジメント教員グループ（1997）．症状マネジメントのためのモデル．インターナショナルナーシングレビュー，*20*(4)，22-28

内布敦子（2014）．症状マネジメントにおける看護技術，系統看護学講座専門分野Ⅱ成人看護学〔1〕成人看護学総論（p.333）．医学書院.

5 不快症状理論

A 理論との出会い

慢性病と共に生きる人はいくつもの不調が積み重なった身体で生き抜いている．慢性疾患の長い罹病期間のなかでゆっくりと臓器の機能の不調や皮膚，関節，骨，筋肉の萎縮や硬化，肥厚といった変化が現れるとともに，それらが生活を脅かし，新たに不快な症状をもたらすという複雑な状態にある．しかし，慢性病と共に生きる人はゆっくりと進行した症状だけに苦しむのではない．呼吸が急に苦しくなる，炎症が悪化し痛みと熱感が生じるといった急性の不快症状を体験することもある．このような急性期においては，急激に現れた呼吸苦や痛み，熱感などの症状は治療により数日後には改善する．しかし，急性期の症状が取り除かれても，慢性疾患の症状が積み重なった状態は依然として存在する．筆者は，急性期を主体とする病院の病棟と外来での臨床経験から，慢性病と共に生きる人の状態をそのようにとらえている．

筆者が不快症状理論を最初に知ったとき，修士課程で学んだ「症状マネジメントの統合的アプローチ」（本章4節，p.84参照）と似ていると思った．統合的アプローチは症状をマネジメントする主体は患者であることを筆者に再認識させた．それまで，症状とは医療者側が患者の“訴え”を医学的ターム（学術用語）に変えて端的に表現するものととらえていた．

本理論も患者の体験する知覚に焦点が当てられている．症状は，患者が訴える症状を医療者が要約してこちらの決めたタームに変換するものではなく，患者自身の体験を表現するものであり，症状のコントロールにおいて基盤となるものである．すなわち，症状は患者のものであって，医療者のものではないということである．これは，患者の苦悩を理解するためには，病い（症状）を体験している患者自身に聞いてみないとわからないという，その後の筆者の看護師としてのアプローチに影響している．

B 理論家紹介

不快症状理論（Theory of Unpleasant Symptoms：TOUS）は，一人の理論家が作成したものではない．ピュー，ミリガン，ギフト，レンツという，それぞれが独立して研究に取り組んでいた4人の看護師が，不快症状という共通のテーマに出会い，共同で臨床実践と研究とを照合し，議論を重ねて作成するという彼らの情熱が結集して実った理論であ

キー概念

□**不快症状（unpleasant symptoms）**：症状とは患者が体験している正常な機能が変化したことを気づかせるサインであり，健康の脅威を示す主観的な指標である．それらは一般に不快な体験である．

□**症状（symptoms）**：患者が体験する正常な身体機能における変化の指標の知覚である．症状は，強度（intensity），タイミング（timing），苦痛（distress），性質（quality）の4つの局面からなる．

□**体験（experience）**：患者の主観的な知覚である．

□**影響要因（influencing factors）**：症状の体験の性質と多様な症状の現れに影響する要因であり，生理的要因，心理的要因，状況的要因がある．

□**パフォーマンス（performance）**：その人の日常生活における正常な機能（認知的活動，機能的活動）の発揮であり，症状の体験の成り行き，または結果を示すものである．パフォーマンスには機能的パフォーマンス（functional performance）と認知的パフォーマンス（cognitive performance）が含まれる．

□**体験（experience）**：患者の主観的な知覚である．

る．

ピュー（Linda C. Pugh）は現在，ノースカロライナ大学ウィルミントン校教授である．出産時の倦怠感に関する尺度開発や概念枠組みの研究を積み重ねていた．倦怠感の概念枠組みには，その人の主観や認識，生物的な側面が含まれるが，多角的な方法を使って操作化していることを明らかにした（Pugh, 1993）．そして，同時期にウィメンズヘルスの上級実践看護師であり，授乳中の母親の倦怠感の研究（Milligan, 1989）に着手していたミリガン（Milligan Renee A.）との共同研究により，出産時の倦怠感の概念枠組みを明らかにした（Pugh & Milligan, 1993）．

また，ピューは，慢性閉塞性肺疾患や喘息患者の呼吸苦について研究していたギフト（Gift Audrey）との共同により呼吸と倦怠感に関する研究のレビューを行っている（Gift & Pugh, 1993）．これらの共同研究により妊産婦や慢性病と共に生きる人といった症状をもたらす生理的な要因が異なる集団であっても，倦怠感という体験には共通する点があることを見出した．ギフトはミシガン州立大学の名誉教授である．

なお，レンツ（Elizabeth R. Lenz）は理論開発に精通しており，心疾患患者の痛みの研究をしていたことから，ピューとギフトに請われて参加し，それぞれの研究活動をTOUSという中範囲理論の誕生にまでつないだ人である．高度実践看護師教育を修士課程から博士課程に移行するよう尽力した功績によっても知られており，オハイオ州立大学の名誉教授である．

理論誕生の歴史的背景

先に述べたように，TOUSは，レンツ，ピュー，ミリガン，ギフト の4人の看護師が共同して開発し，さらに看護科学に造詣の深い哲学者のズッペの力も借りて発表した中範囲理論である．ここでは，単行本『Middle Range Theories：Application to Nursing Research（2nd ed.）』のなかで，ギフトが執筆した不快症状理論の説明をもとに紹介する（Gift, 2004）．

TOUSの歴史はピューとギフトが呼吸苦と倦怠感という章を*Nursing Clinics of North America*（Gift & Pugh, 1993）のなかで執筆したことに始まる．ピューは倦怠感，ギフトは呼吸苦について担当することになり，アウトラインを統一するための話し合いをもった．そして2人は，症状がある環境や状況のなかで生じるには，症状に先行する影響要因があることや，症状が日常生活における正常な機能の発揮であるパフォーマンスに影響するという共通の見解に達した．加えて，症状は異なっていても，症状緩和の方法は共通しており，たとえば，漸進的筋弛緩法などは呼吸苦，倦怠感，痛みでも使われることがわかった．このことから2人は，すべての症状の理解や管理に活用できるモデルを考えて，そのモデルを不快症状理論と名づけることにして理論開発に取り組んだ．

その後，論文としての体裁を整えて投稿したが，なかなか採択されなかった．そこで，理論開発に精通しており，心臓病患者の痛みの研究をしていたレンツにTOUSの理論開発に加わってもらった．その後，レンツが筆頭著者として理論開発に取り組むことになり，

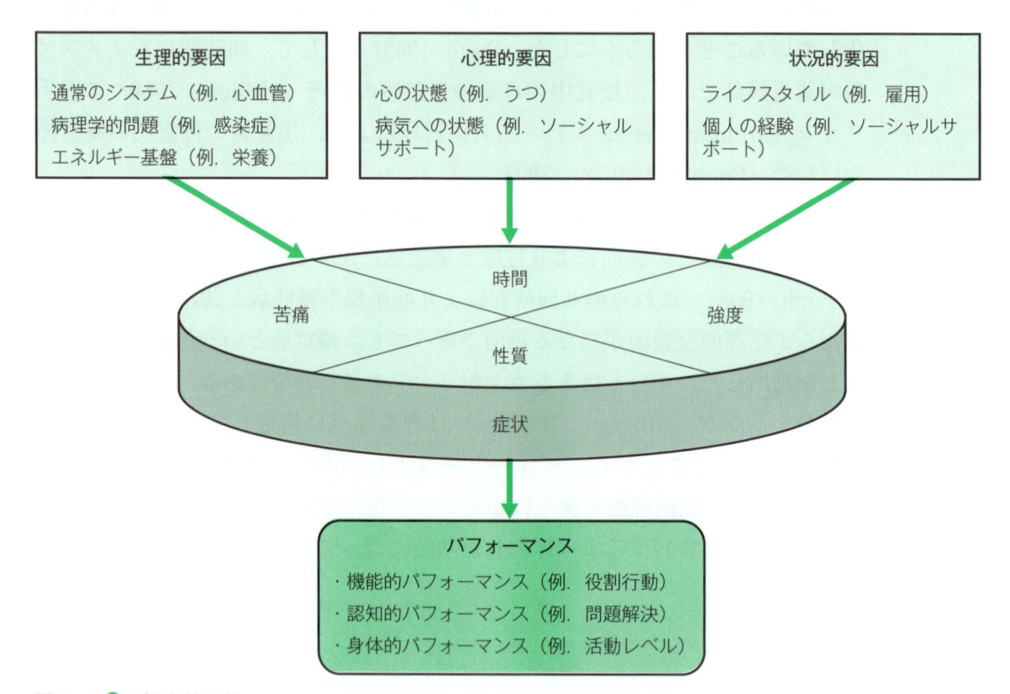

図5－1 不快症状理論

Lenz, E.R., Pugh, L.C., Milligan, R.A., Gift, A., Suppe, F.（1997）.The middle-range theory of unpleasant symptoms：An update, *Advances in Nursing Science*, *19*（3）, 16.より筆者が訳して掲載

看護科学に精通した哲学者のズッペ博士の力も借りることにした．なお，ピューの倦怠感に関する研究のアイディアはミリガンとの共同によるところが大きいことから，ミリガンにも加わってもらった．その後，定期的にミーティングを開いて検討を重ね，1995年に看護実践のガイドを導く中範囲理論として，オリジナルモデルといわれる最初のTOUSを発表した（Lenz, Suppe, Gift, Pugh & Milligan, 1995）（図５－１）．

彼らは，その後も定期的にミーティングを重ね，先行要因–症状の体験–パフォーマンスというように，一方向に進む線形モデルではなく，彼らが観察してきた臨床のダイナミックな状況を反映するモデルにしたいと考えて，モデルの改変に着手し，２年後の1997年に改変モデルを発表した（図５－２）．それによると，先行要件である生理的要因，心理的要因，状況的要因の影響を受けた複数の症状は相互作用し，増幅した症状としてその人に体験され，結果として，その人の日常生活における正常な機能の発揮であるパフォーマンスに悪影響を与え，また，その影響が先行要件や症状の体験に作用して循環を繰り返す（Lenz, Pugh, Milligan, Gift & Suppe, 1997）．

なお，これまでこれらの研究で記述されてきた症状は，痛み，呼吸困難，悪心・嘔吐，不眠症，他の睡眠障害，ホットフラッシュ，衰弱，倦怠感である．TOUSのオリジナルモデルでは，症状に影響する因子が単に直線で示されていたが，改変モデルでは，症状のいずれかが単独に生じたり，または同時に生じたりすることを示し，いくつかの症状が同時に発生し，互いに影響し合い，症状間に相互作用があることを示している．この改変モデルを用いた研究は，心不全，がん，COPD（慢性閉塞性肺疾患），腎不全末期，臓器移植レシピエントなどの複数の病気の患者と，授乳中の母親，妊婦，閉経後の女性を対象としたものであった．

D　不快症状理論とは

ここでは，単一の症状から複数の症状の体験が説明できるようになった不快症状理論改変モデル（TOUS）をもとに説明する．

1　前提と目的

TOUSは，様々な症状に伴う知識を統合するようにデザインされており，多様な状況における異なった症状であってもその体験には共通性があるということを前提としている．TOUSの目的は，多様な文脈における症状の体験についての理解を促すことであり，症状の予防，改善，または不快症状とそれによる悪影響を管理するための介入をデザインするのに役立つ情報を提供することにある．

2　理論の枠組み

TOUSは，３つの主要な構成要素からなる．その人が体験している症状，症状の性質に作用する影響要因，そして，症状の体験がもたらす結果としてのパフォーマンスである（図５－２）．

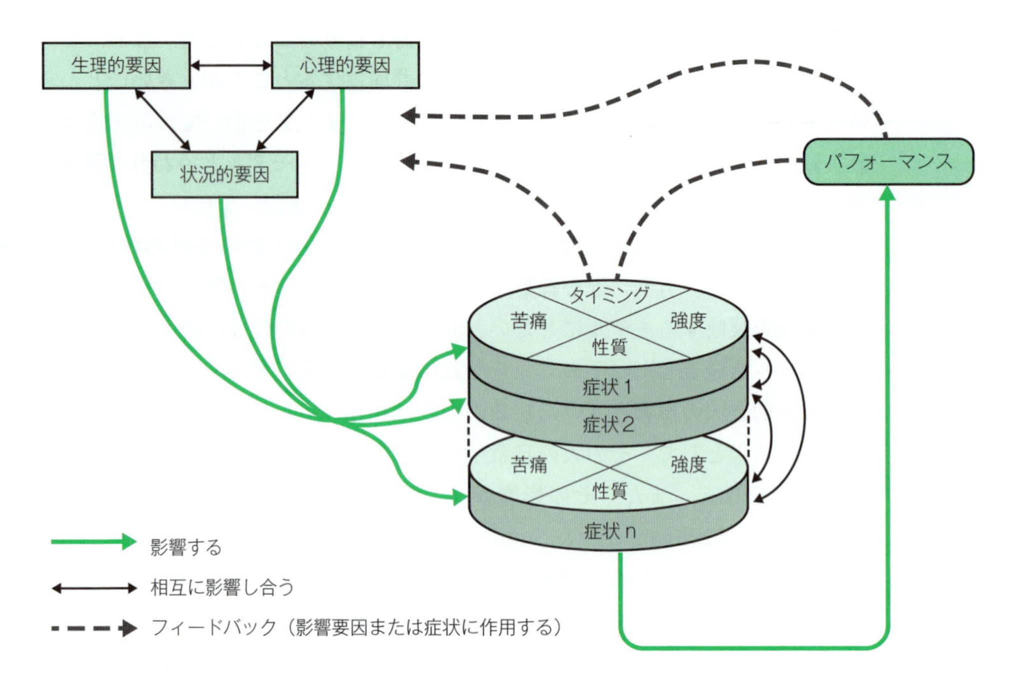

図5－2●不快症状理論改変モデル
Lenz, E.R., Pugh, L.C., Milligan, R.A., Gift, A., Suppe, F. (1997).The middle-range theory of unpleasant symptoms : An update, *Advances in Nursing Science*, *19* (3), 17.より筆者が訳して掲載

TOUSを簡単に説明すると，症状の先行要件である生理的要因，心理的要因，状況的要因といった影響要因が相互に関連し合って，一つの症状または複数の症状に影響を及ぼす．同時に複数の症状は相互作用しながら，複合して一つの塊となってその人の症状の体験に影響を及ぼす．症状の体験は，結果としてその人の日常生活における正常な機能の発揮であるパフォーマンに悪影響を及ぼし，その結果が再び影響要因や症状の体験に作用し，循環を繰り返す．

1）症　状

（1）症状の定義

症状は本理論のスタート地点であり，TOUSの中心概念である．TOUSにおいては，客観的なサインよりもむしろ主観的な知覚に焦点が当てられている．症状は以下のように定義されている．

症状とは，「患者が体験している正常な身体機能の変化を気づかせてくれるサインである」(the perceived pointers of alterations in the normal body functioning that a patient experiences)

臨床において，ほとんどの場合患者は複数の症状を体験している．TOUSのオリジナルモデルでは単一の症状の体験であったが，改変モデルでは複数の症状が複合する体験を説明している．たとえば，呼吸苦は多くの場合において倦怠感を伴い，悪心はしばしば痛みが伴うことがある．なお，複合する症状が同時に生じる場合は，症状が加算されたというより増幅された体験である．複数の症状が同時に生じると，そこで触媒作用が起こるかのように反応が促進される．痛みがあるのは，倦怠感または悪心があるよりつらいと考えられるが，倦怠感や悪心と同時に痛みを体験している場合は，想像以上に深刻であることが考えられる．

（2）症状の4局面

症状には，強度，タイミング，苦痛，性質という4つの局面が含まれる．4つの局面は別々にみえるが，実際はそれぞれが関連し合っている．

①強　度

症状の強さまたは激しさ，または症状の総体である．

②タイミング

症状が生じる頻度と持続時間，または頻度と持続時間の組み合わせである．たとえば，途中に中休みがあるが長期間続く症状や，慢性的に続くが強度が変化する症状もある．

③苦　痛

その人が症状により悩まされる程度であり，症状がもたらす不快さ，つらさであるが，同じ症状であっても悩まされる程度は異なることがある．苦痛の程度に影響する最も重要なことの一つは，その人がその人なりに症状の体験を解釈したり，意味を割り当てたりしているかということである．たとえば悪心は不妊治療をしている女性にとって妊娠の可能性を示す歓迎する症状ととらえる場合もあるが，がん化学療法を受けている患者にとっては好ましくないものである．

④性　質

患者が症状をどのように感じているかという説明である．痛みについては拍動する痛み，ズキズキする痛み，チカチカする痛みなどであり，呼吸苦では窒息しそうな，胸苦しい，空気が十分吸えないなどである．患者の行動や活動による症状の変化からも性質は把握できる．たとえば，休息をとると倦怠感が緩和するなどである．しかし，症状の性質を表現する難しさは，患者によって症状を識別する能力や症状の体験を語る能力にも差があることである．

（3）症状の評価

痛み，倦怠感，呼吸苦などそれぞれの症状を評価，測定できる用具は開発されている．痛みを例にとると，McGill疼痛質問票では，痛みの3側面「感覚-弁別」「感情-情動」「評価-認知」を評価できるように作成されている（Melzack, 1975）．またRoland-Morris Disability Questionnaireは，痛みにより日常生活活動が障害される程度を測定できる（Roland & Morris, 1983）．症状の評価にこれらの尺度を使うことは有益である．

しかし，臨床においては患者が単一の症状を体験していることは少なく，むしろ複数の症状を体験していることがほとんどである．そのような場合においては，複数症状のなかでも，特にその人を悩ませているという症状があることから，際立つ症状とその他の症状との関連を探っていくことも症状緩和に介入するうえで重要である．たとえばCOPDの人は呼吸苦，倦怠感，不眠，痛みなどの複数の症状を体験していることが多いが，呼吸苦が倦怠感，不眠，痛みを引き起こしていることもある．

2）影響要因

影響要因とは，症状の体験の性質と多様な症状の現れ方に影響するものであり，生理的要因，心理的要因，状況的要因の3つがある．これらは互いに関連し合いながら，患者の症状の体験に影響を与える．

（1）生理的要因

身体組織の機能が正常か異常かということである．病気の深刻さ，合併症，エネルギーレベル，認知レベル，栄養バランス，脱水などである．

（2）心理的要因

感情と認知の両方を含む．精神的状態や気分，病気の影響に対する反応，症状に関する不確かさや知識の程度や，その人の症状に関する意味づけなどである．

（3）状況的要因

その人を取り巻く社会的，物理的な環境を含む．症状を体験したり，伝えたりすることに影響する．環境要因である暑さ，湿潤，騒音，光，空気や，社会経済的状況，婚姻や家族の状況，職業，仕事や家族の要求，ソーシャルサポートやヘルスケアへのアクセス，サポート提供者やヘルスケアの適切性などである．

3）パフォーマンス

その人の日常生活における正常な機能（認知的活動，機能的活動）の発揮であり，症状の体験の成り行き，または結果を示すものである．パフォーマンスには機能的パフォーマンスと認知的パフォーマンスが含まれる．

（1）機能的パフォーマンス

生物学的な行為，日常の行為，社会的関係および行為，行為に関連した仕事の役割パフォーマンスを含む．

（2）認知的パフォーマンス

知識，学ぶ能力，問題解決，抽象的かつ論理的側面が含まれる．

TOUSモデルは，パフォーマンスが症状に関連する体験のレベルと性質に依存することを示唆している．これらのパフォーマンスは相互関係があり，症状に関連した体験が患者の状況，生理学的，心理学的な状態に依存して変化する可能性がある．また，低下したパフォーマンスレベルが影響要因に負のフィードバックとして作用するという仮説が立てられている．なお，QOLには機能的能力や認知的能力といった両方が含まれているので，パフォーマンスの指標としても使用されることがある．

研究の動向

TOUSは，がん患者を対象にした研究，アルツハイマー病やCOPDの研究などに用いられている．

ハッチンソンら（Hutchinson & Wilson, 1998）は，アルツハイマー病患者への看護介入の効果を評価するためにTOUSを用いている．状況的要因である介護者や社会的・環境的文脈がアルツハイマー病では特に関連することや，看護介入は影響要因と症状の性質に影響を与えると述べている．また，ロペスら（Lopes-Júnior, Bomfim, Nascimento, Pereira-da-Silva & Lima, 2015），は，がんをもつ子どもや思春期にある人の症状マネジメントのサポートにTOUSを用いている．

このように，研究により不快症状理論を支持する結果が示されているが，さらに，TOUSを用いて症状を症候群としてとらえていくことで，特定のマネジメントがより効果的にできると考えられている（荒尾，2021）．チェンら（Chen & Tseng, 2005）は，がん患者に現れている症状を症状クラスターとして，疼痛関連要因（眠気，食欲不振，睡眠障害，倦怠感や痛み），化学療法関連要因（悪心・嘔吐），感情関連要因（悲しみ，苦痛）という3つの群でとらえることにより，抗がん剤の投与方法や一般的な症状のメカニズムの理解を助けることができると述べている．

増尾らは，放射線治療終了前の乳がん患者が体験する複数の症状について本理論を用いて研究し（増尾・小林・荒尾，2016），一人の患者が3～6個の複数の症状を同時に体験していること，倦怠感が主要な症状であり，他の症状に影響していること，倦怠感をまず和らげることで他の症状緩和につながることを明らかにしている．複数の症状を体験している患者の症状緩和を図るには，まず，最も患者を悩ませている症状の緩和に取り組むことが他の症状の緩和にもつながるという重要な示唆であり，今後さらなる検証が待たれる．

さらに，COVID-19に罹患した高齢男性に対してTOUSを適用し，パンデミックと社会的孤立が身体精神社会的な性質の不快症状のクラスターをもたらすことを明らかにし，新しい看護の必要性を示す研究（Muniz, et al., 2023）もなされている。

F 理論の看護実践での活用

1 どのような対象または事象，状況に活用できるか

10年以上透析療法を受けている腎不全の患者の例から，本理論の活用について考えてみよう．

Aさんは，食欲が低下しているなかで飲水，塩分を制限され，食べ物においしさを感じられず，必要なカロリーが摂取できない結果，倦怠感が強まり，運動量が減り，さらに四肢の筋力が低下し，抵抗力が弱っていった．そこで，何とか栄養をつけなければならないと医療者に言われたこともあり，食べ物を口に入れたが，誤嚥し，肺炎を起こしてしまった．

筆者は，そのような患者を前にしたとき，この状況をどのようにとらえ，どこを切り口にしてかかわればよいかわからず困惑した．

Aさんの状況を考える場合，疾患による身体への影響ばかりにとらわれてアセスメントをしても，Aさんが慢性病と共に生き抜くことを助ける支援にはつながらなかった．Aさんは透析療法を始めるまでは，運転の仕事をしていた，透析療法が開始されてからは，家族や医療者以外の人と話すことが減り，社会とのかかわりが薄くなったことを筆者はアセスメントに取り入れることをしていなかったのである.

透析療法が始まるまでAさんは，健康が自慢で“風邪をひいてもねぎを首に巻いて治す”対処を身につけていた人であった．本理論を用いて考えると，頑丈な身体をもっていたにもかかわらず，動きたくなくなり，動かなくなっているというつらい体験をしていることが理解できる．また，単に身体的に衰弱しているのではなく，運転の仕事を辞めざるをえず，それにより他者とのかかわりが減ったという状況的要因が，Aさんの気持ちを暗くするという心理的要因に作用し，ひいては生理的要因にも作用し，食欲低下，倦怠感という複合した症状の体験に至ったということが理解できる．このように理解ができる今なら,「やる気をだして食べましょう」「リハビリをして体力をアップしましょう」などという声かけは，患者の助けにならないと気づくことができる.

慢性疾患患者の場合，症状はそれぞれが同時に現れ，影響し合うということばかりではなく，症状の一つひとつがそれぞれの時間，歴史をもつと考えられる.

慢性の合併症が現れている糖尿病患者を考えてみよう．長い時間を経て高血糖の病態が神経細胞を侵食するが，網膜症と腎症とは別の進行速度で，異なった症状の現れ方で身体に存在して，じわじわと増悪していく．互いに影響し合わない時間もあり，その病態が進行し症状の強さや頻度を増した時期（ステージ）から，互いに影響し合い，生理的・心理的・状況的要因に変化をもたらすと考えられよう.

したがって，本理論は慢性疾患患者の症状が積み重なった“不快症状”というものを理解するために，その絡められた糸を解きほぐすことへの活用が期待できる.

2 看護実践のどのようなことに活用できるか

筆者は，学生時代に腹痛についてのアセスメントとそのケア，あるいは呼吸苦のアセスメントとそのケアというように学習してきた．しかし，それは，ほとんどそのままでは，臨床では役に立たなかった．患者のほとんどが一度に複数の症状をもっており，体験する症状は人それぞれによって強さも，意味づけも違い，また時間の経過につれて変化するため，アセスメントとそのケアを複雑にしている.

TOUSは複数の症状が相互に作用し，症状の体験の結果としてのその人の日常生活における正常な機能の発揮であるパフォーマンスに悪影響を与えていることから，固有の症状を超えて，影響要因－複数症状の体験－パフォーマンス……と循環する全体に目を向けることを提案している．複数症状を同時に体験するということは患者にとって現実的な問題である．そのため，臨床的な適用が可能であり，TOUSに基づく効果的な介入により複数の症状を緩和できること，関連する現象を説明したり，研究のための問いを生む理論であることを開発者らは述べている（Lenz, Suppe, Gift, Pugh, & Milligan, 1996).

実践において，TOUSは患者の過去を含めた体験にも視野を広げる．身体的・心理的・社会的側面を分断してアセスメントするのではなく，それらが互いに影響し合っているものとしてとらえ，理解するのを助けてくれると考える.

さらに，症状は病気そのものだけから生じるのではなく，その人が暮らす環境－地域，生活，家族にも影響されるという本理論の考え方によって，患者自身が周囲の人の助けを借りて病気とうまく付き合いながら生活していくには，どのような支援を必要としているのかを見出すことができる.

また，不快症状のコントロール時に，看護師の主観や臨床体験だけに頼らず，科学的な枠組みをもつことができる．たとえば，脳梗塞後患者がリハビリテーションに意欲的でないようにみえたとしよう．これまでの看護師の体験に照らして，きっと，脳梗塞を発症した精神的なショックで消極的になっているに違いないというアセスメントを看護師がしたとすれば，そこには心理的要因のみに偏り，生理的要因を考慮していないことを本理論では気づかせてくれる．動くことに積極的になれないのには，心理的要因ばかりではなく，生理的要因も関連しているのではないかと，思考の枠組みを広げてくれるだろう.

G 臨床での活用の実際

1 事例紹介

Bさん，50歳，男性．30代から，健診では高血糖を指摘されてきたが，運送の仕事をしているために，平日は休めず，これまで受診をする機会をもたずにきた．Bさんにとって運送の仕事は生きがいである．運転をして荷物を契約先に届けるだけではない，契約先の人に挨拶をしてコミュニケーションをとることでさらに契約が増える．会社からの時間指定にも的確に応じるためには，どこから搬送を開始して，トラックをどこに停車させたら有効かということも知らなければならない．Bさんは，それらが他の社員よりもうまくでき，上司の評価も高かった.

2か月くらい前から，荷物卸しの搬送中に息切れがあり，仕事がはかどらない感じがあった．同じ頃，異常と思えるくらいの空腹感があったが，多忙で食事を摂る時間がなく，自動販売機で野菜ジュースや甘い炭酸飲料を買って飲み，意識してカロリーを補っていた．20日くらい前，入浴時に鏡に映る骨格の様子や，仕事着のベルトの穴が3つ縮まったことから，少しやせてきたので「がんではないか」と心配になり，思いきって職場に休みを申し出て受診した.

内科外来の待合室では，仕事のことが気になりイライラして落ち着かなかった．やっと診察の順番が来て，医師にがんではないかと心配していることを伝えると，「がんによって体重減少が起こっているのではなく，高血糖がその原因で，糖尿病が悪化して合併症をきたしている」と説明された.

糖尿病が悪化してという医師の言葉に触発されたBさんは，翌日から帰宅後に走り始めた．ジュースは止め，食事は脂（あぶら）を極力控えて，生野菜をたっぷり摂るようにした．運動やカロリー控えめの食事によって高血糖が改善するという知識はテレビや雑誌で得ていた．妻は，Bさんの急激な生活態度の変化に驚いたが，やっと生活習慣を見直してくれるようになったと考え，野菜中心の生活にして炭水化物を減らす食事をつくることに協力した.

Bさんは，「糖尿病だったら，食事と運動で自分だけで何とかなる」と言って，予約していた受診はせず，再び仕事にまい進した.

このような生活を１か月続けてみたが，Bさんの息切れはいっこうによくならなかった．むしろ，つらさが増していた．また，体が水っぽくなった感じがして，体重を測ってみると，４kg増えていた．「たしかに，体が重い」．そこで，今度はサウナに行くことにした．サウナで汗をかいて体の水分をしぼり出せばよいと，自分なりに考えた．

Bさんがサウナへ行く準備をしていると，妻がそばにやってきて，「サウナに行くよりもう一度，病院に行ったほうがいい」と病院受診を勧めた．高校生の娘も心配して「お父さんが，死んじゃったら嫌だ．このごろ，何にも話してくれなし，怖い顔をばかりしてる」と泣いた．Bさんは，自分が家族と話をしていないことにも気づいていなかった．「お父さんは，そんなに怖い顔をしている？　おまえたちと話していない？　わからなかったなあ……」と言った．そして，「おれの体はどうなっているのだろう？」とつぶやいた．

この１か月間，Bさんは自分なりに高血糖を改善しようと努力してきたが，「一生懸命やったのに成果が現れない」ことから，自分の身体のことがよくわからなくなり，どうしていいかと途方に暮れた．何もする気が起こらず気力も失って仕事も休むようになった．食欲はなかったが，異様な空腹感に襲われ，これまでは台所に入ることさえなかったが，冷蔵庫の扉を開けて，食べ物をむさぼるように食べ，糖分の入った炭酸飲料を１日10本は飲んでいた．

数日後，Bさんは妻と娘に連れられ，病院を受診した．

医師は「高血糖が悪化しています．意識を失ってしまうところでした．からだを休めて，治療を受けてください」と言った．仕事があるからと，入院を断ろうとするBさんに対して，看護師は「このままでは，大切な仕事さえ失ってしまいます．ご家族も心配されています」と伝えた．Bさんは，突然表情を崩し，「判断ができなくなってきた．助けてください」としぼり出すように言って，皆の前で泣いた．

2 理論に照らしてのアセスメントのポイント

高血糖，糖尿病というタームから，まず医学的視点でアセスメントをしようとするかもしれない．そうすると，事例には記述されていない血糖値は？　HbA1cは？　eGFRなどの腎機能データは？　腎性貧血があるか？　眼科受診での網膜症の状況は？　神経障害はあるのか？　アキレス腱反射の結果は？　ABIの結果から足病変のリスクは？　心不全はどうなのか？　胸部レントゲンの指示はあるのか…と，情報不足が気になるだろう．その情報がないと本当にアセスメントができないのだろうか．

TOUSに照らして本事例をみていくと，アセスメントのポイントは，第１番目が患者の体験，すなわちBさんの不快症状の体験である．次にその症状に影響している要因に着目したい．３つ目がパフォーマンスである．

不快症状の体験とは，TOUSでは客観的なサインよりもむしろ主観的な知覚に焦点が当てられていると述べた．ゆえに，Bさんの体験を理解してアセスメントするためには，まず体験を聴くことが大切である．それは意図をもって，さらに患者が話しやすいように評価的な態度にならずに聴くという技能を入れたものが必要となる．

3 活用例

1）事例のアセスメントまたは解釈

（1）Bさんの不快症状

事例紹介の内容を看護師に語ったとしよう．そこから導かれた体験は，以下のようなことである．Bさんの症状は息切れ，強い空腹感，やせ，浮腫，過食である．これらを強度，タイミング（症状が生じる頻度，症状を感じる持続時間，頻度と持続時間という両方の組み合わせ），苦痛，性質という4つの側面で記述すると，以下のようになった．

①2か月前から，荷卸しの搬送中に仕事がはかどらない感じの息切れ，1か月の自分なりに注意した生活後ひどくなった

・強度：これまで普通に行ってきた荷卸しの仕事ができなくなる
・タイミング：2か月前からずっと，荷物卸の運送中に
・苦痛：息が切れる，息苦しい，仕事がはかどらない
・性質：仕事がはかどらない感じ

②2か月前から，異常に強い空腹感

・強度：冷蔵庫から，食べものをむさぼるように食べるほど強い
・タイミング：2か月前からずっと
・苦痛：空腹感
・性質：異常，異様と思える

③仕事着のベルトの穴が3つ縮まるやせ

・強度：仕事着のベルトの穴が3つ縮まる，骨格が変化する
・タイミング：いつからやせてきたのかわからない，気づいたのは20日前
・苦痛；がんではないか
・性質：ベルトの穴が3つ縮まる

④1か月の自分なりの食事と運動を注意した生活の後，体が水っぽくなる，重い，4kgの体重増加

・強度：4kg体重増加
・タイミング：食事と運動を注意した生活を始めて1か月後
・苦痛：体が重い，自分の体のことがよくわからなくなる，どうしていいか途方に暮れる，一生懸命にやったのに成果が現れない
・性質：体が水っぽい

⑤受診の数日前，冷蔵庫から食べ物をむさぼるように食べる過食

・強度：冷蔵庫の食べ物をむさぼるように食べる，炭酸飲料を毎日10本飲む
・タイミング：2回目の受診の数日前から
・苦痛：判断ができない，助けてほしい
・性質：異常，異様と思える

これらの症状（息切れ，強い空腹感，やせ，体重増加，むさぼるように食べる行動）は，それだけでは関連が説明できないが，それぞれのパフォーマンス（行為遂行能力）を伴って関連を説明できる．

その前に，要因について考えておきたい．

（2）症状に影響している要因

患者の症状に影響を与える要因について整理してみよう．

①生理的要因

Bさんは，30代の頃から健診で高血糖を指摘されてきているので，約20年間，高血糖状態にあったと考えられる．ここでは，1型，2型の分類は明らかではないが，最初の受診時にインスリン療法が指示されていないことから，おそらくインスリン分泌がある程度保たれている状態の2型糖尿病と考える．

20年間にわたる高血糖は，じわじわと各臓器に影響している．腎機能，栄養状態，視力，知覚神経や運動神経などの末梢神経の状態などがどのようになっているのか把握する．高血糖が脱水をもたらすこともある．逆に高血糖に影響するものとして，感染症の有無，内分泌・脂質代謝がある．Bさんが感染症に罹っているかは不明だが，入院後，検査を進めるなかでとらえていく．さらに，腎機能低下による貧血や溢水に関連する呼吸機能の変化などの影響もアセスメントする．

50歳代のBさんは，本来なら気力，体力もある発達段階であり，認知機能が正常であれば，自分で考えて対処する能力は十二分にある．しかし，高血糖によりエネルギーレベルが低下し，骨格筋が衰え，体力が低下したと考えられる．

②心理的要因

やせたり，呼吸苦が生じたりしたことへの心配があったが，高血糖が原因と知り，「何とかなる」という気持ちで自分なりに考えて対処できるという思い方があった．症状の程度が改善しないことに対して，「おれの体はどうなっているのだろう？」という疑問や自分の身体のことがよくわからなくなり，どう対処してよいかわからず途方に暮れるという感情が現れている．

これらは，「一生懸命やっているのに成果が現れない」という無力感をもたらし，仕事を続ける意欲の消失，抑うつ，怒りの感情を抱き，家族との会話もなくなり，表情が険しくなっていくことにつながった．これまでの人生では，自分が懸命に行動すれば，それなりの成果が現れるというものだったのだろうが，高血糖による不快の症状をさらに悪化させることとなった．Bさんは，自分のなかのこういった心理的状態に気づいていなかった．

③状況的要因

運送の仕事に生きがいを抱いているBさんは，これまで自分で判断し，考え，対処し，うまく課題を解決してきた人であろう．養う家族があり，家族からもサポートを受けてきた．仕事は，運搬といった体力と知的な部分の両方を使う仕事で，人とのコミュニケーション能力も高いと判断できる．このことが逆に今回，家族や医療者の助けを求めたりすることを阻み，孤立状況を生じさせることになったと考えられる．

自分なりに行ったことが生理的要因に影響し，不快症状を悪化させ，その結果，心理的要因として無力感となって現れ，さらに家族からも遠ざかり孤立するという状況をもたらすというように複数の因子が影響し合って症状につながっていると判断する．

（3）パフォーマンス

①認知的パフォーマンス

息苦しさで仕事がはかどらない感じを得たBさんは，空腹感を「異常」と認識しているが，病気とは関連づけずにカロリーを補う必要があると考える．多忙で食べる時間がないので，自動販売機で野菜ジュースや炭酸飲料を飲んで対処した．そして，鏡で骨格の変化をとらえてやせに気づいたことにより，息切れと合わせて「がんではないか」という心配を抱き，思いきって仕事を休み病院を受診した．

受診の結果，糖尿病を告げられるが，テレビなどで得た情報をもとに自分なりに糖尿病によいとされる生活（走る，脂を極力控えた生野菜中心の食事）を実践し，不快症状を和らげようとした．それは，糖尿病に対して自分で何とかなる病気というとらえ方が影響していた．

家族から，心配され，再受診を勧められたり，家族と話をしなくなっていることを伝えられたり，怖い表情になっていることを知らされたりしたことで，自分の状態を振り返った．不調が強まり，運動もできない，仕事に行くこともできないが，栄養をつけないといけないと思い，カロリーが得られる飲み物を補給して健康を維持しようとした．しかし，一生懸命やっているのに不快症状が改善せず，成果が現れないととらえ，判断力を失っていった．

家族に連れられて受診をする頃には，自分に生じていることをどのように判断したらよいのか，どうしたら解決するのかわからないなかで，不快症状が積み重なっていった．他者からの助けが必要であり，それを求めている自分に受診時に気づくことができた．

②機能的パフォーマンス

仕事のなかで感じた息苦しさは，やがて，やせ，浮腫，エネルギー利用の困難などにつながり，身体的能力を低下させた．運動機能そのものが損なわれたわけではないが，運動するための基盤となる筋力，そして意欲，体力が失われた．身体能力の低下は，これまで自分で意思決定し，仕事を頑張り，家族を支えてきたという自分にとっての誇りでもある価値観に影響し，自信の低下，判断力の低下などにも影響し，生活機能状態の変化をもたらした．

休息することよりも仕事を継続することに重きを置き，エネルギーを補うという対処で不快症状を和らげようとした．しかし，呼吸苦だけではなく，やせに気づくとがんではないかという心配を抱き，今度は，仕事を休み，受診する．その後，自分なりのやり方で糖尿病という病気を克服するよう努力するが，不快症状が積み重なり，一生懸命やっているのに成果が現れないという認知が影響し，仕事を休むようになった．すなわち，生きがいとなっているものを手放すほかなかったという状況となり，精神的ストレスをもたらす．不快症状が自分で状況を判断し，病いをコントロールしていく行為を妨げたと考えられる．

家庭においては，夫であり父親役割があり，経済的にも家族を支える重要な存在であり，家族を守るという立場にあったが，妻や子どもから心配され，家族との会話が途絶えるという状況をもたらした．

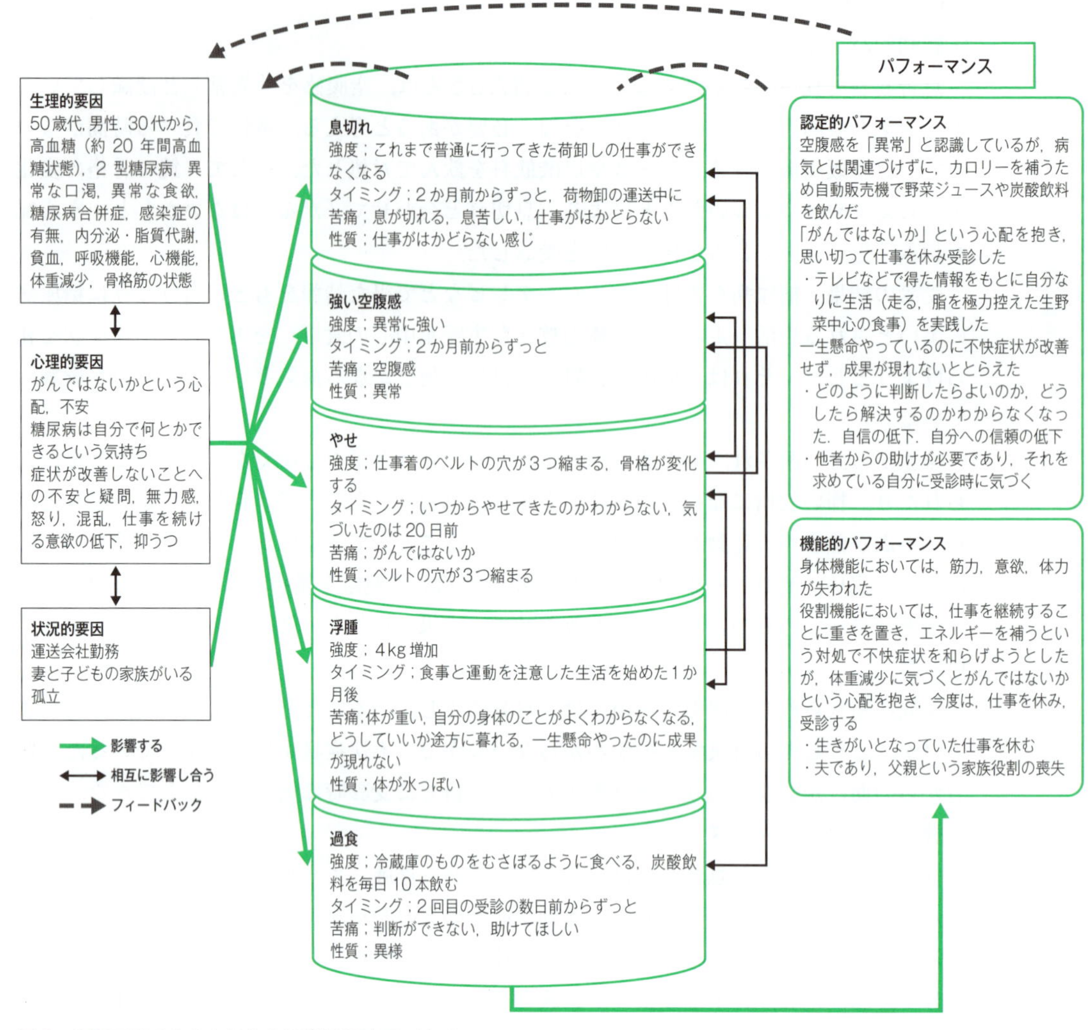

図 5－3 ●TOUSをもとにした事例のアセスメント

以上のTOUSをもとにした事例のアセスメントを図 5－3 に示す.

2）援助計画

病態およびBさんの認知とその対処から, 悪循環に陥り, 身体的側面と心理的側面の両方が病気とうまく付き合えない状態になっていることが明らかになった. さらに, それらはこれまで協力し合い, 親密だった家族関係にも影響し, 効果的なサポートを得られずにいるところにも課題があるとアセスメントできた.

これらは, どこから介入すると効果的であるのだろうか？ 不快症状は, 重篤な糖尿病の状態から生じ, 今は主体的に自分で判断して取り組むエネルギーはもち合わせていないため, まず糖尿病, すなわち高血糖状態, 高浸透圧に伴う脱水, 細胞レベルでのエネルギー不足を改善することから始める必要があると考える. ここを解決し, Bさんの体調が整うことで認知的機能に影響し, 学ぶ意欲, 問題に取り組む力, 考えて判断する力が再びBさんのもとへ戻ってくると考えられ, 糖尿病の病態と病気をコントロールするための知識と実際の方法を伝えるという教育的かかわりが効果的となる.

家族にもBさんと一緒に学ぶ機会を設けることでサポートを得，孤独から脱して心理的な満足と安心がもたらされ，生活の再編，継続を強化する方向で介入する.

Bさんの症状は，病気そのものによって現れているだけではなく，Bさんなりに考えた糖尿病へ取り組む行為によってもたらされていた．そのことを介入に取り入れるのは，非常に重要である．Bさんなりの考え方，認知的側面への理解をする介入を合わせて行うことは，Bさんの認知に働きかけることであり，知識の活用，行動の判断，意思決定といった自己管理において基盤となるものが整うのを助けると考えられる.

3）評　価

Bさんは治療によって入院中に血糖が著しく改善することが予想できる．しかし，血糖の改善を評価の指標とするだけではなく，症状がなぜ現れていたのか，どのように対処することが効果的なのかということを理解し，混乱していたものが「わけがわかった」「意味がわかった」というような表現とともに，症状のとらえ方，その対処方法が実践できるようになっているかどうかの視点が大切である．そして，Bさんにとって生きがいである仕事の継続，家族役割の遂行についてもとらえていく.

これらは，入院中だけではなく退院後の生活において，外来通院という長いスパンのなかで評価していくものであろう.

H 理論を看護実践につなげるために

症状は，患者の身体の不調の現れのサインの一つで，先に述べたように「患者が体験している正常な機能の変化を示す知覚」である.

本理論は，診断名をもとに特徴的な症状を患者に当てはめる意識で患者の言葉をとらえていくのではなく，患者にとってそれはどのような苦悩なのか，どのような意味をもたらしているのか，生活にどのように支障となっているのか，認知にどのように影響し行為や生活，社会的状況に何をもたらしているのか，といった患者の側に立って考え，介入を検討することを可能にする.

すなわち，医療者の望む，患者のあるべき姿の枠に患者を当てはめて症状をとらえるのを回避することが期待できる．本理論は，慢性疾患患者が体験する複雑な症状を病態以外の視点からも検討し，説明し，効果的な介入の最初を考えるためのものとして活用していきたい.

さらに，今回，事例を理論に基づいて展開していく際に考えたことが2つあった．症状は相互に影響し合うからこそ時間的ズレが生じるのだが，それをどのようにモデルに示したらよいかということと，もう1つは，患者は，変化を示す知覚を表現するにとどまらず，これまでの人生での経験や価値と結びつけて知覚していることを意味づけ，解釈し，それが症状や対処に影響することについてである．対処によって，さらに症状の性質が変化し，その変化を患者がまたとらえて対処を考えていくという循環があると考えられるので，患者が体験する症状に対する患者自身の解釈を入れ込むことが必要であった.

文　献

荒尾晴恵（2021）．不快症状理論．黒田裕子（監修）．看護診断のためのよくわかる中範囲理論（pp.574-576）．学習研究社．

Chen, M..L. & Tseng, H. H. (2005). Identification and verification of symptom clusters in cancer patients. *Journal of Supportive Oncology, 3*(6 suppl4), 28-29.

Gift, A.G., Pugh, L.C. (1993). Dyspnea and fatigue. *Nursing Clinics of North America, 28*, 373-384.

Gift, A.G. (2004). Unpleasant symptoms. In Peterson, S. J., & Bredow, T.S., Middle range theories : Application to nursing research. 2nd ed. (pp. 255-273). Philadelphia : Lippincott Williams & Wilkins.

Hutchinson, S. A., Wilson, H. S.(1998). The Theory of Unpleasant Symptoms and Alzheimer's disease. *Such Ing Nurs Pract, 21* (2), 143-156.

Lenz, E.R., Suppe,F., Gift, A.G., Pugh, L.C., & Milligan, R.A.(1995). Collaborative development of middle-range nursing theories: Toword a theory of unpleasant symptoms. *Advances in Nursing Science, 17*(3), 1-13.

Lenz, E., Suppe, F., Gift, A.G., Pugh, L.C., & Milligan, R.(1996). The authors respond, *Advances in Nursing Science,18*(4), Ⅵ—Ⅶ.

Lenz, E.,Phgh, L.C., Milligan, R.A.,Gift, A.,Suppe, F.,(1997). The middle-range theory of unpleasant symptoms : An update. *Advances in Nursing Science, 19*(3),14-27.

Lopes-Júnior, L.C., Bomfim,E.O., Nascimento,L.C., Pereira-da-Silva,G., Lima, R.A. (2015).Theory of unpleasant symptoms : Support for the management of symptoms in children and adolescents with cancer. *Rev Gaucha enfem, 36*(3), 102-112.

増尾由紀，小林珠実，荒尾晴恵(2016)：放射線治療終了前の乳がん患者が体験する複数の症状―Lenzの不快症状の中範囲理論を用いた記述研究，第29回日本がん看護学会学術集会講演集，224.

Melzack, R.(1975). The McGill Pain Questionnaire : Major properties and scoring methods. *Pain, 1*(3), 277-299.

Milligan, R. A. (1989). Maternal fatigue during the first three months of the postpartum period. *Dissertation Abstracts International, 50*, 07B.

Muniz, V.O., Santos, F. S., Sousa, A.R., Araújo, P.O., Coifman, A.H.M., Carvalho, E.S.S. (2023). Applicabillity of the Theory of Unpleasant Symptoms to the population of older men with COVID-19 in Brazil, *Escola Anna Nery, 27*, 1-8.

Pugh, L.C. (1993). Childbirth and the measurement of fatigue. *J Nurs Meas, 1*(1), 57-66.

Pugh, L.C, Milligan, R.A. (1993). A framework for the study of childbearing fatigue. *Advances in Nursing Science, 15*(4), 60-70.

Roland, M., Morris, R. (1983). A study of the natural history of back pain. Part I : Development of a reliable and sensitive measure of disability in low back pain. *Spine, 8*(2), 141-144.

6 ヒューマンケアリング理論

●看護のアセスメントと援助に関する理論

A 理論との出会い

筆者のヒューマンケアリング理論との最初の出会いは，大学で看護を学び始めた頃である．しかし当時は，理論というものを難しく感じ，敬遠していた．

大学を卒業後，集中治療室や救急外来でのクリティカルケア看護に従事し，生命の危機に瀕した患者の看護に携わるなかで，医療従事者が治療に専念するあまり患者自身を置き去りにしているように感じていた．このような患者の最大のニーズは高度な医学的治療を受け救命されることであることはいうまでもないが，クリティカルケアを必要とする患者は生命の危機に瀕していると同時に，精神的にも危機的な状況にある．そのような患者が必要としている看護は何なのか学びたいと考えるようになり，大学院に進学した．指導教授とこの臨床課題について検討していくなかで，ワトソンのヒューマンケアリング理論に再会した．三次救急初期治療を受ける患者が必要とする看護についてヒューマンケアリング理論を用いて検討し，救急看護師が救急患者に必要なケアリング行動をどのようにとらえているのかをワトソンの理論枠組みをもとに開発されたケアリング行動アセスメントツール（Caring Behaviors Assessment Tool：CBA）を用いて調査した．三次救急初期治療におけるヒューマンケアリング理論を基盤とした救急看護師の実践を明らかにし，救急看護師が自身のヒューマンケアリング実践を評価するための尺度開発も行った．現在は診療看護師（NP）教育にも携わっており，医学と看護の視点から患者・家族とかかわる診療看護師のヒューマンケアリングを明らかにしようと研究を進めている．

ヒューマンケアリング理論は，看護の本質について言及した哲学を基盤とした理論である．日々の看護実践や看護師-患者の関係がどうあるべきかを検討する際に有用で，組織としての看護理念を構築する基盤としてこの理論枠組みを活用する病院も増えている．また，看護を学ぶ学生のための教育カリキュラム構築にも活用されている．

B 理論家紹介

ケアリングを研究する看護理論家のなかから，本節ではジーン・ワトソン（Jean Watson）を紹介する．ワトソンの詳細な経歴はワトソン・ケアリング・サイエンス・インスティテュート（Watson Caring Science Institute）のホームページを参照してほしい．

ワトソンは，コロラド大学デンバー校看護学部アンシュッツメディカルセンターキャン

キー概念

□ケア（care）：世話，配慮，気遣い．また，介護，手入れなどとも訳され，看護だけでなく様々な領域で用いられる．ワトソンは，看護の具体的な行為であると述べている．
□ケアリング（caring）：患者のニーズに応じて，医療者が専門職としてかかわること．ケアすること．ワトソンは，ケアの基盤となる態度であると述べている．
□カリタス（caritas）：ラテン語で「慈しむ，感謝する，特別な関心を寄せる」という意．ワトソンは，ケアリングと愛，という意で用いている．
□カリタス・プロセス（caritas process）：ワトソンのヒューマンケアリング理論の核となる10のケア因子をさらに発展させたもの．看護師の存在のあり様が表現されている．
□ヒューマンケアリング（human caring）：看護における道徳的理念．人間の尊厳を守り，高め，維持することを目的としたケアリング．
□トランスパーソナル（transpersonal）：自我そのものを超え，大いなるものと結びつくということ．看護師と患者との間に起こる間主観的な流れ．
□トランスパーソナルケアリング（transpersonal caring）：トランスパーソナルな関係のなかで行われるケアリング．看護師と患者が互いの主観的な世界に触れ合うことによって，スピリチュアルな一体感が生まれ，それぞれ互いの自己・時間・空間・生活史を超える．

パスの特別教授兼名誉学部長である．また，コロラド州のヒューマンケアリングセンターの創設者であり，全米看護連盟元会長，国際ヒューマンケアリング協会や国際カリタス連盟の創設メンバー，ワトソンケアリングサイエンスインスティテュートの創設者でありディレクターである．

ワトソンは，看護学士号と精神保健看護学の修士号，教育心理学とカウンセリングの博士号を取得後，コロラド大学にて看護教育に携わった．また，学部長としてもその高い管理能力を発揮した．その後，大学病院の看護副部長としても勤務している．

そのような臨床実践，教育活動のなかで，ワトソンは「人間科学」と「ヒューマンケアリング」という2つのキー概念に立脚した学問を探求し続けている．人間関係を中心としたケアの実践を開発，実証するというコミットメントが認められ，2000年にはThe Fetzer Institute Norman Cousins Awardを授与されたほか，数々の名誉ある称号，賞を与えられている．また，世界の数々の著名な大学の名誉客員教授であり，国内外を問わず，研修や講演活動を精力的に行っている．2013年には，米国看護協会より看護の発展に寄与した者に贈られる最高の栄誉であるLiving Legendという称号を与えられている．

ワトソンのヒューマンケアリング理論は，1979年に出版された『Nursing : The philosophy and science of caring』（看護―ケアリングの哲学と科学）にまとめられ，それを発展させた『Nursing : Human science and human care; A theory of nursing』（邦題『ワトソン看護論―人間科学とヒューマンケア』）を1988年に出版した．その改訂版として，2012年に出版された『Human caring science : A theory of nursing. 2nd ed.』（邦題『ワトソン看護論―ヒューマンケアリングの科学』）は，ワトソンの看護理論の集大成といわれる．ワトソンの最近の研究は，ケアリングに関する実証的測定と国際研究，ケアリングと癒しの新しいポストモダン哲学，神聖な科学としてのケアリングの哲学，グローバルなケアリング・リテラシーの発展にまで及ぶ．

理論誕生の歴史的背景

人間は有史以来，病いに苦しむ人がいれば，その苦しみを軽減させようと人がかかわり癒してきた．それは人間としてごく自然な行いであったため，特に明言化されたり強調されたりすることもなかった．1800年代に活躍したフローレンス・ナイチンゲール（Florence Nightingale）が『看護覚え書』で“ほんとうの看護”を語りつつ，“人間の看護”であることを浮き彫りにしていることは，ヒューマンケアリングという言葉こそ用いられていないが，人間が人間を癒すという意が含まれていると解釈できる．

そして，医療の進歩に伴い，人間が自然に行ってきたナイチンゲールの看護は次第に忘れ去られていく．革新的な医療技術の発展により，今まで治療困難であった様々な疾患の治癒が可能になるなかで，治療の効率化や合理化が図られるようになり，人間の尊厳を守る看護よりも，近代医学の治療効果を重視するようになっていった．

しかし，1970年代には再びケアリングが重視されるようになる．その契機は，1971年に出版されたミルトン・メイヤロフ（Milton Mayeroff）の『On caring』（邦題『ケアの本質—生きることの意味』）であるといわれる．メイヤロフはケアリングの８つの構成要素，ケアの７つの主要な特質を挙げてケアの特徴を説明した．その特質の一つが，ケアをとおしての自己実現である．人がケアすることは，相手を癒すだけでなく，自己（ケアをする人）の成長にもつながるというのである．

また，ケアリング重視の風潮の理由として，筒井（2020）は次の７つの背景「高度経済成長のなかで，生活の質が重要視されるようになった」「生命を脅かしていた病気の死亡率が減少し，治すことができない慢性の状態が蔓延するようになった」「生命への畏敬の念，各個人における独自性の尊重，環境を尊重するフェミニズムの影響がある」「看護過程，看護診断が変化する人間の状況をとらえきれるのかという疑問が起こった」「看護の理論化が進み，実践と理論を結びつける概念としてケアリングが注目されるようになった」「ヒーリング（癒し）の概念が行動心理学などで取り上げられるようになり，人間のもつ自己治癒力/自然治癒力が注目され，ヒーリングによる免疫機能の向上が明らかになった」「ベトナム戦争，湾岸戦争で米国の医療スタッフは疲弊し，ケアリングにより相手だけでなく医療スタッフもまた，癒されることが求められた」ことを挙げている．このような時代を背景として，社会，そして科学の世界も，人間と人間性を全体的にとらえ尊重するケアリング，ヒューマンケアリングを求めるようになった．

このような歴史的背景のなか，看護理論家はケアリングに関する研究を進め，ケアリングに関する知識が飛躍的に発展を遂げた．米国では，マデリン・レイニンガー（Madeleine M. Leininger）が文化人類学的視点から「看護の本質はケアリングである」と論じ，ケアリングの発展の基礎を築いた．1978年にレイニンガーが発足した全国ケア研究会議

(National Caring Research Conference) は学際的意見を共有し合うことの必要性を強調し，1989年にはレイニンガー，ワトソンなどを創設メンバーとして国際ヒューマンケアリング学会 (International Association for Human Caring) に名称を変え国際学会に発展した．現在 (2023年) も年１回の会議を開催し，その会議は３年に１度は米国以外の国々で開催されており (2014年は京都で開催)，国際的なケアリング概念の発展に寄与している．また，パトリシア・ベナー (Patricia Benner) は臨床看護実践における卓越性とパワーについて論じ，「気遣い」とケアリングの概念を発展させている．

ケアリングという言葉の定義については，医療界のみならず，哲学，心理学，教育学などの領域でも論じられているが，その見解はいまだ統一されていない．

ヒューマンケアリング理論とは

ワトソンは前述のレイニンガーのような看護理論家だけでなく，実存主義哲学，現象学，心理学などの様々な分野の先人の業績に影響を受け，看護は「アートとサイエンスからなる人間科学」であると述べている．そして，人間の尊厳と人間性の保持に最大の関心を払うという哲学に基づき，看護が人間の身体・心・魂を癒すヒューマンケアリングであることを主張している．

1 人間科学

ヒューマンケアリング理論の大きな特徴は，看護実践を医学モデルに当てはめたり，看護学を自然科学モデルに当てはめるという従来のパラダイムから脱却して看護をとらえようとした点である．現代の医療は自然科学の父子主義思想 (paternalistic) による「不健康－治療」という医療システムにおける一面的な見方のため，看護師や看護がもつケアリングの価値観が隠れてしまっている．ワトソンは，Giorgi (1970) が全体としての人間を専門的に研究する学問としての心理学の特徴を説明しようとした際に用いた人間科学 (human science) の立場から看護をとらえ，看護学はヒューマンケアリングの科学であり，看護におけるヒューマンケアリングのプロセスを人間性重視の立場に立った倫理的・道徳的・哲学的認識論的実践であるとみなし，それが人間性を保持させると考えている．

しかし，ワトソンは「看護におけるヒューマンケアリングは，単なる情緒・気づかい・心構え・人のために貢献したいという願望ではない．ケアリングは看護における道徳的理念であり，その目的は，人間の尊厳を守り，高め，維持することである」というGadow (1984) の言葉を用い，ヒューマンケアリングは，「価値観・ケアへの意志と熱意・知識・ケアリング行為・それらによって生み出される」(Watson，2012　稲岡他訳，2014，pp.51-52) と，専門的知識や技術，そして相手をケアするという強い意志が必要であり，看護師の人を癒したいという願望だけでは成立しないと述べている．つまり，看護師は高度な技術を必要とする専門職なのである．また，ワトソンは，看護がその存在を維持する，つまり，「看護が，社会に対する誓約を実現しようとするなら，またヒューマンケアリングを行うヒーリングの専門職であり続けようとするなら，看護の核心をなす価値観や専門分野としての基礎から，看護実践を検討し，一度立ち止まり，再評価しなくてはならない」（Watson，2012　稲岡他訳，2014，p.40）と警鐘を鳴らし，看護学を人間科学という科学的な学問的基盤でとらえることによって，臨床的実践の領域だけでなく，科学的理論的領域においても発展していく必要性があると主張している．

また，ワトソンは，看護学を形而上学的な見方でとらえようとしている．形而上学とは，存在そのものを問う学問である．つまり，看護を形而上学的にとらえるとは，「看護とは何か，何を行い，何のために存在するのか，どのように社会に貢献できるのか，貢献すべきなのかを検討し，よく考えること」（Watson, 2012　稲岡他訳，2014, p.68）である．そうすることで，看護が適切な道徳的・社会的・科学的貢献を果たせるようになるためには，どのような変化が求められているのかを検討することができる．こうした見方は，「現在主流となっている複雑な技術志向の医療システム（技術重視の患者ケア）において，次第に重要になってきて」（Watson, 2012　稲岡他訳，2014, p.49）おり，ヒューマンケアリング理論が看護の道徳的理念であるといわれる所以である．

2 ヒューマンケアリング理論

ヒューマンケアリングは，看護の道徳的理念である．その目的は，人間の尊厳を守り，人間性を保持することである．看護師が，ケアリングする相手である患者をこの世に一人しかいない存在として認知し，相手の感情を感知して，「患者が不健康・苦悩・痛み・存在の意味を見い出せるように手を添えることによって，人間性・人の尊厳・統合性・全体性を守り，高め，保持する」（Watson, 2012　稲岡他訳，2014, p.96）ことができる．

ワトソンは，健康を「身体－心－スピリットが統一され，調和している状態」（Waston, 2012　稲岡他訳，2014, p.87）であると述べている．つまり，不健康とは，必ずしも疾患が生じている状態とは限らず，その人が主観的に身体・心・魂のバランスが崩れていると感じていることを指す．「知覚された自己と実際の経験との間に乖離が生じ」（Watson, 2012　稲岡他訳，2014, p.100），主観的な現実（現象野）と外的現実（そのままの世界のありよう）との間に一致感の欠如が生じているのである．よって，ヒューマンケアリングは，道徳的基盤の上で，これらの調和，一致感を目指すということになる．

ヒューマンケアリングにより，患者が調和・一致感という自己実現を達成したとき，看護師も成長する．

3 トランスパーソナルケアリング

トランスパーソナルとは，間主観的の意である．間主観的とは，フッサール現象学の用語であり，「自我そのものを超え，大いなるものと結びつく」（Watson，2012　稲岡他訳，2014，p.114）という，自我だけでなく他我をも前提にして成り立つ共同化された主観性である．つまり，トランスパーソナルな関係とは，看護師と患者がお互いを理解しようとすることでスピリチュアルな一体感が生まれ，それぞれ互いの自己・時間・空間・生活史を超えることである．このトランスパーソナルな関係のなかで行われるケアリングがトランスパーソナルケアリングである．

ヒューマンケアリングが起こるのは，看護師が患者の主観的な現実（現象野）に入り込

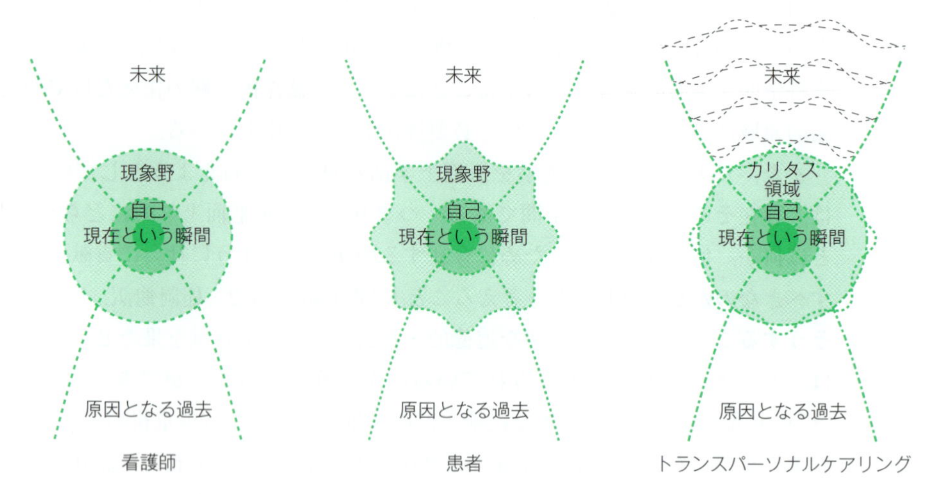

図 6－1●トランスパーソナルなケアリングが行われる瞬間（トランスパーソナルケアリングモーメント）
Watson, J. (2012)／稲岡文昭，稲岡光子，戸村道子 (2014)．ワトソン看護論 第 2 版―ヒューマンケアリングの科学．医学書院，105 より転載

み，患者の身体・心のみならず魂の状態をも理解し，患者の状態に対応しようとする瞬間である．その看護師の行動によって，患者は主観的な感情や思考を表出することができるようになる．このように，看護師と患者との間で間主観的な流れが行きかう看護がトランスパーソナルケアリングである（図 6－1）．こうした行動や対応によって，看護師と患者はお互いの魂に触れ，情動を共有し，一体となり，自己を高め成長し，大いなる調和に進んでいく．

ワトソンはアートを，人間同士のふれあいという意味で用いている．看護におけるアートとは，「看護師が患者の感情を経験したり把握して，こうした感情を感じ取ることができ，次に翻って，そうした感情を表現できた時である．その際，患者がそうした感情を十分に経験でき，患者が表現したいと願ってきた感情を外に出せるような方法がとられる時である」（Watson, 2012　稲岡他訳，2014, p.119）ということである．これをワトソンはトランスパーソナルケアリングとよんでいる．このような人間同士の交流から生まれるトランスパーソナルケアリングがワトソンがヒューマンケアリングで「アートとサイエンスからなる人間科学」と表現する所以である．

しかし，トランスパーソナルケアリングという関係の構築には，看護師の能力が必要となる．患者の尊厳を守り高めようとする道徳的な熱意のほか，患者が主観的・霊的に感じている意味を積極的に認める意図と意志，患者の感情や内面の状態を実感し正確に感知する能力，世界的内在という患者の心身の状態を見きわめ理解し，人間同士として患者とのつながりを感じ取る能力である．それらの能力を培うのは，看護師自身の生活史とこれまでの経験・文化・背景・様々な状況である．自分自身の感情や様々な状態を経験したり，他者の感情を想像したり，様々な人間の状態から受けた苦痛を心に描いてきたりしたなかで，患者とトランスパーソナルケアリングという関係を築くために必要なこれらの看護師の能力は培われる．

4 ヒューマンケアリングが起こる前提

ケアリングサイエンスの基本的前提は表6－1のように表されている．また，看護師-患者間でヒューマンケアリングが起こりうるためには，5つの必要十分条件（表6－2）がある．看護師は，患者がケアを必要としていることを認識し，専門的知識に基づいてケアリングを行おうとする．そのケアリングは，患者にとってプラスの変化をもたらすものでなければならず，ケアへの強い意志と，看護の道徳的理念をもって行わなければならない．

表6－1●ケアリングサイエンスの基本的前提

①ケアアリングサイエンスは，看護の本質であり，専門職の基礎となる学問的中核である
②ケアリングは，対人関係において最も効果的に発揮され，実践されるものであるが，ケアリングの意識は，時間，空間，身体性を超えて伝達されるものである
③間主観的な人間対人間のプロセスやつながりは，人間性の共通感覚を維持し，他者と自分を同一視することで，一方の人間性を他方に反映させるという人間としてのあり様を教えてくれる
④ケアリングは，ケア因子/カリタスプロセスから構成され，癒しを促進し，全体性を尊重し，人類の進化に貢献する
⑤効果的なケアリングは，癒し，健康，個人／家族の成長，そして疾患，診断，病気，トラウマ，人生の変化などの危機や恐怖を超越した全体性，許し，進化した意識，内なる平和の感覚を促進する
⑥ケアリングの反応は，今の自分だけでなく，将来なるかもしれない，今なりつつある人を受け入れる
⑦ケアリングの関係は，真の可能性を引き出し，真摯に存在し，どの時点においても自己と他者が「正しい関係にある」ための最善の行動という選択肢を探究することを可能にすることで，人間の精神の成長を促進する
⑧ケアリングは，キュアよりも「ヘルスジェニック（健康をもたらす）」である
⑨ケアリングサイエンスはキュアリングサイエンスと補完関係にある
⑩ケアリングの実践は，看護の核となるものである。その社会的，道徳的，科学的貢献は，理論，実践，研究において，ケアリングサイエンスの価値，倫理，理想に専門的に積極的に献身的に関与し，取り組んでいることにある

Watson, J. (2008). Nursing : The philosophy and science of caring revised edition. Colorado : University Press of Colorado. 17-18. を筆者翻訳

表6－2●ヒューマンケアリングの必要十分条件

①ある人がケアを必要としていることに気づき，その必要性を認識していること
②知識に基づいて行動を起こそうとすること
③ケアリングの結果生まれたプラスの変化．それはケアを受けた人が良い状態であるという点からのみ判断される
④ケアへの意志
⑤基礎となる価値観，意識の発展，志向性，自分自身および他の人をケアリングすることへの道徳的な関与

Watson, J.（2012）／稲岡文昭，稲岡光子，戸村道子（訳）（2014）．ワトソン看護論 第2版―ヒューマンケアリングの科学．医学書院，56．を参考に筆者作成

5 ヒューマンケアリングのプロセス

筒井（2020）によるケアリングの概念分析によると，ケアリングの先行要件は「ケア提供者としての知識・技術・態度」「ケアリング環境」，定義は「変化していく個人または集団の状況を認識し，人々の反応・ニードに沿って専門職として関わること」，その結果は「人々の健康・安寧・自己実現・ヒーリング」「ケア提供者の健康・安寧・自己実現・ヒーリング」「ケアを支持する環境」であると述べられている．ワトソンも，ヒューマンケアリングは「価値観・ケアへの意志と熱意・知識・ケアリング行為・それらによって生み出されるのである」（Watson，2012　稲岡他訳，2014，p.52）と述べられている．そして，「ケアリングに必要なのは，個々のニーズを知り，理解すること，他者のニーズにどのように対応するかを知ること，自分の強みと限界を知ること，患者がどんな人であるかを知り，その患者の強みと限界を知ること，どのように人を慰め，思いやりや本物の存在感を示せるかを知ること，そして患者が傷つきやすく，痛みを感じ，傷を負い，悩み苦しんでいる時に，その人を全体として包摂すること」（Watson，2012　稲岡他訳，2014，pp.132-133）と述べているように，患者の反応をみながらの患者のニーズに沿った専門職としての看護師のかかわりをとおして，看護師と患者がお互いの現象野に入り込むトランスパーソナルケアリングモーメントにより，看護師・患者共に身体・心・魂のバランスの調和を目指す．

また，看護師－患者間で行われるケアリングのプロセスをワトソンは表6－3のように示している．ヒューマンケアリングを実践している看護師は，患者をこの世に一人しかいない大切な存在であると認識し，他の患者への援助とは異なる，その患者に適切だと思われる特別な看護を実践する．一方，ヒューマンケアリングを実践していない看護師は，患者をかけがえのない存在としてとらえず，他の患者に対する援助と変わりない対応をする．

6 ケア因子とカリタス・プロセス

ワトソンは，このようなヒューマンケアリング理論の核となる因子を，10のケア因子（Watson, 1979），さらに発展させたカリタス・プロセス（Watson, 2008）とよんでいる（表6－4）．カリタスとは，ラテン語で「慈しむ，感謝する，特別な関心を寄せる」という意味であり，ワトソンのヒューマンケアリング理論の道徳的理念を表している．これら

表6－3●ヒューマンケアリングのプロセス

• 一人の個人としての患者に対応すること
• 関心をもち，共感すること
• 一人の個人として看護師が患者に対応すること
• コミュニケーションを取っていくこと
• 特別な努力を払うこと

Watson, J.（2012）／稲岡文昭，稲岡光子，戸村道子（2014）．ワトソン看護論 第2版―ヒューマンケアリングの科学．医学書院，60．を参考に筆者作成

はヒューマンケアリングとは何を行うべきなのか，患者にどのようにかかわればよいのかという看護師の存在のあり様を表しており，カリタス・プロセスはケア因子よりも看護実践に活用しやすいように表現されている．

また，ヒューマンケアリングを実践する看護師の能力をカリタス能力とよぶ．「そこに居る（being）」という存在論的な能力であり，情緒的な知性・意識・指向性・感性・効力感などが含まれる（江本，2020）．それらの能力が未熟な看護師は十分なヒューマンケアリングを実践できない．熟練看護師は，日々のヒューマンケアリングの実践のなかで成長し，カリタス能力を磨いていき，よりよいヒューマンケアリングを患者に還元できるようになる．

表6－4　ワトソンの10のケア因子とカリタス・プロセス

10のケア因子（オリジナル）（Watson，1979）	カリタス・プロセス（Watson，2008）
1．価値観の人間的－利他的システム	自己と他者に対する愛情－優しさ/共感と冷静さの実践
2．信仰─希望をもてるようにする	心を込めてそこに存在していること；自分と他者が信念体系や主観的世界をもてるようにする
3．自分自身と他者への感受性を磨く	自分自身のスピリチュアルな実践を磨く；自己を超えて真正のトランスパーソナルな存在へ
4．助けること－信頼，ヒューマンケアの関係	愛情に満ちた信頼とケアリングの関係を維持する
5．プラスの感情もマイナスの感情も表出する	感情の表出を許容する；よく耳を傾け，“その人にとっての物語を理解する”
6．創造的な問題解決のケアリングプロセス	自己というものを使いこなし，ケアリングプロセスを通して創造的な問題解決を探る；知ること/行動すること/であることというあらゆる方法を用いる；ヒューマンケアリング－ヒーリング過程と様態というアート性に関わる
7．トランスパーソナルな教育－学習	ケアリングという文脈での真の教育－学習；ケアを受ける人が基準とする枠組みに留まる；健康－ヒーリング－ウェルネス・コーチングモデルへと移行する
8．支援的・保護的，および/あるいは修正的な精神的・身体的・社会的・スピリチュアルな環境	すべてのレベルで治癒環境を創造する；エネルギー・意識・全体性・美しさ・尊厳・平安について，身体的にも非身体的にも，行き届いた環境を整える
9．ニーズの支援	敬意をこめて，丁重に，基本的なニーズを支援する．聖なる実践として，他者の具現化された魂に触れることに，意図的なケアリング意識をもつ．他者の生命力/生命エネルギー/生命の神秘と手を携えて仕事をする
10．実存的－現象学的－スピリチュアルな力	人生の苦難・死・苦しみ・痛み・喜び・生活の変化すべてについて，スピリチュアルな・神秘的な・未知で実存的な次元に心を開き，注意を払う；“奇跡はありうる”．これが知識基盤と臨床能力の前提とされる

（Waston, J.（2008）.Nursing: The philosophy and science of caring. revised edition, Colorado : The University Press of Colorado.）
Watson, J.（2012）／稲岡文昭，稲岡光子，戸村道子（訳）（2014）．ワトソン看護論 第2版─ヒューマンケアリングの科学．医学書院，64．

表6－5●ケアリング・ノンケアリング

ケアリング：ケアリングすること
- バイオジェニック：人から人への最高レベルのケア．看護師と患者の双方が活力を与え合う
- バイオアクティブ：生命を維持する．古典的な看護師－患者関係にみられるもので，看護師は親切で自分（患者）に関心をもち，情を込めて患者に対応する

ノンケアリング：ケアリングしないこと
- バイオパッシブ：生命にとって可もなく，不可もない．看護師を冷淡で，自分（患者）に無関心であると感じる（ただ仕事をしているだけ）
- バイオスタティック：生命を抑制する．患者は看護師を冷たいと感じ，厄介なものとして扱われたように感じる
- バイオセディック：生命を破壊する．怒り，絶望を招き，幸福を減少させる

Watson, J.（2012）／稲岡文昭，稲岡光子，戸村道子（訳）（2014）．ワトソン看護論 第２版―ヒューマンケアリングの科学．医学書院，61-62．を参考に筆者作成

7 ケアリング・ノンケアリング

ワトソンは，患者の経験的な視点からノンケアリング（ケアリングしないこと）からケアリングすることへの一連の連続体を明らかにしたHalldorsdottir（1991）の研究の重要性を述べている（表6－5）．バイオジェニックとは，トランスパーソナルケアリングを意味している．ノンケアリング，つまり，看護師がヒューマンケアリングを実践しなければ，患者のニーズが満たされないだけでなく，人間としての尊厳を守られず，生命をも脅かす可能性もあるということである．

研究の動向

ケアリング理論をもとにした研究の内容としては，国内外共に，看護実践や看護教育に関する研究が多い．ヒューマンケアリング理論を使用した研究の特徴は，他のケアリング理論の研究ではほとんどみられない量的研究が多いことである．ヒューマンケアリング理論やその業績のなかで特徴づけられる10のカリタス・プロセス（ケア因子）は様々なケアリングの測定用具の基盤として用いられている．Caring Behaviors Assessment Tool（CBA）（佐原・内藤，2010）やNyberg Caring Assessment Scale（CAS）（相原・内布，2020）は日本語版も検討されている．

筆者が2023年４月に「ケアリング」「看護」をキーワードに医学中央雑誌で文献検索を行ったところ1,894件の文献があり，「ケアリング」「看護」「ワトソン」をキーワードに文献検索を行った結果は22件であった．国内のヒューマンケアリング理論に基づく研究を概観すると，がん看護専門看護師（重久，2020），診療看護師（NP）（橋本・黒澤・上坂，2022）など，様々な専門分野の看護師が実践する看護をヒューマンケアリングの視点で明らかにしている．

CINAHL Plus with Full Textで「caring」「nursing」「Watson」をキーワードとする海外文献は995件見つかった．新型コロナウイルス感染症（COVID-19）のパンデミック

により看護師や他の医療従事者が抱える道徳的苦痛を予防・緩和するため，ヒューマンケアリング理論を活用して看護・医療を検討している文献（Romanoski，2020）も確認できた．

ヒューマンケアリングの視点から看護実践を明らかにしていくことも重要であるが，その看護実践を客観的に評価していく必要があり，質的アプローチ・量的アプローチの両側面からの研究の積み重ねがヒューマンケアリングの科学に貢献することとなる．

F 理論の看護実践での活用

1 どのような対象または事象，状況に活用できるか

ワトソンのヒューマンケアリング理論は，看護のあり様，看護の本質について言及しているため，慢性期・急性期・ターミナル期といった病期，小児・成人・高齢者といった年齢を問わず，幅広い対象に活用できる理論である．また，病院や在宅，施設といった看護が行われる場所も問わない．不健康，つまり身体・心・魂の不調和をきたしている人を健康へ導くための看護がヒューマンケアリングであるため，看護を必要としている人であれば，誰にでも活用できる．

看護の道徳的理念であるヒューマンケアリング理論は，看護師–患者の個人的な関係でのみ用いられるものではない．組織全体としての実践モデルとしても用いられ，その枠組みを基盤とした看護理念を掲げる病院もある．また，看護教育にも大いに活用され，これまで主流であった行動主義モデルから，ケアリングの哲学的観念を教えたり，それを演習や実習のなかで身をもって体験することで専門職である看護師としての視点を教授していくケアリングモデルへの移行が唱えられている．

そして，客観的に評価することが難しいとされるヒューマンケアリングの測定用具も開発されている．ヒューマンケアリングを量的に測定できれば，看護実践の評価にも用いられ，看護の質の向上につながる．

2 看護実践のどのようなことに活用できるか

前述のとおり，ワトソンは不健康を知覚された自己と実際の経験との間に乖離が生じ，主観的な現実（現象野）と外的現実（そのままの世界のありよう）との間に一致感の欠如している状態であると述べている．つまり，何らかの問題により，身体・心・魂のバランスが崩れている人に対して看護実践しようとするとき，ヒューマンケアリング理論は大いに活用できる．

ワトソンの10のケア因子とカリタス・プロセス（表6－4参照）を基盤としたトランスパーソナルケアリングにより，看護師と患者は一体となり，ニーズを充足し，お互いに自己を高め成長していく．

1）アセスメント

ケアリングの必要十分条件（表6－2参照）にあるように，患者がケアを必要としていること（ニーズ）に看護師が気づくことが第一歩となる．

ワトソンは表6－6のようにニーズを順序づけている．「カリタス・プロセス9：敬意をこめて，丁寧に，基本的なニーズを支援する」が示すように，看護師は患者のすべてのニーズに注意を向けて気づき，そして，患者自身が必要とするニーズに気づき，そのニーズを表出できる看護師–患者関係の構築が重要である．トランスパーソナルケアリングという関係のうえでは，「ケアされる患者は，内的不調和をうまく放出できるようになり，自分の心が感じた本当の感情や欲求を適切に表現し，そのまま外に出せるようになる．つまり溜め込まれたエネルギーを開放して，自分自身の癒しのプロセスへと近づくのである」（Watson，2012　稲岡他訳，2014，p.113）．生命を守るための低次のニーズの充足を援助するだけでなく，患者自身が自分を癒し，自己実現を達成できるようなかかわりを看護師は目指す．

2）実　践

（1）哲学的基盤の形成

看護師は，人間の尊厳を守り，人間性を維持するというヒューマンケアリング理論の道徳的理念を確認する必要がある．「カリタス・プロセス1：自己と他者に対する愛情–優しさ/共感と冷静さの実践」，「2：心を込めてそこに存在していること」，「3：自分自身のスピリチュアルな実践を磨く」が示すように，人道的で利他的な価値観をもって患者と誠実に向き合うこと，そして，看護師自身が道徳的・倫理的感性を高めるため，事例検討やリフレクションにより自らを研鑽していく姿勢が大切である．

（2）人間関係の促進

ヒューマンケアリングの実践は，看護師–患者間の信頼関係を基盤とする．「カリタス・プロセス4：愛情に満ちた信頼とケアリングの関係を維持する」，「5：感情の表出を許容する」，「7：ケアリングという文脈での真の教育–学習」が示すように，看護師と患者はケアをとおして，信念体系や現象野を共有するというトランスパーソナルケアリングモーメントにおいてトランスパーソナルケアリングという関係を構築していく．

表6－6●ワトソンが順序づけたニーズ

① 低次の生物身体的なニーズ：生存のためのニーズ
食物および水分に対するニーズ
排泄に対するニーズ
換気に対するニーズ
② 低次の心理身体的なニーズ：機能のためのニーズ
活動―不活動に対するニーズ
セクシャリティーに対するニーズ
③ 高次の心理社会的なニーズ：統合のためのニーズ
達成に対するニーズ
対人親和に対するニーズ
④ 高次の内的―対人的ニーズ：成長を求めるニーズ
自己実現に対するニーズ

Barbara, T.（1998）／南裕子，野嶋佐由美，近藤房恵（2011）．ジーン・ワトソン，George, J. B.（編）．看護理論集．増補改訂版，日本看護協会出版会，320を参考に筆者作成

(3) すべてのレベルで治癒環境を創造する

「カリタス・プロセス8：すべてのレベルで治癒環境を創造する」が示すように，患者に影響を及ぼしている要因を，エネルギー・意識・全体性・美しさ・尊厳・平安というような様々な角度で認識し，身体的にも非身体的にも行き届いた環境を整える．

3）評　価

ヒューマンケアリングの結果から生まれたプラスの変化，ケアを受けた人がよい状態であるという点から判断される．患者のニーズが満たされ，人間としての尊厳が守られるという患者自身が肯定的にとらえられる変化があったかを評価する．

ヒューマンケアリングの全過程をとおして，看護師は患者個人を理解するために，「カリタス・プロセス10：人生の苦難・死・苦しみ・痛み・喜び・生活の変化すべてについて，スピリチュアルな・神秘的な・未知で実存的な次元に心を開き，注意を払う」必要がある．看護師は，目に見える現実だけでなく，目には見えない患者の体験にも思いをはせることでトランスパーソナルケアリングという関係が構築でき，ヒューマンケアリングが行われる．ワトソン自身も神秘的と表現し，認識することが難しい側面であるが，看護師はヒューマンケアリングのなかで成長し続け，身につけていくべき視点である．

G 臨床での活用の実際

1 事例紹介

Aさん，50歳，男性，会社員．専業主婦の妻（48歳），大学生の息子（20歳），高校生の娘（18歳）の4人家族である．両親は遠方に住んでいる．

仕事を生きがいとし，残業や休日出勤もいとわず精力的に働いてきた．大きな病気もすることなく過ごしてきたため，あまり健康に気をつかうこともなく，食事は脂っこいものを好み，運動の習慣もなかった．数年前より，会社の健康診断で，高血圧や高脂血症を指摘されていたが放置していた．最近は，時折胸の違和感があったが，すぐに消失するため気にしていなかった．

会社で勤務中，突然の激しい胸の痛みを感じ，身動きがとれなくなった．その場にいた同僚が声をかけても，苦悶表情で胸を押さえ，受け答えはできなかった．同僚が救急車を要請し救急搬送された．

AさんはB病院救命救急センターへ搬送された．心電図所見より急性心筋梗塞と診断され，ただちに経皮的冠動脈形成術（PCI）を受けることとなった．鎮痛薬の効果もあり胸痛は軽減し，呼びかけに対する返答が可能となったが，PCI中は虚ろな表情であった．PCIは無事終了し，循環器疾患集中治療室（coronary care unit：CCU）へ入室となった．

CCUへ入室して一連の処置が終わり，家族が面会に入ろうとした瞬間，突然Aさんは我に返ったような表情をした．そして，突然大きな声で「人が何もわからないと思ってバカにしやがって．俺のからだは俺のものだ．好き勝手にするな」と叫び，点滴やモニター類を抜き取ろうとした．周りにいた医師や看護師が落ち着くように説明し，何とか落ち着きを取り戻した．面会しようとした妻は，パニックになっている夫を見て気が動転して泣いている．

2 理論に照らしてのアセスメントと援助のポイント

ワトソンは，トランスパーソナルケアリングの重要性を述べている．間主観的・超越的というトランスパーソナルケアリングという関係はとらえにくい概念であるかもしれないが，人間同士の関係，看護師個人が患者に影響を与えると同時に患者からも影響を受けるという看護師‒患者の双方向の関係性であるといえばとらえやすいかもしれない．

ヒューマンケアリング理論に照らしてアセスメントするうえで重要な視点は，看護師は対象である患者を一人の人間としてとらえて尊重すること，患者が必要としているケア（ニーズ）に気づくことである．そして，そのケアの実践はただ一方的なものではなく，常に患者主体であり，トランスパーソナルケアリングという関係のうえで，看護師と患者が共に築き上げていくものである．患者をプラスの変化に導く，患者が自ら実践したり，思考を変化できる援助が重要となる．

3 活用例

1）事例のアセスメント，解釈

看護師は患者がケアを必要としていること（ニーズ）に気づき，患者もケアを受ける必要性を認識する．人がケアを必要とする状況とは，その人の現象野と外的現実との間に一致感の欠如を生じている場合である．

Aさんは，今まで健康に働いて生活してきた（現象野）という思いと，生命の危機的状況にある（外的現実）ことから，現象野と外的現実との間に一致感の欠如が生じており，自己が置かれた状況を把握できずにパニックになっている．Aさんは，身体・心・魂の不調和をきたし，ケアを必要としているのである．

看護師は，Aさんの不調和を認識してAさんを調和へと導きたいというケアの意志をしっかりともち，Aさんを全体的にとらえ，Aさんにプラスの変化をもたらすようなかかわりをしていく必要がある．

2）援助計画と援助の実際

（1）哲学的基盤の形成

看護師は，Aさんを一人の人間として尊重し，救命という身体的側面のみならず，Aさんを全人的にとらえたヒューマンケアリングを実践するということを再確認した．看護師は利他的な視点から，これまで培ってきた看護師という専門職として知識・技術をもってAさんと誠実に向き合い，寄り添う．そして，Aさんとのかかわりのなかでもヒューマンケアリングに必要とされる道徳的・倫理的感受性を身につけ，成長していく．

（2）人間関係の促進：トランスパーソナルケアリングという関係性の構築

看護師は様々な知識や技術，五感（カリタス能力）を駆使して患者の現象野に入り込もうとする．また同時に，看護師自身の現象野も患者に共有してもらうよう接する．現象野を共有することで，両者は現在だけでなく，過去も未来も共有することとなる．それが，トランスパーソナルケアリングモーメントである．

クリティカルな状態にあるAさんの最大のニーズは救命されることであるが，精神的・霊的危機をも乗り越える必要がある．看護師は，Aさんが適切な治療を受け救命されるようにケアする必要があると同時に，心も魂も調和へ導きたいという意志をもってAさんにかかわろうとする（看護師の現象野）．専門的知識・技術に基づいた命を救う適切なケアを進めると同時に，Aさんの存在を認め，肯定的な感情のみでなく，不安な思いなどの否定的な感情も自由に表出することを助け，それを受容する．CCUというクリティカルな現場において，看護師が患者の話をじっくりと聴くという機会をつくることは困難に思われるが，ただ時間をかけるのではなく，短時間でもしっかりと患者と向き合い，患者の感情を受け止めようとする姿勢が重要である．そうすることで，Aさんと看護師との間には信頼関係が生まれ，お互いの現象野を共有することができ，トランスパーソナルケアリングが行われる契機となる．

看護師はこれまで培ってきたカリタス能力により，CCUに入室してきたAさんは明らかに身体・心・魂の不調和状態にあり，ヒューマンケアリングを必要としている状態であると一瞬のうちにとらえ，まずAさんの現象野に入り込もうと試みた．PCI直後のAさんはいまだクリティカルな状態にあり，生命を維持するための医療・看護が必要不可欠である．しかし，ヒューマンケアリングを実践する看護師は，モニター監視や薬剤投与のみに集中して患者を置き去りにするようなことはしない．モニターでバイタルサインや心電図の変化を観察して患者の身体的アセスメントをすることはもちろんであるが，Aさんの存在を認識して行動した．自分を含めた医療者の行動とその根拠，結果などを随時Aさんに説明し，Aさんが置かれている状況を理解できるように配慮した．また，Aさんの表情にも注意を払い，適宜，「痛みはありませんか」「気になることがあったらすぐに教えてください」と不安や疑問を表出できるように声をかけた．すると，「看護師さん，さっきはあんなこと言って申し訳なかったね」と話し出した．看護師の，Aさんを中心にとらえて人間性を守るケアのなかから，Aさんの看護師に対する信頼関係が生まれ，Aさんと看護師がお互いの現象野を共有できた瞬間（トランスパーソナルケアリングモーメント）であった．

（3）すべてのレベルで治癒環境を創造する：心と魂の不調和の調整

看護師は，Aさんの不調和の原因をとらえるため，Aさんが思いを表出できるよう「急な出来事で驚きましたよね．よかったら，先ほどはどのような気持ちだったか教えてくださいませんか」と尋ねた．

Aさんは，少しずつ発症から今までの思いを話し始めた．「突然のことに自分の状況がわからなくて混乱しちゃって．苦しんでいる間に病院に来たと思ったら，いろんな人に取り囲まれてされるがままで．自分だけ取り残されて，周りが勝手に動いているように見えたんだ．医者みたいな人に，検査するよ，治療するよ，って言われたように思うけど，何の治療なんだ，俺は死ぬのか，なんて思ってパニックになっちゃったよ」「ただ，俺は自分の状況が知りたかったんだよ．看護師さんはちゃんと説明してくれて安心したよ．ありがとう」と心のうちを話してくれた．

看護師は，Aさんの全人的ニーズを理解し，Aさんの不調和は，自分の状況を把握できないことから生じたものであるととらえることができた．そして，冷静になって自分の思いを語れるAさんは，自分の状況をしっかり理解できれば，前向きに，調和へと進む力をもっているとアセスメントした．

身体的な状態は安定してきているため，Aさんが自分の状況を的確にとらえる機会の調整が必要だと看護師は考えた．医師からの説明を希望するか確認すると，「ちゃんと聞きたいな．今後のこととか．早く仕事に戻りたいし」との返事であり，主治医からの説明の機会を設けた．主治医からの説明には妻も同席できるよう調整した．Aさんはうなずきながら主治医の話を聞いていた．Aさんとトランスパーソナルケアリングという関係にある看護師はAさんの価値観を共有しているため，「質問があったら遠慮しないで教えてくださいね」とAさんの思いの表示を促すと，「仕事にはいつ戻れますか」と自ら主治医に質問する場面もみられた．

主治医からの説明後，看護師はAさんと妻が思いを表出できる場を設けた．看護師が，「先生の説明でわからないところはありませんでしたか」「不安なことはありませんか」と尋ねると，Aさんは「仕事にすぐ戻れないって聞いてショックだったよ．でも，あせりは禁物だって先生も言ってたから，今は治療に専念しようって腹をくくったよ．まだまだ生きていたいしね」と少し笑顔を見せた．妻も，「夫が死んじゃうかもって怖かったし，夫のあんな剣幕も見たことなかったからびっくりしちゃって．仕事が生きがいの夫がしばらく仕事できないって聞いたらショックで立ち直れないかもって不安でした．でも，前向きに治療に取り組んでくれるって聞いて安心しました．これからは私も一緒に頑張ります」と答えた．

看護師はAさんとのトランスパーソナルケアリングという関係のなかで，Aさんと妻の感情の表出を促し，許容することで，ヒューマンケアリングに必要な道徳的・倫理的感性を磨くことができた．

3）評　価

自分の置かれた状況を知りたいというAさんのニーズが満たされ，Aさんは現実を受け入れ，治療に前向きに取り組む姿勢がみられた．Aさんにプラスの変化がみられたということで，今回の看護師のヒューマンケアリングは評価できる．しかし，身体的にも危機的状況から完全には脱してはおらず，今後の治療・リハビリテーションの過程でさらなる不調和が生じる可能性もある．看護師は，Aさんとトランスパーソナルケアリングという関係を継続できるようにかかわり，Aさんの現象野の変化に速やかに気づき，対応していく必要がある．また，今回のヒューマンケアリングを通じて，看護師は道徳的・倫理的感受性を磨くことができた．その成長が，看護師のカリタス能力を育み，次のヒューマンケアリングにおいて対象をプラスの変化へ導く糧となっていく．

人間的尊厳を守る，人間性を保持するというヒューマンケアリングは，じっくりと時間をかけなければ実践できないと思うかもしれない．しかし，それはただ時間をかければ解決するものではなく，看護師の強い意志が大きく影響する．クリティカルケアのような救命のために一刻を争うような場面でも，看護師がヒューマンケアリングについての意識や指向性，癒すものとしての存在感をもつことで，ヒューマンケアリングの実践が可能となる．

H 理論を看護実践につなげるために

ワトソンのヒューマンケアリング理論は，実存主義哲学や現象学などの学問を基盤としていること，ヒューマンケアリングは客観的に測定しにくいものであることから，敬遠しがちかもしれない．しかし，ヒューマンケアリングは看護の本質であり，看護師が看護を行うためには必要不可欠な基盤である．

治療効果を重視する近代医学の特徴や，入院患者の重症化，入院期間の短縮などで，ヒューマンケアリングの実践は困難になってきているといわれる．ヒューマンケアリングは単なる気遣いではなく，時間をかければ達成するものでもない．患者の人間的尊厳を守り，不調和から調和へと導こうとする看護師の強い意志が必要なのである．トランスパーソナルケアリングのプロセスは，患者の魂に触れ，患者の現象野を共有し，患者と一体となることで，看護師自身も自己を高めることができる．深い内的洞察や人間的な成長によって思考が喚起される体験が，看護師の成長を促し，どのような患者に対してもヒューマンケアリングを実践できるカリタス能力を身につけることができるのである．ヒューマンケアリングを実践することで自己成長し，さらに成熟したヒューマンケアリングの実践により患者を支援できるよう，看護師はヒューマンケアリング理論に関する学びを深めていく必要がある．

文献

相原由花，内布敦子（2020）．日本語版Nyberg Caring Assessment Scale（日本語版CAS）の信頼性と妥当性の検討，兵庫県立大学看護学部・地域ケア開発研究所紀要，*27*，39-48.

Barbara. T.（1998）／南裕子，野嶋佐由美，近藤房恵（2011）．ジーン・ワトソン．George, J. B.（編），看護理論集．増補改訂版，日本看護協会出版会，315-331.

江本リナ（2011）．Watsonによるヒューマン・ケアリング理論の発展と意義，看護研究，*44*（2），149-158.

江本リナ（2020）．ジーン・ワトソン．筒井真優美(編)，看護理論家の業績と理論評価 第2版，医学書院，352-366.

橋本茜，黒澤昌洋，上坂真弓（2022）．クリティカル領域の診療看護師（NP）のケアリング実践の経験，愛知医科大学看護学部紀要，*21*，3-14.

小玉香津子（1999）．ナイチンゲール．清水書院.

Mayeroff, M.（1971）／田村真,向野宣之（訳）(2015)．ケアの本質ー生きることの意味，ゆみる出版.

佐原玉恵，内藤直子（2010）．Caring Behaviors Assessment Tool 日本語版（CBA-J）の信頼性・妥当性と活用に関する研究ー分娩期の女性のケアに焦点をあてて，家族看護学研究，*15*（3），47-54.

重久加代子（2020）．がん看護専門看護師が実践するケアリング，国際医療福祉大学学会誌，*25*（2），106-113.

Romanoski, M.（2020）．Utilizing Watson's Caring Science Principles and a Clinical Nurse Specialist/Caritas Coach for COVID-19 Isolation Rounding，American Holistic Nurses Association，18-21.

筒井真優美（2020）．ケアリングの概観．筒井真優美（編著），看護理論家の業績と理論評価．第2版．医学書院，84-97.

Watson, J.（1979). Nursing: The philosophy and science of caring. Boston:，Little Brown.

Watson, J.（2008). Nursing: The philosophy and science of caring. revised edition, Colorado : The University Press of Colorado.

Watson, J.（2012). Human Caring Science: A theory of Nursing. 2nd ed，Massachusetts，Sudbury: Jones & Bartlett Learning.

Watson, J.（1988）／稲岡文昭,稲岡光子（訳）(2009)．ワトソン看護論ー人間科学とヒューマンケア．医学書院.

Watson, J.（1999）／川野雅資,長谷川浩（訳）(2005)．ワトソン21世紀の看護論ーポストモダン看護とポストモダンを超えて，日本看護協会出版会.

Watson, J.（2012）／稲岡文昭，稲岡光子，戸村道子（訳）(2014)．ワトソン看護論第2版ーヒューマンケアリングの科学．医学書院.

Watson Caring Science Institute<https://www.watsoncaringscience.org/>［2023，April 24］.

7 コンフォート理論

A 理論との出会い

筆者の修士論文のテーマは「代替療法に対する看護婦・看護士の態度に関する研究」（当時は男性看護師を「看護士」としていた）であった．代替療法とは科学的に効果が検証されていない療法で，そのなかには看護師が臨床で実施しているマッサージ，アロマセラピー，音楽療法なども含まれる．代替療法に興味をもった理由は，筆者が集中治療室（ICU）で勤務していた頃の印象的な経験があったからである．筆者が長期入室患者に気晴らしとして音楽を聴いてもらうことを実施したところ，その患者が退院時に「あのときに音楽を聴かせてもらったことで，何とか頑張ることができました．本当にありがとうございました」とわざわざICUに挨拶に来られたことがあった．退院時にICUに挨拶に来られること自体がまれなことであり，音楽に単なる気晴らし以上の効果があったことを，そのとき初めて患者から教えていただいた気がした．

その数年後に，博士後期課程に進学し，代替療法に関係する文献検討をしながら研究テーマを絞り込んでいたときに出会ったのが，キャサリン・コルカバ（Katharine Kolcaba）のコンフォート（comfort）に関する論文であった．そのなかで，看護で用いる代替療法の多くが苦痛緩和やリラックス目的で使用されることから，コンフォートケアと看護で用いる代替療法は関係していることを知った．その後，コルカバがコンフォート理論に関する図書を出版していることを知った．それが「Comfort theory and practice：A vision for holistic health care and research」であった（当時はまだ日本語に翻訳出版されていなかった）．筆者は博士論文において，このコンフォート理論を介入プログラムの枠組みに組み込んで，集中治療室における人工呼吸器離脱患者のコンフォートを促進する看護介入モデルの開発を行った．

B 理論家紹介

キャサリン・コルカバは，2023年現在，米国オハイオ州のアクロン大学の名誉准教授である．教育歴は1965年に聖ルカ病院附属看護学校（St. Luke's Hospital School of Nursing）を卒業し，その後，後述するような職歴を経てケース・ウエスタン・リザーブ大学（Case Western Reserve University）のフランシス・ペイン・ボルトン（Frances Payne Bolton）看護学部に入学し，登録看護師のクラスを卒業後，老年看護学専攻の修

キー概念

□**コンフォート（comfort）**：ヘルスケアにおいて不可欠なアウトカムであり，「緩和」「安心」「超越」という3種類のコンフォートの状態が強化された経験．ホリズムの考え方を基盤としており，日本語の安楽にはない「超越」という概念が含まれている．

□**緩和**：コンフォートニードが満たされた状態．単に身体的苦痛だけでなく，サイコスピリット的な苦痛，環境的苦痛，社会文化的苦痛が和らいだ状態を意味する．

□**安心**：コンフォートの状態の1つ．心が平静で，満足している状態を意味する．

□**超越**：コンフォートの状態の1つで，ケア対象者が問題あるいは苦痛を克服した状態である．たとえ苦痛や問題が緩和されていなくても，看護師・患者の関係性を基盤として，患者がやる気に満ちあふれて，確固たる信念をもつことができ，力づけられている状態を意味する．

□**ホリズム（holism）**：人間は身体的，心理的，社会的，霊的な要素をもっているが，それらは複雑に関連し合っているため，部分だけを見たり，部分を単に寄せ集めたりしても，その人がどんな人なのかはわからない．「全体は部分の総和以上のものだ」という全人的な人間存在のあり方を基盤とした考え方．

□**介入変数**：コンフォートケアが成功するかどうかに影響する変数で，看護師や病院などがほとんどコントロールできないようなことをさす．診断名，年齢，性別，経済力，疾患の重症度など様々な内容が考えられる．

□**健康探索行動**：患者が意識的あるいは無意識的に良好な状態に向けて取り組む行動である．健康探索行動は3種類あるが，「内的行動」は無意識的に身体のなかで生じる治癒や免疫機能の活性化など細胞や器官レベルで生じるものである．「外的行動」はセルフケアの向上，健康プログラムの遵守など観察可能で意識的に患者が取り組む行動である．「平穏な死」は患者が死を受容し，平穏で尊厳のある人としての最期を迎えることができることを意味する．

□**施設の統合性**：患者・家族のコンフォートが増進され，健康探索行動が生じてくることによって，病院や施設の専門的かつ倫理的なケアの質が向上した状態を意味する．

士課程に進学して1987年に修士号を取得した．その後はアクロン大学（University of Akron）看護学部の教員をしながら，博士号取得のためにケース・ウエスタン・リザーブ大学の定時制課程に通い，1997年に看護学の博士号を取得した．

職歴としては，看護学校卒業後には，手術室看護，内科・外科看護，長期療養ケア，在宅ケアなど幅広い分野での臨床経験を積み，その後は大学で学び登録看護師の資格を取得後，大学院修士課程に通いながら認知症病棟の主任看護師として勤務した．修士課程修了後は上述したとおりアクロン大学看護学部の教員として勤務し，看護理論や看護研究についての教育を行った．

コルカバが行った研究としては，1991年にコンフォートの概念分析（Kolcaba, 1991a）を発表し，同年にはコンフォートの分類的構造についての論文（Kolcaba, 1991b）を発表している．翌1992年に文献検討をもとにコンフォートの分類的構造を修正した論文

(Kolcaba, 1992a) を発表し，これが後述する現在の分類的構造のもとになっている．また同年，老年看護におけるコンフォートの概念に関する論文（Kolcaba, 1992 b）を発表している．1994年には看護のためのホリスティックなコンフォート理論の論文（Kolcaba, 1994）を発表しており，これが心理学のヒューマンプレス理論をもとにしてコルカバが開発した中範囲理論である．1999年には博士課程の研究として，介入研究においてコンフォート理論の検証を行った文献（Kolcaba & Fox, 1999）を発表している．その他にもホスピスケア，周麻酔期などにおけるコンフォート質問紙の開発（Novak, Kolcaba, Steine and Dowd, 2001 ; Kolcaba & Wilson, 2002）を行っている．

1995年には，優れた研究業績があったと認められ，米国中西部看護研究学会（Midwest Nursing Research Society）からHonor a Researcher Awardを受賞し，所属していたアクロン大学看護学部からDe Young Research Awardを与えられた．また1997年に博士号を取得すると同時に，名誉 Clinical Nurse Specialist の称号を授与されている．さらに高齢者研究に関する優秀な業績に対して，Marie Haung Student Awardをケース・ウエスタン・リザーブ大学から与えられている．

C 理論誕生の歴史的背景

1859 年にフローレンス・ナイチンゲール（Florence Nightingale）は，『看護覚え書』(Notes on Nursing）を著しているが，そのなかにすでにコンフォートという用語が7か所に認められ，「安楽」「安らぎ」「心地よさ」「楽」といった一般的な意味で用いられていたことがわかっている（金井，1996）．つまりコンフォートは，ナイチンゲールの時代から看護のなかに位置づけられていたのである．しかし，その後，20年近くの間コンフォートは概念分析が十分に行われないまま用いられてきた．

1980年代になって，コンフォートの概念に関心をもつ研究者が複数現れ，以下のような研究成果が発表された．Hamiltonは，慢性疾患で老人病院に入院中の高齢患者にとってのコンフォートの意味を質的に探求し，コンフォートは多次元で，人によってその意味することは異なることを明らかにした（Hamilton，1989）．Cameronは，外科内科病棟に入院している患者にとって，コンフォートはケアとして提供される受け身的なものではなく，患者が不快を経験すると，積極的にコンフォートレベルを高めるために自身で行動するプロセスをとることを見いだした．またコンフォートは患者自身が強くなっていく主体的なプロセスであって，看護師はそれをサポートする存在であるとしている（Cameron，1993）．Morseは，患者にとってコンフォートは患者の不快の認知や不快に耐える力によって変化するため，コンフォートの程度は，どれくらい患者が苦痛に耐えられるかの程度を意味していると述べている．また看護師の目標は，苦痛が最小限で耐えられるものであるということを保証することであるとし，コンフォートは苦痛の裏返しではなく，苦痛があったとしても，それに耐えられる力をもてるようにすることも大切であるとしている（Morse，2000）．Malinowski and Stamlerは，コンフォートの概念は多くの研究者によって開発され，看護の結果（Ferrell & Ferrell，1990；McIlveen & Morse，1995；Morse，

1992)，看護の機能（Leininger，1991；Wurzbach，1996)，基本的なニーズ（Gropper，1992)，プロセス（Morse，1983；Cameron，1993；Jenny & Logan，1996）など，様々な定義がなされており，一致した見解に達していないと述べている（Malinowski & Stamler，2002）.

ちょうど，コンフォートの概念分析が行われるようになったこの1980年代以降に，コルカバは修士課程に在籍しコンフォートのアウトカムの理論化に着手しており，その後の博士課程にかけてコンフォートの概念分析や介入研究を行い，コンフォート理論の検証を行った.

D コンフォート理論とは

1 理論の前提

コルカバのコンフォート理論は，ホリズム，ヒューマンニード，看護理論，心理学のヒューマンプレス理論を前提としている.

ホリズム（holism）は，人間は肉体と密接に結びついた精神的・霊的・情緒的な生命からなる全人的な存在であるという考え方を基盤としている．そのため人間は，苦痛や不安といった個々の刺激に対して，全人的に反応するという考え方で，身体的苦痛による人間の反応は，身体的な側面のみで生じるわけではなく，心理・社会・スピリチュアルな側面にも影響を与えると考える．コンフォートは，ホリスティック（全人的）なアウトカムと考えられている．したがってコンフォートを達成するためには，ホリスティックな介入が必要であるとしている.

ヒューマンニードは，人間には健康のために満たされるべきニードがあるという考え方である．患者・家族のニードには，より良いヘルスケアを求めることが含まれている．そのニードを満たすことで，患者・家族の行為を方向づけ，やる気の原動力を生み出すことができる．コンフォート理論は，人間には潜在的・顕在的なコンフォートニードの存在があることを基盤とし，患者・家族はそれが満たされることによって元気づけられ，回復に向けての力が得られるようになると考えている.

コンフォート理論の前提となる看護理論としては，アイダ・J・オーランドの理論から「緩和」の概念を導き，ヴァージニア・ヘンダーソンの理論から「安心」の概念を導き出し，パターソンとズデラッドの理論から「超越」の概念を導き出している．そしてこれら3つをコンフォートの種類とした.

ヒューマンプレス理論は，心理学者のヘンリー・マレー（Henry A. Murray）が提唱した人間のニードに関する心理学分野の広範囲理論である．ストレス状況下で複数の刺激（ストレッサー）を経験している人間が，適切な介入の結果，全人的に知覚が生じるというホリスティックな考え方をもった理論である．この理論は広範囲理論であるため抽象的だが，コルカバはこの理論に含まれるそれぞれの概念要素を，ヘルスケアや看護およびコンフォートに合致するように下位概念として位置づけ，看護の中範囲理論を考え出した.

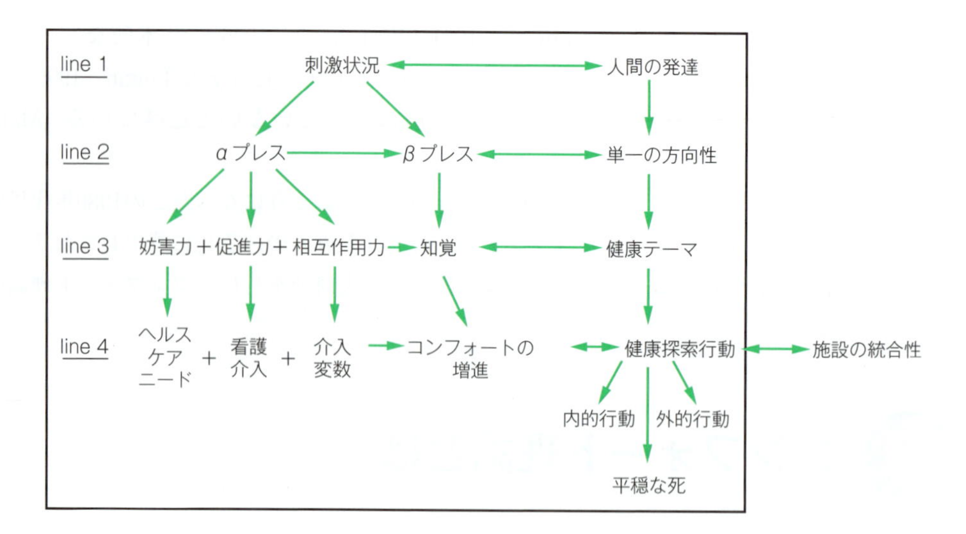

(Kolcaba, K. [1994]. A theory of holistic comfort for nursing. *Journal of Advanced Nursing*. *19*, 1178-1184. Blackwell Publishers より許諾を得て掲載)

図7－1●コンフォート理論の全体像
キャサリン･コルカバ著, 太田喜久子監訳(2008). コルカバ コンフォート理論―理論の開発過程と実践への適用. 医学書院. p.90. より引用一部改変

2 理論の枠組みと概要

図7－1のline 1からline 3までは心理学のヒューマンプレス理論そのものであり，line 4で示した部分がコルカバのComfort理論の枠組みである．この枠組みに含まれる内容について概要を説明する．

1）ヘルスケアニード

コルカバはヘルスケアニードとは，対象者のコンフォートニードであり，ストレスフルなヘルスケアの状況から生じるもので，対象者の従来のサポートシステムでは満たすことができないものと定義している．

具体的には疼痛・悪心・瘙痒感などの身体感覚に関係する身体的ニード，不安・悲しみ・死の恐怖・セルフイメージの変化などの内的認識や人間存在そのものに関係するサイコスピリット的ニード，暑い・寒い・うるさいなどの周囲の状況（温度，光・匂い・色，家具，風景など）に関係する環境的ニード，家族役割の変化・サポートの欠如・経済的問題などの家族関係・社会的関係・慣習・儀式に関連する社会文化的ニードなどがある．いずれもコンフォートを阻害するような内容で，対象者自身が問題解決できず援助を求めるものを指している．

看護師が対象者のこうしたコンフォートニードをアセスメントすることが，コンフォートケアを意図的に実践するうえで重要となる．

2）看護介入

ここでの看護介入は，コンフォートを促進するためのコンフォートケアを意味している．コルカバは少なくとも以下の3つの方法があると述べている．

（1）テクニカルな手段（technical comfort measures）

バイタルサインや血液検査のモニタリングといったホメオスタシスの維持，あるいは鎮痛薬の与薬といった疼痛管理を意図した介入である．これらは患者の生理機能やコンフォートを維持・回復させ，合併症を予防する．これは主として緩和（relief）の状態をもたらすためのケアだと考えられる．

（2）コーチング（coaching）

不安の緩和，安心や情報の提供，希望をもたらす，傾聴，回復や統合への現実的な計画を助けることなどを意図した介入である．これは主として安心（ease）の状態をもたらすためのケアだと考えられる．

（3）魂の栄養（comfort food for the soul）

つかみどころがない，患者個々に応じたやりかたで，患者が力づけられたと感じることができるようにする介入である．これは看護師が患者のそばに存在し，看護師と患者の関係性をとおして主として超越（transcendence）の状態をもたらすためのケアである．たとえばマッサージ・誘導イメージ法・音楽療法・回想法・手を握る（タッチング）など，一般的に代替補完療法とよばれる介入が含まれている．

コルカバは，コンフォートケアの具体的な内容については上記で示した程度でしか記述していない．それは，コンフォートがホリスティックなものであり，即時的かつ状況依存的なものであるだけに，同じケアを行っても対象者によって，その反応は異なり，同じ対象者であっても，置かれている状況によって，その反応は異なるからだと思われる．したがってコンフォートケアを一律に記述することが困難なのだと理解できる．

コルカバが，著書のなかでいみじくも「少なくとも以下の3つの方法」と述べているように，上記の3種類のケアだけがコンフォートケアではない．筆者は通常の日常生活援助を十分なケアリングの姿勢をもってかかわることで，患者のコンフォートが得られた事例を数多く知っている．したがって，ケアリングの姿勢をもって患者とかかわること自体がコンフォートケアになり得ると考えている．

3）介入変数

コルカバは，介入変数とは，「看護師や機関（病院や施設）はほとんどコントロールできないが，コンフォートケアの計画やコンフォート研究の方向性や成功に影響を及ぼす因子」であるとしている（Kolcaba，2003　太田訳，2008，p.265）．つまり介入が成功するかどうかの決め手となる要因であると考えられる．介入変数の例としては「虐待のあるような家庭」「経済力の不足」「疾患の進行度」「悪性疾患の診断」「認知障害」「体格」「性差」「年齢」「体重」「予後」「抗凝固薬」「鎮痛薬」「婚姻状況」「教育」「不安」などが例示されている．多くは患者・家族の要因であるが，非常に多様であることがわかる．

しかしながら，筆者自身は介入変数にもっと幅広い内容を含めてもよいのではないかと考えている．なぜなら，実際にコルカバの著書に出てくる事例でも，信頼できる人が少ないこと，社会支援の乏しさ，コミュニケーションスキルの低下，処置時間の長さなど，看護師や医療従事者が全くコントロールできないものばかりではないからだ．したがって、コントロールできる介入変数をアセスメントし、ケア計画を考えることが重要だと筆者は考えている．

4）コンフォート

コルカバは，コンフォートには安心（ease），緩和（relief），超越（transcendence）といった3つの状態があり，コンフォートが生じる文脈として身体的，サイコスピリット的，環境的，社会文化的といった4つがあるとしている．そしてコルカバは，コンフォートとは「4つの経験のコンテクスト（身体的，サイコスピリット的，環境的，社会文化的）のなかで，緩和，安心，超越というニードを満たすことにより強化されるという，即時的な経験である」(Kolcaba，2003　太田，2008，p.9）と定義づけた．

（1）3種類のコンフォートの状態

緩和（relief）とはニードを満たすことができた状態であり，これは苦痛や不快の存在が前提条件であり，それが満足できるレベルまで緩和された状態である．安心（ease）とは平静あるいは満足した状態である．超越（transcendence）とは対象者が問題あるいは疼痛を克服した状態であり，前の2つのコンフォートの状態とは異なり，看護師と患者の関係をとおして力が強められ，ウエルビーイング（well-being，身体的・精神的・社会的に良好な状態）を経験している状態であるとしている．つまり，この超越（transcendence）は，患者の通常の能力以上の潜在的な力を発揮した結果，生じてくる状態である．これはコンフォートが本来語源としてもっていた「力づけられた状態」がもたらされ，生じてきたものと考えられる．

筆者は，この「超越」の状態のコンフォートは，非常に重要な考え方であると思っている．なぜなら，たとえ急性期や終末期などで苦痛が著しく，安心や緩和の状態が達成できない状況であったとしても，超越の状態をめざして患者や家族が苦痛・不安を，少しでも乗り越えられるように動機づけ，励ましを提供するコンフォートケアが可能となると考えているからである．

（2）4種類のコンフォートが生じてくるコンテクスト

これは、コンフォートニードで示した身体的，サイコスピリット的，環境的，社会文化的といった4種類のニードが満たされる経験をすることによって，コンフォートが生じてくることを意味している．したがって，ここではその内容は省略する．

（3）コンフォートの分類的構造

コルカバは，図7－2に示したようにコンフォートは分類的構造を有していると述べている．この分類的構造をみると，コンフォートには12の種類があるように思えるが，コルカバは，コンフォートはホリスティックで複合的な状態であるため，患者・家族はコンフォートの12の各側面を区別して知覚するのではなく，同時に知覚するのだと述べている．コルカバ自身が著書のなかで「コンフォートの側面（格子のセル）は相互に関係しているので，それぞれを特化させる方法で側面を限定したり測定することは，時間の浪費と不正確な結果を引き起こす」と述べているように，この分類的構造はそれぞれの枠の間で複雑に関係しあっているため，一つひとつの枠にコンフォートの状態を当てはめるような用い方は避けるべきである．

あくまでもコルカバは，このコンフォートの分類的構造を質問紙作成のための枠組みとして考案したのであり，これをもとにしてコンフォートの状態を測定し，介入のアウトカムを評価するための質問調査票を作成したのである．

	緩和	安心	超越
身体的			
サイコスピリット的			
環境的			
社会文化的			

コンフォートのタイプ
緩和—具体的なコンフォートニードが満たされた状態
安心—平静もしくは満足した状態
超越—問題や苦痛を克服した状態

コンフォートが生じるコンテクスト
身体的—身体的感覚，ホメオスタシス機構，免疫機能などに関わるもの
サイコスピリット的—自尊心，アイデンティティ，セクシュアリティ，人生の意味などの自己の内的認識に関わるもの；高次の秩序や存在に関わるもの
環境的—人の経験の外的背景に関わるもの（温度，光，音，匂い，色，家具，風景など）
社会文化的—個人，家族，社会的関係に関わるもの（財政，教育，ヘルスケア従事者など）；家族の伝統，儀式的行事，宗教的慣例

(Kolcaba, K., & Fisher, E. (1996). A holistic perspective on comfort care as an advance directive. *Critical Care Nursing Quarterly*, *18*(4), 66-76. (Aspen Publishersの許諾を得て改変)

図7－2●コンフォートの分類的構造
キャサリン・コルカバ著，太田喜久子監訳(2008). コルカバ コンフォート理論―理論の開発過程と実践への適用. 医学書院, p.17. より引用

5）健康探索行動

コルカバはコンフォートが増進されると，患者・家族の健康探索行動に影響を及ぼすと述べている．つまり，これはコンフォートのアウトカムにあたるものである．健康探索行動とは，患者・家族が意識的もしくは無意識的に良好な状態に向けて取り組む行動を意味しており，次の3種類があるとしている．

（1）内的行動

内的という言葉が表しているように，簡単には見ることができないような細胞・臓器レベルでの治癒，酸素飽和度・血圧値・腸蠕動・心拍出量などの改善，免疫機能の向上などを意味している．

（2）外的行動

外的という言葉が表すように，目に見える変化として現れてくるセルフケア行動の増進，歩行や排泄などの機能改善，健康維持プログラムの遵守，入院期間の短縮などを意味

している．

（3）平穏な死

症状がコントロールされ，患者・家族が死を受け入れ，患者が静かに逝くことができるようになることを意味している．

6）施設の統合性

コルカバによると施設の統合性とは「完全で，全人的で，堅実で，理にかなった，専門的で倫理的なヘルスケアの提供者として存在するヘルスケア組織の質，もしくは状態」と定義づけられている．

具体的には，患者や家族の満足度が向上し，再入院率が減少し，在院日数が短縮され，病院の財政面が安定するといった施設の繁栄につながる状態を意味していると考えられる．この施設の統合性が向上することは，「マグネットホスピタル」（人を磁石のように惹きつける病院）に近づくことである．マグネットホスピタルは，看護師の満足度が高いため離職も少なく，患者・家族の満足度も高いため，遠方からも患者が集まることで病院の収益も向上するような，まさにモデルとなるような病院である．つまり患者のコンフォートが達成されると，患者・家族だけでなく看護師の満足度も向上し，ケアの質も向上し病院も経済的に良好な状態となり，それがさらにより良いケア提供につながるという好循環が生じるということである．

E 研究の動向

和文献においては，コルカバのコンフォート理論をそのまま用いて研究している文献はみあたらない．ここではコンフォート理論の概念の一部を参考にした研究を紹介する．櫻井・井上（2011）は，クリティカルケア分野で大動脈バルンパンピング（intra-aortic balloon pumps：IABP）を装着した患者への清拭実践の規準を作成し，患者の主観的評価をもとにその有用性を検討している．その主観的評価表を検討するにあたり，コルカバのコンフォートの3つの種類とコンフォートをもたらす4つのコンテクストを参考にして，IABP装着患者への清拭によるコンフォートを測定するための12項目，6件法のコンフォート質問紙を作成している．投稿した学術誌は和文・英文いずれも投稿可能であるが，この論文は英文投稿されたものである．

また同じくクリティカルケア分野において，大山・永田・山勢（2019）は独自にコンフォートの概念分析を行っている．結果として「痛みの緩和」「自立性」「平静」「満足」の4つの属性を抽出しているが，「自立性」以外はコルカバのコンフォート理論で示された「緩和」「安心」の要素と同じであることが明らかとなっている．結果としてコルカバのコンフォート理論との比較検討を行っているが，コンフォート理論そのものを用いた研究ではない．

英文献は，PubMedによって「Kolcaba」and「Comfort」で検索すると，88件の文献がヒットした．ただし，このなかにはコルカバ自身の文献も含まれるため，著者がコルカバ以外の文献に絞ると51件の文献があった．内容は，心臓病患者にコンフォート理論を適用して実践したもの（Krinsky, Murillo, Johnson, 2014），コルカバの理論にもとづいた高齢入院患者が認識しているコンフォートニードを明らかにしたもの（Oliveira, et al., 2020），トルコ共和国で下肢の手術により不動状態になっている患者のためのコンフォート質問紙をコルカバの理論を参考に作成し信頼性・妥当性を検証したもの（Tosun, et al., 2015），医療現場でコルカバのコンフォート理論に裏打ちされた介入の効果に関するエビデンスを文献レビューをとおして明らかにした中国の研究（Yanxia & Can, 2023），コルカバのコンフォート測定尺度を用いて脳梗塞患者に対する2種類の血管内インターベンションの効果と，それによるコンフォートの程度を検証した中国の文献（Zhou & Xu, 2022），イタリアで化学療法を受けるがん患者にコルカバの一般コンフォート質問紙を用いてコンフォートレベルを測定したもの（Bortolusso, Boscolo, Zampieron, 2007），など世界各国で様々な疾患や状態の患者のコンフォートの検討に用いられている．内容も質問紙の開発の概念枠組みとしてコルカバの理論を用いたものや，何らかの介入をした場合のコンフォートの程度をコルカバの質問紙を用いて測定したものなど多様である．またコルカバのコンフォート理論を参考にした文献数も徐々に増え，2015年には3件だった論文数も，2023年には10件の論文数となっている．

理論の看護実践での活用

1 どのような対象または事象，状況に活用できるか

コンフォートは，どのような分野・疾患・重症度の患者あるいは家族を対象者とした場合でも，看護ケアのアウトカムの一つであり，普遍的なものである．したがって看護の現場であれば，あらゆる対象や状況に活用可能な理論である．

また現場での看護実践をより良いものにするためのコンフォートケア研究の概念枠組みとしても活用可能であり，実際に海外においては米国以外においても介入研究の枠組みとして用いられている．

2 看護実践のどのようなことに活用できるか

病院に入院した患者は，疾患そのものによる身体的・心理的苦痛だけでなく，手術による痛みや侵襲的な医療機器の装着など，治療に伴う苦痛も経験する．また入院患者だけでなく，在宅で療養生活をしている人であっても，人が何らかの障害や疾病や不調を抱えながら生活していくうえでは，必ずといってよいほど何らかの苦痛や不快を経験する．こうした人々に対してケアをするのは看護師である．

したがって苦痛や不快を感じ，コンフォートニードをもっている人がいる場合に，その人のコンフォートニードをアセスメントし，介入変数について見極めながらその人に適した介入プランを考え，ケアリングを基盤とした介入を実施することで，ホリスティックなコンフォートを経験できるようにするために，本理論を活用することができるだろう．

また筆者はクリティカルケア分野を専門としているが，クリティカルケアの場においては患者の苦痛や不快を緩和することが難しい場合が多い．しかし，たとえそのような場であっても，苦痛を乗り越える力づけを与える「超越」というコンフォートの状態が得られるようにかかわることは可能である．ここが日本語の安楽の概念とは異なる部分であり，クリティカルケアの場以外であったとしても，苦痛緩和が難しい状況の患者に対して，コンフォート理論をもとに「超越」の状態が得られるようにかかわることが可能である．この点において非常に有益な視点を提供してくれる理論である．

臨床での活用の実際

1 事例紹介

Aさん，40代女性（主婦）．家族は40歳代の夫（会社員）と，小学生低学年の長女と未就学の長男の4人で暮らしている．Aさんの両親は近所に在住．Aさんは，頭痛・悪心があり近医を受診し，精密検査目的で大学病院を紹介され入院してきた．MRI検査の結果，前頭葉の脳腫瘍と診断された．

予定手術で腫瘍摘出術が行われ，術後2日目の夜勤帯でB看護師がAさんの部屋の受け持ち看護師であった．B看護師がAさんを受け持ったのは初めてではなく，入院時と手術前日および術当日にかけての夜勤帯でも受け持ち担当をしていた．入院時の印象では身なりもしっかりしており，おしゃれで清潔感を感じられる人柄だと感じていた．手術前日は「子どももまだ小さいし，手術を受けて頑張らなきゃ」と笑顔で話し，とても明るい性格の方だという印象をもっていた．

Aさんは，本日（術後2日目）に日勤帯の医師からの説明で，腫瘍は生検の結果，グリオブラストーマ（膠芽腫）であったこと，腫瘍が脳神経に複雑に絡んでいるため，無理に摘出しようとすることでかえって様々な神経障害をきたすことから，手術ではほとんど腫瘍の摘出ができなかったこと，今後は放射線治療と化学療法を行う必要があることを母親と一緒に聞いていた．日勤帯の看護師からの引き継ぎでは，倦怠感と悪心が強く，まだ膀胱留置カテーテルが抜去できていないということのみで，医師の説明に対する反応についての情報はなかった．Aさんはその日の夕食はほとんど食べていなかった．前頭部の手術後は，顔が大きく腫れあがることが多いが，Aさんも例外ではなく，目が開けられないほどの状態であった．夕食時に夫と子どもたちが面会に来ていたが，子どもたちはAさんの顔を見て泣き出してしまったため，Aさんは起き上がることもなく腕で目を隠しているような状態であった．

B看護師は気になっていたため，夜勤帯の最初にAさんの個室に訪室した．Aさんは部屋を真っ暗にしてベッドに横になっていた．休まれているのかと思ってB看護師が部屋を出ようとすると，物音に気づいたAさんが「看護師さん，頭が痛いので，薬をください」と話しかけてきた．B看護師が痛み止めの薬を手渡し，創部の観察やバイタルサイン，神経学的所見の確認などを終えると，Aさんは「ありがとう」とだけ話して，またすぐに横になった．

21時頃，就寝時の見回りでB看護師がAさんの部屋を訪室すると，ベッド上で座っていた．声をかけると「眠りたいのに，眠れない．普段はこんな時間に寝ないしね．頭が重くて，痛いのかだるいのか，何なのかよくわからないの．とりあえず，眠る前に痛み止めをもらえますか」と話された．B看護師が「先ほどのお薬は効きましたか」と尋ねると，「気休めという感じで，あまり効いているような感じはしなかった」とのことだった．

B看護師は，Aさんの痛みが同じ痛み止めの薬で良くなるのか疑問に思い，別の薬剤の処方が出ていないか医師の指示書を確認したが，夜勤の最初に渡した痛み止め薬しか記載されていなかった．

2 理論に照らしてのアセスメントと援助のポイント

表7－1に事例のコンフォートケアプランを示した．コルカバのコンフォート理論においては，身体的，サイコスピリット的，環境的，社会文化的な側面から，対象者のコンフォートニーズを確認するというホリスティックなアセスメントが必要となる．それに加えてコンフォートケアプランの方向性や効果に影響を及ぼす因子である介入変数として，どのようなことがあるのかについてもアセスメントを行い，それを考慮しながら看護介入（コンフォートケア）の計画を考えることが必要である．また評価のために，あらかじめコンフォートニード充足の確認として評価項目を考えておくと評価しやすい．表の右端の健康探索行動は，コンフォートニードが充足されコンフォートの状態が得られるとすぐに生じる内容と，ある程度の時間が経ってから生じる内容があると考えられる．

またコンフォートケアを実施する際の援助のポイントは，コルカバも再三述べているようにケアリングを基盤としたかかわりが欠かせない．ここで，援助の基盤としてのケアリングの要素について少し説明を加えたい．

図7－3で示したように，Morseはケアリングの重要な要素を5つにカテゴリー化している．「セラピューティックな介入」は患者に対するケア全般であり，適切な知識に裏づけられた，優れたスキルを伴った介入である．「感情」は患者に対する共感や思いやりを意味しており，真剣に患者の思いを汲み取ろうとすることである．「道徳的要求または理想」とは，患者の尊厳を大切にし，人間として尊重する倫理的な姿勢を意味している．また「人間の特性」はケアリングの能力にはもって生まれた特性があることを意味している．「看護師–患者の人間関係」は説明するまでもなく，患者と看護師の関係性や信頼関係が患者の主観的体験としてのコンフォートを増進させることにつながる．以上の5つの要素がケアリングを基盤とした実践では非常に重要となってくる．「セラピューティックな介入」に他の4つのケアリングの要素から矢印が入っていることから，介入の背景として，患者の思いに共感し，患者を人として尊重した倫理的なかかわりをし，患者との信頼関係を築くことが重要であることがわかる．

3 活用例

1）事例のアセスメント

上記の身体的，サイコスピリット的，環境的，社会文化的側面から事例患者のコンフォートニードをアセスメントし，介入変数についてもアセスメントを行った（表7－1参

表7-1●コンフォートケアプラン

コンフォートニードのアセスメント	介入変数
身体的 ①頭痛 ②倦怠感・悪心 ③顔面の浮腫で目が開けられない ④不眠 ⑤膀胱留置カテーテル残存（⇒不快感） **サイコスピリット的** ①腫瘍が摘出できていないことを医師から説明⇒情報はないが，その日の夕食を食べていないことからショックと思われる ②夫と子どもの面会時に，子どもが顔を見て泣き出したため，寝たまま腕で目を隠している（腫れている目を見られたくない⇒セルフイメージの変化） ③看護師が訪室時に部屋を真っ暗にしている（眠っているわけではなさそう⇒落ち込んだ気分） ④今後の放射線治療と薬物療法の副作用への不安と予後への不安 ⑤幼い子どもを残して亡くなってしまうかもしれない恐怖と家族への申し訳ない気持ち **環境的** ①個室に入室 **社会文化的** ①子どもが小学校低学年と未就学児で自立しておらず，まだまだ自分を必要とする	①診断名は膠芽腫（グレード４）．５年生存率10%の悪性腫瘍 ②手術で腫瘍はほとんど摘出できなかった ③40歳代の女性で，子ども２人はまだ自立しておらず母親が必要な年齢 ④Aさんの両親は近所に在住 ⑤おしゃれで清潔感がある人柄 ⑥明るい性格 ⑦鎮痛薬はあまり効果がない ⑧医師による事前指示の鎮痛薬の処方は１種類のみ ⑨通常の入眠時間は21時より遅い ⑩B看護師はAさんと初対面ではなく，何度か受け持ちをしている ⑪日勤帯の看護師から，腫瘍が摘出できなかったことの説明へのAさんと母親の反応について申し送りがなかった ⑫術後２日目．腫瘍摘出できていないことから手術侵襲自体は少ない ⑬夫や両親のサポートはある

照）．

（1）コンフォートニードのアセスメント

身体的ニードとして，Aさんは術後２日目の夜勤帯において，自ら頭痛を訴え，鎮痛薬をくださいとB看護師に伝えている．開頭手術を行ったため，創部痛も当然あると考えられるが，Aさんの場合は腫瘍が膠芽腫であることから，摘出がほとんどできず，腫瘍残存による頭蓋内圧亢進や神経圧迫によって頭痛が生じている可能性がある．また日勤看護師からの申し送りで，倦怠感と悪心が強いとの情報があった．夜勤帯でのこれらの訴えはなかったが，夕食をほとんど食べていないといった情報からも，完全に倦怠感や悪心が改善しているとはいえず可能性として残している．また前頭部の手術後であることから顔面にも浮腫が生じており，目が開けられないほどの状態であったことから浮腫軽減のニードがあるものと考えられる．さらに就寝時間帯になってから「眠りたいのに眠れない」との訴えがあり，頭痛も十分に緩和されていないような発言もあることから，そのことによる不眠も考えられた．また術後のin/outバランスを正確に測定するためか，膀胱留置カテーテルがまだ挿入されており，特にそのことへの不快の訴えはないが，それに伴う不快感の可

看護介入 （コンフォートケア）	コンフォートニード充足の確認	健康探索行動
①鎮痛薬を使用して頭痛のコントロールを図る．効果がなさそうなら，別の薬剤の処方を医師に相談する ②悪心に対して，医師に制吐剤などの薬剤処方を相談する ③顔面の浮腫軽減のため，医師に相談してベッドアップできるようにする ④不眠に対しては眠剤の使用を医師に相談する．または眠前に頭痛を緩和するとととともに，リラックスできるよう清潔ケアなどを行う ⑤膀胱留置カテーテルの必要性（尿量の正確な把握によるin/outバランスの保持）を説明するとともに，違和感がないように固定方法などを工夫する ⑥無理に気持ちを表出させようとせずに，ニードに応じた対応をしながら見守り，Aさんとの信頼関係を築き，徐々に思いを表出できるようにかかわる ⑦家族面会時には腫れている目を見られないように，一時的にガーゼや被り物で隠すような工夫をする ⑧まだ現状を受け入れられていない様子であることから，今後の治療への不安については触れず，本人から話してくるまで様子をみる ⑨個室であるため，家族と一緒にいられる時間を十分に確保する．子どもが幼いため，Aさんが疲れないように配慮する ⑩Aさんの体調が良い家族面会時に，Aさんが子どもたちに何かしてあげられることはないかを一緒に考える	①頭痛と悪心が緩和したとの言葉が聞かれる ②倦怠感の訴えが減少する ③手術で腫れた顔面の浮腫が軽減し，顔を隠さずに子どもたちと面会できるようになる ④夜間，ぐっすりと眠れたという言葉が聞かれる ⑤膀胱留置カテーテル挿入による不快感，違和感の言葉が聞かれない ⑥Aさんと信頼関係ができて，思っていることをAさんが話せるようになる ⑦夫や両親との面会時間にお互いの思いを話すことができるようになる ⑧子どもたちに対して，今のAさんができることを実行に移すことができる	**内的** ①可能な限りホメオスターシスが維持され，病状の進行が遅延する **外的** ①Aさん自身で今後の治療方針の意思決定を行う ②可能な限りのセルフケアを行う **平穏な死** ①Aさんがエンドオブライフの状況を受け入れ，家族や医療者に思いや希望を伝え，自身の生を可能な限り充実したものにする

能性があると考えた．

サイコスピリット的ニードとして，日勤帯で医師から腫瘍がほとんど摘出できなかったことや悪性であること，放射線治療や化学療法を行う必要があることなど，バッドニュースを聞かされており，精神的に大きなショックを受けていることが考えられる．術前には「子どももまだ小さいし，手術を受けて頑張らなきゃ」と明るく前向きな発言があっただけに，Aさんにとって，腫瘍が手術で摘出できないような悪性腫瘍であることは生命の危険性もあることから，自己の存在の喪失にかかわるような精神的危機状況であると考えられる．また顔面浮腫で顔貌が術前と大きく変化したことから，面会時に小学校低学年や未就学の子どもたちにとっては，母親の外観の変容に大きなショックを感じて泣き出している．これに対してAさんは腕で顔を覆うような仕草をしていることから，自身のボディイメージの変化を子どもたちに見せて心配させたくないという親心が見てとれ，介入が必要なニードであると判断できる．さらにB看護師が夜勤帯の最初にAさんの部屋を訪室した際には，まだ就寝時間ではなかったようだが，部屋を真っ暗にしてベッドに横になっており，看護師が部屋を出ようとしたら声をかけてきたという状況から考えて，手術で腫瘍摘

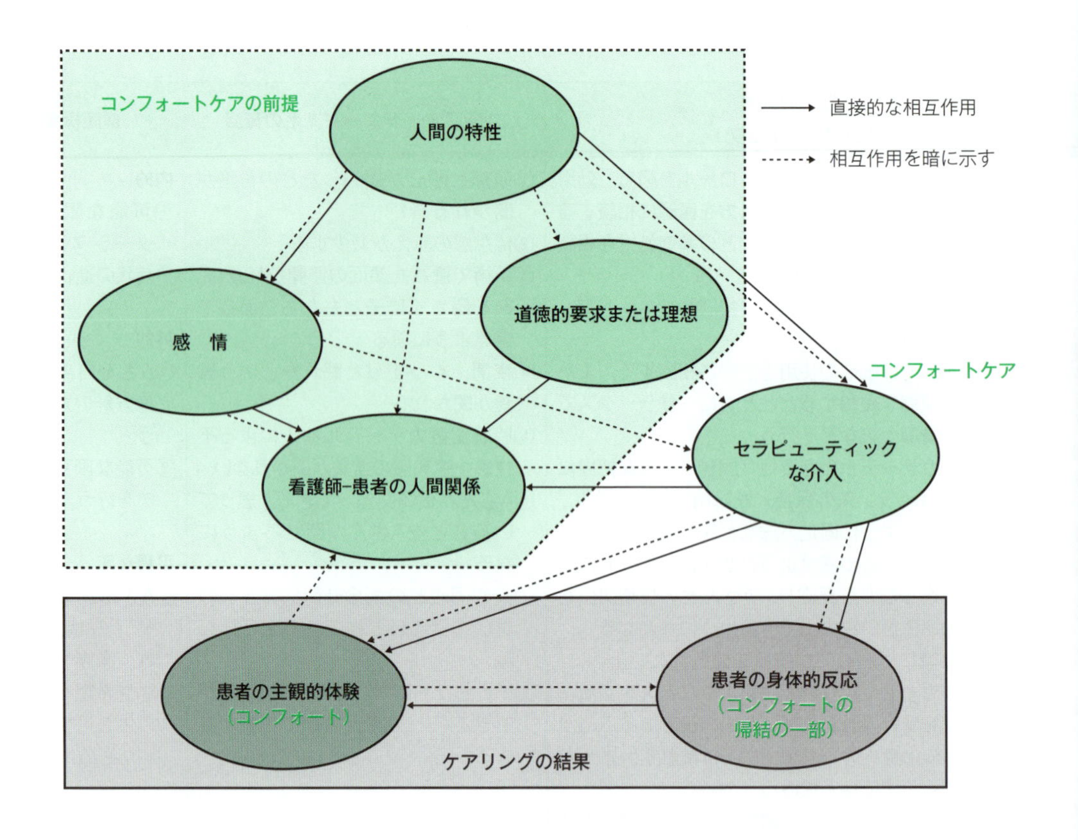

図7－3●ケアリングの5つのカテゴリーの相互作用およびコンフォートとの関係
Morse, J. M., Sollberg, S. M., Neander, W. L., Bottorff, J.L., Johnson, J.L.（1990）. Concepts of caring and caring as a concept. *ANS Adv Nurs Sci*, *13*(1), 1-14. より一部改変

出できなかったことで，幼い子どものことや，今後のことを考えて気分が落ち込んでいたものと考えられる．同時に今後の放射線治療や化学療法の効果や副作用なども考えざるを得ない状況であり，大きな不安を抱えた状況であったと考えられる．さらに治療の効果がなければ死も余儀なくされることから，死への恐怖と同時に幼い子どもを残していくことへの申し訳なさなど，複雑な感情を抱えていると思われる．

環境的ニードとしては，個室に入室しているため，明るさや音，臭い，など環境面での不快の原因となる内容はコントロール可能であり，特に不快，苦痛などの情報は見当たらない．

社会文化的ニードとしては，サイコスピリット的ニードと重複するが，Aさん自身40歳代と若く，子どもたちが2人とも幼い状況であることから，まだまだ母親としての役割機能を果たしていくことが求められる．一方で，病気で予後も不良であると考えられることから，社会的役割を果たすことができない可能性が高いという無念さや，子ども達，夫への申し訳なさが混在した気持ちが読み取れる．

（2）介入変数についてのアセスメント

介入変数は，コンフォートケアに対して影響を与える可能性がある因子をアセスメントすることになる．

表7－1に記載のとおりのため，要点のみ記述すると，悪性腫瘍で予後不良である診断名，腫瘍がほとんど残存しており完治困難な状況，Aさんは40歳代で若く，2人の子どもたちも小学校低学年と未就学児と幼いこと，鎮痛薬の効果があまりみられないこと，医師の処方は鎮痛薬1種類のみであること，普段の就寝時間より入院中の消灯時間が早いこと，B看護師に日勤看護師から医師の説明後のAさんと家族の反応の情報提供がなかったこと，などはマイナスの影響を与える可能性がある介入変数であると考えられる．

また，Aさんはおしゃれな人で清潔感がある人柄であること，術前の印象から明るい性格であること，AさんとB看護師は初対面ではないこと，腫瘍摘出できなかったことから手術時間や侵襲自体は少ないこと，両親は近所に在住であること，夫や両親によるAさんへのサポートはされている様子がうかがえることから，これらの部分は強みとなり，プラスの影響につながる可能性がある介入変数であること，などが考えられる．

2）援助計画と援助の実際

具体的な援助計画についても，表7－1に示したとおりである．頭痛，悪心，不眠などについては医師に相談して，効果的な薬剤の処方を依頼する必要がある．また開頭術後は頭蓋内圧のコントロールのためベッドアップについても医師の指示を得る必要がある場合があり，顔面の浮腫軽減策としてのベッドアップについても医師に相談をする必要がある．

最も援助が難しいと考えられるのは，治癒への期待と希望をもって前向きに手術を受けたにもかかわらず，腫瘍がほとんど摘出不可能であり，悪性度の高い腫瘍であったとの説明を受け，そのことをどう受け止めることができるようにかかわるかという点だと考えられる．また，自己概念の揺らぎや自己の存在の喪失への恐怖・不安，幼い子どもたちや夫など家族への複雑な思い，今後予定される放射線治療や化学療法の効果へのかすかな希望と副作用などへの不安，といった感情に対してどのように感情表出ができるようにかかわっていけるのかということも非常に難しい．ある程度，経験がある看護師であってもこうした患者のつらさに共感して寄り添っていくことは，そう簡単ではない．

したがって援助計画では，無理に気持ちの表出をさせようとせずに，ニードに応じた対応をしながらそばに寄り添って見守り，Aさんとの信頼関係を築き，その関係性のなかで徐々に患者のほうから話してくれるのを待ち，思いを表出できるようにしていくことを考えた．その際には，介入変数のAさんの強みを考慮して，おしゃれで清潔感がある人柄であることから，清潔ケアを中心とすることや，家族との時間を十分に確保するとともに，現状のAさんの状態でも，子どもたちに何かしてあげられることがないかを一緒に考えて実現に移すことなどを計画した．

具体的な援助の実際として，B看護師がAさんの部屋を訪室した際に，術後で日が浅いため，一度も洗髪をしておらず，髪の毛がべったりと貼り付いているような状態であることに気づいていた．初対面ではなく，術前からAさんの受け持ちをした経験があるB看護師だったからこそ，いつもおしゃれで清潔感があるAさんが，こんな髪の状態でいることはとても耐えられないことで，Aさんらしさが失われているのではないかと考えた．そこで，B看護師は，日勤帯の医師からの説明に対してのAさんの思いを聴くことよりも，まずはAさんらしくあることを大切にしようと思い，夜勤帯であったが，前頭部の手術創が濡れないように防水シールを貼れば，洗髪をすることは可能だと考えた．

B看護師は，Aさんの部屋を訪室し「Aさん，今から髪を洗いませんか？手術後に1回も洗ってないから気持ち悪いでしょう」と尋ねると，Aさんは「うそー，うれしい．本当に今からいいの．忙しいでしょ」と久しぶりに笑顔を見せた．B看護師は「Aさん，今から準備をしますので，ちょっと待っていてくださいね」と伝え，ベッド上での洗髪の準備をした．B看護師が，Aさんの髪の毛を洗っている最中に，特にB看護師から問いかけなどはしなかったが，Aさんは「こんなにつらい思いをしたのに，結局手術で取れなかったなんて，悲しい．どうしてなのかな．以前に場所が場所だから取り切れないかもって言われていたけど，本当にこんなことになるなんて思ってなかった」とつらい思いを吐露した．その後も，B看護師は「かゆいところとか，ありませんか」「お湯加減はいかがですか」など，Aさんが少しでもリラックスし，気持ち良くなるように心がけて洗髪を行った．Aさんからは「子どもが今日，私の顔を見て，ものすごく泣いてしまった」と夕食後の面会のときのことを思い出しながら話をし，「子どもがまだ小さいから，いろいろしてあげたいことがあるのよ」などと思っていることを話してくれた．それに対してB看護師は「そうですよね」と相槌を打ちながら傾聴の姿勢で対応した．また，Aさんは続けて「夫は今まで，家事なんてやったことのない人だったのよ．でも，今は私がこんなだから，頑張って家事をやってくれてる」と家族内での様子についても語り，「あなたも，結婚相手はちゃんと見極めないと苦労するよ」と，B看護師に対してアドバイスをするような語りもみられた．B看護師が，髪の毛を乾かし終わり，まだ頭痛はあるかを尋ねると，Aさんは「なんかいま，痛みのことを忘れてたわ」と照れたように笑った．

3）評　価

上記のB看護師とAさんとの洗髪中のやりとりと，洗髪後のAさんの「痛みのことを忘れてたわ」という言葉は，B看護師の洗髪という行為が，ケアリングに基づいた素晴らしいコンフォートケアであったことを物語っている．薬剤を使うことなくAさんが頭痛を忘れるほど，洗髪という行為がAさんをリラックスさせ，いろいろな思いを表出できる機会を提供していた．夜勤は看護師の人数も少ないため，B看護師が忙しいことはAさんも十分理解しており，だからこそ「本当に今からいいの，忙しいでしょ」と気遣いの言葉をかけていた．しかし「うそー，うれしい」という言葉からは，まさに洗髪という行為をAさんが待ち望んでいたケアであることが読み取れる．

翌日の朝，B看護師はAさんから「あなたのおかげで，昨日はぐっすり眠れたわ．こんなに気持ちよく眠れたのは久しぶりだった」と声をかけられた．これは表7－1のコンフォートニード充足の確認項目の「④夜間，ぐっすりと眠れたという言葉が聞かれる」が確認されたということであり，身体的なコンフォートニードが満たされたと評価できる．また同じ確認項目の「⑥Aさんと信頼関係ができて，思っていることをAさんが話せるようになる」についても，B看護師が洗髪を行っている間，Aさんは様々な思いを語っていることからも，サイコスピリット的なコンフォートニードの一部が満たされたと評価することができる．

このように，まさにAさんにとっては，ケアリングに基づいた洗髪というケアが，鎮痛薬や眠剤以上の効果をもたらし，医師から告げられたつらい説明への思いや，今後の子どもたちへの思いの表出を促すことにもつながるホリスティックなコンフォートケアであったと評価することができる．単にコルカバのコンフォート理論の「緩和」（頭痛，倦怠感，不眠というニードが満たされた状態）というコンフォートの状態だけでなく，穏やかで満ち足りた心の状態でいられる「安心」の状態も得られていたと考えられる．そして，おそらくは頭痛があるけれども，それを「忘れてたわ」と述べていることから，B看護師との関係性のなかで力づけられ，苦痛があったとしてもそれを克服した「超越」というコンフォートの状態も得られていたのだと考えられる．

このケアがこれほど効果的だったのは，B看護師が術前のAさんとのかかわりから，Aさんにとって術後，髪の毛がべっとりと貼り付いたような状態でいることが，どんな意味をもっているのかを感じ取ったからだと考えられる．つまり，いつもおしゃれなAさんらしさが失われている状態が，Aさんの倦怠感や頭痛にもつながり，不眠にもつながっていると感じ，Aさんらしさを大切にしたいと，ホリスティックにAさんという人をとらえたことが，ホリスティックなコンフォートにつながったのではないかと考えられる．

この事例をみるとコンフォート理論を用いた看護実践といっても，何か特別なケアを実施するわけでなく，「洗髪」という平凡ないつも行っている日常生活援助を実施しているだけに過ぎないように思える．これではコンフォート理論を使う意味があるのかと疑問に思われるかも知れない．

ベナー（Benner, P.）は「安楽（原文ではcomfort）への援助は平凡で，あまり効果がないように思える．しかし，その非常に思いきった処置（手術）は，実は安楽の援助に依存しているのであり，それなくしては行えない」と述べている（Benner, 1999　井上訳, 2005, p.392）．つまりコンフォートケアは平凡でありふれたケアかもしれないが，手術という侵襲的で苦痛を伴う治療は，コンフォートケアがなくては成り立たないとまで述べているのである．

しかしコンフォートケアが真に患者に届くものになるためには，自己の患者へのかかわりにおいて，ケアリングの姿勢・態度がどれだけあるのかを見つめ直し，患者のことを真に思いやる気持ちをもつことが必要である．本事例はそのことを改めて気づかせてくれる．ケアリングの要素が含まれた日常生活援助であれば，たった一つの「洗髪」というケアであっても，ホリスティックなコンフォートをもたらすのである．

H 理論を看護実践につなげるために

コンフォート理論を看護実践で活用するために最も重要なのは，何度も述べるがケアリングのある姿勢・態度でコンフォート増進を明確に意図した介入を実施することである．つまり対象者の苦痛を緩和し，コンフォートニードに応えるかかわりができるかどうかは，どれだけ対象者の気持ちに共感し，患者を尊重し，何とかしてあげたいという思いをもてるかが問われる．その意味では，常に看護師自身の対象者への思いをリフレクションしてみることが必要となる．

看護師自身が患者の気持ちに共感しすぎることで共感疲労が生じて，看護師の心理的疲弊につながるともいわれる．しかし共感を基盤として患者との関係性を構築し，コンフォートケアに活かし，少しでも患者がコンフォートを感じて満足度が高まると，それは看護師自身のコンフォートにもつながり，より頑張ってケアをしようという好循環が生まれると考えられる．成功体験は人の動機づけにつながるが，ケアリングを基盤としてかかわりを続けることで，患者のみならず必ず看護師にとってのコンフォートも得られる．そのような状態が施設内で継続的に行われることで施設の統合性が実現し，患者にとっても看護師にとっても魅力的で質の高い看護が継続し，施設もマグネットホスピタルとして発展していくことができる．

文　献

Benner, P.（1999）/井上智子監訳（2005）．ベナー看護ケアの臨床知ー行動しつつ考えること，医学書院．

Bortolusso, V, Boscolo. A, Zampieron. A.（2007）. Survey about the comfort level according to Kolcaba on a sample of oncologic patients. *Prof Inferm*, *60*(3), 166-169.

Cameron, B.L.（1993）. The nature of comfort to hospitalized medical surgical patients. *J Adv Nurs*, *18*(3), 424-436.

Fawcett, J.（1984）. The metaparadigm of nursing : present status and future refinements. Image *J Nurs Sch*, *16*(2), 84-89.

Ferrell, B.R., & Ferrell, B.A.（1990）. Comfort. In Corr, D.M., & Corr, C.A.（eds.）, Nursing Care in an Aging Society（pp.67-91）. Springer.

Gropper, E.I.（1992）. Promoting health by promoting comfort. *Nurs Forum*, *27*(2), 5-8.

Hamilton, J.（1989）. Comfort and the hospitalized chronically ill. *J Gerontol Nurs*, *15*(4), 28-33.

Jenny, J., & Logan, J.（1996）. Caring and comfort metaphors used by patients in critical care. Image *J Nurs Sch*, *28*(4), 349-352.

金井一薫（1996）．患者にとっての「安楽」とは，その本質と概念ー“comfort”という言葉をめぐって．綜合看護，*31*(2)，17-28.

Krinsky. R, Murillo. I, Johnson. J.（2014）. A practical application of Katharine Kolcaba's comfort theory to cardiac patients. *Appl Nurs Res*, *27*(2), 147-150.

Kolcaba, K.（2003）. Comfort theory and practice : a vision for holistic health care and research. Springer Publishing Company.

Kolcaba, K.（2003）/太田喜久子監訳（2008）．コルカバ コンフォート理論ー理論の開発過程と実践への適用（p.17, p.90）．医学書院．

Kolcaba. K, Fox, C.（1999）. The effects of guided imagery on comfort of women with early stage breast cancer undergoing radiation therapy. *Oncol Nurs Forum*, *26*(1),67-72.

Kolcaba. K, Wilson L.（2002）. Comfort care: a framework for perianesthesia nursing. *J Perianesth Nurs*, *17*(2), 102-111.

Kolcaba, K.Y., & Kolcaba, R.J.（1991a）. An analysis of the concept of comfort. *J Adv Nurs*, *16*(11), 1301-1310.

Kolcaba, KY.（1991b）. A taxonomic structure for the concept comfort. Image *J Nurs Sch*. *23*(4), 237-240.

Kolcaba, KY.（1992a）. Holistic comfort: operationalizing the construct as a nurse-sensitive outcome. ANS *Adv Nurs Sci*. *15*(1),1-10.

Kolcaba, K.Y.（1992b）. Gerontological nursing. The concept of comfort in an environmental framework. *J Gerontol Nurs*, *18*(6), 33-40.

Kolcaba, K.Y.（1994）. A theory of holistic comfort for nursing. *J Adv Nurs*. *19*(6), 1178-1184.

Leininger, M.M.（1991）. The theory of Culture Care Diversity and Universality. NLN Publ, (15-2402), 5-68.

Malinowski, A., & Stamler, L.L.（2002）. Comfort : exploration of the concept in nursing. *J Adv Nurs*, *39*(6), 599-606.

McIlveen, K.H., & Morse, J.M.（1995）. The role of comfort in nursing care : 1900-1980. *Clin Nurs Res*, *4*(2), 127-148.

Morse, J.M.（1983）. An ethnoscientific analysis of comfort: a preliminary investigation. *Nurs Pap*, *15*(1), 6-20.

Morse, J.M.（1992）. Comfort : the refocusing of nursing care. *Clin Nurs Res*, *1*(1), 91-106.

Morse, J.M.（2000）. On comfort and comforting. *Am J Nurs*, *100*(9), 34-37.

Novak, B., Kolcaba, K., Steiner, R., Dowd, T.（2001）. Measuring comfort in caregivers and patients during late end-of-life care. *Am J Hosp Palliat Care*, *18*(3), 170-180.

Oliveira, S.M., Costa, K.N.F.M., Santos K.F.O.D., Oliveira, J.D.S., Pereira, M.A., Fernandes, M.D.G.M.（2020）. Comfort needs as perceived by hospitalized elders: an analysis under the light of Kolcaba's theory. *Rev Bras Enferm*, *73*(suppl 3).

大山祐介，永田明，山勢博彰（2019）．クリティカルケア看護領域におけるcomfortの概念分析，*15*，19-32.

櫻井文乃，井上智子（2011）．大動脈バルンパンピング装着患者への回復促進を目指す清拭規準およびComfort質問表の作成に関する研究．日本クリティカルケア看護学会誌，*7*(3)，1-15.

Tosun, B., Aslan, Ö., Tunay, S., Akyüz, A., Özkan, H., Bek, D., Açıksöz, S.（2015）. Turkish Version of Kolcaba's Immobilization

Comfort Questionnaire: A Validity and Reliability Study. *Asian Nurs Res (Korean Soc Nurs Sci)*, *9*(4), 278-284.
Wurzbach, M.E. (1996). Comfort and nurses' moral choices. *J Adv Nurs*, *24*(2), 260-264
Yanxia, L., Yi, Z., Can, C. (2023). Interventions and practices using Comfort Theory of Kolcaba to promote adults' comfort: an evidence and gap map protocol of international effectiveness studies. *Syst Rev*, *12*(1), 33.
Zhou, Y., Xu, C. (2022). Comparison of Application Effects of Different Hemostasis Methods After Ischemic Cerebrovascular Intervention. *Front Surg*, 9.

看護のアセスメントと援助に関する理論

8 peaceful end of life

A 理論との出会い

筆者の臨床経験のなかでいくつかの忘れられない死がいくつかある.「一度でもいいから，息子を雪まつりに連れて行ってあげたかった」と5歳の息子を遺して逝った30代の女性. 最期は必ず死に目に会いたいと家族が願っていたにもかかわらず急に吐血し，あっけなく独りで逝ってしまった70代の女性. このような人たちをお見送りした後は哀しみと悔いが残った. 一方で家族に感謝と別れを告げ,「父さん，先に行って待っていてね. もう少ししたら私も行くからね」と家族に見守られて旅立った70代の男性，自宅で家族に看取られ，孫にきれいに死化粧をされ誕生日にプレゼントされたドレスを着て旅立った70代の女性. このような人たちをお見送りした後には満たされた穏やかな気持ちになった. しかし，このように感じること自体，人の死をよい死，悪い死と評価しているようで罪悪感も起こった. どのような死であっても，われわれ医療者がその死を評価するべきではないのではないか，われわれが医療のなかで専門家としてすべきこと，できること，またできないことは何かを見きわめていく必要があると考えるようになった.

ちょうどその頃，初めて緩和ケアに携わる看護師のストレスについて質的研究を行っていた. 看護師にインタビュー調査を行った結果，看護師のストレスの一つに「『望ましい死』が達成できない喪失」が抽出された.「『望ましい死』が達成されない喪失」とは，看護師は理想的な死と死のプロセスに対するイメージを抱き，緩和ケア病棟ではそれが達成できると期待して働いているが，自分が抱いた望ましい死が達成できないと喪失感や無力感を味わうという内容である（川村・平・高田，2004）. この研究結果をとおして初めてgood deathという概念に出会った. この概念は死の結果を評価するものではなく，エンドオブライフのケアの目標となるものであり，その目標を達成すべくケアのプロセスを評価できる重要な概念であることを学修することで理解した.

わが国は，医療水準の向上により世界最高の長寿社会となった. 平均寿命の延長に伴い高齢化が進展し多死社会が到来し，エンドオブライフケアの重要性がいっそう増している. 人がどこでどのように人生の終焉を迎えるか，住み慣れた地域で自分らしい暮らしが死の瞬間まで続けられるようにケアを提供することが必要である. また，近年，死因構造は，悪性新生物，脳血管障害，心臓疾患など老化と結びついた慢性疾患が増えている. さらに高齢化に伴い複数の疾患を併存している人も増えている. これは，長期におよび病いと共に生活している高齢者が増えていることを意味しており，これまで以上にケアの力が重要となる. よって，質の高いエンドオブライフケアを提供するためにもこの概念は重要

キー概念

□good death：死のあり方や死にゆく過程における全体的な質を表す概念であるが，明確な定義はなく「good death」「quality of death」「quality of dying and death」「peaceful end of life」といった言葉で表される．

□パリアティブケア（palliative care）：1980年代からカナダで提唱された考え方で，ホスピスケアの考え方を受け継ぎ，国や社会の違いを超えて人の死に向かう過程に焦点を当て，積極的なケアを提供することを主張し，世界保健機関（WHO）がその概念を定式化した．WHOの定義（2002）によると，「緩和ケアとは生命を脅かす疾患による問題に直面している患者とその家族に対して，痛みやその他の身体的問題，心理社会的問題，スピリチュアルな問題を早期に発見し，ぬかりのないアセスメントと治療を行うことによって，苦しみを予防し和らげることで，クオリティオブライフ（QOL）を改善するアプローチである」としている．

□エンドオブライフケア（end of life care）：1990年代から米国やカナダで高齢者医療と緩和ケアを統合する考え方として提唱されている．北米では緩和ケアはがんやエイズを対象としたものという理解があり，がんのみならず認知症や脳血管障害など広く高齢者の疾患を対象としたケアを指している．

□デスアンドダイング（death and dying）：エリザベス・キューブラー＝ロスが提唱した概念であり，死を意識した人がそのプロセスにおいて生じる心理過程のことである．

□ピースフルデス（peaceful death）：good deathと類似用語，またはgood deathが達成された結果としてもたらされるものと考えられている．

□クオリティオブライフ（quality of life：QOL）：生活の質．もともとある生活環境がそこで生活する者にどれほどの質のよい・悪い生活を提供しうるか，しえないかを評価する概念をいう．

である．

B 理論家紹介

複数の研究者がgood deathを取り扱った論文を著したり，評価尺度を開発したりしているが，本節では1999年にpeaceful end of life 理論を提唱した看護師ルーランドを紹介する．

コーネリア・ルーランド（Cornelia M. Ruland）は，現在ノルウェー，オスロのナースリサーチセンターのディレクターとして勤務している．1994年にノルウェーのオスロ大学で看護管理の修士号を取得後，1998年に米国オハイオ州にあるケースウエスタンリザーブ大学で看護情報の博士号を取得した．

専門は，看護情報と意思決定であり，2001年には『Decision support for patient preference-based care planning : Effects on nursing care and patient outcomes』が，医

療情報に関する最優秀論文に選出されている（Ruland, 1999）.

理論誕生の歴史的背景

peaceful end of life 理論が誕生した背景を紹介する. 1960〜1970年代には good death という概念が文献のなかで安楽死と同義語として扱われ，命が受動的または自発的に故意に中断される状況において言及されてきた経緯がある. 1980年代になると，good death として扱われるテーマは一部安楽死として言及している論文はあるもののその意味する範囲は広くなり，どのような死が good death であるのかといった議論が腫瘍学の領域やその他の領域でも行われるようになった.

これらの研究が行われるようになった背景には，人々の健康に対するパラダイムが，長く生きることからよりよく生きること（量から質）へと変化し，同時に QOL の概念が浸透し，患者の意向に応じた，より個別化された医療の提供が求められるようになってきたことがある. 個別化された医療の提供のためには，患者が何を望みどのような価値をもっているのかを体系的に理解することが重要であるという認識が高まり，特に end of life care においては，患者の人生の終焉をサポートするために患者の意向を理解しその意向に沿って治療・ケアを進めていくこと，医療者と患者がゴールを共有していくことが重要であるという認識が高まってきた.

さらに，質の高いケアを提供していくためには患者の満足度やアウトカムに沿ってケアを評価していくことが必要であるが，終末期の患者自身からは身体的にも精神的にもケアの評価を受けることが困難であるため，海外では主に遺族調査による評価が用いられている. それを受け，国内でも遺族調査によってケアの質を評価し，適切なケアを提供するための評価尺度が開発されており，今後，臨床での活用が期待されている.

peaceful end of life 理論とは

1 peaceful death と good death の関連

good death を最初に定義づけたオニール（O'Neil, 1983）は，good death とは死ぬ時期が適切であり，死の過程をコントロールでき，死の状況が基本的に道徳的な原理に基づいていること，そして人の死として論理的であることとしている.

good death は，死のあり方や死にゆく過程における全体的な質を表す概念であるが明確な定義はなく「good death」「quality of death」「quality of dying and death」「peaceful end of life」といった言葉で表される.

欧米ではいくつかの体系的な研究結果が報告されているが，ケール（Kehl, 2006）は，代表的な42の論文を分析し good death の概念分析を行っている. それによると，まず good death の属性として，「コントロールできること」「安楽であること」「死期が近づいている感覚」「死にゆく人として認められ肯定される」「ケア提供者との信頼」「死が近づいていることを認識する」「信念，価値が尊重される」「苦痛が最小限である」「人とのつながりが強まる」「自然な死」「遺志を遺す」「家族ケア」があげられている．また，good death が達成された結果については，医療者（特に看護師）にとってどのような結果があるかを言及している論文が多い．それらによると「専門家の満足感」「統合された感覚」「経験からの学び」「自己と他者のよりよい理解」「自身の死に対して穏やかになる」「家族と友人とのつながりが深まる」「許される感覚が高まる」があげられている．さらに，多くの論文が peaceful death という用語を関連用語，類似用語，good death の属性，good death の結果としてあげていることから，good death が達成される結果として，peaceful death がもたらされると考えることが適切だとしている．遺された家族にとって患者の死の記憶が peaceful（穏やか，安らか）であれば，たとえ心臓発作のような痛みを伴う突然の死であっても，それは peaceful death であり good death の属性というより peacefulness（穏やかさ，安らかさ）は，good death の結果であると結論づけることを支持している．

good death を達成することは，end of life care における最も重要な目標の一つであるが，一方，個人の望む good death は人それぞれ異なり個別性が高いため，医療者は自分たちの価値やバイアスで good death を計らないことが重要である．

エマニュエルら（Emanuel & Emanuel, 1998）は，医師の立場から good death のための枠組みとして，「身体症状」「心理・精神症状」「社会的関係とサポート」「経済的な要求とケアのニーズ」「希望と期待」「霊的・実存的信念」の 6 つの領域からなるモデルを提唱した（図 8－1）．この 6 つの領域は各々密接に関連しているが，個々を体系的に理解しアセスメントすることで患者の good death が達成されるとし，さらに good death を測定するための信頼性・妥当性が確立されたツールが必要であることを提言した．

2 peace end of life

ルーランドとムーア（Ruland & Moore, 1998）は，看護師の立場から peaceful end of life を導く理論をスタンダードケアを基盤として提言した．この理論は，熟練看護師の臨床経験と，理論を構成する各要素の文献レビューに基づいて開発され，以下の 4 つの前提から成り立っている．

① 終末期における出来事や感情は，個別的である．
② 穏やかな終末期を過ごすためにケアは重要である．看護師は，その人の体験を反映する手がかりを評価・解釈し，たとえ死にゆく人が言葉で伝えられない場合でも，穏やかな終末期を維持するために適切に介入する．
③ 家族とは，戸籍上の家族にとどまらずその人にとっての重要な他者を含む．終末期ケアにおいては重要な位置づけとなる．
④ 終末期ケアの目標は，生活の質を高め，安らかな死を実現するために，最適な技術や快適な手段を慎重に用いて，可能な限り最高のケアを提供することである．

peaceful end of life の構成概念として，「苦痛がないこと」「安楽であること」「尊重されていること」「穏やかであること」「自分にとって大切な人が近くにいると感じられるこ

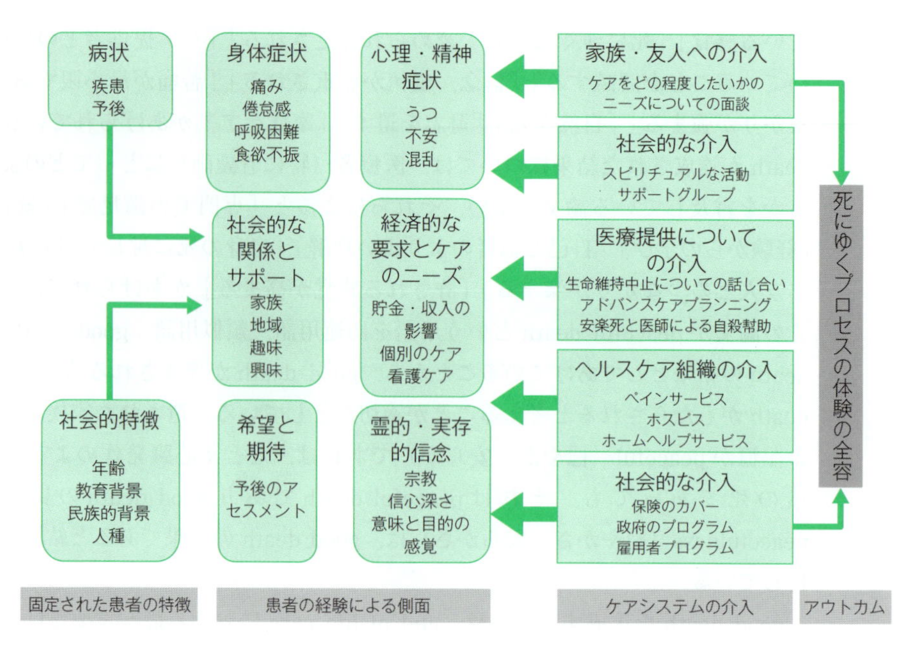

図 8－1 ● good death の枠組み

Emanuel, E.J., & Emanuel, L.L.（1998）. The promise of a good death. *Lancet, 351*, Suppl 2, SII2 1-9. より引用

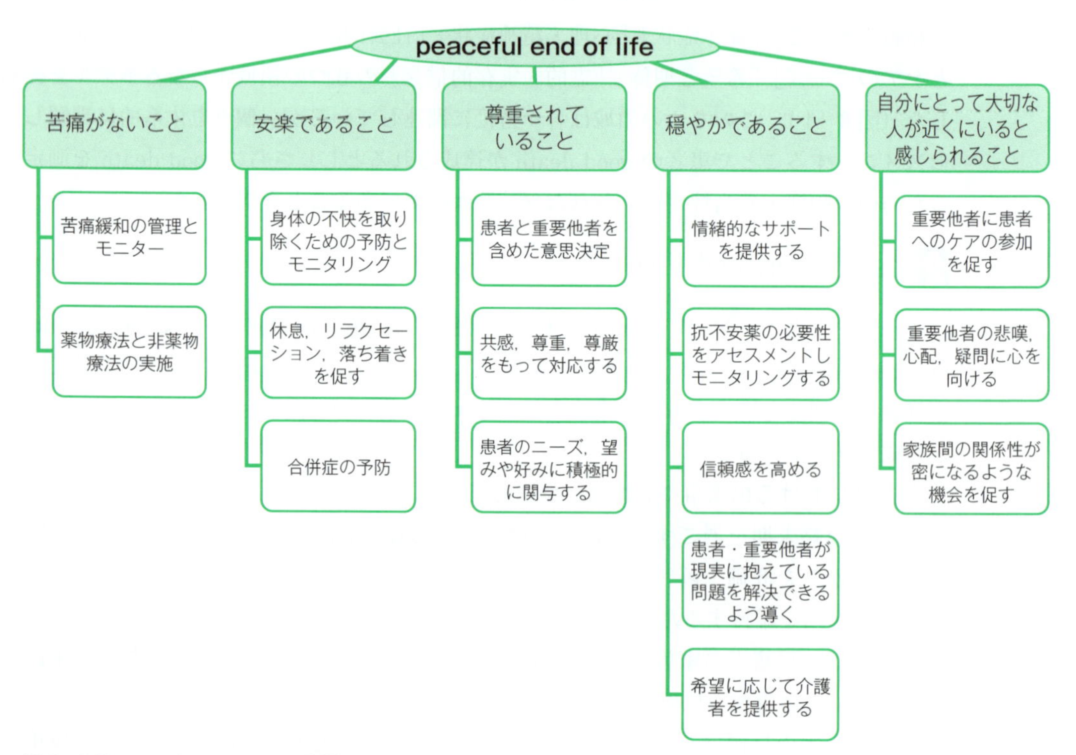

図 8－2 ● peaceful end of life 理論

Ruland, C.M., & Moore, S.M.（1998）. Theory construction based on standards of care : A proposed theory of peaceful end of life. *Nursing Outlook, 46*(4), 169-175.より引用

と」の5つをあげ，それを達成するための介入をそれぞれ示している（図8－2）．疾患の治癒が望めない時期において，医師は患者のケアから関心が薄れがちであるが，看護師は，患者にとって不必要な苦悩をどのように回避させることができるのか，どのようにして患者の尊厳を保ち尊重，共感し支援することができるのかを知る必要があると強調している．

研究の動向

1 欧米での研究の動向

欧米ではgood deathをテーマにした研究が1990年代後半から盛んになった．

透析患者，エイズ患者などを対象とした質的研究（Singer, Martin & Kelner, 1999；Swartz & Perry, 1993；Piason, Curtis & Patrick, 2002）や患者・家族・医療者を対象とした質的研究（Steinhauser, Christakis, Clipp, McNeilly, McIntyre & Tulsky, 2000；Kristjanson, McPhee, Pickstock, Wilson, Oldham & Martin, 2001；Payne, Langley-Evans & Hillier, 1996）が行われるようになり，good deathの構成概念を検討する研究が進められた．シュタインハウザーら（Steinhauser, Clipp, McNeilly, Christakis, McIntyre & Tulsky, 2000）は，患者，家族，医療者にフォーカスグループインタビューを行い，good deathの構成概念を「苦痛が緩和されていること」「自分の意思ですべての選択ができること」「自分の死期をあらかじめ知ったうえで死に対する準備ができること」「人生にやり残しがないこと」「他者の役に立つこと」「最期まで人として尊重されること」の6つを抽出した．また，パトリックら（Patrick, Engelberg & Curtis, 2001）は“quality of dying and death”の概念を「事前に死を迎える際に望んでいたことと，実際にその人が迎えた死のありようとが一致する程度」と定義し，この概念の構成要素として，「症状とセルフケア」「死への準備」「死の迎え方」「家族」「治療法に対する志向性」「全人的関心事」をあげている．さらにシュタインハウザーら（Steinhauser, Christakis, Clipp, McNeilly, McIntyre & Tulsky, 2000）は，米国のがんを含む進行期慢性疾患患者，遺族，医師，医療スタッフ（看護師，チャプレン，ソーシャルワーカー，ホスピスボランティア）1462名を対象とした量的研究を行った．その結果，すべての対象者が重要と考えるgood deathの要素は，「痛みや症状マネジメント」「死に対する準備」「人生を完成させること」「治療の選好に関する決定に関すること」「人として尊重されること」であった．

また，対象者によって重要さが異なる項目は，「回復の可能性にかかわらず，すべての治療を行うこと」「医療器械につながれていないこと」「死ぬ場所と時間をコントロールできること」「ペットと過ごすこと」「自分の家で死ぬこと」「聖職者と会うこと」「死の意味について話し合う機会があること」「死の時期を知っていること」「自分の恐れについて話し合えること」「医者とスピリチュアルな価値について話し合うこと」であった．特に興味深い結果として，「回復の可能性にかかわらず，すべての治療を行うこと」を重要であると答えていたのは患者では48％であったが，医療スタッフでは5％のみであり，患者と医療スタッフが重要と考えるgood deathは異なるという重要な視点を示した．

その後，good deathが実際に達成されているのかを評価する試みとして，自記式もしくはインタビューによる調査票が作成され標準化が行われた．生存中の終末期がん患者やその家族を対象としたQUAL-E（Measure quality of life at the end of life）（Steinhauser, et al., 2004），また，遺族の代理評価によるものとしてToolkit（Toolkit after-death bereaved family member interview）（Teno, Clarridge, Casey, Edgman-Levitan & Fowler, 2001），QODD（Quality of death and dying questionnaire for family members）（Curtis, Patric, Engelberg, Norris, Asp & Byock, 2002）がある．これらの調査票を用いて，緩和ケア病棟の入院患者を対象とした前向き研究や遺族に対する大規模調査などが行われ，good deathの達成度や改善が必要な項目などが明らかにされてきている．

2 国内での研究の動向

国内では1990年代後半から終末期医療に対する意識調査，看護師の態度，看護介入のなかでgood deathが扱われている（宮下・橋本・河・小島，1999；松下・稲松・橋本，1997；内布，1996；吉田，1999）．初期は，痛みを伴う末期状態と持続的植物状態の医療に対する意識について一般集団と医療従事者の相違を検討した研究（宮下他，1999）や，高齢者と終末期家族の医療に対する意識調査（松下他，1997）などが行われ始めた．

吉田（1999）は，ホスピスにおける看護師の「死」観に関する研究のなかで“よい看取り”を明らかにしている．「よい看取り」は，看護師相互の間で共有されていた患者の死の迎え方の理想像を示すものであり，「身体的症状がコントロールされた死の / 穏やかな死に際」「死までの過程を有意義に過ごした死」「家族が納得する死」「臨終時に家族に見守られた死」を望ましい死の迎え方だととらえていることを明らかにしている．また，戈木・渡会・児玉（2000）は，ターミナル期の子どもをもつ家族への看護師の働きかけに，家族と子どもとの距離を近くして穏やかな死が迎えられるよう「よい看取り」の状況をつくろうとしていたことを明らかにしている．これらの研究からend of life careにかかわる看護師は「よい看取り」をケアのゴールとして見据えアプローチしていることが明らかになっている．また，看護師は仕事の評価をよい看取りができたかどうかで評価し，よい看取りの場合には肯定的感情を，そうならなかった場合は否定的感情を抱いていることも指摘している．

そうしたなか，宮下ら（Miyashita, Sanjo, Morita, Hirai & Uchitomi, 2007）は，good deathは文化的背景や医療システムの違いを考慮する必要があるとして，日本で使用できる実践的評価指標として平井ら（Hirai, Miyashita, Morita, Sanjo & Uchitomi, 2006）が行った質的研究から抽出された日本人のgood death（望ましい死）の要素57項目に関して全国規模の量的研究を行った．その結果，「日本人が共通して重要だと考える『望ましい死』」を10項目同定し，さらに「人によって重要さが異なる『望ましい死』」を8項目同定した（表8－1）．前者は，end of life careにおいて医療者が実現するよう努力する目標となり，後者は患者の価値や考えが異なることを考慮して個別性を尊重してケアを進めていくことが重要となることを示唆している．さらに，宮下ら（Miyashita, Morita, Sato, Hirai, Shima & Uchitomi, 2008）は，日本人の望ましい死の達成を評価する尺度Good

表 8－1 ●日本人が共通して重要だと考える「望ましい死」

多くの人が共通して大切にしていること	人によって重要さは異なるが，大切にしていること
1. 苦痛がない • 体の苦痛がない • 穏やかな気持ちでいる 2. 望んだ場所で過ごす • 自分が望んだ場所で過ごす 3. 希望や楽しみがある • 希望をもって過ごす • 楽しみになることがある • 明るさを失わずに過ごす 4. 医師や看護師を信頼できる • 信頼できる医師がいる • 安心できる看護師がいる • 話し合って治療を決められる 5. 負担にならない • 家族の負担にならない • 人に迷惑をかけない • お金の心配がない 6. 家族や友人とよい関係でいる • 家族と一緒に過ごす • 家族から支えられている • 家族に気持ちを伝えられる 7. 自立している • 身の回りのことが自分でできる • 意識や思考がしっかりしている • ものが食べられる 8. 落ち着いた環境で過ごす • 静かな環境で過ごす • 気兼ねしない環境で過ごす 9. 人として大切にされる • 「もの」や子ども扱いされない • 生き方や価値観が尊重される • ささいなことに煩わされない 10. 人生を全うしたと感じる • 振り返って人生を全うしたと思うことができる • 心残りがない • 家族が悔いを残さない	1. できるだけの治療を受ける • やるだけの治療はしたと思える • 最期まで病気と闘う • できるだけ長く生きる 2. 自然なかたちで過ごす • 自然なかたちで最期を迎える • 機械につながれない 3. 伝えたいことを伝えておける • 大切な人にお別れを言う • 会いたい人に会っておく • 感謝の気持ちがもてる 4. 先々のことを自分で決められる • 何が起こるかを知っておく • 残された時間を知っておく • 遺言などの準備をしておく 5. 病気や死を意識しない • 普段と同じように毎日を送れる • よくないことは知らないでいる • 知らないうちに死が訪れる 6. 他人に弱った姿を見せない • 家族に弱った姿を見せない • 他人から同情を受けない • 容姿が今までと変わらない 7. 価値を感じられる • 生きていることに価値を感じる • 仕事や家族として役割を果たす • 人の役に立っていると感じる 8. 信仰に支えられている • 信仰をもっている • 自分を超えた何かに守られているように感じる

Miyashita, M., Sanjo, M., Morita, T., Hirai, K., & Uchitomi, Y. (2007). Good death in cancer care : A nationwide quantitative study. *Ann Oncol, 18*(6), 1090-1097. より引用

Death Inventory（GDI）（表 8－2）を開発した．この尺度はすでに妥当性と信頼性が検証されており，今まで日本には遺族用の評価尺度としてケアの構造・過程を評価する CES（Care Evaluation Scale）しか存在しなかったが，新たにアウトカムを評価する尺度が開発されたことにより，ホスピス緩和ケアを受けた遺族を対象に，その達成度が継続的に調査され（清水，2013），ケアの質評価として使用されている．さらに，日本と台湾，韓国の望ましい死に対する比較研究（Morita, et al., 2015）など，多様な文化や価値を理

表8－2 Good Death Inventory（GDI）

患者様が入院中に（ご自宅で）受けられた医療についてお聞きします.（入院中,）患者様は療養生活をどのようにお感じになられていたと思われますか. もっとも近い番号に○をおつけください

	全くそう思わない	そう思わない	あまりそう思わない	どちらともいえない	ややそう思う	そう思う	非常にそう思う
●[からだや心のつらさがやわらげられていること]							
○患者様は痛みが少なく過ごせた	1	2	3	4	5	6	7
○からだの苦痛が少なく過ごせた（*）	1	2	3	4	5	6	7
○おだやかな気持ちで過ごせた	1	2	3	4	5	6	7
●[望んだ場所で過ごすこと]							
○患者様は望んだ場所で過ごせた（*）	1	2	3	4	5	6	7
○望んだ場所で最期を迎えられた	1	2	3	4	5	6	7
○療養した場所は患者様の意向にそっていた	1	2	3	4	5	6	7
●[希望や楽しみをもって過ごすこと]							
○患者様は希望をもって過ごせた	1	2	3	4	5	6	7
○楽しみになるようなことがあった（*）	1	2	3	4	5	6	7
○ 明るさをもって過ごせた	1	2	3	4	5	6	7
●[医師や看護師を信頼できること]							
○ 患者様は医師を信頼していた（*）	1	2	3	4	5	6	7
○安心できる看護師がいた	1	2	3	4	5	6	7
○医療者は気持ちをわかってくれた	1	2	3	4	5	6	7
●[家族や他人の負担にならないこと]							
○患者様は家族の負担になってつらいと感じていた	1	2	3	4	5	6	7
○人に迷惑をかけてつらいと感じていた（*）	1	2	3	4	5	6	7
○経済的な負担をかけてつらいと感じていた	1	2	3	4	5	6	7
●[ご家族やご友人とよい関係でいること]							
○患者様はご家族やご友人と十分に時間を過ごせた（*）	1	2	3	4	5	6	7
○ご家族やご友人に十分に気持ちを伝えられた	1	2	3	4	5	6	7
○ご家族やご友人から支えられていた	1	2	3	4	5	6	7
●[自分のことが自分でできること]							
○患者様は身の回りのことはたいてい自分でできた（*）	1	2	3	4	5	6	7
○移動や起き上がりが自分でできないつらさは，あまりなかった	1	2	3	4	5	6	7
○トイレや排泄について困ることがなかった	1	2	3	4	5	6	7
●[落ち着いた環境で過ごすこと]							
○患者様は落ち着いた環境で過ごせた（*）	1	2	3	4	5	6	7
○静かな環境で過ごせた	1	2	3	4	5	6	7
○自由で人に気兼ねしない環境で過ごせた	1	2	3	4	5	6	7
●[ひととして大切にされること]							
○患者様はひととして大切にされていた（*）	1	2	3	4	5	6	7
○「もの」や子供扱いされることはなかった	1	2	3	4	5	6	7
○生き方や価値観が尊重されていた	1	2	3	4	5	6	7
●[人生をまっとうしたと感じられること]							
○患者様は人生をまっとうしたと感じていた（*）	1	2	3	4	5	6	7
○充実した人生だと感じていた	1	2	3	4	5	6	7
○こころ残りがないと感じていた	1	2	3	4	5	6	7

	全くそう思わない	そう思わない	あまりそう思わない	どちらともいえない	ややそう思う	そう思う	非常にそう思う
●[できるだけの治療を受けること]							
○患者様はできるだけの治療はしたと感じていた	1	2	3	4	5	6	7
○十分に病気とたたかうことができた	1	2	3	4	5	6	7
○納得がいくまで治療を受けられた（＊＊）	1	2	3	4	5	6	7
●[自然なかたちで過ごせること]							
○患者様は自然に近いかたちで過ごせた（＊＊）	1	2	3	4	5	6	7
○必要以上に機械やチューブにつながれなかった	1	2	3	4	5	6	7
○希望していない治療を無理に受けることがなかった	1	2	3	4	5	6	7
●[伝えたいことを伝えておけること]							
○患者様は大切な人に伝えたいことを伝えられた（＊＊）	1	2	3	4	5	6	7
○会いたい人に会っておけた	1	2	3	4	5	6	7
○まわりの人に感謝の気持ちを伝えられた	1	2	3	4	5	6	7
●[先ざきのことを自分で決められること]							
○患者様は先ざきに起こることを詳しく知っていた（＊＊）	1	2	3	4	5	6	7
○自分が参加して治療方針を決められた	1	2	3	4	5	6	7
○医師から予想される経過や時間（余命）を知らされていた	1	2	3	4	5	6	7
●[病気や死を意識しないで過ごすこと]							
○患者様は病気や死を意識せずに過ごせた（＊＊）	1	2	3	4	5	6	7
○病気や死を意識せず，なるべく普段に近い毎日を送れた	1	2	3	4	5	6	7
○病状について，知りたくないことは聞かずにいられた	1	2	3	4	5	6	7
●[他人に弱った姿を見せないこと]							
○患者様は他人に弱った姿をみせてつらいと感じていた（＊＊）	1	2	3	4	5	6	7
○容姿がかわってしまい，つらいと感じていた	1	2	3	4	5	6	7
○他人から同情やあわれみをうけてつらいと感じていた	1	2	3	4	5	6	7
●[生きていることに価値を感じられること]							
○患者様は仕事や家族としての役割を果たせた	1	2	3	4	5	6	7
○人の役に立っていると感じられた	1	2	3	4	5	6	7
○生きていることに価値を感じられた（＊＊）	1	2	3	4	5	6	7
●[信仰に支えられていること]							
○患者様は信仰に支えられていた（＊＊）	1	2	3	4	5	6	7
○信仰に従って過ごすことができた	1	2	3	4	5	6	7
○自分を越えた何かに守られていると感じられた	1	2	3	4	5	6	7

（＊）短縮版のコア10項目
（＊＊）短縮版のオプショナル８項目

【GDIの使い方】

GDI（宮下，2008）には，①全項目での使用，②ドメインごとの使用，③短縮版の使用の３つの使用法がある．全項目での使用に関しては，コア10ドメインのみの使用でもかまわない．短縮版に関しては，18項目全部を用いる，コア10項目のみ，オプショナル8項目のみ，単項目での使用などが可能である．GDIの得点方法は原則としてドメインごとに得点を合算する．全項目の得点を合算する場合には「家族や他人の負担にならないこと」「他人に弱った姿を見せないこと」を逆転項目として計算する．これは短縮版でも同様である．GDIの項目の文章を変更することはできないが，教示文はセッティング（一般病棟，緩和ケア病棟，在宅など）に合わせて変更してもかまわない．GDIのサンプルと得点方法の詳細はGDIのホームページ（http://www.gdi.umin.jp）に掲載されている．GDIの使用にあたり，許諾は必要なく誰でも自由に使用することができる．

解するためにも使用されている．

 理論の看護実践での活用

peaceful end of life，good death は end of life care の対象となる患者（高齢者，特に治癒の見込みがない病い，あるいは死を脅かす病いをもつ患者）に対して適用となるだろう．

まず，good death のモデル（図8－1，2）に沿ってケアを進め評価を行うことでわれわれの医療が患者にとって適切であるのかの評価指標となる．日常のケアのなかで患者の good death を達成するために，それぞれの項目に沿ってケアが適切に実施されているかを評価していくことができる．

また，GDI を使用することによって，死を目前にした患者の希望や価値，その希望や価値がどの程度かなえられているかを評価することができる．この尺度に沿ってチームで話し合うことでケアにかかわる医療スタッフ間，医療スタッフと患者間の価値観の違いやバイアスを知る手がかりとなる．また，入院時のインテーク面接時に，この尺度を使用しながら患者が大切にしている考えや価値について話し合う手段とするのもよいであろう．たとえば，終末期に起こる耐えがたい身体的・精神的苦痛に対してはガイドラインに沿って鎮静を実施する場合があるが，鎮静の希望には「しっかりものを考えられること」「死に対する準備をしておくこと」「苦痛がないこと」など望ましい死にとって何が重要であると考えるかが関係している（Fainsinger, Nunez-Olarte & Demoissac, 2003；Morita, Hirai & Okazaki, 2002）ため，患者個々によって希望は異なると考えられている．鎮静の意思決定の参加について一般市民を対象とした調査では，意識が低下することやコミュニケーションができなくなることについて，85％の人が明確に知りたいと述べたが，実際に意思決定に参加したのは約半数であったという報告もある（Morita T, Hirai K, Okazaki T，2002）．このように，患者が何を望んでいるのかについて，可能な限り患者と話し合いを重ね，患者と家族，医療者でゴールを共有していくことで個別性のあるケアを実践できると考えている．また，行ったケアを適切に評価することによって，患者だけでなく医療者のストレスや不安が軽減されることにもつながる．

さらに GDI を使用し継続的に遺族調査を実施することで，緩和ケアサービスの質，end of life care の内容を評価することができ，補うべき項目については教育・研修体制を整えることで質の保証をすることができると考える．

peaceful end of life を達成するための構成因子は，「苦痛がないこと」「安楽であること」「尊重されていること」「穏やかであること」「自分にとって大切な人が近くにいると感じられること」から構成され，それを達成するための介入が示されているため，これらのケアが適切に実施できているか，ケアの質評価として使用できるであろう．

臨床での活用の実際

1 事例紹介

Aさんは70代前半の女性．体調不良で受診したところ腎臓がん，肺転移，脳への多発転移と診断される．Stage Ⅳの進行がんのため原発がんに対する抗がん治療は不可能な状態であった．本人の希望で病状は全て伝えられた．脳転移により痙攣などの症状が出現する可能性があったため，予防のため放射線治療を行うよう医師より提案されたがAさんは熟考ののち，「治療はしないと決めた．私は生半可な生き方はしてこなかったのでこの病気とも闘っていける気がする．そう思うとなんだか楽しみになってきた」「入院はしない．このまま家で過ごしたい．息子が建ててくれた新築のこの家に住みたい」とすべての治療を拒否し在宅での療養を希望した．

1）家族背景

長男家族と2世帯住宅で同居．夫は2年前に胃がんで死去．がんの診断後から次女が介護のためAさん宅に同居している．

2）生活背景

20歳でA家に嫁ぎ一男三女を授かった．「お金に苦労して働きどおしの人生だった．人に騙された経験があり人は信頼していない，友達もいない，信頼できるのはお金だけ」と話されていた．

3）経　過

訪問看護，訪問診療などの社会資源を利用し療養生活をスタートさせた．在宅療養を継続させるためにも，身体症状の緩和を最優先事項としてケアを行った．呼吸困難，倦怠感，視野狭窄，嚥下困難などの症状の出現に備えて，家族や本人が対処できるよう薬剤の準備と対処法の指導を丁寧に行い，薬剤を変更した場合は，その後のフォローのために電話連絡を入れ，薬剤効果をアセスメントしモニタリングを行い，症状緩和と不安の軽減に努めた．

また，本人に対するケアと同時に，家族の予期悲嘆に対するケアも行った．長男は，近いうちに母を失うという予期悲嘆の感情を，母に対する否定感情や怒りという形で表出した．そのことによりAさんと長男との間に気持ちの溝ができ，両者の関係の修復が必要であった．また，Aさんの介護のために同居をした次女は，幼いときに母から十分に愛情を注がれなかったという思いを抱き，その感情をAさんに吐露し関係の再構築を試みるが，言葉と気持ちが噛み合わず，両者にすれ違いが起きていた．そのため，長男とAさんの関係をつなぐようなかかわりも必要であった．

Aさん自身は，進行がんと告げられたが「病気のことは考えないようにしている」と，病気のことには触れようとせず否認する時期が続いた．相続のことなど整理が必要であったが，息子からその話をもちかけられると「早く死ねばいいと思っているのか」と息子を拒絶するようになった．また，次女に対しては母親らしいことを何もしてあげられなかったという自責と後悔の気持ちがあったが，それを言葉にはできずにいた．

看護師は，週に2回の訪問看護でAさんと家族にかかわり信頼関係を構築することに努めながら，①症状の出現している意味を説明しセルフケアを促す，②病気を否認する気持ちを受容する，③Aさんの家族に対する思いや考えを傾聴し，明確化しAさんと共有する，④Aさんと家族の悲嘆に対する情緒的サポート，⑤Aさんと家族とのつながりの強化，⑥未完の課題を達成できるようなサポートを行った．その結果，Aさんは，謝罪や感謝の気持ちを少しずつ家族に伝えるようになった．家族との外出・外食，家族との誕生日会，長男とのA家のルーツをたどる2泊3日の旅など家族との時間を大切に過ごした．また，残された家族のために遺言書も作成した．診断時は予後3か月と推定されたが，診断から約10か月，自宅で療養生活を続け自宅で最期を迎えることができた．

2 理論に照らしてのアセスメントと援助のポイント

Peaceful end of lifeを達成するために，5つの構成因子とその内容に対して，十分にケアが実施できているかをチェックし評価する．各因子が達成されていない場合は，ケアが十分か，不十分な点がないかケアを見直していく．

3 活用例

peaceful end of lifeの構成因子に沿ってAさんのエンドオブライフを整理してみる（図8－3）．

1）苦痛がないこと（「苦痛緩和の管理とモニター」「薬物療法と非薬物療法の実施」）

Aさんの場合は肺転移による呼吸困難が出現することが予測され，悪化すると在宅療養の継続が困難になるため，重点的に症状緩和を行う必要があった．呼吸困難はいったん出現すると死の恐怖と直結しパニック発作を起こし，その経験がさらに呼吸困難を悪化させるといった悪循環になる．そのため，呼吸困難を起こさないよう予防が重要となる．日常生活動作による負荷と呼吸困難の程度，酸素飽和度のモニタリング，薬剤調整後の電話による評価などを実施した．また，呼吸困難の程度に応じてモルヒネと抗不安薬を調整した．さらに，呼吸困難を出現させないよう生活動作の注意，室温の調整，体位などのセルフケア方法を指導した．また，倦怠感に対しては，薬物療法としてステロイドを開始するタイミングをアセスメントし調整した．また，日常生活上のエネルギーの使い方，休息の入れ方などを指導した．

2）安楽であること（「身体の不快を取り除くための予防とモニタリング」「休息，リラクセーション，落ち着きを促す」「合併症の予防」）

視野狭窄があったため，生活のなかで危険がないように注意する，Aさんのペースで過ごすことができるようにすること，お洒落が好きなAさんであったため化粧をして過ごす，好きな洋服を着て過ごすことを提案した．また，肺炎予防のために口腔ケアを指導し合併症を予防した．

3）尊重されていること（「患者と重要他者を含めた意思決定」「共感，尊重，尊厳をもって対応する」「患者のニーズ，望みや好みに積極的に関与する」）

Aさんはこれまで何でも自分で解決してきた，人には頼りたくないという気持ちが強かったため，病状の説明，薬剤の使用方法など病状が進行した際も，基本的に全てAさ

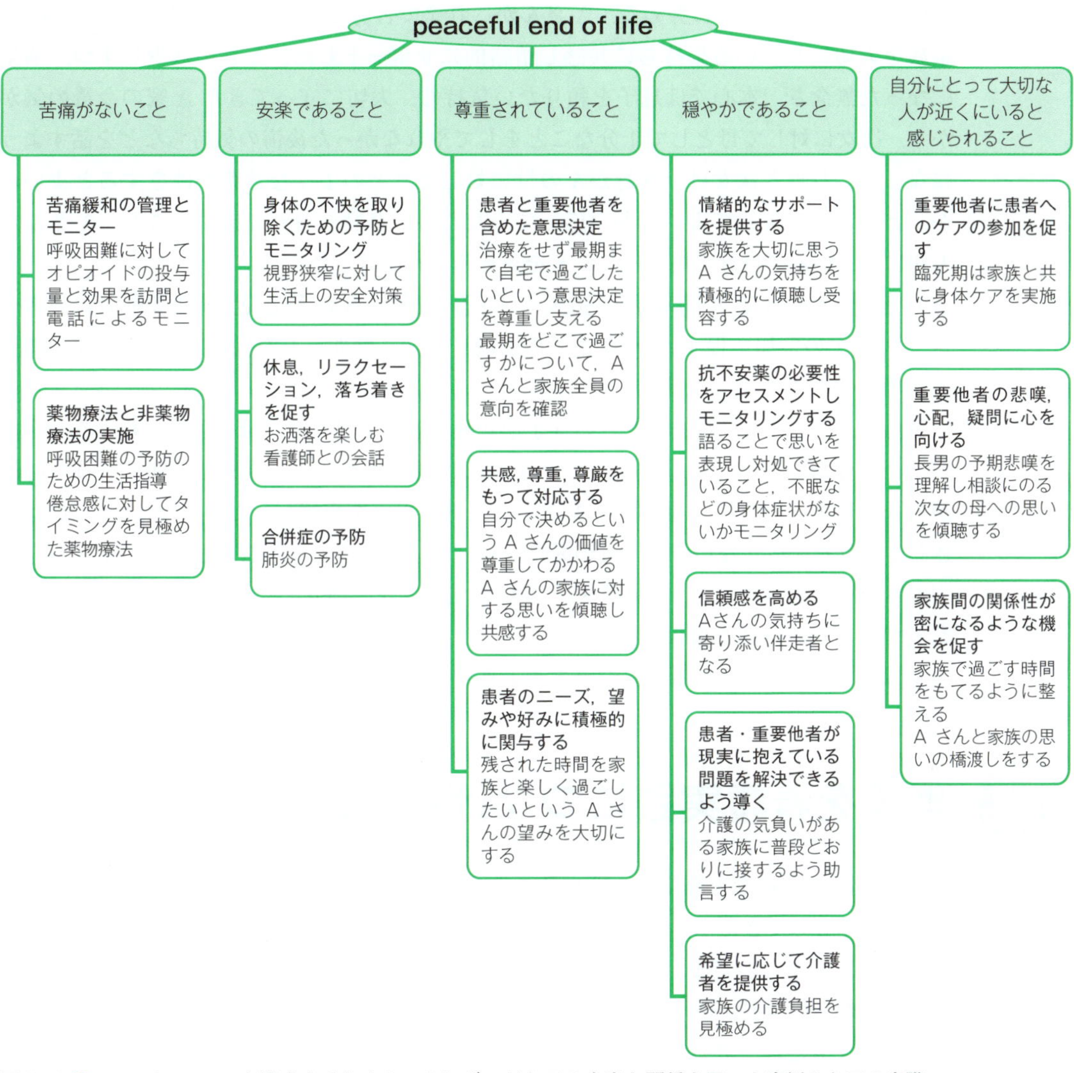

図 8－3 ● peaceful death を達成するためのスタンダードケアの内容と関係を用いた事例のケアの実際

んに説明し自分自身で対処できるように工夫した．また，放射線治療は受けず自宅で最期まで過ごしたいという A さんの望みを尊重し，それがかなえられるように在宅療養生活が継続できるよう社会資源を整えた．最期に過ごす場所については，本人と家族全員に意向を確認し，急変があった場合でも救急車は要請せず自宅で最期まで過ごすことを確認した．

4）穏やかであること（「情緒的なサポートを提供する」「抗不安薬の必要性をアセスメントしモニタリングする」「信頼感を高める」「患者・重要他者が現実に抱えている問題を解決できるよう導く」「希望に応じて介護者を提供する」）

診断時に進行がんと告げられた A さんであったが，“病気のことは考えないようにしている”と病気を話題にすることなく，自分の生い立ちや世間話をするのみであった．看護師は A さんの病気を否認する心理状態を尊重し，意図的に世間話などをし，A さんと信頼関係を構築することに努めた．A さんがこれまで苦労して生きてきた生活に耳を傾け，家族を大切にしている気持ちに共感し情緒的にサポートした．A さんは少しずつ，病気になった無念さ，本心では息子を頼りたい気持ち，大切に守ってきたA家の今後の気がかり，次女に対して母として十分なことをしてやれなかった後悔の気持ちなどを話すようになった．長男と次女は，進行がんの母に対して，どのような言葉かけをするとよいのか，どのように接してよいのか戸惑っていたため，普段どおりに接すること，A さんが大切にしている“自分で決める”ことを支えるよう助言した．

5）自分にとって大切な人が近くにいると感じられること（「重要他者に患者へのケアの参加を促す」「重要他者の悲嘆，心配，疑問に心を向ける」「家族間の関係性が密になるような機会を促す」）

長男は，近いうちに母を失うという予期悲嘆の感情を怒りや，母をさげすむような否定感情という形で表出した．そのことで A さんは孤立感を強め，長男との間に気持ちの溝ができてしまったため，看護師が A さんと長男の思いを橋渡しした．次女は，「母にはやさしくされた記憶がない」と，母の愛情を確認しようとするが，言葉と気持ちが噛み合わずすれ違いが起きていた．そのため，互いの気持ちを言語化し，思いをつなげた．また，家族で過ごせる時間を確保するなどを行った．臨死期が近くなったときに家族が A さんの身体ケアに共にかかわることができるようにした．

H　理論を看護実践につなげるために

good death の概念と枠組み，歴史的な背景，研究の動向，臨床での活用の可能性を私見を含め紹介してきたが，欧米で研究されてからの歴史も20年余りと短く，日本においては2008年に日本人の望ましい死が調査されたばかりであり，看護実践につなげるためには，これからの発展が期待される．

ルーランドとムーアの peaceful end of life を導くスタンダードケアの枠組み（Ruland & Moore, 1998）は，ケアの評価に活用できる．ただし，各項目が一般的であり具体的に何をどのようにアセスメントするべきかがわかりにくい．GDI については，今後，遺族調査などによってがんの終末期ケアだけではなくすべての end of life care の対象者に適用できるが，その結果をもとに看護実践を変化させていく必要があるため，今後は good death を達成する具体的なケアのモデルを実践のなかから研究し示していくことが必要である．また，言うまでもなく死は生の延長線上にあるため，good death を達成するにはどの時期から介入するべきなのか，使用できる対象はどのような対象なのか，その範囲を検討していくことも課題である．

文　献

Curtis, J.R., Patrick, D.L., Engelberg, R.A., Norris, K., Asp, C., & Byock, I. (2002). A measure of the quality of dying and death. Initial validation using after-death interviews with family members. *J Pain Symptom Manage, 24*(1). 17-31.

Emanuel, E.J., & Emanuel, L.L. (1998). The promise of a good death. *Lancet, 351*, Suppl 2, SII21-29.

Fainsinger, R.L., Nunez-Olarte, J.M., Demoissac, D.M. (2003). The cultural differences in perceived value of disclosure and

cognition : Spain and Canada. *J Palliat Care, 19*, 43-48.
Hirai, K., Miyashita, M., Morita, T., Sanjo, M., & Uchitomi, Y. (2006). Good death in Japanese cancer care : A qualitative study. *J Pain Symptom Manage, 31*, 140-147.
川村三希子，高田麻依子，平典子（2004）．緩和ケアに携わる看護師のサポートシステムの構築に向けて―アクションリサーチによる取り組み．平成16年度笹川医学医療助成研究報告書．
Kehl, K.A. (2006). Moving towards peace : An analysis of the concept of a Good death. *Am J Hosp & Palliat Care, 23*(4). 277-286.
Kristjanson, L.J., McPhee, I., Pickstock, S., Wilson, D., Oldham, M., & Martin, K. (2001). Palliative care nurses' perceptions of good and bad deaths and care expectations : A qualitative analysis. *Int J Palliat Nurs, 7*(3), 120-139.
松下哲，稲松孝男，橋本肇（1997）．高齢者・終末期医療における日本の現状．*Geriatric Medicine, 35*, 1517-1522.
宮下光令（2008）．遺族の評価による終末期がん患者のQOL評価尺度（GDI）．緩和ケア編集委員会編集．臨床と研究に役立つ緩和ケアのアセスメント・ツール．75-78.
宮下光令（2008）．臨床と研究に役立つ緩和ケアのアセスメント・ツール．ケアの質遺族の評価による終末期がん患者のQOL評価尺度（GDI）．緩和ケア，*18*(10)．suppl，79-83.
宮下光令，橋本修二，河正子，小島通代（1999）．末期医療に対する一般集団と医療従事者の意識．日本公衛誌，*5*(46)，391-400.
Miyashita, M., Sanjo., M, Morita, T., Hirai, K., Uchitomi, Y. (2007). Good death in cancer care : A nationwide quantitative study. *Ann Oncol, 18*(6), 1090-1097.
Miyashita, M., Morita, T., Sato, K., Hirai, K., Shima, Y., & Uchitomi, Y. (2008). Good death inventory : A Measure for evalitaion good death from the bereaved familiy member's perspective. *J Pain Symptom Manage, 35*(5), 486-498.
Morita, T., Hirai, K., & Okazaki, T. (2002). Preferences for palliative sedation therapy in the Japanese general populations. *J Palliat Med, 5*, 375-385.
Morita, T., Oyama, Y., Cheng, S.Y., Suh, S.Y., Koh, S.J., Kim, H.S., Chiu, T.Y., Hwang, S.J., Shirado, A., Tsuneto, S.. (2015). Palliative care physicians' attitudes toward patient autonomy and a good death in east asian countries. *J Pain Symptom Manage, 50*(2): 190-199.
O' Neil, R. (1983). Defining "a good death" *Appl philos,1*(4). 9-17.
Patrick, D.L., Engelberg, R.A., & Curtis, J.R. (2001). Evaluating the quality of dying and death. *J Pain Symptom Manage, 22*(3), 717-726.
Payne, S.A., Langley-Evans, A., & Hillier, R. (1996). Perceptions of a 'good' death : A comparative study of the views of hospice staff and patients. *Palliat Med, 10*(4), 307-312.
Piason,C.M., Curtis, J.R., & Patrick, D.L. (2002). A good death : A qualitative study of patients with advanced AIDS. *AIDS Care,14*, 587-598.
Ruland, C.M. (1999). Decision support for patient preference-based care planning : Effects on nursing care and patient outcomes. *JAMIA, 6*, 304-312.
Ruland, C.M., & Moore, S.M. (1998). Theory construction based on standards of care : A proposed theory of peaceful end of life. *Nurisng Outlook, 46*(4), 169-175.
戈木クレイグヒル滋子，渡会丹和子，児玉千代子（2000）．「よい看とり」の演出―ターミナル期の子どもをもつ家族へのナースの働きかけ．日本看護科学学会誌，*20*(3)，69-79.
Schwartz, C.E., Mazor, K., Rogers, J., Ma, Y., & Reed, G. (2003). Validation of a new measure of concept of a good death. *J Palliat Med, 6*(4). 575-84.
清水恵（2013）．望ましい死の達成度.遺族によるホスピス緩和ケアの質の評価に関する研究２．
<http://www.hospat.org/assets/templates/hospat/pdf/j-hope/J-HOPE2_2_2.pdf> [2023, May 20].
Singer, P.A., Martin, D.K., & Kelner, M. (1999). Quality end-of life care: Patients' perspectives. *JAMA, 281*, 63-68.
Steinhauser, K.E., Clipp, E.C., McNeilly, M., Christakis, N.A., McIntyre, L.M., & Tulsky, J.A. (2000). In search of a good death : Observations of patients, families, and providers. *Ann Intern Med, 132*(10), 825-832.
Steinhauser, K.E., Christakis, N.A., Clipp, E.C., McNeilly, M., McIntyre, L., & Tulsky, J.A. (2000). Factors considered important at the end of life by patients, family, physicians, and other care providers. *JAMA, 284*(19), 2476-2482.
Steinhauser, K.E., Clipp, E.C., Bosworth, H.B., McNeilly, M., Christakis, N.A., Voils, C.I., & Tulsky, J.A. (2004). Measuring quality of life at the end of life: Validation of the QUAL-E. *Palliat Support Care, 2*(1), 3-14.
Swartz, R.D., & Perry, E. (1993). Advanced directives are associated with "a good deaths" in chronic dialysis patients. *J Am Soc Nephol, 3*, 1623-1630.
Teno, J.M., Clarridge, B., Casey, V., Edgman-Levitan, S., & Fowler, J. (2001). Validation of toolkit after-death bereaved family member interview. *J Pain Symptom Manage, 22*, 752-758.
内布敦子（1996）．終末期がん患者の看護援助について―peaceful deathを導く患者看護婦関係．がん看護，*1*(2)，160-164.
WHO (2002). Definition of Palliative Care.
<http://www.who.int/cancer/palliative/definition/en/> [2023, May 20].
吉田みつ子（1999）．ホスピスにおける看護婦の「死」観に関する研究 "良い看とり" をめぐって．日本看護科学学会誌，*19*(1)，49-59.

看護のアセスメントと援助に関する理論

9 協働的パートナーシップ理論

理論との出会い

協働的パートナーシップ（collaborative partnership）という概念は，保健医療専門職と医療サービスを受ける側の関係に関する考え方の主流として受け入れられてはいるものの，現場でいかに実践するかを実際に説明することができる者はほとんどいない（Gottlieb, Feeley & Dalton, 2006　吉本監訳，2007）といわれてきた．

近年，意思決定支援や共同意思決定（shared decision making：SDM）の重要性がより叫ばれるようになった．看護における様々な対象者が，真に望む生活や達成したいと考えていることを共有し，協働的パートナーシップに基づく実践を積み重ねることは，看護において不可欠である．

筆者の臨床経験においても，対象者と看護師が共に歩む姿勢が大切だと感じる場面は多々あった．しかし実際には，望ましい協働のあり方に確信がもてないまま，手探りで試行錯誤を続けるばかりであった．実践上の指針が見つからないことで悩み，この迷いを同僚と共有する手がかりもなく，随分もどかしい思いをした．同じような思いをもつ読者がこの理論を活用し，協働的パートナーシップ理論の共通理解のもと，対象者と共に歩む実践につながることを願っている．

B 理論家紹介

ローリー・ゴットリーブ（Laurie N. Gottlieb）は，マギル大学イングラム看護学部の教授であり，フローラ・マデリン・ショー看護学講座の教授でもある．また，ユダヤ総合病院の看護学におけるスカラーインレジデンスでもある．ゴットリーブは，看護学修士と発達心理学博士の学位を取得し，1995年～2000年までマギル大学の看護学部長および医学部副学部長を務めた．1992年～2013年まで，*Canadian Journal of Nursing Research*（CJNR）誌の編集長を務め，2014年には，強みに基づく看護とヘルスケアのための国際研究所を設立，その共同責任者に就任した．

現在は，看護における実践，リーダーシップ/マネジメント，教育のためのアプローチとして，強みに基づく看護の発展に重点的に取り組んでいる．強みに基づく看護は，看護とは何であるか，看護師が健康と回復という社会的使命をいかに果たすべきかというゴットリーブの思考の進化の結果である．強みに基づく看護は，協働的パートナーシップすな

168

キー概念

□**力を分かちもつこと（power sharing）**：看護師および対象者が共に検討課題を定め，患者の現状に最適な行動計画を策定し，その計画を実施する作業に一緒に取り組むような相互関係の状態．

□**開放性（openness）**：対象者との関係を発展させようとする積極的な意思．対象者と情報や意見，考え方を伝え合い，相手が言わんとすることに耳を傾けること．何か新しいことを経験，開始，学習しようとする前向きな態度．

□**尊重（respect）**：協働的パートナーシップを成功させるために非常に重要なものであり，パートナー双方の役割および責任の尊重を意味する．

□**価値判断しないこと（nonjudgmental）**：対象者の信条や価値観，行動様式，物事の考え方を許容し理解すること．対象者および彼らの行動が看護師自身の価値基準からみて逸脱していても，それを批判したりとがめたりしないこと．

□**曖昧さ（ambiguity）**：協働的パートナーシップでは，看護師と対象者という2人の人間によって決定が下されるため，予測できない要素が多い．協働では，看護師は対象者と共に，ある一定期間，不確かで曖昧な状態に耐える必要がある．

□**内省（reflection）**：協働的パートナーシップにおいて，看護師，対象者双方が自分を見つめる作業のこと．看護師と対象者の交流に関して継続的な内的点検およびモニタリングを行い，自己認識および他者認識に努めること．両者の協働関係の動態および一方の行動がもう一方のパートナーに与える影響などについて考えることがあげられる．

わちマギル看護モデルの要素を，発展，拡張，および再概念化し，個人と家族の看護への実際的な取り組みを実現するものである．ゴットリーブの著書『Strengths-based nursing care: Health and healing for person and family』は，2013年の*American Journal of Nursing*の看護教育/継続教育分野で年間最優秀賞を受賞した．

ナンシー・フィーリー（Nancy Feeley）は，マギル大学イングラム看護学部の教授で，ユダヤ総合病院看護研究センターの主任研究員，およびレディデイビス医科学研究所のプロジェクトディレクターである．看護学修士，博士の学位を取得し，患者・家族中心のケアにおける教育と革新を目的として設立されたThe McGill Nursing Collaborativeの委員長を共同で務めている．

理論誕生の歴史的背景

1960年代，カナダでは国民皆健康保険方式が公的資金によって実現し，保健医療供給のための新たなアプローチが実施された．この改革は国民にとってのヘルスケアサービスへの需要の増加を引き起こし，これが看護の役割とサービスを拡充する好機となった．

1970年代に入り，後に『ラロンド・レポート（Lalonde report）』とよばれた『カナダ人のヘルスについての新しい視点』と題したレポートでは，治療中心からヘルスケアへの転換が必要とされ，ヘルスケアへとサービスの焦点が移った（Young & Hayes, 2001　高野・北山監訳，2008）．このレポートでは，健康の概念は大きく4つの要素に分割されると考察し，生物学，ライフスタイル，環境およびヘルスケアの方法がかかわること，また，どんな健康上の問題も4つの要素の1つかそれらの組み合わせに端を発するという考えを提唱した（Lalonde, 1974）．

また同じ頃の1970年代初期，マギル大学のアレン教授は，看護師が患者のニーズ，および特定の状況に即応して協働することの重要性を力説し，状況に即応した看護を，看護師が健康な家族生活と健康的な生活習慣を求める人々のニーズにこたえることと定義した．これは，マギル大学の特徴ある看護といえるものであった（Gottlieb, et al., 2006　吉本監訳，2007）．この後，ゴットリーブらは，対象者が学習過程に積極的に参加することにより，対象者の健康が持続し，強化し，発展することを看護の中核的目標とするマギル看護モデルを開発した（Gottlieb & Rowat, 1987）．このモデルにおける看護のゴールは，「直接的・間接的に家族と協働し，病気のときにあっても対象者の，健康的な機能を維持・強化・開発すること」とされた（Gottlieb & Carnaghan-Sherrard, 2004　高野訳，2004）．

上記の社会的変化および保健医療サービスの考え方の変化を経て，保健医療専門職者と対象者の従来の関係に代わる取り組み方を導入する必要性が生じた．オーストラリアやカナダ，英国，米国など多くの国々の医療システムにおいて，協働的パートナーシップが支持されたが，その背景には以下の6つがあげられる（Gottlieb, et al., 2006　吉本監訳，2007）．

①消費者運動と患者の権利の要求．
②プライマリヘルスケアとヘルスプロモーションの原則．プライマリヘルスケアの重要原則の一つは，サービス利用者の治療への参加であり，重要な前提は，専門職者と人々との協働である．
③健康情報を得る機会の拡大．
④看護および看護実践に関する考え方の倫理的な変化．
⑤病院看護から在宅看護への移行．
⑥人がどのように変わるかに関する新たな知見の登場．人の行動を効果的に変えるには，実行計画を立案する過程で，本人が中心的役割を演じる必要がある．また人は，他人が下した決定よりも自分の決定に対して責任ある行動をとることが多い．

D 協働的パートナーシップ理論とは

協働的パートナーシップは，カナダのモントリオールにあるマギル大学で開発されたマギル看護モデルにおける「患者と看護師の関係の本質（The nature of the relationship is a collaborative partnership）」であるといわれている（Gottlieb & Gottlieb, 2007）．マギル看護モデルの実践にあたり，中核となるアプローチが協働的パートナーシップといえるだろう．

マギル看護モデルのケアの焦点について，ゴットリーブらは，「マギル看護モデルにおいては，『家族看護（family nursing）』より『家族を看護すること』にケアの焦点を置く．（中略）『家族を看護すること』とは，看護師に『特に家族に関心を払ってかかわること（family-minded）；家族志向』を求めるものだとする」と述べ，この実践により，「対象者の対応や反応が，家族の関係性に影響されていることに気づく」という（Gottlieb, et al., 2004　高野訳，2004）．

以下，本項では，協働的パートナーシップにおける相手方のパートナー（原文ではperson）を，対象者とよぶことにする．

本項では，『協働的パートナーシップによるケア―援助関係におけるバランス』（Gottlieb, Feeley & Dalton, 2006　吉本監訳，2007）と，『The collaborative partnership approach to care : A delicate balance』（Gottlieb, Feeley & Dalton, 2006）の内容に基づいて解説する．

1 協働的パートナーシップの定義と特徴

協働は，一般的に，「知的活動において共にかかわり合うことを重視する一連の過程」と定義される（Henneman, Lee & Cohen, 1995）．一方，ヘルスケアの分野においては，「各専門職独自の性質と能力を重んずると同時に，患者の健康および疾病からくるニーズを満たすこととして表された目標に関する共通理解と意思決定過程」と定義されている（Henneman, et al., 1995）．

ゴットリーブらは，協働的パートナーシップを「すべてのパートナーの積極的な参加と合意をもとに進む流動的な過程をとおして，患者中心の目標を追求するものである」（Gottlieb, et al., 2006　吉本監訳，2007）と定義した．

協働的パートナーシップは一連の過程であり，その状況と時機（機会，チャンス，何かをするのに最もよいとき）に応じて決定権や責任，分担は変化する．その過程では，対象者をはじめとして家族，看護師（およびあらゆる専門職者）といったすべてのパートナーが，互いのもてる能力・経験・知識などを十分に発揮したうえで積極的に参加することが原則である．また，常に患者中心の目標を追求するが，それはパートナーすべての共通理解や合意が必要である．

協働的パートナーシップの関係性は，看護師（およびあらゆる専門職者）が専門的知識を有していると自認する一方，ケアに関する意思決定や進め方を計画する過程で重要となる独自の知識を対象者自身が有すると認めていることが前提となる（Gottlieb, et al., 2006　吉本監訳，2007）．

ゆえにその権力の構造は，上下関係というより対等である（Gottlieb, et al., 2006　吉本監訳，2007）．

2 協働的パートナーシップの基本要素

ゴットリーブらは，協働的パートナーシップの基本要素として，次に述べる5つをあげ，各々の要素は単独に機能するわけではなく，相互に強く関連し合うとしている（Gottlieb, et al., 2006　吉本監訳，2007）．

1）力を分かちもつこと

力を分かちもつことが協働的パートナーシップの核であり，明白な特徴である．真に力を分かちもつには，対象者をはじめとした家族，看護師が「自分たちの見解を伝え合うところから一歩踏み出して，一緒になって意思決定すること」が必要である（Gottlieb, et al., 2006　吉本監訳，2007）．

これは単に，常に同等の力を分け合うという意味ではない．流動的に変化する対象者の状況，要望，身体的・精神的状況などに合わせてすべてのパートナーが意思決定に参画し，ケアや目標に対する責任を負うということである．

力を分かちもつことの前提として2つの条件がある．まず，力を分かちもつことの重要性と有用性をパートナー双方が信じることである．両者一丸となって取り組むことが対象者への最適な看護の提供につながり，対象者自らが望む範囲でケアに参加することで充足感が得られると信じる姿勢が必要である．もう一つは，パートナーそれぞれが自分にも何か貢献できることがあり，「協働から何かを得ることができると信じること」である（Gottlieb, et al., 2006　吉本監訳，2007）．

2）心を開き尊重すること

開放性は協働的パートナーシップにおいて要であり（Gottlieb, et al., 2006　吉本監訳，2007），適切な計画を成し遂げる秘訣といえる．開放性には3つの側面がある．第1の基本的側面は，パートナー双方が相手と関係を構築したいと望む前向きな姿勢である．第2の側面は，パートナー双方が進んで自分の情報，考えおよび見解を相手に伝え，相手の意見に耳を傾けることである．第3の側面は，試すことや変わること，新しいことを学ぶことに前向きな態度である．開放性と尊重には密接な関係があり，互いの役割と責任，および互いの能力に対する尊重が協働的パートナーシップの重要な要素である．

3）価値判断せずに受容的であること

価値判断しないこととは，パートナー双方が相手の信念，価値観，行動，見解に寛容な態度を示すことである．看護師の立場からいえば，対象者のことや，その行動を批判したりとがめたりしないということである．ただし，これは看護師が対象者とは異なる信念，価値観，意見をもたないということではない．看護師には，対象者の見解，背景，習慣を理解するよう努める姿勢が大切ということである．

4）曖昧さを受け入れること

協働的パートナーシップでは，対象者と協働して問題点を明らかにし，取り組みの方向性を定めるほか，成し遂げるべきことの決定などにさらに多くの時間を費やす必要があると看護師が感じることがある．しかし，看護師自身も数々の予期せぬ出来事に出会い，さらに看護師が協働しようとする対象者の多くは病気に対処している状態にある．病気を受け止めて生きていくことは，たとえ予測されることであろうと不測の事態であろうと，多くの出来事に対処しなければならないということである．つまり，パートナー双方は，先々状況がどのように展開するのか必ずしもわかっているわけではないため，ある期間不確かで予測不可能な状態に耐え，この過程には時間と根気が必要であることを理解する必要がある．よって，看護師も対象者も柔軟で融通のきいた対応が不可欠となる．

5）自己認識と内省

協働的パートナーシップには，自分の考えや思いをパートナーと分かち合うこと，問題解決，話し合い，意思決定などを行う多くの過程がある．どの段階においてもパートナーそれぞれのニーズ，検討課題，目標，見解，好みの微妙なバランスをとることが必要となる．パートナー双方が，自分自身，そして互いを理解し合い，相手の見方で状況を把握することができればバランスはうまく保たれるだろう．つまり，自己認識とともにパートナーを認識することが必要である．また，協働の関係において，進行中のものは絶えず変化していくので，その状態を理解し，継続的に観察することが必要となる．

内省とは，専門職者が実践の意味を理解する手助けとなる作業様式のことである．内省は，起こっている出来事に関する自分自身の認識を強め，自分の行動がいかにパートナーに影響を及ぼしているかを理解する助けとなる．内省は，協働的パートナーシップを成功させるために必要不可欠なものである．

3 協働的パートナーシップ螺旋モデル

協働的パートナーシップにかかわる段階や過程を明らかにしたものが，協働的パートナーシップ螺旋モデル（Spiralling Model of Collaborative Partnership，以下，螺旋モデル）である（Gottlieb, et al., 2006　吉本監訳，2007）．マギル看護モデルを用いた地域看護に携わる看護師の実践の検討からできたモデルで，臨床においてどの患者にも適用できるのが特徴である．

螺旋モデルには4つの段階（図9－1）があり，それは相互に関連している．また，どの段階においてもパートナーがそれぞれ別の役割をもち，相互に働きかける役割を担う．なお，螺旋モデルの各段階における看護師の役割については後述する．

このモデルの各段階の目標は，パートナー双方の取り組みが，広く漠然と探索するものから，的を絞ったものになるように（対象者の全体像を見失うことなく）焦点を合わせていくことである．

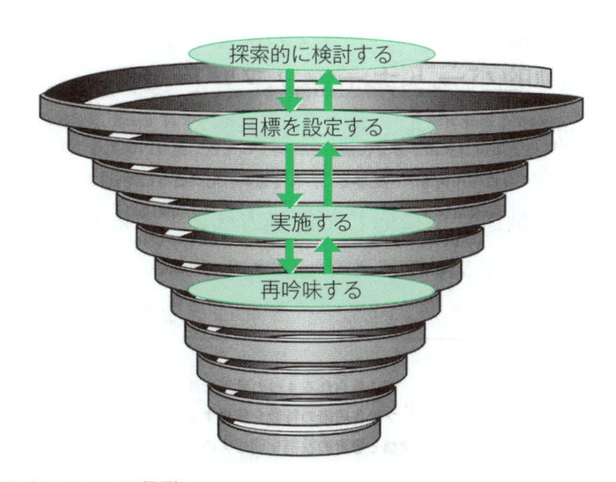

図9－1●協働にみられる4つの段階

Gottlieb, L. N., Feeley, N., & Dalton, C.（2006）／吉本照子（監訳），酒井郁子，杉田由加里（訳）（2007）．協働的パートナーシップによるケア―援助関係におけるバランス．エルゼビアジャパン，66．より転載一部改変（鹿内）

（1）第1段階：探索

協働的に取り組むことを探索し，相互理解を深める段階である．パートナーそれぞれが相手を知ることができるような活動を特徴とする．情報を交換し，信頼関係を築き，問題を打ち明けることによって達成される．

（2）第2段階：目標設定

具体的に実現可能な目標を明確にし，これに優先順位をつけていく取り組みである．

（3）第3段階：実施

協働的パートナーシップの問題解決段階である．この段階では，目標達成に向けた選択肢を考え，計画を実施してみる．

（4）第4段階：再吟味

この段階で，変化をもたらすのに何が役立ったのか，目標達成を可能にしたのは何かを対象者が理解できるようになる．協働的パートナーシップ螺旋モデルにおいて重要な段階である．

4 協働的パートナーシップを形づくる要因

看護師は，協働的パートナーシップを先導して発展させる側に立ち，その雰囲気をつくっていくうえで主導的な役割を担う．そのため，看護師は協働的パートナーシップとその過程において，多岐にわたる要因が影響を及ぼすことを知り，それらは時とともに変動することを覚えておく必要がある．ゴットリーブらは，「良好な協働的パートナーシップを築いていくうえで，時間と時機の重要性を軽視することはできない」と述べている．看護師の役割は，いかなるときもパートナーにうまく「歩調」を合わせ，協働的パートナーシップの条件を最大限にするような時機にあるかどうかをアセスメントすることである（Gottlieb, et al., 2006　吉本監訳，2007，p.83）．

協働的パートナーシップを形づくる重要な要因は4つある．「看護師の個人要因」「対象者の個人要因」「看護師と対象者の関係に起因する要因」「環境，組織および状況による要因」である．

（1）看護師と対象者の個人要因

個人要因は協働的パートナーシップの決め手ともなる大きな要素である．看護師と対象者に影響を及ぼす要因の種類はほぼ同じと考えてよい．

- 何に注意を向け，いかに振る舞うかに影響を及ぼす自らの考え方，および各々の役割はどうあるべきかというパートナーへの期待．
- 対象者の病状や健康状態に応じた対処方法に関する理論的および経験的知識，および協働的パートナーシップについての知識．
- 情報の断片を結びつけ，整理し，重要なことを抽出できる批判的思考技術．
- 最もよく学ぶことのできる，対象者に合うような学習方法の検討．
- 行動を起こす意思，パートナーと積極的にかかわりたい，労力を要しても変化を起こしたいという意思などのレディネス（準備ができていること）．
- 方向性を共有し，合意するために協議するといったコミュニケーションおよび対人関係技術．

・パートナーそれぞれの体力や精神的負担の大きさ，負担を感じる事柄，労力の大きさなどの身体的・精神的要因.

(2) 看護師と対象者の関係に起因する要因

・看護師と対象者との付き合いの長さや親密さ，パートナーに対する信頼感の大きさ，共に経験してきた事柄の種類，初対面のときの状況といった関係の経歴.

・パートナーの能力と性格が，他方が求め期待することと一致するという相性のよさ.

(3) 環境，組織および状況による要因

・看護師と対象者が接する場における医療施設の価値基準，理念，方針，仕事量といった組織風土.

・看護師と対象者が落ち着いて話し合うことができる場所.

研究の動向

協働的パートナーシップすなわちマギル看護モデルの要素が発展した，強みに基づく看護に関連する研究が発表されている．強みに基づく看護における中心的な概念として，協働的パートナーシップが挙げられている.

Silva , Bernardino, and Encarnação（2022）は，ケアの継続性の観点から，産科看護師のケア実践における強みに基づく看護とヘルスケアの要素を質的研究で明らかにした．内容分析の結果として，2つのアプリオリなカテゴリー：“問題解決型看護”と“強みに基づく看護とヘルスケア”からスタートし，“強みに基づく看護とヘルスケア”のカテゴリーで特定された7つのサブカテゴリーは，女性の特異性，パーソンセンタードケア，エンパワーメント，自己決定，学習・準備・タイミング，協働的パートナーシップ，健康増進であることを明らかにしている.

国内では，協働的パートナーシップを活用した介入研究，患者とのかかわりにおける協働的パートナーシップを明らかにする研究，保健師と対象者の関係性の性質に焦点をあて，協働的パートナーシップを明らかにする研究が発表されている.

介入研究として，鹿内・二本柳・野川（2009）は，医療者への不信感を抱き，関係成立が難しかった脳卒中患者に対して，協働的パートナーシップ螺旋モデルの段階に沿って看護上の方略を用いてかかわった結果，パートナー双方で目標を共有し，前進することができたことを報告している．緒方他（2020）は，冠動脈バイパス術後の高齢患者1名に対して，協働的パートナーシップを活用し，目標を設定しながらセルフケアを支援した．対象者は，セルフケア能力を示す数値が改善傾向にあった一方，他者によるモニタリングの必要性の理解に至ったと報告している.

患者とのかかわりにおける協働的パートナーシップの研究として，伊波（2018）は，1型糖尿病患者とのかかわりにおける看護師と患者関係の協働的パートナーシップを，外来での看護面接場面から分析した．情報交換の変化の過程，対処法の内容の変化の過程，信頼関係の形成の過程を明らかにしている.

保健師と対象者の関係性における協働的パートナーシップの研究として，川本・時長

(2017) は，6名の保健師を対象に，生活習慣病の予防を目的とした保健指導における保健師と対象者の協働的パートナーシップを質的研究により明らかにした．その特徴として，「両者の見解を伝え合う土壌づくりがなされていること，両者による決定と決定に対する責任を経験していること，俯瞰的に状況の変化を捉える目が存在すること」の3点があることを明らかにしている．

理論の看護実践での活用

1 協働的パートナーシップ螺旋モデルにおける看護師の役割

パートナー双方は相互に働きかけ，補完し合うという役割をもつが，ここでは螺旋モデルの各段階における看護師の役割を表9－1にまとめる．

2 協働的パートナーシップの指標チェックリスト

看護師と対象者との間で起きていることを筋道立ててアセスメントするために必要なのが，協働的パートナーシップの指標である．看護師は，この指標を用いて協働的にかかわることができているか，対象者と共に取り組むことができているか，調整が必要かどうか，といった継続的観察を関係の全過程で続けていく．

指標は，1つの指標だけで検討されるべきではなく，パートナー間の関係全体と照らし合わせて検討されるべきである．

表9－2に，協働的パートナーシップの指標をあげる．指標チェックリストの内容には実践上の方略も含むので，是非活用していただきたい．

3 アセスメントと援助の枠組み

協働的パートナーシップの臨床での活用の可能性を検討するため，次のようなアセスメントと援助の枠組みを考案した．

まず，協働的パートナーシップがどの段階にあるのかアセスメントする．次に，螺旋モデルにおける看護師の役割をもとに，適切に段階を踏んでいけるように支援する．

4 協働的パートナーシップのアセスメントと援助・評価の手順

①対象者と看護師の関係が現在どこまで進んでいるのか，螺旋モデルのどの段階にあるのかを特定する．この時点で，螺旋モデルの段階が第2段階以降にあることもありうる．

②段階が特定されたら，螺旋モデルにおける看護師の役割（表9－1）に基づき，協働的パートナーシップを促進するように援助する．なお，促進することは必ずしも段階が進むことを意味するわけではない．どの段階にあるかを明確にし，対象者と共有して，その段階に必要なかかわりをもつことが重要である．

③どの段階，状況にあっても指標チェックリスト（表9－2）を用いて，協働的パートナーシップの状態を継続的にモニタリングする．その時々で，必要なかかわりを明確に

表９－１●協働的パートナーシップ螺旋モデルにおける看護師の役割

第１段階 探索	1. 対象者が自らの関心事や心配事を明らかにし，これまでの体験を言葉にするように促す 2. 協働的パートナーシップにおける看護師の役割や援助すべきことについて情報を提供する 3. 看護師は，対象者にとって重大なことや最も懸念していることに取り組む 4. 対象者自身の問題の根底にある真意が明らかになるような手がかりを求めながら，対象者の話を注意深く聴く
第２段階 目標設定	1. 対象者が達成したいとすることをパートナー双方ができるだけ完全な形で理解できるように，話し合いを組み立てる 2. 様々な方略（観察，積極的な聴き取り，意図的な質問，言動の解釈，検証，言い換えなど）を用いて，対象者が意義のある現実的で達成可能な目標を明確にできるように促す 3. 必ずパートナーが話し合い，合意のうえで１つの目標を決める 4. 最も重要で，取り組みによる変化を受けやすく，ある程度の時間があれば解決される可能性が最も高い目標を対象者と共に判断する
第３段階 実施	1. 対象者と共に（もしくは看護師単独でもよい），目標達成のための選択肢が多くなるように，物事を柔軟に考え，進んで新しい見解や方略をできる限り多く検討する 2. どの選択肢を実際に試すのか，対象者が決められるように促す 3. 対象者が自らに最適な行動計画を決める手助けをして，対象者と共に選択肢を１つに絞り込む 4. 計画を遂行するのは主に対象者であることを意識して，力の配分を考える
第４段階 再吟味	1. 計画がどの程度順調に進み，うまくいったのかを再吟味するための時間を設ける 2. 目標が満足できるレベルで達成されたのかどうかを対象者が決められるよう働きかけ，別の問題はないか，あればどの段階に戻ればよいのか共に検討する

Gottlieb, L. N., Feeley, N., & Dalton, C.（2006）／吉本照子（監訳），酒井郁子，杉田由加里（訳）（2007）．協働的パートナーシップによるケア―援助関係におけるバランス．エルゼビアジャパン，78をもとに筆者ら作成（二本栁・鹿内）

し，重点的に取り組む．

④前記②と③の過程を繰り返す．螺旋モデルの第４段階（再吟味）に至ったら，評価し，対象者が次のどの状況にあるかを見極め，必要であれば第１～第２段階に立ち返る．

・対象者が自らの問題に対処する能力を身につけ，看護を必要としない状態になる．
・当初の問題は解決されたが，別の問題，または問題の別の意味，問題の真の意味が明らかになり，パートナー双方がそのことを共通理解したうえで第２段階（目標設定）に立ち返る．
・当初の目標が達成されない．この場合もパートナー双方がそのことを共通理解したうえで第１段階（探索）に立ち返る．
・患者の求めることを達成するために，他の看護師や医療専門職者のほうが適任であるとパートナー双方が判断する．この時点で，適切な専門職者に任せても差し支えない(Gottlieb, et al., 2006　吉本監訳，2007)．

表9－2●協働的パートナーシップを示す指標チェックリスト

力を分かちもつことが実践されていることを示す指標	1. 看護師は，対象者に協働的パートナーシップの取り組みや利点について説明している 2. 看護師と対象者は，パートナーそれぞれの役割と責任について率直に討議している 3. 対象者は，自分が打ち明けようと思う話の内容と量の範囲を気がねなく決めている．看護師はそれに理解を示し力づける 4. 対象者と看護師は，これから取り組もうとする目標や取り組み方，ペースについて互いの考えを出し合い，共に決定し，取り組んでいる 5. 対象者と看護師は，取り組んだ結果に対する共同責任を負い，その計画がうまくいったかどうかを共に判断している
開放性，尊重および看護師の基準で患者の言動について価値判断しない環境の指標	1. 看護師は，対象者が話すこと，感じていることに関心を示し，そのことを言葉や態度で表す．また，その感情を理解し重んじる 2. 看護師は対象者の強みを把握し，よいところを口に出して具体的に伝えている 3. 対象者が看護師と話す内容が，「無難な」ことから，自分の考えや感情，真剣に悩んでいることなどの核心に近いことへと変化している 4. 対象者と看護師は，互いに気がねなく反対意見を出し合っている 5. 対象者も看護師も互いの意見を理解するよう努め，次にどう取り組むかについての合意点を見つけている 6. 看護師は，対象者との意見が異なる場合でも批判せず，相手の現状や行動を理解するよう努めている
曖昧さと共に生きることや不確かさを許容できていることを示す指標	1. 対象者も看護師も結論を急がず，取り組まなければならない真の問題をわかろうとし続けている 2. 先が見えない時期にあっても，対象者と看護師が一緒になってその関係を維持することに努めている 3. 看護師は，状況に応じて，方向転換をためらわず，取り組み方を変えることに前向きでいる
自己認識し，内省していることを示す指標	1. 看護師と対象者は，どんな感情であっても自分のなかに起こった感情を互いに認識し，その感情が協働的パートナーシップに影響することをわかっている 2. 看護師と対象者は，否定的な感情の重大さを認めて，その感情に問いかけ，それが何なのかじっくり振り返っている 3. 看護師は，自分の言動を自問し，振り返り，それを記述したり，同僚と話し合ったりしている

Gottlieb, L. N., Feeley, N., & Dalton, C. (2006)／吉本照子（監訳），酒井郁子，杉田由加里（訳）(2007)．協働的パートナーシップによるケア―援助関係におけるバランス．エルゼビアジャパン，141-143．をもとに筆者ら作成（二本柳・鹿内）

G 臨床での活用の実際

1 事例紹介

Aさんは80歳代前半の女性である．35歳で夫を亡くし，家業の野菜農園を続けながら，当時，高校1年生だった娘を一人で育てた．現在はその娘夫婦と孫（男）との4人で家業を担い，共に暮らしている．

1年前に野菜畑で農作業中に脳梗塞を発症し，脳外科病院に搬送され治療を受けたが左半身麻痺が残った．その後，他院でリハビリテーション（以下，リハビリと省略）を受け，退院許可がおり，退院調整看護師からケアマネジャーをとおして，訪問看護師の筆者に連絡が入った．それによるとAさんは，左半身麻痺が残った自身の身体について，「こんな身体になってしまったら仕事ができない」と落ち込み，「一人で立って歩きたい．家に帰りたい」と話しているが，座位保持に支えが必要なほど筋力が低下しているため，家族は自宅での生活は難しいと考えているとのことであった．

退院後の生活調整のために家族を含めた話し合いが必要だったが，娘夫婦と孫は農園の仕事に追われており，日程が定まらない状況が続き，農閑期を待って何とか退院調整会議を開催できた．

退院調整会議の当日，Aさんと医療機関の退院調整看護師と理学療法士，在宅チームからは訪問看護師の他にケアマネジャー，娘が参加した．Aさんは車椅子に座り，少し緊張した表情に見えた．退院調整看護師からは，自宅での体調管理とリハビリの必要性，退院予定日が伝えられた．理学療法士からは，リハビリを続けることと，もっとリハビリの時間を増やす必要性があると伝えられた．

Aさんは，「家に帰ったらもっと良くなる」と静かにゆっくりとした口調で話した．娘は，少し驚いた表情であったがAさんを気遣うように「もっと動けるようになってから家に帰ると安心なのだけど…」と話した．

在宅チームのケアマネジャーからは，Aさんは介護保険の申請を済ませており，要介護2のサービス利用が可能なため，訪問看護のほかに訪問介護での生活介護や身体介護，また，デイケアの利用で入浴や食事に加えてリハビリが受けられることが伝えられた．訪問看護師からは，週に何回かの訪問で体調管理とAさんが自宅でできることが増えるように一緒にリハビリをすることを提案したところ，娘は，具体的なサービスの内容を聞いたことで少し安心したと話した．

以上の退院調整会議での様子から，Aさんはこれまで，とても健康で家業を含め家族の中心的な役割を担ってきた自分に誇りを抱いていたが，左半身麻痺が残った自分の身体に自信をなくし，入院中のリハビリに消極的になっていた．しかし，住み慣れた自宅に戻れば意欲が高まるのではないかと推察した．

そして，退院初日にAさん宅を訪問し，Aさんとキーパーソンである娘，訪問看護師の三者での協働的パートナーシップが始まった．

2 理論に照らしての援助のポイント

Aさんの在宅療養が始まってからの援助のポイントについて，協働的パートナーシップ螺旋モデルに沿って説明する（表9－1，表9－2を参照）．

1）第1段階：探索

Aさんの関心事を理解し，一人で歩けるようになりたいと話す背景にある真意について探索する（第1段階4）必要があった．訪問看護の際に協働的パートナーシップにおける看護師の役割を伝え（第1段階2），これまでの体験をAさんが言葉にするよう促すこと（第1段階1），Aさんにとって重大なことに取り組むこと（第1段階3）が必要であった．

2）第２段階：目標設定

Aさんが達成したいことをパートナー双方ができるだけ完全な形で理解し合えるように，話し合いを組み立てる（第２段階１）必要がある．Aさんにとって現実的で達成可能な目標を明確にできるように促し（第２段階２），ある程度の時間があれば解決される可能性が最も高い目標をAさんと共に判断すること（第２段階３/協働的パートナーシップを示す指標：力を分かちもつことが実践させていることを示す指標３）がAさんの生活における意欲を維持するために重要であった．

3）第３段階：実施

計画を遂行する主体はAさんであることを意識して，Aさんと訪問看護師の力の配分を考えるという役割を意識してかかわること（第３段階４），そして，目標達成のための方略を観察や意図的な質問を行い，言動を理解しながら対象者が決められるように促す（第３段階１．２/協働的パートナーシップを示す指標：力を分かちもつことが実践されていることを示す指標４．５/開放性，尊重および看護師の基準で患者の言動について価値判断しない環境の指標１）ことが必要であった．

4）第４段階：再吟味

計画がどの程度順調に進んでいるかを再吟味するための時間を設ける（第４段階１）および，目標が満足できるレベルで達成されたのかどうかについて，Aさんが決められるように働きかけ，別の問題がないか，どの段階かに戻る必要について共に検討すること（第４段階２）が必要であった．加えて，Aさんが自身で描いた目標を実現するために意欲を維持するためには，Aさんからの肯定的な言動に加えて，訪問看護師自身が自身の言動を記述したものを用いて同僚との話し合いをもつこと（協働的パートナーシップを示す指標：自己認識し，内省していることを示す指標３）によって，新たに訪問看護に加わるメンバーとの共通の認識を得ることが重要であったと考える．

3 活用例

1）事例のアセスメント

（1）第１段階・第２段階・第３段階（探索・目標設定・実施）

退院初日に，Aさんの自宅で，Aさんと娘，ケアマネジャー，訪問看護師の４名で，これからの在宅療養で活用するサービスについて話し合いをした．家族は農園の仕事で日中は不在のことが多いことを踏まえて，ケアマネジャーからは，訪問看護とデイケアを組み合わせて利用することが提案されたが，Aさんはデイケアには行きたくないと話し，娘の同意の結果，週２回の訪問看護と，昼食時のセッティングと安否確認のために訪問介護を利用することになった．Aさんは，立位をとる際の姿勢バランスが不安定であったものの，ベッドサイドのポータブルトイレへはゆっくりであれば移動して排泄できるため，排泄物の廃棄は訪問介護と訪問看護で行うことにした．

入院時は寝ていることが多かったため，テープタイプの紙おむつを使用していた．Aさんには「一人で歩く」という目標があったため自尊心を維持するためにも「普通の下着で過ごす」ことを目標に加えたいと考えたが，下着の汚染により，かえって自尊心を低めるおそれがあることや，家族への負担を考えて，まずは，パンツタイプのリハビリパンツを使用し，うまく使えるようになったら，普通のパンツにすることを本人に提案し了承を得た．

同日の会議に引き続いて初回の訪問看護を行った．バイタルサインや健側・患側の関節可動域の測定の際のAさんとの会話のなかで，Aさんがこれまでの生活のなかで若くして亡くなった夫に代わって地元の農業協同組合の寄り合いに参加し，娘を育てるために必死で働いてきたこと，農業婦人部の会長としても仲間たちのために尽くしてきたことを話してくれた．訪問看護師は，今までのAさんの頑張りが全ての人にできることではないと思うことを伝えたところ，健側でベッド柵につかまりながら斜めに傾いて座っていたAさんは，健側に力を入れて背筋を伸ばし，「頑張るしかなかったからね…」と話した．その表情は，誇らしげであり，そんな頑張りの先に訪れた現在の自身の状態を憂いているように見えた．

訪問看護師は，端座位のAさんに向き合い，膝をついて，柵をつかんでいる右手にゆっくり両手を重ね，Aさんの目を見つめて，体幹の支持のために日中座位で過ごす時間を今よりも増やすこと，訪問看護の際に筋力を高めるリハビリを一緒に行うこと，そして，おむつ（リハビリパンツ）ではなく，普通の下着で過ごせるようになることも目標に加え，一緒に頑張りませんかと提案した。

Aさんは，にっこりとうなずき，食事の後30分は起きているようにすると話し，訪問看護師が考えたリハビリメニューを訪問中に共に実施すること，訪問看護の時間以外には，一人でリバビリを行うことを了解した．続いて，Aさんは「歩いて外出できるようになりたい」と話したため，生活行動の拡大のチャンスととらえて，リハビリで筋力をつけて，歩いて外出することを目標にすることと，気分転換に車椅子で散歩をすることを提案した．

しかし，Aさんは「車椅子では外に出たくない」と怒った口調で話した．このとき，訪問看護師は，Aさんは生活行動拡大への意欲はあるものの，左半身麻痺になったことでボディイメージが変化し，自己概念が揺らいでいるととらえ，このまま無理に車椅子での外出を勧めることは，かえってAさんの活動範囲を狭めることにつながると推察した．

訪問看護を終えた玄関先で，仕事の合間に家に戻ってきた娘に会った．娘にAさんが車椅子で外に出たくないと話したことを伝えると，娘は「母は農業婦人部の友達に元気な姿で会いたいと思っているかもしれない」と話してくれた．このことから，Aさんの自己概念が揺らぐ，つらい気持ちを受け止めながら，左半身麻痺が残ったとしても，Aさんが自分でできることを増やして自信を取り戻すことができるようにAさんのリハビリに寄り添う必要性を感じた．

また，Aさんは地元の農家の開拓２世であり，農協の青年団の集まりで夫と出会い，夫の一目惚れで求婚され，隣町から嫁ぎ，一人娘を授かったが，娘が15歳のときに夫が35歳で死亡，続いて夫の両親が病死したため，Aさんは農園を一人で切り盛りしながら，子育てに励んだ．そのようななかでのAさんの楽しみは，農家の婦人部の仲間との会合とマッサージに通うことであった．

このことから，訪問看護の際に行う体幹の支持を高めるリハビリの前に筋肉をほぐすための関節可動域訓練，麻痺側を中心とした軽擦とマッサージを組み入れることをAさんに提案して援助計画に加えることを考えた．

（2）第3段階・第4段階（実施・再吟味）

訪問看護でのリハビリ以外にもAさんが日中に一人で行うリハビリの量が増えるにつれ，「一人で歩く，一人で外出する」「普段の下着で過ごす」という目標に近づいていることをAさんも訪問看護師も実感していた．

しかし，知人に，「車椅子や杖を使っている姿は見られたくない」という思いは変わっていないことから，Aさんが叶えたい外出が実現する可能性が見えてきたものの，Aさんの自己概念の揺らぎに添いながら役割を分かち合う必要があった．そこで，Aさんがこれまでの人生で大事にしてきた価値観や信念を考慮して援助内容を組み立て直し，Aさんおよび家族と共に目標の再設定をすることに取り組んだ．

2）援助計画と援助の実際

（1）訪問当初

在宅療養生活が始まり，訪問看護計画を立案する際，「自身のなりたい姿」を目標としてもらいたいと考え，Aさんに目標の表現を一緒に考えることを提案した．

Aさんは，「一人で歩いて農業婦人部の会合に行けるようになる」ことを目標としたいと話した．訪問看護師は，Aさんが考えた目標の達成には，かなり時間を要するが本人の意欲を維持するためには，長期の目標として設定することが必要だと判断した．

そこで，最終目標として，「一人で歩いて農業婦人部の会議に参加できる」とし，そのことにつながる現段階の目標を「家の中を杖でふらつきがなく歩くことができる」ことにしてもらいたいことをAさんに伝えたところ，「家の中であれば杖を使ってもいいよ」と話してくれた．このやりとりから，Aさんが農業婦人部で一目置かれる存在としての自分で，これからも参加したいのではないかと推察した．

また，Aさんは，訪問看護師がA4用紙に書いてきた筋力アップのためのリハビリメニューを見て，「このカレンダーの裏を使って大きく書いてほしい」と依頼してきたため，「一人でいるときも，頑張ろうと考えておられるのですね」と伝え，準備してきたメニューを大きく記載し，Aさんの希望で，ベッドにいながらも見える壁に貼ることにした．また，Aさんが自身で行うリハビリ後に自分で○をつける記録表を準備し，ベッドサイドのオーバーテーブルの上に置くことにした．

その後の訪問時，Aさんはたくさんの○が記載された記録用紙を見せながら，「リハビリ早くやるよ．ちゃんと見ててよ」と話し，シャワー浴の際も浴槽をまたぐ練習をしたいと申し出るなど，リハビリメニューを一人でも続けていることで少しずつ体幹の支持性がついてきたことが，行動拡大への意欲につながっていると思われた．

また，リハビリの前後に組み入れたマッサージと軽擦は，「気持ちがいいねー．若いときは仕事が大変で疲れたときには地元のあん摩さんに行くのが楽しみだったんだ」と話してくれた．家族の大黒柱として懸命に働きながらも自身の身体を大事にしてきたAさんの姿が思い描かれ，訪問看護師は「ご家族のために自分の身体にも気をつけながら頑張ってこられたのですね」とねぎらい，訪問看護師が子どもの頃，祖母の畑の手伝い，畑の畝を鍬で耕すことの大変さが少しわかることを伝えたところ，Aさんは，「ほう．それならあんたは農業の大変さをわかってくれるね」と話した後で，何度かうなずいた．その様子は，Aさんが当時の自分を思い出しているようにも見えた．

訪問看護開始から1か月の間は，対象者と看護師の役割を協働的パートナーシップの第1段階の探索から第2段階の目標設定，第3段階の実施を行き来しながら過ごした．

（2）訪問2か月目

在宅療養が2か月目を過ぎると，Aさんは，日中の大半をベッドから起き上がって過ごすことができるようになり，体幹の支持性と立位を維持するための筋力もついてきたことをフィジカルアセスメントと記録から実感することになった．それは，毎回の訪問看護の際に記録していたリハビリメニューの増加に加えて，Aさん用に作成した記録用紙の「できたことに○」が増えてきたことにあった．Aさんと共に記録用紙を見ながら，Aさんの頑張りの成果を共有した．Aさんは「私は頑張りの人だから」と誇らしげな表情で話し，Aさんの自己概念が取り戻されつつあることを感じ，Aさん自身に回復の実感があることが確認できた場面であった．

この時期から立位から歩行の練習を始めることをAさんに提案し，立位保持のためのリハビリと家屋内の歩行を訪問看護師と共に行うことを援助計画に盛り込んだ．Aさんは「歩けるって楽しいね」と話し，広い家の中を共に歩く練習が始まった．一緒に歩きながら，Aさんは仲の良い友人と農業婦人会の俳句の会に参加して日々の楽しいことを俳句にしていたと語り，娘の結婚や孫が家業を引き継いでくれたときにつくった俳句を見せてくれた．また，Aさんは婦人会の会合の時にはスーツを着用し，句会の時にはドレッシーなワンピースを装うと話し，洋服箪笥にしまってある洋服を見せてくれた．訪問看護師は，Aさんが地域の農業婦人会のリーダーとして活躍してきたことや友人と俳句の時間を楽しみに過ごしてきたことを大事にしたいと考えた．

（3）訪問3か月目

在宅療養が3か月を過ぎる頃には，Aさんは自宅内を杖でゆっくりと歩けるまでに回復した．訪問看護師は，杖での外出についての思いをAさんに確認するタイミングを見計らっていた．

Aさん宅の玄関へのアプローチは段差の急な10段の階段があり，出入りのためにスロープをつくることは困難な状況にあった．そのため，ケアマネジャーと娘は昇降機の設置を勧めたが，Aさんはどちらも拒否したため，継続して考えていくことになった．

訪問看護師は，Aさんの「一人で歩く，一人で外出する」という気持ちを支持しつつも，安全に歩くための道具として「杖」を使って歩くことをAさんが納得する必要があると考えていた．

ある天気の良い日，思い切って杖歩行で散歩に行くことをAさんに提案した．Aさんは家の周りに人がいないかと尋ね，誰もいないことを伝えると，「玄関の階段だけ練習したい」と話した．そこで，階段昇降は足の筋力のさらなる強化につながることを伝えると，Aさんは「よし．早く行こう」と杖を支えにベッドからすくっと立ち上がった．階段には手すりがないため，訪問看護師はAさんが姿勢を崩したらいつでも支えられるように側にいることを伝え，ゆっくりと階段を降りた．Aさんは筋肉疲労があるものの，「上がって，降りるのをもっとやるよ」と話し，やる気に満ちていた．

そのとき，たまたま，自宅のそばの倉庫に道具を取りに来た孫が，Aさんが階段を上り下りする様子を目にして，「ばあちゃん，頑張ってるな．その杖，どうしたの？」と話しかけた．Aさんは，「頑張ってるよ～，この杖はどっかからもらったんだ．赤いのがいいのにね～」と孫に言った．孫は「ばあちゃんは，おしゃれだから赤い花柄（杖）のをオレ買ってくるよ」と話した．Aさんは，ははははと声を出して笑って「頼むね～」と話し，その後，2回階段の上り下りを練習した．

訪問看護師は，階段の上り下りでAさんの筋力と歩行状態と杖の使い方を確認することだけを考えていたが，孫の言葉からAさんの杖の色やデザインを好みのものにすることで，杖歩行であっても外出しようと意欲をもつことにつながると考えた．Aさんの杖は，退院する際に病院で購入した黒色のものであり，使う道具にも洋服と同じようなAさんのこだわりがあるのだと理解した．

訪問後，訪問看護メンバーにこの出来事を伝え，Aさんの目標を「杖を使用しての外出」に近い目標として設定することを共有した．家族（娘）には電話で杖に関する孫とのエピソードを伝えた．娘は，母には身につけるものにも母なりのこだわりがあるので尊重したいと話してくれた．杖での外出の達成のために，Aさんと家族，訪問看護師が協働する可能性が見えてきた．

（4）訪問4か月目

療養生活が4か月目に入った次の訪問の際，Aさんのベッドサイドには，赤い花柄の模様の杖が置かれており，Aさんは「孫と娘夫婦が買ってくれた」と笑顔で話してくれた．

訪問看護師は，Aさんの「一人で外出する」という目標を，「好みの杖を使って一人で外出する」に変更することで，最終目標の「一人で歩いて農業婦人部の会合に参加できる」ことに早く近づけると考えていることを伝えると，Aさんは「そうだね．この赤い杖だったらいいよ」と笑顔で話し，玄関の階段を赤い杖を使って降りながら，農業婦人部の会合と俳句の会に参加することができそうだと話した．

そこで，新たな目標に向けて，Aさんは訪問看護時以外にもリハビリを継続すること，訪問看護師は杖での外出の機会をとらえてAさんのリハビリを評価することを約束した．また，家族とも協働するために，家族の働く場に出向き，家族が毎日のリハビリ記録を見て，Aさんの頑張りを褒めること，Aさんの望む会への参加以外にも家族一緒での外出の機会（農閑期に温泉に行くなど）をつくることを提案し，相談し合った．

（5）訪問5か月目

療養生活が5か月に入る頃，訪問すると，お気に入りの杖を使って玄関の階段を一人で下りて，婦人会の仲良しの車に乗って週末の会合に参加できたことを嬉しそうに話しくれた．また，Aさんよりも年上の人が現役でレタス農家を経営しているので，負けていられないと思っていると話してくれた．

この頃のAさんは，家屋内を杖で歩き，リハビリパンツを卒業して普通の下着で過ごし，排泄も自宅のトイレでできるようになっていた．娘は，Aさんのできることが増えることに母らしさが戻って嬉しいこと，週末に家族一緒に温泉に行き，久しぶりに家族全員でゆっくりできて楽しかったと話してくれた．

そこで，訪問看護師は，Aさんの身体状態の保持・増進と生活圏の拡大および家族の心身の負担軽減を考えて，訪問看護の回数を週2回から1回に減らし，リハビリ，入浴，昼食サービスを提供するデイケアを利用することを提案し，Aさんと家族の了解を得た．Aさんは「もっと良くなるから，必ず週に1回はみて（訪問看護）もらうからね」と笑顔で話し，訪問看護師は「かしこまりました．良くなるAさんをもっと見たいです」と話し訪問を終えた．

3）評　価

Aさんの在宅療養が始まった頃の第1段階（探索）では，本人は「一人で外出する」という目標を明確に表現していたが，家業に忙しい家族はAさんの身体的な回復を描くことが難しい状況にあった．Aさんがこれまでほとんど病気になったことがないなかで初めての入院生活で受けた精神的ショックや自己概念の揺らぎを乗り越えるために，Aさんと話し合う機会を意図的にもち，忙しい家族からこれまでのAさんについての情報を得ることが必要であった．その結果，Aさんがこれまでの人生で培った「物事に対する意欲」や「自身が決めたことには意欲をもって取り組む」という力がAさんの回復を促進することがみえてきた．

第2段階（目標設定）・第3段階（実施）では，一人で外出するという目標に向かって，訪問看護師とAさんのリハビリの「力を分かちもつ」配分をAさんの回復に合わせて変化させていくことが重要であった．Aさんが今までの人生のなかで大事にしてきた家業や洋服など身に着けるものへの好みを尊重した援助の象徴として，孫がAさんが使っていた黒い杖に替えて，赤い杖を欲しがっていることを察知してプレゼントしたことで，Aさんの好みの尊重を超えて，Aさんが孫の思いやりの気持ちを受け取ることにつながり，目標を「好みの杖を使って一人で外出する」ことに修正できたのではないかと考える．

第4段階（再吟味）では，Aさんの場合は，第2段階と第3段階を行き来するなかで，目標の再吟味をする機会があったと考える．Aさんは自分が受傷前の身体に完全には戻っていない状況にあってもAさん自身が納得する「外出」を可能とした．今後の回復への期待を持ちながら，Aさんと訪問看護師がその目標を達成するためのパートナーとして「力を分かちもつ」ことを約束できたと考える．

Aさんの事例のように，脳梗塞を受傷したショックを乗り越えて自身の生活を取り戻すためには，協働的パートナーシップ理論における「それぞれが力を分かちもって，対象者の回復と共にその配分を対象者が多くもつことになるプロセスを意図的に実践する」ことが活用できる．

「力を分かちもつこと」「そのことが実践されていること」を対象者と看護師が確認し合うことは，各場面における対象者の意思決定を支え，協働的パートナーシップのどの段階に位置しているかを意識して援助することで，対象者の「なりたい姿」に近づくことが可能になる．

対象者と家族と看護師が共に歩む，協働的パートナーシップ理論を看護実践に活かすことは，慢性疾患をもちながらもその人が，その人らしく暮らすことを実現させることにつながると考える．

理論を看護実践につなげるために

看護師が対象者や家族と協働して，目標に向かって共に取り組むことが望ましいということは，多くの看護師が実感している．協働を臨床現場でいかに実践するのか，どのようにすれば対象者と協働できるのかを明らかにしたのが協働的パートナーシップである．このようなあり方は疾患の種類や重症度にかかわらず，どのような対象者とのかかわりにおいても求められる．また，看護においてはもちろんだが，日常においても洗練された対人関係技術であると考える．この理論を活用し，看護はもちろん，読者の対人関係が豊かになることを願ってやまない．

文献

Gottlieb, L. N. (2013). Strengths-based nursing care : Health and healing for person and family. NY : Springer.

Gottlieb, L.N., & Carnaghan-Sherrard, K.N. (2004) ／高野順子（訳）(2004). マッギール看護モデル—家族を看護するための手引き. 家族看護, *2*(2), 71-83

Gottlieb, L.N., Feeley, N., & Dalton, C. (2006). The collaborative partnership approach to care : A delicate balance. Toronto : Elsevier. ／吉本照子（監訳），酒井郁子，杉田由加里（訳）(2007). 協働的パートナーシップによるケア—援助関係におけるバランス. エルゼビアジャパン. 7-8, 9, 26, 29-34, 48-63, 65-79, 81-99.

Gottlieb, L. N., & Gottlieb, B. (2007). The developmental / health framework within the McGill model of nursing "Laws of nature" Guiding whole person care. *Advanced in Nursing Science, 30*(1). E43-57.

Gottlieb, L.N., & Rowat, K. (1987). The McGill model of nursing : A practice-derived model. *Advanced in Nursing Science, 9*(4), 51-61.

Henneman, E.A., Lee, J.L., & Cohen, J. I. (1995). Collaboration : A concept analysis. *Journal of Advance Nursing, 21*, 103-109.

伊波早苗（2018）. 1型糖尿病の療養指導における患者と看護師の「協働的パートナーシップ」. 日本慢性看護学会誌, *12*(2), 57-63.

川本美香，時長美希（2017）. 生活習慣病の予防を目的とした保健指導における保健師と対象者の協働的パートナーシップ. 高知女子大学看護学会誌, *43*(1), 91-101.

Lalonde, M. (1974). A new perspective on the health of canadians A working document.
〈http://www.phac-aspc.gc.ca/ph-sp/pdf/perspect-eng.pdf〉 [2023, May 8].

McGill School of Nursing .
〈https://www.mcgill.ca/nursing/〉 [2023, May 8].

緒方久美子，木下幸代，和田秀一，峰松紀年，林田好生，寺谷裕充他（2020）. 協働的パートナーシップによる冠動脈バイパス術後のセルフケア支援プログラムの有用性の検討：高齢患者1事例に対する介入. インターナショナルNursing Care Research, *19*(2), 113-122.

鹿内あずさ，二本柳玲子，野川道子（2009）.「協働的パートナーシップ」の看護実践への活用. 看護技術, *55*(14), 74-79.

Silva Otília Beatriz Maciel, B, M., Bernardino Elizabeth, Encarnação, Paula. (2022). Strenghs-based Nursing and Healthcare in maternities: rethinking practices and continuity of care. Revista da Escola de Enfermagem fa U S P. 56, e20210597.

Tomey, A. M., & Alligood, M. R. (2002) ／都留伸子（監訳）(2004). 看護理論家とその業績〔第3版〕. 医学書院, 75.

Young, L. E., & Hayes, V. (Eds.). (2001) ／高野順子，北山秋雄（監訳）(2008). ヘルスプロモーション実践の変革—新たな看護実践に挑む. 日本看護協会出版会, 7.

10 コンコーダンス

A 理論との出会い

筆者は，2015年まで精神科医療機関の地域医療部門で管理職を務めていたが，その以前から精神疾患を有する人に対する調査やフィールドワークを行い，精神疾患を有する人々の回復過程やケアへの見方を明らかにする研究を何度か行った．たとえば，修士課程では精神疾患を有する人にとっての精神科訪問看護の意味や機能を調査するインタビューを行い，グラウンデッドセオリーアプローチ（grounded theory approach）に基づいて研究を取りまとめた（安保，2002）．この研究過程で，訪問看護に対して精神疾患を有する当事者が意味を感じる看護として話してくれたことの中核の一つに，「自分の思っていること，感じていることの後押し」があった．つまり，生活や治療などの経験に対する患者自身の見方を看護師が尊重すること自体がケアとなっている，と精神疾患を有する人たちは感じているのであった．

その後に筆者は，一方的な治療行為となりやすい薬物療法についての患者の考えを尊重することがケアとして概念化されていないか，患者の尊重を基盤とした看護による精神疾患や慢性疾患からの回復に意義や効果がないかを調べることとした．具体的には，英国で介入研究が実施されつつあったアドヒアランスセラピー（adherence therapy）の翻訳を行いつつ日本の精神疾患患者による薬物療法への主体的な実践（工夫など）を調査した．

そんな折，2006年に調査報告を学会で発表する際に隣の演者として武藤教志氏（精神看護専門看護師）と出会った．武藤氏と筆者は共通の関心をもつことがわかり，アドヒアランスセラピーの翻訳を武藤氏に紹介するとともに，同じ開発者が作成した看護技術集である『Concordance skills』（Gray&Robson, 2001）の日本への紹介を共同で取り組むこととなった．お互いがそれまでに読んでいた意思決定やアドヒアランスに関する論文からコンコーダンス（concordance）概念や援助技術を整理し，2009年に雑誌記事に掲載し，2010年に書籍を上梓した（安保・武藤，2010）．

B 理論家紹介

コンコーダンス概念は複数の団体や人物によって理論が形成されてきた過程を有する．コンコーダンスは20世紀終盤に英国保健省が薬学関連団体に呼びかけて概念化が検討され，1999年からは複数の看護学および周辺領域の研究者によって概念化が進められた．た

キー概念

□コンプライアンス（compliance）：医療者が治療方針を決定し，当事者（患者）がそれに従う行動をとること．

□アドヒアランス（adherence）：当事者（患者）が治療に対して積極的・前向きな考えをもつこと．

□コンコーダンス（concordance）：当事者（患者）の考えと医療者の考え（治療方針も含む）が一致するように，それぞれの考えを尊重し合うこと．

□コラボレーション（collaboration）：異なる立場の者同士が，共通の目標に向かって，互いの人的・物的資源を活用して，問題解決などに寄与する対話と活動を展開すること．

□共同意思決定（shared dicision making）：患者と医療者が必要な情報を共有し，患者の価値観に沿って共に治療方針を決めること．

□ストレングス（strength）：潜在能力（意欲・才能・技能・好み・考え方・願望など）や環境（資産・人間関係・社会資源など）などに代表される，人間の強みや魅力のこと．

だし，2010年頃まではコンコーダンスはアドヒアランスに置き換わるものという意見とアドヒアランスとは着眼点などが異なる概念であるという意見によって概念の揺れがみられていた．先に述べた看護技術集『Concordance skills』の編者である英国のグレイは2002年～2005年頃にコンコーダンスをアドヒアランスに変わる概念と位置づけて介入研究を行った（Gray, Wykes, Edmons, Leese & Goumay, 2004；Gray, et al., 2006）．また薬学の領域では，ボンドが『Concordance：A partnership in medicine-taking』の書籍を編集刊行している（Bond, 2004）．この頃，*Journal of Advanced Nursing* において，コンプライアンス，アドヒアランスとコンコーダンスの概念を比較検討した原著論文（Bissonnette, 2007）が発表されるが，この時点ではアドヒアランスとコンコーダンスの概念上の相違点とその検討ができるほどの論文数がなく，概念分析には限界があると記載されていた．

その後，2013年にスノーデンらによってコンコーダンスに関する概念分析が *Journal of Advanced Nursing* に掲載される（Snowden, Martin, Mathers & Donnell, 2013）．この論文では，コンコーダンス概念の明確化がなされ，アドヒアランスとは異なる概念であることが結論づけられている．同時期に，糖尿病療養指導の分野では『科学的根拠に基づく糖尿病診療ガイドライン2013』が提示され，「すべての治療法は患者の嗜好・必要とするもの・価値観に焦点を当てながら決定されなければならない」（日本糖尿病学会，2013，p.344）とするコンコーダンスモデルをもとにした援助が強調されている．

わが国では，看護学分野においては筆者らが解説を記している（安保・武藤，2010）ほか，精神科医の立場から治療における双方向性の意思決定（青木・渡邊，2015），糖尿病療養指導の観点からコンコーダンスモデルの重要性（山田，2015）など，慢性疾患の医療において多くの知見が蓄積されつつある．また，高血圧領域のガイドラインである『高血圧症治療ガイド2014』において「コンコーダンスという言葉には，医師と患者が対等な立場（パートナーシップ）で話し合い，合意のもとに治療方針を決定し続けていくことが含まれる」こと（日本高血圧学会高血圧治療ガイドライン作成委員会，2014，p.37）が記されるなど，実践に影響をもつ概念として定着しつつある．

理論誕生の歴史的背景

コンコーダンスは，20世紀後半に誕生し今世紀に入ってから考えられるようになった新しい概念である．20世紀中期ごろから薬物療法による急性疾患の再発予防や慢性疾患の進行予防が扱われるようになり，医師が処方した薬が処方どおりに服用されない場合が問題視されるようになったことと関係がある．

文献的に1950年代にはコンプライアンスという用語が使用され始めたが，これは「医師の指示に患者がどの程度従うか」を意味し，現在も急性期医療においてコンプライアンスは治療指示が適切に実行されていることを意味する用語として用いられている．ところが，この用語（コンプライアンス）はもともと法令順守を意味する行政および法律用語であったため，患者を医師の指示に従うべき存在とみなしており患者の権利が脅かされる用語であると指摘された．そのため，WHOなどの国際機関では，薬物療法に関する患者の実施率あるいは考えを意味する言葉はアドヒアランスを用いるように推奨している（WHO, 2003）．コンプライアンスは医師の指示による服薬管理の意味合いで用いられるが，アドヒアランスは患者の理解と意思決定に基づく内服順守を意味する．しかし，アドヒアランス概念においても患者は内服を順守することを目標としている点は変わらず，患者の主権を重視した概念の誕生を必要としていた．

そこで1996年に英国の保健省と薬学会とで設立されたMedicines Partnership Group（薬物療法におけるパートナーシップに関する研究委員会）によって患者の主体性や権利を重視した薬物療法に関する検討がなされ，1999年に紹介された報告書によってコンコーダンス概念が紹介される．その後，コンコーダンス概念と看護技術を看護師に教育した場合の臨床的効果を示す論文が発表されたことで，アドヒアランス概念との概念の明確化に関する議論がなされる．日本においては安保によってコンプライアンス，アドヒアランス，コンコーダンスの概念の特徴を記載した論文が掲載された（安保，2011）．その後は日本でも概念分析（新井・中田・比嘉，2020）が行われるなど，理論の発展がみられる．

コンコーダンスとは

コンコーダンスとは，「良好な経過に向けた治療と現況のアセスメントに関する合意に向けて，当事者（患者）と保健医療専門職者が尊重し合う過程」を意味する．また，コンプライアンスやアドヒアランスと概念を対比させるために語彙をある程度一致させながら記載すると，前頁のキー概念に示したように表現できる．

医師の処方は患者が守るべきルールだという考えや，薬を飲んだか飲まなかったかにだけ注目することをコンプライアンス（順守）主義という．この考え方では，当事者の考えよりも医療の的確な実施が優先される．コンプライアンス主義は患者の主権よりも生命維持や症状の改善を重視せざるを得ない救急医療において重視される．一方で，予防医療や健康増進および慢性看護の領域では，当事者が治療や服薬に対して積極的な考えをもつ（アドヒアランス）のか，当事者のライフスタイルや価値観を尊重した治療や対話がなされているのか（コンコーダンス：調和）という，当事者の考えを重視する考え方が重要である．AIDS発症予防や腎障害による意識消失予防，重度精神症状による自傷他害といった救急状態を予防する必要性が高い場合にはアドヒアランス寄りの概念，緩和ケアや高血圧や糖尿病の重症化予防，精神疾患患者の回復（リカバリー）といった生命や生活の質を重視する場面ではコンコーダンス寄りの概念でケアを構築することが望ましい．

コンコーダンスとアドヒアランスの概念的特徴には共通点と相違点がある．患者の考えを軽視しない点やパートナーシップを重視する点が共通点であるが，アドヒアランス概念においては患者の治療に対する考えや行為に注目し，特に薬物療法の適切な実施に関連した背景要素を態度として査定することが一般的である．WHOではアドヒアランスに関連する要因を５つ挙げ，それぞれ保健医療システム要因，社会経済的要因，病態関連要因，治療法関連要因，患者関連要因にまとめられており，アドヒアランスの獲得に向けた諸要因を分析して援助を構築することとなる．

コンコーダンスモデルは，従来の「患者中心の医療」モデルとの共通点としては「患者に権限を委譲すること」「治療法に関する合意を得ること」「患者の見解を尊重すること」の視点を有する．ただし，ここでの権限の委譲は一方向的に行われるわけではなく，患者自身が権限を医療者に委ねるという意思決定による共同意思決定も可能である．

コンコーダンスに向けた援助においては，特定の方法やスキルを定型的に用いるべきではなく，より抽象的に「患者と医療者や協力者がもつ共通の基盤を，お互いのなかに探して見つけ出す過程」を重視している．ここでいう「共通基盤」には価値観や信念，希望，治療や健康行動の目的，選択における優先順位，患者と医療者の役割などが含まれ，これらの面でお互いの意見に一致が見出せるように対話を進めることが重要である．

さらにコンコーダンスでは，良好な経過に向けた尊重関係に重きを置いている．また，相互性が重視されていること，患者と処方者による二者関係にとどめずに，良好な経過に向けた協力者を含めた相互作用の場を構成する場合が多い．糖尿病療養指導の分野において山田（2015）は広場型のモデルを用いており，患者中心ではなく良好な経過に向かう広場を中心とし，患者と医療者や協力者が広場を囲んでいる形式（図10-１）を提示している．スノーデンらはコンコーダンスを中央においた当事者（患者）と看護師の協働というモデル（図10-２）を提示している（Snowden, et al., 2013）．山田のモデルもスノーデンのモデルも，コンコーダンスモデルにおいては患者の尊重を行うものの，患者“中心”の意味合いを過度に強調していない．意思決定にかかわる人たちのもつ知識や背景の相違を尊重したうえで，調和という場を形成するモデルである．すなわち，意思決定にかかわる人たちの間での相互作用や一貫性（一貫感覚）が重要であるという点と，希望や信念と現在の治療計画との相互作用や一貫性が重要であるという点である．すなわち，コンコーダンスにおける一致・調和の視点には，以下の大きく２種の観点がある．

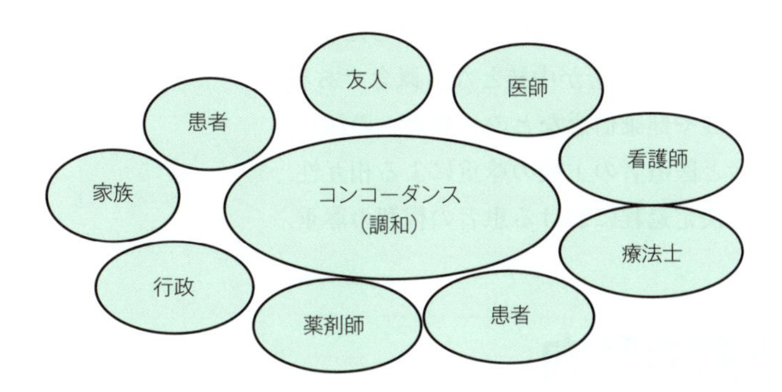

図10-1 ●コンコーダンスモデル
（山田（2015）をもとに作成，登場人物は一例）

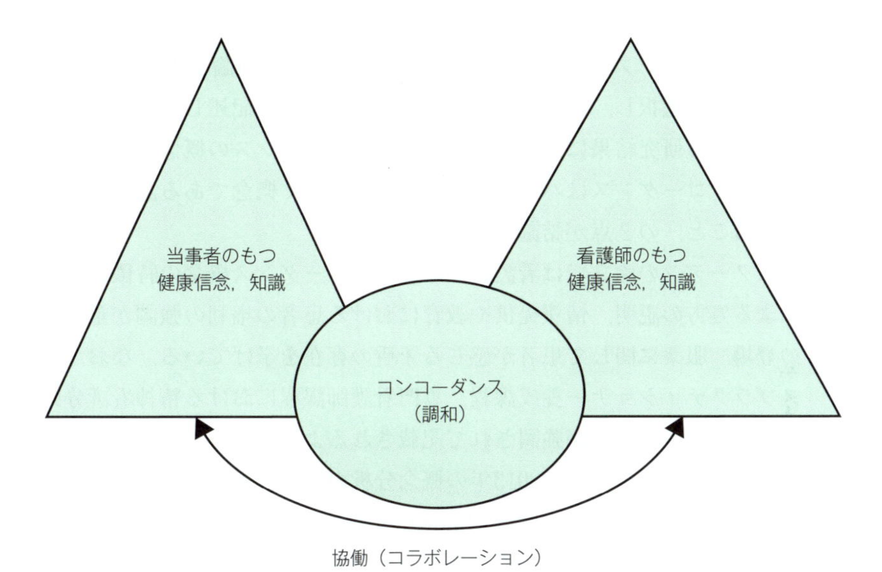

図10-2 ●スノーデンによるコンコーダンスモデル

・患者と援助者の間での目標や希望の調和（一致）
・個々の意思決定関与者における価値観および信念と行動の調和（一致）

コンコーダンスは，価値観や信念，希望といった内的要因を重視した概念である．糖尿病や精神疾患のような慢性疾病と見なされている領域では，特に患者の価値観や信念をもとに患者の希望が再活性するように働きかけることが鍵である．スノーデンの論文では個々の意思決定関与者における一致をcoherent（一貫感覚，一貫性）とよんでいる．このcoherent は保健社会学や健康心理学領域では sense of coherence（首尾一貫感覚）という概念によって，ストレス状態から回復やエンパワーメントが起きる際の中核概念である可能性が示唆されている．すなわち，意思決定関与者が調和した関係を形成することが個々の首尾一貫感覚を高め，価値観や信念，希望の感覚をもたらすことにつながる，という概念関係である．

ここまでに紹介した内容を整理した安保（2017，2021）の論述によると，コンコーダンスは以下の3要素が中核となる概念である．

・価値観や健康信念などの一致点への注目．
・患者と医療者の主観の尊重による相互性．
・意思決定過程における患者の権利の尊重．

研究の動向

コンコーダンスに関連する研究では，前述のスノーデンらがとりまとめた概念分析が新しい（Snowden, et al., 2013）．この論文ではロジャースの提唱する概念分析の手法を用いてコンコーダンスの概念分析をしており，500以上の論文のなかから60の論文を一定の基準に沿って選択し，定義，属性，先行要件，帰結を記述している．この論文のなかで強調されている研究結果に，職種によってコンコーダンスの概念には相違が存在すること，一方でコンコーダンスはパートナーシップに基づく概念である点ではすべての職種に共通していること，の2点が結論づけられている．

スノーデンの論文では看護におけるコンコーダンス概念の特徴に，先行要因として看護による処方の説明，情報提供や教育における患者の権利の強調が重視されたガイドラインの登場，服薬に関して患者が感じる矛盾の存在を挙げている．なお，米国においてはナースプラクティショナー養成課程，専門看護師課程における精神看護分野の教科書においてコンコーダンス概念が強調されて記載されるようになっている．

また，スノーデンらは2013年の概念分析の発表に先駆けて，別な雑誌にも解説論文を執筆している（Snowden, 2008；Snowden ＆ Marland, 2012）．この論文においてコンコーダンスはコンプライアンスやアドヒアランスを目標にするための概念ではなく，患者に生じやすい考えや状況を鑑みた援助関係を表現する概念と結論づけている．

21世紀初頭に行われたアドヒアランスを目標とした介入研究について，2005年頃には精神疾患患者のアドヒアランスを改善する介入パッケージの開発が行われていたものの，英国のNational Institute of Clinical Excellenceによるガイドラインにおいてアドヒアランス改善のための介入パッケージのエビデンスは棄却されている．その一方で，コンコーダンスの概念と実践に関する研修を受けた看護師が援助を行うと，患者のQOLの向上や医療への満足度の向上に効果があるとの知見も存在する．このことから，コンコーダンスモデルを臨床で活用する場合には，面接を定期的に行う，半構造化面接を行うといった定型的援助では効果がなく，看護師自身がコンコーダンス研修を受けるなどして概念と技術に関する能力開発を高めることをとおして患者の意思決定を支援することが有効である．日本でも新井他（2020）による概念分析（図10-3）により，再発予防，治療効果の向上，当事者の自己実現といった帰結が期待できると結論づけられている．

現在は，患者に対する権利尊重の観点からコンコーダンスモデルをとらえてshared decision making（SDM：共同意思決定）への応用が実践面で蓄積されている．また，コンコーダンスモデルに基づく関係形成の成果はアドヒアランスの向上以外に求める研究が

〈先行要件〉
【医療の変化】
入院医療中心から地域医療へ
服薬に対する考え方の変化

【当事者の状況】
文化的背景
当事者の価値観や信念
当事者のレディネス
疾患の症状

【アドヒアランスの低下】
服薬継続困難
自己決定困難

【当事者と医療者の関係性】
医療者のコンプライアンス志向
当事者を尊重したかかわり

〈属性〉
【調和のための対話】
当事者の価値観やライフスタイルと医療の調和
不調和の明確化

【相互尊重】
意思決定の主体は当事者
当事者と医療者の相互尊重の関係性

【共通理解の形成プロセス】
共通理解の形成
調和した場の形成

【責任の共有】
責任の共有
意思決定の保証

〈帰結〉
【行動変容による再発予防】
服薬行動維持
セルフケア行動の促進及び定着
アドヒアランスの向上
病床削減と外来及び地域医療の充実

【治療効果の向上】
症状改善
協調するコミュニケーション

【当事者の自己実現】
自信・満足度向上
当事者の自己実現
当事者が治療拒否

〈関連概念〉
コンプライアンス
アドヒアランス
パートナーシップ
Shared decision making
Narrative based medicine

帰結に影響する変数
コンコーダンススキル
高血圧治療ガイドライン
ベネフィット・リスクコミュニケーション
ナラティブ・アプローチ
解釈モデル
動機づけ面接

図10−3●コンコーダンスの概念分析概念図
新井里美，中田ゆかり，比嘉勇人（2020）：日本の医療におけるコンコーダンスの概念分析，富山大学看護学会誌，19（1），37. より転載

みられるようになり，長期的なQOLや社会的健康度が用いられるようになった．特にわが国の場合，精神科における社会的入院患者への援助として事例研究が多くなされ，患者の社会的状況の改善が成果指標として用いられる場合が多く，近年では加納（2021）が精神科患者への介入にコンコーダンス概念を基盤に置いた援助を行っている．

F 理論の看護実践での活用

コンコーダンスモデルを看護実践で活用する場合には，概念活用の効果のアセスメントと，患者への具体的援助の２要素が必要である．

1 コンコーダンスモデルの活用に関するアセスメント

看護師による援助について考察を深めるため，いくつかの例示をしたい．

まずは，３概念（コンプライアンス，アドヒアランス，コンコーダンス）に基づく患者との応答を例示する．

（場面）

　昔，自分がこの病院にかかる前は，今とは別な薬を出されていました．そのときはひどかったですよ．眠気を持ちこすことがしょっちゅうあったし，量が多いときは頭がくらくらしたし．太るっていう噂があったから，実際に太ったときになんて言えばいいのかわからなかったし．だから前の病院では薬を飲まないでいることもありましたよ．むしろ近所の人に酷い目にあわされるって思うときほど病院にも通えなくなって薬を飲めなかったです．でも，この病院で今の薬を飲むようになってからは，そういうのがないので，ホントましになったなぁと思っているんですよ．

＊安保寛明（2011）．患者と医療者の心がともにあることの意味．精神科看護，*38*(11)，5-12．より事例場面を抜粋

　これらを３概念に照らして応答すると，囲みで示したような応答が可能である．服薬の話題では，コンプライアンスやアドヒアランスの考えで患者と接していると，服薬行動や動機に着目するために患者を評価する言葉をかけることになりやすい．一方，コンコーダンスの考え方で接すると，患者の価値観に基づいて返答することになる．

＜場面１への返答例＞

○コンプライアンス（処方に対する的確な実施に着目）

→「いまは薬，飲めているのですよね？　これからもちゃんと飲んでください」

○アドヒアランス（服薬に対して行為や動機があるかどうかに着目）

→「いまの薬には一定の満足があって，薬は飲もうと思っているわけですね．薬の話題は重要だから，これからも何かあったら言ってください」

○コンコーダンス（患者の価値観や考えと調和した健康行動（医療・処方）かに着目）

→「前の薬のときには眠気や頭のくらくらや，太るという心配を感じていたけれど，いまの薬ではそういうのがないので安心している，というわけですね」

　このような場面では，患者の緊急度と重症度から患者が有する主体の程度をアセスメントする．

　救急医療においては患者の生命や生活の保護を最優先とするため，患者の考えを尊重する程度も含めて治療者に判断が委ねられる．そのため患者の考えを聞いてもそのことを即座に治療に活かすことはできない．コンプライアンスに根差した関与にとどめ，治療によって改善することを待つこととなる．この場合には，患者の価値観や信念を医療者が念頭に置きつつ医療者の責任によって治療を実施することになるだろう．しかし，救急や危機のさなかにあっても，患者の意思や価値観を尊重することができる．救急時の対処を事前に患者が作成しておく先行指示（advance directive）やクライシスプランを患者と共に作成し，その内容を実行することで患者の意思を尊重する．

　生命や生活の危機的状態でない場合には，患者の主体を尊重することが優先となる．このときは基本的にコンコーダンスに基づくかかわりとなるのだが，患者自身が主体性をもてていない場合にはアドヒアランスを重視した援助となるだろう．

　また，患者によってはコンコーダンスを求めない場合もあるため，相談に対する相手の考え方を明らかにすることが望ましい場合がある．臨床心理学や相談援助論においては，患者（クライアント）の相談に向けた姿勢をビジター（訪問者），コンプレイナント（不満噴出者），カスタマー（顧客）の３種類に類型化している．ビジターやコンプレイナント型の患者の場合には医療あるいは自分自身に対する不信感がある場合が多く，慎重な対

応が必要となる．この場合には，行動変容に向けた援助の要素（教育的介入，行動的介入，情緒的介入）の優先度や順序を考慮することが望ましい．

2 理論に照らしての援助のポイント

コンコーダンス概念では，対象者の価値観やライフスタイルに合った保健行動がとれるよう協働関係を形成し，対象者が主体的に意思決定することを重視する．

前述の看護技術集である『Concordance skills』では，当事者のもつ健康信念と知識に関するアセスメント（コンコーダンスアセスメント）など，コンコーダンスモデルに基づく介入として6種類を推奨している（表10-1）．このうち「両価性の探求」では，選択肢の利点，欠点などを具体的に話し合うことができ，「コンコーダンスアセスメント」「実践的問題の整理」では当事者の価値観や好みが反映された意見が明らかになるだろう．

コンコーダンスモデルに沿って応答する場合には，相手の考えを尊重することで，その相手からも私たちの考えを尊重される可能性を高めることに主眼をおく．コンコーダンスモデルはお客様主義ではなく相互尊重であるため，患者の話を聞いて理解する際の応答や話題展開の順序などの相互性に関する技術が存在する．安保ら（2010）によって整理されている技術は21種類あり，面談内での継続性や安心感を担保する「相手の用いている言葉を使う」「支持と承認を示す」や，概念の明確化や相対化を行う「オープンクエスチョン」「スケーリングクエスチョン」，面談間の継続性や安心感を担保する「面接を相互に関係づける」「アジェンダの設定」などが存在する（表10-2）．

ここまでに述べたように，コンコーダンスモデルを活用した関与では，協働性や安心感を重視する．精神疾患やがんのような，疾病に対する負の印象が強い疾病を有する患者の場合には，疾病に対する認識や人生に対する将来性の認識において患者が他者と考えを共有できていない場合がある．このような場面では，疾病と治療に関することだけを話し合うと相違点に注目して対立関係になってしまう．共同意思決定に向けた過程には，「当事者の価値観や好みを明らかにする」という段階があり（青木・渡邊，2015），疾病と治療に関する話題よりも広い信念や価値観に触れる機会がある．“疾病や障害のある人”の疾病や障害に注目するのではなく，人生を前向きに生きる人としてのその人の一部に疾病や障害があるという見方を行為をとおして明らかにする．そのことで疾病に対する負の認識がその人自身に対して影響する程度を小さくするとともに，対立点への着目から調和点へ

表10-1 ●コンコーダンスモデルに基づく介入

	面接を通じた介入の名称	介入の概要
1	コンコーダンスアセスメント	当事者のもつ経験，健康信念，知識に関するアセスメント
2	実践的問題の整理	問題と感じていることに解決目標を定め，行動計画を策定する
3	振り返り	経験が次の経験にもたらす影響や物事のとらえ方（認知）の反応への影響を整理する
4	両価性の探求	ある行動に対する利益/不利益などの両面を明らかにする
5	信念と懸念についての対話	健康や疾病に関する信念の根拠を明らかにする
6	先を見据える	当事者の希望をもとに方向性を明らかにする

表10-2 ●コンコーダンス（調和）に向けた看護技術

	基礎的スキル	かかわりを進めるスキル	鍵となるスキル
概要	対人関係を維持するうえで必要最小限度の技術	調和関係を進展するために有益な技術	ある特定の課題や困難が患者-看護師関係に存在するときに有益な技術
具体的技術	相手の用いている言葉を使う オープンクエスチョン （答えをしぼらない質問） クローズドクエスチョン （答えをしぼった質問） 要約 リフレーミング （見方を変える） リフレクション（相手の状況を反映した言葉かけ） 支持と承認を示す	コラボレーション（協働性を示す） 反映的傾聴 面接を相互に関係づける アジェンダの設定 柔軟に対応する 積極的な治療的スタンス 個人の選択をその責任を強調する コーピングクエスチョン （対処に関する質問）	患者の関心を維持する 抵抗を最小限にとどめる 矛盾を拡大する 情報を交換する スケーリングクエスチョン （得点化の質問） ミラクルクエスチョン （解決像に関する質問）

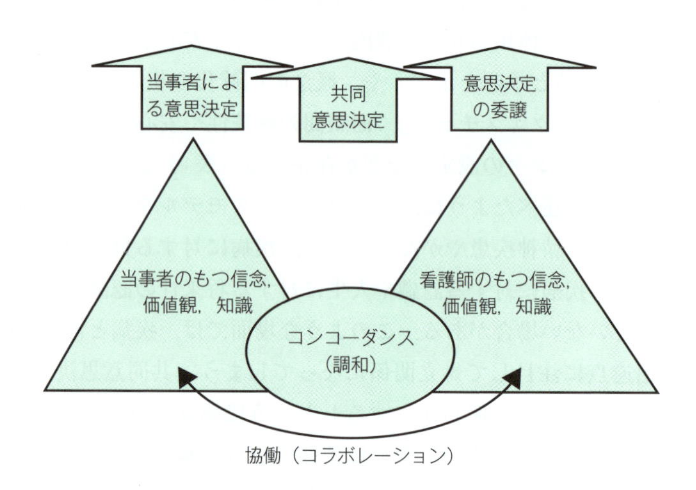

図10-4 ●コンコーダンスによる意思決定の概念モデル

の着目がしやすくなる．スティグマが相対的に低下して意思決定に向けた前向きさが育成されるだろう．

最終的な意思決定が当事者，共同，専門職者への委譲のどの選択となるかは場面によるので，救急医療の場面でなければ当事者が意思決定の仕方も選択することになるだろう．調和関係にある状況で意思決定がなされれば，その後の関係性は継続しやすくなり，意思決定後のモニタリングも共同で行うことができるだろう（図10-4）．

臨床での活用の実際

1 事例紹介

Aさんは30歳代の女性である．未婚で就労経験はなく，現在，生活保護を受給しながらグループホームで生活している．同胞は兄と姉がおり，それぞれ家庭があり近隣に住んでいる．

20歳代後半で統合失調症を発症し，被害関係妄想，被影響体験から町中で興奮状態となり警察に保護され初回入院している．入院歴は3回あり，外来通院が途絶えると症状が再燃し，入退院を繰り返していた．症状悪化時には服薬も中断しており，入院して薬物療法を再開すると精神症状の改善がみられる傾向にあった．退院後の生活ではデイケアなどのサービスについて「自分には合わない」と言い，それらを利用せず外来通院のみで生活を送っていた．

今回の入院は，半年経過した外来通院が途絶え，同じグループホームの住人を怒鳴りつけたり，テレビのボリュームを最大にして大音量で流したりするなど，奇異な行動が頻繁にみられるようになったため，兄の説得により入院となった．入院後は同室者との交流はあまりみられず，一日のほとんどを自室で過ごしていた．高齢の患者の言動を見て，「自分はこの人たちとは違う．自分がこの人たちと同じ病棟で暮らしていると思うとストレスだ」と話していた．

医療スタッフの間で今後の退院に向けた援助の方向性を検討していくなかで，退院後の支援である訪問看護を活用することはできないかと考えた訪問看護師は，Aさんと面談し訪問看護の利用意向を改めて確認することにした．

2 理論に照らしてのアセスメントと援助のポイント

コンコーダンスモデルでは，対象者の価値観やライフスタイルに合った保健行動がとれるよう協働関係を形成し，対象者が主体的に意思決定することを重視する．そのため，Aさんの服薬や治療することについての考え，信念を聞いたり，不安や心配事，困難に感じていること，過去の経験，望む生活，希望などを知ることが重要である．このアセスメントをとおしてAさんの困難や目指すべきものを知り，共に取り組む姿勢を示すことが協働関係形成の第一歩となる．そして，前向きな気持ちで主体的な決定ができるよう対話をとおして援助を展開していく．

3 活用例

1）事例のアセスメントと援助の実際

訪問看護の利用意向を確認するときに留意することは，薬物療法の継続と症状の安定を目指した訪問看護の実施という，病気や治療を主軸にした価値観に従ってもらうのではなく，Aさんの価値観や信念，希望といったものを尊重して，互いの意見が尊重される関係性のもとで最終意思決定をAさんが行うことである．このコンコーダンスモデルに沿いながら対話を進めた．

面談では今回の入院に至る経過を振り返りながら，今の服薬に対する考えが語られた．退院後しばらくは普通に暮らせるのだが，服薬をやめるとイライラしてくること，自分でも状態が悪いと感じていたため兄の強い勧めもあり入院したこと，薬を飲まないとこのような状態になることが今回わかったので，今度からは服薬を続けたいと考えていること，今はどこも悪くないのですぐにでも退院したいことが語られた．退院後の訪問看護の利用については気が進まないということから，Aさんが希望している退院後の生活とはどのようなものなのか，先を見据える介入を意識して対話を進めた．すると，「働こうと思っているんです．そのためにも早く退院したい．できれば訪問看護も受けたくないんです．予定を入れないでおきたいので」と話した．働きたいという希望をもつAさんに訪問看護師は，われわれもAさんが働けるようになるといいと思っていることを伝えた．すると，「ありがとうございます．けど，まだどうしたらいいかわからなくて．退院してすぐ働こうとは思っていないんです．しばらく様子を見て，考えてからと思っています」と話した．そこで，訪問看護師は，就労継続支援事業所に通いながら生活をしている訪問看護利用者の例を挙げ，「われわれにもAさんの仕事をしたいという希望をかなえるためにお手伝いできることがあると思います．そのことについて訪問看護で話し合っていくというのはどうでしょうか？」と提案したところ，ぜひお願いしたいと希望し，訪問看護を利用する意向が示された．こうして，訪問看護が開始されることになった．

先を見据えることで，Aさんが抱く，働いてみたいという希望が明らかになり，訪問看護師もそこに意見の一致をみせ，目標を尊重し寄り添うことでコラボレーションすることができた．また，入院しない生活を送るためにも服薬は継続しようと思っていることがわかった．そこで間もなく実施される訪問看護では入院しない生活を送りたいという考えをより現実的なものにするために，実践的問題の整理でその方法を具体的に探究することもテーマとして設定した．

様々な共通基盤をもちながら初回訪問では以下のような対話をもった．そのやりとりのなかで鍵となるスキルや基礎的スキル，かかわりを進めるスキルを用いてコンコーダンスモデルを具現化している．そのやりとりを以下に示す．

看護師と患者との対話		介入とスキル
訪問看護師	：退院して１週間がたちましたね．共同住居の生活はいかがですか？	オープンクエスチョン
Aさん	：やっぱりいいですね．自由だし，落ち着きます．入院してたら，することないし，同じ部屋の人にもなじめなかった	
訪問看護師	：そうでしたか．それじゃ，もう入院生活には戻りたくないですね．確か，退院前の面談でも『もう絶対入院はしたくないです』って言っていましたね	面接を相互に関連づける
Aさん	：はい．今度は入院にならないようにしたいです	
訪問看護師	：それでは，具体的に入院にならない方法を一緒に考えてみましょうか	アジェンダの設定

Aさん	：はい．私，気づいたことがあって，今回入院したのが今年の8月．前回も8月で，1年サイクルで何かが起こるんだなって思ったんです	
訪問看護師	：どちらも8月ですね．魔の8月．2回とも共通する前触れというのはないでしょうか？	
Aさん	：入院になる2～3か月くらい前から，やっぱり薬飲まなくなってるんですよ．それで幻聴が聞こえてくる．1年前は自殺してしまえって聞こえてきたこともありました．そうなってるときって，半分は異常だけど，半分は自分でもわかってるところがあるんです．それで不安になって，誰かのそばにいたいって思うんですよ．だから，あちこち電話かけまくったり，遊びに行ったり，お姉ちゃんの家に居座ったり．それで，お姉ちゃんにキツイこと言って当たってしまったから入院になってしまったんですよ	（今後，時系列で過去の出来事を整理する振り返りの介入が必要と思われる）
訪問看護師	：お薬を飲まなくなることで幻聴が聞こえるようになり，不安でお姉さんに厳しいことを言ってしまったんですね	要約
Aさん	：はい．お姉ちゃんは電話しても出ないんです．きっといるんですけど，出てくれなくて．今度，謝りに行きたいなって．迷惑かけたから．兄は精神病があることに理解があるけど，姉はそうじゃないんですよ．面倒くさいからとっとと入院してしまえって感じだと思うんです．兄に頼ってばかりだと申し訳ないからお姉ちゃんにも協力してほしいなって思ってるんですけど……	
訪問看護師	：誰でも家族には迷惑かけたなと思うことをしているものですよ．Aさんは，お姉さんに謝りたいと思ったり，お兄さんの負担を考えたりして，いつも思いやりを忘れないんですね	支持と承認を示す（正当化） （コンプリメント）
Aさん	：もう父も母もいないんで	
訪問看護師	：もし，また幻聴で不安が強くなったとき，どのようなことをするといいと思いますか？	コーピングクエスチョン
Aさん	：誰かそばにいてほしいので，看護師さんに助けてって言います．けど，できればいきなり入院にはしないでほしいです．半分自分でもわかってる部分があるので，アドバイスしてくれる人がいるといいと思うんです	
訪問看護師	：それでは，訪問看護がお役に立てるときがあるかもしれないですね	支持と承認を示す
Aさん	：はい．そのときはお願いします	

このような対話を重ねていき，不調となる引き金や注意サイン，調子が悪くなったときにすること，クライシスプランをリスト化する取り組みを進めていった．このかかわりをとおしてAさんは自らの生活に対する責任感を強め，能動的に訪問看護を利用するようになった．

薬物療法においては，今回の入院から得た教訓として内服を継続する意思を示しているため，その前向きさが理解できたが，これまでの経過から何らかの不調和が存在して服薬の中断に至ったことが推察された．そのため，不調和を理解して少しでも調和に向かう介入が必要であると考え，コンコーダンスアセスメントによって服薬にまつわる経験や心配事，不安，疑問について丁寧に伺うことにした．

看護師と患者との対話	介入とスキル
訪問看護師：今飲んでいるお薬について感じていることを話していただけませんか？	オープンクエスチョン
Aさん　：はい．病気はよくなるけど体調は悪くなる	
訪問看護師：病気はよくなるけど体調は悪くなる，とは，どういうことですか？	相手の用いている言葉を使う
Aさん　：薬飲むと足が突っ張るんです．あと，めまい．特に足，足が気になります．毎日似たような時間帯で，お薬飲んで30分くらいでなるんです．そして薬飲むのやめたらよくなるんですよ．それで前は飲まなくなったんですけど	
訪問看護師：薬を飲むと足が突っ張るので以前は飲まなくなったのですね．このことは主治医も知っているのでしょうか？	要約
Aさん　：そこまで詳しくは言ってないです．先生は考えてくれてるみたいなんですけど，今飲んでる薬より副作用軽いっていうお薬に変えてくれて．けど，私にしたら，逆にそっちのほうが副作用強くて．だから，副作用があっても我慢して飲んでたほうがいいのかなって．よっぽどつらい副作用が出たら言わなきゃいけないって思うんですけど，今はまだ我慢できるので	
訪問看護師：それはつらいですね．副作用を感じながら飲むって，究極の選択，みたいなことですよね．薬を変更して逆につらい経験をされて，今はあきらめの気持ちなのでしょうか？	支持と承認を示す（コンプリメント） 反映的傾聴
Aさん　：そうかもしれません．薬は変えないでおきたいですし．もし変えて，さらに悪い副作用が出るってこともありますよね？　薬はもうできれば，あんまり飲みたくないんで．いろんな薬あっても．薬に頼るのって，あんまり好きじゃないんですよね	
訪問看護師：本音では薬はできれば飲みたくないということですよね．よく話してくれましたね	支持と承認を示す（コンプリメント）
Aさん　：けど，入院もしたくないですから（笑）	
訪問看護師：薬は飲みたくない，そして，入院もしたくない．それでは，薬を飲むことのメリット，デメリット，薬を飲まないことのメリット，デメリットを一緒に整理してみませんか？	矛盾を拡大する アジェンダの設定
Aさん　：そうですね．面白そうですね	

こうして両価性の探求を行い，矛盾を拡大することでAさんは認知的不協和による行動の変化が起きやすい状態となった．また，Aさんの副作用に関する発言を受け，抗精神病薬の効果と副作用について情報の交換も行った．これらのかかわりから，Aさんは「薬には副作用もあるけど，今の生活を続けていくことが一番の希望だから，薬は飲みます」と，服薬に前向きな姿勢を示した．また副作用については急性ジストニアのほかに高プロラクチン血症による乳汁分泌と無月経も経験していることがわかった．本人はそれが薬の有害反応という自覚はなく，医師に話したことはなかった．しかし，この対話後，自ら主治医と有害反応に関して対話の機会をもち，リスペリドンとパリペリドンの選択肢から後者を選ぶという，薬物療法への積極的な参加がみられた．

2）評　価

服薬の中断により入退院を繰り返すAさんに，薬物療法の重要性を強調するといった教育的介入に偏ることなく，対話を重視して薬物療法における有害反応の懸念といったネガティブな感情も話題に取り上げた．その結果，医療者と懸念を共有することで心理的障壁が軽減し，治療への前向きさが引き出される結果となった．

病気や障害による困難さを抱えながらも，当事者が自分らしさを取り戻し，望む生活の実現に向かうリカバリーの概念が重要視されるなか，コンコーダンスモデルは当事者の価値観や考え方，希望を尊重しながら，保健行動との調和を目指すため，リカバリーに向けた関係性を構築するために今後の援助場面においてさらなる活用が期待される．

理論を看護実践につなげるために

理論を看護実践につなげるために，コンコーダンスモデルがもたらす意義の一つである意思決定過程の共有について看護の役割を検討する．青木・渡邊（2015）はMakoul & Clayman（2006）の論文をもとに，shared decision making の構成要素として表10-3のような内容を提示している．ここでは治療のモニタリングといった意思決定の変更に関する要素は示されておらず，あくまでも意思決定に関与する部分のみを記載しているものの，ここで示されている8つの要素とコンコーダンスに基づいた援助例を照らし合わせることで，コンコーダンスモデルにおける看護実践の特徴を考察することができる．

表10-3に示したSDMの要素のうち，わが国で発表されているコンコーダンスモデルに基づく事例報告では要素3・4・5・6を扱っている場合が多い．たとえば山元（2015）の事例報告では定型的な面接を中断して患者の好きなカラオケをもとに音楽の話題を用いて（要素4）退院につなげているし，松岡・塩見・橋本・浅田・平岡（2015），小瀬古

表10-3 ●shared decision makingの本質的な構成要素

要　素	例
要素1	健康上の問題となっていることを定義し，説明する
要素2	治療の選択肢を提案する
要素3	選択肢の利点，欠点，かかる費用などの客観的情報について話し合う
要素4	当事者の価値観や好みを明らかにする
要素5	当事者の能力や自己効力感について話し合う
要素6	治療者の経験からの知識や推奨を伝える
要素7	疾患や現在の状態，治療についての当事者の理解度を確認する
要素8	方針を決定する/あるいは保留にする
フォローアップを行う	

青木裕見，渡邊衡一郎（2015）．精神科治療における双方向性の意思決定 shared decision making の実現可能性．精神科治療学，*30*(1)，99-104.より転載

(2010) の事例報告では選択肢の利点と欠点について感じる矛盾点を明らかにして（要素3）外出や退院といった社会的状況の改善がみられている．

要素4，5は診察や教育の場面ではないほうが患者にとって話しやすいと思われるため，入院病棟でいうナースステーション，訪問看護では自宅などのように患者が時間を過ごしている場に物理的に近い場所で勤務する看護師のほうが，要素4や要素5を取り扱いやすい可能性がある．実際に患者（当事者）を対象とした複数の質的研究によって，患者の価値観や好みや強みを明らかにする存在，患者の意思決定を尊重する存在として看護師が示されている（安保，2002）．

コンコーダンスモデルを看護実践につなげるためには，健康上の問題に対する説明や客観情報についての話し合いも重要である一方，当事者の価値観や好みを明らかにして尊重し，治療方針の決定に関する治療者と当事者の責任が共有されるような援助を行うことが望ましい．また，疾病の治療というよりも良好な経過に向けた互いの尊重や合意形成である点を重視することが最重要である．入院にせよ通院にせよ，当事者（患者）は生きがいや希望をもった人間そのものであって，価値観や好みや能力を見出すことで病気を中心とした見方からその人自身を中心とした見方へ転換する必要があるからである．QOL（生命および生活の質）の構成要素を念頭に置くこと，信念や価値観の形成に関するライフストーリーを軽視しないこと，何よりも，患者に内在する希望が共鳴によって輝く (coherent) ように医療者自身が自分と患者に対する確信を有するように過ごすことが重要である．

文献

安保寛明（2002）．利用者へのニード調査による訪問看護ケアの特性に関する質的研究．東京大学大学院医学系研究科平成13年度修士論文集，81-88.

安保寛明（2011）．患者と医療者の心がともにあることの意味．精神科看護，*38*(11)，5-12.

安保寛明（2017）．コンコーダンスによる共同意思決定とセルフケア概念への影響．日本精神保健医療行動科学会誌，*32*（2）：20-24.

安保寛明（2021）．精神保健の時代をひらく共創造．日本精神保健看護学会誌，*30*（2）．61-69.

安保寛明，武藤教志（2010）．コンコーダンス－患者の気持ちに寄り添うスキル21，医学書院．

青木裕見，渡邊衡一郎（2015）．精神科治療における双方向性の意思決定 shared decision making の実現可能性．精神科治療学，*30*(1)，99-104.

新井里美，中田ゆかり，比嘉勇人（2020）．日本の医療におけるコンコーダンスの概念分析．富山大学看護学会誌，*19*（1），35-49.

Bissonnette, M.（2007）．Adherence: A concept analysis. *Journal of Advanced Nursing*，*63*(6)，634-643.

Bond, C. (Ed.)（2004）. Concordance：A partnership in medicine-taking. London:Pharmaceutical Press.

藤井陽子，徳永季美枝（2012）．コンコーダンススキルを用いて介入し外泊を行えた事例．日本精神科看護学術集会誌，*55*(2)，261-265.

Gray R, Leese M, Bindman J, Becker T, Burti L, David A, Gournay K, Kikkert M, Koeter M, Puschner B, Schene A, Thornicroft G, Tansella M. (2006). Adherence therapy for people with schizophrenia. European multicentre randomised controlled trial. *Br J Psychiatry. 189*, 508-514.

Gray, R., & Robson, D. (2001). Concordance Skills - collaboration - involement - choice. A manual for mental health workers. London: unveröffentlicht.

Gray R, Wykes T, Edmonds M, Leese M, Goumay K. (2004). Effect of a medication management training package for nurses on clinical outcomes for patients with schizophrenia: Cluster randomised controlled trial. *Br J Psychiatry. 185*, 157-162.

加納美樹（2021）．気持ちに寄り添うかかわりコンコーダンス・スキルを用いた看護介入．日本精神科看護学術集会誌，*65*(1)，112-113.

小瀬古伸幸（2010）．統合失調症患者へのコンコーダンス・スキルを用いたアプローチの効果．日本精神科看護学会誌，*53*（2），189-193.

Makoul, G.，Clayman, ML.（2006）．An integrative model of shared decision making in medical encounters. *Patient Education and Counseling*, *60*, 301-312.

松岡智博，塩見康幸，橋本法人，浅田利幸，平岡智恵（2015）．コンコーダンス・スキルを用いた介入による統合失調症患者の認識の変容．日本精神科看護学術集会誌，*58*(1)：456-457.

日本高血圧学会高血圧治療ガイドライン作成委員会（2014）．高血圧治療ガイドライン2014．ライフサイエンス出版．
日本糖尿病学会編（2013）．科学的根拠に基づく糖尿病診療ガイドライン2013，南江堂．
Snowden, A.（2008）．Medication management in older adults : A critique of concordance. *British Journal of Nursing, 17*(2), 114-119.
Snowden, A.,Marland, G.（2012）．No dicision about me without me: Concordance operationalised. *Journal of Clinical Nursing, 22*(9-10), 1353-1360.
Snowden, A., Martin, C., Mathers, B., and Donnell, A.（2013）．Concordance: A concept analysis. *Journal of Advanced Nursing, 70*(1), 46-59.
WHO（2003). Adherence to long-term therapies : evidence for action. WHO.
〈http://apps.who.int/iris/bitstream/10665/42682/1/9241545992.pdf〉[2023. June 20]
山田憲一（2015）．糖尿病とともに生きる－対話から希望へ．日本糖尿病教育・看護学会誌，*19*(1)，46-49.
山元恵（2015）．服薬中断の経験がある統合失調症患者への退院支援－コンコーダンススキルを実践して．日本精神科看護学術集会誌，*58*(1)，314-315.

● 看護のアセスメントと援助に関する理論

11 ノーバックのソーシャルサポートのモデル

A 理論との出会い

筆者が，ソーシャルサポートという用語に出会ったのは，ストレス・コーピング理論を学んだときが最初だったと記憶している．そのときは，ストレス・コーピング理論の一部を成しているという理解にとどまっていた．ノーバックのソーシャルサポートのモデルに出会ったのは，大学院でのゼミである．ソーシャルサポートは，ストレスが健康に及ぼす影響を緩衝するとされており，その効果について様々な研究が行われていた．馴染みのある用語ではあったが，それぞれの研究において，ソーシャルサポートの定義が複数存在していること，文化の違いによるソーシャルサポートに対する考え方の相違などが影響し，ソーシャルサポートの概念は一致していないのが現状であると理解した．そのことが，看護過程に適用する際の障壁の一つになっていると考えられる．

ノーバックは，看護職者として看護実践にソーシャルサポートの概念の導入を試み，モデルを作成して研究に取り組んでおり，そのような点に非常に興味がわいた．ソーシャルサポートに対するニーズは，個人の特性や状況の特性によって決定されるが，個人差が大きい．一生涯，孤立した生活を望む人もいれば，数多くの友人や親類縁者がいないと満足できない人もいる．そのことを踏まえて，ソーシャルサポートの視点からアセスメントして介入方法を導き実践することは，患者の健康の回復あるいは促進するための方略の幅が広がることにつながると考える．

B 理論家紹介

ジェーン・ノーバック（Jane S. Norbeck）の教育歴は，ミネソタ大学で心理学学士と看護学学士を取得，さらにカリフォルニア大学サンフランシスコ校で精神看護修士，看護学博士を取得している．職歴は，カリフォルニア大学サンフランシスコ校で准教授を経て，1989～2000年まで看護学部の教授として学部長も務めた．

主な研究業績には，ノーバックとその同僚が開発したNorbeck Social Support Questionnaire（以下，NSSQと略す）（Norbeck, Lindsey & Carrieri, 1981, 1983）がある．これは，日本語やスペイン語に翻訳され，世界でも広く使用されている．その後，1995年にNSSQの改訂版（Norbeck, 1995）が発表されている．

受賞歴としては，1994年に全米科学学会の医学研究所のメンバーに選ばれ，1996年に子

キー概念

□ソーシャルサポート（social support）：①他者への肯定的な感情の表現，②他者の行動，認識や表明された意見の肯定あるいは承認，③他者への象徴的あるいは物質的な援助を与えること．これらのうち，1つないし2つ以上の側面を含んだ対人的相互作用である．相互作用とは，与える，受け取るという均等な関係である．

□個人の特性（properties of the person）：年齢，性別，婚姻の状況，宗教と文化のような人口統計学的な変数である．

□状況の特性（properties of the situation）：仕事，家族の期待と要求，病気の状況や危機的な状況である．

□情感（affect）：好み，称賛，敬意，愛の表現を意味する．

□是認（affirmation）：同意の現れ，適切性の確認，いくつかの行為の正しさ，他者の発言を意味する．

□助力（aid）：直接の支援あるいは援助を意味する．物質的な援助，お金，情報，時間を与えてくれる人を含む．

□ソーシャルサポートネットワーク（social support network）：サポートを依頼できたり，あてにできる人々から成っており，ソーシャルサポートを通常提供する人々を意味する．

どもと青春期の精神科看護連合からLifetime Achievement Awardを授与されている．1999年には，Hispanic Nursesの全国協会の名誉終身会員の称号が授与されている．

C 理論誕生の歴史的背景

橋本によると，「1974年にカプラン（Caplan, G.）とキャッセル（Cassel, J.）が『ソーシャルサポート』という語を使用したときから，ソーシャルサポート研究は実質的に始まった」とされる（橋本，2005，p.2）．

ノーバックがソーシャルサポート研究を計画するようになったきっかけは，1979年に未婚の親のニーズや資源について研究をしたときがきっかけである．そのときの研究結果では，養育上の問題や子どもの成長発達上の問題について，ライフスタイルやその他の変数よりも，親友や親類縁者との関係の欠如が説明因子としては，重要な変数であることがわかった．その報告をしたときに，同僚の1人がソーシャルサポートの文献を見せてくれ，その後，ソーシャルサポート研究を計画するようになったと述べている（羽山，1987）．看護師は，患者やその家族とのコミュニケーションをとおして，ソーシャルサポートを促進したり強化したりするための介入を行うことができ，健康状態の改善に寄与することが期待できるため，医療や看護で注目されるようになった．House（1981）は，ソーシャルサポートの概念を情緒的サポート，手段的サポート，情報的サポート，評価的サポートの4つで説明しており，具体的な介入方法を検討する際に参考となる．

ノーバックのソーシャルサポートの概念枠組みの基盤となっているのは，カーンとアントヌッチ（Kahn & Antonucci, 1980）のモデルである．社会心理学のロバート・カーン（Robert Kahn）は，ミシガン大学の教授であり，アタッチメント理論と役割理論からソーシャルサポートの概念化を導き出した．さらに，ノーバックは，ソーシャルサポートの概念枠組みの開発に加え，ソーシャルサポートを測定するために信頼性，妥当性のある測定用具がいまだ開発されていなかったことから，NSSQを開発した．NSSQの理論的枠組みは，カーンの研究に基づいており，ソーシャルサポートの定義は，カーン（Kahn, 1979）の定義の3つの機能的構成要素である情感，是認，助力を測定するように操作化されており（Norbeck, 1984　野嶋訳，1984），ソーシャルネットワークの特性として，カーンら（Kahn & Antonucci, 1980）が提案したコンボイの考え方も活用されている．

D ノーバックのソーシャルサポートのモデルとは

ノーバックは，ソーシャルサポートの独自の定義を述べていないが，その概念はカーンの研究に基づいていることから，カーンの定義を用いたと思われる．カーン（Kahn, 1979, p.85）は，ソーシャルサポートの定義を「次の1つないし2つ以上の側面を含んだ対人的相互作用である：他者への肯定的な感情の表現；他者の行動，認識や表明された意見の肯定あるいは承認；他者への象徴的あるいは物質的な援助を与えること」と述べており，「サポーティブな取引の主軸は，情感，是認，助力である」とまとめている．

カーンら（Kahn & Antonucci, 1980）のソーシャルサポート概念の理論的根拠は，アタッチメント理論と役割理論である．愛着（アタッチメント）を示すとは，子どもが特定の人物に対する接近や接触を求めていることと定義されている（Bowlby, 1982　黒田・大羽・岡田・黒田訳，1991）．幼少期に獲得されたアタッチメントが成人期の支持的な相互作用の基盤となっており，強い支持的な関係をもっている成人は，環境のストレスにうまく対処することが可能であるとしている．人は，生涯を通じていろいろな役割を担い，役割の変更を伴う．家庭や職場での役割を担うと同時にストレスも発生し，そのストレスを緩和するためにソーシャルサポートが必要となってくる．ソーシャルサポートは，与えることと受け取ることの相互作用であり，その構造としてカーンら（Kahn & Antonucci, 1980）はコンボイの概念を提案している．コンボイとは，人間関係のネットワークを示し，ライフコースの各時点でコンボイ，すなわち人という護衛艦が個々人を囲んでサポートを与え，受け取るという関係があり，時間とともに変化する構造である．そして，このコンボイを説明する枠組みとしてモデルを示し，そのモデルがノーバックのモデルの一部となっている．

1 ソーシャルサポートモデルの説明

ノーバック（Norbeck, 1981）の「臨床実践におけるソーシャルサポートの活用の研究を導く枠組み」（図11-1）に沿って，看護実践に活用できるソーシャルサポートのモデルを紹介する．

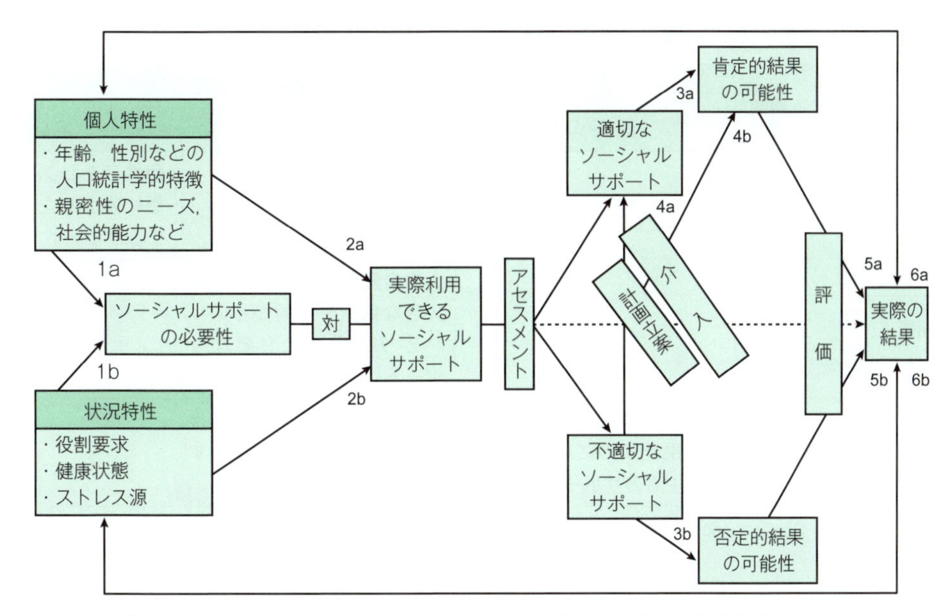

図11-1●ノーバックの臨床実践におけるソーシャルサポートの活用の研究を導く枠組み
Norbeck, J.S. (1981). Social support : A model for clinical research and application. *Advances in Nursing Science, 3* (4), 43-59. より引用一部改変

2 ソーシャルサポートの必要性と実際に利用できるサポートを決定づける要因

まず，「個人特性」と「状況特性」が共同でソーシャルサポートの必要性と実際に利用できるサポートを決定づける（矢印1a，1b，2aと2b）．状況によっては，ストレス要因とストレス緩和要因の両方を生み出しうる．

1）個人の特性

年齢，性別，配偶者の有無，宗教，文化などの人口統計学的な特徴である．年齢については，幼少期では，少数の主要な世話人からの絶え間ないサポートが必要であり，成熟するにつれて支えとなる相互作用の頻度は減少する．そして，サポートを提供してくれる人は，他の家族や親族，友人へと拡大していく．性別では，女性が男性より多くのソーシャルサポートを必要とするといわれている．また，孤独を好む人なのか，多くの親族，友人を必要とする人なのかという親密性に対するニーズ，ソーシャルサポートネットワークを構築し維持する社会的能力，性格上の差異や，コーピング様式の違いなども個人の特性に含まれる．

2）状況特性

仕事，家族の期待と要求，病気の状況や危機的な状況などである．状況別に必要とされるソーシャルサポートの強さと期間が予測されている．たとえば，すべての人は日常生活を営むうえで，長期間または継続的に低レベルのサポートが必要であり，急性疾患の場合には，高レベルのサポートが短期間必要とされている（表11-1）．

表11-1●状況的要請やストレス要因により必要なサポートの強度と期間を予測するための座標

サポートを要する期間	必要とするサポートの強度		
	低レベル	中レベル	高レベル
短期間			急性ストレスまたは急性疾患に直面した場合に必要とするサポート
中期間		人生の変化や移行を管理し，大きな病気や手術からのリハビリの促進に必要なサポート	
長期間または継続的	個人の健康や主な社会的役割を果たすのに必要とする日常生活のサポート	慢性的なストレスや慢性疾患に対処するのに必要とするサポート	

Norbeck, J. (1981). Social support：A model for clinical research and application. *Advances in Nursing Science*, 3(4), 50. 一部改変

3 アセスメント

アセスメントにおいては，ソーシャルサポートの必要性と実際に利用可能なソーシャルサポートを比較して，ソーシャルサポートが適切（十分）であるか，不適切（不十分）であるかを決定する．その場合，実際利用できるソーシャルサポートの量が必要とされるソーシャルサポートの量を上回るなら，適切なソーシャルサポートと判断され，適切なソーシャルサポートの導入（矢印３a）は，肯定的結果の可能性が予測される．一方，実際利用できるソーシャルサポートの量が必要とされるソーシャルサポートの量を下回るなら，不適切なソーシャルサポートと判断され，不適切なソーシャルサポートの導入（矢印３b）は，否定的結果の可能性が予測される．

4 計画立案

計画と実施にあたっては，アセスメントに基づいて，ソーシャルサポートが適切であると判断された場合は，実際利用できるソーシャルサポートを活用できる計画を立案し，それに基づき介入する（矢印４a）．一方，ソーシャルサポートが不適切と判断された場合，下記に示す事柄を検討したうえで，悪影響を防ぎ，肯定的結果の可能性を導くための計画を立案し，それに基づき介入する（矢印４b）．

〈不適切なソーシャルサポートと判断された場合の検討事項〉

1. ソーシャルネットワークの変更可能性

①ネットワークの構造；ソーシャルサポートネットワークに新たに参加させたり，復帰させたりすることができる人はいるか．

②ネットワークの機能；既存のネットワークメンバーが今回必要とされる種類のサポートを提供できるか．

③ネットワークの中断；ネットワークの混乱を最小限に抑えるために，支援方法を変えたり，資源を利用したりすることができるか（たとえば，その人が遠く離れた地域の

3次医療施設に入院するなどの場合).

2. ネットワークメンバーとの連絡の確立・維持に必要な対人スキルと態度.
3. その人は既存の自助グループや支援グループを利用したり，同様の経験がある人に接触したりすることを受け入れているか.
4. 在住の地域にあるソーシャルサポートシステムからの支援が利用できないまたは受け入れられない場合，その人が現在のストレスや病気に対処するためにはどのような支援が必要か.
5. その人が適切なソーシャルサポートネットワークを確立し維持するには，どのような長期的支援が必要か.

5 介　入

介入にあたっては，次の2つの介入方法が考えられる.

①その人のソーシャルサポートネットワークの構造，機能，または利用に影響を与えて，適切なレベルのソーシャルサポートに変えることに焦点をあてた介入.

②その人のネットワークに働きかけるのではなく，特定の期間（あるいは危機）において，専門家がその人に直接支援するか，またはその他の援助を提供する介入.

なお，ノーバック（Norbeck，1981）は，専門家によって直接提供されるサポートは，相互作用ではなく一定方向に作用するためソーシャルサポートではない，もし，一時的に看護職者が直接サポートを提供したとしても，そのサポートのゴールは，患者自身がソーシャルサポートネットワークを築いて，維持することができるようにするためであると述べている.

6 評　価

アセスメント，計画，介入が意図したように，不適切なソーシャルサポートを適切なものに変化させ，肯定的結果の可能性を広げているかについて反省を含めて評価する．適切なソーシャルサポートを受けている人や効果的な介入の恩恵を受けている人では，肯定的な結果になる可能性が大きい（矢印 3a，4a と 4b）．効果的な介入がなされず，不適切なソーシャルサポートの場合では，否定的な結果を招く可能性が大きい（矢印 3b).

7 実際の結果

実際の結果は，前述の評価の状況（矢印 5a と 5b）または，人，環境，他の原因などの個人的特性や状況特性の影響を受ける可能性がある（矢印6aと6b).

なお，図の中の点線は，アセスメント，計画立案，介入そのものを評価する必要があることを示している.

研究の動向

ソーシャルサポートが健康度や他の機能に関連することは1970年代の研究からすでに報

告されており，1980年代には，ソーシャルサポートの健康に及ぼす影響の因果検証型の研究が報告されている．NSSQを変数の一つとした研究も世界各地で行われており，その数は100以上に上る．ノーバック自身の研究としては，集中治療室で勤務している看護師の仕事のストレスの管理におけるソーシャルサポートのタイプとソーシャルサポート源を示している調査研究がある．この研究では，既婚の看護職者は仕事に関するサポートのスコアが高く，未婚の看護職者は親族からのサポートのスコアが高いと報告している(Norbeck, 1985)．また，低収入でサポートのスコアが低いアフリカ系米国人の妊娠女性に対する介入研究をしている．この研究では，ランダム化比較試験を行っており，看護職者による2週ごと，4回のセッションと電話連絡による介入をした群は，低出生体重児の割合を減らすことができたと報告している（Norbeck, DeJoseph & Smith, 1996）．

日本では，乳がん手術患者の心理的適応に関する縦断的研究として，同一患者の入院前と手術後3年に面接調査を行った報告がある．この結果では，術後3年でソーシャルサポートネットワークを拡大させている人は，特性不安が高いという傾向を示した．手術後長期間たった時期の不安の軽減には，少数でも接触頻度が密で高いサポートを提供してくれる人の存在が重要であることが示唆されている（松木・三木・越村・鹿島・大谷，1992)．また，オストメイトと健常者のソーシャルサポートを比較した研究では，オストメイトが有意にソーシャルサポートが少なかったと報告している．さらに，オストメイトのソーシャルサポート（是認，関係持続期間，規模）と特性不安との間に有意に負の相関がみられ，他者に認められていないという思いが強い，また長く付き合っている人が少ないオストメイトほど不安が強いことが示唆されている（真田他，1993)．さらに，デイケア・作業所通所中の統合失調症患者は，通常者と比較して，男性のほうが女性よりもサポートが多く，その性差が，患者が所属するデイケアなどの集団の男女差に起因する可能性があることが示されている（前田他，2003)．

F 理論の看護実践での活用

ノーバック（Norbeck, 1981）が開発したモデルは，臨床実践のために患者の社会的側面である対人的環境についての理解を深めるためのガイドとして利用することができる．また，このモデルは，看護研究を計画するうえでのガイドとして使い，研究の目的が図11－1に示す矢印に関連していれば，どの矢印であっても，その成果は必ず看護実践に役立つはずであると述べている（Norbeck, 1986)．これらから，研究に用いるだけではなく，個々の事例に対する看護実践にも活用できると考える．

なお，前述したノーバックとその同僚が開発したソーシャルサポートの質問紙（NSSQ）については，信頼性と妥当性がすでに検証されている（Norbeck, 1984　野嶋訳，1984)．ここでは，日本向けに翻訳修正されたNSSQ日本版を表11－2に示す（南他，1990)．

1 アセスメントのポイントと援助の選択

アセスメントの際に注意しなければならない点は，サポートが得られているかどうか

表11-2 ●NSSQ日本版の質問

	質　問
情感	質問１：この方は，あなたに，どれくらい好意や愛情をもっていると思われますか． 質問２：この方は，あなたに一目おいてくれますか．どのくらいそうですか．
是認	質問３：あなたは，この方をどれくらい信頼していますか． 質問４：この方は，あなたの行動や考えにどのくらい理解を示してくれますか．
助力	質問５：もしあなたが，２万～３万円急に必要だとか，夜中に医者のところまで連れて行ってほしいとかというふうに，何か急に誰かの手助けがいるとき，この方は，通常，どのくらいあなたを助けてくれますか． 質問６：もしあなたが，数週間ほど，入院して安静臥床が必要な場合，この方はどのくらいあなたを助けてくれますか．
仕事上の助力	質問７：患者や家族のケア上，わからないことや困ったことがあったときに，この方はあなたにとってどのくらい助けになりますか． 質問８：職場の同僚や上司との間に問題が起こったとき，この方はあなたにとってどのくらい助けになりますか．
甘え	質問９：あなたは，この方に甘えていますか．どのくらいそうですか． 質問10：あなたは，この方に甘えたいですか．どのくらいそうですか．
遠慮	質問11：あなたは，この方に遠慮がありますか．どのくらいそうですか．
義理・恩	質問12：あなたは，この方に義理や恩を感じますか．どのくらいそうですか．
関係持続	質問13：この方と知り合いになられてからどのくらいたちましたか．
期間・頻度	質問14：ふつう，どのくらいの頻度でこの方と接触されていますか（電話，訪問，手紙など）． 質問15：この方とあなたの関係はどれに該当しますか． 質問16：あなたが，このカードに書いた人たちとのつきあいを全体として見た場合，あなたは，自分の周囲の人々との関係に満足していますか．どれくらいそうだと思いますか．

南裕子他（1990）．ノーバック·ソーシャルサポート質問紙日本版における構成概念の妥当性の分析．日本看護科学会誌，*10*（1），52-62．より引用一部改変

は，患者本人にしかわからないということである．つまり，主観的なものであるので，ただ観察しただけで判断できるものではないという点である．

１）キーとなる概念に基づく情報の収集と整理

①個人の特性（年齢，性別，婚姻状態，宗教，文化，親密性に対するニーズ，社会的能力，コーピング様式）．

②状況の特性（仕事，家族の期待と要求，病気の状況や危機的な状況）．

③ソーシャルサポートの必要性．

④実際に利用できるソーシャルサポート（サポートの量，サポートのタイプ）．

２）肯定的な結果が得られるように問題を整理し，援助の方向性を見出す

①その人がどのようなストレス源となる状況を抱えているか．

②ソーシャルサポートに対してどのようなニーズをもっているか．

③実際に利用しているソーシャルサポートに対して，どのように認識しているか．

④実際に利用できるソーシャルサポートに対して，どのように認識しているか．

⑤ソーシャルサポートは適切か，不適切か．

⑥予測できる健康面での肯定的な結果とは，どのような状態か．

3）計画立案

ソーシャルサポートに働きかけて，肯定的な結果に向けて計画立案し介入する．

①患者のソーシャルサポートシステムが十分に機能しているかを，以下に示す情感，是認，助力の３側面から整理する．

情感：称賛，敬意，好意や愛情を示す．

是認：信頼，理解を示す．

助力：直接の支援あるいは援助（金銭的援助，情報提供なども含む）．

②看護師はどのような直接のサポートが求められているかを検討する．

4）看護の実践と評価

（1）看護の実践

①ソーシャルサポートシステムを強化する．

②看護職者から直接サポートを提供する．

（2）評　価

①ソーシャルサポートを増強することができたか．

②予測された健康面での肯定的な結果は得られたか．

G 臨床での活用の実際

1 事例紹介

Aさんは，65歳の男性である．アパートを借りての独居，もともとは自営業であったがギャンブルで破産し現在は無職である．なお，ギャンブルを原因とする２度の離婚歴があり，２人の元妻とは連絡が途絶えている．１度目の妻との間には長男，２度目の妻と間には長女がおり，２人とも家庭をもち同市内に住んでいる．長男については，連絡先は知っているが互いに連絡をとっていない．長女については，病気の診断を受けたことをAさん自らが長女に電話連絡し，その後，時々連絡を取り合うようになった．

1）発症から緩和ケアの病院入院まで

７年前に背部の腫瘤を機に悪性の軟部腫瘍と診断され，B病院で手術を受けた．２度化学療法を受けたが，３度目の化学療法を受ける前に通院を自己中断した．

X年になり，背部の腫瘤が増大し背部痛が増強したためB病院を受診した．検査の結果，左肺転移が見つかり，背部の腫瘤は胸部まで広がり巨大な腫瘤となっていた．るい痩も進んでおり，担当医からは手術や化学療法の適応はなく，緩和ケアに専念したほうがよいと説明され，緩和ケアの病院を紹介され入院となった．

入院時から，少し症状が緩和されたら自宅に退院したいと希望していた．背部痛，体動時の呼吸困難，下肢筋力低下によるふらつきもあるが，独居生活であり，家族のサポートがどれだけ得られるか，家屋の状況なども整理し，退院に向けての準備が必要であった．

2 ソーシャルサポートのモデルでの展開

Aさんの状況をモデルに沿って展開してみる（図11-2）.

1）キーとなる概念に基づく情報の収集と整理

（1）個人の特性

Aさんは，65歳の男性である．独居であり，ギャンブルが原因の離婚歴が2度ある．

（2）状況の特性

仕事は自営業をしていたが，借金を残した状態で廃業していた．悪性の軟部腫瘍は進行性で緩和ケア中心の治療が提示されていた．本人も積極的な治療は望んでいなかった．入院生活で外出が制限されることや同室者がいることに不自由を感じており，自宅で過ごしたいと希望していた．しかし，苦痛症状があり，幼児2人の子育て中である長女に直接支援を頼むことは、長女からも難しいと伝えられていたため言い出せず，ストレスを抱えていた．

（3）ソーシャルサポートの必要性

退院を希望しているが，背部痛，体動時の呼吸困難など症状緩和がまだ十分ではないことに加え，玄関に入るまでの階段昇降，ゴミ出しなど，身の周りの世話をしてくれる人もいないため独居生活に不安があった．誰かの支援が必要と思っているが，長女には頼むこともできず，在宅サービスは経済的余裕もなく，利用することは考えていない．つまり，ソーシャルサポートは必要であるが，満たされていない状況である．

（4）実際に利用できるソーシャルサポート

Aさんは，長男の連絡先は知っているが，迷惑をかけたくないので連絡をとるつもりはないと話しており，離婚した妻とは連絡をとっていない．

Aさんが一番頼りにしているのは長女である．長女自身もAさんに対して幼い頃によく遊んでもらったという記憶があり，できることがあれば支援したいという気持ちはある．しかし，長女には幼い子どもが2人いるため，医師からの面談に同席することは可能だが，退院後の直接的な支援は難しいと言われている．なお，長女は2度目の元妻である母と連絡を取り合っており，Aさんの状況を共有していると考えられる．

サポートのタイプの「情感」としては，長女からできることがあれば支援したいと申し出があり，患者を気にかけてくれている様子が見受けられ，サポートを得ていると考えられる．「是認」としては，長女は，患者が最も信頼している存在であり，長女自身も患者の病状や予後を適切に認識したうえで，退院に対して理解を示してくれており，サポートを得ていると考えられる．しかし，「助力」としては，長女は，退院後の生活を直接手助けすることは難しく，加えて，経済的支援も難しいと考えている．

なお，近隣との関係で，近所の人との付き合いはなく，求めてもいない．

以上のことから，ネットワーク構造としては，長女との関係性は維持されているが，今後，在宅生活を維持していくうえで必要となる直接的な支援が不足している．Aさん自身，他にネットワークを広げなければ療養生活の維持は難しいと感じてはいるもののその手段を考えられないでいる．

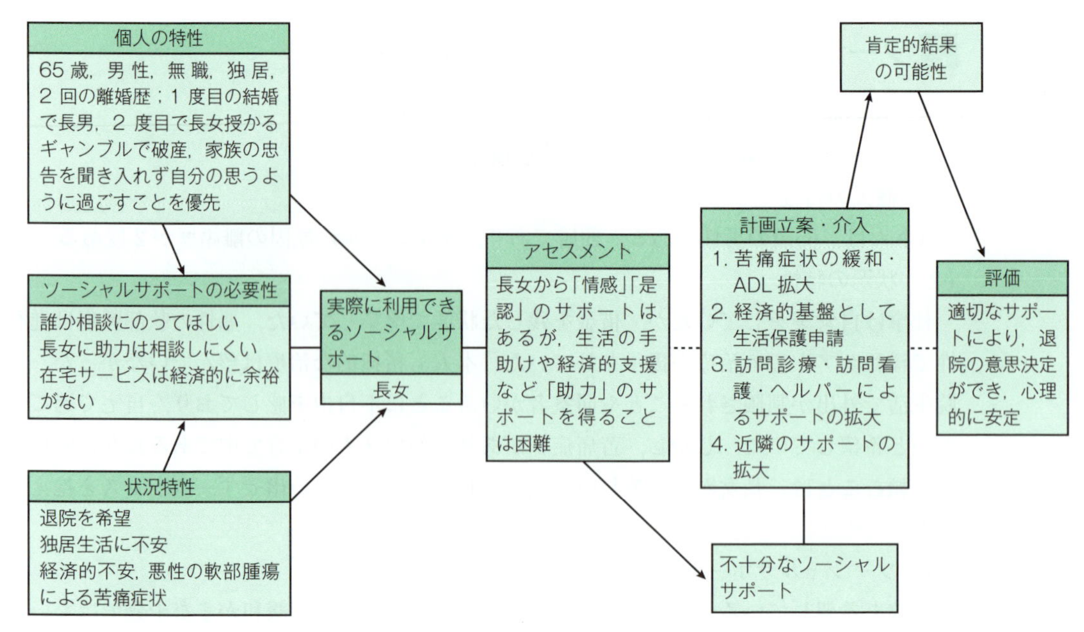

図11-2 ●Aさんのソーシャルサポートに対する看護実践

2）肯定的な結果が得られるように問題を整理し援助の方向性を検討

Aさんは，ソーシャルサポートを必要としているものの，自分を気遣ってくれる長女以外の身近な人からサポートを受けることを考えていない．これ以上，身近な人に迷惑をかけず，わずらわせられることなく，自由きままに生きていくことを望んでいる．しかし，このまま退院を迎えると日常生活を維持できずに身体状況の悪化も招きかねない．

長女という私的なソーシャルネットワークを維持しつつも，公的なソーシャルネットワークを拡げ，医療ソーシャルワーカー（MSW）とも連携し生活保護受給に向けての手続きを行い，経済的な基盤を整え，公的なサポートを中心にサポート体制を構築し，病態からくる身体症状の悪化だけではなく，ストレスからくる身体症状の回避を期待する．

3）ソーシャルサポートに働きかけて，肯定的な結果に向けて計画立案し介入

看護目標は，「Aさんが生活の基盤を整え，公的なサポートも含めたソーシャルサポートを再構築し，今後の療養場所について意思決定できる」とした．

「助力」のサポートを拡大するためには，まず長女に支援を再度申し出てみることが考えられた．しかし，長女の負担感を軽減しなければ，受け入れも長期的な支援も難しいとも考えられた．そこで，Aさんの生活の基盤を整えるために，以下の内容をAさんの意向も確認しながら調整をした．

①MSWに依頼し，生活保護の申請
②疼痛や呼吸困難の症状緩和
③アパートの階段昇降・ゴミ出しができるようにリハビリを実施
④アパートの管理人や民生委員の協力の検討
⑤介護認定の申請

⑥在宅でできるだけ長く過ごすためには，医療者による症状マネジメントも必要と判断し，訪問診療と訪問看護の調整

4）看護の実践と評価

Aさんは，病院や施設で過ごすより，自分なりに自由に過ごしたいからと退院を希望した．そのためには，生活保護を受けること，介護認定，訪問診療・訪問看護の利用も了承した．そして，できるだけ自分のことは自分でしたいという希望ももっており，ゴミ出しを目標に掲げ，リハビリにも積極的に取り組んだ．アパートの管理人は，普段アパートには在住していない管理会社による管理であることが判明したため，非常時のみ連絡をすることとした．民生委員には，訪問診療・訪問看護・ヘルパーの訪問のない日に安否確認を依頼した．

買物は，ヘルパーに頼むか長女に依頼するかAさんは迷っていた．看護師が今までの長女のかかわり方をAさんに確認すると，電話連絡が時々あるくらいで，病院で面談があるときには来てくれたとのことだった．長女に一番何をしてもらいたいかと再度Aさんに考えてもらったところ，結局，定期的な買い物は，長女の負担になるだろうからとAさんは考え，定期的な買い物はヘルパーに依頼し，長女には不定期でもいいから顔を見せてくれたらそれで十分であること，そのときに，何か不足のものがあれば買ってきてもらうことを頼みたいと自分で長女に伝えることができた．さらに，体調不良で動くことが困難になったときには，長女にまず連絡することを伝えた．長女はそれを受け入れ，できる協力はしていくと言ってくれたとうれしそうに看護師に報告してくれた．疼痛は薬物療法で緩和し，ゆっくり階段昇降をすれば呼吸困難の増強もしなくなり，入院から約1か月半後に自宅に退院した．退院後，病状が進行し，体動困難になるまで住み慣れた自宅で自由に過ごすことができた．長女は，月に1度はAさんと電話で連絡を取り合い，必要時は家に訪問してくれており，それがAさんの励みにもなっていた．

Aさんは，今後の療養場所を決めるにあたり，症状の増強と退院後の生活に対する不安から心理的ストレスが強くそれまでの対処方法では対処できない状況であった．さらに，Aさん自身がもちあわせているソーシャルサポートもうまく機能させることができずにいた．しかし，看護師のかかわりによって，長女からの「情感」「是認」「助力」のサポートを整えることができ，公的なサービスも含めた医療者からの情報提供という「助力」のサポートを受け，ストレスからくる身体的な変化はなく心理的にも安定し，退院について意思決定できたため，看護目標は達成されたといえる．

がん患者は，診断期，治療期，終末期のそれぞれの病期において幾度となく強いストレスを体験する．さらに，病状に伴い療養場所を決める際にもストレスが増す場合がある．また，ソーシャルサポートのニーズは個人差があり，病名や病状によって一概に必要なサポートの種類や量を決定することはできない．一人ひとりの患者にとっての必要なサポートは何かを丁寧にアセスメントしていくことが必要である．

理論を看護実践につなげるために

ノーバックの「臨床実践におけるソーシャルサポートの活用の研究を導く枠組み」を基盤にソーシャルサポート理論を概観してきた．ノーバックのモデルは，看護実践にソーシャルサポートを取り入れるために調査しなくてはならない要素と関係を示したものである．そのため，患者の個々の事例に適用する際には，看護の流れは理解できるが，それぞれのニーズに対しての細かな看護実践を導き出すには限界がある．しかし，その情報整理と介入のポイント，評価の視点を導き出すために，ノーバックのモデルを活用することは有効であると考える．今後は，積み重ねられた研究結果や他の理論との組み合わせにより，より洗練されることを期待したい．

文献

Bowlby, J. (1982)／黒田実郎，大羽蓁，岡田洋子，黒田聖一（訳）(1991)．母子関係の理論Ⅰ愛着行動［改訂版］(pp.437-446)．岩崎学術出版社．

橋本剛 (2005)．ストレスと対人関係．ナカニシヤ出版．

羽山由美子 (1987)．Dr. Norbeckに聞くソーシャル・サポートの研究動向．看護研究，*20*(2)，192-199．

久田満 (1987)．ソーシャル・サポート研究の動向と今後の課題．看護研究，*20*(2)，170-179．

House, J. S. (1981). Work stress and social support. Addison-Wesley Publishing Company.

Kahn, R.L. (1979). Aging and social support. In M.W. Riley. (Ed.), Aging from birth to death : Interdisciplinary perspectives (pp.77-91). Boulder, CO : Westview Press.

Kahn, R.L., & Antonucci, T.C. (1980). Convoys over the life course : Attachment, roles, and social support. In P.B. Baltes, & O. Brim. (Eds.), Life-span development and behavior (Vol.3) (pp. 253-286), New York : Academic Press.

前田恵子，畑哲信，畑馨，辻井和男，浅井久栄，柴田貴美子他 (2003)．デイケア・作業所通所中の統合失調症患者のソーシャルサポート（第1報）．精神医学，*45*(5)，525-534．

松木光子，三木房枝，越村利恵，鹿島泰子，大谷英子 (1992)．乳癌手術患者の心理的適応に関する縦断的研究(2)：ソーシャルサポートネットワークを中心に．日本看護研究学会雑誌，*15*(3)，29-37．

南裕子，井部俊子，太田喜久子，片田範子，上泉和子，山本あい子他 (1990)．ノーバック・ソーシャルサポート質問紙日本版における構成概念の妥当性の分析．日本看護科学会誌，*10*(1)，52-62．

Norbeck, J.S. (1981). Social support : A model for clinical research and application. *Advances in Nursing Science, 3*(4), 43-59.

Norbeck, J.S. (1984)／野嶋佐由美（訳）(1984)．ソーシャルサポートを測定する測定用具の開発過程．看護研究，*17*(3)，185-194．

Norbeck, J.S. (1985). Types and sources of social support for managing job stress in critical care nursing. *Nursing Research, 34*(4), 225-230.

Norbeck, J.S. (1986)．ソーシャル・サポートと演繹的研究法．看護研究，*19*(1)，25-54．

Norbeck, J.S. (1995). Scoring instruction for the Norbeck Social Support Questionnaire (NSSQ), revised 1995. 〈http://nurseweb.ucsf.edu/www/ffnorb.htm〉 [2009, August 29].

Norbeck, J.S., DeJoseph, J.F., & Smith, R.T. (1996). A Randomized trial of an empirically-derived social support intervention to prevent low birthweight among African American women. *Social Science & Medicine, 43*(6), 947-954.

Norbeck, J.S., Lindsey, A.M., & Carrieri, V.L. (1981). The development of an instrument to measure social support. *Nursing Research, 30*, 264-269.

Norbeck, J.S., Lindsey, A.M., & Carrieri, V.L. (1983). Further development of the Norbeck Social Support Questionnaire : Normative data and validity testing. *Nursing Research, 32*, 4-9.

真田弘美，永川宅和，中村友美，林言美，安田幸江，細川智美他 (1993)．在宅オストメイトの生活上の不安とソーシャルサポートとの関係．STOMA，*6*(2)，6-10．

病気・障害・人生の体験を説明する理論

病みの軌跡モデル

　私たち人間は，人生のなかで自身の体験を積み重ねていく．そこではその人ならではの日々の体験と周囲の人々との関係性が何層にも重なっている．長期にわたって続く病いと共にある人生も同様であり，軌跡理論は，病いのある生活において日々積み重なっていく事柄が織りなす過去・現在・未来およびその在り様に焦点をあてている．それゆえ，病みの軌跡には，これまでその人がどのように生きてきたのか，今どのように生きているのか，そしてこれからどのように生きていこうとしているのかが描き出される．それらを踏まえることによって，そこに新たな支援が生まれる．

　現代の保健医療では，医療技術の高度な進歩によって生命の危機的状況が克服されるようになり，急性状況を脱した後に慢性状況に移行し，毎日の生活のなかで多様な療養を長期にわたって続けることが求められるようになっている．これまで，病気の急性状況を脱した人々がその後どのような生き方をし，どのように日々の生活を続けているかということには，あまり関心が向けられてこなかった．しかし近年，病いと「生活者」という新たな概念のもとで病いと共にその人らしく生きることがどのようなことを意味するかについて理解を深めようとする動きがみられている（藤澤，2020）．

　看護職者は，健康な生活を願う人々および病いと共に生活する人々への支援のあり方を考え続けてきた歴史をもち，また，これからも考え続けようとしている．そこには，生きること，死ぬこと，病むこと，老いること，そして生まれることという人間にとって根元的なテーマが常に流れている．このような哲学的テーマに直面することは，自分たちにとっての必然ととらえながらも，人生が過ぎゆくほどにますます深みをもつこれらの問いへの答えは，多様で漠然としていることが多く，専門職者として葛藤が深まることも少なくない．

　病気が急性に経過するときは，急性発症や劇的発症，あるいは急性増悪として始まり，特徴的な徴候や症状を伴って比較的短期間で終結し，快復や以前の活動状態への復帰ないしは死という転帰をとる．その一方で，慢性に経過する場合は，不明瞭な状態が続くとともに，単一のパターンというものがなく，突然発症したり，知らない間に進行したり，あるいは一時的に症状が増強するとか長期にわたって症状がみられず寛解期が持続するものなど多様な様相を呈する．急性状況を脱したという幸運を感謝するものとして考えられるとか，個人のアイデンティティの一部となることもある．

　このように考えると現代におけるケアは，長期にわたる慢性状況における継続的なケアが求められており，慢性性のパラダイムへと移行する時期が来ている．すなわち，病気が慢性に経過するとはどのようなことか，病気が長期にわたることが人間にとってどのような意味をもつか，病気のある生活とはどのような日々の連続なのか，あるいは病気に伴う

キー概念

□**軌跡の枠組み（trajectory framework）**：軌跡の枠組みは一つの概念モデルであり，病気の慢性的状態は長い時間をかけて多様に変化していく一つの行路（course）を示すという考えに基づく．この病みの行路（illness course）は，方向を定めたり，管理することが可能であり，また延長させることもできるし，安定を保つことができる．

□**軌跡（trajectory）**：病みの行路と同様の意味をもち，過去の出来事を振り返ったときにだけわかるものであり，特徴的な諸局面から構成される連続曲線を成す．

□**軌跡の局面移行（trajectory phasing）**：病気がその行路をたどるときの様々な変化を表す．軌跡の局面には，上に向かうとき（立ち直り期），下に向かうとき（下降期あるいは臨死期），および同じ状態を保つとき（安定期）などがある．それぞれの局面にはいくつかの下位局面があり，下位局面の移行は，病みの行路が毎日絶えず変化すること，さらに続いて起こる可能性があることを示している．

□**軌跡の局面（trajectory phases）**：軌跡の局面には，前軌跡期（pretrajectory），軌跡発現期（trajectory onset），急性期（acute），クライシス期（crisis），安定期（stable），不安定期（unstable），下降期（downward），臨死期（dying），および立ち直り期（comeback）がある．

□**軌跡の予想（trajectory projection）**：病気の行路の見通しを意味し，病気の意味，症状，生活史，時間が含まれる．

□**軌跡の全体計画（trajectory scheme）**：病みの全体的な行路を方向づけること，今ある症状をコントロールすること，および障害に対応することを目的として立案される計画である．

□**生活史（biography）**：人生の行路のことであり，個人の様々な特性からつくり上げられる．生活史への影響とは病気とその管理によって自分自身の特性がどのような影響を受け，どのように変化するか，さらに自分自身の人生行路がどのように変化するかのことである．

人生上の調整を他者が支援することが可能かなどについて，十分に論議する重要な局面を迎えているといえる．

　現代において慢性の病いと共に私たちが毎日の生活をどのように編むかを考えることは，現代に生きる一人ひとりにとって避けることのできない事柄なのである．本節では，病気の慢性状況の特性を慢性性（chronicity）としてとらえたアンセルム・ストラウスとジュリエット・コービンの考え方を基盤に病みの軌跡（trajectory of illness）について考え，看護学としてどのような視点が求められているのかを探求してみようと思う．

理論との出会い

　大学卒業後に臨床と教育の現場を経験した筆者は，その後子育てをしながら働き続けるなかで，病気が私たちの生活や身近な人々に与える影響の大きさに気づかされ，病気と人間についてもう一度深く考えてみたいと思うようになった．その思いは日に日に高まり，非常勤講師として教育に携わりながら大学院で人間環境学研究科に身をおき，人間と環境という視点から慢性の病気について考え続けることになった．

1990年代においては，慢性の病いに関する書籍はまだ豊富に出版されている状況ではなかったが，そのようなときに出会ったのがピエール・ウグ監修の『The chronic illness trajectory framework：The Corbin and Strauss nursing model』（邦題『慢性疾患の病みの軌跡』Woog, 1992　黒江他訳，1995）であった．「軌跡（trajectory）」という用語に惹かれて読み進めるに伴い，筆者のなかで「軌跡」という言葉が荷車の「轍」とつながり，慢性の病気と共にある生活は，その荷が重いときには深い轍になり，荷が軽いときには浅い轍になる様子が目に浮かんだ．

病い（illness）が私たちに与える影響を追究してきたストラウスの考える人生は，誰もがいつかは死を迎えるというものでもあったし，そのような人間の姿に向けられた穏やかな視線が含まれていた．そして，それが自然な形で病みの軌跡に反映されていると感じられた．病みの軌跡が基本的には曲線を描くという意味はそのようなところにあった．

コービンとストラウスが語る内容は，それまでの筆者の考えに深い省察を迫るものであった．「病気の管理のほとんどが家庭で行われている」「個人と家族は，病気のある生活のなかで多様な調整をしている」「保健医療職者は現病歴は聴き取るが，個人が生活のなかでこれまでどのような工夫をしてきたかは知らない」「そのことを医療者は知らないために，“やっかいな”患者とラベルづけてしまうことがある」などは，臨床における自分の過去の実践を振り返ったときに，数々当てはまるものであった．

このときから，長期に続くということ，病いと共にある人生というもの，そして病いのある生活ということを何とかとらえながら，誰もが一人の生活者として懸命に対応しているという事実に目を向けるようになり，「病いのある生活のなかで多様な対応に四苦八苦している」という人間の姿がみえるようになってきた．

その後，ジェリー・エーデルリッチ，アイリーン・ラブキンおよびロバート・アトキンソンらによる著作の数々「Diabetes: Caring for your emotions as well and your health」「Chronic illness: Impact and interventions」「The life-story interview」に出会うことになるのだが，コービンとストラウスの思索に触れたことによって，エーデルリッチの示唆やラブキンとラーソンの提言，そしてアトキンソンのインタビューへの姿勢の重要性を感じ取ることができたと考えている．『慢性疾患の病みの軌跡』の翻訳作業をしていた1993年には，この本が米国のベストオブザイヤーを受賞したという知らせが届いた．おそらくそれは，現代社会に生きる私たちが慢性の病いと生きることについて考えることの重要性に気づいたときであったといえよう．

B 理論家紹介

アンセルム・ストラウス（Anselm L. Strauss, 1916-1996）は社会学者であり，象徴的相互作用理論を発展させたシカゴ派の一人である．1916年にニューヨークに生まれ，バージニア大学で学士号（生物学）を取得し，シカゴ大学社会学部で修士と博士課程を修了している．その後，ローレンス大学（現在のウィスコンシン大学ローレンス校），インディアナ大学，シカゴ大学で教鞭をとり，またマイケル・リース病院社会科学研究所（シカゴ市）に勤務の後，1960年にカリフォルニア大学サンフランシスコ校に招聘され，社会学教授となった．その後数多くの著作を発表し，1996年にサンフランシスコで79歳の生涯を閉じた（Strauss & Corbin, 1998　操・森岡訳，2007）．看護学に影響を与えた著作としては，1965年の『Awareness of dying』（邦題『死のアウエアネス理論と看護』と1975年初版の『Chronic illness and the quality of life』（邦題『慢性疾患を生きる』）などが代表的であるといえよう．また，前者は死と死にゆくこと（death and dying）の意味，後者は慢性の病いのとらえ方について，新たなそして深い洞察を著したことで看護学に大きな影響を与え続けている．

ジュリエット・コービン（Juliet M. Corbin）は，サンノゼ州立大学の講師として20年を超える長きにわたって学部学生と大学院生を対象に教育活動を続け，サンノゼ州立大学看護学部の後援で設立された看護師管理センター（Nurse Managed Center）において臨床の学生への教育に携わり，学生と共に病みの軌跡のモデルに基づいたクロニックイルネスケアプログラムの実践を行っている（Hyman & Corbin, 2001）．

またコービンは，カナダのアルバータ大学の質的研究方法論のための国際研究所（International Institute for Qualitative Methodology）で教授（adjunct professor）として質的研究の指導を精力的に行っている（Strauss & Corbin, 1988　操・森岡訳，2007）．臨床における専門領域は地域老年学であり，クロニックイルネスの管理に焦点を当てている．クロニックイルネス，および質的研究方法論（qualitative methodology）に関する数多くの論文・単行本・発表がある（Hyman & Corbin, 2001）．

理論誕生の歴史的背景

病みの軌跡の考え方において重要な「軌跡」という概念が慢性状況に適用されたのは，1960年代初期である．ストラウスらはバーニー・グレイサー[注1)]と共にターミナル状況にある患者のケアを研究し，死に臨むプロセスは一定の時間を必要とし，本人と家族，そして医療者は病みの行路を方向づけるために数多くの方略を用いているという洞察に至り，「軌跡」という用語が導かれた．ストラウスらはその後も慢性の病気を描き出す方法を探求し，1960年代後半から1970年代にかけて病院および家庭における慢性の病気の管理についての調査に携わり，痛みや配偶者による家庭でのケアに関する研究などによって，慢性状況の多様な局面，管理することの意味，管理のプロセスを促進・妨害する条件などが示されるようになった．1980年代になるとコービンらと共に軌跡の考え方が実践において有用であることを紹介し，慢性の病気は一つの行路をもつこと，その行路は適切な管理によ

1）グレイサーとストラウスはその後1967年にThe Discovery of Grounded Theory: Strategies for Qualitative Research（邦題:「データ対話型理論の発見－調査からいかに理論を生み出すか」）を発表している．

表12-1●軌跡の主な局面

前軌跡期	病みの行路が始まる前，予防的段階．徴候や症状がみられない状況
軌跡発現期	徴候や症状がみられる．診断の期間が含まれる
急性期	病気や合併症の活動期．その管理のために入院が必要となる状況
クライシス期	生命が脅かされる状況
安定期	病みの行路と症状が養生法によってコントロールされている状況
不安定期	病みの行路と症状が養生法によってコントロールされていない状況
下降期	身体的状態や心理的状態が進行性に悪化し，障害や症状の増大によって特徴づけられる状況
臨死期	数週間，数日，数時間で死に至る状況
立ち直り期*	障害や病気の制限の範囲内で受け止められる生活のありように徐々に戻る状況．身体面の回復，機能障害の軽減，心理的側面での折り合い，毎日の生活活動を調整しながら生活史を再び築くことなどが含まれる

*2001年にコービンが局面として示した．それまでは下位局面として示されていた．

って方向づけができること，さらに慢性の病気は毎日の生活に様々な問題（必要な養生法，時間の調整，生活上の孤立など）を確実にもたらし，個人と家族が生活の質を維持するためにはそれらを調整しなければならないことを指摘した（Glaser & Strauss, 1965　木下訳，1988；Strauss & Corbin, 1984　南訳，1987）．

たとえば痛みをもつ人は，数年にもわたる疼痛コントロールの経験があり，個人のこのような経験は病院に入院している間の疼痛コントロールに影響を与えることがわかった．医療職者は患者の既往歴を知っていても，病気や痛みに対する個人の経験はほとんど知らず，本人がそれまで生活のなかで行ってきた対処方法に従って現在の痛みに対応していることに気づかない．そのため，このような個人のなかには「やっかいな」患者というレッテルを貼られることがあるという指摘がなされた．家庭におけるケアに焦点を当てることにより，慢性状況を管理するときの興味深い特性が新たに導き出され，個人とその配偶者あるいは家族が語った歴史的な話によって，軌跡の局面（急性期，安定期，不安定期，下降期，臨死期など）が導き出され，1992年に報告された（Woog, 1992　黒江他訳，1995）．慢性の病気はこれらの局面を移行し，またどの局面に位置しているかによって，対処しなければならない問題も，必要な調整も異なるとされている（表12-1）．

さらに，長い年月にわたる病気のコントロールは，実際には病院や保健医療施設ではほとんど行われておらず，毎日の管理の大部分は家庭において，個人とその家族によって行われていること，家庭では病気によるその人の生活史上の変化や養生法を遂行するときに直面する困難などへの対応に追われ，これらの対応とその人の仕事や役割との間で葛藤が生じるときは，かなり深刻な事態となること，および生活に必要な調整や症状に適した食事を維持する方法を学ぶことなどにかなりの努力が必要であることなどが指摘された．

このように，生活の場における個人に目を向けることによって，病気に伴う身体的・心理的制約のために人々が毎日のなかで遭遇している問題や苦しみをとらえることができるようになった．

病みの軌跡モデルとは

1 病いのクロニシティ（chronicity/慢性性）とは何か

病みの軌跡で著されている“chronic illness（クロニックイルネス/慢性の病い）”の意味について解説しようと思う．「慢性」とはどのような状態であるかを明確にすることはなかなか困難である．病気における慢性とは，たとえば，「持続的な医療を必要とする状態であり，社会的，経済的，および行動的に複雑な事態を伴い，それらは意味のある持続的な個人の参加あるいは専門職者のかかわりを必要とする」とか，「医学的介入によって治癒しない状況であり，病気の程度を減少させ，セルフケアに対する個人の機能と責任を最大限に発揮するためには，定期的なモニタリングと支持的なケアが必要である」，あるいは「毎日の管理を成功させるために高い水準の自己責任を必要とする状況」などと説明されている．これらの説明は，1950年代における慢性疾患についての説明「正常からのあらゆる損傷あるいは逸脱であり，次の状態が一つ以上含まれる．それらは，永続性，機能障害の残存，不可逆的変化，リハビリテーションの必要性，および長期にわたる管理と観察とケアである」などと比較すると，「持続的な個人の参加」や「セルフケアに対する個人の機能と責任」などが含まれており，いっそう進んだものとなっている（黒江，2007a）．

慢性とは，その性質上決して完全に治るものではなく，また完全に予防できるものでもない．その程度を明らかにすることは，さらに複雑で難しい．たとえば，機能障害の程度は解剖生理学的な重症度によるばかりでなく，その個人にとっての意味によって異なり，10代の若者と高齢者とでは病気に伴う制約のとらえ方が異なる．すなわち，病気による機能障害の程度やライフスタイルへの影響は，その病気についての本人の知覚を含め，個人の状況によって大きく影響される．エマニュエル（Emanuel, 1982）によれば「人生は，私たちが最終的には屈服するところの慢性の病気という重荷の集積」となり，それゆえ，急性疾患のような病態生理学的基盤で語ることはできないのである．カーチンが慢性疾患ではなく，慢性の病い（クロニックイルネスchronic illness）と表現しているように，「慢性の病いは，戻ることのない現存（presence）であり，疾患や障害の潜在あるいは集積である．それは，支持的ケアやセルフケア，身体機能の維持，さらなる障害の予防などのために個人に必要な環境を包摂するものである」（Curtin & Lubkin, 1995）と理解することが可能である．

このような病気の慢性特性をクロニシティ（chronicity/慢性性）として示したのが，コービンとストラウスであった．彼らは病気の慢性状況を「クロニシティ/慢性性」と名づけることができるとして，「人は若者から高齢者まで，誰もが病気の慢性状況に苦しめられる可能性があり，人はこのような状況の予防を望み，それが不可能であれば慢性状況を管理しようとする．この予防と管理のためには，生涯にわたる毎日の活動が必要であり，その多くが家庭で行われるため，家庭がケアの中心となる．慢性状況におけるケアの焦点は治癒にあるのではなく，『病気と共に生きること』にある．すなわち，クロニシティ（慢性性）における看護は，クライエントが病みの行路を方向づけることができ，同時に生活の質を維持できるように援助することにある．このため，クライエントがどこから来て，どこへ行こうとしているのかを常に心にとめておかなくてはならない」(Corbin & Strauss, 1992 黒江他訳, 1995；黒江・藤澤・普照, 2004；Woog, 1992 黒江他訳, 1995）と説明し，さらに「慢性の病いにおけるケアの焦点は，『病いと共に生きる方策を発見すること』にある」と指摘している．

重要なことは，クロニシティにおける重要な関心事は治癒（キュア）ではないということ，そして「病いと共に生きる方策を発見すること」が注目すべき事柄であること，さらに「chronic disease（慢性疾患）」ではなく，「chronic illness（慢性の病い）」としてとらえることである（Lubkin & Larsen, 2002 黒江監訳，2007b）．

2 「病みの軌跡」という考え方

病みの軌跡では，慢性の病いは長い時間をかけて多様に変化していく一つの行路(course）をもつと考えられる．病みの行路は，方向づけたり，形づくることができ，病気に随伴する症状を適切にコントロールすることによって安定を保つことが可能である．慢性の病いは病気に伴う症状や状態のみならず，その治療方法もまた個人の身体的安寧に影響を与え，かつ生活史上の満足や毎日の生活活動にも影響を与える．

病みの軌跡にかかわる重要な諸概念を以下に示す（表12-2）．

1）軌跡の局面移行

病みの軌跡における主要な概念の一つは軌跡（trajectory）であり，これは病みの行路と同様の意味をもつが，過去を振り返ったときに初めてわかるものである．不確かで明確にわからない場合があるが，連続的曲線を成す．その他に軌跡の局面移行と下位局面移行，軌跡の予想，管理に影響を与える条件，生活史および日常生活に与える影響などの概念がある．病みの行路を方向づけるためには，個人と家族と医療者が共に努力することが必要であるとされている．これには，起こりうる結果を予測し，あらゆる症状を管理し，随伴する障害に対応することが含まれる．

軌跡の局面移行（trajectory phasing）は，慢性の病気がその行路を経るときの様々な変化を表す．下位局面移行は，病気の行路のなかでは毎日の絶えざる変化があること，それは続いて起こる可能性があることを示している．局面全体は，上に向かうとき（立ち直り期）と下に向かうとき（下降期あるいは臨死期），そして同じ状態を保つとき（安定期）などがある．

60歳代の男性は，他の疾患の入院治療中に糖尿病を指摘され（軌跡発現期），食事療法を中心に糖尿病教育を受けた（急性期～立ち直り期）．退院した後の１年間は食事や運動に気をつけ，状態が安定していた（安定期）．その後仕事が多忙となり，次第に通院を中断するようになった．しかし本人は治療を中断したという意識はなく，食事療法は守っていると考え，そのままの生活を続けていた（不安定期）．50歳代中頃，鼻出血が止まらずに緊急入院となる（下降期～急性期）．薬物療法が開始され，糖尿病について再び教育を受け（立ち直り期），その後食事に気をつけるようになり，定期的に通院も続けていた（安定期）．一昨年，母親が高齢のため，遠方の実家に戻

表12-2 ●病みの軌跡における重要な概念とその意味

重要な概念	意　味
病みの軌跡，病みの行路	慢性の病いは長い時間をかけて多様に変化していく一つの行路をもつと考えられる．病みの行路は，方向づけたり，形づくることができ，病気に随伴する症状を適切にコントロールすることによって安定を保つことが可能である．慢性の病いは病気に伴う症状や状態のみならず，その治療方法もまた個人の身体的安寧に影響を与え，かつ生活史上の満足や毎日の生活活動にも影響を与える 病みの軌跡は行路と同様の意味をもつが，過去を振り返ったときに初めてわかるものである．初期には不確かではっきりとわからない場合もあるが，連続的曲線を成し，次第にその姿をとらえることができる
軌跡の局面移行	慢性の病気がその行路を経るときの様々な変化を表す．局面には，上に向かうとき（立ち直り期），下に向かうとき（下降期あるいは臨死期），および同じ状態を保つとき（安定期）などがある．下位局面移行は，病気の行路のなかでは毎日の絶えざる変化があること，それは続いて起こる可能性があることを示す
軌跡の予想	病みの行路に関する見通しを意味する．これには病気の意味，症状，生活史，および時間が含まれる．人々は，これから何が起こるのか，どのくらいそれが続くのか，自分はどうなるのか，どのくらいの費用が必要なのか，自分と自分の家族にとっての意味は何か，と疑問を抱き，個々の予想をもつ．医療職者が描いている予想と，個人・家族が描いている予想は必ずしも同一ではなく，医療職者のなかでもそれぞれが異なる予想をしている
管理に影響する条件	軌跡の管理を促進，妨害，複雑化することに影響を与える事柄を意味する a. 資源：人的資源，社会的支援，知識や情報，時間，経済力 b. 医学的状態とその管理に伴う過去の経験，必要なことを実施する動機づけ，ライフスタイルと信念 c. ケア環境とその適切性（家庭あるいは医療施設が特定の局面にある個人や家族のニーズを充足できるかなど），軌跡の管理に携わっている人々の相互作用や相互関係（協力的か，衝突的かなど），保健医療にかかわる法的・経済的環境

る．その後治療を中断するようになり，足の手入れの不注意（本人の言葉）から足潰瘍をつくり，治癒遅延のために入院となった（下降期～急性期））．（図12-1）

2）軌跡の予想

軌跡の予想（trajectory projection）は，病みの行路に関する見通しを意味し，これには病気の意味，症状，生活史，および時間が含まれる．人々は，これから何が起こるのか，どのくらいそれが続くのか，自分はどうなるのか，どのくらいの費用が必要なのか，自分と自分の家族にとっての意味は何か，と疑問を抱くことが多い．たとえば，糖尿病の診断を受けた人にとって，その病気が血液透析や失明を意味することがある．この場合，束縛された人生として予想され，このような見通しは絶望的な思いや自暴自棄的行為をもたらすことがある．病気とそのコントロールにかかわる個人，家族，医師，看護師などは，それぞれ独自に軌跡の予想を行い，どのように方向づけるべきかという考えをもつ．しかし，それらはその人の知識や経験，伝聞そして信念によって異なる．重要なことは，医療者が描いている予想と，個人や家族が描いている予想は必ずしも同一ではないということであり，医療者のなかでもそれぞれが異なる予想をしているということである．

ある女性は糖尿病を発症したときに，母親から「どうしてこんな病気に」と言われ，母親がもっていた「一生治らない病気」という予想，および「重い合併症の出る

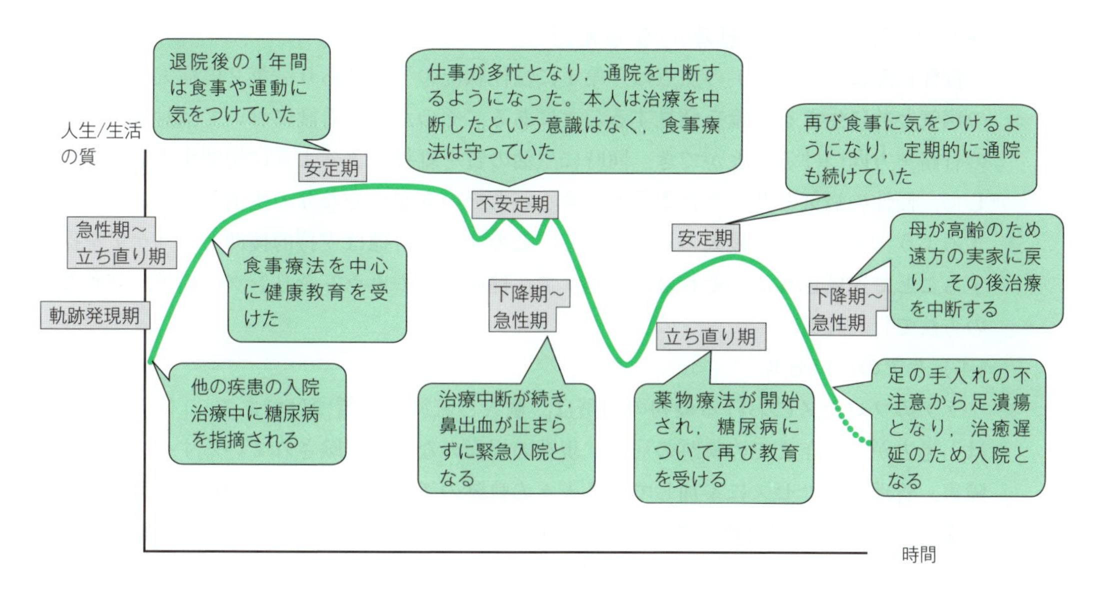

図12-1 ●病みの軌跡の例

病気」という予想に影響され，心に重荷を負ったように感じ，30代になるまでコントロールがうまくいったという思いを抱いたことがなかった．いつしか「自分は健康ではない」という思いが大きくなり，糖尿病の養生法が負担になっていった．この女性に接した外来の看護師は面接の機会をもち，本人の今の思いを聴くとともに，健康とは何だろうなどと話し合うことから始めた．6か月後に女性は自分の思いを自由に表現するようになり，それまで記録していなかった食事の記録用紙を持って外来を訪れるようになった．

3）管理に影響する条件

軌跡の管理がどのようにどの程度遂行されるかということは，数多くの条件によって異なる．影響する条件は種類も様々で，管理を促進したり，妨害したり，またそれによって管理が複雑になることさえある．影響を与える状況の一つは「資源」であり，これには人的資源，社会的支援，知識や情報，時間，経済力が含まれる．それ以外の条件には，医学的状態とその管理に伴う過去の経験，必要なことを実施する動機づけ，ケア環境とその適切性（家庭あるいは医療施設が特定の局面にある個人や家族のニーズを充足できるかなど），ライフスタイルと信念，軌跡の管理に携わっている人々の相互作用や相互関係（協力的か，衝突的かなど），および保健医療にかかわる法的・経済的環境などがある．

軌跡を管理するために目標を立てるときは，これらの条件を考慮に入れながら，行うべき課題の性質を調べ，必要となる資源を準備し，その状況のなかで誰がどのような課題を遂行するかを調整し，どのような帰結が期待できるかを明確にしなければならない．たとえば立ち直り期の目標は，病気をもった人が自分の制限の範囲内で，以前のような生産的で満足できる生活が送れるようになることであり，生理学的な安定や回復のみならず，「編みなおし」とよばれる個人の生活史上の課題が含まれる．

4）ケアについての基本的な考え方

慢性状況におけるケアの焦点は，第1に慢性状況の予防にあり，第2に病気を管理しその**病気と共に生きる方策を発見すること**にある．そのため，看護においては対象者が病みの行路を方向づけることができ，同時に生活の質を維持できるように援助することをとおして，慢性の病気と共に生きること，すなわちその人が自分なりの生活を続けることができるようにすることが最大の目標となる．この2つの目標は支持的援助というケアを提供することで達成される．それは直接的ケア，健康教育やカウンセリングの提供，調整などの方法で行われる．

（1）ケアのプロセス

ケアのプロセスにおける最初の段階は，個人と家族の**位置づけ**である．「位置づけ」には，過去から現在までの軌跡の局面，現在の局面のなかで経験されているすべての症状や障害，管理のプロセスに参加している人々の軌跡の予想，養生法と選択可能なすべてのケアを含む軌跡の管理計画，この計画の遂行状況，家族がそれぞれどこでかかわっているか，日常生活活動を遂行するための調整などが含まれる．位置づけができれば**目標を設定**する．その場合，個人と家族は軌跡の管理の積極的な参加者であることから目標設定は共同の課題であり，個人は選択の前に十分な情報を提供されなければならない．さらに，目標はそれぞれの局面に適したものでなければならない．コービンは2001年に局面における目標を提示し，たとえば，軌跡発現期では「適切な軌跡の予想に基づき，全体計画をつくり出すこと」，また安定期では「安定した病状，生活史への影響，毎日の生活活動を維持すること」としている（黒江他，2004）．

次の段階は，**管理に影響を与える条件**のアセスメントである．その事例における管理を促進する条件や目標に到達する能力の妨げとなる条件を明らかにし，**介入の焦点**を定める．それは個人が望ましい目標に到達するためにはどのような条件を操作しなければならないかを明らかにすることでもあり，たとえば個人の軌跡の予想が不明確である場合は，その点を補うことが可能である．そして最後の段階は，**介入の効果**を見極めることである．新たな調整やコーピングが必要なときに，その人がどのように対処できているのか，新たな状況のなかでどのように懸命に努力しているのか，感情的にも身体的にも動き出そうとするような変わり目にあるのかなどを見極めることが重要である．これらのプロセスをまとめると表12-3のようになる．

（2）病いと共に生きることと「編みなおし」

慢性状況を抱えながら生きていくとき，人は病気に伴う様々な状況と折り合いをつけて生活する．この折り合いをつけるために，人は病みの行路の変化に伴って自分の日常の活動を行うための様々な工夫を求められ，何度も細かい調整を行わなければならない．そして，このような一連の過程のなかで行われる内面の作業が「rekniting/編みなおし」である．その人がそれまで編んできた人生や生活という糸を少しほどいてもう一度編みなおすのである．

食事の説明を行いながら，看護師は今後は治療中断に至らないようにと願っていた．そこで，これまでの経緯を本人に話してもらいながら，中断しないためにはどうすればよいかを話し合った．「初めて糖尿病と言われたとき，びっくりしたが病気と

表12-3 ●病みの軌跡における看護のプロセス

1．病みの軌跡における個人・家族の位置を把握する	個人・家族の生活における過去から現在までの軌跡の局面をとらえる．これには現在の局面のなかで経験されている諸症状や障害，管理のプロセスに参加している人々の軌跡の予想，養生法と選択可能なケアを含む軌跡の管理計画，計画の遂行状況，家族がそれぞれどこでかかわっているか，日常生活活動を遂行するための調整などが含まれる
2．目標を共同の課題として設定する	位置づけができれば目標を設定する．個人と家族は軌跡の管理の積極的な参加者であることから目標設定は共同の課題であり，個人は選択の前に十分な情報が提供されなければならない．目標はそれぞれの局面に適したものとするが，生活の質（QOL）が最も大きな一般目標であることを心にとめておくことが重要である **前軌跡期**：健康増進と病気予防のために必要な心構えとライフスタイルの調整 **軌跡発現期**：適切な軌跡の予想に基づき，全体計画を描く **急性期**：病気をコントロールのもとにおくことで，今までの生活史と毎日の生活活動を再開する **クライシス期**：生命の脅威を取り去る **安定期**：病気のコントロールのための活動と生活史や日常生活活動とを「調和させる方法」を発見する **不安定期**：毎日の活動を遂行する能力の妨げとなるような症状をよりよく調整する **下降期**：身体状態の悪化に適応するために生活史と日常生活活動を再調整する **臨死期**：平和な終結，解き放ち，および死 **立ち直り期**：病気をもった人が自分の制限の範囲内で，以前のような生産的あるいは満足できる生活が送れるようになる．生理学的な安定や回復のみならず，「編みなおし」とよばれる個人の生活史上の課題が含まれる
3．管理に影響を与える条件を明らかにし，介入の焦点を定めて介入する	管理を促進する条件や目標に到達する能力の妨げとなる条件を明らかにし，介入の焦点を定める．個人・家族が望ましい目標に到達するためにはどのような条件を操作しなければならないかを明らかにすることでもある．個人の軌跡の予想が不正確である場合は，その点を修正する 管理の条件を考慮に入れながら，行うべき課題の性質を調べ，必要となる資源を準備し，その状況のなかで誰がどのような課題を遂行するかを調整し，どのような帰結が期待できるかを明確にする
4．介入の効果を見極める	最後の段階は介入の効果を見極めることである．新たな調整やコーピングが必要なときに，その人がどのように対処できているのか，新たな状況のなかでどのように懸命に努力しているのか，感情的にも身体的にも動き出そうとするような変わり目にあるのかなどを見極める

思っていなかった．食事量を半分にして体重を落とせば，糖尿病は治ると思っていた．前の病院の医師に合併症が起こったら大変と言われたが，まだ網膜症も何もなかったので大丈夫と思っていた．仕事が忙しいので，一段落してから病院に行こうと思っていた．今は糖尿病になったのは仕方がないが，放っておくと怖い病気と認識している．前の病院の医師はかなり心配していろいろ話してくれた．あのとき医師の言うことを聞いていれば眼は悪くならなかったかもしれない．医師を裏切ったようで申し訳ない気持ちでいっぱいだ．食事は何をどれくらい摂取すればよいかわかれば自分でできる．今までちゃんとやっていると思っていたんだ．問題は量だったんだ．これからは計って食べようと思う．だから量を教えてください．今回，足の手入れの不注意から入院となったが，自分の身体，糖尿病を見直すきっかけになったと思っている．

人生はまだまだこれからだからね．酒は好きだが一番の生きがいは畑仕事だ．眼が見えなくなって働けなくなったらもうおしまい．眼科の先生は糖尿病をコントロールすれば，眼は大丈夫と言っていた．眼のことを考えたら酒をやめることは大切だ．宴会ではウーロン茶でごまかせばいいし，最後の手段には病気だと周りの人間に話してもいい．

研究の動向

理論誕生の歴史的背景で述べたように，1992年にコービンとストラウスが病みの軌跡（Woog, 1992　黒江他訳，1995）のなかで論述した後，欧米においては1993年と1997年にロビンソンらによる外科治療や高齢者における報告（Robinson, Bevil, Arcangelo, Reifsnyder, Rothman & Smelzer, 1993；Robinson, Nuamah, Cooley & McCorkle, 1997），2000年にバートンらによる脳血管障害患者の回復過程における報告（Burton, 2000），2002年に多発性骨髄腫患者における報告（Somerset, Shrp & Campbell, 2002），および2005年には病みの軌跡を基盤に事故からの回復過程を描き出した報告などがされている（Halcom & Davidson, 2005）．また，コービンはストラウス没後，立ち直り期を促進する看護の役割を重視し，それまで下位局面であった立ち直り期を新たに局面として加えている．

わが国においては1995年に局面を含めた軌跡の考え方が紹介され，その後食行動異常における報告（黒江，1998），回復過程における軌跡の方向性を見極めることの重要性の指摘（酒井，2000），病いの慢性性との関連の紹介（黒江，2002），軌跡の考え方によって対象把握に変化が生じた看護事例の報告（大西・吉田・高原，2003）がなされている．2007年頃より対象に提供する看護ケアについて考える基盤として病みの軌跡を用いた報告が増え，2008年には「編みなおし」行動に注目した報告（高樽・藤田，2008），2009年には，中範囲理論としての「病みの軌跡」看護モデルに関する解説（長谷・高橋・二本柳・野川，2009）や，虚血性心疾患と糖尿病をもつ人々への聞き取りから病気の自己管理についての認識を分析し，軌跡の予想が現実的かつ治療的なものになる支援についての示唆が示される（白水・加賀谷・藤澤・三浦，2009）など数々の報告がされるに至っている．

2010年以降では，学会学術集会の教育講演などで紹介され（下山，2010；伊波，2015），その後，糖尿病領域（武田・脇・濱口，2019），関節リウマチ領域（房間・黒江，2020），および慢性呼吸不全領域（猪飼，2022）における人々の理解や実践活動についての報告など，多様な領域における研究とのつながりをみせている．たとえば武田他（2019）は，病みの軌跡モデルの概念枠組みを用いて「糖尿病とともに生きる人生」の意味づけをとらえることを目的に，介護老人保健施設の高齢の２人の人生を描き出している．また，房間・黒江（2020）は，病みの軌跡理論を用いて60歳代女性（関節リウマチ）のライフストーリーを描き，家族が同じ病気であったことからいつか自分もなるのではないかと考えていた前軌跡期から医療職者との信頼関係がやっと構築でき，心理面や社会生活面も相談ができるようになった立ち直り期に至る軌跡を描いている．さらに，猪飼（2022）は，実践事例分析を行いながら50歳代の女性（慢性呼吸不全）の軌跡を描き出し，専門看護師による理論と実践の統合について報告している．いずれも貴重な報告である．この他にも神経難病の人々のケアや透析を受ける人々のケアなどにおける報告がされている．今後も慢性状況に限らず，病いに伴う個人・家族の生活体験と思いをとらえた支援を実践・思索しようとする研究・実践活動に活用されることが期待される．

F 理論の看護実践での活用

1 どのような対象または事象，状況に活用できるか

本人・家族のこれまでの生活体験や思いを踏まえた支援を目指す看護実践であれば，どのような看護事象および看護状況にも活用することができる．また，病みの軌跡理論の基本的な内容を理解することができれば，看護実践の場においても看護教育の場においても活用が可能である．筆者は，看護系大学院における専門看護師コース（慢性看護）において，学修者がコースの初期段階で病みの軌跡理論について学び，演習において実際に個人あるいは家族に病いのある生活についての語りを聴き，そこから病みの軌跡を描き，個人・家族と共有することをとおしてさらなる語りが続き，個人・家族の思いや苦悩，そしてこれまでの努力や工夫を深く理解する経験につなげることができるように活用している．そうすれば，病みの軌跡を踏まえて語りを聴くことで，病いのある生活の多様性と複雑性を深く知ることとなり，そこから新たな支援を創り出すことが可能となる．すなわち，このような支援を提供したいと思うときには，どのような状況においても活用できるのである．

さらに具体的な支援を考える場合には，表12-3のプロセスに加え，取り組み/仕事（work）として，病気の仕事（軌跡の管理），日常生活の仕事（日常の活動），生活史の仕事（生活史）などをとらえると考えが深まるであろう．これらは次頁以降の「臨床での活用の実際」の内容で理解されるであろう．

2 看護実践のどのようなことに活用できるか

病みの軌跡理論は，慢性状況にある人々へのケアにおいて多く活用される．慢性状況では，私たち人間は，病いと共に人生を生きることに気づかされ，それは長期にわたるということを認識させられる．日々の生活においては多様な事柄とともに私たちは日常の営みを続け，そのなかで嬉しいこと，悲しいこと，つらいこと，希望を感じることなどに直面する．病いのある生活においては，そのような状況にあっても自分の病状のコントロールを続けることが求められる．そのため，日々の生活のなかで，何事においても自分なりのやり方や工夫をしながら生きている．すなわち，病状のコントロールのために求められる事柄を自分の生活に何とか取り入れ，馴染ませ，そして自分の気持ちを整えながら過ごすことになる．

保健医療職者は，このような慢性の病いと共にある人々を支援したいと願い，かつ，そのためにはどのような支援が求められているのかを長年にわたって考え続けてきた．重要なことは，病いのある生活のなかで人々はどのように自分の病気をとらえ，何とか付き合っていこうとし，小さな工夫を続けてきたかを知ることである．病気に気づいたあるいは気づかされたときからの様々な事柄を語ってもらうことが必要となる．そしてその語りは，保健医療職者のためにではなく，自らのために語ることが重要となる．

だからこそ，病いと共にある生活について個人・家族のこれまでの語りを聴き取り，その語りから保健医療職者が病みの軌跡を描き，それを個人・家族と共有することで，これまでの思い，大変だったこと，思いどおりにはできなかったこと，生計を保つことが優先されたことなどが共有される．描かれた軌跡から語り者は，自分はどれだけ頑張ってきたかを感じとり，そしてこれから何をすればいいのかを考え始める．これからどのような生活を編むかを個人・家族・保健医療職者が一緒に考えることができる．そのために病みの軌跡はあるといえるだろう．

G 臨床での活用の実際

1 ALS患者の病みの軌跡

筋萎縮性側索硬化症（ALS）は，通常，中年以降に発症し，上位および下位運動ニューロンが選択的に障害される神経変性疾患である．原因不明であり，いまだ根本治療が確立していないことから，わが国では338ある指定難病（2023年９月１日現在）の一つに指定されている．全身の随意筋が選択的に障害されていくことから，四肢の筋力だけではなく，嚥下や会話，呼吸といった生命に直結する筋力も障害される．そのため，病気の進行とともに，栄養管理のための胃瘻（PEG）や呼吸を補助する非侵襲的陽圧換気療法（NPPV），侵襲的人工呼吸療法（TPPV），コミュニケーション手段となる意思伝達装置，介助が必要となったときの療養の場などを段階的に自分の人生と照らし合わせながら意思決定していかなければならないという特徴がある．そのなかでもTPPVの選択は，患者の生死を左右する決断であることやTPPVを装着して生きることをイメージすることの困難さ，TPPVを装着すると取りはずすことができないこと，十分な社会資源が整わないために家族の介護負担が大きいことなどから患者・家族にとって，その意思決定は非常に難しい問題となっている．

また，ALSの病状の経過は人それぞれ異なるため，ALS患者の病みの軌跡は，十人十色であり，近い将来の病気を抱えながらの生活がどのような軌跡をたどるのかという軌跡の予想を描きにくいという特徴がある．

息苦しさを主訴に近医を受診し，その後，ALSと診断されたある男性は，「がんより悪い病気にかかった．ただただ悪くなっていくのを待つなんて，真綿で首を締められていくようだ．動けなくなって人に迷惑をかけるくらいなら，いっそ死んだほうがましだ」と語り，心理的に混乱していた．

ALSの診断当初は障害が軽度で，仕事や日常生活への影響が少ないことが多い．しかし，予後が深刻で治療法がない病気であるという説明を受けるため，患者は，少しでも自分で病気の進行をくい止めようと情報を集め，運動，気功，鍼灸などを試すといった「病気の仕事」を，わらにもすがる思いで行う．また，働き盛りに発症することが多いため，仕事や家事をどう維持していくのかという「日常の生活活動の仕事」に加えて，残りの人生をどう生きていくのかといった「生活史の仕事」に向き合わなくてはならなくなる．

このように，ALS患者の「軌跡発現期」は身体的にはほぼ自立しているが，心理的には強いショックを受け「クライシス期」に陥る．そのため，ALSの診断前後では，健全な自己を喪失して苦悩する患者が，病気の悪影響を減らして希望をもって生きていけるよう，今後の患者の病みの軌跡を方向づけるための支援が重要である．

2 事例紹介

Bさんは妻と２人暮らしの40代の男性で，ALSと診断されて２年になる．左下肢の上がりにくさを自覚したため整形外科を受診し，腰椎ヘルニアと診断され手術した．しかし，症状の改善はなく数か所の病院を経て神経内科を紹介されALSと診断された．

Bさんは，ALSの診断後も会社で経理の仕事を続けていたが，四肢の筋力低下が進み，ズボンの上げ下ろしができなくなったのを機に退職し自宅で療養生活を送っていた．

妻は放射線技師をしており，平日は９時から18時まで働いていた．Bさんは在宅サービスの利用を嫌い，妻が留守の間は食事をおにぎりにしてもらうなどの工夫をして過ごしていた．

病院へは月１回，タクシーを利用して通院しており，唯一の外出の機会となっていた．診断より２年が経過して，呼吸機能に著しい低下が見受けられたため，医師より呼吸・嚥下機能の評価目的で入院を勧められた．Bさんは「入院したくない」と話したが，妻の説得により「１週間ならば……」としぶしぶ入院することとなった．

検査の結果，嚥下機能はある程度保たれていたが，夜間に低酸素状態となっていることや，%予想努力性肺活量（FVC）が50%と低下していることから，主治医はBさんに近いうちにNPPVの導入とPEG造設をすることが望ましいと説明した．しかし，Bさんは「そんなことをする気はない．説明も聞きたくない」と興奮ぎみに答えた．

3 病みの軌跡モデルによる展開

1）病みの軌跡における個人・家族の位置を把握する

月１回の外来受診時，Bさんは自分から医師に語りかけることはほとんどなく，代わって妻がBさんの様子を話すということが続いていたため，医師はBさんが何を考えているのかつかめずにいた．入院後も同様な状態が続き，医師はBさんの真意をとらえられずにいた．看護師も，どう話しかけてよいかわからず，慢性疾患看護専門看護師にBさんとかかわってほしいと依頼した．

専門看護師は，まずBさんと医療者との関係を構築することが必要であると考えて，Bさんのケアを引き受けた．身の回りの援助をしながら天候や食事など身近な話題を選んで話しかけ，援助が終わってもすぐ病室を出ることはせず，Bさんとの会話や時間を大切にするよう心がけた．そのうちにBさんは笑顔で迎えてくれるようになったため，Bさんに医療者として受け入れられたと判断し，その後，ゆっくり時間をかけてBさんの病みの軌跡を聴き取った．

（1）Bさんが語った病みの軌跡

①「病気の仕事」についての語り

最初，腰のヘルニアだって言われたから，手術すれば治ると思っていたのに，手術したらかえって歩きにくくなって，医者なんて信じられないと思った．この病院で診断はついたけど，医者に任せておいたら，いつか歩けなくなる．自分で何とか治す方法を探さなければと思って，インターネットでいろいろと調べていたら，新しい治療を試している病院が見つかった．勇気を振り絞ってそのことを先生に聞いたんだけど，あんまりいい返事は返ってこなかった．それから，もう医者には何も期待しないと決めた．

②「日常の生活活動の仕事」についての語り

退職してからは，日中，1人で自宅にいるようになり，病気のことをいろいろ考えて涙が出ることがいっぱいあった．だんだん動けなくなって妻に頼るしかないけど，妻の重荷にはなりたくないし泣き顔も見せたくないから，病気のことは考えないようにしてきた．それに，この病気は進行の仕方も人によって違うでしょ．だから他の人のことは知りたくない．知っても参考にならないし，自分もそうなるのかと思うと悲しくなるだけだから．

③「生活史の仕事」についての語り

自分は1人っ子だし，学生時代に両親を亡くし天涯孤独だった．その後，妻と出会い5年前に結婚した．子どもはいないが夫婦2人で楽しい人生を送れると思っていたのに，こんな病気になってしまった……大学時代からバイクに乗るのが楽しみだった．運転免許の更新まであと1年半あるが，それまでに病気が治って，バイクに乗れるという奇跡を信じて願をかけている．だから，今すぐ呼吸器とか，胃に穴を開けるとかは考えられない．

（2）Bさん，家族，医療者の軌跡の予想

表12-4にBさん，家族，医療者それぞれの軌跡の予想と全体計画を示した．

2）目標を共同の課題として設定する

Bさんの軌跡の局面移行（図12-2）は，ALSの診断を受けた「軌跡発現期」後，心理的に混乱し，「クライシス期」に陥った．その後，退院して職場復帰し，仕事の仕方について協力が得られたことから，日常が戻り心理的に安定し「立ち直り期」へ移行した．しかし，病気が進行し，トイレでのズボンの上げ下ろしや階段昇降ができなくなり退職せざるをえず自宅療養となった．この頃から四肢の筋力低下が急速に進み，ほぼ寝たきりの生活となった．治るという奇跡を信じて願を賭けていたが，病気の進行が止められず心理的にも落ち込み「下降期」に入っていった．

Bさんは，医師に治療のことを質問して，真剣に取り合ってもらえなかった経験から医療者に対して不信感を抱き，相談することを諦めてきた．その後は，病気のことを考えないようにしてきたため，治療の選択ができない状況にあることを，専門看護師が医師に代弁した．また，看護スタッフ，妻にも伝えた．そして，妻には，PEG造設を希望する場合は，近いうちに行わなければ時期を逸すること，この決断が今後のTPPVおよび療養の場の選択にも影響を与えることを伝えた．

そのうえで，Bさん自身がALSと共に生きる方策を前向きに考え，日常の生活活動，生

表12-4 ●軌跡の予想，軌跡の全体計画

	軌跡の予想	軌跡の予想の背景
B さん	病気が治るという奇跡を信じて生活してきたが，病気が思いのほか早く進行し，治療の選択を迫られている．しかし，情報を遮断し，病気や先のことを考えないようにしてきたため，病気と共に生きるという軌跡の予想を描けていない	病気や今後に関する知識や情報を遮断してきたのは，深刻な病いに直面するのを避けるための対処であったと考えられる．しかし，そのために近い将来の軌跡の予想を描くことができず，病気と折り合いをつけたり，生活の編みなおしを図ったりすることができなかった
妻	トイレ以外はベッド上生活であり，手足の筋力低下が進んでいることを感じていた．しかし，何とか食事が摂れており，安静時は息苦しさも訴えないことからまだこの生活を維持できるだろうと考えていた（安定期）	夫の身体状況から，病気の進行を感じていたが，夫以外の患者を知らないため，今後，どのようなことが起こるのかという具体的なイメージが描けていなかった．また夫がつらさを表出しないことから，身体の微妙な変化はキャッチできなかった
医療者	医師：嚥下機能は保たれているが，呼吸機能が低下しており，近々，NPPVやPEGといった治療の適応がある 看護師：心身共に長い間下降期にある．よりよい日常生活を維持するうえでNPPVやPEGは有効であると考える．しかし，Bさんは病気との折り合いがついていない．このままでは，治療やケアの選択もできず，すべて拒否してしまうのではないか	医師：病気の進行に合わせ，生命を維持するための保存的な治療に焦点を当てている 看護師：よりよい日常生活を維持するうえでの治療やケア，ならびに病気の受け止めに焦点を当てている

軌跡の全体計画
目標：ALSと共に生きる方策を前向きに考え，Bさん自身が日常の生活活動，生活史を考えたうえで，「病気の仕事」を選択することができる
以上の目標のもと，まず，以下の2点について，Bさん，妻，医療者間で共有を図った
1．情報の遮断により適切な養生法を考えてこなかった状況を共有し，ALSと共に生きる方策を前向きに考えるために，それぞれの異なる軌跡の予想を一致させる
2．治療を選択する大切な時期であり，今回の選択が病みの軌跡の方向づけに影響を与える重要なプロセスであることを共有する
実施（管理条件の操作）：Bさん，妻，医療者が軌跡の予想を一致させ目標を共有する
Bさんが適切な情報・資源を得て，治療やケアを選択できる

活史を考えたうえで，「病気の仕事」を選択することができることを目標とし，介入の焦点を定めた．

3）管理に影響を与える条件を明らかにし，介入の焦点を定めて介入する

知識や情報は人的資源などと同様に，軌跡の管理プロセスに影響を与える条件の「資源」の1つである．Bさんはそれらを遮断していたために，近い将来の軌跡の予想を描くことができず，治療の選択をすることができない状況にあると判断した．

そこで，情報を遮断するきっかけとなった主治医との関係の修復が必要だと考え，主治医がBさんのことを真剣に考えていることを伝えた．その後，回診時にBさんからPEGについて質問があり，主治医は，Bさんと妻に病状について説明するとともに，PEGのチューブを見せながら造設のメリット，デメリットについて説明した．妻は，主治医の説明を聞き，「食べることができなくなったとしてもPEGから栄養を注入できれば体力的にも維持できる．自宅での管理も楽だし，PEGはしたほうがいいと思っている」とBさんに伝え

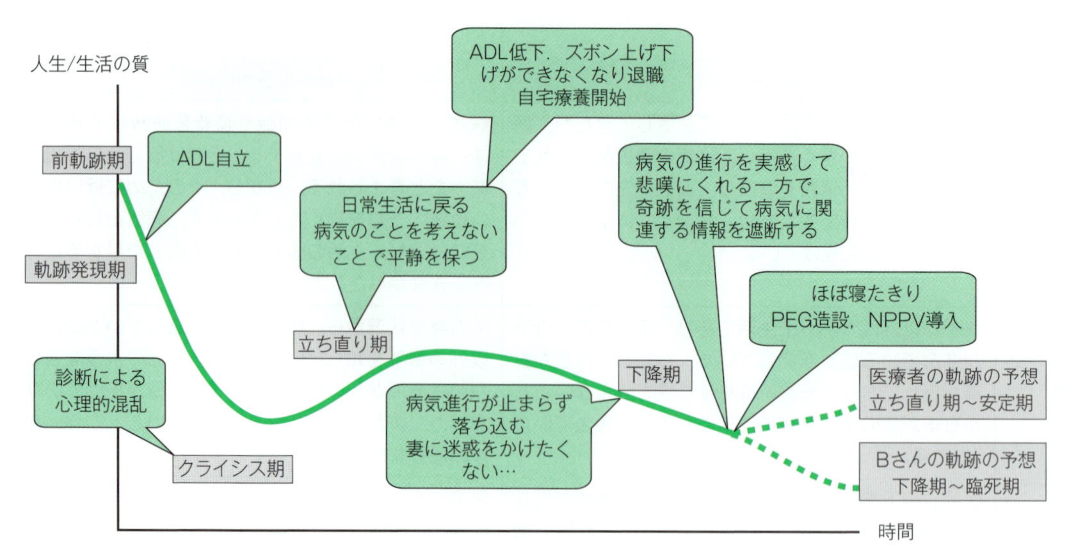

図12-2●Bさんの軌跡と局面

たところ，「PEGを考えなければならない時期にきていることはわかったが，PEGをしてまで生きたくないという思いもある」「みんながここまで自分のことを思っていてくれているとは知らなかった．少し考えさせてほしい」と語った．その後，看護師に，「PEGの手術は痛いのか」「傷口はどうなるのか」「PEGをしている人はどれくらいいるのか」「チューブを交換するとき痛くないのか」「どんな食べ物を注入してもいいのか」など具体的な質問をし，PEG造設の選択に必要な情報を集めるようになった．また，これまでの思いや今後の生活への不安を妻や医療者に語るようになった．そして１週間がたち，「PEGは管理も楽そうだし，妻が手伝ってくれると言っているので，お願いしたい」と希望してきた．

4）介入の効果を見極める

ALSと診断され２年が経過し，診断時の心理的なショックやこれからの生活への不安などを一度も他者に話さずに過ごしてきたBさんだったが，看護師が時間をかけて病みの軌跡を聴き取ることで，Bさんが情報を遮断し，病気のことを考えないようにしている理由には，医療者への不信と病気の進行に伴う今後への恐れがあることがわかった．妻，医療者が，Bさんのたどってきた病みの軌跡を確認し，軌跡の予想を一致させる過程において，医療者との関係の修復を図ることができ，「みんながここまで自分のことを思っていてくれているとは知らなかった．少し考えさせてほしい」という言葉からうかがえるように，周囲に支えられていることが実感できた．そのことを機に，Bさんがこれまでの思いや今後の生活への不安を妻や医療者に語れるようになったことで心の整理がつき，自らの軌跡の予想を描くことにつながったと考える．

BさんはPEGとNPPVをしながら自宅療養を続け，妻も在宅サービスを利用しながら介護と仕事を両立させていた．TPPVについては，「人工呼吸器をつけない人生を選択したい」とTPPVを装着しないことを妻と相談のうえで意思決定し，それから１年後，妻と医療者に見守られながら自宅で永眠された．

ALS患者は病気の進行に伴って多くの喪失を体験する．その人の病みの軌跡を聴き取ることは，患者の心の整理を助けるとともに，患者自身が病気とうまく付き合うための支援となる．

読者のなかには「なかなか話を聴く時間がとれない」と思う人もいるかもしれない．ケアする側が意識してかかわれば，短い時間の積み重ねであっても，病みの軌跡を振り返ることにつなげていけるのではないかと考えている．深刻な病いと共に生きる人とのかかわりのヒントになれば幸いである．

理論を看護実践につなげるために

病みの軌跡を活用するときには次のことを認識しておく必要がある．一つには，この理論はあくまでも病いと共に生活をしている個人・家族がどのような状況のなかで毎日を過ごしているかをとらえるためのものであって，療養行動を評価したり，何かの指標にするためのものではない．それは，病いのある生活とはどのようなことかを追究してきたストラウスの重厚な気づきを基盤とするものだからである．

もう一つは，「編みなおし」などを支援することは，長期にわたる個人の療養生活を支えるために極めて重要な事柄であると同時に難しいことである．それは，人と人との相互の人間性が絡まる現象が生じるからである．支援者は一人の人間として，人生観を問われ，生活の質とは何かを問われ，そのうえで他者の人生観に触れ，他者の生活の質に触れることになる．このようなことを現実のものとするためには，ライフストーリーが包摂される個人の語りを聴く技（わざ）というものが支援者に求められる（黒江・藤澤，2012；黒江・藤澤，2016）．

個人が語るライフストーリーを聞く姿勢としては，アトキンソンによるライフストーリーインタビュー，ロジャーズによるカウンセリングの技法を基盤とすることができる．また，ファネルらによるエンパワーメントインタビューやミラーとローニックらによるモチベーショナルインタビューも活用可能である（黒江・藤澤・普照・佐賀，2005b，2006）．

さらにアトキンソン（Atkinson, 2001　黒江他訳，2006）によるライフストーリーインタビューは，インタビュー法についての深い洞察を示唆しており，病みの軌跡モデルとともに用いることで日々の生活および人生に関する個人・家族の語りが豊かになる．

また，ロジャーズの姿勢は，個人の全人格的な「経験しつつある世界」を尊重する姿勢に基づくものであり，人の情緒や感情を重視し，現在を重視し，成長体験としての関係そのものに重きをおき，積極的傾聴における聴き手としての3条件を提示している．それらは，純粋性（genuineness）と自己一致性（congruence），無条件の肯定的配慮（unconditional positive regard），および感情移入的な理解（共感的理解：empathic understanding）であり，聞き手の態度として重要であるとされている（黒江・藤澤・普照・佐賀，2005a；佐治・飯長，1983）．純粋性とは聞き手が自己について気づいていることであり，無条件の肯定的配慮とはどのような状況にあっても語り手に積極的に配慮をすることである．また感情移入的な理解とは，“あたかも”自分のことであるかのように感じ取ることを意味する．これらの基盤に流れているのは，個人の価値や意義を認め，尊重すること，個人の能力への信頼，すなわち個人の人生を決めるのはその人自身であるという考え，および聞き手の自己理解の必要性である（黒江他，2005a）．

その後，ロジャーズのパーソン中心療法にはソーンによって第4の態度「いま-ここに-いること（presence）」が加味されたが，ロジャーズ自身の論述のなかにもそれが記されていることが示されている．たとえば以下のようにである．

「端的に私が『いま－ここに－いること』が人を自由にする．（中略）リラックスすることができていて，自分の超越的な核に近いところにいることができているとき，そのとき，人は関係の中で普段とは違った動き，そのときわき起こってくるものに身を任せた動きをすることがある．（中略）それらの瞬間，わが内なる精神がその触手を伸ばし，他者の内なる精神に触れたかのようである．二人の関係は二人だけの関係を超越し，より大きな何かの一部となる」（村瀬・村瀬，2004）．

一方，ファネルは，糖尿病におけるセルフマネジメント教育（diabetes self management educaiton：DSME）を看護師として長く実践してきた経験から，個人・家族を支えるためにはエンパワーメントインタビューの技法が必要であるとしている．病気に関する個人の認知は個人の体験すべてであり，特定領域の内容ではないこと，および健康教育を提供するときに私たちはこの側面を組み入れているかどうかを確認する必要があることを指摘している．エンパワーメントインタビューは，過去から現在，そして未来へと進む．

聞き手は，次のようなテーマに焦点を当てながら個人の語りを支える．それらは，第1に，対象がこれまでの経過のなかで困難だったことは何か（過去），第2に，現在はどのようなことを抱えているのか，その状況についてどのように感じているのか（現在），第3にどのような状態になりたいと思っているのか，そのようになろうとするときに障害となることは何か，その障害を乗り越えるためにはどのような支援が必要か，そしてこれから何ができるか（未来），についてなどである（Funnell, 2004　黒江・藤澤・普照・佐賀訳，2004）．

さらに，ライフストーリーインタビューを提唱したアトキンソン（Atkinson，2002）は，1990年代後半から多くの論文を発表しており，ライフストーリーとは「生きてきた人生を語ることを選択した人が，できる限り完全にかつ率直に語った物語」であり，多くはそれを思い出すこと，およびそれを知ることのために他者によってガイドされたインタビューの結果として語られるとされる（黒江，2011 a，2011b；黒江他，2016）．語られたライフストーリーはその人に起こったことのナラティブな本質であり，誕生から現在まで，あるいはある時点の前後を網羅することが可能である．すなわち，病いと共にある人生の始まりから語られる．彼は，慢性の病いをもつ人々の人生やその人の周りの人々との関係についての経験を理解するには，その人々の声に耳を傾け，その人自身のことを自身のために語ってもらうことが重要であり，個人の認識について知るためには，その人自身の「声」以上に良い方法はないと指摘する．慢性の病いにおいては，多様な「言いづら

2）クロニックイルネスにおける「言いづらさ」とは，本人の認識にかかわらず，「言わない」「言えない」「言いたくない」といった，「言う」ことに抵抗や苦痛を生じている体験を意味する．（黒江，2022，p.iii）

さ」注2)が存在することから（黒江2012；黒江2022），それらの「言いづらさ」をふまえたうえで，人々の語りに耳を傾けることが重要となる．

これらの技法をもって支えることで，人は自らの体験を自らのために語ることができる．それらは，編みなおしに重要な意味を与え，病みの軌跡の局面移行や軌跡の予想について柔軟かつ的確にとらえるためにも重要である．

保健医療チームの一員として看護職者が役割を発揮しようとするとき，人々の生活と個人史をどのようにとらえているかによって，専門職者として提言できる内容の深さは大きく異なる．時間の流れとともに個人を理解しようとする姿勢をもつ病みの軌跡は，看護実践に大きな示唆を与えてくれるであろう．私たち看護職者は，現代における哲学的テーマに勇気をもって取組み，看護学の立場で紐解いていく役割を担っているのである．死と生という根元的なテーマに日々の活動で直面している私たちだからこそ語りを支えることが多くあるはずである．そして，それらの語りは，一人ひとりが健康で安らぐことのできる生活を営むための貴重な方向性を導いてくれるであろう．今後も，個々人に求められるケアを提供するためにどうあればよいかという問いの答えを探し続けたいと思う．

文献

Atkinson, R. (2002). The life-story interview. in Gubrium, J.F., Holstein, J.A. Handbook of Interview Reaearch (2002). Sage Publications. 121-140. /黒江ゆり子，北原保世（2011）．慢性の病いにおける他者への「言いづらさ」についての研究グループ―慢性の病いとともにある生活者を描く方法とライフストーリーインタビュー．看護研究，*44*(3)，247-256.

Burton, C.R. (2000). Re-thinking stroke rehabilitation : The Corbin and Strauss chronic illness trajectory framework. *Journal of Advanced Nursing*, *32*(3)，765-602.

Corbin, J.M., Strauss, A.L. (1992). A nursing model for chronic illness management based upon the trajectory frame work, 軌跡理論にもとづく慢性疾患管理の看護モデル．黒江ゆり子，宝田穂，市橋恵子（訳）（1995），慢性疾患の病みの軌跡（pp.4-7）．医学書院.

Curtin, M., & Lubkin, I. (1995). What is chronicity? In I. Lubkin. (Ed.), Chronic illness : Impact and interventions (pp.3-25). Massachusetts : Jones and Bartlett.

Edelwich, J., Brodsky, A. (1998). Diabetes : Caring for your emotions as well and your health, Perseus Books Publishing./黒江ゆり子，市橋恵子，寶田穂（2002）．糖尿病のケアリング―語られた生活体験と感情．医学書院.

Emanuel, E. (1982). We are all chronic patients. Journal of Chronic Disease, *35*, 501-502.

Funnell, M. (2004) ／黒江ゆり子，藤澤まこと，普照早苗，佐賀純子（訳）（2004）．糖尿病教育および心理社会的介入におけるアウトカム．看護研究，*37*(7)，9-13.

藤澤まこと編著（2020）．ナースが行う入退院支援ー患者・家族が'その人らしく生きる'を支えるために．メヂカルフレンド社.

Glaser, B.G., & Strauss, A.L. (1965). Awareness of dying.／木下康仁（訳）（1988）．死のアウエアネス理論と看護―死の認識と終末期ケア．医学書院，v-vii.

Halcom, E., & Davidson, P. (2005). Using the illness trajectory framework to describe recovery from traumatic injury. A Journal for the Australian Nursing Profession, *19*(1-2)，232-241.

長谷佳子，高橋奈美，二本柳玲子，野川道子（2009）．中範囲理論の看護実践での活用―慢性疾患の病みの軌跡―看護モデルの活用（1）．看護技術，*55*(3)，87-91.

Hyman, R.B., & Corbin, J.M. (Eds.) (2001). Chronic illness research and theory for nursing practice. New York : Springer Publishing.

房間美恵，黒江ゆり子（2020）．関節リウマチと共に生きてきた人の病みの軌跡．臨床リウマチ，*32*，132-139.

猪飼やす子（2022）．病みの軌跡理論を基盤とした慢性呼吸不全患者への看護援助．日本呼吸ケア・リハビリテーション学会誌，*30*(3)，294-299.

伊波早苗（2015）．病みの軌跡を学ぶー看護実践への適用．日本糖尿病教育・看護学会誌，*19*(1)，59-64.

黒江ゆり子（1995）．糖尿病患者への心理的アプローチー食逸脱行動（過食と嘔吐）を呈したIDDMの患者の一例．大阪市立大学看護学紀要，*3*(1)，1-18.

黒江ゆり子（1998）．過食と嘔吐を呈する患者の「病みの軌跡」ーコービンとストラウスのモデルでみえる“頑張り”の功罪．日本精神保健看護学会，*7*(1)，22-30.

黒江ゆり子（2002），病いの慢性性Chronicityと生活者という視点.看護研究，*35*(4)，3-16.

黒江ゆり子，藤澤まこと，普照早苗（2004）．病いの慢性性（Chronicity）における「軌跡」についてー人は軌跡をどのように予想し，編みなおすのか．岐阜県立看護大学紀要，*4*(1)，155-160．

黒江ゆり子，藤澤まこと，普照早苗，佐賀純子（2005a）．クロニックイルネスにおける「二人して語ること」－病みの軌跡が成されるために．岐阜県立看護大学紀要，*5*(1)，125-131．

黒江ゆり子，藤澤まこと，普照早苗，佐賀純子（2005b）．クロニックイルネスとMotivational Interviewing－病いとともに生きる方策を発見するために.岐阜県立看護大学紀要，*6*(1)，63-70．

黒江ゆり子，藤澤まこと，普照早苗，佐賀純子（2006）．モチベーショナル・インタビューをスピリットと原則に基づいて実践するために，看護学雑誌，*70*(2)，155-161．

黒江ゆり子（2007a）．病いのクロニシティ（慢性性）と生きることについての看護学的省察．日本慢性看護学会誌，*1*(1)，3-9．

黒江ゆり子，寶田穂，藤澤まこと（2011a）．慢性の病いにおけるライフストーリーインタビューから創生されるもの．看護研究，*44*(3)，237-245．

黒江ゆり子，北原保世，慢性の病いにおける他者への「言いづらさ」についての研究グループ（2011b）．慢性の病いとともにある生活者を描く方法とライフストーリーインタヴュー．看護研究，*44*(3)，247-258．

黒江ゆり子，藤澤まこと（2012）．慢性の病いと他者への「言いづらさ」－糖尿病におけるライフストーリーインタビューが描きだすもの．岐阜県立看護大学紀要，*12*(1)，41-48．

黒江ゆり子，藤澤まこと（2016）．慢性の病いにおける事例研究法とライフストーリーインタビュー法の意義と方法についての論考．岐阜県立看護大学紀要，*16*(1)，105-111．

黒江ゆり子編（2022).クロニックイルネスにおける「言いづらさ」と実践領域モデル，みらい．

Lubkin, I.M., & Larsen, P.D. (2002). What is Chronicity. In I.M. Lubkin, P.D. Larsen. (Eds.), Chronic illness : Impact and Intervention (pp.3-23). Massachusetts : Jones and Bartlet.／黒江ゆり子（監訳）(2007b)．クロニックイルネス—人と病いの新たなかかわり．医学書院．

村瀬孝雄，村瀬嘉代子（2004）．ロジャーズ－クライエント中心療法の現在．日本評論社，72-87．

大西ひかり，吉田沢子，高原典子（2003）．"病みの軌跡モデル"を使用して患者理解に取組んだ1事例，糖尿病，*46*，supl.1，s-302．

Robinson, L.A., Bevil,C., Arcangelo,V., Reifsnyder, J., Rothman, N., Smeltzer, S. (1993). Operationalizing the Corbin & Strauss trajectory model for elderly clients with chronic illness. Scholarly Inquiry for Nursing Practice : An International Journal, *7*(4), 253-268.

Robinson, L.A., Nuamah., I.F., Cooley, M.E, McCorkle, R. (1997). A test of the fit between the Corbin and Strauss trajectory model and care provided to older patients after cancer surgery. Holistic Nursing practice, *12*, 36-47.

佐治守夫，飯長喜一郎（編）(1983)．ロジャーズ　クライエント中心療法．有斐閣，73-80．

酒井郁子（2000）．回復過程を援助するということ－最善の看護の追求として，看護学雑誌，*64*(9)，794-799．

白水眞理子，加賀谷聡子，藤澤由香，三浦幸枝（2009）．虚血性心疾患を発症した糖尿病患者の病気と自己管理に関する語り．日本糖尿病教育・看護学会，*13*(1)，4-15．

Somerset, M., Shrp, D., & Campbell, R. (2002). Multiple sclerosis and quality of life, Journal of Health Services Research & Policy, *7*(3), 151-159.

下山節子（2010）．病みの軌跡，日本腎不全看護学会誌，*12*(1)，39-42．

Strauss, AL, Corbin, M. (1998). Basics of qualitative research. 2nd ed, London : Sage.／操華子，森岡崇（訳）(2007)．質的研究の基礎—グラウンデッド・セオリー開発の技法と手順．第2版．医学書院，*357*(訳者あとがき)．

Strauss AL, Corbin . M, et al. (1984). Chronic Illness and The Quality of Life, Mosby Company,／南裕子 (1987). 慢性疾患を生きる－ケアとクオリティ・ライフの接点, 医学書院；83-96.

武田由美子，脇幸子，濱口和之（2019）．介護老人保健施設に長期入所Ｉする高齢者の糖尿病とともに生きる人生の意味づけ－病みの軌跡モデルを用いた検討，日本糖尿病・教育看護学会，*23*(1)，7-17．

高樽由美，藤田佐和（2008）．糖尿病で視覚障害をもつ人の生活の編みなおし．高知女子大学看護学会誌，*33*(1)，17-27．

Woog, P. (Ed.). (1992). The chronic illness trajectory framework : The Corbin and Strauss nursing model. New York : Spring Publishing, 9-28／黒江ゆり子他（訳）(1995)．慢性疾患の病みの軌跡．医学書院，1-31．

●病気・障害・人生の体験を説明する理論

13 メレイスの移行理論

A 理論との出会い

移行理論と筆者との出会いは，ちょうど本書第2版の執筆を終了し，中範囲理論についての研究を探索していたときである．メレイスの著書の翻訳が出版され（Meleis, 2010 片田監訳，2019），移行理論の詳細が紹介されていた．看護研究者による理論開発であったこと，看護が概念図に組み込まれていること，対象者の反応パターンを看護の結果として位置づけていることに魅力を感じたことを思い出す．この初見での印象は，今回の執筆を通じて，読者に移行理論を紹介する必然性へと発展した．

移行理論で印象的なことは，Meleis（2010）が，健康的なアウトカムを増大させるために人々の移行の健全な通過を支援することが看護の第一の目的であり，看護の定義を，人々の健康と幸福感のための移行を促進する技術であり科学であると明言している点である．移行は看護の中心的概念であり，看護学の教育と研究および臨床実践にとって重要な理論である．移行理論は，多様な年齢，状況，健康–疾病状態および組織における移行で活用可能であること，個人だけでなくコミュニティ，社会および国際的な条件も視野に置き，予防的および治療的看護介入を理論化しているため，多様な臨床実践において活用可能である．疾病と共に小児期から青年期に成長していく人，親になる人，健康な状態から病気の診断を受けた人，慢性期から急性期やターミナル期に病状が変化する人などの多様な看護の対象者への臨床実践で適応できる．また，学生から新人看護師になる，看護管理者になる，病院で新しいシステムが導入されるなどの際に，看護師自身の成長や適応を支えるために活用できる理論である．

B 理論家紹介

移行理論は，アファフ・メレイス（Afaf Meleis）が開発した理論である．メレイスは『看護理論化の業績と理論評価』第2版で紹介（田村・山本，2020）されているように，1942年エジプトで生まれ，1961年にエジプトのアレクサンドリア大学で看護学の学士号を取得，その後アメリカのカリフォルニア大学ロサンゼルス校で1964年看護学修士号，1966年に社会学修士号，1968年に社会学博士号を取得した．教員としての経歴は，1961年のアレクサンドリア大学に始まり，1966年からはカリフォルニア大学ロサンゼルス校，さらに1971年からはカリフォルニア大学サンフランシスコ校に勤務し，1980年からは教授として

キー概念

□移行（transition）：比較的安定した一つの状態から別の比較的安定した状態への道筋（passage）であり，変化が引き金となる過程である（Meleis, 2010）．

□変化トリガー（change triggers）：移行経験の変化のきっかけや誘因であり，①発達的，②状況的，③健康－疾病，④組織的の４つのタイプの状況に分けられる．

□特性（properties）：移行を特徴づけるものであり，時間（time span），プロセス（process），接続が断たれた状態（disconnectedness），気づき（awareness），臨界点（critical points）が挙げられる．

□変化の条件（conditions of change）：機能的もしくは非機能的であるかにかかわらず，観察可能もしくは観察不可能な行動の両方の反応パターンを伴う変化プロセスを開始させる条件であり，個人的・地域的・社会的・世界的条件が挙げられる．

□反応パターン（patterns of response）：個人，家族，組織の示す変化の出来事への反応のパターンであり，移行経験の間の異なる時点において評価されるプロセスパターンと，移行プロセスの最終地点と決められた時点で評価されるアウトカムパターンの２パターンが提案されている．プロセスパターンとしては，積極的関与（engaging），所在位置の探索と位置づけ（location and being situated），支援を探索し受領すること（seeking and receiving support），自信を得ること（acquiring confidence）が挙げられる．アウトカムパターンとしては，熟達（mastery），流動的統合的アイデンティティ（fluid and integrative identity），臨機応変さ（resourcefulness），健全な相互作用（healthy interaction），幸福感（perceived well-being）が提案されている．

□介入（intervention）：健全なプロセスとアウトカム反応の開始，促進，支援そして示唆を目的とする看護介入であり，予防的介入と治療的介入がある．気づきの強化（enhance awareness），役割・能力・意味の明確化（clarify roles, competencies and meaning），里程標の明確化（identifying milestones），支援の動員（mobilizing support），デブリーフ（debrief）が介入の例として挙げられている．

活躍し，副学部長，学部長を歴任した．2002年からはペンシルベニア大学にて看護学部長，現在，同大学の教授である．西シドニー大学非常勤教授，香港大学名誉教授など，多様な国で活躍している．

論文も多数発表し，査読者，編集委員，コンサルテーション，シンポジストとして米国内外で活躍している．著書として『Transition theory: Middle-range and situation-specific theories in nursing research and practice』（Meleis, 2010），1985年に初版を出版した『Theoretical nursing: Development and progress』は現在第６版となり，わが国でも翻訳され紹介されている（Meleis, 2017　中木他訳，2021）．

受賞歴は，カナダのモントリオール大学およびスペインのアリカンテ大学から名誉博士号，スウェーデンのリンショーピング大学から名誉医学博士号，米国看護アカデミーのリビング・レジェンドに認められ，シグマ・シータ・タウ国際名誉看護学会から看護生涯功労賞，米国看護連盟の名誉フェロー，その他，最優秀教員賞，博士課程のメンターシップ賞を多様な大学から受賞している．メレイスの経歴についてはペンシルベニア大学のホームページの履歴書（Meleis, 2016）から抜粋して紹介したが，さらなる詳細については，履歴書を参照いただきたい．

理論誕生の歴史的背景

メレイスの著書（Meleis, 2010；Meleis, 2020）から移行理論の基盤と開発プロセスの概要を訳出し，説明する．

1 移行理論の基盤

移行という概念は，ウィリアム・ブリッジズ（William Bridges）の「終わり」「ニュートラルゾーン」「新たな始まり」という3段階で説明する移行理論がよく知られている（William Bridges Associates）．メレイスはブリッジズを移行の権威者（guru）として紹介している．

移行理論の源泉として，以下の3つのパラダイムが示されている（Meleis, 2020）．第1に，役割理論であり，ラルフ・ターナー（Ralph Turner）により開発されたダイナミックで相互作用的パラダイムである．第2に，生きられた経験（lived experience）であり，認識された見解を記述し，移行の概念の開発に関する促進パラダイムとして用いられている．第3に，フェミニスト・ポストコロニアリズム（feminist postcolonialism）である．フェミニスト・ポストコロニアリズムとは，姜（2001）を参考に解説すると，「植民地（外国による人民の征服・支配・搾取）を獲得・拡大・維持する方法・政策・思想（コロニアリズム）が形を変えながら現在も私たちを規定しているととらえ（ポストコロニアリズム），かつフェミニズムの視点からとらえて，自分自身・地域・社会を問い直す批判的な思想や実践」といえる．社会や組織における力の不平などが資源の配分や看護ケアの供給にも影響していることを理解する助けになるとメレイス（2020）は指摘している．

これらの移行理論の源泉と移行理論を用いた研究との関連について，Meleis et al (2000)の解説をもとに説明する．低収入の米国に移民した韓国女性の「生きられた体験」としての更年期の移行の研究（Im & Meleis, 1999）によると，主要な概念的カテゴリーは，移民，新しい職業体験，更年期移行の軽視と無視であることが明らかにされた．新しい職業体験というカテゴリーは，「役割理論」と関連していると推察する．また，父権的な文化的遺産により女性の経験を見えないもの聞こえないものにさせられ，更年期は女性自身により軽視・無視されること，女性たちはジェンダー，低収入，健康と疾病に関する態度の文脈で経験したため，更年期移行を拒否の物語として置き直していることが明らかにされた．これらは現代の移民韓国女性の更年期移行に，「フェミニスト・ポストコロニアリズム」が指摘しているコロニアリズムや人種・性別・階級に関する差別が影響を与え続けていることを示している．社会的組織的力関係を問い，変化の出来事への反応を形成する社会的政策的抑圧に関連する認識論システムを包含するものであり，社会や組織における力の不平等が資源の配分や看護ケアの供給にも影響していることを理解する助けになると説明されている（Meleis, 2020）.

2 移行理論の開発プロセス

メレイスは、博士論文「自己概念と家族計画」とその後の研究活動で，家族計画における意思決定プロセスを研究し，配偶者とのコミュニケーションと家族計画に関する効果的もしくは非効果的な相互作用の重要性に着目し，移行した後に健康的アウトカムを達成するように人々を支援する際に違いを生み出す方法について看護師が知識を発展させることが必要であると考えるようになったと述べている（Meleis, 2010）.

メレイスは，不健全な移行もしくは非効率な移行について検討し，移行体験に関する準備ができていなくて苦しむことを役割不全として説明した．また，役割不全から役割マスタリーに至る役割移行のコンテクストにおける役割補完を看護介入として記述した（Meleis, 1975）．次に，移行の概念分析（Chick＆Meleis, 1986）から，移行と他の次元概念との関連を図示した（図13-１）．その後，移行に関する1986～1992年の看護研究310文献を統合し（Schumacher & Meleis, 1994），移行を看護モデルとして図示した（図13-２）．さらに，理論開発の統合的アプローチを用いて移行を検証した５つの研究論文の知見から移行の概念分析を拡張し，精錬し，中範囲理論としての移行モデルを提示（図13-３）した（Meleis, Sawyer, Im, Hilfinger Messias & Schumacher, 2000）.

最新版の移行理論のモデル図（図13-４）は,『Nursing theories and nursing practice』の第５版（Meleis, 2020）のなかで，メレイス自身が解説している．以降，この最新版に基づいて理論を解説する.

移行理論とは

1 移行理論

移行とは，人生のある局面・状況・状態が別の局面・状況・状態に移ることであり，過程，時間，認知などの要素が関連する複合的な概念である（Chick & Meleis, 1986）と定義され，移行理論としての理論化が開始された．前述したようにその後の概念分析や研究を経て，Meleis（2010）は，比較的安定した一つの状態から別の比較的安定した状態への道筋であり，変化が引き金となる過程であると説明している.

移行理論は，新たな技術，考え，目的，行動もしくは機能を要求するような成長と発達の出来事・状況もしくはステージにおいて，人が立ち向かい，共に生き，そして適応する人々の経験を記述する枠組みを提供する（Meleis, 2020）ものである．４つのタイプの状況（変化トリガー）が，移行経験の引き金となる．発生する移行には特性があり，変化の状況により影響を受ける．このような移行経験に対して，予防的もしくは治療的な看護介入が実施され，その移行経験のなかで，個人，家族そして組織が変化の出来事に反応する．その反応は，移行プロセスをとおして観察されまた経験されるプロセスパターンと，移行プロセスの最終地点で観察され経験されるアウトカムパターンがある．これらの反応

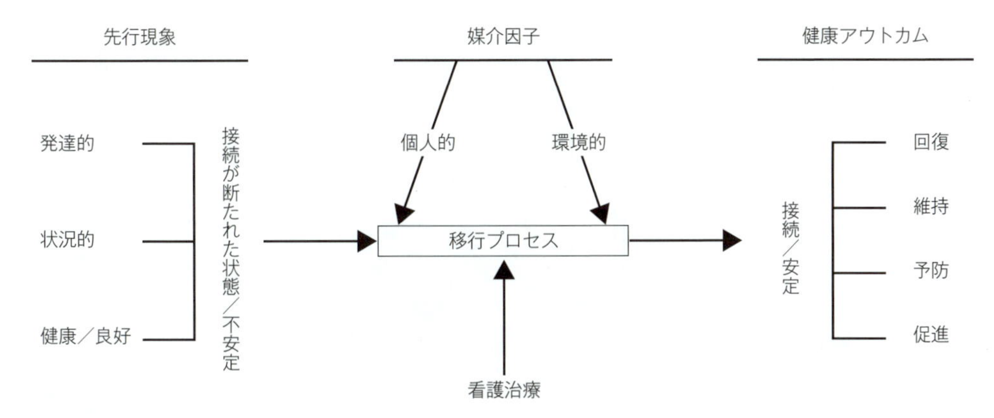

図13‒1 ●移行と他次元概念との関連図

Chick, N., &Meleis, A.I. (1986) .Transitions: A nursing concern. In P.L. Chinn (Ed.) Nursing research methodology (pp.237-257). Boulder, CO: Aspen Publication.　p.246のfigure 18-2を 筆者訳出

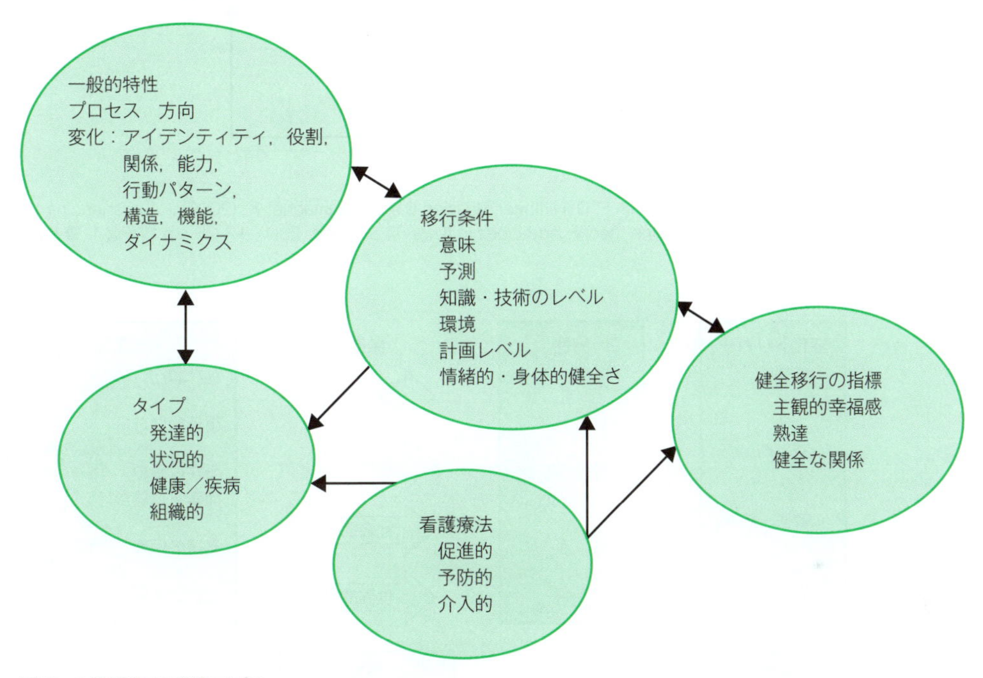

図13‒2 ●移行の看護モデル

Schumacher K. L., Meleis A. L. (1994) .　Transitions: A central concept in nursing. Journal of *Nursing Scholarship*, 26(2), 119-127. より筆者訳出

を評価しながら，看護師は対象者の移行が完了するまで移行経験のアセスメントと介入を展開する．

2 移行理論の構成概念

キー概念として記述したが，移行理論の構成概念について，メレイスらによる概念の説明（Schumacher & Meleis, 1994；Meleis, 2020）を訳出し，説明する．

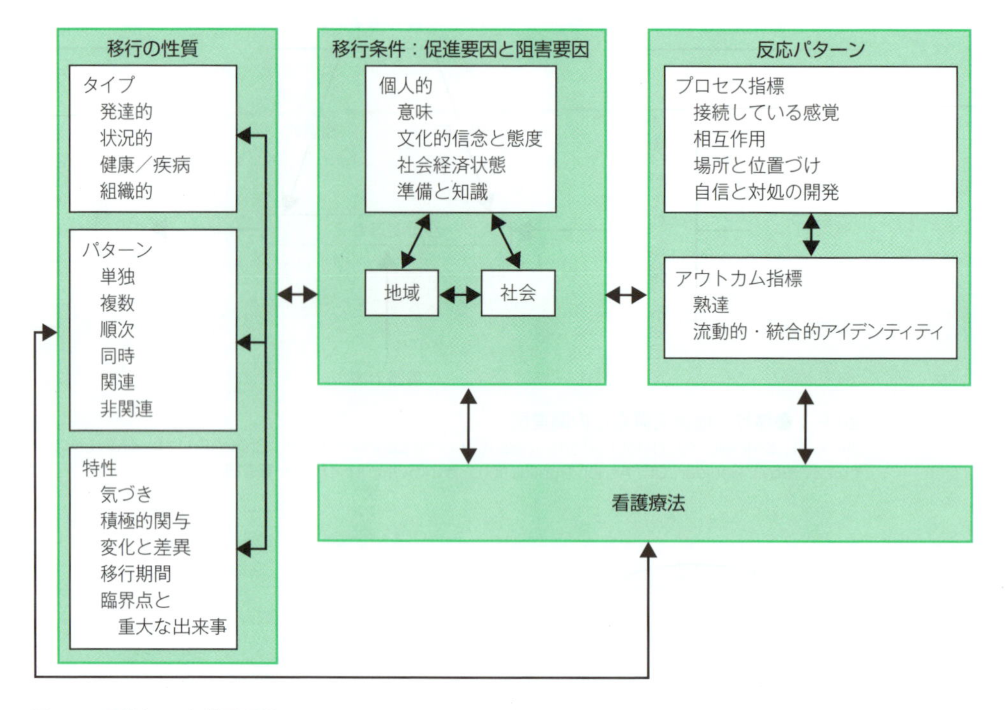

図13-3●移行：中範囲理論
Meleis A. I., Sawyer L. M., Im E. O. Hilfinger Messias D. K. Schumacher K. (2000). Experiencing transitions: An emerging middle range theory. *Advances in Nursing Science,* 23(1), 12-28. p.17 Fig 1. 筆者訳出

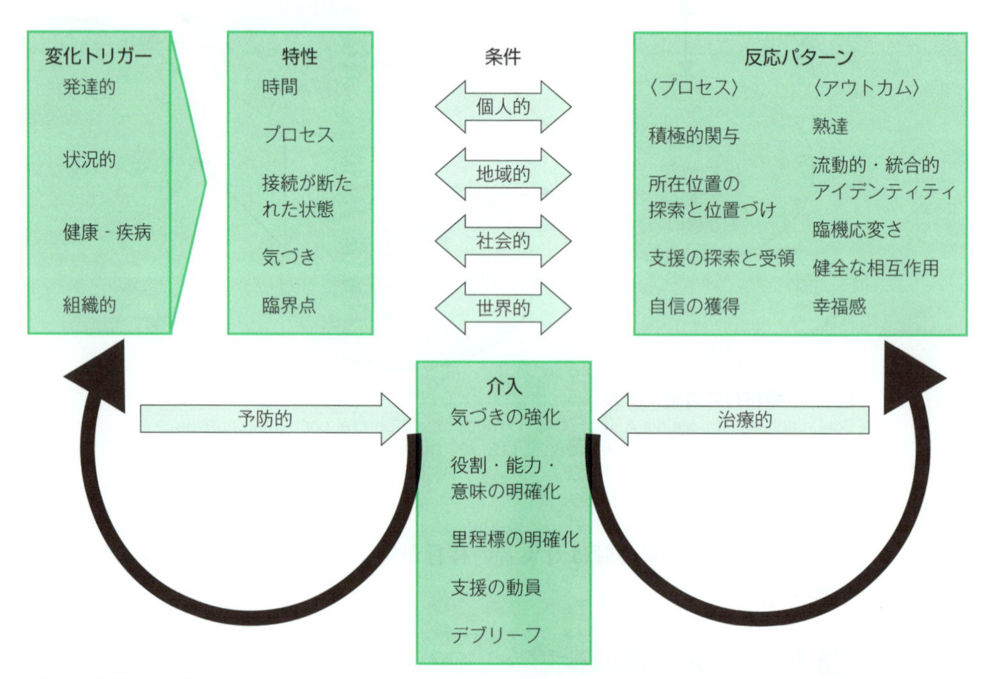

図13-4●移行モデル
Meleis, A. (2020). Afaf Meleis' Transitions theory. In Smith M. Gullett D. (Eds.), Nursing theories and nursing practice. 5th edition (pp. 353-370). Philadelphia, PA: F. A. Davis Company. p.356 Fig 20-1 筆者訳出

1）変化トリガー

4つのタイプの状況が，移行経験のきっかけや誘因となる．発達的移行，状況的移行，健康–疾病移行，組織的移行である．

（1）発達的移行

発達的移行とは，年齢（青年期，更年期，加齢）もしくは役割（母親・父親，婚姻，離婚）などにより明らかになるような人生のフェーズで例示することができる．発達的フェーズと役割は，出産や授乳などの出来事への個人的反応の形成や，健康-疾病行動に影響する．

（2）状況的移行

状況的移行は，病院などへの入院や退院，卒後の新人看護師としての経験や熟練看護師や看護管理者になることなどの状況的変化の経験や反応により例示できる．

（3）健康–疾病移行

健康–疾病状況における移行経験は，がん，統合失調症，糖尿病というような長期的診断手順や治療計画が要求される種類の診断もしくは介入プロセスにより始まる．メレイスは，健康–疾病の移行では，看護介入が必須であるとしている．

（4）組織的移行

組織的役割や機能に関連している移行のプロセスは，新たな看護主任や最高経営責任者の着任，電子記録の導入，組織における新たな技術の使用などにより例示される．この移行経験は組織全体の集合的な経験である．

2）移行の特性

移行の特性として5種類が挙げられている．時間，プロセス，接続が断たれた状態，気づき，臨界点が挙げられている．

（1）時　間

移行の特性の一つは，時間である．症状，診断，事故，手術実施の決意などの出来事もしくは状況が個人により気づかれたときから移行が始まる．一方で終わりは流動的で，最終目的が達成されたとき，新たな役割に熟達したとき，ある能力が開発されたとき，幸福感が感じられたときなどである．

（2）プロセス

プロセスも特性の一つであり，変化の出来事に続き移行が始まり，移行が終了するまでのプロセスである．

（3）接続が断たれた状態

移行経験の別の特性は，接続が断たれた状態であり，差し迫ったもしくは実際に接続が断たれた状態である．変化に反応するとき，人は親しみのないものに攪乱された正常なパターンの不連続性を体験する．たとえば電子記録の実施という変化は，馴染んでいる記録方法への安心感に混乱が発生し，喪失感や不調和の感情を抱く．

（4）気づき

気づきは移行の重要な特性である．変化の出来事，状況，誘因，そして移行の内的経験に気づくことである．この気づきは，看護介入の戦略でもある．

(5) 臨界点

臨界点も別の移行の特性である．臨界点と里程標（milestones）の存在は転換点（turning points）となりうるものである．これらは移行経験のフェーズを理解するために，また，適切なアセスメントおよび介入ポイントを明らかにするためにも重要である．

3）変化の条件

観察可能もしくは観察不可能な行動の両方の反応パターンを伴う変化プロセスを開始させる条件である．個人的・地域的・社会的・世界的条件が挙げられている．

(1) 個人的条件

個人的条件は，変化と変化の文脈に帰する意味と価値である．ある人の経験と反応は，自己と他者がどのように反応するかの予測，知識のレベルと変化に関連する技術，そして変化に伴い予期されることにより影響を受ける．個人的条件の例は，出産した母親の育児に関する準備に関する情報の利用可能性や家族の収入，退院する認知症高齢者の移行を支援できるように介護者として準備すること，自然災害に対する経験不足などである．

(2) 地域的条件

地域的条件は，地域の経済状態や保健医療福祉サービスの提供状況などである．

(3) 社会的条件

社会的条件は，社会規範やスティグマ，辺境性の感覚（sense of marginalization）などである．たとえば，エイジズムやナショナリズムなどの社会規範や移住体験のなかで家族の問題を優先し自分の閉経というニーズは副次的なものとしてしまうこと，ジェンダー不平等な社会で女性が自分自身を社会のなかで少数派であり社会の境界にいると考えることなどである．

(4) 世界的条件

世界的条件は，国際組織により開発された政策や指令を含む，世界的合意のように思われるある要因の見解の方法である．たとえば，HIV/AIDS患者の診断と治療プロセスの移行は，世界的注目と，研究者や臨床家そして患者から得られた資源により調整されている．

4）反応のパターン

個人，家族，組織の示す変化の出来事への反応のパターンである．看護的視点から2つの一連の反応が提案されている．

(1) プロセスパターン

プロセスパターンは，移行経験の間の異なる時点において評価され，積極的関与の度合い，所在位置の探索と位置づけ，支援の探索と受領，自信の獲得の4つが挙げられている．

①積極的関与の度合い（the degree of engagement）

ある特定の変化の出来事における積極的関与の度合いである．質問のパターン，反応のタイプ，そして移行を経験している人の行動と感情と目標，これらの行動を導き助言している人の目標の間の調和を通じて，積極的関与の度合いはアセスメントされる．指示に従うこと，得た情報の適切性，出来事の意味の一貫性そして移行経験と変化の出来事に関連する行動のすべての側面に包含する度合いが，積極的関与のレベルを示す．また移行プロセスの最終アウトカムに関連する．

②所在位置の探索と位置づけ（location and being situated）

複雑な関係システムのなかでの自分自身の立場を認識し，つながることや相互作用することである．たとえば地震という変化が起きた際に，大学生である自分から学業継続が困難となり自分が被災者となったこと，保健医療福祉システムが崩壊した状況になっていることなどから自分自身の所在する位置を探し，新しい世界におけるあり方を理解しようとすること，被災地のなかで自分の役割を見出し他の被災者とつながりを探索することである．

③支援の探索と受領（seeking and receiving support）

移行の誘因，プロセスそしてアウトカムを達成するようデザインされた介入に関して推奨されていることにタイムリーに従うことである．たとえば，治療コンプライアンス，生活習慣の変容，ケアの調整，サポートと健全な移行を高める関係の構築などである．

④自信の獲得（acquiring confidence）

誘因となる出来事を扱うなかでの個人，家族，組織に要求される新たで多様なそしていくつかの葛藤を取り扱う自信のレベルである．自信のレベルは，ニーズの優先順位を明らかにする個人の能力と活動，もしくは介入の異なるレベルのニーズの概略をつかむ個人の能力により決定される．たとえば新人看護師が新たな専門的アイデンティティに関して努力しているときの自信のレベルや，初産婦の新生児へのタッチングに自信を得ることである．

（2）アウトカムパターン

アウトカムパターンは，移行プロセスの最終地点と決められた時点で評価される．熟達，流動的・統合的アイデンティティ，臨機応変さ，健全な相互作用，幸福感の5つが挙げられている．

①熟達（mastery）

役割熟達を含み，統合することにより明白となる，人のアイデンティティの感情，目標，行動，自信をもって行動すること，人のすべての能力の機能を向上する知識，専門知識，能力のことである．熟達は役割を超え，適切な資源を探したり利用したりすることと支援的環境的条件に取り組むことで明確にされる個人の環境の熟達を含む．たとえば，在宅における技術の適応を学修し，技術とともに生き，そして日々の暮らしのなかで技術を取り入れるというような人のアイデンティティの再構築などである．

②流動的統合的アイデンティティ（fluid and integrative identity）

多様なアイデンティティのなかにおける前後に揺れる能力により特徴づけられる．たとえば統合的なアイデンティティをもつ人は，慢性疾患やしつこい痛みや必要不可欠な一連の治療とともに生きる不確かさとあいまいさにもかかわらず，自分の他の役割機能を継続でき生きていくことができる．進行がん高齢者とその家族の移行に関する研究知見では「未知の海を航行する」“navigating unknown waters”と表現されている（Duggleby, et al., 2010）．

③臨機応変さ（resourcefulness）

適切な資源を活用する能力や新たな資源を見出す能力である．たとえば，困難な状況にあるときに切り抜ける力（岡田，2016）である．

④健全な相互作用（healthy interaction）

関係を維持することや新たなつながりや関係を開発することである．たとえば，家族介護者と看護師との継続的に会話し健全な相互作用を維持したことにより，ケア提供者の能力を高め，負担を軽減したなどである．移行期間の間に強い社会的ネットワークをもつことは，ケア提供者の肯定的なヘルスアウトカムを促進する重要な役割を果たすことであり，患者の健康に影響する．

⑤幸福感（perceived well-being）

最終アウトカムであり，移行を経験した人もしくはケアを提供した介護者により表明される主観的評価である．成功的移行が起こるとき，苦悩の感情は幸福感に替わる．例として，尊厳の感覚，人間的高潔，QOL，効果的コーピングと感情の管理，役割満足感，成長，解放，自尊心，エンパワーメントを含む．

5）介　入

健全なプロセスとアウトカム反応の開始，促進，支援そして示唆を目的とする看護介入であり，予防的介入と治療的介入がある．

（1）気づきの強化（enhance awareness）

移行プロセスで予測されることへの気づきを強化することにより，癒し，回復，そして対処のプロセスに影響する可能性がある．移行プロセス，体験そして異なるステージ・フェーズによる多様な反応としての変化を話し合うことは，気づきを増大させ，望ましいアウトカムをもたらす．

（2）役割・能力・意味の明確化（clarify roles, competencies and meaning）

役割が新しいものであっても，リスク状態のものであっても，失われるかもしれないものであっても，役割は定義と再定義のプロセスをとおして形成され役割を担うことになる．また，変化を扱うために必要な能力とその人がそれらの能力に熟達することが可能な範囲を明らかにする．能力を学習し修正することに関与するレベルは，注意深く評価されるべきである．さらに，相互作用，会話，そしてインタビューを通じて，看護師は移行プロセスを体験している人の価値と信念を，彼らの重要他者の価値と信念と同様に調べ，変化の出来事，経験そして移行の予測に，価値と信念が寄与する意味を推測する．これらのアセスメントや介入に重要他者や準拠集団を含めることは，それらの人々の視点を参照枠組みとして用いることになる．

（3）里程標の明確化（identifying milestones）と臨界点の活用（using critical points）

臨界点は，ケアの軌跡に関する問いが生じるとき，またはサインや症状がはっきりと現れるようなときである．たとえば，再発の時点，感染，抑うつ，不安などの状況が現れてくるかもしれない時点などである．産後6週間の健診を受ける母親は，子宮復古という生物医学的モデルによる転換点もしくは里程標である．看護の目標はセルフケア，QOL，新たな役割への熟達そしてケアの管理であり，看護の視点から里程標を明らかにしなければならない．

（4）支援の動員（mobilizing support）

パートナーシップの動員，資源，そしてサポートグループなどのサポート資源の提供である．サポートグループをもつこと，能力のリハーサルをすること，出来事や能力に関する感情に触れるようになること，異なる状況の見方，「もし〜ならば」という異なる状況を説明することは，健全な移行とアウトカムを増大させる可能性がある．ロールモデリングやロールリハーサル，準拠集団の定義と特定も含まれる．

（5）デブリーフ（debrief）

デブリーフィングは，重大な出来事に人やグループが遭遇した際に経験する，他者とのコミュニケーションプロセスである（メレイス，2010）．デブリーフィングは，患者が移行体験と折り合い心理的な健全さに達成できるように，看護師が用いる道具である．たとえば看護師は，患者の出産，トラウマ的出来事，手術などの後で，患者に質問する．患者は情緒的に自身の物語を詳しく話し，その認知に関すること，その説明やその意味の解釈と感情を看護師と共有する．看護師はその出来事に関して患者と会話し，質問し，その出来事と余波のプロセスに患者と家族が関与する機会を提供する．

移行理論の構成概念を説明してきたが，移行理論の目標は誘因を記述し，経験を予測し，里程標と臨界点を明らかにし，アセスメントを予測し，そして移行プロセスの異なるステージに合致する介入に関するガイドラインを提供することである（Meleis, 2020）．

E 研究の動向

国外での研究については，メレイス（2010）の著書『Transition theory: Middle-range and situation-specific theories in nursing research and practice』でも多数紹介されている．ここでは，上記の著書が発行された2010年以降の移行理論を用いた研究のうちいくつかを紹介する．

研究対象者と研究対象とした移行経験の概要および移行の変化トリガーで示すと，単心室症児の初回の手術後を終えて家に帰ったときの親の経験（Elliott, et al., 2021），認知症と慢性疾患をもつ高齢者の介護者の経験（Ploeg, et al., 2018），救急治療部において流産した女性と看護師の経験（Emond, De Montigny & Guillaumie, 2019）といった発達的移行および健康–疾病移行に関する研究，若年性認知症の初期症状の出現から診断までの体験（Aspö, Visser, Kivipelto, Boström & Cronfalk, 2023），人工呼吸器を14日以上装着しICUから病棟に移行した患者の体験（Ramsay, Huby, Thompson & Walsh, 2013）などの健康–疾病移行に関する研究，COVID-19によりリモートでの学習環境となった看護学生の経験（Wallace, Shuler, Kaulback, Hunt & Baker, 2021）といった状況的移行に関する研究が行われていた．検討されていた年齢は20歳代（Wallace, et al., 2021；Elliott, et al., 2021），30歳代（Emond, et al., 2019），50歳代（Aspö, et al., 2023），60歳代（Ramsay, et al, 2013；Ploeg, et al., 2018）と多様であった．対象者の人数は10〜50人程度であり，全て質的研究であった．研究が実施された国は，米国，カナダ，英国，スウェーデンであった．研究における移行理論の位置づけは，移行中と思われる研究対象者から移行体験を明らかにしている研究（Emond, et al., 2019；Wallace, et al., 2021），インタビュー項目の枠組みに移行理論を活用している研究（Elliott, et al., 2021；Aspö, et al., 2023），移行理論の枠組みを用いて対象者の移行経験と移行の際の看護内容を明らかにしている研究（Ramsay, et al., 2013），そして介護者対象のウェブを活用した看護介入プログラムの基盤として移行理論を用い，そのプログラムの実施と評価を行った研究（Ploeg, et al., 2018）があり，活用の方法も多様であった．また，博士論文の理論的基盤として用いられていた（Ramsay, et al., 2013）．

国内での研究については，対象の移行に着目した概念分析や文献検討が行われている．木村（2020）は，血液透析療法を導入した患者の移行について，メレイスの移行理論を枠組みとして用いた文献検討を行った．上田（2014）は看護職者の役割移行について概念分析を行った．また，移行の経験と移行中の支援の認識について，上田（2018）は質的研究デザインを用いて探求している．上司・組織から新たな役割を2年以内に付与された看護職者が認識する役割移行支援について13人を対象に検討したところ，上司からの支援が円滑な役割移行に不可欠な要素であること，役割移行に適応するために定期的な情緒的支援が必要であることを述べている．さらに，尺度開発も行われてきている．北島・細田（2022）は，学生から看護師への移行の時期に着目し，職場適応尺度を開発した．木村（2022）は，博士論文として，糖尿病性腎症高齢者の透析導入に伴う移行見通し測定尺度を開発し報告している．尺度開発のなかで，メレイスの移行理論を，概念枠組みを作成する際に参照し，移行条件の個人的条件のなかの「意味」を「透析導入に伴う移行の見通し」として設定し，プロセス指標の「つながり感」「相互作用」から影響を受けるものと位置づけた．また，アウトカム指標の「熟達」「流動的・統合的アイデンティティ」に「透析導入に伴う移行の見通し」が影響を与えると位置づけた．

上記のように，メレイスの移行理論に関する国内外の研究では，多様な年代と役割，患者と看護学生や看護師など対象が多様である．研究方法は，質的研究および量的研究が行われ，尺度開発の試みも展開されている．また，博士論文の基盤となる理論として用いられ，看護介入モデルの開発につながっている．メレイスが著書のなかで強調しているように，対象の移行経験の理解と健全な移行となるような看護介入について，移行理論が活用されていると考える．

F 理論の看護実践での活用

1 どのような対象または事象，状況に活用できるか

メレイスの示している変化トリガー，特性，および条件から，多様な年齢，役割をもつ人々，多様な健康状態の人々，疾病に罹患した本人とその家族，看護師および看護師集団という対象に活用可能である．特に健康-疾病の移行では，看護介入が必須であるとメレイスは明言している．看護師が出会う頻度が高いと思われる状況は，疾病の診断を受けること，病院に入院・退院することや手術を受けることであろう．また，小児期で慢性疾患を発生し青年期になって自己管理能力を高めていくような状況，成人期で慢性疾患と診断

され社会生活と療養生活の両立の調整をする状況，認知症の親の介護者として病院や地域のサービスを活用しながら生活を送る状況というようなより長期的状況も移行理論の活用事例に該当する。さらに，看護師側の状況の例として，学生から新人看護師になっていく状況，病棟で新たな技術が導入される状況にも本理論が活用可能である。

2 看護実践のどのようなことに活用できるか

まず，移行理論は看護実践のなかにおいて，対象者理解に活用可能である．対象者と重要他者の状況，認識，行動をとらえることができる理論である．また，移行理論では，この対象者理解に基づいて，看護過程におけるアセスメントと介入の枠組みおよび評価指標を提供しており，より効果的な看護実践に活用可能である．このように，患者・家族の理解と看護実践の両方に活用可能であることが，看護学研究者のメレイスにより開発された本理論の強みであるといえる．

最新版の移行理論のモデル図（図13-4）では，上段が対象者に関する概念を示しており，下段が看護師に関する概念を示している．対象者を理解し，対象者の反応を確認しながら介入し，最終評価を行うという一連の看護過程が本理論では示されている．

1）対象理解

モデル図の変化トリガー，特性，条件そして反応パターンが対象者理解に該当する部分として活用可能である．

2）看護介入と評価

モデル図の介入と反応のパターンが看護介入と評価に該当する部分として活用可能である．

具体例を以下の臨床での活用の実際で説明する．

臨床での活用の実際

1 事例紹介

Aさん，24歳，女性，大学を卒業して就職した2年前から一人暮らしである．

21歳の大学3年生のときに，原因不明の発熱が続き市販薬で対処していた．半年以上発熱が続くため病院受診，その後入院して精密検査を行ったところ，全身性エリテマトーデス（systemic lupus erythematosus：SLE）との診断となり治療を受けた．その後，寛解し大学を卒業，旅行会社に就職し仕事にも慣れてきてワークライフバランスのとれた生活を送っていた．外来の定期通院と内服治療を継続し，活動と安静のバランスや保温などにも留意しながら過ごしていた．会社で大きな企画を担当し超過勤務が多くなった頃，手足のむくみを感じていた．企画を成功させようと頑張っている矢先に発熱もみられるようになったため，外来を受診した．医師の診断により急性憎悪が起きていることを告げられ，今回の入院となった．

3年前と同じ病棟に入院し，ステロイドパルス療法を受け，数週間で症状は落ち着いてきている．受け持ちのS看護師との関係は良好で，退院後の不安について語るようになってきた．自分としては身体のことを考えて注意しながら生活してきたのに，再燃してしまいショックであること，仕事にも頑張っていたのに職場の同僚に迷惑をかけてしまい申し訳ない気持ちとやり切れなかった悔しさも感じていること，お付き合いしている人がいて結婚や妊娠を考えているが自分に可能なのか心配であるなどの思いを表出している．

2 理論に照らしてのアセスメントと援助のポイント

移行理論は，看護師による対象者の移行経験の理解を助け，より効果的に移行プロセスを支援し，健全な移行をもたらすものである．図13-4に示したように，移行のアセスメントを4つの変化トリガー，5つの特性，4つの条件からアセスメントする．そのアセスメントに基づき，看護介入を5つの介入項目で検討していく．介入の結果を反応パターンのプロセスとアウトカムで評価する．評価は介入の途中のプロセスでも行い，4つのプロセスパターンの項目についてそれぞれの変化を評価する．移行が終了した際には，アウトカムの5つの項目を用いて評価する．

アセスメントと計画の立案に際して，現在の移行理論で示されているモデル図の図13-4と一つ前の移行理論のモデル図である図13-3を組み合わせるとより効果的であると思われる．具体的には，変化トリガーをアセスメントする際に，図13-3のパターンを組み合わせることである．パターンは，移行が単独なのか複数なのか，順次なのか同時の発生なのか，関連しているのか非関連のものなのかを検討する．また，移行の条件を検討する際に，図13-3に示されているような促進要因と阻害要因を検討することである．以下の活用例で具体的に説明する．

3）活用例

（1）事例のアセスメントまたは解釈

まず，Aさんの移行についてアセスメントする．メレイスの示している変化トリガーからアセスメントする．Aさんに一番大きく影響しているものは，SLEの再燃という健康-疾病移行といえる．その他にも，Aさんは24歳であり，定位家族からの独り立ちや大学生から社会人に役割移行しており，発達的移行も示している．また，入院という状況的移行もみられる．さらに，会社の中でも企画を任されるようになり組織的移行もみられる．このように4つの移行の変化トリガーが同時に出現しているというパターンを示している．

次に，移行の特性についてアセスメントする．時間やプロセスという観点からみると，健康-疾病移行は突然に起きたという特性をもつ．一方で発達的移行と組織的移行はこれまでそして今後も，年単位の時間と長期のプロセスが必要であると考えられる．接続が断たれた状態については，これまでの生活から入院生活へ，会社での役割発揮も入院しているため継続できないという状況から，接続が断たれた状態になっていることを示している．気づきについては，日常生活で身体のことに留意していたが病気が再燃し入院が必要になったことから，自分の身体の変化に気づいているといえる．臨界点としては，SLEの再燃が挙げられる．

移行の条件としては，個人的条件では，SLEの診断を受け2年間身体に留意しながらセルフマネジメントを行ってきたという強み，むくみと発熱から外来受診を行ったという異常に気づく力が挙げられる．一方で，仕事が過重になったときに仕事の責任ややりがいから身体に負荷をかけてしまったという面もある．この点に関する調整能力や技術が不足していると考えられる．SLEの再燃についてAさんの意味づけや価値については情報収集をさらに実施しアセスメントする必要がある．家族やパートナーの今回のSLEの再燃という変化に関する意味づけや影響についても情報収集を行い，支援につなげる必要がある．地域的条件としては，地域の経済状態や保健医療福祉サービスの提供状態などの検討であるが，Aさんの場合は，以前入院した病院への入院であり，受け持ちのS看護師とは良好な関係であることは移行の促進要因として挙げられる．社会的条件については，社会規範やスティグマ，辺境性の感覚などについて，情報収集の必要性がある．結婚や妊娠，会社での役割が変更されるなどの際に，促進要因および阻害要因として影響を受ける可能性がある．

以上のように，Aさんの移行体験をアセスメントしてきた．まとめると，SLEの再燃という変化を臨界点とするAさんの移行は，変化トリガーの4つのタイプが同時に起こっており，本人の気づきはあるものの，これまでの日常生活および社会生活との接続が断たれた状態を経験しており，時間やプロセスも長期となる可能性があるといった特性をもつ．移行の条件は，個人的条件としてセルフマネジメント力という強みや促進要因，SLEとともに生きる際に必要な調整能力や技術の不足という阻害要因がみられる．また，看護を展開しながら個人的・地域的・社会的条件を検討する必要がアセスメントされた．

（2）援助計画と援助の実際

上記のアセスメントから，Aさんの援助計画を立案する．ここでは，理論の理解と活用をわかりやすく示すために，メレイスの示した図13-4の介入の項目に沿って，援助計画をまとめる．

①気づきの強化

Aさんは，SLEのセルフマネジメントを行いつつ，社会人2年目であった．発達的移行がひと段落しようとしていたときに，会社の中でも企画を任されるようになったという組織的移行が重複した．この際に，残業も多くなり責任も重くなり，これまでのセルフマネジメントが不十分になり，SLEの再燃という事態になった．一方で早期に異常を発見し，受診できたというセルフマネジメント力が発揮できた．これらのことへの気づきの強化が重要である．今回の経験を振り返ることを促し，どのような生活だったか，どのようなことを考えてどのように対処したのかについて，振り返る機会を設ける必要がある．また，今後も本人が希望している結婚や出産，会社での昇進などの多様な臨界点や重大な出来事が起こることが予測されること，これらの際にどのようにセルフマネジメントを行っていくのかについて想定し，自身のセルフケアマネジメント能力の向上の必要性に気づいていくことを支援する必要がある．

②役割・能力・意味の明確化

会社での企画を担当するという新たな役割は，今回の入院治療により失われるかもしれない．Aさんがどのように職業上の課題に対処しているか，その際の気持ちなどについて表出するときには，看護師は傾聴し，Aさんの状況を理解し，今後の職業上の役割などが検討できるように支援する必要がある．また，将来の社会的役割を果たすためにも，Aさんのセルフマネジメント能力をさらに高めていく必要があることを説明し，セルフマネジメント能力の学習を支援する．Aさんが結婚し妊娠することを希望していることからも，Aさんがセルフマネジメント能力を高める意味は，Aさんにとって重要なものになることが予測される．そのため，看護師はAさんの意味づけを傾聴し，妊娠するためにもSLEの病状をコントロールしていく必要性やセルフマネジメントの具体的方策についてAさんが生活のなかで実践できるように支援する必要がある．特に今回再燃を引き起こすきっかけと思われる活動と休息のバランスのとり方について，Aさんの生活や仕事の様子を伺いつつ具体策を検討する必要がある．また，通院と服薬継続の重要性の認識について確認し，今後の妊娠・出産などで服薬調整が必要になる場合は，受診時に医師に相談していくことが大切であることの理解を促すことが重要である．Aさんだけでなく，家族やパートナーの意味づけや思いを面会などの機会をとらえて傾聴し，確認しながらAさんの支援につなげることが望まれる．

③里程標の明確化

今回のSLEの再燃は，里程標に該当するものである．看護師は，Aさんが，SLEの再燃と入院という出来事を重大な出来事として意味づけることを支援し，今後の人生で起こりうる重大な出来事を話し合うことが必要である．

④支援の動員

入院中の看護支援を行うことはもちろんであるが，同じような経験をした患者の様子をモデルとして説明することや，患者会を紹介することも検討する．また，家族やパートナー，職場の同僚や上司などがサポート源となる可能性についてもAさんと共に検討する．家族やパートナーがサポート源となりうる場合は，具体的なサポート内容についても話し合えるようにAさんを支援する．

⑤デブリーフ

入院期間をとおして，看護師は上記の支援内容をAさんと話し合い，デブリーフィングしながら進める．Aさんが今回のSLEの再燃と入院，そのことによる会社での役割が中断する可能性があることについて，折り合い心理的に健全な状態に向かえるようサポートする．Aさんが経験を情緒的に表出することを促し，どうとらえたか，どう意味づけるかなどの感情を共有する．看護師はデブリーフィングのなかで，Aさんの感情や意味づけを質問し，Aさんがこの移行経験と向き合えるように促す．また，家族やパートナーについても機会をとらえて，この移行経験と向き合えるように支援する．

上記のような計画を立案し，実際にAさんに看護を提供した．援助の実際とAさんの反応について以下に説明する．

S看護師は，Aさんの体調の良いときに，病棟内の休憩場所などでAさんとの面談を繰り返し行い，支援を提供した．

①気づきの強化

Aさんは，今回のSLEの再燃と入院について，自らのセルフマネジメントがうまくいかなくなったことが要因の一つであると気づいていた．会社での企画の仕事が非常に楽しく，新たなことに挑戦しているという高揚感があったと振り返った．一方で，それまでのセルフマネジメントで体調が良かったが，次第に睡眠時間が短くなり，疲労感がたまっていったこと，食事や家事などがおろそかになり，自分の体を大切にしていなかったと話して，自分を責めている様子だった．一方で，早期に外来受診できたことについては，認識できていなかったため，S看護師が良かったこととして意味づけたところ，大変ななかでも対処できたことにも気づいた．また，振り返りのなかで，一人暮らしを始めたときや就職1年目の体験についても語り，そのときも大変だったが，疲労感がたまらないように睡眠に気をつけていたこと，食事をバランスよくとるよう工夫したこと，ストレスをためないように読書や買い物などでリフレッシュしていたことを語り，SLEの診断を受けた直後より自分が成長していることも気づいていった．そのなかで，Aさん自身で考えて工夫して行動してきたことは大切であること，また今後も結婚や妊娠をしながら人生を進んでいくために大切であることを確認していた．今回の再燃と入院は残念だが，これからの人生をより良く歩むために学習の機会にしたい，自分の力を高める必要があると話すようになった．

②役割・能力・意味の明確化

職業上の役割については，入院当初は企画担当としての責任を果たさなくてはという焦りと入院していては役割が果たせないという申し訳なさで不安な様子であった．Aさんの体には休養と治療が必要であることを説明しながら，まずは体調を取り戻すことを優先するよう促した．Aさんは次第に現状を受け入れ，会社の上司や同僚にサポートを求め，Aさんが取り組んできたことを引き継ぐことができたとS看護師に打ち明けた．「もう企画を任されることがないかもしれない」と残念そうに話すAさんだったが，S看護師は傾聴し，寄り添った．

Aさんの体調の回復に合わせながら，退院後に必要となるセルフマネジメントについて具体的に説明した．Aさんからは，今回の再燃の経験から，同じような状況になっても体調を崩さないようにするための工夫について「もっと～したほうがいいかな？」などと積極的な質問や提案をするようになった．次第に退院後の長期的な展望として，職業上の役割や，結婚や妊娠についての話題も出るようになり，自己実現を目指して，自分の体を大切にすることの重要さを意味づけていた．S看護師は，面会に来た家族やパートナーとも話し，思いを傾聴した．パートナーもAさんとの結婚や妊娠を希望しており，家族も暖かく見守りたいと考えていた．家族とパートナーにもAさんが今後もセルフマネジメントしていくことが大切であることを話し，具体的サポートの検討を依頼した．

③里程標の明確化

AさんはS看護師と話すなかで，今回のSLEの再燃は重要な出来事であったことに気づいた．今後の人生のなかでも，仕事でのキャリアアップや結婚と妊娠などの自分が希望することや良いことも臨界点・重大な出来事であり，これらのことと自分の病気との両立が必要であることを理解した．

④支援の動員

S看護師は，入院中の看護支援を行いつつ，これまで病棟に入院し同じような再燃を体験した患者の様子や，SLEのセルフマネジメントを行いながら妊娠と出産した患者の様子を伝えた．Aさんは同じ病気をもつ患者の様子に興味を抱き，質問しながら聞いていた．

また，家族やパートナーとも面会のときに話したことをAさんと共有し，大変なときはサポートしてもらうことがSLEと長く付き合っていくために必要だとS看護師が考えていることを伝えた．Aさんは，一人で頑張ろうと思っていたが，助けてもらうことも大切かもしれないと，周囲の人々のサポートを得ることも検討し始めていた．

⑤デブリーフ

上記のように支援を展開してきたが，AさんはS看護師との話し合いのなかで，自らの体験や考えをより表出するようになった．Aさんは，「話すことによって気持ちが整理され，安心できる」とS看護師に話した．家族とパートナーとも感情や考えを話し合うように促すと，「そうですね。そのほうがお互いに分かり合って暮らしていけるように感じます」と話した．

（3）評　価

最後に，評価についてメレイスの示した図13-4の反応パターンのプロセスおよびアウトカムのパターン別に説明する．

プロセスパターンでは，積極的関与の度合いが挙げられている．上述したように，AさんはS看護師との話し合いのなかで，体験を振り返り，自らの力に気づき，一方で自らのセルフマネジメント能力の不足も理解していった．次第に，看護師に積極的に質問し提案するなどの様子がみられ，SLEの再燃を乗り越えその後のセルフマネジメントに積極的に関与する様子がみられた．入院から現在まで，積極的関与の度合いが高まっていると考える．2つ目の所在位置の探索と位置づけについては，Aさんは，再燃前からSLEと共に生きつつ，家族および社会のなかで役割を果たしていく存在として，自分の所在する位置を模索している状況であった．今回の入院により，周囲の人からのサポートを受けることについても検討を進めることができ，会社の中での役割についても今後の展望も検討し始めていると思われる．そのため，所在位置の探索と位置づけは，入院前よりは俯瞰できるようになったと考えられるが，今後もその探索は継続すると予測する．3つ目の支援を探索し受領することでは，S看護師との会話にもあるように，周囲の人からのサポートを検討し始めているので，支援の探索を開始し，今後Aさんらしくサポートを受けていけるのではないかと予測する．4つ目の自信を得ることでは，入院直後はそれまでのSLEと共に生きている自信が低下したと思われるが，S看護師との会話のなかで，自分ができたことを振り返り，さらに力をつけていくことが大事であると考えられるようになったので，自信を再度取り戻していると予測する．退院後に向けて自信を高めていけるよう支援が必要である．

アウトカムパターンでは，1つ目の熟達については，入院中の看護を受けることで，SLEと共に生きるためのセルフマネジメント能力が，入院前より高まっている．退院後の日常生活や社会生活を快適に送れるような熟達を目指す看護の提供を継続し，退院前に再度評価する必要がある．2つ目の流動的・統合的アイデンティティについては，セルマネジメントを大学生から新社会人へ，一人暮らしというような変化のなかで継続していたが，今回のSLEの再燃を体験することとなった．Aさんは今回の経験から，自分自身のセルフマネジメントを見直し，仕事が忙しくなった際などに備えてセルフマネジメント能力の向上のため，看護師と学習している．このことは，SLEと共に生きる不確かさやあいまいさにもかかわらず，Aさんの職業的役割の継続や結婚や妊娠への備えをしていくことにつながっており，今までよりも流動的で統合的なアイデンティティをAさんが獲得する可能性を示唆している．3つ目の臨機応変さについては，Aさん自身のセルフマネジメント能力の向上だけでなく，家族やパートナー，職場の人々からのサポートを受けることを検討し始めていることから，適切な資源を活用する能力が高まり，臨機応変さが向上する可能性が予測される．4つ目の健全な相互作用についても，周囲の人との相互作用が増し，自分自身のみでSLEと共に生きていくのではなくて，周囲の人とより健全につながり相互作用していく可能性が予測される．5つ目の幸福感については，入院中の現在はまだ苦痛や不安を抱えている状況であるが，今後，看護師の支援を受けて，セルフマネジメント能力が向上し，成長していくと予測され，幸福感も増していくと思われる．

Aさんの SLEの再燃に関する移行体験とその看護支援の状況を記述してきた．Aさんは移行中であり，今後も看護師の支援を入院しながら受けて，アウトカムパターンの5つの項目に関してより良い評価となるであろう．看護師はこのように移行理論を活用することにより，対象者の移行経験を理解し，その特性や条件に合わせた看護支援を展開していくことが可能になると考える．また，看護支援の評価についても，プロセスとアウトカムの2つの側面から行うことで，移行のプロセスで評価を重ねながら，さらに対象者により効果的な支援を展開していくことが可能となると考える．

H 理論を看護実践につなげるために

移行理論は，対象者の移行を理解し，その特徴に最適な看護介入の計画のガイドラインを提示し，さらに，介入評価をプロセスそしてアウトカムの両側面から実施することを助ける理論である．今回の移行理論の説明により，メレイスが述べている，健康的なアウトカムを増大させるために人の移行の健全な通過を支援することは看護の目的であるということを感じていただけたらと考える．

移行理論は，変化のトリガーが社会的，状況的，健康–疾病，組織的という種類があるため，多様な人々や状況に適応可能である．また，看護の対象者だけでなく，看護師自身や病棟や病院にも適用していくことができる．読者の方々の出会っている対象者に，移行理論を適用して，アセスメントや計画，そして看護実践の評価に活用して，より効果的な看護介入を検討していただきたい．

中範囲理論の移行理論をもとに，研究者が様々な状況設定理論を開発している（Meleis, 2010）．移行理論は，今後も看護実践と看護研究を積み重ねることで，より多様な対象や状況で活用されると予測される．日本においても，本理論を看護実践につなげ，より効果的な看護介入の探求および理論の発展に寄与していくことが望まれる．

文献

Aspö, M., Visser, L., Kivipelto, M., Boström, A., & Cronfalk, B. (2023). Transition: Experiences of younger persons recently diagnosed with Alzheimer-type dementia. *Dementia, 22*(3), 610-627.

Chick, N., & Meleis, A. I. (1986). Transitions: A nursing concern. In Chinn, P. L. (Ed.), Nursing research methodology (pp. 237-257). Noulder, CO: Aspen Publication.

Elliott, M., Erickson, L., Russell, C. L., Chrisman, M., Toalson, J. G., & Emerson, A. (2021). Defining a new normal: A qualitative exploration of the parent experience during the single ventricle congenital heart disease interstage period. *Journal of Advanced Nursing, 77*, 2437-2446.

Emond, T., De Montigny, F., & Guillaumie, L. (2019). Exploring the needs of parents who experience miscarriage in the emergency department: A qualitative study with parents and nurses. *Journal of Clinical Nursing, 28*, 1952-1965.

Duggleby, W. D., Penz, K. L., Goodridge, D. M., Wilson, D. M., Leipert, B. D., Berry, P. H., & Keall, S. R. (2010). The transition experience of rural older persons with advanced cancer and their families: a grounded theory study. *BMC Palliative Care, 9*, 5.

Im, E.O., & Meleis, A.I. (1999). A situation specific theory of menopausal transition of Korean immigrant women. Journal of Nursing Scholarship, *31*(4), 333-338.

姜尚中（2001）．ポストコロニアリズム〈思想読本4〉．作品社．

木村美香（2020）．血液透析療法を導入した患者の移行ーMeleisの移行理論を分析枠組みとした文献検討ー．日赤看会誌，*20*(1)，116-121.

木村美香（2022）．糖尿病性腎症高齢者の透析導入に伴う移行見通し測定尺度の信頼性と妥当性の検証．日本看護科学会誌，*42*，412-421.

北島洋子，細田泰子（2022）．新人看護師の職場適応尺度の開発―職場適応行動と職場適応状態―．日本看護研究学会雑誌，*45*(1)，29-40.

Meleis, A. I. (1975). Role insufficiency and role supplementation: A conceptual framework. *Nursing Research, 24*, 264-271.

Meleis, A. I., Sawyer, L. M., Im, E. O., Hilfinger Messias, D. K., & Schumacher, K. (2000). Experiencing transitions: An emerging middle-range theory. *Advances in Nursing Science, 23*(1), 12-28.

Meleis, A. I. (2010). Transition theory: Middle-range and situation-specific theories in nursing research and practice. New York, Springer Publishing Company.

Meleis, A. I. (2016). Curriculum Vitae.
<https://www.nursing.upenn.edu/live/files/35-meleis-afaf-cv-2016pdf> [2023. April 6]

Meleis, A. I. (2020). Afaf Meleis' transitions theory. In Smith, M. C., & Gullett, D. L. (Ed), Nursing theories and nursing practice (pp. 353-370). Philadelphia, PA : F.A. Davis.

Meleis, A. I. (2017) ／中木高夫，北素子，谷津裕子監訳（2021）．セオレティカル・ナーシング　看護理論の開発と進歩　原著第6版，看護の科学社．

Meleis, A. I. (2010) /片田範子監訳（2019）．移行理論と看護―実践，研究，教育―，Gakken.

岡田彩子（2016）．Disruptionsから始まるTransition　関係概念と理論枠組みの理解．看護研究，*49*(2)，114-121.

Ploeg, J., McAiney, C., Duggleby, W., Chambers, T., Lam, A., Peacock, S., Fisher, K., Forbes, D. A., Ghosh, S., Markle-Reid, M., Triscott, J., &Williams, A. (2018). A web-based intervention to help caregivers of older adults with dementia and multiple chronic conditions: Qualitative study. JMIR Aging, 1, e2.

Ramsay, P., Huby, G., Thompson, A., & Walsh, T. (2013). Intensive care survivors' experiences of ward-based care: Meleis' theory of nursing transitions and role development among critical care outreach services. *Journal of Clinical Nursing, 23*, 605-615.

Schumacher, K. L., & Meleis, A. I. (1994). Transitions: A central concept in nursing. *Journal of Nursing Scholarship, 26*(2), 119-127.

田村康子，山本あい子（2020）．アファフ I. メレイス：移行理論．筒井真優美（編），看護理論家の業績と理論評価（pp.541-557）．医学書院．

上田貴子（2014）．看護職者の役割移行―概念分析―．日本看護科学会誌，*34*，272-279.

上田貴子（2018）．役割移行を経験した看護職者が認識する役割移行支援．日看管会誌，*22*(1)，22-29.

Wallace, S., Shuler, M., Kaulback, M., Hunt, K., & Baker, M. (2021). Nursing student experiences of remote learning during the COVID-19 pandemic. *Nursing Forum, 56*, 612-618.

William Bridges Associates. Bridges transition model.
<https://wmbridges.com/about/what-is-transition/> [2023. April 6]

●病気・障害・人生の体験を説明する理論

14 モースの病気体験における苦悩と希望の理論

A 理論との出会い

筆者がモースと出会ったのは，2003年，アルバータ大学の質的研究のワークショップに参加したときのことである．その当時モースは，質的方法国際研究所（International Institute for Qualitative Methodology）を立ち上げディレクターとして活躍しており，挨拶はしたものの，学問に対する情熱とそのパワーに圧倒された．

その後，モースの病気体験における苦悩や希望に関する論文（Morse & Doberneck, 1995; Morse & Penrod, 1999）に出会った．いずれも，様々な疾患を抱えた患者の病気体験に関する質的データから導き出されたものであった．

筆者は病気や障害の受容および病気の不確かさについて関心を抱き，それらを研究テーマとしていたが，不確かさと病気や障害の受容との関連をうまく説明することができなかった．ところが，Morse and Penrod（1999）では，もちこたえ，不確かさ，苦悩，希望という4つの概念を用いて，病気や障害を抱えた患者が，最初は感情を殺してもちこたえ，続いて不確かさの認知により，情緒的に病気を体感し感情を表出して苦悩することを経て，将来に希望を見出し自己の再構築に至るというプロセスを見事に説明しており，病気体験の中範囲理論として看護実践に活用できると考えた．

B 理論家紹介

ジャニス・モース（Janice M. Morse, 1945- ）は，彼女自身がWeb上に公開しているので，その履歴書（Morse, 2022）に基づき紹介する．

モースは2023年現在，米国のユタ大学看護学部の特別名誉教授でありカナダのアルバータ大学の名誉教授，およびカリフォルニア大学ロサンゼルス校の客員教授でもある．

教育歴は，1977年ペンシルベニア州立大学で看護学の学士号，1978年同大学で異文化間看護学の修士号を取得．1980年にユタ大学で自然人類学の修士号，1981年には同大学で，自然人類学と異文化間看護学の博士号を同時に取得している．

職歴・研究歴は，1966～1975年は形成外科，手術室看護師および採血専門技術者として勤務，1979～1981年は米国のユタ大学の研究員および非常勤講師．1981～2007年はカナダのアルバータ大学の准教授および教授を務め，その間の1997～2007年1月まではアルバータ大学の質的方法国際研究所の創設者でありディレクターとして活躍していた．また，質

キー概念

- □もちこたえ（enduring）：情緒的反応を抑えた状態であり，恐怖を遮断するために現在に関心を集中させて困難な状況をしのごうとする状態である．
- □不確かさ（uncertainty）：現実的な評価によりその出来事が過去・現在に及ぼした影響や将来を変化させたことは認識できている．不確かさのなかにおかれて，一つのゴールへの期待はあるが，そこにたどり着く道筋や方法がわからない状態である．
- □苦悩（suffering）：情緒的反応を伴う状態である．視野が拡大し，過去，変化した現在，そして予期される将来にも目が向けられるが，そのことに圧倒され，将来に向けてのゴール設定ができず，ゴールへ至る道筋も見えない状態である．
- □気づき（awareness）：知ることの第１段階目のレベルであり，何が起こっているかは気づいているが，派生する問題が十分わかっていない状態である．
- □認識（recognition）：知ることの第２段階目のレベルであり，頭では理解しているが心では感じていない状態である．
- □承認（acknowledgement）：知ることの第３段階目のレベルであり，頭で理解し，かつ心でも感じている状態である．
- □受容（acceptance）：知ることの最終段階のレベルであり，過去を受け入れ，変化した将来に立ち向かう準備をして人生を精いっぱい生きることである．
- □希望（hope）：期待の一つである．そのため結果がどうなるかはわからないが，ゴールと道筋ははっきりしており，未来志向で，新しく想定された可能性を検討できる状態である．

的研究に関する３つの雑誌*Qualitative Health Research*（1991-2021），*Global Qualitative Nursing Research*（2014-2017），および*International Journal of Qualitative Methods*（IJQM）（2003-2007）の創設編集者および名誉編集者であった．

2007〜2023年現在はユタ大学看護学部に所属し，2007年に教授，2021年に名誉教授，2022年からは特別名誉教授に任命された．

主な研究業績は質的および混合方法の研究の推進と苦悩とコンフォートの実践理論の開発，転倒リスクを予測する転倒尺度の開発を含む転倒予防に関する研究があり，尺度は，日本においてもモースの転倒尺度として臨床で使用されている（Porr, 2008）．

受賞歴は多数あるが，1997年シグマ・シータ・タウ・インターナショナルから５th Episteme Laureate（The Bi-annual Research Award）を受賞しており，2008年からは名誉終身会員に任命されている．2011年には世界健康質的学会学術集会（Global Congress for Qualitative Health Research）において，質的研究方法に貢献があった優れた学者に贈られる賞を受けている．また，米国看護アカデミーと米国人類学会の会員である．オーストラリアのニューキャッスル大学やカナダのアサバスカ大学から名誉博士号が授与されている．

理論誕生の歴史的背景

看護は，健康または安寧という視点から人の営みを支援する実践の科学である．そこでは，人としてよりよく生きるということが目標になるが，よりよく生きるということを，たとえば，収入や所得などで測定したとしても，これらの量的なものだけで説明するのには限界がある．普遍的課題でもある人間がよりよく生きるという人間の経験の根源的な文脈を説明してくれるのが質的研究であり，質的研究が看護で重視されるゆえんである．しかし，質的研究の信頼性，妥当性に関する議論もある．

モースは質的研究を推進するリーダーとして，そのような批判に挑戦している．特に，モースは実際の事例を用いて，まだ明確になっていない概念を洗練させるという質的研究方法を見出した．その方法は概念の属性を明らかにすること，その属性の検証，そして，その概念が現れている実際の事例での検証の3段階からなっている．これら，質的研究方法による概念分析に挑戦するなかでモースが取り上げたのが，「希望」という概念であった．困難な状況に見舞われた人が，そのような状況を克服して希望を見出していくプロセスを実際に起きた事例から描き出し，それが異なる患者集団でも観察できるかを検証し，共通性とともに患者集団に固有な特徴を描き出すということを試みた．これが『苦悩の実践的理論をめざして／Toward a praxis theory of suffering』(Morse, 2001) という苦悩の実践理論の生成につながった．この実践理論では「もちこたえ/enduring」と「苦悩/suffering」は，形態は異なるが同じく苦悩している2つの状態であり，人は「もちこたえ」と「苦悩」を行きつ戻りつして，苦しみ抜いたときに希望が芽生え，感情が変化し，苦しんだ経験を再評価して自己の再構築に至ると述べている (Morse& Carter,1996).

しかし筆者自身は，その前段階で示された『関連概念としてのもちこたえ，不確かさ，苦悩と希望／Linking concepts of enduring, uncertainty, suffering, and hope』(Morse & Penrod, 1999) という論文のほうが，抽象度が低く患者の病気体験をよりよく説明しており，看護実践で活用しやすいと考えているため，この論文と『希望の概念の生成／Delineating the concept of hope』(Morse & Doberneck, 1995) に関する論文を中心に紹介する．

モースの病気体験における苦悩と希望の理論とは

モース自身が“病気体験における苦悩と希望の理論”と名づけて論文を発表しているわけではないが，病気体験を描写している『関連概念としてのもちこたえ，不確かさ，苦悩と希望』(Morse & Penrod, 1999) と『希望の概念の生成』(Morse & Doberneck, 1995) という論文を統合して，“モースの病気体験における苦悩と希望の理論”と仮に名づけた．

1 希望の概念

モースは困難な状況下に置かれた人間が，その状況に耐え，苦しみつつ希望を見出して生きることに関心をもち，質的データをもとに概念開発という方法を用いて希望概念の生成を試みた（Morse & Doberneck, 1995）.

その方法は３段階からなる．第１段階は希望の形成に影響を及ぼす普遍的要素の抽出である．赤ちゃんを連れた若夫婦がロッキー山脈でブリザードに阻まれ遭難し，救出されるまでの実話をもとに制作されたテレビ映画を題材に，質的方法により希望に影響する７つの普遍的要素を抽出した．第２段階は第１段階で抽出した７つの普遍的要素の妥当性の検証であり，病気など困難な状況に遭遇する特徴的な４つのグループ（心臓移植待機者，脊髄損傷者，乳がんサバイバー，母乳栄養と仕事との両立を図る母親）に照らしてその妥当性を検証した．第３段階は４つのグループの比較による希望のパターンの描写であり，４グループそれぞれが特徴的なパターンを示した．次に，この研究で明らかになった希望の７つの普遍的要素と４グループに特徴的な希望のパターンについて紹介する.

１）希望に影響する７つの普遍的要素（表14-１）

（１）苦境や脅威に対する現実的な初期評価

脅威を認識してその深刻さやそれに含まれている意味に気づく.

（２）代替案の想定とゴールの設定

すべての可能な解決策や苦境から脱出するための方法を確認する.

（３）悪い結果への備え

悪い結果が現実となる可能性を考えるが，それによる脅威がその人の行動の原動力となり希望を強化する.

（４）内的または外的資源の現実的評価

悪い結果が起こる可能性を否定できないので，自分の内外にある資源を現実的に評価する.

（５）相互に支え合う関係の追求

積極的に希望を抱くようになり，互いに支え合える関係を追求する．たとえば，家族の１人が心身共に疲れてダウンすると，他のメンバーが元気を出して希望を強化するなどである.

（６）選んだゴールの正当性を示す兆候を継続的に評価

その人が正しい選択をしたことを示す兆候が出てくるのを継続的に探し求めることが観察される．しばしば迷信めいた兆候を探すこともある．その過程でゴールにたどり着くための手段を変更することもあり，ゴールそのものを変更することもある.

（７）希望を保持するための決意

希望の維持には，その状況を切り抜けかつゴールにたどり着くための集中的なエネルギーが必要となる．そのため，ネガティブな考えを自分の頭から閉め出して，希望を保持するために全力を注ぐことを決意する.

２）希望のパターン

第１段階で抽出された希望に影響する７つの普遍的要素は，第２段階で心臓移植待機者，脊髄損傷者，乳がんサバイバー，母乳栄養と仕事との両立を図る母親という４つのグループから聴取したインタビューデータに照らしてその妥当性を検証したところ，４グループで共通していた．しかし，第３段階で観察された希望のパターンは，図14-１のよう

表14-1 ● 4つのグループに特徴的な希望に影響する7つの普遍的要素

構成要素	集団の種類			
	心臓移植待機者	脊髄損傷者	乳がんサバイバー	母乳栄養と仕事の両立を図る母親
1. 苦境や脅威に対する現実的な初期評価	病気が進行し状態が悪化していくのを自覚する（移植，さもなければ死）	損傷の影響を直ちに自覚する（永久的な麻痺）	病気の経過を知覚する（生命の脅威と深刻な副作用が出る治療）	よき母親と有能な雇用者という役割のバランスをとる（ジレンマ）
2. 代替案の想定とゴールの設定	死を想定することは受け入れがたく，移植がノーマルな生活の鍵となる	代替案は小さな前進や生活技術の獲得に努めるか，または完全に依存するかである	代替案は身体的な変形を選択するか，または命を縮めるかである	起こりうる問題をすべて想定して一時的な計画を立てることに加えて，それを支える計画を立てる
3. 悪い結果への備え	逆境に打ち勝つための方法としてよい側面に注意を向ける	移動能力が回復しない可能性が高くなるのを覚悟する	副作用への対処や病気が進行しているという悪いニュースに備える	乳汁分泌に問題がないのに母乳を嫌がるようなら離乳に備える
4. 内的または外的資源の現実的評価	優秀な最先端医療を求める．心理的サポートの必要性も理解する	他者に依存することや援助を受ける必要性を理解する．家の改修を計画する	選択肢を探したり，家族の支えや検診を求める	自分や他者の過去の経験を活用．パートナーや姉妹が参加するスケジュールをつくり実施する
5. 相互に支え合う関係の追求	主としてすでに移植を受けた患者，病院職員，家族員の支援を求める	他の脊髄損傷者や配偶者または恋人の支援を求める	サポートグループ，配偶者，または家族員の支援を求める	他の母乳栄養の母親，配偶者，母乳栄養の母親を支援するグループの支援を求める
6. 選んだゴールの正当性を示す兆候を継続的に評価	成功例を求める．移植できる心臓を注意深く待つ	わずかな身体回復にも注目する	再発の兆候を継続的に評価する	赤ちゃんの成長や満足感を継続的に評価する
7. 希望を保持するための決意	移植がノーマルな生活を獲得する唯一の方法だと考える	決意が固いほど進歩も大きくなる	道標として達成可能な出来事を設定することにより無理せず耐えられる	何が赤ちゃんにとってベストかを確認する

Morse,J.M., & Doberneck, B. (1995). Delineating the concept of hope. *Image : Journal of Nursing Scholarship, 27*(4), 281.より引用一部改変

に4つのグループで異なり，それぞれに特徴的なパターンを示した．

（1）心臓移植待機者：ワンチャンスの希望（hoping for a chance for a chance）

心臓移植を待っている患者は心機能が不可逆的に悪化していくのを自覚しており，心臓移植か死かという状況に置かれている．そのため，心臓移植というワンチャンスに望みを賭ける．

（2）脊髄損傷者：漸進的な希望（incremental hope）

脊髄損傷者では少しずつできることを増やして希望をかなえようとする．たとえば自分の力で歩くという希望をかなえるために，今日は平行棒につかまって立てたから，今度は

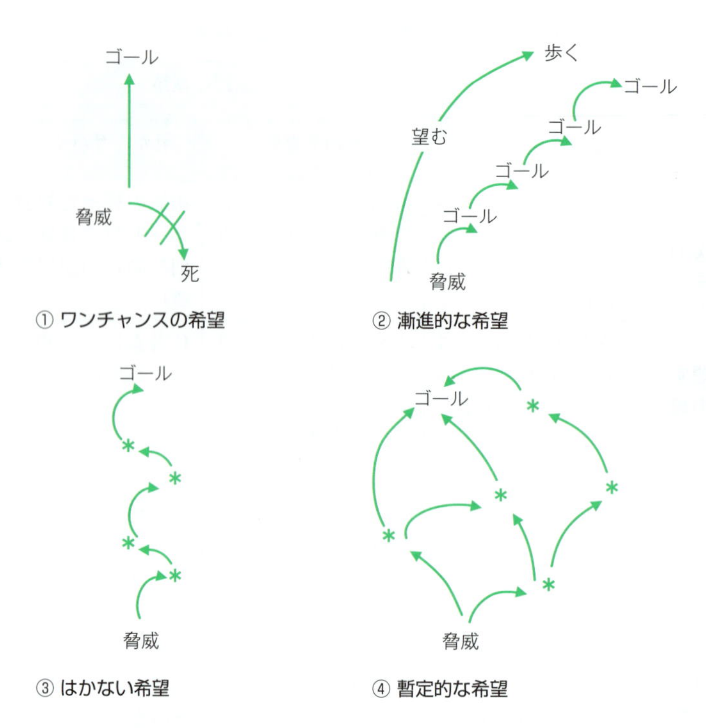

図14-1●希望のパターン

Morse, J.M., & Doberneck, B. (1995). Delineating the concept of hope. Image : *Journal of Nursing Scholarship, 27*(4), 283. より引用一部改変

1歩足を前に出してみるなど，小さなゴールを設定しながら段階的に積み上げて希望へと近づいていく．

（3）乳がんサバイバー：はかない希望（hoping against hope）

乳がんサバイバーではネガティブな考えを閉め出すために闘い続けるという病い体験をしている．乳がんでは治療による身体的なダメージが大きく，かつ死や再発の脅威を払拭できない．乳がんの疑いでバイオプシー検査を受ける患者は良性の腫瘍であることを望み，乳がんと診断された患者は乳房が残ることを望み，ひととおりの治療を終えると今度は再発しないことを望むなど，次々と形を変えては立ちはだかる障壁を前にしてそのつどはかない希望を抱く．

（4）母乳栄養と仕事との両立を図る母親：暫定的な希望（provisional hope）

母乳を与えながら仕事に復帰する母親には，仕事や赤ちゃんからの要求の他に，上の子どもの世話，家事，食事の支度など，マネジメントしなければならない競合する役割がいくつもある．そのため，その時々に応じて暫定的な期待を抱きながら，複数の代替案を駆使することでうまく切り抜けようとする．

3）希望のアセスメントガイド

Penrod and Morse（1997）は希望に影響する7つの普遍的要素をもとに，普遍的要素を6段階にまとめた希望のアセスメントガイドを提示している（表14-2）．これには各段階における看護アセスメントの視点，特徴的な行動的なサイン，および看護の方略が示されている．

表14-2●希望のアセスメントガイド（乳がん患者に適用して作成）

希望の段階（構成要素）	看護アセスメント	行動的なサイン	方　略
1. 苦境や脅威に対する現実的な初期評価	その出来事の衝撃が浸透しているのか？	•繰り返し：発言や考え •他者とのつながり：繰り返したりまたは解消したりする •ストレス：時には状況に圧倒される •一方通行の情報の流れ：ほとんど疑問をもたずに情報を繰り返すかまたは情報を入手する	以下のことにより，情報を提供し，承認のレベルを観察する 1. 教育 •内容：状態・予後，治療の一般的な効果 •方法：時を変えて情報を繰り返し伝える，情報を少しずつ与える，必要があれば録音を勧める，質問を促す •評価：患者に状況をあなたに説明してくれるようによう依頼する，どの程度状況を理解しているか評価する 2. 感情に応答する •共感，慰め，または同情を示す •患者が物語る内容の変化を注意深く聴く •休息や今のことから解放される時間を提供する
2. 代替案の想定とゴールの設定および悪い結果への備え	計画はあるのか？ 患者は最悪の結果に対して準備できているのか？	•統計的確率を質問する •次の段階に進む方向を探す •言葉では現実を認めているようだが，選択肢をはかりにかけている •経験のある人を探し求めている •双方向の討議を行う •身体的な展望（今後の自分の身体をイメージしてゴールを設定） •ゴールの明確化：広くまたは焦点化する •悪い結果が起こる可能性を認めるが，可能性にすぎないこととして悪影響を及ばさないようにする •関連する過去の経験に照らして考えてみる：内的資源，外的資源(人的・物的) •ケアに携わる医師や他の医療従事者の評判をチェックする •どの友達が力になってくれるか検討する	以下のことにより，計画を立てることを支援する 1. 選択肢を探す •利用可能な選択肢を考えるよう促す •悪い結果の可能性を考えるのではなく，選択肢について話し合う •厳しい現実から患者を保護するのではなく，疑問には現実的に答える •統計的な情報と経験からの情報の両方を伝える 2. つながりをつくる •患者にうまく対処できた人を紹介する（よい役割モデル） 3. 支援 •情緒的サポートと，静かに考え，休息し，健康的な解放(リラクセーションや好きな音楽を聴くなど)のために必要な時間を提供する 4. 計画の共有 •ケアの目標共有を促すために，ゴールの明確化を勧める
3. 内的または外的資源の現実的評価	患者はどんな資源があると特定しているのか？	•やり遂げなければならないことに共感してくれる他者を探す（新しいまたはこれまでの人間関係から） •ゴールの変更によりサポートしてくれる人も変化する可能性がある	以下のことにより，資源のアセスメントを十分行う 1. 現実的な自己評価を促す •疑問の余地がない，個人的な資源や特質に注目する •健康的な解放方法に関して患者と話し合う 2. 外的な資源を求める •立案した計画をサポートしてくれる資源について説明する（アクセス方法，資格要件，期待される利益）

表14-2●希望のアセスメントガイド（乳がん患者に適用して作成）（つづき）

希望の段階（構成要素）	看護アセスメント	行動的なサイン	方　略
			3. サポートネットワークの観察 • 治療経過をとおして継続的に内的・外的資源を観察 • 治療の進展に従ってコミュニティの資源利用を強化する
4. 相互に支え合う関係の追求	適切なサポートがあるか？		以下のことにより，サポーティブな関係を支える 1. 場面を設定する • サポーティブな関係を増やすために見舞いの時間を緩和する • 利用可能なサポートグループやネットワークに方向づける • 必要に応じ支援的カウンセリングを紹介する 2. 必要とされるならその場にいる • 必要に応じて計画を知ってそれを強化する • 注意深く耳を傾ける • 妻の支援者には夫が最適などのステレオタイプな想定はせず，支援者の枠を広げる
5. 選んだゴールの正当性を示す兆候の継続的評価）	どんな兆候が出ているのか？	• 情報の明確化：特に希望を達成できる統計的な確率など • もしかして起こるかもしれない悪い事態をこれまでどのように判断してきたかを振り返る（占い，検査結果） • ゴール達成を阻む，病気の再発の兆候を自分でチェックできるようにする • 自分と他者を比較する	以下のことにより，コミュニケーションの道を開くことにより，兆候を指し示す 1. 兆候の解釈や進行の見方を話し合う 2. ゴールへの進捗状況を正直に評価する 3. 示されているようにゴールや計画の変更を支援する
6. 希望を保持するための決意）	この人にはスタミナと意志があるのか？	• 希望を保持するめに役立つテクニックを使う（たとえば，変形した身体を鏡で見る方法） • エネルギーを保存することに集中する • 新しい人生に対する見方を表出する	以下のことにより，勇気づける 1. エネルギーレベルを観察する • その人の希望に応じて静かな時間を提供する • 訪問客のパターンを観察する：誰が元気で，誰が疲れ切っているのか？ • 希望の作業にどれくらいエネルギーを必要とするか話し合う 2. 持久力を支える • 正直にほめ，勇気づける • 個人的なニーズに集中することを許す • 健康的な心身の解放方法を教える

注：希望の作業からの解放は希望を発展・維持するどの段階でも起こる；そのためそれぞれの段階で取り上げてはいない

Penrod, J., & Morse, J. M. (1997). Strategies for assessing and fostering hope: The hope assessment guide. *Oncology Nursing Forum*, 24(6), 1061-1062.より引用一部改変

2 病い・傷害体験に特徴的な4つの概念とその関連

これまで述べてきた希望に関係する普遍的要素，希望を見出す過程とそれぞれの患者集団で希望には特徴的なパターンがあることがわかった．しかし，絶望がどうして希望の引き金になるのか，人はネガティブな結果に直面してなぜあるときは希望を抱き，あるときは絶望するのかという疑問に答えるために，病い体験のなかで現れるもちこたえ，不確かさ，苦悩，そして希望という4つの概念（表14-3）について検討し，概念間の関連をモデルに表した（図14-2）．その結果，病い体験のなかで，もちこたえから希望へと，順に知ることのレベルが高くなっていくことが明らかになった（Morse & Penrod, 1999）．

1）もちこたえ

もちこたえは情緒的反応を抑えた状態であり，恐怖を遮断するために現在に関心を集中させて困難な状況をしのごうとする．知ることのレベルは，出来事の一部に気づきが限定されており，全体的には理解していない．なお，もちこたえには3つのタイプがある．①生存に向けてのもちこたえ（急激で深刻な身体的な脅威に直面するときに生じる），②生活に向けてのもちこたえ（受け入れがたい生活状況に直面するときに生じる），③死に向けてのもちこたえ（死に身を委ねる前に，自分に課題を課すなどして今を生きることに集中する）である．

2）不確かさ

不確かさは不確かさのなかに置かれて，一つのゴールへの期待はあるが，そこにたどり着く道筋や方法がわからない状態である．現実的な評価によりその出来事が過去，現在に及ぼした影響や将来を変化させたことは認識できている．たとえば，乳がん患者では乳房の変形を最小に抑えて生きていくというゴールははっきりしているが，そこに到達するためにどのような治療を選択したり，組み合わせたりしたらよいかという道筋は見えていない．知ることのレベルは認識であり，頭では理解しているが心では感じていない．

3）苦　悩

苦悩は情緒的反応を伴う状態である．視野が拡大し，過去，変化した現在，そして予期される将来にも目が向けられるが，そのことに圧倒され，将来に向けてのゴール設定ができず，ゴールへ至る道筋も見えない．知ることのレベルは承認であり，頭で理解し，かつ

表14-3 ●もちこたえ，不確かさ，苦悩，希望の特性

概　念	知るレベル	一時的な観点	ゴールの設定	ゴールへの道筋
もちこたえ	気づき	現在に関心が集中しており，過去と将来を消し去っている	ない	見えない
不確かさ	認識	先が見えず落ち着かない状態	ある	見えない
苦悩	承認	過去や変化した将来に圧倒されており，今が耐えがたい	ない	見えない
希望	受容	現実的な将来を描くことで今がしのげる	ある	見えている

Morse J.M., & Penrod,J. (1999). Linking concepts of enduring, uncertainty, suffering, and hope. *Image : Journal of Nursing Scholarship, 31*(2), 149. より引用一部改変

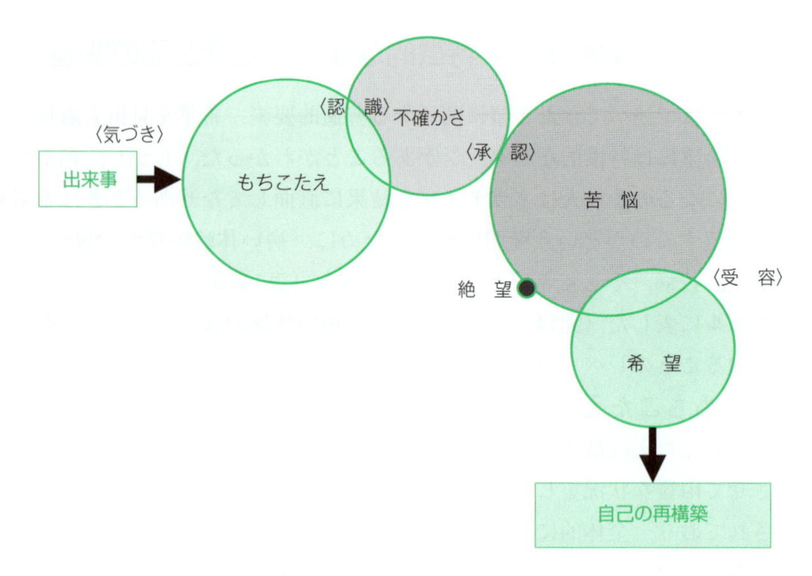

図14-2●概念間の循環的関係
Morse J.M., & Penrod, J. (1999). Linking concepts of enduring, uncertainty, suffering, and hope. *Image : Journal of Nursing Scholarship, 31*(2), 149. より引用一部改変

心でも感じている．人は時間経過につれて状況を把握し，現実に起こったことを承認できるようになる．承認はその出来事がその人の過去，現在，そして将来に及ぼす影響を現実的に評価することにより生じる．そのため，不確かさのなかで一時的に設定したゴールを見失い，もはや困難な状況から抜け出すことができず苦悩する．苦悩の強い状態は絶望（despair）である．

4）希　望

希望は出来事を受容し，苦悩することから生まれてくる．なぜならば苦悩することにより脅威や困難な状況に対する現実的な評価が始まるためである．受容すると，人はその出来事が過去，現在そして将来を変化させるほど深刻であることがわかる．また，変化した将来も受け入れがたいものではなくなる．そして到達できそうなゴールも設定でき，そこにたどり着く道筋がまがりなりにも見える．それはトンネルの向こうに一筋の光を見出すような状態である．希望は期待の一つであり，その結果は定かではないがゴールとそこに至る道筋はわかる．ここにきて人々は将来を志向し，想定できる新しい可能性を検討する．

3 自己の再構築に至る概念間の循環的関係

一つの状態から他の状態への移動は直線的に見えるが，実際はそれぞれの状態を行きつ戻りつしながら進む．それはその人が獲得した知るレベル（気づき，認識，承認，受容）と関係している．まず出来事に気づくという知るレベルがあって，初めてもちこたえの状態が現れる．しかし気づきは出来事の一部に限定されており，全体的に理解してはいない．次に，人が出来事を頭で全体的に認識できるようになると不確かさへと移行する．また，出来事の重大さを心でも感じとって承認するようになると，苦悩という情緒的に高ぶる状態に陥る．出来事を認識することや承認することは，その出来事を受容することの前兆でもある．

なお，もちこたえや苦悩はその状況に対する反射的な反応であり，その人が選んだ方略ではない．しかし，希望を抱くということは反射的な反応ではなく，希望をかなえるための方略がその人によって注意深く検討され選択される．一つの道筋をよく考え選択するということは希望の重要な特徴であり，もちこたえや苦悩とは異なる点である．

なお，不確かさの状態にはもちこたえと苦悩が含まれており，両者の間を行きつ戻りつしながら激しく動き回る．そのため，不確かさの状態は情緒的に不安定であるという特徴をもっている．つまり，その人は現在をもちこたえ，苦境を脱することができず苦悩する．この状態では希望は停止しており，その人も停止したままである．しかし，出来事を承認できると，初めて苦悩に移行でき，苦悩することにより苦悩や絶望を切り抜け希望へと至ることができる．

4 もちこたえの状態，苦悩の状態に対する適切なケア

Morse（2011）に基づき，適切なケアについて述べる．

もちこたえの状態のときの看護師の役割はもちこたえようとし耐えている行動をサポートすることである．患者は耐える原因となった出来事と折り合いをつけようとして頭で格闘しているか，その出来事に直面したり対処したりする必要がないように出来事を心の奥にしまい込んで耐えている可能性がある．

この場合，看護師は，静かに沈黙を守り，その患者から離れ，何かあればすぐに対応できるようにし，事実に基づいた具体的な情報を提供することで対応する．患者に慰めの言葉をかけたり，身体にやさしくタッチしたりすると，耐えている出来事がフラッシュバックする可能性があるので注意する必要がある．

苦悩は，患者が喪失を現実のものとして認識したときに起こる．もはや感情をコントロールできず，絶望，悲嘆，哀しみの状態として現れる．喪失した過去と未来を悼むために，感情を解放し，泣く．嗚咽する，悲しげな表情をするなどであり，患者は慰めてくれる人やその場に一緒にいてくれる人，共感してくれる人を求めている．

この場合，看護師は，慰めてほしいというメッセージを受け止め，そばにいて話を聞いたり，共感したり，慰めの言葉をかけたり，優しく身体をタッチするなどのケアで対応する．患者はこの感情を表出する苦悩のプロセスにおいて適切なケアを受けることで，希望を見出し，自己の再構築に至る．

E 研究の動向

モースは苦悩の実践理論を発表したあと，理論を実証するための研究や，感情を抑制する「もちこたえ」の状態と感情を表出する「苦悩」の状態にある人が表情の違いで特定できることを示し（Morse, Beres, Spiers, Mayan & Olson, 2003），「もちこたえ」と「苦悩」のときの援助方法の妥当性の検証を行っている（Morse, 2018）．なお，モースの苦悩の実

践理論を批判的に評価する論文もあり（Foss & Dagfinn, 2009；Georges, 2002），関心の高さをうかがわせる．

病気体験において，苦悩や希望は中核を成す概念であるが，モースは病気体験を質的に明らかにする過程で，病気の不確かさの脅威にさらされ，苦悩することにより希望を見出すという，人間に本来的に備わっている生き物としての強さを描写している．

ミラー（Miller, 2007）はモースの文献を含む，希望に関する先行文献の検討を行い，希望は人生において中核を成すものであるが，特に，病気にうまく対処したり死を準備したりするうえでの本質的な局面であると述べている．モースらは希望に関連する概念として，もちこたえ，不確かさ，苦悩をあげているが（Morse & Penrod, 1999），自己超越（self-transcendence），自己受容（acceptance），スピリチュアルな視点（spiritual perspective）をあげている研究もある（Haase, Britt, Coward, Leidy & Penn, 1992）．なお，Foss and Dagfinn（2009）は，モースの苦悩の実践理論は臨床看護に根差した帰納的アプローチにより構築された理論であり，理論的・実証的研究により支持された理論であること，特に「もちこたえ」をネガティブな状態とはとらえず，自己の再構築に至るうえでの適応的なプロセスととらえている点が，学際的で，存在論的核をもつケアリングサイエンスに立脚しているエリクソンの苦悩の理論（Eriksson, 1992, 1997）とは異なる点であると評価している．

わが国においては，苦悩については，長谷川・小林（2019）が国内外の36件の資料を用いて患者の苦悩の概念分析を行い，患者の苦悩は「全人的で自己の存在そのものにかかわるものとして主観的に経験される，不快な感情や情動を伴うコントロール不可能で複雑な耐え難い体験」と定義している．

希望については終末期がん患者を対象とした質的研究が2つあり，射場（1996）は，希望のカテゴリーとして，生きること，自分らしさの表現，死を超越することの3つと，その要因として希望を維持する内的活力，死の認識，希望が生まれる場の3つをあげている．濱田・佐藤（2002）は，11の希望の本質（1.自由で自立した自己，2．家族愛，3．社会的自己，4．生きざま，5. 安寧，6. 回復意欲，7. 元の自分，8. 自己の存在，9. 他力志向，10. 信仰心，11.生かされる自己）を特定した．

なお，モースの病気体験の苦悩と希望の理論を活用した事例研究が散見されるので（島内・穐山，2015；中山，2013），さらなる看護実践での活用を期待したい．

 理論の看護実践での活用

この理論は，第1には，病気を体験している患者の苦悩のアセスメントに活用できる．第2には，患者が苦悩するなかで，人生に希望を見出し，新しい見方を獲得して自己を再構築する過程を適切に支援する際のツールとしても活用できる可能性がある．

そこで，病気体験における苦悩と希望の理論と希望のアセスメントガイドを参考に次のようなアセスメントと援助の枠組みを考えた．

①自己の再構築に至る段階の特定：患者が病気の気づきから，希望を見出して病気を受容

し，自己の再構築に至るプロセスの，もちこたえ，不確かさ，苦悩，希望のどの段階にいるかを，表14-3と図14-2に照らしてアセスメントする．

②希望のアセスメント：「希望のアセスメントガイド」（表14-2）に照らして，希望の6つの構成要素が満たされているか，または十分機能しているか．満たされていないまたは機能していないとしたらどのような問題や課題があるのかを特定する．

③援助計画の立案と実施：②の希望のアセスメントの内容を受けて，患者の自己の再構築に対する取り組みを支援するために，必要な援助を「希望のアセスメントガイド」に示されている方略を参考に，援助計画を立案，実施する．

④評価：苦悩の体験をとおして，希望を見出し，希望を保持しつつ，自己の再構築へと向かっているか，もし，それが実現できていない場合は，どのような問題や課題があるかを検討し，次の援助にいかす．

G 臨床での活用の実際

ここでは，多発性硬化症を発症したAさんの事例をもとにアセスメントを行い，それに基づいた方略や援助計画について述べる．

1 事例紹介

Aさん，40代の女性，診断年齢は30代で病歴は10年である．関東にある大学を卒業後，希望の大手出版社へ就職．夜遅くまで仕事に打ち込む日々が続いていたある日，左手にしびれと力の入りにくさを感じたが，数週間で軽快した．

その後，強い疲労感を覚えるようになったが，仕事に追われているせいだろうと深く気に止めていなかった．しかし，しばらくすると今度は左足にしびれと力の入りにくさが出現．階段を駆け上がれず転倒したことで異常を感じ，近所の整形外科を経て，総合病院の脳神経内科を受診し，多発性硬化症との診断を受けた．医師から国が指定する難病であるという説明を受け，困惑したが，入院しステロイドの点滴治療を受けると症状は改善し，“元に戻った”と感じた．退院後，再発予防の筋肉注射を打つことになったが，漠然とこれまでの生活が続くような気持ちであった．

しかし，退院1年後に再発，さらに2年後，MRI検査で新規病変が確認され，再発予防薬が変更となるが，数か月後には再発となった．診断後9年が経過した頃には，障害進行と4度目の再発によりしびれや疲労感などの症状が持続し，希望部署での仕事継続が困難となり部署異動となった．その後，仕事へのモチベーションと目標を失い，約半年前に退職し帰郷した．

帰郷後は引きこもりがちな日々を過ごしていたが，ある日，SNSで好感を抱いていた写真投稿者が自分と同じ多発性硬化症であると知ったことをきっかけに，病気と距離をとろうとして，逆に病気に囚われていた自分に気づくことができた．そして，“今，自分にできることから始めてみよう”と思い立ち，写真と短い文章をSNSに投稿し始めたところ，メッセージをくれる人もでき，文章で表現することが好きなことを再認識．病気とのほどよい距離を模索しながら，新たな目標を見出そうとしている．

2 理論に照らしてのアセスメントのポイント

（1）自己の再構築に至る段階を特定する；現在に至るまでの病い体験から，現在の段階と状況をとらえる．

・表14-3に照らして，Aさんの知るレベルと「もちこたえ」「不確かさ」「苦悩」「希望」の段階を，Aさんの語りをもとに整理し，アセスメントする．

・整理した過程を「概念間の循環的関係」（図14-2）に照らして示し，Aさんの段階をとらえる．

・上記に基づき，Aさんの病い体験における希望のパターンを描き，Aさんのこれまで，これからの歩みをイメージ化する．

（2）希望に影響する構成要素をまとめた「希望のアセスメントガイド」（表14-2）に照らして，Aさんの状況をアセスメントし，Aさんを支援するための方略を検討する．

（3）自己の再構築への取り組みを支援するために必要な援助を検討する．

・「希望のアセスメントガイド」（表14-2）に照らして検討した方略を，関連性のなかで再検討し，援助目標と具体的な支援計画を立てる．

（4）苦悩の体験をとおして，希望が描け，それが維持できているかを評価する．

3 活用例

（1）自己の再構築に至る段階を特定する

【Aさんの語りと段階の整理・アセンスメント】

①もちこたえ

〈Aさんの語り〉

ずっと入りたかった出版社に採用されて，忙しい毎日でしたが充実していました．大学ではテニス部だったので体力には自信がありました．なのに，いつの頃からかやけに疲れを感じるようになったんです．そのうち左足がしびれてきて，踏ん張りが効かない感じもして．以前に左手に似たような感じがあったので気にはなったけど，自然に良くなったし，とにかく仕事が忙しかったのでそのせいかなって思っていました．でも，そのあと，階段で足がもつれて転んでしまって，そのときはさすがに“なんだかおかしい”と思いました．脳神経内科で多発性硬化症という難病だと言われ，病気と治療の説明を受けましたが，正直，説明されてもどんな病気かよくわかりませんでした．こんなふうに，ある日突然“難病”と言われることもあるんだなと，なんだか不思議で他人事のようでした．ただ，これからどうなるんだろうという不安と“難病”という言葉が頭から離れませんでした．でも，入院してステロイド治療を受けたら今までの症状が嘘のように消えたんです．“難病”という言葉に驚いたけど，取り越し苦労だったのかも，そう思うようにしました．症状もとれたし，“今までどおり頑張ろう”と病気のことは深く考えないようにしていました．

“難病”という説明に漠然とした驚異を感じているが，病気の悪化やそれに伴う生活変化のイメージはなく，治療によって症状が改善した現状のみに着目．病気のことは頭から閉め出し，これまでのどおりの生活に戻ることで今をしのごうとしている．知ることのレベルは，出来事のごく一部であり，情緒的な反応も抑えた状態である．

②不確かさ

〈Aさんの語り〉

１年後，再発予防の注射は必要でしたが，それ以外は前と変わらない日々でした．難病と言っても人それぞれ，完治する方法がないだけで，それほど心配する必要はなかったと思っていた頃でした．右足にしびれと力の入りにくさを感じました．一気に嫌な予感が甦りました．慌てて受診すると，再発と，入院して点滴治療が必要だと言われました．ちょうどやりたかった仕事の真っ最中だったので，“なんの前触れもなく再発するなんて，私の人生がめちゃくちゃになる”と思うと，焦りや悔しさで気持ちがグチャグチャになりました．なんとか自分を落ち着かせ，病気のことをたくさん調べました．だけど結局，病気の経過は人それぞれで確実なことはわかりませんでした．これが“難病”ということなの？と先が見えない不安が広がりましたが，どうしたらよいかわからず，自分が無防備に感じました．自分に言い聞かせたことは，“良くも悪くも再発は人それぞれ，自分の再発はすぐには来ないかもしれない．再発してもまた症状は消えてくれる”．不安と期待が同時に頭によぎる日々でした．

再発により病気の怖さを感じているものの，病気の進行や，今後の生活への影響は不確かで，病と共存しながら思うように仕事を続けるにはどうしたらいいかわからない．知るレベルは，病気に対する脅威を認識している状態であるが，今後に対する不確かさがあり，ゴールまでの道筋が見えない状況である．

③苦　悩

〈Aさんの語り〉

再発から２年後，検査で新規の病変を指摘されました．自分では症状を感じていなかったのでショックでした．再発予防薬が内服へ変更となりましたが，その数か月後には再発して….それでも点滴治療でしびれや脱力は何とか改善していたんです．でも，だんだんと仕事の疲れが取れなくなっていきました．部内で外勤がないように調整してもらいましたが，忙しい部署だったので今までの仕事量をこなすのは大変でした．特に真夏は体に力が入らず，ひどい日は朝から動けなくて仕事を休むこともありました．肉体的にも精神的にもギリギリでした．せめて再発しないようにと願いましたが，診断から９年，４回目の再発で儚い希望も打ち砕かれました．右手にしびれが残り，パソコン操作がしにくくなりました．わずかですが左足にも脱力が残るようになって….その頃，上司から締切の遅れ，デスクが資料だらけで整理がついていないこと，小さなケアレスミスが続いていることなどを指摘されました．今までで一番つらかったです．自分では気づいていない部分もあったので….異動の提案を断ることはできませんでした．新しい部署では仕事へのモチベーションをもつことができず毎日ただ苦しかったです．そこから半年仕事を続けましたが，結局退職し実家に戻ることにしました．実家に帰ってからは何もかもが嫌になり誰とも連絡をとりませんでした．“もう自分は終わったんだ”そう思いました．

再発や障害進行により，日常生活でも症状を自覚．何とか踏ん張ってきた仕事もやめ，生きがいも目標も見失っている．知るレベルは病気を承認している状態であり，承認したからこそ病気の脅威を自覚，覆らない現状，見通しの見えない将来に圧倒され，ゴールもゴールへの道筋も見えない状況である．

④希　望

〈Aさんの語り〉

実家に戻ってからは病院に受診する以外ほとんど人と会いませんでした．患者会をすすめられたときもありましたが，同じ病気の人に会って何になるんだろうと思い気が進まず，毎日SNSを見ながらやり過ごしました．そのうち気になる投稿を見つけました．写真と短い文章でしたが，表現が面白くて気づくと定期的にチェックするようになっていました．ある日，短い文章からその人が同じ病気であることを知りました．そのとき，毎日悶々としている自分との違いに愕然したというか，同時に何だか目が覚めたような気がしました．“私もなんかやってみよう”単純にそう思えました．それから気が向いたときに写真と短い文章をSNSに投稿し始めました．驚くほど気持ちが楽になり，私はやっぱり書くことが好きなんだなと再認識しました．私，病気になってから，自分を表現するときはなぜか病気のことも説明しなきゃと思っていたんです．おかしいですよね，そんなふうに思うなんて．それだけ病気に囚われていたんだと思います．今は，病気になって久しぶりに自分を取り戻したような，新しい自分を見つけたような，そんな心境です．確かに病気で大変だし，人生が変わったと今でも思っていますが，病気が自分の代名詞になるのは嫌，病気とのほどよい距離を自分なりに見つけていきたい，そう思っています．

同じ患者の活動に触れたことで，自分を客観視し，自分がひどく病気に囚われていたことを認識．同時に，病気との付き合い方を模索し始め，自分にできることを探すという1つのゴールを定め始めている．知るレベルは，病気を受容するには至っていないが，ゴールとその道筋の模索に意識が及んでおり，苦悩のなかで希望へ向かって歩みを始めようしている状況である．

【Aさんの自己の再構築に至る段階の特定】

以上の整理したAさんの語りとアセスメントから，Aさんの病気体験のプロセスを示す（図14-3）．

Aさんは「もちこたえ」の後，「不確かさ」と「苦悩」の行き来を経て，他者をとおして自分を客観視することで病気に囚われない生き方の模索という1つのゴールを定め，「希望」へ向かって歩み始めようしている段階であると考えた．

【Aさんの病い体験における希望のパターン】

Aさんの病い体験から探った希望のパターンを示す（図14-4）．病気の経過とともに深く苦悩していく様と希望に向かって歩み始めようとしている様をイメージ化した．

（2）希望に影響する構成要素をまとめた「希望のアセスメントガイド」（表14-2）に照らして，Aさんの状況をアセスメントし，Aさんを支援するための方略を検討する

Aさんのアセスメントと方略を表14-4に示す．

（3）自己の再構築への取り組みを支援するために必要な援助を検討する

表14-4を関連性のなかで再検討すると，Aさんは，希望に向け自分にできることを始めようと取り組み始めているが，目標や計画は具体的には描けていない．また，新たな取り組みによる精神的・身体的な負荷についての予測や，自身の内的・外的資源を十分に認

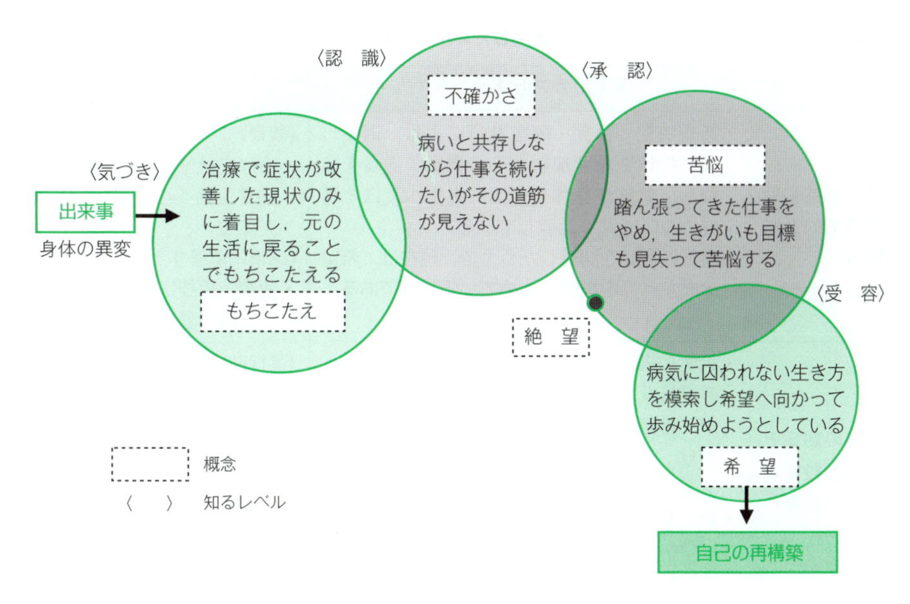

図14-3 ●Aさんの病気体験

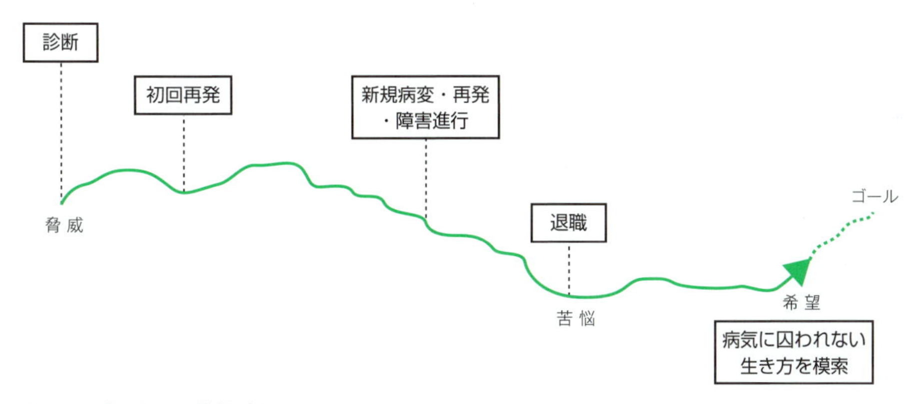

図14-4 ●Aさんの希望パターン

識できていない状況である．希望へ向かって模索し始めた段階であり，計画がうまくいかなければ容易に希望を保持するための決意がゆらぎ，再び苦悩の日々に陥る状況であると考えた．

そのため，この状況を乗り越え，Aさんが希望への道筋を歩んでいくために以下の援助目標を設定した．

【目標１】希望に向けて着実に歩めるように多発性硬化症の管理や症状への対処を支える
【目標２】希望への適切な目標を設定，具体策が検討できるよう支える
【目標３】希望を保持するための決意を維持・強化できるよう支える

また，目標ごとに立案した支援計画を表14-5に示す．

表14-4●「希望のアセスメントガイド」を活用したAさんのアセスメントと方略

構成要素	Aさんのアセスメント	方　略
1. 苦境や脅威に対する現実的な初期評価	• 新規病変・再発・障害進行により，消失しない症状や希望部署からの異動，退職を体験し，病気が身体や生活，人生へ及ぼす脅威について深く認識している • 病気の脅威を認識したうえで，現在は，希望へ向かってを模索し始めている状況である	〈教育〉 • 治療方針や今後の活動における症状の変化，日常生活への影響について共有し，対処を支える 〈感情に応答する〉 • 教育・相談はAさんの体調や心理状態を考慮し，落ち着いたときに行う
2. 代替案の想定とゴールの設定および悪い結果への備え	• 病気に囚われない生き方を模索し，SNSへの投稿など自分にできることを始めているが，希望へ向かって模索し始めたばかりであり，具体的な目標の設定や計画の立案には至っていない • 新たな取り組による精神的・身体的な負荷についての予測はついておらず，悪い結果への備えは十分ではない	〈選択肢を探す〉 • 現状の取り組みや考えを共有し，どのような活動が可能か選択肢を共に考える 〈つながりをつくる〉 • 希望すれば，患者会などを紹介し，うまく対処できた人を探す支援をする 〈計画を共有する〉 • 現在の症状や再発予防と両立できる目標設定や計画を共有し，支援する
3. 内的または外的資源の現実的評価	• 病気の脅威に圧倒され，これまで築いてきたキャリアや自己像を全て失ったという否定的な自己評価に至り，引きこもりがちな生活のなかで，内的・外的な資源を見失っていた状態であった • 現在は，同病者をとおして自分を見つめ，書くこと，表現することの楽しさを再認識している．今後新たな目標を定め，歩んでいくためには，Aさん自身がもてる力を再評価し，内的資源として気づき活用していくこと，医療従事者や利用可能な社会資源などの外的資源にアクセスして活用することが必要である	〈現実的な自己評価を促す〉 • Aさんのもともとの性格，得意分野，これまでのキャリアで培ったスキル，好きなことに注目するよう促す 〈外的なサポート資源を求める〉 • 計画をサポートしてくれる専門家（医師，リハビリスタッフ，MSWなど）と信頼関係を構築し，それぞれの職種の力やアドバイスを活用できるよう助ける • 経過に合わせ，新たに助けになりそうなサポーター，社会資源（就労支援機関など）を検討，紹介する
4. 相互に支え合う関係の追求	• 意図的な同病者との交流はもっていないが，同病者の活動を知ることが，自分に新たな気づきを得るきっかけとなったことは認識している．必要に応じて他者と交流することはAさんにとって大きな原動力となり，希望を見出す足がかりになる	〈サポーティブな場の設定〉 • SNSでの他者との交流，同病者との交流について共有する • Aさんが希望すれば，患者会など実際の交流の場を紹介，設定する • 家族，友人，同病者など周囲の人々の存在に注目することを支援する
5. 選んだゴールの正当性を示す兆候の継続的評価	• 自分にできること，好きなことを始め，現実的な可能性を探っているが，具体的な目標の設定や計画の立案には至っておらず，選んだゴールの適性を評価する状況にない	〈適応があればゴールや計画の変更を支援する〉 • ゴールや計画を共有し，必要があればゴールや計画変更の自己決定を支援する
6. 希望を保持するための決意	• 数年に及ぶもちこたえ，不確かさと苦悩の日々を経て希望へ向かって模索し始めた段階であり，うまくいけば見出し始めた希望は保持されるが，うまくいかなければ容易に希望を保持する決意がゆらぎ，再び苦悩の日々に陥る可能性がある	〈エネルギーレベルを観察する〉 • 希望に向けた新たな活動が及ぼす身体的・精神的な負荷ついて共有する 〈もちこたえることを支援する〉 • 今できていること，日々を遂行していること，自身のもてる力に着目し認める • 話をしたいときに話ができる落ち着いた場所と時間を提供する

表14-5 ●援助計画

援助目標と具体的支援
目標1　希望に向けて着実に歩めるように多発性硬化症の管理や症状への対処を支える
①治療方針について確認し，再発予防薬の管理状況について共有する ②希望に向けた活動における症状の変化や，症状の日常生活への影響について共有する ③意図的に休息を取り入れ過労を避けることや活動の代替え案の検討を支援する ④ウートフ現象予防のための体温調整方法，感染予防のための対策について共有する ⑤ストレスをためすぎないよう息抜きやリラックスの方法について検討する ⑥再発については予測できないことが多いため，再発について自分を責める必要はないことを伝える ⑦教育・相談はAさんの体調や心理状態を考慮し，落ち着いたときに行う
目標2　希望への適切な目標を設定，具体策が検討できるよう支える
①現状の取り組みや考えを共有し，どのような活動が可能か選択肢を共に考える ②Aさんのもともとの性格，得意分野，これまでのキャリアで培ったスキル，好きなことに注目するよう促す ③SNSでの他者との交流，同病者との交流について共有したり，Aさんが希望すれば，患者会などを紹介しうまく対処できた人を探す実際の交流の場を紹介，設定する ④計画をサポートしてくれる専門家（医師，リハビリスタッフ，MSWなど）と信頼関係を構築し，それぞれの職種の力やアドバイスを活用できるよう助ける ⑤経過に合わせ，新たに助けになりそうなサポーター，社会資源（就労支援機関など）を検討，紹介する
目標3　希望を保持するための決意を維持・強化できるよう支える
①今できていること，日々努力していること，もてる力に着目し認める ②家族，友人，同病者などサポートしてくれる周囲の人々の存在に注目することを支援する ③Aさんが話をしたいときに話ができる落ち着いた場所と時間を提供する ④希望への道程は行きつ戻りつであり，早急に結果を求めないことを伝える

（4）苦悩の体験をとおして，希望が描け，それが維持できているかを評価する

①実施・結果

【目標1】希望に向けて着実に歩めるように多発性硬化症の管理や症状への対処を支える

看護師はAさんへ病気の管理や症状への対処の状況を確認した．Aさんは「病気になって10年以上になるので，体調のことはわかってきているつもりです」と話し，病気や症状について気をつけていることを説明してくれた．だた，「疲れ，ストレスとの付き合い方はとても難しいです．私は昔から好きなことには没頭したいし，成果を出してやり遂げたい性格ですが，今は無理をすると何ともいえないだるさというか疲れが続きます．不完全燃焼みたいに思えてストレスもたまります．頭ではわかっているんですけどね…」と話され，自身の身体を客観視し，自己管理に努めているが割り切れない部分があるようであった．看護師は，これまでのAさんの取り組みを支持しながら，意図的な休息や息抜きの方法，考え方について，定期的な面談を行った．

数か月後，「最近，疲れる前に休憩することを意識して，なんとなくコツをつかんできました．それに，あえて休憩したほうが集中力もリセットされて，かえって効率がいいように思います」と状況を教えてくれた．また，「私って自分では変化に強い人間だと思っていたんです．でも疲れとの付き合い方はなぜか今の体調に合わせるんじゃなくて“前み

たいにがむしゃらに頑張る”ことを無意識に目指していたんですよね．全然変化しようとしていなくてちょっと笑っちゃいました．前みたいに徹夜ができる自分も好きですけど，今みたいに体調に合わせて柔軟に変化できる自分も自分のいいところだと改めて思っています」と語った．

面談を重ねるなかで，Aさんはこれまでの自己像も大切にしつつ，もともともっていた“変化に強い自分，柔軟な自分”に自らにフォーカスし，良い変化として新たな生活を見出していた．

【目標2】希望への適切な目標を設定，具体策が検討できるよう支える

Aさんが現在取り組んでいること，考えについて確認した．Aさんは，「今はSNSの投稿が楽しくてやってるという感じで，この先何につながるとかまでは…．年齢的なことを考えると仕事をしなければと思いますし，最近また働きたいとも思ってきたり．ただ自分に合った仕事があるのか，仕事についていけるかいろいろ考えると踏み出せません」と話された．看護師は，働いている患者の事例を提示しながらAさんの現状から就労可能であることを説明したが，Aさんの表情はかたいままであった．Aさんの反応から，早急な目標設定を促すより，現在の取り組みを支持しつつAさんの考えや思いを傾聴していくことが必要であると判断し，継続的なかかわりを続けた．

疲労との付き合い方を見出し始めた頃，Aさんより，「私みたいに若い難病の人はどんなふうに就職活動をしたり働いたりしてるんですか？」と質問があった．そこで，実際の情報に触れることができるよう，就労している患者さんが集まる患者会を紹介した．会に参加し，就職に至る過程や，職種，就職してからの工夫を聞いていきたAさんは，「今まで患者会のような集まりを避けていましたが，すごく勉強になりました．いろいろな工夫を聞けたこともそうですが，みんな悩みながら一歩踏み出して働き始めたことを聞いて勇気が出ました」と前向きな反応が得られた．話し合いを重ね，当面の目標を就職に向け準備することとし，今一度，Aさんの得意分野やスキル，活動と疲労について共に整理を行った．加えて，具体的な求人情報を得るために，Aさんへ公共職業安定所の難病患者就職サポーターを紹介した．

後日，難病患者就職サポーターより情報を得たAさんは「いろいろな求人がありましたが，いざ自分がしたいこと，就労条件を考えるとたくさんの求人がある状況ではありませんでした」と就労の難しさを話されたが，一方で「現実を見て働くことに目標も定まってきたように思います」と明るく話された．

【目標3】希望を保持するための決意を維持・強化できるよう支える

定期的な面談の機会をとおして，これまでの取り組み，今取り組んでいること，もっている力に着目し認めるかかわりを継続した．また，サポーターとなり得る場や専門職の紹介を行った．始めは疲労との付き合いや就労という目標に「頭ではわかっていてもうまくいかない」「踏み出せない」と漏らしていたAさんであったが，面談で試行錯誤を共有すること，患者会での出会いや就労支援者を得るなかで，自分自身や現状を肯定的にとらえ直すとともに，一人ではないと実感していった．

その後，退職後連絡を絶っていた同僚へ連絡をとったAさんは，「すぐに返事がきて，今の状況を応援してくれました．すごく嬉しかったし，心強いです．多分これからもうま

くいくことばかりじゃないけど，今は頼れる人がいるのを感じます．前より強くなった気がします」と笑顔で語った．Aさん自ら自分を支えてくれる存在を再模索し，自身のもてる力としていた。

②評　価

Aさんは深い苦悩を経て，希望に向け自分にできることに取り組もうとしている段階であったが，希望への活動を始めるにあたり，Aさんは現状と病気以前の自己像を無意識に比べ疲労やストレスを抱えていた．しかし，生活を見直し，疲労との付き合い方にコントロール感を得てからは，変化を受け入れるだけでなく，変化できる自分を本来もつ自分の良い部分として再認識することとなった．また，気になりつつも一歩踏み出せなかった就労へ目を向け，周囲のサポーターの存在を実感していくなかで，再び働くことを目標に定めるに至っている．Aさんなりにステップを登るように希望へ向かって歩みを進めているといえる．

看護師のかかわりを振り返ってみると，Aさんが日常生活の対処方法について困難感を感じているときには医療的な助言を行うとともに，Aさんのこれまでの取り組みを支持しつつ，現状のAさんの思いを傾聴し，取り組みを共有していった．また，Aさんが新たな目標を躊躇しているときには，早急な目標設定を見送り，見守りつつAさんの現状の取り組みを支持し，共感的なかかわりをもち，看護師自身がサポーターとしての役割を果たすようにかかわった．継続的かつサポーティブなかかわりのなかで，自己を開示し，語ることをとおして自身の思いや考えを整理することは，Aさんにとって肯定的で現実的な自己評価と病気の管理や症状への対処を見出す機会となったと考える．加えて，患者会や就労支援者の紹介は，Aさんの新たな視野や知識を広げ，希望への目標設定の後押しとなっただけでなく，希望を保持するための決意を維持・強化する結果となったと考える．

事例をとおして，モースの病気体験における苦悩と希望の理論を用いて患者を支援するうえで重要なことは，循環的関係のなかで患者がどの段階にいるかをとらえることである．Aさんの場合，苦悩を経て希望への入り口にいた．そのため，これまでや今の取り組みへの支持，共感的理解，支援者の紹介など内的・外的資源の提供が有効であった．しかし，患者がもちこたえることに専心している場合，それは情緒的反応を抑えて，その状況を切り抜けようとしている時期であり，共感的理解や思いやりなど，情緒的に働きかける支援は患者の混乱を誘発し，逆効果にもなる（Morse, 2001）．特に多発性硬化症のように慢性進行性の疾患の場合，病状の変化とともに患者がいる段階は変化しやすく，また希望を見出す過程は長期化しやすい．そのようなとき，看護師に求められるのは，患者の状況を循環的関係のなかでとらえ，希望のアセスメントガイドをもとに，希望への道筋を支援することである．それは，患者が苦悩することから希望を見出すことを信じ，その力を認めること，もてる力を引き出し，新たな目標に患者自身がたどり着けるように伴走型支援を行うことである．そのことが，患者が希望を見出し，自己を再構築することにつながると考える．

理論を看護実践につなげるために

モースの病気体験における苦悩と希望の理論は，患者がどのような深刻な状況に置かれても，情緒反応を抑えて今をもちこたえたり，現実に圧倒されて情緒反応を解放して苦悩したりすることを繰り返しながらも，希望を見出し，生き抜こうとする力が備わっていることと，患者を希望へと導き，希望を保持するための看護者の役割と適切な援助について教えてくれている．

人生や命を揺るがす病気体験を強いられる患者を前に，患者・家族と共に看護師も無力感にさいなまれることもが少なくないが，そんなときこそ，患者・家族の生き抜く力を信じ，患者の希望を支えるために必要とされる適切な援助を提供するためにも，この理論に学び，活用することをすすめたい．

文　献

Eriksson, K. (1992). The alleviation of suffering : The idea of caring. Scandinavian *Journal of Caring Science, 6*(2), 119-123.

Eriksson, K. (1997). Understanding the world of the patient, the suffering human being : The new clinical paradigm from nursing to caring. *Advanced Practice Nursing Quarterly Summer, 3*(1), 8-13.

Foss, B. & Dagfinn, N. (2009). Janice Morse' theory of suffering-a discussion in a caring science perspective. *Vard/Norden, 29*(1) , 14-18.

Georges J. M. (2002). Suffering: toward a contextual praxis. *Advances in Nursing Science, 25*(1), 79-86.

Haase, J. E., Britt, T., Coward, D. D., Leidy, N. K., & Penn, P. E. (1992). Simultaneous concept analysis of spiritual perspective, hope, acceptance and self-transcendence. Image : *Journal of Nursing Scholarship, 24*(2), 141-147.

長谷川幹子, 小林道太郎（2019).「患者の苦悩」の概念分析. 人体科学, *28*(1), 10−21.

濱田由香, 佐藤禮子（2002). 終末期がん患者の希望に関する研究. 日本がん看護学会誌, *16*（2), 15-25 .

射場典子（1996). ターミナルステージにあるがん患者の希望とその関連要因の分析. 日本がん看護学会誌, *14*(2), 66-77.

Miller, J. F. (2007). Hope : A construct central to nursing. *Nursing Forum, 42*(2), 12-19.

Morse, J. M. (2001). Toward a praxis theory of suffering. *Advances in Nursing Science, 24*(1), 47-59.

Morse, J. M. (2011). The praxis theory of suffering. Butts, J. B. & Rich, K. L. (eds),
Philosophies and theories for advanced nursing practice (596-602), London U. K.: Jones & Bartlett Learning.

Morse, J. M (2018). The evolution of our understanding of suffering: The praxis theory of suffering.
<https://nursekey.com/the-evolution-of-our-understanding-of-suffering-the-praxis-theory-of-suffering/ > [2023, April 21]

Morse, J. M. (2022). Biosketch / Janice M Morse.
< https://www.janicemmorse.com> [2023, April 21]

Morse, J. M., Beres, M., Spiers, J., Mayan, M., & Olson, K. (2003). Identifying signals of suffering by linking verbal and facial cues. *Qualitative Health Research, 13*(8), 1063-1077.

Morse, J. M., & Carter, B. (1996). The essence of enduring and the expression of suffering: The reformulation of self. *Scholarly Inquiry for Nursing Practice, 10*(1), 43-60.

Morse, J. M., & Doberneck, B. M. (1995). Delineating the concept of hope. Image : *Journal of Nursing Scholarship, 27*(4), 277-285.

Morse, J. M., & Penrod, J. (1999). Linking concepts of enduring, uncertainty, suffering, and hope. Image : *Journal of Nursing Scholarship. 31*(2), 145-150.

中山佳美（2013). ICUに緊急入室した気管切開後の患者が希望を見出すための看護介入：モースの「病気体験の理論」を用いて. KKR札幌医療センター医学雑誌, *10*（1), 60-65.

Penrod, J., & Morse, J. M. (1997). Strategies for assessing and fostering hope : The hope assessment guide. *Oncology Nursing Forum, 24*(6), 1055-1063.

Porr, C.(2008). Scholarlywork of Janice Morse: synthesis and reflection. International Journal of Nursing Practice, *14*, 265-272.

島内ちゆき, 穐山真理 (2015). モースの「病気体験の理論」を用いた再発大腸がん患者の希望を見出すための看護支援. 日本臨床死生学会大会プログラム・抄録集, *21*, 4.

●病気・障害・人生の体験を説明する理論

15 ヨシダの振り子理論

A 理論との出会い

筆者は脳卒中患者の生活の再構築に関する看護実践ならびに研究を継続している．突然の発症による疾患や受傷による障害に関しては，これまで障害受容の段階モデルなどで患者の心理変化を説明する論文が多数発表されてきた．しかし，筆者は人がそのように段階的に受容するとばかりは限らないケースを臨床で数多く経験してきた．さらにわれわれが知りうるのは，対象者の入院期間中の心理変化である．退院後患者たちがどのように気持ちを切り替えて生活を再構築していくのであろうか．われわれが支援するにあたっては，脳卒中患者が退院後長期にわたってどのように障害を自分のものとしていくのかを検討する必要があった．

そんなことを考え巡らせていたときに，偶然に紹介されたのがヨシダの振り子理論であった．この理論を構築するにあたって対象となった患者は脊髄損傷患者であったが，突然の発症による身体に障害をもつという点で類似する人の反応の傾向がわかるのではないかと夢中になって論文を読んだことを記憶している．筆者が漠然と「心理」の変化ととらえていたものは，この論文によって生活の構築の基盤となるアイデンティティの揺れ動きによるものであると論じている点で惹かれていった．また，突然障害をもった患者が段階的に障害を受容するのではなく，長期にわたってアイデンティティが揺れ動くとした点で，筆者の臨床経験に合致すると直感的に感じた．

その後，この理論がどのように臨床に活用されているのかを調べたが，残念ながらその後の論文発表を見出すことはできなかった．しかし，在院期間が短縮化された近年，通院患者の生活の再構築支援にこの理論は十分活用しうると考えている．

B 理論家紹介

カレン・ヨシダ（Karen K. Yoshida）は現在，カナダのトロント大学リハビリテーション科学部理学療法科（社会行動健康科学部門）の教授である．また，以下に紹介する業績によりtenured（終身在職権）をもっている．彼女は1991年に博士号を取得しており，その学位論文が今回紹介する『Reshaping of self : A pendular reconstruction of self and identity among adults with traumatic spinal cord injury』（1993年に発表）である．

学位取得後，彼女はトロント大学で理学療法科の学部と大学院において指導を行ってい

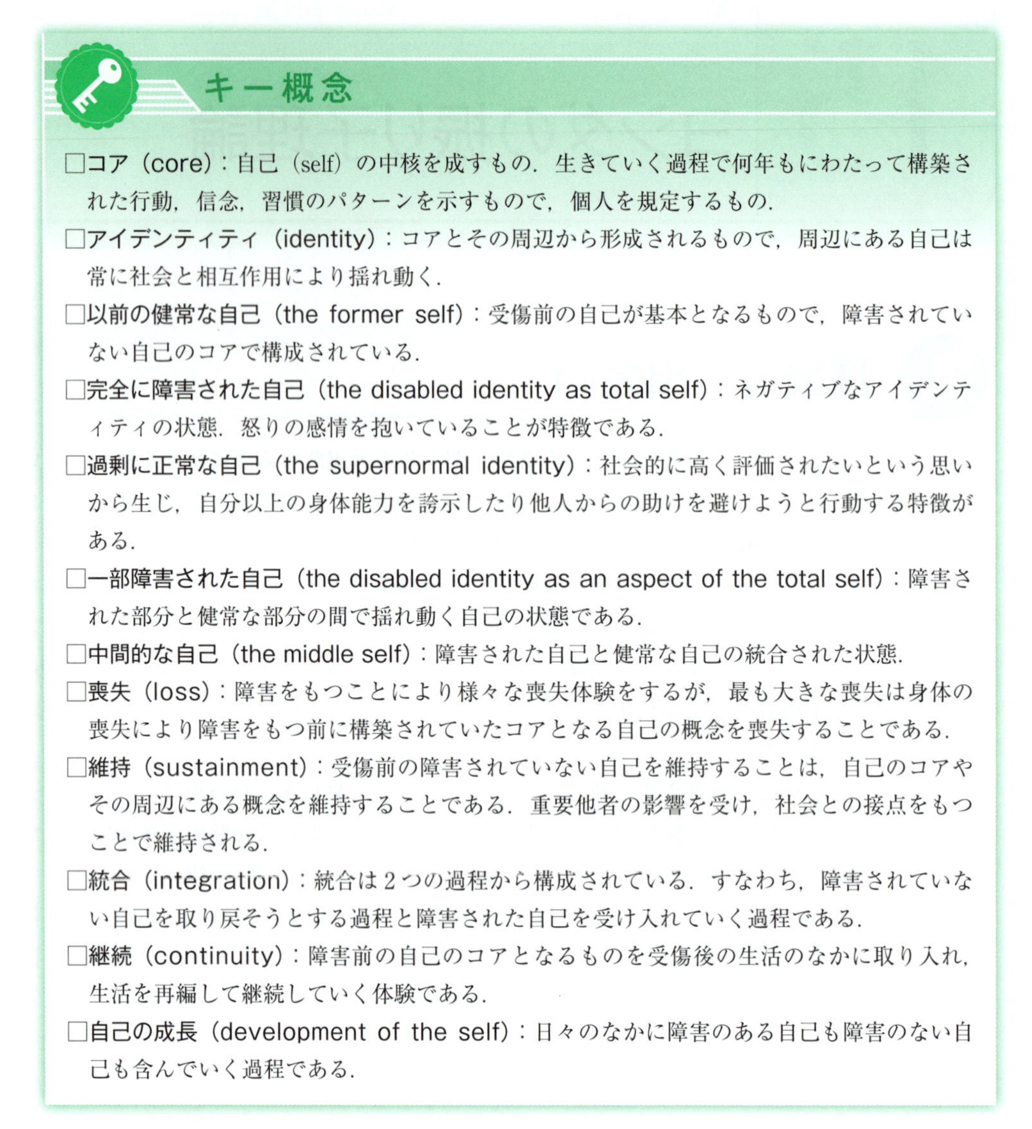

キー概念

□**コア**（core）：自己（self）の中核を成すもの．生きていく過程で何年にもわたって構築された行動，信念，習慣のパターンを示すもので，個人を規定するもの．

□**アイデンティティ**（identity）：コアとその周辺から形成されるもので，周辺にある自己は常に社会と相互作用により揺れ動く．

□**以前の健常な自己**（the former self）：受傷前の自己が基本となるもので，障害されていない自己のコアで構成されている．

□**完全に障害された自己**（the disabled identity as total self）：ネガティブなアイデンティティの状態．怒りの感情を抱いていることが特徴である．

□**過剰に正常な自己**（the supernormal identity）：社会的に高く評価されたいという思いから生じ，自分以上の身体能力を誇示したり他人からの助けを避けようと行動する特徴がある．

□**一部障害された自己**（the disabled identity as an aspect of the total self）：障害された部分と健常な部分の間で揺れ動く自己の状態である．

□**中間的な自己**（the middle self）：障害された自己と健常な自己の統合された状態．

□**喪失**（loss）：障害をもつことにより様々な喪失体験をするが，最も大きな喪失は身体の喪失により障害をもつ前に構築されていたコアとなる自己の概念を喪失することである．

□**維持**（sustainment）：受傷前の障害されていない自己を維持することは，自己のコアやその周辺にある概念を維持することである．重要他者の影響を受け，社会との接点をもつことで維持される．

□**統合**（integration）：統合は2つの過程から構成されている．すなわち，障害されていない自己を取り戻そうとする過程と障害された自己を受け入れていく過程である．

□**継続**（continuity）：障害前の自己のコアとなるものを受傷後の生活のなかに取り入れ，生活を再編して継続していく体験である．

□**自己の成長**（development of the self）：日々のなかに障害のある自己も障害のない自己も含んでいく過程である．

る．ヨシダは質的研究のエキスパートであり，障害者の直面する問題を明らかにするためにオーラルヒストリー研究会を主導している．現在の主な取り組みの一つとして，約20年前からオンタリオ州の研究機関と共同研究を行っている障害の性差については，主に障害をもつ女性に焦点を当てており，女性たちが主体的に生きることをどのように促進させうるのかを課題としてカナダの科学研究費の助成を受けている．また，障害者が直面する不平等の問題の構造化にも取り組んでおり，2019年12月初旬から拡大したCOVID-19 は，既存の不平等を悪化させ，新たな不平等を生み出していることをインタビューから明らかにしている．

こうした取り組みから2014～2015年にはカナダ障害研究会の会長を務めている．受賞歴として主なものには，2004-2006年に実施した「障害をもつ女性における差異」に関する研究でカナダの健康調査研究学会よりInstitute for Gender and Healthを受賞，2008年にはトロント市よりContributing Artistを受賞，2020年にはイギリスの障害分野に関する研究・教育に業績のあった者に贈られるTanis Doe Awardの受賞がある．

理論誕生の歴史的背景

1980年代，社会学において慢性疾患をもつ患者のアイデンティティの揺らぎについてすでにいくつかの報告がされていた．それらの研究方法は，対象者の語りをブルマー（Blumer, H.）のシンボリック相互作用を基軸とした質的手法で分析したものであった（Blumer, 1969）．病気とは症状や障害と共にある個人の生き方であり，生活体験である．したがって研究は，症状や障害を個人がどのように受け止めているか，なぜそう思っているのかを問い，個人が症状や障害と折り合いをつけながらいかに生きるかをも問うべきである．そのアプローチ法の一つとして，語り（narrative）研究があげられる．ヨシダが先行研究として参考にしたチャーマツ（Charmaz, K.）は，疾患は外部から侵入した「未知なるもの」であり，病気体験の本質は自己の喪失であるとして，慢性疾患患者における自己のアイデンティティの喪失に関する研究を発表していた（Charmaz, 1987）．

理学療法士であったヨシダは当時，慢性疾患ではなく突然の事故により身体の機能を失う体験をする脊髄損傷患者がどのように自己を再形成するかについて興味をもった．ヨシダによると，脊髄損傷は慢性疾患と異なり比較的若い世代が受傷すること，そしてある日突然に障害をもつことになるという特殊性があることに着眼したという．そしてその体験があまりにも突然であるがゆえにそれまでいわれてきた障害の段階理論とは異なって，健康だったときの自己を何度となく振り返り，障害者となった自分との間で揺れ動くことを見出したと述べている．

ヨシダの振り子理論とは

ヨシダは外傷性脊髄損傷で麻痺をもつ40名（最終的には35名になった）の男女を対象として調査を行った（Yoshida, 1993）．対象者の男女比率や年齢構成は，当時の脊髄損傷患者の母集団とほぼ同一の対照群であった．研究方法は，半構成的インタビューにより語ってもらった病い・障害体験をグラウンデッドセオリー法で分析している．その結果，アイデンティティの再構築の過程は，障害されていない自己と障害された自己の間を行ったり来たりするという振り子のモデルを描き出した．このモデルは，①以前の健常な自己（the former self），②完全に障害された自己（the disabled identity as total self），③過剰に正常な自己（the supernormal identity），④一部障害された自己（the disabled identity as an aspect of the total self），⑤中間的な自己（the middle self）から構成される．

1 以前の健常な自己

以前の健常な自己とは，受傷前の自己が基本となるもので，障害されていない自己のコア（中核）とその周辺の側面から構成されている．このコアとなるものは何年にもわたって個人のなかで確立していた自己概念であり，かつ自己の基本となる信念でもある．そしてそれは受傷するまでの人生経験やその経験を自分なりに意味づけて構築されたものであり，個人を規定している（ヨシダが先行研究として参考にしていたシャーマズは，“entrenched self”すなわち「確固たる自己」とネーミングしていた）．

2 完全に障害された自己

完全に障害された自己は，ネガティブなアイデンティティである．この自己は主に2つの状況で明らかになった．一つは，自分は何もできないのだから，自分が依頼をしなくても周囲がすべてを援助してくれるべきであるとする状況で，もう一つは，自分を障害者であることは周りがわかっているべきであると思い込む状況である．この局面ではこうした自分の期待と他者の対応の違いに対して怒りの感情を抱いていることが特徴である．

3 過剰に正常な自己

過剰に正常な自己は，周囲からのいかなる援助をも拒否し，これまでの自分以上の身体能力を誇示する状況である．この局面には障害をもっている自分の身体能力以上の活動を試みようとしたり，通常以上のエネルギーや時間を必要とする仕事に従事しようとする状況として観察された．これは，社会的に高く評価されたいという思いから生じている．

4 一部障害された自己

一部障害された自己はアイデンティティの再建過程において，一人の自己のなかで障害された部分と健常な部分の割合を常に考慮し，2つの自己の間を揺れ動く状態である．これは，何らかの自己決定をする場面で，しばしば障害された側面と障害されていない側面の両方を考慮に入れて決定していく様子として現れるのが特徴である．

5 中間的な自己

中間的な自己は，障害された自己と健常な自己の統合された状態である．ここでいう統合とは，必ずしも障害された自己と障害されていない自己が均等に存在するわけではない．状況によってその割合を変化させつつ2つの側面を総合的に考えながら判断できる自己を再建した状態を意味する．こうして振り子の両端を揺れ動きながら最終的には中間の自己に落ち着いていくのだが，中間的な自己に落ち着いた人には共通した3つの特徴がみられた．

①今後の障害をもちながらの生活がイメージできる．
②障害を否定的にとらえていない．
③共通の障害者との集団意識があり，人間として広く社会に関心をもつ．

振り子の動きは数か月から数年にわたって揺れ動き，通常は「以前の健常な自己」から「完全に障害された自己」へと揺れ，再び「過剰に正常な自己」に戻り「一部障害された自己」に揺れ，多くの人は次第に振り子の中心である「中間的な自己」にとどまる．しかし，必ずしも同じような振り子の動きを示すわけではなく，揺れが少ないまま「中間的な自己」にとどまる者もいれば，一度「中間的な自己」を見出しても再び状況や時間の変化

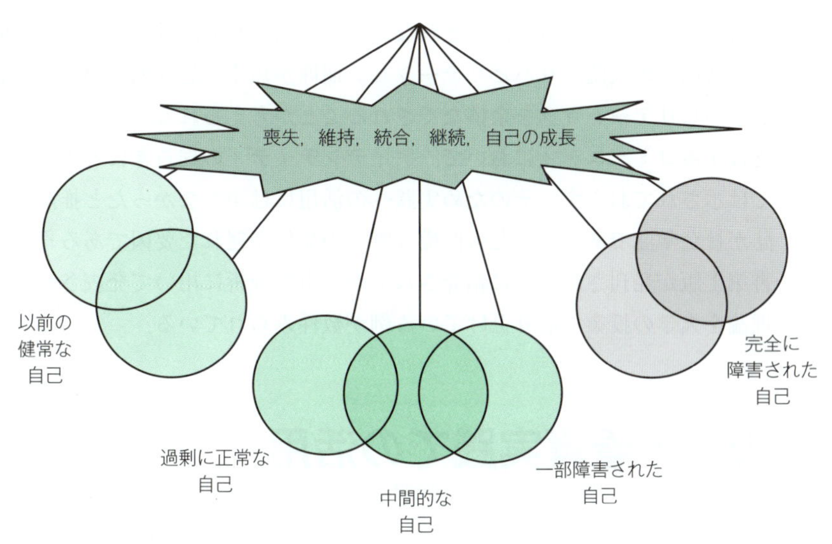

図15-1●ヨシダの振り子モデル
Yoshida, K. K. (1993). Reshaping of self : A pendular reconstruction of self and identity among adults with traumatic spinal cord injury. *Sociology of Health & Illness*, *15* (2), 217-245. をもとに筆者作成

に伴い揺れ動く場合もある．

このような振り子の動きは喪失，維持，統合，継続そして自己の成長という５つの体験の影響を受ける．図15-1のモデルは，振り子がこれらの影響を受けている様子を，もともとのヨシダの振り子理論に筆者が加筆して示したものである．

①**喪失**：障害をもつことにより様々な喪失体験をするが，最も大きな喪失は障害をもつ前に構築されていたコアとなる自己の概念を喪失することである．

②**維持**：受傷前の障害されていない自己を維持することは，自己のコアやその周辺にある概念を維持することである．重要他者の影響を受け，社会との接点をもつことで維持される．

③**統合**：統合は２つの過程から構成されている．すなわち，障害されていない自己を取り戻そうとする過程と，障害された自己を受け入れていく過程である．

④**継続**：障害前の自己のコアとなるものを受傷後の生活のなかに取り入れ，生活を再編して継続していく体験である．生活の再構築の過程には欠かせない体験である．

⑤**自己の成長**：成熟していく過程ともいえ，日々のなかに障害のある自己も障害のない自己も含んでいく過程である．多くの受傷者がその過程で成熟度が上がっていき，忍耐強くなっていく自己を知覚していた．

E 研究の動向

前述のようにヨシダの振り子理論は，多くの対象者に膨大な時間をかけて構築された理論である．しかし，ヨシダによると臨床では活用されなかったという．また，ヨシダ自身もこの研究の後，別の研究テーマに移行したため，さらなる研究報告をしていない．

研究成果が臨床実践に活用されなかった理由として，ヨシダが理論を開発した北米では医療機関への入院・リハビリテーション期間が短く，急性期を過ぎると患者は自宅での通院リハビリテーションを余儀なくされることが考えられる．さらに，こういった障害者を支援するコミュニティにおいて，アイデンティティの揺らぎにどのような対応が必要かまでは示されておらず，そのため実践への活用には至らなかったと推測される．また，発表誌が社会学誌であったことも医療分野への発信が遅れた要因であろう．しかしながら，本書第1版が発刊され日本に紹介されてから事例分析に用いて発表された学会報告や振り子理論を大学の授業で取り上げている例が数件みられている．

理論の看護実践での活用

1 対象となる事例

障害をもつ疾患は脊髄損傷ばかりではない．脳卒中や失明，あるいはCOVID-19の罹患後遺症を抱えるなど突然の身体機能の低下により自己の喪失体験をする状況においては，長期にわたり患者の心理的サポートの必要がある．人は健常な日常生活を送りながら無意識のうちに自己のアイデンティティを形成しており，予測しない身体的な機能障害により思うように活動ができなくなると，これまで意識しなかった自己を自覚するとともにその自己概念を変更せざるを得ない状況に立たされることになる．したがって，ヨシダの振り子理論は突然の受傷あるいは罹患による身体機能低下から生活を再構築していく過程にある患者に有用であると考えられる．

2 看護実践の活用場面

これまでの多くの障害受容に関する理論の活用を概観すると，段階理論に当てはめて受容を促そうと介入するケースが多い．しかし，もともとの個人特性や障害をもつに至った経緯，あるいは対象者が退院後生活する環境によっては必ずしも段階的に受容するとは限らない．そのため本理論は揺れ動く患者の心理状況が，どのようなありようなのかを把握することに使用することができる．患者の心理状況を分析することは，当てはめるのではなく中間的な自己を形成するまでの患者の心理変化に寄り添い，生活を再構築していく患者への看護実践に活用することにつながる．次にヨシダの振り子理論を活用して心理変化をとらえ看護介入した事例をとおして，臨床での活用方法を紹介する．

臨床での活用の実際

1 事例紹介

Aさんは40代後半の男性で某都道府県の道路管理を請け負う会社の技術者であった．2

人の子どもと妻がいたが，広域なBエリアの道路管理のために単身赴任で生活していた．Aさんはもともと健康には気をつかうほうで，晩酌もせず昼食以外は自炊を心がけていた．

広域の道路を管理する仕事は，どんな時期でもどんな場所でも現地に出向いて道路の状態を確認しに行かなければならなかった．Aさんの発症は暑い夏の日，道路の計測作業後の出来事であった．作業を終えて車に乗り込んでエンジンをかけたもののハンドルに添えた左手に力が入らないことに気がつき，会社に電話をしようと携帯電話を手にした．そのとき，電話口で何をしゃべっているのかわからないAさんの異変に気がついた同僚が救急車をすぐに手配し，緊急搬送によって一命をとりとめた．Aさんは右の出血性脳梗塞と診断され，出血範囲が広範であったために重度の麻痺が残ることが予測されていた．

筆者がAさんと出会ったのは，家族が暮らすC市の病院であった．Aさんは車椅子に座って自分で左足を挙上する訓練を行っていた．もちろん左足はほとんど動かなかったが，彼の床頭台にはリハビリテーションの本が開かれていた．Aさんは家族のために早く回復して職場復帰することを目指しており，そのために自分なりにリハビリをしようと妻に購入してきてもらったリハビリテーションの本を参考に時間の限り自室でトレーニングをしているのだと話してくれた．しかし，Aさんの麻痺は完全麻痺に近く，元の生活は望めなかった．Aさんの脳卒中は出血の前に一度梗塞を起こしていることから前兆があったことも考えられ，片麻痺という身体をもった自分を受け入れ，生活していくことは容易なことではないことが予測された．また，発症が単身赴任先であったことから入院・転院・退院に伴う生活の場の変化など心理的側面への影響，家族への思いなど生活を再構築していくにあたって影響を与える要因が複数存在しているため心理変化に即した支援が必要であると考えられた．

2 理論に照らしての援助のポイント

近年，在院期間が短縮し障害を抱えた状態で外来通院しながら身体機能回復のためのリハビリテーションや生活の修正に取り組まなければならないケースが増えている．しかし，そのためには長期間にわたり身体機能の回復とともに心理的変化にも視点を当てたフォローが重要であると考えられる．

筆者は，脳卒中による突然の身体機能低下をもつ患者における外来での精神的フォローとして，ヨシダの振り子理論が有用であることに着眼した．そして患者が示す5つのアイデンティティの揺れ動きに合わせたアセスメントと援助の方法を整理した．患者の言動から現在，振り子のどの局面にいるのかを確認のうえ，その時期に応じた対応をすることが重要である．表15-1に各自己認識ごとに予測されることと援助の方向性を示した．援助のポイントは，脳卒中患者のみならず突然の障害を生じる事例に活用できると考えている．

3 活用例

事例の心理変化について患者が自分自身の障害をどのようにとらえているかに焦点を当て，理論を頼りにAさんの言動を分析した結果，［以前の健常な自己］［完全に障害された自己］［過剰に正常な自己］［一部障害された自己］［中間的な自己］にほぼ適合する認識の時期が見出された．ヨシダの理論でいう多くの振り子の揺れ動きとは若干違った揺れで

表15-1●各認識における看護のポイント

5つの自己認識	援助のポイント
以前の健常な自己	無理に身体機能を認識させると闘病意欲が減退する可能性があるため，実際の身体状況と自己認識のズレを回復意欲に結びつけ，時間をかけて納得できるようかかわる．また，身体認識のズレによる身体損傷の危険を回避できるよう安全を確保する
完全に障害された自己	自己のコアの喪失体験をすることが多いため，精神的に不安定な状況である．自分の内面を吐露できる場を保証する
過剰に正常な自己	認識のズレが大きい状態が続くと，過負荷による身体的な健康障害や実生活に適応できなくなることが予測される．そのため，抱いている認識を直接否定することは避けつつ，現実の身体状況に見合った生活を目指せるようアプローチする
一部障害された自己	この時期の患者は，正常である自己と障害のある自己が表裏一体となっており，時として障害された自己を認識して落ち込んだりするため，障害されている自己もありのままの自分として統合できるようにかかわっていく
中間的な自己	周囲の状況によっては，変化する可能性があるため，引き続き生活状況や心理状況を定期的に確認し，いつでも相談にのることを保証する

はあったが，これら5つの時期ごとのAさんの様子と理論を用いた看護の実際（アセスメント，援助の実際，評価）を以下にまとめた．

1）以前の健常な自己：2週目〜1か月

緊急搬送されたBエリアの病院で右出血性脳梗塞と診断され，一命をとりとめたAさんは，2週間の点滴治療後C市内の病院に転院し，本格的なリハビリテーションを開始することになっていた．MMT（徒手筋力テスト）は左上下肢とも1〜2程度で車椅子への移動は全面的な介助が必要であった．また，車椅子乗車で食事は右手で自力摂取可能，排泄はトイレへの移動や端座位保持に介助が必要であった．また，入浴はストレッチャー浴で，更衣も紐を結ぶなどの介助を要していた．

しかし，「歩けるようになりさえすれば仕事にも戻れます．急に穴をあけちゃったので同僚に申し訳なくて．早くBエリアに戻って自分で生活できるようにならないと」と繰り返し，元の単身赴任生活に戻る強い希望をもっていた．

〈看護の実際〉

身体状況としては，梗塞後の出血で広範囲に脳にダメージを受けていることからAさんの完全な麻痺の改善は望めず，装具を付けての歩行が可能かどうかという現状であった．しかし，Aさんは自分に生じている麻痺はこのまま完全に回復し，元の職場に単身赴任で戻れると信じており，彼の認識は振り子理論でいう［以前の健常な自己］であると考えられた．

この時期の看護のポイントは，実際の身体状況と自己認識のズレを意欲に結びつけ，時間をかけて納得できるようかかわることと同時にそのズレによる危険を回避できるよう安全を確保することである．本事例では，「以前のような生活に戻れる」という認識を否定せずかかわった．また，動けると思って活動した際に発生する危険防止のための環境整備を行った．その結果，リハビリへの意欲をもち続けることができた．

2）完全に障害された自己：発症から１か月前後

Aさんの発症は，暑い夏の道路の計測作業後の出来事であるが，実は発症からさかのぼること１週間前に脳梗塞による手のしびれを自覚していた．C市の病院に転院してきてから約２週間，思うようにリハビリテーションが進まず自室でも本に載っている運動を試みようとしても上がらない下肢を見ながら発症の１週間前の出来事を語るようになった．「思えばあのときに脳に異変が起きていたんだね．なんであのときに気づかなかったんだろう…．気がついていたらこんなことにはならなかったのかもしれない」「あの日暑かったよね．もう少し水分を多めに摂っていればよかったのかな」など，後悔とも思える語りが増えていた．

〈看護の実際〉

この時期は，Aさんのコアとなる「有能な道路管理技術者である自己」あるいは「家族を養う一家の大黒柱」といったアイデンティティが崩れ去り，強い喪失の感覚と後悔の念を抱いていることが見て取れた．さらに，すべてにおいて自己をネガティブにとらえており，「ずっとこのままだったら家族に迷惑をかける」と目を潤ませていることもあり，[完全に障害された自己]を認識していた時期であった．

この時期は以前の自分と比較することによって自己認識のコアを喪失しているため，すべてにおいて否定的な考え方をするようになり，精神的に不安定な状況である．看護のポイントとしては自分の不安定さを吐露できる場を保証することである．本事例においては，毎日話を聞く時間を設け否定も肯定もせず本人の不安を聞き取った．

3）過剰に正常な自己：退院に向けた歩行練習が開始となった時期

立位訓練まで約２か月を要したが，いよいよ退院に向けて歩行訓練が始まった．麻痺の程度が重くすでに痙性が始まっていたため，装具を着けなければ立位がとれない状態ではあったが，車椅子からの離脱はAさんにとっては大きな一歩であった．「この調子だと杖歩行で退院できるそうです．あとは車の運転も右側でできるように訓練すれば元の職場に戻れます！」と張り切っている様子であった．この頃は，リハビリテーションスタッフにも「お部屋でも練習できるメニューを考えてほしい」と希望し，再び単身赴任生活に向けて意気込む姿がしばしばみられた．

〈看護の実際〉

単身赴任の職場復帰をめざすような言葉から，この時期の自己の認識は[過剰に正常な自己]であると判断された．しかし身体機能は順調に改善していたが，発症より３か月近くなり，そろそろ回復も頭打ちになることが予測された．歩行は装具装着と杖歩行で何とかできても，実際に仕事に復帰することや単身赴任で調理や洗濯などのIADLをこなすことはとうてい無理な状態で，本人の認識とはかけ離れたものであった．

この時期の看護のポイントは，現実の身体状況に見合った生活を目指せるようアプローチすることである．認識のズレが大きい状態が続くと，身体への過負荷や理想とする生活とのズレから適応できなくなる危険性があるからである．本事例においては，医師，理学療法士らと何度もカンファレンスを開き，退院までにどのような生活が今後予測されるかを理解してもらうことを目標にかかわることとした．実際には，医師からはそろそろプラトーの時期に到達しており，これ以上の回復は望めないことを説明し，理学療法士や作業療法士から実際に職場で行う測量は片手では不可能であり，IADLも家族の協力や自宅の環境調整が必要であることを伝えた．また，看護師からは再発防止のための生活の留意点や症状の早期発見のために定期的な受診や些細なしびれなどでもすぐに医療機関にかかることの必要性を指導した．

その結果，退院後の自分の生活をイメージすることができ，単身赴任をあきらめ，自宅から通える範囲の事業所への転勤希望を出して仕事に復帰することをめざして退院に至った．

4）一部障害された自己：半年後の時期

その後Aさんとは外来受診時にかかわることになった．発症後約半年たったときの外来受診での会話でAさんの近況は約３か月の入院後，２週間の自宅療養を経て車で約20分の距離のC市内の事業所に転勤になったとのことであった．「退院したらBエリアに戻れるなんて夢だったよ．実際，社内の事務仕事だってクリアファイルに書類一つ入れるのにも片手じゃ思うように入れられず時間がかかる始末だよ」と話され，社会復帰したものの障害のあることを自覚する場面を語った．また，「職場の人は優しいの．障害者枠で雇用されているからかもしれないけど，こんな自分にも道路管理のことを相談してくれて．役に立てるって嬉しいね」とも語った．

〈看護の実際〉

Aさんの語りから，社会復帰して元の技術者として頼られる自分に誇りをもちながらも，時として障害がある自分の動けなさを自覚して正常に戻りつつある自己と障害のある自己の間を揺れ動いている様子がうかがえた．社会の人々とのつながりをもちつつ，一人前ではない自分や日常の動作さえも不自由な自分を表現していることから，［一部障害された自己］と認識していた時期であった．

この時期の患者は正常である自分と障害のある自分が表裏一体となっており，時として障害された自己を認識して落ち込んだりする．看護のポイントは，障害されている自己もありのままの自分として統合できるようにかかわっていくことである．

本事例では，自分なりに生活を管理できていること，社会から頼られていることを評価し，時間がかかっても一つひとつこなしていることを承認した．

5）中間的な自己：退院後約１年後

Aさんは，１年間再発することもなく経過していた．この１年を振り返り，現在の生活状況を確認した．「仕事は相変わらずスローだよね．家でもちょっと肩身が狭いしね．でもね，こんな障害が残ったとしても俺が生きて仕事があるだけでも家族が食べていく収入はあるわけさ」と自己認識のコアである一家の大黒柱である自分を取り戻していた．また，「最近ね，左足の痙性は相変わらずなんだけど，何秒で装具を着けられるかとか，何秒で車まで移動できるかとか客観的に見える指標でちょっとの回復を感じようと思ってね．１秒縮まったからなんだというわけじゃないのはわかっているけど．まあ，目標管理だね」と笑って話してくれた．

〈看護の実際〉

この時期は，障害をもつ自分を認めながらも家族や職場の人の力を借りることによって仕事をするという今後の生活がイメージされていた．また，障害を抱えながらもわずかな回復（成長）を楽しむなど今後の生活を肯定的に見据えており，［中間的な自己］を見出した時期と考えられた．

Aさんは，障害前の自己のコアとなるものを取り戻しもともと道路計測という測って客観視する方法を巧みに受傷後の生活のなかに取り入れ，生活を再編し継続していく体験をしていた．すなわち，障害をもつ自分と健常な自分を統合つつあると考えられた．しかし，これまで自己のアイデンティティが周囲の状況により揺らいできたことから，この先も周囲の状況によっては変化する可能性がある．したがって，引き続き受診の際には生活状況や心理状況を確認し，さらに困ったことや不安なことにはいつでも電話などでも相談に乗ることを保証するといった看護を継続していく必要がある．

事例紹介では理論をわかりやすく説明するため，特徴的な5つの時期を示したが，実際には患者の生活や心の揺れ動きは連続体であり，常に揺れ動いている．また，[以前の健常な自己][完全に障害された自己][過剰に正常な自己][一部障害された自己][中間的な自己]という流れで揺れ動くとも限らないし，期間も様々である．いずれにしても看護師は，患者の心の揺らぎをとらえ，その時々の状況にふさわしい援助をする必要がある．そのためには常に患者自身が自己をどのようにとらえているのか，その揺らぎに影響を与えている要因は何かをアセスメントし，介入していく必要がある．

H 理論を看護実践につなげるために

ヨシダの振り子理論は，アイデンティティは社会との相互作用によって形成されるというシンボリック相互作用論を基盤にし，コアとなる自己を中心にしながら周囲の状況により揺らぐことを示している．このような自己のアイデンティティが行きつ戻りつしながらその納まりどころを探すという理論は，突然の身体機能の低下をもつ患者の体験を説明するには十分活用可能である．また，本理論を活用するためには対象者がもともとどのような価値観をもって生活していたのか，そのコアとなる患者像をとらえている必要がある．そのためには患者との関係性を築き，患者の語りを活用することが重要である．

カレン・ヨシダの振り子理論が1993年に発表されてから臨床ではほとんど活用されてこなかったのは，どのように活用することが可能か示されてこなかったことが要因であろう．さらに，日本において在院日数が減少し患者の話を十分聴く時間がとれない臨床の事情も背景にあるかもしれない．長期にわたるアイデンティティの揺れを支援する看護実践は病棟だけでなく外来通院や退院後の訪問看護でも継続的に地域でかかわる際に活用しうる理論であるため，今後活用されることを期待したい．

文 献

Blumer, H. (1969). Symbolic Interactionism : Perspective and Method. Englewood Cliffs, NJ : Prentice-Hall.

Charmaz, K. (1987). Struggling for a self : Identity levels of the chronically ill. In J. P. Roth, & P. Conrad, (Eds), Research in the sociology of health care. Greenwich, CT : JAI Press.

Yoshida, K. K. (1993). Reshaping of self : A pendular reconstruction of self and identity among adults with traumatic spinal cord injury. *Sociology of Health & Illness*, *15*(2), 217-245.

● 危機・ストレス・不確かさの認知や対処に関する理論

16 危機理論

A 理論との出会い

筆者が危機理論に出会ったのは，今から20年前，筋萎縮性側索硬化症（amyotrophic lateral sclerosis：ALS）患者の看護について学びを深めたいと思い大学院博士前期課程に在籍していたときである．当時，大学院で学びながら，ALS患者会のボランティアをしており，北海道という広大な地域ゆえに交通機関が不便で患者同士の交流が難しい状況を埋めるべく患者宅を訪問し，これまでの経過や生活の工夫，現在の困り事などを伺い，患者個々の体験を会報誌に掲載し紹介していた．

そのなかで多くの患者は，診断がつく前と確定診断を受けた時期がつらかったと話していた．診断前は，身体に起こった不調の原因がわからず不安に苛まれ，複数の病院を経て，何の病気か診断がつきほっとしたのも束の間，ALSは，原因不明で有効な治療法がなく，全身が動かなくなり呼吸ができなくなる進行性の病気であると説明を受けていた．さらに進行の速さは人によって異なり予測がつかないことから，ある患者は，告知を受けた数か月間は，「急に息ができなくなり明日にも死ぬのではないか…」と，死の恐怖におびえていたことを打ち明けてくれた．また，家族からは，ALSの確定診断後，患者が自殺を図り，幸い一命を取りとめたが，その出来事が家族の心の傷となって消えないことを話され，大学院のゼミで学んだ危機理論と重ね，ALSの診断は，患者ばかりか家族にも大きな影響を与え，危機に陥る可能性をはらんでいることを深く心に刻んだ経験であった．

これらの患者と家族の語りは，ALSの診断により，危機に陥る可能性が高いことを示しており，適切な支援を受けることで危機に陥ることを回避できた事例もあったと考える．そのため，患者が必要とするタイミングを逃さず支援を提供するためには，患者の危機状態を適切にとらえることが必要であり，対象理解や支援方法を検討するために危機理論が活用できると考えた．

B 理論家紹介

危機理論は，予防精神医学においてリンデマンとキャプランらによって1940年代から1960年代にかけて構築された理論である．その後，彼らに触発された多くの理論家が危機モデルを発表している．本書ではわが国の看護の臨床おいて最も多く活用されている，心理学者のフィンクと看護学者のアギュララを紹介する．

キー概念

□危機（crisis）：人生や生活の目標に向かうときに，目標達成を妨げる事態に直面し，それが習慣的な問題解決の方法を用いても回復できない場合に生じる情緒的不均衡状態.

□発達的危機（maturational or developmental crisis）：幼児期，思春期，老年期，結婚，定年などの発達，成熟に伴う人生の特定の時期で発生する予測しえる特有の危機.

□状況的危機（situational crisis）：失業，離婚，別離などの社会的危機（social crisis）や，病気，事故，火災，地震，暴動などの偶発的危機（accidental crisis）など，予期しえない出来事によって身体的，心理社会的に安定した状態が脅かされる危機.

□消耗性危機（exhaustive crisis）：はじめは危機に対して有効に対処していたが，ストレスが長期化することで至る危機.

□ショック性危機（shock crisis）：突然の社会環境の変化や突発的な衝撃的出来事で，それまでの対処機構では対処できずに至る危機.

□危機モデル（crisis model）：危機の過程を模式的に表現したもの．危機の構造を明らかにし，援助者が何をすべきかを示唆する.

□危機介入（crisis intervention）：危機に直面する人に対して，迅速かつ効果的な対応を行い，危機を避けさせるとともに，適応を推進させる治療的手法.

□対処機制（coping mechanism）：不快なストレスや脅威から意識的に自分を守り，問題解決を図る過程．対処の形式は，情動志向的対処と問題志向的対処がある.

□防衛機制（defense mechanism）：不快な状況や不安・緊張を引き起こす情動に対し，心の安定を図るための自我機能.「昇華」「ユーモア」などの健康的な防衛機制と「分離」「抑圧」などの不健康な防衛機制がある.

ステファン・フィンク（Stephen L. Fink）は，脊髄損傷によりショック性危機を体験した患者が危機から4段階を経て適応へと向かう過程を示した障害受容型危機モデル「Crisis and motivation：A theoretical model」を発表した（Fink, 1967)．その当時，ケース ウエスタンリザーブ大学の心理学の准教授（博士）であり，その他論文として，「不安，痛みや死の精神生物学的分析」(Shontz & Fink, 1959),「慢性病患者のボディイメージ障害」(Fink & Shontz, 1960),「死にゆく人の心理的成長の可能性」(Zinker & Fink, 1966）などがある．その後，ニューハンプシャー大学ウィットモアビジネス経済学院に移り，1971年「Organizational crisis and change」(Fink, Beak & Taddeo, 1971）を執筆し，組織的危機のなかの個人に焦点をあて，同様に4段階を経て適応に向かう危機モデルを用いて説明している.

ドナ・アギュララ（Donna Conant Aguilera, 1925-2002）は看護師であり心理学者でもあった．ストレスの多いなかで，心理的均衡を保つことにより事前に危機を回避する問題解決型の理論と介入方法に関する初版『Crisis intervention：Theory and methodology』を発刊した（Aguilera & Messick, 1970)．その後，米国社会で生じている危機的な問題と危機介入の必要性から4年ごとに改訂を重ね1987年の第8版まで14か国語で出版されている．初版当時，彼女はカリフォルニア大学ロサンゼルス校の精神看護准教授として在籍しており，1974年博士号を取得している．また，ディディハーシュコミュニティー精神保健センターのスタッフメンバーとして活躍し，多くの賞を受賞した．国立保健研究所研究員や米国看護協会特別研究員も務め，カーター大統領に女性保護顧問委員を任命されたこともある．晩年の9年間は，サンマリノハンティトン図書館の講師として過ごし，2002年5月7日に他界した（Published by *Los Angeles Times* on May 14, 2002）．

理論誕生の歴史的背景

危機理論は4つの歴史的背景のなかで構築されてきたことから，以下にそれぞれについて述べる．

1つ目は軍事精神医学分野であり，第一次世界大戦の頃（1914-18年）から，危機に関する考え方が系統化され，方法論が整えられたといわれている．そこでは，戦争神経症の兵士に精神医学的方法で治療が行われ，軍事精神医学のなかで危機介入の基本概念が発展した（山勢，2010）．戦場における精神医療の原則は，即時（immediacy），接近（proximity），見通し（expectancy），繁留（concurrence），委任（commitment）であり，この5つの原則は危機介入の基本概念として発展していった（稲村，1997；山勢，2001）

2つ目は急性悲嘆反応への介入分野であり，主として市民を対象とする一般的精神医療のなかで，災害死した人々の家族に対する悲嘆反応の支援である．リンデマンは，1942年に起こった，ボストンのナイトクラブ「ココナッツグローブ」の大火災で亡くなった家族を観察し，家族たちの一連の反応プロセスを急性悲嘆反応として報告するとともに，心に秘めた悲嘆を認めて表出するよう促し，悲嘆反応を共有することで愛する人の死を受け入れ，喪失感を解消していくという正常な悲嘆プロセスを踏めることも報告しており，悲嘆過程を理論化したり，危機介入技術の発達を促したりすることに貢献した（Lindeman, 1944；桑原，2010；稲村，1977）

3つ目は地域精神予防の分野である．第二次世界大戦後は，危機介入や予防的介入の考え方が精神医療のなかに位置づいた．その1つが，キャプランに始まる予防精神医学である（稲村，1977）．リンデマンとキャプランは1946年にハーバード地域にウェスレイ・プロジェクトとよばれる精神的健康に関する地域プログラムを開設し（Aguilera, 1994　小松・荒川訳，1997），地域精神予防につながっていった．

4つ目は自殺予防の電話相談分野である．自殺予防運動の始まりは，1953年イギリスのチャド・バラー牧師が創設した電話相談ボランティア組織「サマリタン」である．情緒的不均衡状態つまり危機にある相談者が，場所や時間の制約を受けず，匿名性を保ち交流できることが発展した所以である．日本においても，1971年東京にいのちの電話が開設され，全国的に広がっていった．

1970年「Crisis intervention：Theory and methodology」の初版が出版される以前は危機・クライシスという言葉は心理学辞典のなかには見当たらない言葉であった．しかし，今日ではごく一般的な言葉として用いられ（Aguilera, 1994　小松・荒川訳，1997），近年では，危機，危機介入，危機管理という言葉は，災害，テロ，サイバー攻撃，経済問題等々のなかで日常的に使われるようになり，身近な言葉になっている．

危機理論とは

1 危機理論の基盤

危機理論は1940年代から1960年代において，リンデマンとキャプランらによって構築された理論である．理論誕生の基盤には，心理学と精神医学領域における，フロイトの精神分析，フロイトの理論から導かれたハルトマン，エリクソンらの自我心理学，キャノン，セリエのストレス理論，ラザルスのストレスコーピング理論などがある．理論の根底には，キャノン，セリエのホメオスタティックの生理的均衡作用理論があり，人は危機に陥ると，生理的，心理的，社会的に安定を示そうとするという考え方が基本となっている．

2 危機と危機状態

キャプランは精神分析学と自我心理学をベースに，危機と危機状態について，次のように説明している．精神的健康の最も重要な側面は自我の状態と成熟の程度であり，この自我の働きで，人は均衡状態を維持し，様々な問題解決をしようとしている．人は恒常的に精神のバランスを保つ機構をもっており，問題に直面したときは一時的にバランスを損なうことはあっても，やがて元の状態に戻る．しかし，問題が大きく，習慣的な問題解決方法を用いても乗り越えることができないときに情緒的混乱がもたらされ，それを危機とみなしている（Aguilera，1994　小松・荒川訳，1997）．このような情緒的不均衡状態が危機状態であり，混乱と動揺の時期がしばらく続き，その間，打開するための様々な試みがなされる．このような危機状態に陥っている期間は1～6週間といわれ，人は何らかの形で，不均衡状態から脱しようとする（Caplan，1961　山本訳，1968）．このとき，新たな解決様式が導入され，均衡が回復すると成長を促進することになる．しかしながら，均衡回復に至らない場合は，問題解決を放置するなど不健康な人格形成につながる（山本，2000）．

3 危機の種類

コナー（Koner，1973）は，危機のプロセスには消耗性危機とショック性危機の2つがあると述べている．消耗性危機は，はじめは危機に対して有効に対処していたが，ストレスが長期化することで危機的状態に至る．ショック性危機は，突然の社会環境の変化や突発的な衝撃的出来事で，それまでの対処機構では対処できず危機的状態に至る（山勢，2010）

また，岡堂・鈴木（1987）は，危機のタイプには，発達的危機と状況的危機の2つがあると説明している．発達的危機は，思春期，就職，結婚など，人の成長発達過程で誰にでも起こる人生の過渡期に体験するものをいう．状況的危機は，偶発的に経験されるもので，配偶者の死，離別，病気や事故，未熟児や障害時の出産など，生活上の変化が起こった場合にもたらされる.

4 危機の特徴

キャプランは，危機状態の特徴について，以下の３つを挙げている.
①危機を促進するようなはっきりわかる出来事がある.
②危機は通過していくもので，必然的に時間的制約がある.
③危機の間，人は防衛機制が弱いために他者からの影響を受けやすい.

また，ミラーとイスコーは，危機の特徴の重要な点として，時間的には非常に短期間から，５～６週間くらいであること，行動の顕著な変化がみられること，自分ではどうしようもない気持ちや心細い気持ちに陥ること，身体的な緊張を伴うこと，深刻度は人により異なること，反応には典型的な段階がみられることを示している（山勢，2010).

リンデマン（Lindeman，1944；桑原，2010）は，急性の悲嘆という危機に遭遇すると，人はみな著しく画一的な症候を呈すると説明している.
①身体虚脱感を示す段階：咽頭部の緊張，呼吸促迫，深いため息，腹部膨満感，筋の脱力が20分から１時間ほど続く.
②死のイメージに浸る：死者が自分に呼びかける，死者に相談しているなど.
③罪悪感：死者に対する自分の些細な不注意や配慮のなさを責め，誇張するなど.
④敵対反応：友人や親族がやさしく接しようとしても，不機嫌さや怒りを表出するなど.
⑤通常の行動パターンの消失：落ち着きがなく，絶えず動き回っているなど.

これらの症状は，悲嘆に対する正常な反応であり，適切な治療的接近，すなわち死者との密着を弱めるとか，死者の存在しない淋しい環境に適応させること，および新たな対人関係を築くことなどによって改善できる．しかし，反応遅延や屈折反応が生じると病的悲嘆反応とよばれる状態に陥ることがあるため，早く正常反応へ変換させることが必要である（稲村，1977).

5 危機モデル

危機モデルは，危機理論を背景とし，危機の過程を模式的に表現したもので，危機の構造を明らかにし，援助者が何をすべきかを示唆するものである（山勢，2010)．モデルを用いることで，患者の状況を分析し，深く理解することにつながる．危機モデルには，危機に陥った人のプロセスに焦点をあてたもの，危機に至る過程での問題解決に焦点をあてたものがあり，前者はフィンク（Fink，1967)，ションツ（Shontz，1975)，後者はアギュララ（Aguilera，1994)，ゴーラン（Golan，1979）らが説明している．近年，日本においては，山勢（1995）がキャプランらによる危機理論とラザルスのコーピング理論を基本概念に危機対処プロセスモデルを発表している（表16-１).

危機のプロセスモデルに共通していることは，危機的状況が発生した最初の段階では，自己防衛的で情緒的であるが，時間が経過するとともに問題志向的な対処に変化することである．モデルを活用することで，このような共通性とともに，患者の個別性が明確になることで，援助者は介入する時期や方略を個別性に合わせて検討することが可能となる.

留意する点は，援助者が共通性に注目するあまり，患者の個別性を見失い，モデルに当てはめるように思考することである．実際の患者や家族はモデルから逸脱する可能性があるということを常に念頭に置く必要がある．

本節では，看護において汎用性が高いと思われる，フィンクの障害受容型危機モデルとアギュララの問題解決型危機モデルについて紹介する．

1）フィンクの障害受容型危機モデル

（1）モデルの概要

日本において，フィンクの障害受容型危機モデルは急性期領域の他，終末期やがん告知に関する看護など多くの場面で活用されている．

このモデルは，「Crisis and motivation：A theoretical model」（Fink, 1967）に記述されており，外傷性脊髄損傷により機能不全になった人々の臨床観察と喪失に関する反応についての文献研究からモデルを構築している．対象はショック性危機に陥った中途障害者を想定して障害受容に至るプロセスモデルとして構築されたものである．危機に陥った人が危機から回復するに至った4段階の特徴的な身体的，心理的反応を明らかにしたうえで，各段階に即した危機介入の方法がマズローの動機づけ理論と関連させながらわかりや

表16-1 危機モデルとその特徴

種　類	モデル	プロセス	対象，特徴，介入ポイント
障害受容型危機モデル	フィンク	衝　撃 → 防衛的退行 → 承　認 → 適　応	対象：ショック性危機に陥った中途障害者 危機から適応のプロセスに焦点を当てる マズローの動機づけ理論に基づき，安全と成長のニーズの充足に焦点を当てた介入
	ションツ	最初の衝撃 → 現実的認知 → 防衛的退行 → 承　認 → 適　応	乗り越えるのが難しい障害と直面したときの過程 前危機状態の段階を表している フィンクのモデルと類似している
問題解決型危機モデル	アギュララ	均衡状態 → 不均衡状態 → 均衡回復へのニード → バランス保持要因の有無 → 危機回避あるいは危機	対象：ストレスが多い出来事に遭遇している人 危機あるいは危機回避に至る過程 バランス保持要因を充足・強化する介入 問題解決過程を適用
	ゴーラン	危険な出来事 → 傷つきやすい状態 → 危機を促進する要因 → 危機が顕在化する状態 → 再統合または危機の解決	危機に至る過程に重点を置く 均衡状態を失った状態から再び均衡を取り戻す過程
危機対処プロセスモデル	山勢	受動的対処 → 情動中心対処 → 問題中心対処 → 適　応	対象：救命救急センターに入院した患者 個人のコーピングを促進する介入

山勢博彰（2010）．危機理論と危機モデル．山勢博彰（編），救急・重症患者と家族のための心のケア（p.35）．メディカ出版．より転載一部改変

すく解説されている．

フィンクの障害受容型危機モデルの特徴をまとめると以下のようになる．（山勢，2010）

・4つの段階プロセスからなる．
・外傷性脊髄損傷によって機能不全に陥った患者の臨床観察研究と喪失に関する文献研究から障害受容に至るプロセスモデルを構築した．
・ショック性危機に陥った中途障害者を対象にしている．
・マズローの動機づけ理論を土台にしている．
・リンデマンの急性悲嘆反応プロセスとションツの危機反応プロセスを参考にしている．
・実証的研究や幅広い領域からの検証を受けていない．

フィンクは危機の定義を，ミラーとイスコーの主張を用い「急激な出来事を体験したとき，そのストレスを解消するには個人のレパートリーが不十分で有効な対処が取れない状態」としている．また，危機はその人の人生の重要な転換期であり，精神構造の重要な局面を再構成することを表している（Fink，1967，山勢，2010）．これらを前提とし，急激な出来事を体験したことにより引き起こされた精神的側面と身体的側面を4段階のプロセスで説明している（表16-2）．

表16-2 ●危機段階の精神的特徴

時間的経過	段　階	自己体験	現実認知	感情体験	認知構造	身体的障害	看護介入のポイント
時間 ↓	ショック（ストレス）	現在の自己のありよう（存在）に対する脅威	脅威的なものとしての認知	パニック；不安；無力感	認知構造の崩壊；計画すること，論理的思考力，状況理解力の低下	十分なケアを必要とする急性身体障害	安全のニードの充足 あらゆる危険からの保護
	防衛的退行	これまでの自己のありよう（存在）を維持する試み	現実からの逃避：願望的な思い；否認；抑圧	無関心あるいは幸福感（挑戦しようとしたり，怒りを感じるときは除いて）；軽い不安感	防衛的再構築；変化に対する抵抗	急性期からの身体的回復；最大限に可能なレベルの機能回復	安全のニードの充足 対象者が必要とするときは，いつでも手を差し伸べ安全を保障
	承認（ストレスの再現）	今ある自己のありようを諦める：自己卑下	現実に向き合う；自己に課された現実に向き合う	無感動あるいは動揺を伴う抑うつ；苦痛；悲嘆；強い不安；圧倒されると自殺を企てる	変化した現実に向き合い，認知を再構築する	変化がなくゆっくり改善する状態	安全と成長のニードの充足 信頼関係のもと，積極的な支援
	適応と変化	新しい自己構造（価値観）の確立	新しい現実に向かうのを試す	徐々に満足できる体験が増える（次第に不安が軽減する）	現在の資源と能力の再構築	身体的障害状況に変化がない	成長のニードの充足 現実的な自己評価を促し，積極的な問題解決に向けた支援

Fink, S, L.（1967）. Crisis and motivation：A theoretical model. *Achives of Physical Medicine & Rehabilitation*, *48*(11), 592-597. より引用改変

（2） 4つの段階

①ショック（ストレス）：shock (stress)

急激な予期せぬ出来事を体験したときの最初の段階である．ショックは，心理的警報であり，現在の自己のあり様に対する脅威を体験することになる．現実は対処するにはあまりに脅威なものであると認知し，無力感や激しい不安を体験し，しばしばパニックに陥る．認知的には思考が中断し，状況を理解することが難しくなる．その結果，計画を立てることができなくなる．身体的な損傷の場合，速やかな医療的処置が必要とされるときであり，ダメージの程度や，障害が一時的か永久的かはわからない時期である．身体的機能が障害され苦痛を伴っており，回復はその人の生命力に頼るところが大きい．

②防衛的退行（defensive retreat）

ショックを伴う強烈な混乱に耐えことができず，脅威をシャットアウトしたり，コントロールしたりしようとする段階である．自己という観点では「私は，これまでの自分である」「何も変わっていない．これは一時的なことだ」と自分を安心させようとする．この段階の特徴は，何か存在しているものに，必死にしがみつき，現実を回避あるいは拒否し，何とか希望をもとうとする．感情的には，無関心や非現実的な幸福感をもつ場合もあり，安定しているようにもみえる．認知的には思考が停止しており，ライフスタイル，価値観，目標，その他あらゆることの変化に抵抗を示す．このような防衛的反応は，身体的回復を実感すること（たとえば麻痺のある患者がベッドから立位となる，あるいは車椅子に移乗する）で強くなる．

③承認（ストレスの再現）：acknowledgment (renewed stress)

現実に向き合い，新たなストレスを体験する段階である．生活は以前の状態には戻らないこと，期待する身体的変化は起こらないことを知り，他の人々は非現実的な認知を支持することをやめる．そして，これまでの手段-目標関係は成立していないことに気づき始め，好むと好まざるにかかわらず，現実から逃れることができないことを知る．そして，「もはや，以前の私ではない」と自分に言い聞かせ，「以前の私ほど，良くない」と自分を卑下するなどの自己イメージの喪失を体験することとなる．感情体験としては，抑うつ，喪失感，無力感とともに，「なぜこれが自分の身に起こったのか」「私は何かしたのか」と自分に問いかけ，つらい思いをしている．

認知的には，防衛的な思考が崩れ，変化した現実に向き合い，新たな認知を再構築し始める．極端な動揺や無力感にとらわれると，自殺を企てることもある．新たな認知の再構築を助けるのは，失われたことが全てではなく，残されている機能を将来の力として認知することである．「私の人生は，以前と同じではない．この事実を完全には乗り越えられないかもしれない．しかし，まだできることがあるし，続けていけることがある」と変化した現実に向き合い認知することで再構築が促される．

身体的には大きな変化がなく，ゆっくり改善する時期であり，停滞期を体験した後に承認が起こる．

④適応と変化（adaptation and change）

修正された自己イメージと新たな価値観を築く段階である．「これまでの自分ではないし，以前と全く同じ人間ではない．でも，私は私です」と自分自身に言いながら，新しい価値観を確立していく．そして，自分自身を試し，自分自身のなかにある力を探求し，再び現実の限界と期待を対比させながら，新しい現実に向かっていく．感情的には，徐々に満足できる体験が増え，次第に不安が軽減していく．認知的には，現在の資源と将来的な可能性によって再構築され，今後に展望を抱けるようになる．また，危機を肯定的にとらえ，自分の人生にとって価値あるものであると認識するようになる．そして，人生を深く理解し，将来の危機に備えるための準備と思えるようになる．

以上の4段階は，危機への望ましい適応をするための連続的な局面である．最初の3段階は，4段階目の適応と変化にとって欠かすことのできないものであり，4段階すべてが適応過程そのものである．しかし，適応と変化の段階に到達できない場合がある．自殺や精神病的な抑うつ状態で，承認の段階を超えることができない場合がそれにあたる．また，奇跡的な治療や治癒を待望し，防衛的退行を超えることができない場合もあり，または，ある程度の承認後，防衛的退行に戻る場合もある．つまり，4段階を行ったり来たりしながら，適応と変化に向かっていく．

（3）危機への看護介入

フィンクは，各段階で必要な治療的介入として，マズローの安全のニードと成長のニードに基づき介入の基本姿勢を示している．一般的には，安全のニードは成長のニードに対し優位で，ほとんどの場合，脅威に直面している人は安全のニードに支配されている．最初の3段階は安全のニードが充足されること，4段階目の適応の段階は成長のニードが充足されることを支援する．

介入のポイントは，安全のニードから成長のニードへのスムーズな移行を助けることである．適切な介入の時期は，ショックの後に起こる，混乱の時期ではなく，防衛的な試みではうまくいかないことに気づき，自己の探究が行われているときの介入が効果的である．

①ショック（ストレス）の段階

この段階では，自己の存在が直接的に脅威にさらされているため，安全のニードに対してあらゆる資源が動員される必要がある．この段階の支援は，鋭敏な感受性をもって対象を理解し，温かい気持ちで接し，誠実な思いやりのある態度でそばにいることである．時には，静かに見守ることも必要となる．あらゆる危険から保護するために，鎮静薬や精神安定薬の投与で鎮静・安楽を図ることが必要となる場合もある（小島，佐藤，2011）．この段階で，現実志向的アプローチを行うと，危機の出来事と同じように認識され，脅威となるため，安全のニードに向けた介入が大切である．

②防衛的退行の段階

防衛的退行の状態や行動は，不安から自己を守るための結果として現れているものであると理解する必要がある．防衛的退行により，心理的保留期間をもち，現実に直面するための準備をしている．それらは，一見不適応のように見えるかもしれないが，適応の目的を果たしているということができる．この段階も安全のニードを充足する支援が重要であり，対象者のありのままを受け止め，温かい思いやりを込めた態度で接し，そばにいることである．ショック段階同様，この段階で，現実志向的アプローチは脅威となるため，対象者が必要とするときは，いつでも手を差し伸べ，安全を保障することが重要である．

③承認（ストレスの再現）の段階

少しずつ現実を認識し始める段階であるが，そのプロセスは痛みを伴い，つらい体験となる．そのため，防衛的退行の状態や行動に戻る場合もある．このような段階では，積極的な支援が必要となる．これまで築いてきた信頼関係のもと，適切な情報提供，支持と励ましにより，対象者が現実に対する洞察を深め，安全のニーズを充足しつつ，成長ニーズの充足に向かうための支援が重要となる．つまり，対象者が自分の行動の理由や不安の背後にある真の原因を究明できるような働きかけが必要である（小島，佐藤，2011）．

④適応と変化の段階

新しい自己イメージや価値観を築いていく段階である．成長のニーズが充足されるために，現実的な自己評価を促し，積極的な問題解決に向けた支援が必要である．広範な知識と技術，人的および物的資源が必要であり，それらを有効に駆使し忍耐強く支援する（小島，佐藤，2011）．そのなかで，対象者は現実的な自己評価を行い，今ある能力を活用して満足する体験をすることで，新たな自己概念を形成し，成長につながっていく．

2）アギュララの問題解決型危機モデル

（1）モデルの概要

1970年，アギュララとメズイックが「Crisis intervention：Theory and methodology」を発表した．4年ごとに改訂を重ね，1997年に第8版を発刊している．常に米国社会の現状に目を向け，そこで生じている危機的な問題を取り上げ，事例を加えている．著書のなかでは，心筋梗塞，アルツハイマー病，エイズや外傷性ストレス障害などの状況的危機，思春期，出産，結婚などの発達的危機，ホスピスの職員に起こる燃え尽き症候群などの理論的背景とケース研究を紹介している（Aguilera，1994　小松他訳，1997）．このことは，このモデルが，幅広い適用性があることを示している．

モデルの前提にあるのは，人は精神の均衡状態を保つメカニズムをもっているということである．ストレスが多い出来事が起こると，その均衡を回復させる一定の働きがあり，均衡回復にかかわる要因が重要であるとした．これをバランス要因とよび，その有無による危機および危機回避に至る一連の段階を図式化している（図16-1）

（2）3つのバランス保持要因

バランス保持要因は3つある．①ストレスとなる出来事の知覚，②社会的支持，③対処機制で，これら3つの要因が機能すれば問題は解決し危機は回避される．しかしこれらの要因が1つ，あるいはそれ以上欠けていることが問題の解決を妨げ，ひいては不均衡を増大させ，危機を促進させる．（Aguilera，1974　小松他訳，1977）

①ストレスとなる出来事の知覚

出来事が人生の目標や価値を脅かす場合，対象がどのように認知するかは，一人ひとり違う．ストレスをもたらす出来事が，その人にとってどのような意味があるのか，現実的にとらえているか，歪んだとらえ方をしていないかをアセスメントする必要がある．出来事の知覚はストレスの評価に関係するもので，現実的な評価をして，自分の力でコントロールできるものであると受け取ることができれば，問題解決に進み，危機は回避できる．しかし，その出来事が解決困難で，対処の選択肢が不十分な場合は，精神の防衛機制が働き，その出来事を抑圧したり，歪曲したりすることで歪んだ形で知覚してしまう．

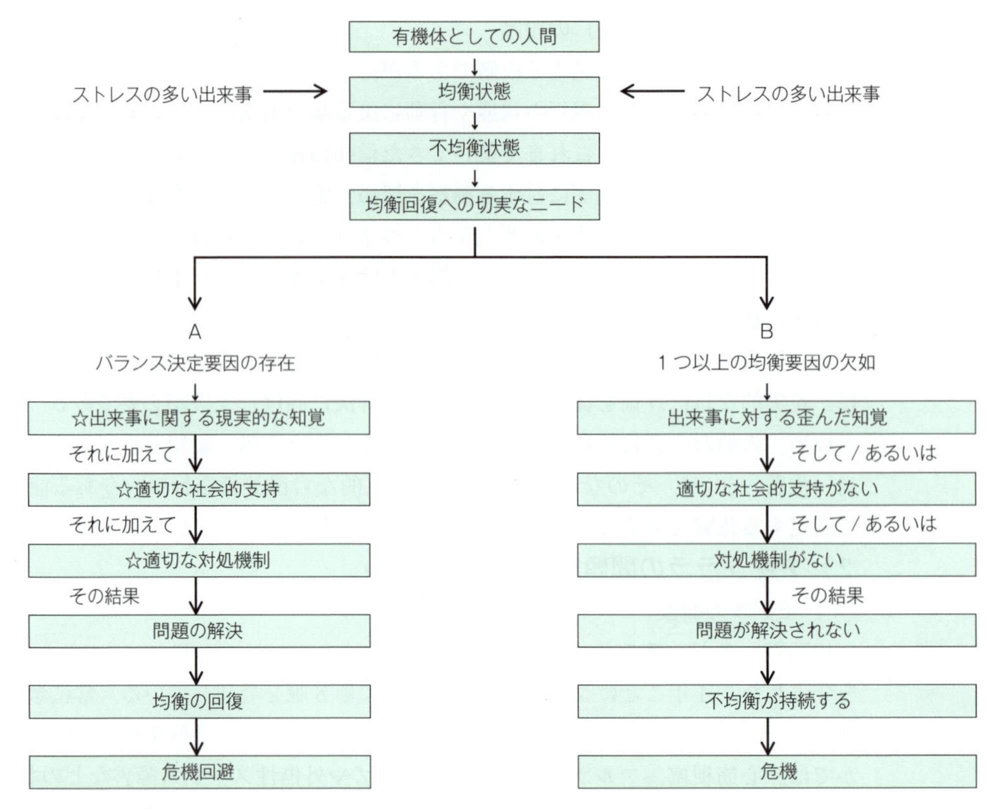

図16 1●ストレスフルなできごとににおけるバランス保持要因の図式
Aguilera,D.C（1994）／小松源助，荒川義子（訳）（1997）．危機介入の理論と実際，第7版．川島書店，25より転載一部改変

ここでいうストレス評価は，ラザルスのストレスコーピング理論が基盤となっており，その人の将来の目標や価値との関係において，その出来事がどのように知覚されたかを判断するために第一次評価がなされ，第二次評価では，その人がどのように自分が用いることができる対処の選択肢の幅を知覚しているかが影響する．

②社会的支持

人間は本来社会的な存在であり，支持的な関係を喪失したり，不十分であると感じたりすると，不安定な立場に置かれる．そのため，ストレスの多い状況に直面したとき，社会的支持がない場合は，不均衡状態に陥り，危機に追いやられる．危機とはこれまで習慣的な問題解決方法を用いても解決できない状態であるため，他者の支持や社会資源の活用は必要不可欠である．

危機を回避するための対処行動がうまくいくかどうかは，社会的な環境との関連に強く影響を受ける．自尊心が低いか，脅かされていると感じているときは，人は自己について肯定的な評価をしてくれる人の支援を求める．自尊心が低ければ低いほど，脅かしは大きくなり，社会的支持の必要性も大きくなる．

③対処機制

対処機制とは，ラザルスのストレスコーピングのことであり，認知的・問題解決的行動である．人は日常的な生活のなかで，様々な経験をとおして，不安や緊張を軽減させる方法を用いることを学び，対処している．それは，ストレスの多い状況でも用いられているが，危機のような状況下では，対処機制そのものが衰えているため，効果的な対処行動がとれない状態になっている．そのため，危機を回避するためには，この対処行動のあり方が大きく影響している．

（3）危機介入による問題解決

アギュララは，問題解決に対応する危機アプローチには，個人と問題のアセスメント，治療的介入の計画，介入，予期計画（評価）が含まれると述べている．このことは，問題志向型システムで看護過程を展開する看護職者にとって，臨床で活用しやすい．

臨床では，上記の3つのバランス保持要因に注目し看護を実践することになる．問題介入に向けた危機介入は個人的特性と問題のアセスメント，治療的介入の計画，介入，予期計画（評価）の過程で行われる．

①個人的特性と問題のアセスメント（表16-3）

危機を促進している出来事は何か，不均衡状態によりどのような不快や緊張を感じているか，不均衡状態を示す客観的な表情や言動はあるかを情報収集する．次にバランス保持要因である「出来事の知覚」「社会的支持」「対処規制」に関する情報収集を行い，アセスメントする．アセスメントでは不均衡状態をもたらした原因は何か．どのような不均衡状態を示しているか．バランス保持要因の内容と程度を評価し，脅威の深刻さを判断する．脅威の深刻さとは自殺や他者への危害を加える危険性がある差し迫った状態であるか否か

表16-3 「個人的特性と問題のアセスメント」の情報収集とアセスメントの視点

情報収集の視点	・危機を招いた出来事は何か ・不均衡状態によって本人は主観的にどのような不快や緊張を感じているか ・不均衡状態を示す客観的な表情や言動はあるか **〈「出来事の知覚」の情報収集〉** ・危機を招いた出来事をどのように知覚しているか ・現実的な認知をしているか ・その出来事は対象にとってどのような意味があるか ・それはその人の将来に対してどのように影響を与えていくのか **〈「社会的支持」の情報取集〉** ・活用できるサポートシステムはあるか ・現在どれくらい支持されているか ・これからも支持を受けることはできるか **〈「対処機制」の情報収集〉** ・普段問題が起きたときはどのように対処しているか ・現在のコーピングメカニズムはどのようなものか
アセスメントの視点	・現在，不均衡状態にあるか ・不均衡状態をもたらした原因は何か ・その原因によって具体的にどのような不均衡状態を示しているか ・3つのバランス保持要因の有無と内容，その程度はどうか ・脅威の深刻さはどの程度か

山勢博彰（2010）．危機理論と危機モデル．山勢博彰（編），救急・重症患者と家族のための心のケア（p.41），メディカ出版．より転載一部改変

ということである.

②治療的介入の計画

アセスメントに基づき，バランス保持要因に焦点を当て介入方法を検討する．目標は危機に至る前の状態と同じ，あるいはそれより安定した状態になることである．危機をもたらした出来事がその人の感情や生活をどれほど妨げているかを確認し，介入の優先順位を決める.

③介　入

介入方法とは，患者が危機について知的な理解をもつような援助，自分の感情を探求し吐露できるような援助，新しい多くの対処規制を見出す援助，社会的支持として周囲の人達たちを活用する援助，将来に対する現実的な目標を立てる援助がある.

④予期的計画（評価）

計画された介入が予測した結果を生み出したかをアセスメントし評価する．治療的介入計画の目標である．危機状態に至る前の状態あるいはそれより安定した状態になっているかを検討する．不均衡状態を回復し危機回避に至ったかを評価し，継続的介入が必要な場合は，この問題解決過程が繰り返される,

E 研究の動向

1 フィンクの障害受容型危機モデル

欧米でのフィンクの障害受容型危機モデルに関する研究は，牧師による脊髄損傷患者のパストラルケアに関する研究（McEver, 1972）の心理的側面に関する解説で引用文献として用いられているのみであり，事例研究は見当たらなかった.

このように，フィンクの障害受容型危機モデルに関する研究は，欧米においてはほとんど確認できないが，日本においては最も有名なモデルとして知られており，急性期領域をはじめとして，その他の多くの看護場面で活用され，看護研究の概念モデルにも採用されている（山勢，2010）．1980年代後半頃から脳梗塞や心筋梗塞，脊髄損傷などに見舞われ中途障害を抱えた患者が急性状況を経て障害を受容する過程に焦点を当てた事例研究で多く活用されている.

岡田（2022）は，2016-2021年におけるフィンクの危機モデルに関する和文献を検索し，該当した18文献（いずれも看護系のもの）を危機モデルの適用対象，研究方法，モデルの使用法などにポイントを置きながら検討した．その結果．いずれも適切な介入や有効な支援の実践などに寄与していることを明らかにしたうえで，公認心理師に期待される役割も想定され，心理分野での実践や研究への活用を推奨していることから，今後は看護分野を超えて活用が広まることが考えられる.

2 アギュララの問題解決型危機モデル

欧米においては，アギュララの問題解決型危機モデルをベースにした研究は多く（山

勢・山勢，1998)，若者の初めての精神科入院が家族に及ぼす危機（Clarke & Winsor, 2010）や危機状況にある生徒のケーススタディ（Nelson，1994）などがある．

日本においては1990年代から事例研究として活用されている．フィンクの障害受容型危機モデルと比較すると活用件数は少ないが，近年，脳卒中を発症した患者の家族への危機回避に向けた援助（窪田，2014）や合併症をもつ妊婦の危機回避に向けた介入（森民・丸茂・柴田・堀，2013）など，このモデルの特徴である危機を回避するためのバランス保持要因に注目し介入した研究がみられている．

F 理論の看護実践での活用

1 フィンクの障害受容型危機モデル

突然の予期せぬ出来事に遭遇して危機に直面した人々の理解と看護介入に有効なモデルである．日本では，最も有名なモデルとして知られており，急激に発症した疾病や外傷に遭遇した患者や家族，がんの告知を受けた患者や家族，また災害など困難な状況に直面した人々の体験や現実認知，感情や認知構造，身体的変化の理解を深め，看護介入の時期と方向性を明らかにするために活用できる．しかし，フィンクの危機モデルは外傷性脊髄損傷患者の障害受容過程をモデル化し，患者自身に焦点をあてたものであることから，対象の選択は身体的障害を有している患者自身に対してのみ活用可能である（田中，2005）と指摘している研究者もいる．そのため，対象の疾患や状況を十分に把握し，活用を検討することが必要である．

2 アギュララの問題解決型危機モデル

問題を解決する過程に焦点をあてたもので，患者だけでなく家族やケア提供者にも適応できるモデルである．この危機モデルを活用して，家族への精神的ケアを実践することが可能である．突然の出来事によって直面する急激な危機状態よりも，基本的には危機に陥る前のモデルとして活用できる．また，問題解決型モデルであるため，看護プロセスの中で活用しやすいという利点もある（山勢・山勢・立野，2011）．

G 臨床での活用の実際—その１
フィンクの障害受容型危機モデル

1 事例紹介

Aさんは60代の男性で妻と長男の３人暮らしである．１年前に会社員の仕事を定年退職し，平日は自宅で庭仕事をしながら一人で過ごしていた．妻は教員をしており，長男は大学を卒業後，会社員として就職したばかりであった．

Aさんは歩行時のつまずきを自覚し，整形外科を受診したが，神経内科を紹介され，精査の結果，筋萎縮性側索硬化症（以下，ALSとする）の診断を受けた．診断時，医師より原因不明で有効な治療法がない病気であり，随意筋が障害されていく進行性の神経難病であること，筋力低下が徐々に進行し，寝たきりの生活となったり，嚥下障害や構音障害，呼吸障害が生じることなどの説明を受けた．また，有効な治療法はないが，障害が進んだときには胃瘻造設や人工呼吸療法などの対症療法が可能なこと，人工呼吸器装着の場合は，居宅サービスを利用しながら在宅療養でサポートを受けることができることについて説明を受けた．Aさんにとっては初めて聞く病名であり，「原因不明で有効な治療法がない．呼吸ができなくなり死に至る」という医師の言葉だけが頭をめぐり，その他の説明はほとんど覚えていなかった．

診断を受けてから1か月，Aさんは日中の大半の時間を一人で過ごしていた．インターネットでALSについて検索し，日に日に落ち込んでいく様子であったが，妻と長男は仕事に忙しく，Aさんを気にかけることができないままであった．そんなある日，Aさんは，自宅の浴室で手首を切り，自殺を図った．幸い，大事には至らず，救急搬送された病院で傷の処置を受け，数日の入院後，自宅退院した．

2 モデルに照らしてのアセスメントと援助のポイント

危機モデルは，危機のたどる経過を模式的に表現したものであり，危機介入に対する考え方が示されている．そのため，危機状態にある患者の全体的な把握が容易になり，効果的な援助が可能となる．モデルの活用は，突然の予期せぬ出来事に遭遇して危機に陥った人々の理解と危機介入に有効である．

危機モデルを活用する場合に重要なことは，対象者を危機に陥らせている重大な出来事は何か，そして，現在の対象者が危機のプロセスの4段階でどこに位置づけられるのかをアセスメントして見極めることである．このとき，危機のプロセスは順番どおりに段階を踏むのではなく，たびたび逆戻りすることがあること，適応と変化の段階に到達できない場合があることを念頭に置く．安易に段階に当てはめることは，誤った解釈，援助につながり，危機状態にある患者に新たな危機を体験させることにつながるため，患者の話によく耳を傾けながら丁寧にアセスメントし，援助の方向性を導き出す．

危機モデルの看護介入は，マズローの動機づけ理論に基づき，基本的ニーズを「安全」と「成長」に大別しており，各段階のニーズを踏まえたうえで行う．援助のポイントは，安全のニードから成長のニードへスムーズに移行を助けることである．適切な介入の時期は，混乱の時期ではなく，自己の探求が行われている時期が効果的である．

本事例のように，ALSの診断により危機に陥った患者をアセスメントする際，患者が病気をどのように認識しているかを理解することが重要である．患者の気持ちの整理がついていない混乱の時期に，悪い知らせを繰り返し伝えることは，新たな危機を患者に体験させることにもつながる．病気をどのように理解しているかは，患者の思いに寄り添い，耳を傾けていくなかで時間をかけて判断する．たとえば告知後に「病気が治ると信じたい」と患者が語った場合，その一言から安易に「病識がない」とアセスメントし，医師へ病気について再度説明してもらうといった誤った看護計画を立案してしまうことがある．このような場合は，「病気が治る奇跡を信じたいと思っている」という患者の思いを理解したうえで，患者のそばに寄り添い，いつもそばにいるというメッセージを伝えることが重要である．そして，患者が話したい，知りたいと思ったタイミングを見逃さずにいつでも手を差し伸べることができる準備を整えておく．

3 モデルに基づく看護実践

1）各段階における事例の詳細とアセスメントおよび援助計画・援助の実際

（1）ショック（ストレス）の段階

①診断時と診断直後の時期のAさん

Aさんは，妻と2人で主治医からALSの告知を受けた．平静を装ってはいたが，Aさんの表情は硬く，医師からの説明もただただ黙って聞き，問いかけに対しては，「はい…はい…」と機械的に返事をしていた．医師に「質問はありませんか？」と聞かれても，何を質問してよいかもわからず，頭のなかが真っ白になり何も考えることができなかった．そして，ただただ，早くこの場からいなくなりたいと思っていた．

Aさんは，病院から自宅への帰り道も，家に帰ってからも妻と病気の話はせず，食事もそこそこ，早くに床に就いた．しかし寝つくことができず，妻が就寝すると，夜中にインターネットでALSについて検索をしはじめた．悪い情報ばかりが目につき，人工呼吸器を着けて，前向きに生活している他のALS患者のブログを読んでも，「こんなふうに自分はなりたくない」と，悪いほうへと解釈していった．その後からAさんはうつ状態に陥り，浴室で手首を切って自殺を図った．

②アセスメント

ALSは原因不明で有効な治療法が確立されていない，進行性の神経難病である．人により受け止め方は異なるが，治療法がないということは糖尿病や高血圧などの他の慢性疾患とは異なり，食事療法や運動療法など患者自身が自己管理することで病気の悪化を予防することができない．そのため，ALS患者は診断によって「自分では病気の進行を緩やかにすることもできず，どうすることもできない…」と強い無力感を体験することになる．

Aさんもこれまでは，「誰しもいつかは死ぬ」と自分の身にも死が訪れることは漠然とはわかっていたつもりではあったが，「いつかは，呼吸ができなくなって死に至る」という説明を医師から受け，死が一気に現実のものとなり，死に直結するような病気に罹患したという脅威に直面し，心理的なショックを体験していた．

このような状態にある患者に対しては，あらゆる危険から患者を守り，安全を保障することが重要である．しかし，Aさんの日常生活は自立していたため，診断後に受けていた医療は1か月に1回の外来通院のみであり，他のサービスを利用しておらず，十分なサポートを受けることができていなかった．また，家族も仕事が忙しく大変な時期であり，Aさんは日中ほとんどの時間を一人で過ごしていた．Aさんは，不安な気持ちを話したり，相談したりすることができる場がなく，自分でもどうしようもなくなり，自殺を図ってしまったと考えられた．そのため看護師は，信頼関係の構築を図りながらAさんが安心して思いを語れる場を提供することが必要であると判断した．

③援助計画と援助の実際

この時期のケアとして重要なのは，患者の思いに寄り添い，患者の絶望や不安，疑問に思うことに対して，そのつどタイミングを逃さずにしっかりと対応していくことである．特に，ALSの病気の進行は不確実性が高く，先の見通しが立ちにくいため，患者がどのようなことを気がかりにしているかを，無理に引き出すのではなく，患者のペースに合わせてじっくり聴き取り，患者に寄り添う姿勢を示す．

そのため，診察の場面だけでは，十分に聴き取ることができない日常生活の困り事や不安などについて，診察前後の時間を使って患者の生活の視点に立って，聴き取りをする．また必要に応じて，支援者を増やし十分なケアを受けることができるよう主治医と相談しながら，臨床心理士や医療ソーシャルワーカーなどの院内の多職種との連携や，ケアマネージャーや地域の保健師，訪問看護師，訪問診療など院外の多職種と連携がとれるよう支援体制の構築を図っていく．

（2）防衛的退行の段階

①自殺未遂後のAさん

妻は，Aさんの自殺未遂をきっかけに，教員の仕事を退職し，自宅で介護に専念するようになった．Aさんは，病気のことを考えるとつらくなるため，病気のことはあえて考えないで過ごしており，妻とも病気について話さなくなっていた．そんなAさんを見て，妻は病気から逃げているのではないか，また自殺未遂するのではないかと心配していた．

②アセスメント

妻は，Aさんの自殺未遂後，病気について特に話さず，現実から目をそむけ現実逃避しているのではないか，また，突然，自殺未遂をしたらどうしようかと心配していた．しかし，面談時や診察時のAさんの様子から自暴自棄な様子は見受けられず，少しずつではあるが医療者に対して信頼を寄せ，病気とも少しずつ向き合えるようになってきているのではないかと思われた．その様子から看護師は，Aさんは一見病気から目をそむけ，不適応のように見えるかもしれないが，日常生活を送っている家庭においては，あえて病気のことを考えないことで，平静を保つようにしているのではないかとアセスメントした．病気のことや自身の困り事などをAさん自身が自分の言葉で話すことができるまで，温かく共感的態度で支え続けること，Aさんが必要とするときはいつでも手を差し伸べ，安全を保証することが重要である．

③援助計画と援助の実際

この時期のケアとして重要なのは，脅威の現実に目を向けさせるのではなく，思いやりのある共感的態度で接することである．防御的退行の段階は一つの通過点であり，じきに現実を受け入れることができるそのときまで，温かく見守ることが次の段階へのステップにつながっていく．

看護師は，外来通院時に継続的にAさんと妻の不安に寄り添うための機会を確保した．面談時の問いかけは「体調はいかがですか？」といった開かれた質問から開始し，Aさんの現在の思いを理解するため，Aさんが感じていることを思いのまま語ってもらえるよう，その言葉に耳を傾けた．また，今後の病気の進行や治療に関することについては，積極的な介入はあえて避け，Aさんの心の準備が整い，Aさんから質問があるまで待つこととした．家庭内では病気について話し合えないAさんと妻が病状や思いを共有できるよう，妻にも受診に同行してもらい，看護師が入ることで話しやすい場をつくり，お互いの心配事や病気の進行状況をAさんと妻が共有できる機会とした．

（3）承認（ストレスの再現）の段階

①診断から6か月後のAさん

Aさんは，病状が進行し，車いす生活となり，軽度の構音障害，嚥下障害，呼吸障害も併発していた．そのため，介護用ベッドなどの福祉用具をレンタルし，妻が中心となって訪問介護，訪問看護などのサービスの利用を始めていた．Aさんは，「なぜ自分がこの病気にならなければならなかったか…」とつらい心中を話しはじめ，徐々に病気の進行や治療に関することを質問したり，不安を表出したりするように変化していった．

②アセスメント

看護師は，Aさんの変化から少しずつ自分の置かれた状況を受け止めることができる時期に入ったと判断した．この時期は逃れることができない現実に向き合い，自己イメージの喪失を体験することで，新たなストレスが生じる段階である．そのため，サポートが最も必要となる時期である．

また，病状については，近い将来，胃瘻造設や呼吸器装着といった生命にかかわる重大な治療の意思決定を迫られる時期に近づいている．Aさんのペースに合わせ，先走りした情報提供をしないよう配慮し，タイミングよく適切な時期に必要な情報提供を行い，Aさん自身が希望を失うことなく治療の意思決定ができるよう支援することが重要である．そのプロセスにおいては，Aさんの新たな認知の再構築を助けるよう，失われてゆく機能ばかりではなく，残されている機能にも目を向けることも必要である．

不安の表出は，Aさん自身が不安な感情と向き合い，整理する機会となり重要な意思決定へとつながっていく．しかし，不安が強くなるあまり，自己蔑視が高まることで自殺の危険性も伴うことから，Aさんの変化に注意しながら安全面に十分配慮する．

③援助計画と援助の実際

Aさんは，少しずつ現実を認識しはじめ，つらい体験をしているため，この時期のケアとして重要なのは，Aさんの病気の受け止め状況に寄り添いながら，これまで築いてきた信頼関係のもと，必要な情報提供を行うことである．また，ALSの場合は，これから起こる嚥下障害や呼吸障害に備えて，病気の進行状況を踏まえながら，治療導入のタイミングを逸することなく，治療の意思決定ができるよう支援する．進行が早い場合や症状が悪化している場合は，月1回の外来通院時だけでは嚥下障害や呼吸障害の状況，治療への思いの変化などを細やかにとらえることができないため，看護師は，在宅での状況をよく知るケアマネージャーや訪問看護師などと細やかに連絡をとりながら，Aさんの変化をとらえ，主治医と情報共有できるよう調整した．

（4）適応と変化の段階

①診断から1年後のAさん

Aさんは，徐々にケアマネージャや訪問看護師との信頼関係も構築され，いろいろな困り事などを相談できる関係性ができていた．訪問看護師より，嚥下障害が進行し食事時に誤嚥しやすくなってきていること，そして，Aさんは，「食べることが何よりの楽しみとなっていたため，食べられなくなるのは何より悲しい，胃瘻をつけても口から食べられるうちは味を楽しむことができるなら，胃瘻をしてもいいと思っている」と話してくれたと，病院の看護師へ連絡があった．

②アセスメント

看護師は，訪問看護師からの電話を受けて，一度は診断によるショックから危機に陥ったAさんが，ALSを患いながらも「食べる」という楽しみをもって生活することができていること，また，治療についてAさん自身が考え，意思決定する力を取り戻してきていると判断した．これまでの安全のニーズに支配されていた状態から成長のニーズが高まり，新しい自己イメージや価値観を築いていく適応と変化の段階に入ってきたと考えられた．Aさんが，今後の見通しをもって前に進むことができるよう，胃瘻造設に関する詳細な情報提供を行うタイミングととらえ，次回受診時に，Aさんへ胃瘻造設に関する説明をタイミングを逃さずに行うことが必要である．

③援助計画と援助の実際

この時期のケアとして重要なのは，今後の見通しをもって前に進むことができるよう，適切な知識や技術の提供や人的・物的資源の有効活用，成長に向けた動機づけを図ることである．また，ALSの場合，呼吸障害の進行により胃瘻造設が困難となる場合があるため，呼吸状態を加味しながら胃瘻造設のタイミングを逸しないことが求められる．そこで看護師は，胃瘻造設について前向きな言葉が聞かれたこのタイミングを逃さずに，詳細な説明や自己管理方法について情報提供ができるよう，主治医と連携しながら説明の時間と場所を確保できるよう調整した．

2）評　価

Aさんは，ALSの診断によるショックから自殺を図ったが未遂に終わり，その後，妻や医療者と関係性を構築しながら少しずつ病気を受け止め，胃瘻造設をしても，食べられるうちは食べることを楽しみながら日常生活を送りたいという前向きな気持ちをもち，情緒的にも安定し通常の日常生活を送ることができるようになっていった．その過程においては，病気を発症したことによるショックや，なぜ自分がこの病気にならなければならなかったのか……といった答えのない問いにぶつかることもあったが，時間が経過していくなかで医療者に思いを表出することで少しずつ前に進むことができた．

しかしながら，本事例のように必ずしも適応と変化の段階に到達できるとは限らず，承認の段階を超えることができない場合もある．ALSの診断時期は，ADLは自立していることが多く身体介護は必要ないことから，月１回の受診のみで他のサポートを受けていない場合がある．診断による患者のショックは計り知れないため，患者の状態をとらえながら診断時から効果的な危機介入を行うことが重要である．

臨床での活用の実際―その2 アギュララの問題解決型危機モデル

1 事例紹介

Bさんは57歳の男性で印刷会社の営業をしている．家族は妻と２人暮らしである．高校の教員をしている息子がおり，自宅から車で２時間ほど離れた地方都市で一人暮らしをしている．

Bさんは腰痛のため近医の整形外科を受診し，非ステロイド性鎮痛薬が処方された．内服６日後より皮膚の紅斑，水疱が出現し，発熱もみられたため整形外科を受診した．薬疹が疑われ直ちに内服を中止し，紹介されたK病院内科を受診した．精密検査の結果，中毒性表皮壊死症と診断され，K病院皮膚科に入院となる．入院時，本人と妻に服用していた薬剤が原因で症状が出ていること，治療が難しい病気であることが説明された．

入院後ステロイドパルス療法，免疫グロブリン療法を行ったが症状は改善せず．皮膚病変は悪化し，全身性の表皮剝離が出現した．入院10日目に頻脈と血圧低下が出現し，ICUへ入室となった．ICU入室後，呼吸困難が出現し，人工呼吸器を装着した．敗血症によるショック状態であり，抗生剤投与，昇圧剤投与，血漿吸着，血漿交換，持続血液透析が開始された．ショックによる血管拡張に加え，血管透過性が亢進し，持続的に輸液負荷を行わなければ血圧が保てない状況であった．そのため，数日で全身の浮腫が著明となった．

入院15日目に多臓器不全が進行し，徐々に血圧低下もみられ，昇圧剤への反応も乏しくなっていった．担当医は妻に「考えられる治療はすべて行っているが，感染症のコントロールがついていない．重度の感染症により循環不全が生じており，重要な臓器の機能が低下している．腎機能や肝機能も低下しており，臓器の代用になる機器を使用しているが改善がみられない．今後あらゆる方法を尽くしても，救命は難しいかもしれない．回復する可能性はゼロではないので，今後も全力で治療を継続したいと考えているが大きな期待はもてないだろう」と説明した．その説明を聞いた妻は，「腰が痛く，薬を飲んだだけだったのにどうしてこうなったの．何か悪いことしましたか．整形外科から変な薬が出されたのではないでしょうか．もう何が何だかわからなくて，どうしたらいいかわかりません．信じられません」と涙ながらに訴えた．涙を流し，なかなか立ち上がれない様子であったため，担当看護師はしばらくそばに寄り添った．妻から「先生の話で覚えているのは，もうダメかもしれないということだけ．この後どうすればいいのですか．これからどうなるのか考えると怖いです．家に帰っても一人なのでこれから私はどうしたらいいのでしょうか」と涙ながらに訴えた．翌日も面会に来ていたが，夫のベッドサイドの椅子に腰かけ，呆然と夫の顔を見つめ過ごしていた．

面会には妻が毎日来院し，長男は週末一度だけ面会に来ていた．入院の手続きや病状説明を聞くのは妻が行っていたが，治療方針の決定はすべて息子に相談し決めていた．

2 モデルに照らしてのアセスメントと援助のポイント

アセスメントを行ううえで重要になるのが，危機的状況に陥っている対象者の情報収集である．情報収集の視点としては，ストレスフルな出来事に対する対象者の言動や反応，出来事に対する対象者の主観的評価から均衡状態なのか不均衡状態なのかを判断し，バランス保持要因の3つの視点（出来事の知覚，社会的支持，対処機制）について情報収集する．出来事の知覚では，対象者が危機を招いた出来事をどのように知覚しているのか，現実的な出来事としてとらえられているかといった，危機の原因となった状況に対する認知を把握する．社会的支持では，問題を解決するためにサポート可能な他者の存在など人的資源をもち合わせているか，利用可能なソーシャルサポートや環境をもち合わせているかといった情報を得ていく．対処機制では，普段問題が起きたときにどのような対処行動をしているのか（コーピング行動）など，危機を回避するための方策をもち合わせているか把握する．

アセスメントの視点としては，情報収集したバランス保持要因に着目しながら行う．不均衡状態に陥っている場合，その原因を明らかにし，具体的にどのような症状が出現しているか，今後予測される反応について検討する．特に自傷や他害の危険性が高いほど差し迫った状況であるか，脅威の程度についてアセスメントし対処方法を検討することが大切である．バランス保持要因は，出来事に対しての認知が現実的か歪んだものか，歪んだ知覚はなぜ生じているか，脅威に対して活用可能な社会的資源はもち合わせているか，他に活用可能な社会的資源はないか，どの程度活用できそうか，普段の対処行動は脅威に対して有効か，その期待される効果について検討する．

援助の方向性としては，不均衡状態から均衡状態に回復するために，バランス保持要因に対してアプローチする．具体的には，自我を守る悲嘆反応に理解を示しつつ，現実を認識するための情報提供や認識の違いによる歪んだ知覚を改善するための援助を行う．この際に注意したいのは，単に現実を突きつければ良いということではない．対象者が現実を受け止められる状況か，感情を表出できる状況かを対象者の言動に着目し，タイミングを図りながら慎重に行うことが重要である．そして，多くの社会的支持や対処機制を見出し，周囲の人々や資源を活用できるように導くことが必要である．脅威に対する反応は変化するものであり，変化に応じた社会的支持や対処機制を活用できるようにする．

3 モデルに基づく看護実践

1）事例のアセスメント（図16-2参照）

妻は夫の急激な病状の変化と予期せぬ生命危機状況を受け入れるのが難しい状況であり，心理的不均衡状態になっている．医師からの説明に対しての認識からも，現実を受け入れることに対して拒否的な反応を示している．また，夫を喪失するかもしれないことに恐怖や不安を抱えている状況である．夫を喪失するかもしれないという脅威に対して，心理的均衡状態を保てるようにバランス保持要因に着目し，アセスメントする．

（1）出来事の知覚

妻は入院時に「治療が難しい病気で救命できない可能性がある」ことを説明されていた

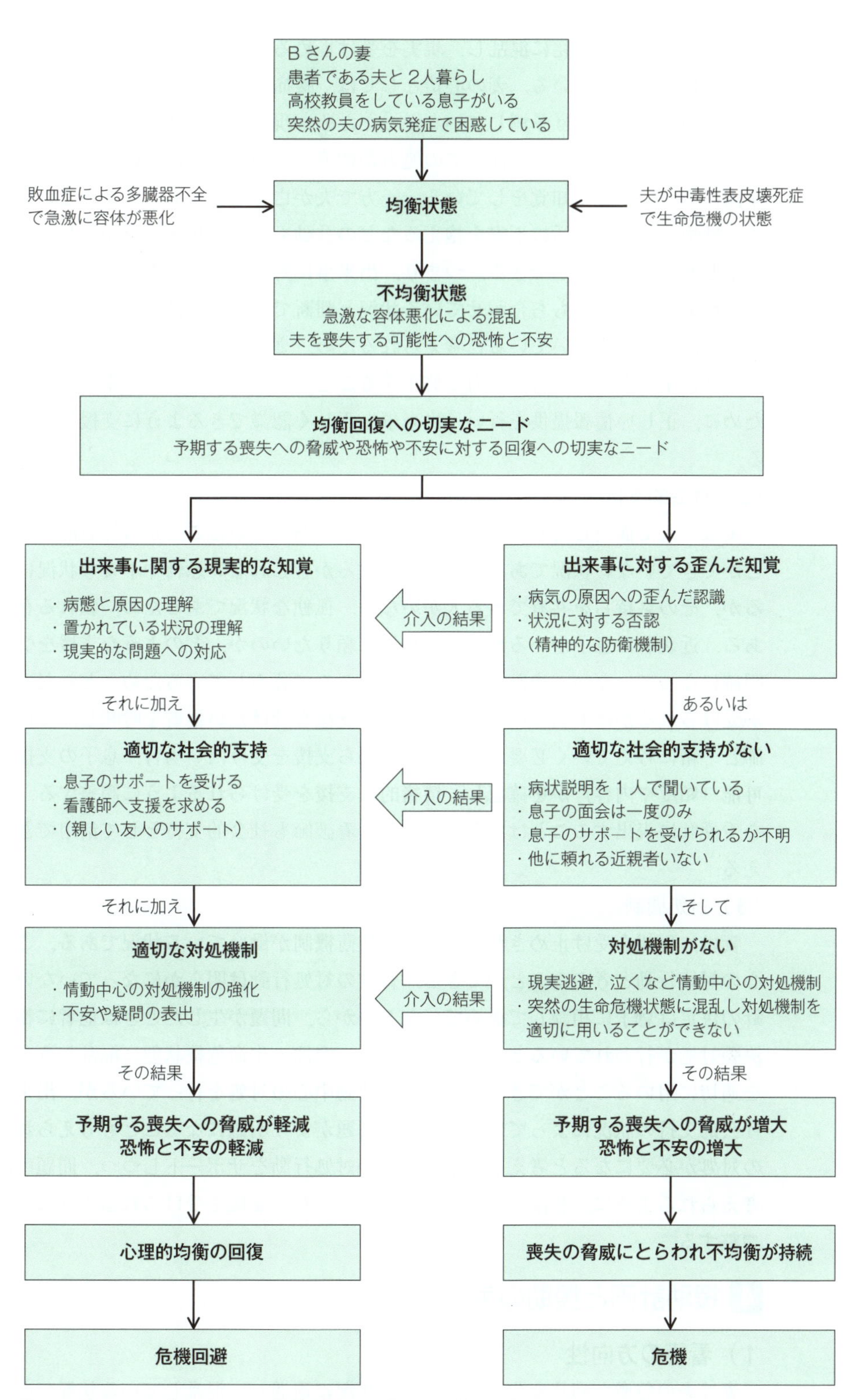

図16-2 ●Bさんの妻のバランス保持要因の図式と介入結果

が，急激な病状の変化に混乱し，現実を受け止めることができない状況に置かれ心理的不均衡な状態となっている．妻の心情としては，腰痛で鎮痛剤を内服しただけなのに，生命危機状態に陥ることは予測していなかったため，現在の夫の状況に対して困惑していると考えられる．それにより，前医での処方が間違っていたのではないかなど，今回の病気の原因について歪んだ知覚をしている．一方で夫が亡くなるかもしれないという喪失に対して，恐怖や将来の生活に不安を抱えるなどの言動もあり，出来事を受容しようとしている段階ととらえることができる．つまり，出来事に対して一部は歪んだ知覚をしているものの，現実的な知覚ももち合わせている状況と判断できる．急激な状態変化に圧倒され，精神的な防衛機制が働いていると考えられるため，妻自身が現実的な評価をし，状況を理解できれば歪んだ知覚は自分の力で修正することができると考える．歪んだ知覚を修正するために，正しい情報提供を行い，出来事を正しく認識できるように支援していく必要がある．

（2）社会的支持

妻は一人で面会しており，病状説明も一人で聞いていることから社会的支持を受けることができていない状況である．夫を喪失するかもしれない恐怖や不安な状況に置かれているが，その気持ちを共有できる人がいなく，孤独な状況であるため，頼れる存在が必要である．近親者は息子がいるが，妻が息子に頼りたいのか，どのような支援を受けたいのか明確になっていない．また，少し離れたところで暮らしているため，どれだけのサポートが受けられるかは不明な状況である．妻が支援を受けたい他者を吟味し，支援内容を看護師と一緒に考えていく必要がある．息子から支援を受けたい場合，息子の支援がどの程度可能（頻度や内容）かを確認し，情緒的な支援を受けられるように調整する．また，感情を看護師に表出することはできているが，看護師も社会的支持として活用できることを伝える．

（3）対処機制

妻は，現状を受け止めきれないなかで防衛機制が働いている状況である．これは情動中心の対処行動と考えることができる．普段の対処行動は明らかになっていないが，治療方針の決定は息子に相談して決めていたことから，問題が生じたときは他者に相談し問題解決の対処が行われていると考える．しかし，突然の生命危機状態に混乱しうまく対処機制を適切に用いることができない．現在は情動中心の対処を行っているが，出来事の知覚や社会的支持の状況によっては，直面する問題がより明確になることも考えられ，問題中心の対処が必要になると考える．情動中心の対処行動をサポートしつつ，問題中心の対処を考えられるように，相談できる他者を明らかにし，支援を受けられるように体制や環境を調整する．

4 援助計画と援助の実際

1）看護の方向性

妻は夫の急激な病状変化と生命危機の状況に遭遇し，混乱している状況である．現実の受け止めは，一部歪んだ知覚をしているものの，状況に適応しようとする言動もみられるため，病状を説明し，今回起こったことを自分自身で整理できるように介入する．しかし，歪んだ知覚を修正する介入の前に，妻が喪失の脅威に直面し，孤独な状況であるため，情緒的な安定を図ることが必要である．よって，社会的支持を得るため，息子の支援が受けられるか，支援の内容や程度について確認し，適切な支援を受けられるように調整することを優先して実施する．また，妻がいつでも相談できるように，息子との調整や医療者側の相談や専門的知識の提供，今後予測される生活に関連する相談窓口の紹介など，問題に応じて対処できる環境を調整する．

2）社会的支持への介入

面会中の妻に休息や睡眠，食事は摂れているか確認したところ，「昨日は家に帰ってから何も喉に通らなかった．寝てもすぐに目が覚めてしまって…満足した睡眠はとれていないですね．夜に息子に電話して，もう命は助からないかもしれないと伝えました．息子は仕事の調整をして今日の夕方に病院へ来てくれるみたいです．自分一人ではどうしてよいかわからないため，息子だけが頼りです」と時折涙を見せながら話された．看護師は，妻にねぎらいの言葉をかけ，一人で悩まず，不安なことや怖いと感じることがあったら医療者や息子に相談するように伝えた．夕方，息子が来院され主治医より病状説明を受けた．病状説明後，看護師より妻の状況を伝え，できる限りお話を聞いてあげてほしいと依頼した．息子は，「仕事があって面会に来ることができず，母には迷惑をかけたと思っています．普段は電話が来ても用件だけ聞いて，それ以上は話していなかったので…少しゆっくり話を聞いてみようと思います．上司に状況を伝えたら，状態が落ち着くまで休暇をとってよいと言われたので，明日職場に行って残務処理をして，その後は実家で過ごす予定です」と話された．また，他にサポートできる人がいないか尋ねたところ，近所に親しくしている妻の友人がおり，その方にも病状を話してもよいか質問があったため，ご家族が問題なければ話しても構わないことを伝えた．

息子との面談後，妻も交えて今後のことで不安なことはないか確認したが，患者の職場にはいつ，どのように伝えればよいか妻より質問があった．それ以外に質問はなく，何かあればいつでも相談に乗ること，生活面や経済的な不安，ICUスタッフ以外から精神的サポートを受けたいなどの希望があればMSWに相談できることを伝えた．

3）出来事の知覚への介入

妻と息子に不安なことを確認したときの様子から，息子のサポートを得て，妻が少し落ち着きを取り戻していると看護師は判断し，病気の原因や発生機序について，主治医より平易な言葉で翌日説明してもらうように調整した．主治医から，おそらく鎮痛剤の服用で免疫アレルギー反応が起こり発症したこと，100万人に1人の病気であること，治療をしても20％以上の人が亡くなる病気であることが説明された．「誰も責めることはできないですね．こうなったのは運命で，運が悪かったとしか言いようがないですね」と妻は話されていた．

4）対処機制への介入

妻は，看護師が話しかけると涙を流すことがあったが，悲しいときには泣いてもいいことを伝え，妻の行動を指示した．また，妻との会話のなかで，夫はクラッシック音楽が好きで市の交響楽団の定期演奏会に毎年欠かさず出かけていたことを知り，ベッドサイドで音楽をかけることができることを伝え，お気に入りのCDを持参してもらった．「何もしてあげられない自分に罪悪感を抱いていたが，音楽を聴かせてあげることで少しでも夫が安心してもらえたらいい」と話された．

5 評　価

妻は息子の社会的支持を受けることで，夫を喪失するかもしれないという脅威に対して，対処できるようになった．息子のサポートが得られたことで，混乱が少しずつ和らぎ，落ち着きを取り戻すことができた．それにより，情報提供を受けることで正しい認識をすることができ，精神的な防衛機制として現れていた歪んだ知覚を修正し，夫の職場のことを気にするなど現実の問題に向き合うことができるようになった．また，現実を認識できたことで，看護師にも夫のことを話すようになり，息子だけではなく看護師にも社会的支持を求めることができるようになったと考える．そのなかで，何もしてあげられない妻の罪悪感やストレスを軽減するため，音楽を流すという，新たな情動中心の対処機制につなげることができたと考える．

夫が回復しない場合，悲嘆のプロセスをたどることが予測される．悲嘆のプロセスのなかで，社会的支持として用いることができる仲の良かった友人の存在を確認できたことも大きいと考えられる．友人の存在に息子が気づき，サポートを受けられるように働きかけたことも社会的支持の強化につながるものと考えられる．

アギュララの問題解決型危機モデルは，危機に至るまでの過程に焦点をあてたモデルであり，危機に陥る前段階として用いることができる．モデルのなかのバランス保持要因は，順を追って介入するのではなく，今回のケースのように対象者の状況に応じて介入の優先順位をアセスメントすることで，他の要因にも影響し，効果的な介入になる場合もある．

理論を看護実践につなげるために

理論やモデルを活用する目的は，患者・家族の個別性をとらえ，そのことに合わせ適切な看護を行うことである．フィンクの障害受容型危機モデルは危機状態から回復するまでの時間的プロセスを示し患者に適応可能な危機モデルである．また，アギュララの問題解決型危機モデルは，問題を解決する過程に焦点を当て，患者だけではなく家族やケア提供者にも適応可能であることが特徴である．危機理論は，患者・家族が危機状態に陥ってもなるべく早く危機を乗り越えられるよう，または危機状態に陥らないようケアを行うための対象理解や危機介入の方略を示すのに役立つ．

また，慢性看護，クリティカルケアなど看護の分野を問わずに活用できる一方で，モデルに合致させるために現象を無理にモデルに当てはめようとすると危機状態のとらえ方を誤り，モデルの特徴と合致しない用い方をされかねない．すべての危機状況がモデルと合致するとは限らず，モデルでは説明がつかないと考えられた場合は，患者に何が起こっているのか，丁寧に言語化し分析することで患者に即した支援につなげることが重要である．患者は多様な防衛機制を用いて心理的均衡を保とうとするが，その方法は，患者の個別性によって異なる．そのため，一人ひとりの患者や家族にもたらされた危機状態を適切にとらえ，個人がこれまで歩んできた生活，病歴，家族構成，職業など，その人の人生の文脈のなかで読み取ることが重要であることを忘れてはならない．

危機理論は，患者の対象理解のツールとして看護実践家である臨床看護師がモデルを活用することも多い．患者が危機に陥ることを回避でき，危機に陥ったとしてもなるべく早く適切に危機を乗り越えられるよう支援することが重要である．そのためには，タイミングを逃さずタイムリーに支援することが重要であり，患者・家族の危機状態をいち早く察知できる臨床看護師の情報収集およびアセスメント能力を養うことが求められる．

患者自身がうまく危機を回避でき，危機に陥ったとしても危機をうまく乗り越えることができれば，困難にうまく対処できたという達成感をもたらし，新たな対処方法を獲得することにもつながる．そのため危機をネガティブにとらえるだけではなく，危機は転換期として重要であり，危機をそのようにとらえることによって成長を促進させる引き金になる可能性ももっている（山勢他，2011）．このことを踏まえ，看護実践の振り返りとしての理論活用のみならず，タイムリーに患者・家族の支援につなげるために理論・モデルを活用していくことが危機介入を成功に導くための鍵となる．

文 献

Aguilera, D. C.（1994）/小松源助，荒川義子（訳）（1997）．危機介入の理論と実際．第7版，川島書店．

Aguilera, D. C., & Messick, J. M. (1970). Crisis intervention：Theory and methodology. 1st ed. St. Louis, Mosby.

Aguilera, D. C. の訃報（2002）.
<https://www.legacy.com/us/obituaries/latimes/name/donna-aguilera-obituary?id=28112386> Published by *Los Angeles Times* on May 14, 2002.［2023, August12］

Caplan, G.（1961）. An approach to community mental health. New York. Grune & Stratton.／山本和郎（訳），加藤正明（監修）（1968）．地域精神衛生の理論と実際．医学書院．

Clarke, D, Winsor, J.（2010）. Perceptions and needs of parents during a young adult's first psychiatric hospitalization：" we're all on this little island and we're going to drown real soon" . *Issues in Mental Health Nursing, 31*（4）, 242-247.

Fink, S, L., Shontz. F. C.（1960）. Body-image disturbance in chronically ill individuals. *The Journal of Nervous and Mental Disease 131*(3), 234-240.

Fink, S. L.（1967）. Crisis and motivation：A theoretical model. *Achives of Physical Medicine & Rehabilitation, 48*（11）, 592-597.

Fink, S, L., Beak, J., Taddeo, K.（1971）. Organizational crisis and change. *Journal of Applied Behavioral Science, 7*（1）, 15-37.

Golan, N.（1979）. Crisis theory, in turner, F. J. Ed., Social work treatment, Interlocking theoretical approaches, 2nd ed. New York：The free press.

稲村博（1977）．危機介入（Crisis Intervention）ーその理論と実際．精神医学, *19*（10）, 4-15.

小島操子，佐藤禮子（2011）．危機状況にある患者・家族の危機の分析と看護介入（pp.1-9）. 金芳堂．

Koner, I. N.（1973）. Crisis reduction and the psychological constant. *Crisis intervention.* New York：Behavioral Publication, 30-45.

窪田大輝（2014）．突然に脳卒中を発症した患者の家族への危機回避に向けた援助—アギュララとメズイックの域介入モデルを用いた分析．奈良県立三室病院看護学雑誌，*30*, 41-43.

桑原治雄（2010）．急性悲嘆の徴候とその管理．エーリック リンデマン著(桑原治雄訳)．社会問題研究．*49*（1）, 217-234.
〈https://www.legacy.com/us/obituaries/latimes/name/donna-aguilera- obituary?id=28112386〉［2023, August12］

Lindeman, E. (1944). Symptomatology and management of acute grief. *American Journal Psychiatry* , *101*, 101-148.

McEver, D. H.（1972）. Pastoral care the spinal cord injury patient. *Pastoral Psychology, 23*(2), 47-56.

森民千佳，丸茂尚子，柴田久美子，堀美幸（2013）．合併症をもつ妊婦への危機回避に向けた介入—アギュララとメズイックの危機問題解決モデルを活用して．岐阜県母性衛星学会雑誌，*40*, 52-56.

Nelson, S.L.（1994）. Applying crisis intervention methodology to the retention of students：a case study. *ABNF Journal, 5*（6）,

161-163.
岡田弘司（2022）．フィンクの危機モデルの臨床適用について―主に最新の文献からみた医療分野における検討. 関西大学心理臨床センター紀要, *13*, 23-30.
岡堂哲雄，鈴木志津枝（1987）．危機的患者の心理と看護（5）（pp.45-51）. 中央法規出版.
Shontz. F. C., Fink. S. L (1959). A psychobiological analysis of discomfort, pain, and death. *The Journal of Psychology, 60*, 275-287.
Shontz, F. C. (1975). The psychological aspects of physical illness and disability (pp.156-177). New York : Macmillan.
田中周平（2005）．救急看護におけるフィンクの危機モデルに関する研究－先行研究分析から抽出した臨床応用への留意点．山口県立大学看護学部紀要，*9*, 91-99.
山本和郎（2000）．危機介入とコンサルテーション（pp.36-79）．ミネルヴァ書房.
山勢博彰（1995）．危機的患者の心理的対処プロセス．看護研究，*28*（6）, 13-23.
山勢善江，山勢博彰（1998）．欧米における危機に関する最近の研究の動向―文献レビューを通して．Emergency nursing, *11*（3）, 35-43.
山勢博彰（2001）．危機理論と危機モデル．HEART nursing, *14*(10), 46-51.
山勢博彰（2010）．危機理論と危機モデル．山勢博彰（編），救急・重症患者と家族のための心のケア（pp.35-51），メディカ出版.
山勢(2010). 医療職者のための危機理論のページ.
<http://crisis.med.yamaguchi-u.ac.jp/model.htm> [2023, September 22]
山勢善江，山勢博彰，立野淳子（2011）．クリティカルケアにおけるアギュララの問題解決型危機モデルを用いた家族看護．日本クリティカルケア看護学会誌，*7*（1）, 8-19.
Zinker, J. C., Fink, S. L. (1966). The possibility for psychological growth in a dying person. *Journal of General Psychology, 74*, 185-199.

危機・ストレス・不確かさの認知や対処に関する理論

17 ストレス・コーピング理論

A 理論との出会い

筆者が初めて配属になった病棟は救命救急センターであった．生命危機にある患者とその家族に接する機会が多い部署であり，突然の発症や不慮の事故など予期せぬ出来事により，生命危機のみならず心理的危機に陥る患者・家族も多かった．そこで，危機状態にある患者・家族の支援を学ぶなかで出てきた理論の一つが，ストレス・コーピング理論であった．この理論とじっくり向き合い，事例に当てはめて展開できたのは，就職してしばらくしてから大学院に進学したときであった．

しかし，理論的背景をよく理解しないまま，経験の浅い時代にもこの理論をベースに心理的援助を模索していたように思われる．当時所属していた部署は，生命危機状態の患者や突然の発症により何の心構えもなく入院を余儀なくされた患者・家族が大半を占めていた．患者・家族を取り巻く状況はストレスフルな状況であることが容易に想像でき，ストレスを軽減するためのコーピング行動が適切に働くようにするにはどうしたらよいか，という視点でアセスメントしていたのが思い出される．特に突然の発症で入院し，生命の危機的状況となった家族への支援では，ストレス状況を認め適切なコーピング行動ができているかどうかを注意深く観察し，情報収集しながらかかわっていた．

B 理論家紹介

リチャード・ラザルス（Richard S. Lazarus，1922-2002）は1942年にニューヨーク市立大学で学士（文学）取得後，1948年にピッツバーグ大学で博士号を取得している．その後，ジョンズ・ホプキンス大学，クラーク大学で教鞭をとり，1957年からはカルフォルニア大学バークレー校で心理学教授として長年にわたり研究活動を続けた．日本とのつながりもあり，1963年からの１年間は早稲田大学の客員教授として来日していた．

心理的ストレス研究の第１人者として活躍し，ストレス・コーピング理論の構築のために研究を重ね，臨床心理学分野に多大な影響を与えた人物である．特にスーザン・フォルクマン（Susan Folkman）との共著である『ストレスの心理学―認知的評価と対処の研究』と『ストレスと情動の心理学―ナラティブ研究の視点から』（共に邦訳出版）は，多くの研究者に影響を与え，臨床での心理的ストレスケアの発展に寄与している．

主な受賞歴として，1984年にカルフォルニア心理学会から表彰，また，1989年には米国

キー概念

□**心理的ストレス（psychology stress）**：人間と環境との間の特定な関係であり，その関係とは，その人の原動力に負担をかけたり，資源を超えたり，幸福を脅かしたりすると評価されるもの．人間と環境との関係がストレスフルなものかどうかの判断は，認知的評価に依存している．

□**ストレッサー（stressor）**：心理的ストレスとなりうる環境（事象や出来事）．

□**認知的評価（cognitive appraisal）**：人間と環境との間の特定の相互作用．または，一連の相互作用が，なぜ，そしてどの程度ストレスフルであるのかを決定する評価的な過程のこと．「一次的評価」「二次的評価」「再評価」の３種類がある．

□**一次的評価（primary appraisal）**：個人がストレッサーとの関係をどのように解釈するかという評価のこと．何の意味もなく影響のない場合は「無関係」，良好な関係を維持できる場合には「無害–肯定的」，個人の安寧を脅かしたり，何らかの負担を強いると判断した場合には「ストレスフル」と評価される．ストレスフルは，以下の４つタイプに分類される．

①害–喪失：すでに自己評価や社会的評価に対する何らかの損害を受けているもので悲哀，恥などの情動を含む．

②脅威：まだ起きてないが，予測されるような害–喪失に関連している場合の行われる評価．恐怖，不安，怒りのような否定的な情動も含まれている．

③挑戦：脅威と同じような状況，あるいは連続した関係で起こり，利得や成長の可能性があると判断される場合の評価．熱意，興奮などの快の情動を含む．

④利益：４つ目の評価タイプとして加えられたものであり，すでに何らかの利得が生じている状況を示す．ストレスからくるマイナスのイメージの情動だけではなく，プラスの情動も含む．

□**二次的評価（secondary appraisal）**：一次的評価でストレスフルと評価されたストレッサーに対して，その状況を処理するために何が必要か，どのような対処方法が可能か，どの程度うまく処理できるのかといったコントロール可能性に対しての評価．ストレッサーに対してどのような対処行動（コーピング行動）をとるか検討し，対処の準備を行う段階．

□**再評価（reappraisal）**：一次的評価・二次的評価の認知的評価による対処行動（コーピング行動）に対する評価を行うこと．

□**対処・コーピング（coping）**：心理的ストレスに対して，考え，行動することによって心理的ストレスを処理しようとする認知的・行動的努力．「問題志向型コーピング」と「情動志向型コーピング」の２つに分類される．

□**問題志向型コーピング（problem-focused coping）**：ストレスフルな状況を分析し，その状況の解決策の検討や問題解決方法を実施するといった直接的な働きかけを行うこと．

□**情動志向型コーピング（emotion-focused coping）**：ストレスフルな状況により受けた，恐怖や不安といった情動を軽減するためにストレスフルな状況の見方を変えるものであり，解釈の仕方を変えることで違った意味合いを見出す対処方法．

心理学会（APA）から優秀科学貢献賞，健康心理学への特別貢献賞などがあげられる．

C 理論誕生の歴史的背景

ストレスという用語が研究分野で使われ始めたのは1930年代とされている．もともとストレスという言葉は，工学分野や物理学分野で，外力が加わることによる物質のゆがみやひずみとして使用されていた．生理学者であるキャノン（Canon, 1935）は人間の恒常性に関する研究で，ストレスが加わると恒常性を維持できなくなる生体反応が引き起こされると考えた．また，それによって交感神経系の活動が亢進され，怒りや恐怖といった情動が関連していることを示している．同じく生理学者のハンス・セリエ（Selye, H., 1936）は，体外からの刺激負荷によって生じるホルモン系を中心とした非特異的な反応や生体内のゆがみをストレス反応とし，その状態に適応しようとする反応を汎適応症候群（general adaptation syndrome：GAS）とした．セリエは，ストレスに対する生体の適応を，警告反応期，抵抗期，疲弊期の３つの段階に分類し，特徴的な時間経過をたどることを明らかにした．警告反応期はショック相と反ショック相の２相に分けられ，ストレスを受けると体温低下や低血糖，血圧低下などのショック症状が出現し，やがて反ショック相に移行する．反ショック相では，ストレスにより内分泌系が刺激されホルモン分泌が促進されることにより，体温上昇，血圧・血糖値の上昇，副腎皮質肥大などが引き起こされる．抵抗期は，ストレス刺激と生体の防御機能がバランスを取り，適応している時期である．疲弊期は，ストレスが持続し，生体防御が破綻した状態であり，再びショック期と同様の症状を呈し，死に至る危険性もある時期とされている．このように，セリエは，有害なストレス刺激であるストレッサーによる生体の反応や適応に至るメカニズムを医学的にとらえ，生理学的ストレス概念に影響を与えた．その後の研究により，ストレスが人間の健康に大きな影響を及ぼしていることが明らかになった．

1960年代に入り，人が置かれた環境や環境によるストレスへの対応といった心理学的ストレス研究が多くの研究者によって行われてきた．ホームズとレイ（Holmes & Rahe, 1967）は，日常生活上様々な変化をもたらすライフイベントとそれに対する適応を調査し，社会的適応評価尺度を開発し，43項目のストレッサーの強さを数値で表現した．しかし，ライフイベントに対する個人的な受け止め方や対処などの個人的な要因が反映していないと問題点も指摘されている（Lazarus, 1999　本明他訳，2004，p.62）．ラザルスは，大きなライフイベントではなく日常の出来事によりストレス反応が引き起こされることに着目し，個人の受け止め方や対処の仕方，ストレスによる感情の動きなどを研究し，ストレス・コーピング理論を構築していった．

D ストレス・コーピング理論とは

ラザルスは心理的ストレスを「人間と環境との関係であり，人的資源に負担を負わせたり個人の資源を超えたり，また個人の安寧を危険にさらしたりするものとして，個人が評価する人間と環境の関係から生じるもの」（Lazarus, 1984　本明他訳，1991，p.24）としている．ストレスは環境の要因と個人の要因の関係性のなかで起きるものであるが，その環境がストレッサーであるか否かは，個人によって異なるということである．言い換えれば，ある特定な環境が必ずストレッサーになるとは限らず，個人の評価によって，ストレッサーになる場合もあれば，ならない場合もあるということである．外国に旅行したとき，言葉が通じずイライラすることがある．しかし，流暢に現地語を話せる人であればその状況をストレスと感じることはないかもしれない．また，現地の言葉を話せなくても通じないことをあらかじめ想定していた場合，それほどストレスには感じないかもしれない．つまり，外国という環境が必ずストレッサーになるということではなく，個々の言語的コミュニケーション能力の評価の仕方によって，その環境がストレッサーになりうるかどうか強く影響をしてくるということである．

このように環境の要因と個人の要因の関係性を考えることが重要であり，その状況がストレッサーであるかどうかを認知的評価の作業を行い，状況を解釈することが，心理的ストレス過程に影響を及ぼす．ラザルスのストレス・コーピング理論では，個人によって異なる「認知的評価」に着目している．心理的ストレス過程は，認知的評価の結果をもとに対処（コーピング）を行い，適応に至る一連の過程をたどるが，認知的評価は個人のストレス対処行動を決定する重要な概念である．認知的評価からコーピングおよび適応に至るまでの過程を，ラザルスとフォルクマンはストレス・コーピングの理論的枠組みとして示している（図17−1）．この理論的枠組みは，①個人の価値観や信念，社会的・環境的背景による先行要因，②外界の刺激であるストレッサーを有害，あるいは脅威的であるととら

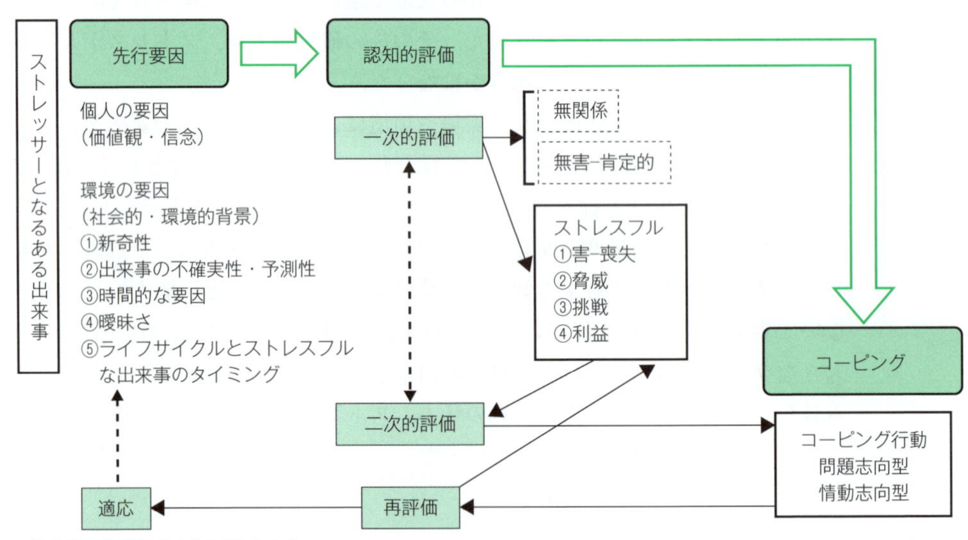

図17−1●ストレス・コーピングの理論的枠組み
Lazarus, R. S.（1999）／本明寛，小川浩，野口京子，八尋華那雄（訳）（2004）．ストレスと情動の心理学−ナラティブ研究の視点から，実務教育出版．p.239を参考に筆者が作成

える過程（認知的評価），③有害や脅威に対する対処過程（コーピング），④情動的，生理学的な短時間の変化と身体変化やモラール（自信・意欲）など長期的変化（適応）の4つの枠組みから構成されている．

ラザルスは「ストレスは一変数ではなく，多くの変数，過程からなるものをまとめた総称である」（Lazarus & Folkman, 1984　本明他訳，1991，p.14）と述べている．ストレスは，互いに影響し合う複雑な刺激やその反応，刺激に対する反応を仲介する媒介過程を分けて考えるのではなく，それぞれの関係性に着目し総合的に観察することが重要である．臨床場面において個人のストレス状態を理解するためには，ストレッサーだけに着目するのではなく，個人の価値観や状況の認知や対応の仕方などを含めた，総合的なアセスメントが重要である．本稿では，ラザルスらが1999年に改訂したストレスと対処の改訂モデルをもとに解説を行う．

1 先行要因

ストレス発生の先行要因として「個人の要因」と「環境の要因」があげられる．これらの先行要因は，相互に影響し合うものであり，認知的評価と対処に影響する．

個人の要因には，年齢や性別，家族関係や職業・社会的立場など個人的な資源のほかに，個人の価値観や信念，目標などがある．価値観は，その人にとって重要なことや大切にしていることであり，それらが脅かされる状況になるとストレスフルな状況につながる．信念とは，育った環境や文化において形成された個人の物事の考え方や思い込みであり，状況に対する認知的評価をする際の解釈を決定づける．目標は，その人が活動や課題を達成するための目印になるもので，場合によっては行動の動機づけになるものである．目標の達成に障害になる脅威が発生した場合，ストレスフルになる可能性も考えられる．たとえば，健康が一番大切だと考え運動し，フルマラソンの完走を目指している人が病気になって入院したとする．健康が一番大切だと考えない人や運動をしない人，フルマラソンの完走の目標をもたない人に比べ，明らかにストレスフルな状況になることが予想される．

環境の要因には，①新奇性，②出来事の不確実性・予測性，③時間的な要因，④曖昧さ，⑤ライフサイクルとストレスフルな出来事のタイミングがある．

①新奇性

新しい状況に直面し，これまで経験したことがなかった状況に出合うことであり，新しい状況であればあるほど新奇性は高まる．これまで経験してきた出来事に類似していても過去に損害や危険を伴ったような場合にはストレスを生じさせる．

②出来事の不確実性・予測性

その出来事が起こるか起こらないか，あるいは出来事の発生を予測できるかできないかということである．また，その出来事の帰結に至るプロセスがわからなければ不確実性が高くなり，ストレスフルな状態となる．予測できない出来事の場合，対処するプロセスに影響を及ぼすため，精神的混乱をもたらす．

③時間的な要因

時間的な要因には，ストレスフルな状況に置かれている時間の長さ（時間が長いか短いか)，差し迫った時間（ストレスフルな状況発生までの時間)，時間的な不確実性（いつストレスフルな状況に置かれるか）の3つがあげられ，認知的評価に影響を与える．

④曖昧さ

出来事が起こる可能性（出来事の不確実性）と，出来事がいつ起こり，どのぐらい続くのか（時間的な要因）について正確に把握できないこと．曖昧さがある状況では個人的な気質・性格や信条，または経験に基づいた意味づけにより判断がなされるため，曖昧さが大きいほど個人的要因の影響が大きくなる．

⑤ライフサイクルとストレスフルな出来事のタイミング

人生のライフサイクルのどの時点で，ストレスフルな状況に遭遇したかによって，認知的評価に与える影響が異なることを意味している．つまり，ライフサイクルのなかで予測していた出来事が予定外の時期に起きた場合には，より高いストレスフルな出来事として評価される．

2 認知的評価

認知的評価は，一次的評価，二次的評価，再評価から構成され，対処行動に影響を与える．一次的評価と二次的評価はどちらが重要か，または時間的に先行しているかということではないとされている．つまり，どちらも重要であり，一次的評価を受けて二次的評価する場合もあれば，同時に評価している場合もある．また，二次的評価そのものが対処（コーピング）となる場合もある．いずれも，先行要因（個人の要因と環境の要因）の影響を受ける．

1）一次的評価

一次的評価は，個人の価値観や目標，信念，生活などに照らし合わせ，その状況が「自分にとって無関係かどうか」「有害なのか肯定的であるのか」「ストレスフルなのか」について判断し，自分がもっている資源で対処できるかどうかを評価するプロセスであり，「無関係」「無害-肯定的」「ストレスフル」の3つに区別される．

（1）無関係

出来事や状況によるストレッサーとのかかわりが，個人にとって何の意味ももたなく，良くも悪くも影響のない場合の評価である．

（2）無害-肯定的

出来事や状況によるストレッサーを肯定的であると解釈し，良好な関係を維持し，強化すると思われる場合の評価である．喜び，愛，幸福，陽気など，快の情動によって特徴づけられるが，一部には不快な情動も複雑に混じり合うこともある評価である．

（3）ストレスフル

個人の価値観や目標，信念，生活などが出来事や状況のストレッサーによって「危うくなっている」「自分での対応が不可能」「脅かされている」と判断したときの評価であり，①害-喪失，②脅威，③挑戦，④利益という4つのタイプに区別される．

①害-喪失：個人の価値観や目標，信念，生活などがすでに何らかの損害を受けているもので，悲哀，恥などの情動を含んでいる．たとえば，病気を克服し社会復帰するという目標を立てたのに，結果が社会復帰できなかった場合，目標達成できなかったという出

来事から，この状態と評価される．悲哀や抑うつ，恥などの情動が含まれている．

②**脅威**：害‒喪失にはなっていないが，その状態が予測される可能性がある場合に行われる評価である．病気を克服し社会復帰するという目標を立てたのに，病状が改善しない可能性もあり，目標を達成できない否定的な結果を予測し，この状態と評価される．恐怖，不安，怒りのような否定的情動を含んでいる．

③**挑戦**：出合った状況が，自分にとって利益や成長の可能性があると判断される場合の評価．脅威と挑戦は，状況に対する対処努力を必要とする点では共通しているが，挑戦は熱意，興奮，陽気など，肯定的な情動を含んでいる．ラザルスは，「障害や危険を乗り越えられる能力に自信をもっていればいるほど，脅威を感じるより挑戦されていると考える．そして，能力が不十分であるという考えが脅威を促進させるため，その逆もいえる」と述べている（Lazarus, 1999　本明他訳，2004，p.92）．ストレスフルな状況を乗り越える能力があると評価した場合は挑戦ととらえることができるが，その能力に自信がない場合は脅威と評価することになる．

④**利益**：後の改訂モデルによって新たに付け加えられた4つ目の評価である．すでに何らかの利得が生じている状況を示しており，ストレスからくるマイナスイメージの情動（怒り，不安，恐怖，悲哀など）だけではなく，プラスの情動（安堵，希望，愛，感謝など）も含むものとされている．

2）二次的評価

二次的評価とは，一次的評価でストレスフルと評価されたストレッサーに対して，その状況を処理するために何が必要か，どのような対処方法が可能か，どの程度うまく処理できるのかといったコントロール可能性に対しての評価である．ストレッサーに対してどのような対処行動（コーピング行動）をとるか検討し，対処の準備を行う段階である．二次的評価は過去の経験や周囲の環境，個人の価値観などに照らし合わせ，最善な結果が得られるように検討することであり，一次的評価同様，先行要因に左右される．たとえば，2型糖尿病を発症しインスリン療法が必要になった場合，生活の再編成や今後起こりうる合併症のことを考え，「脅威」と評価する．その後，どのような合併症があるのか，合併症予防のための方法は何かなどの情報をインターネットや本で情報を集めたり医療職に質問したりすることで，具体的な対処行動をイメージすることができる．すなわち，二次的評価は対処行動の準備の段階といえる．一次的評価と二次的評価は，評価の順番やどちらが重要かは関係なく，互いに影響し合っているとされている．

3）再評価

再評価とは，一次的評価・二次的評価の認知的評価による対処行動（コーピング行動）に対する評価のことである．すなわち，適応できたのか適応できなかったのかを評価する段階である．ストレスフルな状況が続けば，一連の認知的評価を繰り返し，再度対処行動（コーピング行動）をとることになる．対処行動（コーピング行動）がうまく行かない場合，この過程が繰り返されるが，長期にわたる場合，身体的・精神的側面に影響を及ぼす．

3 コーピングの過程

コーピングは本理論において認知的評価と並ぶ重要概念である．ラザルスらは，コーピングを「人の資源に負担をかけたり，過重であると判断される特定の外的または内的欲望を管理するために，常に変化している認知的・行動的努力」と定義している（Lazarus, 1999　本明他訳，2004，p.135）．心理的ストレスに対して，考え，行動することによって心理的ストレスを処理しようとする努力である．従来，コーピングは特定の状況や時間にとらわれることなく，安定的な個人特有のスタイルとされる，特性論的な視点でとらえられていた．ラザルスらのストレス・コーピング理論は，コーピング行動は常に変化するものとしており，認知的評価とコーピング行動が，ストレッサーや先行要因に応じて評価を繰り返し適応に向かうといったプロセス論的な視点をもとにした考え方である．

1）問題解決のためのコーピング行動（表17-1）

ラザルスらによると，コーピング行動は「問題志向型コーピング」と「情動志向型コーピング」の２つに分類している．問題志向型コーピングは，ストレスフルな状況を分析し，その状況の解決策を検討したり，問題解決方法を実施するといった直接的な働きかけを行うものである．情動志向型コーピングは，ストレスフルな状況により受けた恐怖や不安といった情動を軽減するために，ストレスフルな状況の見方を変えるものであり，解釈の仕方を変えることで違った意味合いを見出す対処方法である．問題から遠ざかるなど回避行動もこのコーピング行動に含まれる．

たとえば身近に迫った手術をストレスフルととらえた場合，手術に関する情報を積極的に収集することでストレスへの不安を軽減させようとする取り組みは問題志向型コーピング行動としてあげられ，手術に対する不安を家族に話すことや手術のことを考えないようにリラックスできる行動をとり，手術の不安を回避することは情動志向型コーピング行動としてとらえることができる．

一次的評価で「挑戦」ととらえた場合，問題解決を積極的に図ろうとする問題志向型コーピングが起こり，「脅威」としてとらえ自分では解決することはできないととらえた場合，情動志向型コーピングを行うことが多い．これらの２つのコーピング行動は，どちらが優勢ということはなく，同時に起こることもある．互いのコーピング行動が，ストレスフルな状況に対して効果を促進したり抑制したりすることもあり，絶え間なく変化するプロセスのなかで，状況に応じて適切なコーピングを組み合わせることが重要になる．

表17-1●問題解決のためのコーピング行動

問題志向型コーピング行動	情動志向型コーピング行動
ストレスフルな状況を分析し，その状況の解決策を検討したり，問題解決方法を実施するといった直接的な働きかけを行うもの	ストレスフルな状況により受けた恐怖や不安といった情動を軽減するために，ストレスフルな状況の見方を変えるものであり，解釈の仕方を変えることで違った意味合いを見出す対処方法 問題から遠ざかるなど回避行動もこのコーピング行動に含まれる
〈身近に迫った手術がストレスフル〉 手術に関する情報を積極的に収集することで，ストレスへの不安を軽減させようとする取り組み	〈身近に迫った手術がストレスフル〉 手術に対する不安を家族に話すことや手術のことを考えないようにリラックスできる行動をとり，手術の不安を回避すること

表17-2 ●コーピンク行動に影響を及ぼす要因

対処要因	意　味	主な例
対決的対処	困難な状況を変えるために積極的に努力すること	自分の要求するもののために闘った 問題を起こした人に怒りを表明した
距離をおくこと	自分との間に距離をおいて問題や苦しみを忘れようとすること	状況を軽くとらえた そのことをすべて忘れようとした
自己コントロール	困難なことを自分のなかにとどめ、他の人に知られないようにコントロールすること	私の気持ちを自分自身で保持しようとした 軽率に行動したり直感に従わないようにした
ソーシャルサポートを求めること	問題解決のために積極的に援助を求めること	事態についてより多く知るために誰かに話した 親戚や尊敬できる友に助言を求めた
責任の受容	問題の責任は自分にあると考え、反省すること	自分自身を非難し訓戒した 自分で問題を起こしたことを実感した
逃避−回避	ストレスフルな状況がなくなったり，奇跡が起こることを願ったりして逃避すること	事態が消え去り，どうにか終わることを願った 奇跡が起こることを願った
計画的問題解決	問題解決に向けて計画的に対処し，問題そのものを変化させること	成功させるための努力を重ねた 行動計画を立て，それに従った
ポジティブな再評価	ストレスフルな状況の見方を変えて，新しい意味を見出すこと	人として良い方向へ変わるか，または成長した 新しい信念を見出した

Lazarus, R. S.（1999）／本明寛，小川浩，野口京子，八尋華那雄（訳）（2004）．ストレスと情動の心理学ーナラティブ研究の視点から．実務教育出版．p.140を参考に筆者が作成

2）コーピング行動に影響を及ぼす要因（表17-2）

ラザルスはコーピング行動に及ぼす要因として①対決的対処，②距離をおくこと，③自己コントロール，④ソーシャルサポートを求めること，⑤責任の受容，⑥逃避−回避，⑦計画的問題解決，⑧ポジティブな再評価の8つをあげている（Lazarus, 1999　本明他訳, 2004，p.140）．このなかで，④ソーシャルサポートを求めることは，問題志向型コーピングと情動志向型コーピングの両方のプロセスを促進させる効果が期待できる要因である．具体的には，社会資源の活用は問題解決に役立つ直接な方法や情報を得ることができ，かつ慰めや励ましなど情緒的サポートを得ることができる可能性がある．適切なソーシャルサポートを活用できる場合は，ストレスによる影響を緩和させることができるといわれている．これらのコーピング行動に影響を及ぼす要因についてアセスメントすることにより，コーピング過程を把握することになりコーピング方略の検討に役立てることができる．

4 ストレス・コーピング過程の評価

ストレス・コーピング過程の結果は，再評価を経てストレスフルな状況への適応として評価される．効果的なコーピング行動がとられた場合は適応と評価されるが，適応できなかった場合は再び認知的評価に戻り，一連のストレス・コーピング過程を繰り返すことになる．適応ができずストレスフルな状況が長く続く場合，短期的・長期的影響を受け，心身の健康レベルの低下をもたらす．短期的な影響には，生理学的な身体変化，感情・情動

の肯定的あるいは否定的な変化，出来事によってもたらされる体験の内容がある．また，長期的な影響には，仕事や社会生活，モラール（自信・意欲），身体的健康，身体的疾患がある．コーピング行動の結果がどのように影響を及ぼしているのかも含めて，適応の結果を理解することが必要となる．

 研究の動向

ラザルスの理論を活用した研究は国内外で進められている．妊婦のストレッサーとコーピング，ストレス反応の関連に関する研究（湯舟，2012）や開腹・開胸術を受ける患者の術前認知的評価尺度（山本・横内・登喜・川西・吉永，2004）の研究においてラザルスの理論が用いられている．任ら（2004）は，2型糖尿病患者のコーピング行動と血糖コントロールの関連を明らかにし，血糖コントロール不良群では情動志向型のコーピング行動をとる傾向にあることを明らかにしている．心筋症患者の日常生活上の困難に対するコーピング行動を分析した研究（森下，2007）など，患者のコーピング行動に着目した研究も行われている．また，東日本大震災で被災した看護師のストレス反応とコーピングを明らかにした研究（柏葉・小野寺・大山・藤井，2020）など，看護師を対象にした研究も行われている．さらに，ストレスコーピングとレジリエンスの関連に着目した研究（山本，2019）や精神健康とストレスコーピングに着目した研究（菅谷・所・佐伯，2019；藤岡・今城，2019）など，他の概念や疾患との関連に着目した研究も行われている．このように多くの研究でストレスコーピングの概念を用いられている．このことは，城丸・水谷・松本（2012）が国内のストレス・コーピングの研究をテキストマイニングの手法でタイトル分析をし，「患者」「看護師」「家族」「看護学生」「母親」「大学生」の順にタイトル単語として使用されていたと報告しており，幅広い対象に研究が行われている．

ストレスやコーピング行動に着目した研究以外に，様々なコーピング尺度の開発も行われている．ラザルスは自身の理論をもとに，Ways of Coping Questionnaire（1988）を開発し，その日本語版が日本健康心理学研究所（2001）よりラザルス式ストレスコーピングインベントリー（以下SCI）として出版され，多くのストレスコーピング研究で利用されている．SCIを用いた研究としては，幼児をもつ母親や父親の育児ストレスと関連要因を明らかにした研究（大迫ら，2017；岩永ら，2019）や高齢者を対象にコーピング行動と海馬の萎縮の関係を明らかにした研究（Kida Hisashi, et al., 2020）などの研究が行われている．

海外の研究としては慢性疼痛をもつ人のストレス（Dysvik, Natvig, Eikeland, Lindstrom, 2005），乳がん患者のストレスマネジメント（Fillion, et al., 2008）などがあげられる．また，慢性疾患患者の自己効力感とストレスコーピングの関係を明らかにした研究（Bakan & Inci, 2021）では，自己効力感を高めるために問題志向型のコーピング行動を取れるようにサポートする必要性が明らかになっている．他にも若年者の多発硬化症患者の失感情症がコーピング行動に与える影響を調査した研究（Yilmaz, Sabanciogullari, Sevimligul, 2023）などの研究も行われている．

理論の看護実践での活用

1 どのような対象や状況に活用できるか

ラザルスのストレス・コーピング理論は，急性期や慢性期の病期にかかわらず，また年齢や性別を問わずストレスとなる出来事や環境に置かれている様々な人に活用できる．

この理論は，ストレスフルな状況に陥った対象者のストレスの認知的評価とコーピング過程を経て適応へと向かう理論的枠組みを提供してくれる．どのようなストレッサーに遭遇し，どのようなコーピング方略をとろうとしているのか，そのためのソーシャルサポートは何かを考え，状況に応じた有効な介入方法を検討することにより，コーピング行動を促進する看護援助の提供につながることが期待できる．また，今後ストレスになりうる事柄や出来事を想定した予防的介入，コーピング強化を目的とした看護援助にも活用できる．

2 アセスメントのポイントと看護援助の選択

1）アセスメントのための情報収集

ストレス・コーピング理論を看護援助に応用するためには，対象者の個々の状況を理解し，ストレス・コーピング過程の関する情報を収集し，多角的にアセスメントすることが必要である．そのためには，以下の6つの事柄を明らかにする必要があるとされている（茶園，2006）．

（1）ストレスになっているものは何か

ストレスフルの状況となっている要因は何かを特定する．個人によって異なる先行要因を加味しながら，認知的評価に影響を与える要因を検討する．

（2）ストレスに対して患者（対象者）はどのように解釈しているか

ストレスに対して患者（対象者）はどのように認識しているのか，どのような情動を伴っているのかを把握する．一時的評価でストレスフルのどのタイプとして評価しているのか，二次的評価でどのような準備行動をとろうとしているのか把握することが重要である．

（3）ストレスに対して患者（対象者）はどのようなコーピング方略をとっているか，あるいはとろうとしているか

コーピング方略は，問題志向型コーピングか情動志向型コーピングのどちらのコーピング行動か，コーピング行動に影響を及ぼす要因は何か，具体的で実行可能なコーピング行動か，コーピング行動の適切性などコーピング方略全体を理解することが重要である．ストレスに対するコーピング傾向を測定する尺度が作成されている．ラザルスらの対処様式測定法（64項目4件法）をもとに日本人を対象に作成された「ストレス・コーピングインベントリー」（stress coping inventory : SCI）が用いられている（日本健康心理学研究所，1996）．コーピング尺度を用いてコーピングを測定することにより，用いたコーピングや，そのバランスに関する評価ができ，患者のコーピング過程の理解や促進を目指した援助への活用が期待される．

(4) コーピング方略全体について，患者（対象者）はどのように評価しているか

コーピング行動による害と利点は何か，どのような結果が想定されているか，どのような状況になることが適応と評価されるのかなど，コーピング方略の評価についての認識を理解することが重要である．

(5) 過去のストレスフルな状況で患者（対象者）が使った効果的なコーピング方略は何か

過去のストレスフルに対するコーピング行動は，ストレス・コーピング過程に影響を及ぼす重要な資源となることもある．また，個人のコーピング行動特性を理解するうえでも重要な情報となる．

(6) 患者（対象者）がもっているソーシャルサポートは何か

ソーシャルサポートの活用は，コーピング行動の促進に役立つ．ソーシャルサポートの活用状況を把握し，必要に応じて活用可能なソーシャルサポートを検討し，サポートを受けられる環境を整備することは，コーピング行動を促進する重要な援助となる．

2）アセスメントに基づいた看護援助のポイント

アセスメントに基づいた看護援助のポイントとしては，効果的なストレス・コーピング過程を獲得できるように，以下の項目について援助内容を検討する．

(1) ストレス反応による身体症状の軽減
(2) ストレスフルの原因の除去や軽減
(3) ネガティブな認知的評価，情動を軽減するための援助
(4) ポジティブな認知的評価，情動を強化するための援助
(5) 効果的なコーピング行動選択のための情報提供と環境調整
(6) コーピングに影響を及ぼす要因（表17-2）を促進させるための援助
(7) コーピング行動促進のための資源の提供
(8) ソーシャルサポートに関する情報提供
(9) コーピング行動の目標設定の確認と共有

3）看護実践の評価

ストレス状況に対するコーピング過程により適応に至ったのか，それともストレスフルな状況が持続しているのかを評価する．適応に至らない場合は，認知的評価を行い，新たなコーピング方略を検討する．ストレスフルな状況が長く続く場合，身体的な影響や感情の変化，社会性の低下など様々な影響が現れる．新たな身体症状の出現やストレスに対する考え方の変化や意欲，家庭や社会における役割変化などが生じていないかを確認しながら，評価を行うことが重要である．

G 臨床での活用の実際

1 事例紹介

Aさんは30歳代の男性である．職業は会社員．岸壁に船を係留しようとした際，船舶と岸壁に間に左大腿部がはさまれ受傷し，救急搬送された．搬入時の状況は，意識レベル

GCS15，血圧162/98mmHg，脈拍107回/分，体温37.0℃．左大腿部の膝関節以下のチアノーゼが著明にみられ，足背動脈の触知不可能な状況であった．また，膝関節以下の運動・知覚の完全麻痺がみられていた．搬入当日緊急手術となり，膝窩動静脈の断裂を確認したため，右大伏在静脈を膝窩動脈に移植し血行再建，膝窩静脈は吻合し，大腿骨開放骨折に対しては創外固定術を行った．大腿筋群は高度の挫滅を呈し，皮膚も広範囲にわたって剝奪がみられた．下腿筋群はコンパートメント症候群が認められたため，皮下開放し手術を終了した．

術後の所見として，左下腿の運動・知覚麻痺，足背動脈触知可，大腿遠位から下腿中央にかけての広範囲な皮膚水疱・壊死，下腿の緊満が認められた．高度の挫滅とコンパートメント症候群があり，今後の治療方針を決めるため本人と家族を交えてのインフォームドコンセントの場が設けられた．インフォームドコンセントの内容は，「左下肢は血行再建しており温存は可能な状況であるが，大腿筋群の60％が挫滅しており，今後，全身の様々な場所からの広範囲な筋肉移植が必要．手術は最低２～３回行う必要があり，身体的負担も大きい．神経損傷もあり治ったとしても，どの程度の障害が残るか現時点では不明である．逆に手術を繰り返すことにより，感染症のリスクが高まり，長年かけて頑張って治療したが結局，切断ということもあり得る．しかし，神経損傷が改善し，筋移植して歩けるようになる可能性もゼロではない．一方，仮に切断すれば，機能的には義足をつけて普通に歩けるようになる．治療期間は切断すれば６か月，温存すれば１年以上かかるかもしれない．非常に難しい選択であるが，２次感染の危険もあり，早急に手術は必要．５日後まで家族間で話し合ってほしい」という内容であった．

インフォームドコンセント後の本人のとらえ方を把握するため話を伺ったところ，「自分では今，どうしていいかわからない」「今後の生活のイメージもつかない」と話し，憔悴した表情をうかべていた．患者はその夜，強い痛みを訴え，いつもより多くの鎮痛薬を使用した．翌日以降も夜間の強い痛みを訴え，時には夜中に一人で泣いている様子も見受けられた．インフォームドコンセントから２日目に，改めてAさんの考えを伺ったところ「自分の足がなくなることは，まったく想像できない．今後の生活は，仕事はどうなるのか．人の目も気になる．足がなくならないにしても歩けない生活は考えられない．自分一人では決められない．家族にも迷惑をかけると思うし，家族の意志も尊重していきたい」と涙を流しながら話した．家族のとらえ方は「本人には足がないことで嫌な思いはさせたくない．（下肢を）温存して，ダメなら切断するのが最善と思うが，結婚を控えており，婚約者の負担を考えると…」と治療の選択による結果の曖昧さと不確かな状況に困惑している様子がみられた．

2 理論に照らしての情報収集のポイント（図17-２）

（１）ストレスになっているものは何か

Aさんにとってストレスとなっているものは，突然の受傷により下肢の温存か切断かを短期間で決めなければならない状況にあったことである．ストレスフルな状況となった先行要因として，治療の選択による曖昧さと出来事の不確実性・予測性，障害受容をしなければならない新奇性が影響を及ぼしていたと考える．よって，先行要因を軽減させる看護

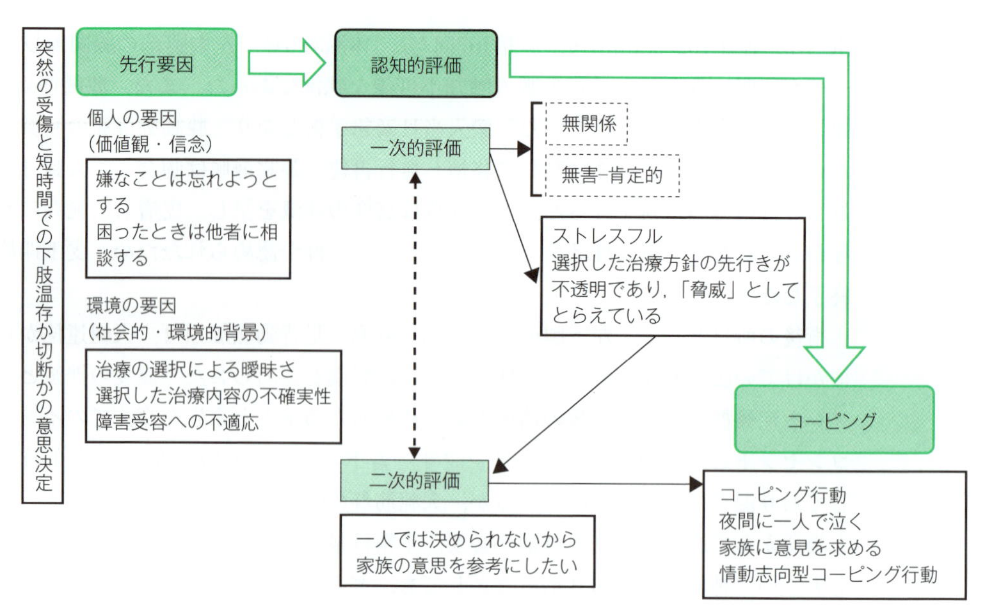

図17-2 ●Aさんのストレス・コーピンク過程の分析

援助の選択が必要になると考える.

(2) ストレスに対して患者（対象者）はどのように解釈しているか

下肢の切断か温存かの治療方針の選択を迫られた状態ではあるが，いずれの選択にせよ先行きが曖昧な状況であり，Aさんは「脅威」としてとらえておりストレスフルな状況となっている．それにより，不安や恐怖の情動を伴っていると考えられる．

(3) ストレスに対して患者（対象者）はどのようなコーピング方略をとっているか，あるいはとろうとしているか

Aさんの明らかなコーピング方略は現在のところはっきりしていないが，家族のサポートを得ることで決断しようとする言動がみられており，「自身の意思決定の情緒的サポートとして」家族の意見を参考に決断しようとする情動志向型コーピング行動をとろうしていることが伺える.

(4) コーピング方略全体について，患者（対象者）はどのように評価しているか

明確なコーピング方略は明らかになっていないため，評価の内容は現時点では不明であるが，ストレスフルな状況により生じているマイナスの情動の軽減が一つの評価の指標と考えることができる.

(5) 過去のストレスフルな状況で患者（対象者）が使った効果的なコーピング方略は何か

仕事でストレスを感じた場合は，友人や婚約者に話を聞いてもらい軽減していた様子である．また，嫌なことは忘れようとする性格のようである.

(6) 患者（対象者）がもっているソーシャルサポートは何か

家族や婚約者は毎日面会しており，周囲の支えてくれる人的環境は整っている．また，就業中の事故であったため，金銭面のサポート（労働災害）はもとより，退院後の職場復帰についても，焦らずじっくり直してから復帰すること，治療の状況に応じた部署の変更

を今後検討することなどを上司から伝えられている.

3 理論に照らしてのアセスメントと援助の実際（図17-3）

1）ストレスによる身体症状の軽減

Aさんはストレスの影響と考えられる明らかな身体症状を訴えていないものの，夜間に一人で泣くなどの情動反応や痛みが増強するなどの身体症状は，少なからずストレスが関連しているものと考えられる.「つらいときはいつでも泣いてよいこと」「疼痛は我慢せず早めに鎮痛薬を使用し対応すること」「不安や不明な点がある場合はいつでも医療者に相談できること」など情緒的サポートと身体的サポートを保証することを明確に伝えることとした.

2）先行要因を軽減する援助

治療の選択による曖昧さと出来事の不確実性・予測性に対しては，本人が知りたい情報を可能な限り提供することにした．下肢を温存した場合の考えられる治療経過について詳細に医師に説明してもらうよう依頼し，入院期間やこれまでの症例の転帰，具体的な社会復帰例などを説明した．障害受容をしなければならない新奇性に対しては，医師・理学療法士・義肢装具士と調整を行い，Aさんと家族の下肢を温存した場合の障害の程度などや義足を装着した場合の疑問点に答えてもらう場を設定した．さらに，実際の切断肢患者のリハビリ状況を見学できるようにするなど調整を行った.

3）一次的評価への介入

ストレスフルな状況を「脅威」としてとらえていたが，身体症状の軽減と先行要因を軽減する援助を行った結果，「先行きがわからない状況で，自分がどうなるかまったく理解できなかったし，理解しようともしていなかった．詳しい説明を聞くのも怖かったが，判断しないといけないことだし逃げてばかりいても駄目だと感じている」と話し，ストレスフルな状況のとらえ方が「脅威」から「挑戦」へ徐々に変化していく様子がみられた.

4）二次的評価への介入

疑問点を自分自身で調べられるように，床上でのインターネット環境の整備や文献のコピーをAさんに渡した．Aさんは「いただいた資料や自分で調べた内容から下肢を温存した場合のメリット・デメリット，義足にした場合のメリット・デメリットの一覧を作成し，さらなるメリット・デメリットがないか，医療者や家族，義足でリハビリをしている他患者に意見を聞こうと考えている」と話した．Aさんは，自分にとって最善の治療方針を決定するために問題となる出来事を見出し，解決しようとする問題志向型コーピング行動をとろうとしている様子が伺えた．また，家族や医療者の意見も参考にしながら自分の考えを促進し，意思決定しようとする情動志向型コーピング行動をとろうとしている様子も伺えた．以前よりも具体的な内容の意見を求めようとする様子があり，情動志向型コーピング行動の強化につながっている.

5）コーピング行動の強化ための要因へのアプローチ

ソーシャルサポートの強化として，家族へは本人の相談に乗る時間を多くつくるように依頼した．また，本人の作成したメリット・デメリットに退院後の生活状況を想起し，積極的に意見を述べるように促した．また，義足を装着し生活している体験者と話ができる

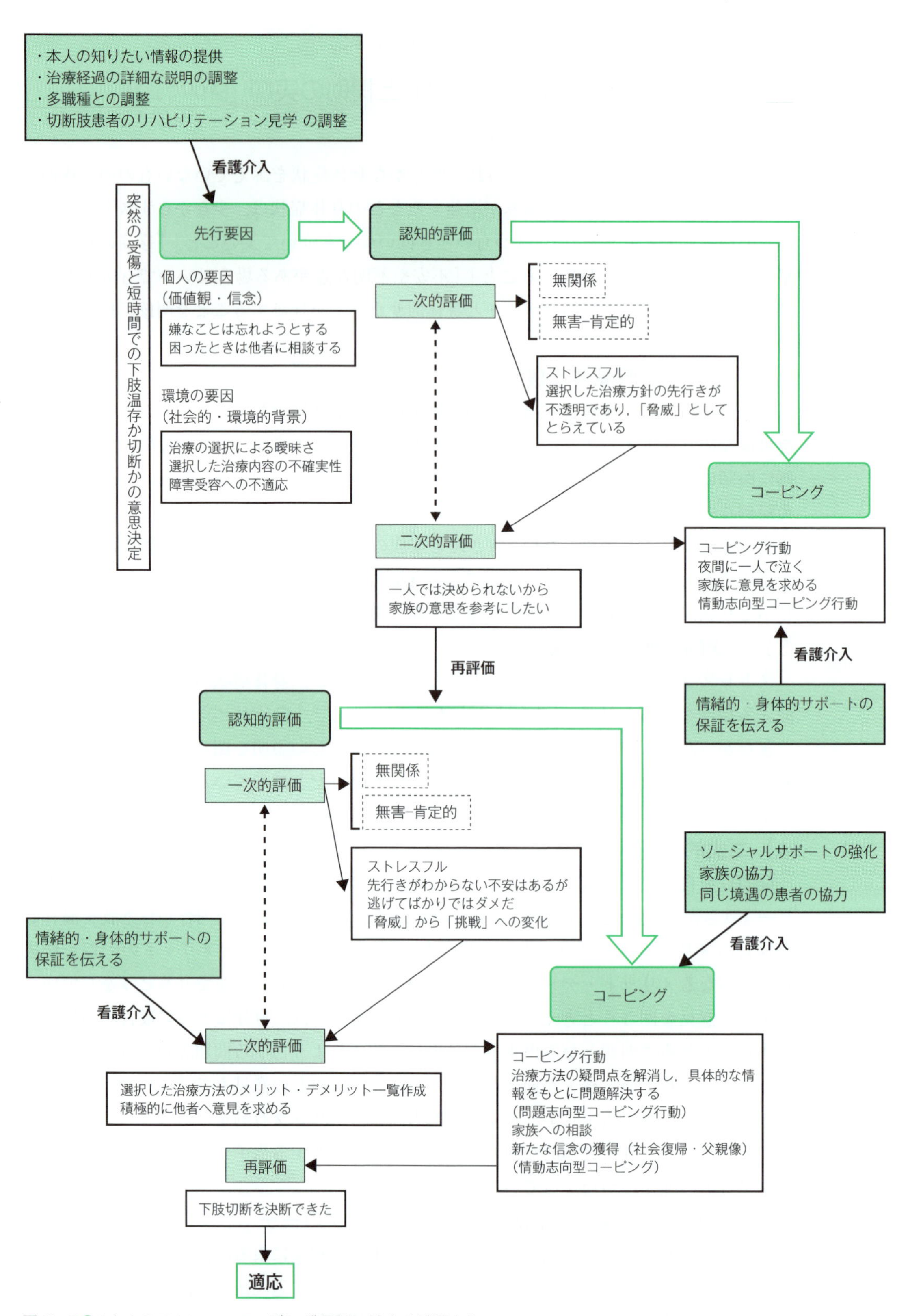

図17-3●Aさんのストレス・コーピング過程に対する看護介入

時間を確保した．

6）実際のコーピング行動

二次的評価でイメージした問題志向型コーピング行動を行い，より具体的な情報を得ることができメリット・デメリットをさらに補足することにつながった．それをもとに，家族や婚約者と相談する様子がみられた．家族や婚約者は「決めるのは自分だし，たとえどのような結論に至ってもサポートするし，一緒に頑張っていきたい」と本人に伝え，Aさんの意思を尊重することと結論にかかわらずサポートする保証を伝えた．

7）適　応

今後の治療方針を決める日，「自分にとって一番いい選択は何かを考えた場合，早く社会復帰したいという思いがある．婚約者が妊娠中であり，生まれてくる子どものためにも，たとえ義足であっても歩ける，元気な親でありたいと考えた．家族も自分の意見に賛成してくれたし，今は後悔していない」と話し，左下肢切断術を受けた．

その後，義足でのリハビリが順調に経過し，2か月後に退院し，受傷より6か月後に元の職場へ社会復帰した．

Aさんは，短期間で自分の人生や周囲の人々の人生に影響を与える重要な意思決定を迫られ，ストレスフルな状況に置かれていた．Aさんの場合，先行要因が効果的なストレス・コーピング過程の経過に影響を与えていたと考えられる．先行要因の軽減を図ることにより，認知的評価に影響を与え問題志向型コーピング行動をとることにつながったと考える．また，認知的評価の強化のための情報提供やコーピング過程促進のための調整やソーシャルサポートの提供，家族の情緒的サポートの促進などにより適応に至ったものと考える．

H　理論を看護実践につなげるために

ストレス状態の長期化は，身体的影響や社会機能低下など患者の回復過程に悪影響を及ぼすことが考えられるため，早期の対応が必要である．ある出来事をストレスフルと感じるかどうかは，個人の特性と出来事の生じた環境により異なるため，個人要因や環境要因などのストレスフルとなる先行要因をアセスメントし，ストレスフルな状況に陥っているかどうかを見極めることが重要である．その状況をどのように認識し，対応しようとしているのか，対応するための資源はもち合わせているのか，介入できるポイントはどこかなど，多角的なアセスメントと援助を行い，対象者と共に適応に向けた努力をすることが必要である．また，コーピング行動を強化することも重要であり，対象者がとろうとしているコーピング行動を強化するための援助も検討する．そのためには，コーピング行動に影響を及ぼす要因を理解し，対象者が多様なコーピング方略をイメージできるように援助していくことが重要である．さらに，今後想起されるストレスフルな状況に対して，予防的なコーピング行動を提示するなどストレスフルな状況を軽減させることも期待される．

文 献

Bakan, G., Inci, F.H. (2021). Predictor of self-efficacy in individuals with chronic disease: Stress-coping strategies. Journal of Clinical Nursing, *30*, 874-881.

Cannon, W. B. (1935). Stress and strains of homeostasis. *American Journal of Medical Sciences, 189*, 1-14.

茶園美香 (2006). 看護における「ニード論」「ストレスーコーピング理論」. 日本集中治療医学会雑誌, *13*, 431-435.

Dysvic, E., Natvig, G.K., Eikeland, O.J., Lindstrom, T. C. (2005). Coping with chronic pain. *International Journal of Nursing Studies, 42*, 297-305.

Fillion, L., Gagnon, P., Leblond, F., Gelinas, C., Savard, J., Dupuis, R., et al. (2008). A brief intervention for fatigue management in breast cancer survivors. *Cancer Nursing, 31*(2), 145-159.

藤岡万理恵, 今城周造 (2019). 女子大学生の怒り表出性とストレスコーピングが精神的健康に及ぼす影響. 昭和女子大学生活心理研究所紀要, *21*, 15-30.

Holmes, T. H., Rahe, R. H. (1967). The social readjustment rating scale. *Journal of Psychomatic Research, 11*, 213-218.

岩永裕人, 大迫健, 徳永瑛子, 田中悟郎, 菊池泰樹, 岩永竜一郎 (2019). 幼児をもつ父親の育児ストレスと関連要因. 日本発達系作業療法学会誌, *6* (1), 8-13.

柏葉英美, 小野寺正子, 大山 一志, 藤井博英 (2020). 東日本大震災で被災した看護師のストレス反応とストレスコーピング. 岩手県立大学社会福祉学部紀要, *22*, 13-22.

Kida Hisashi, Nakajima Shinichiro, Shikimoto Ryo, Ochi Ryo, Noda Yoshihiro, Tsugawa Sakiko, et al. (2020). Approach-oriented coping strategy level may be related to volume of the whole hippocampus in the elderly. *Psychiatry and Clinical Neurosciences, 74*, 270-276.

Lazarus, R. S. (1999) / 本明寛, 小川浩, 野口京子, 八尋華那雄 (訳) (2004). ストレスと情動の心理学ーナラティブ研究の視点から, 実務教育出版.

Lazarus, R. S., Folkman, S. (1984) / 本明寛, 春木豊, 織田正美 (訳) (1991). ストレスの心理学ー認知的評価と対処の研究, 実務教育出版.

日本健康心理学研究所 (2001). ラザルス式ストレスコーピングインベントリー(SCI). 実務教育出版.

任和子, 津田謹輔, 谷口中, 福島光夫, 北谷直美, 奥村裕英他 (2004). 2型糖尿病患者における糖尿病に関連した日常生活のストレス原因に対するコーピングと血糖コントロールの関連. 糖尿病, *47*(11), 883-888.

森下晶代 (2007). 心筋症患者の日常生活上の困難に対するコーピング. 日本看護研究学会雑誌, *30*(1), 49-57.

大迫健, 岩永裕人, 徳永瑛子, 菊池泰樹, 田中悟郎, 岩永竜一郎 (2017). 幼児をもつ母親の育児ストレスと関連要因. 日本発達系作業療法学会誌, *5* (1), 1-8.

Selye, H. (1936). A syndrome produced by diverse nocuous agents. *Nature, 138*, 32.

城丸瑞恵, 水谷郷美, 松本宏美 (2012). 日本の医療における「ストレスとコーピング」研究の動向　テキストマイニングによる医中誌文献タイトルの分析. 札幌保健科学雑誌, *1*, 129-135.

菅谷洋子, 所ミヨ子, 佐伯千寿子 (2019). 医療福祉系学生の精神健康状態に与える影響要因の検討　睡眠障害・ストレスコーピング・自己効力感の関連と性差. 日本看護学会論文集ヘルスプロモーション, *49*, 11-14.

山本 春香 (2019). 大学生の疲労に及ぼす要因の検討　ストレスコーピングとレジリエンスの観点から. 近畿大学心理臨床・教育相談センター紀要, *3*, 1-8.

山本直美, 横内光子, 登喜和江, 川西千恵美, 吉永喜久恵 (2004). 開腹・開胸術を受ける患者の術前認知的評価尺度の妥当性・信頼性. 日本看護科学会誌, *24*(4), 74-82.

Yilmaz, F.T., Sabanciogullari, S. Sevimligul, G.. (2023). Alexithymia and coping with stress in patients with multiple sclerosis: A comparative study. *Journal of Neuroscience Nursing, 55*(1), 24-29.

湯舟邦子 (2012). 妊婦のストレッサー, コーピング, ストレス反応の関係性に関する検討. 昭和大学保健医療学雑誌, *10*, 51-56.

● 危機・ストレス・不確かさの認知や対処に関する理論

18 病気の不確かさ理論

A 理論との出会い

筆者が不確かさという用語に出会ったのは，鈴木（1998）がミシェルの病気の不確かさ理論を紹介している論文を手にしたときに始まる.「不確かさ」とは何か，看護において重要な概念である不安とは異なるのだろうか．耳慣れない用語に強く惹かれながら，ミシェルの論文にあたってみた．それにより，ミシェルの不確かさ理論はラザルスのストレス・コーピングにヒントを得ており，不確かさをストレッサーに置き換えて構築されたことがわかった．不確かさはストレッサーの一つであり，その人が不確かさを認知しても，次に，危険または好機と評価されるまでは中立的なものであり，情緒的な反応を伴うことはない．不安は不確かさの認知から評価を経て生じてくる情緒的反応の一つであるから，不確かさとは区別されるものであると理解することができた.

実際の場面では，不確かさの認知と評価はほぼ同時に起こり，その人が体験している不確かさと不安を区別することは難しい．しかし，あえて不確かさと不安などの情緒反応とを区別することにより，患者が認知している不確かさの性質，程度，影響要因などの整理が可能となり，患者の置かれた状況を多角的にアセスメントすることができる．また，そのことにより，患者の認知する不確かさの性質に応じた適切な看護援助を選択できる可能性が広がると考えている.

B 理論家紹介

マール・ミシェル（Merle H. Mishel，1939-2020）の教育歴は，1961年にボストン大学で看護学の学士号，1966年にカリフォルニア大学で看護学の修士号を取得．さらに，カルフォルニア州にあるクレアモント大学院大学において1976年に文学の修士号，1980年には社会心理学の博士号を取得．博士論文「病気において知覚される曖昧さのスケール」は，のちに開発されたミシェルの不確かさ尺度の基盤となっている.

職歴・研究歴は，キャリア初期には，精神科看護師として急性期医療や地域社会で活躍していた．1967-1981年には，カルフォルニア州立大学ロサンゼルス校看護学部の講師，准教授．1981-1991年には，アリゾナ大学看護学部の准教授，教授．1991年からはノースカロライナ大学チャペルヒル校看護学部の教授となり，1994年にKenan Professor of Nursing Chairという寄付講座を授与，教育研究に励み2014年春に退職し，2020年４月25

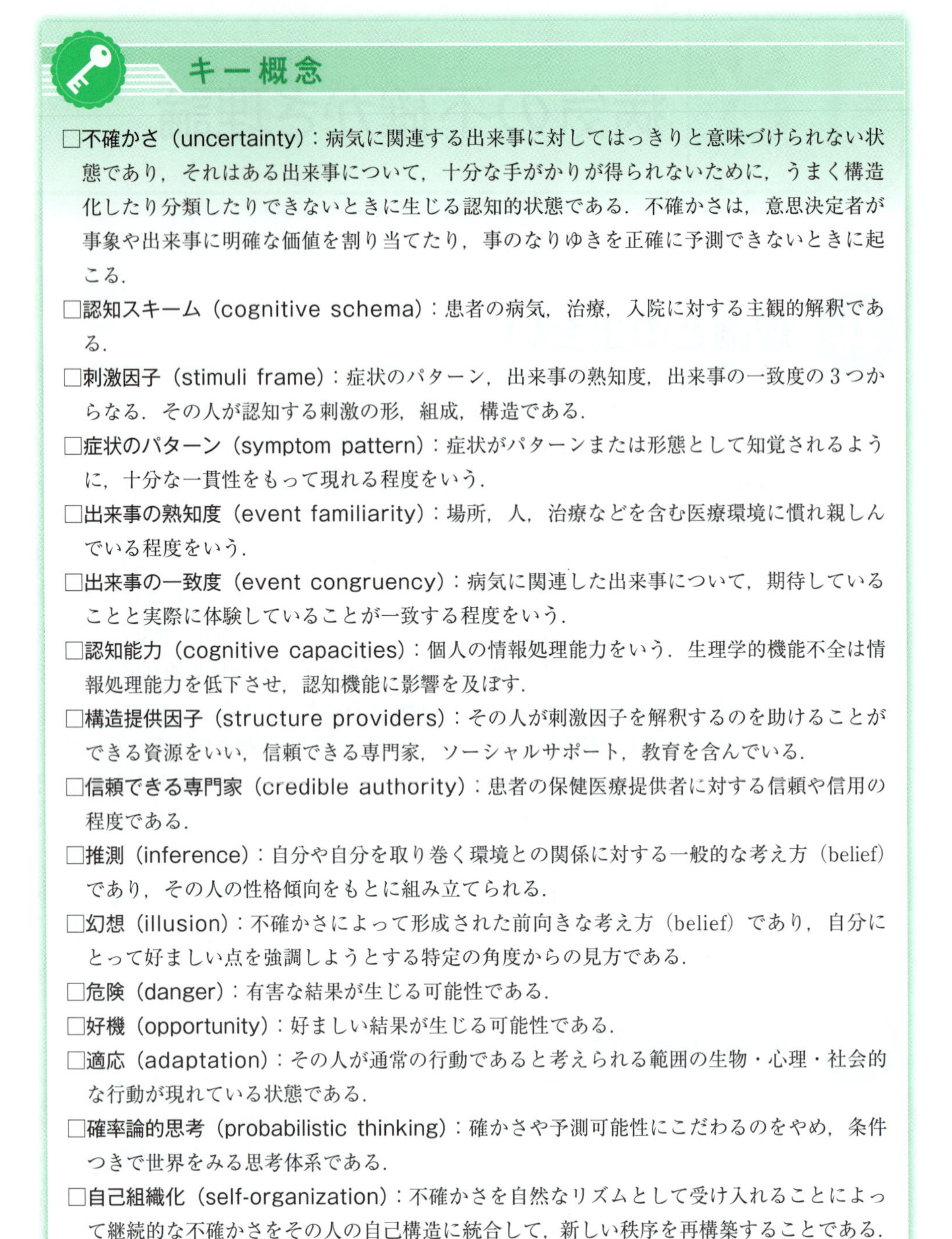

キー概念

□不確かさ（uncertainty）：病気に関連する出来事に対してはっきりと意味づけられない状態であり，それはある出来事について，十分な手がかりが得られないために，うまく構造化したり分類したりできないときに生じる認知的状態である．不確かさは，意思決定者が事象や出来事に明確な価値を割り当てたり，事のなりゆきを正確に予測できないときに起こる．

□認知スキーム（cognitive schema）：患者の病気，治療，入院に対する主観的解釈である．

□刺激因子（stimuli frame）：症状のパターン，出来事の熟知度，出来事の一致度の3つからなる．その人が認知する刺激の形，組成，構造である．

□症状のパターン（symptom pattern）：症状がパターンまたは形態として知覚されるように，十分な一貫性をもって現れる程度をいう．

□出来事の熟知度（event familiarity）：場所，人，治療などを含む医療環境に慣れ親しんでいる程度をいう．

□出来事の一致度（event congruency）：病気に関連した出来事について，期待していることと実際に体験していることが一致する程度をいう．

□認知能力（cognitive capacities）：個人の情報処理能力をいう．生理学的機能不全は情報処理能力を低下させ，認知機能に影響を及ぼす．

□構造提供因子（structure providers）：その人が刺激因子を解釈するのを助けることができる資源をいい，信頼できる専門家，ソーシャルサポート，教育を含んでいる．

□信頼できる専門家（credible authority）：患者の保健医療提供者に対する信頼や信用の程度である．

□推測（inference）：自分や自分を取り巻く環境との関係に対する一般的な考え方（belief）であり，その人の性格傾向をもとに組み立てられる．

□幻想（illusion）：不確かさによって形成された前向きな考え方（belief）であり，自分にとって好ましい点を強調しようとする特定の角度からの見方である．

□危険（danger）：有害な結果が生じる可能性である．

□好機（opportunity）：好ましい結果が生じる可能性である．

□適応（adaptation）：その人が通常の行動であると考えられる範囲の生物・心理・社会的な行動が現れている状態である．

□確率論的思考（probabilistic thinking）：確かさや予測可能性にこだわるのをやめ，条件つきで世界をみる思考体系である．

□自己組織化（self-organization）：不確かさを自然なリズムとして受け入れることによって継続的な不確かさをその人の自己構造に統合して，新しい秩序を再構築することである．

日にコネチカット州ブルームフィールドで永眠した．

主な研究業績には，病気の不確かさ理論の構築，不確かさ尺度および不確かさ体験を経ての成長尺度の開発，不確かさのマネジメントに関する介入研究などがある．

不確かさ尺度は対象別に複数あり（成人の入院患者用，成人の在宅患者用，病気の子どもを抱える親用，病者を抱える家族用），これらは17か国語以上に翻訳され世界各国で使用されている．また，米国の国立看護研究所や国立がん研究所から資金を得て，乳がん患者，前立腺がん患者，慢性疾患患者などの不確かさに関する介入研究に着手して成果をあげており，ミシェルの論文は看護の専門誌で最も引用されるトップ50に入っている．

受賞歴の主なものは，1977-1979にはシグマ・テータ・タウ国際シグマXI支部看護研究プレドクトラル・フェローシップ，1986年にはMary Opal Wolanin 研究賞など多数ある．

理論誕生の歴史的背景

ミシェルによると，病気の急性状況での入院で体験する不確かさとそれによってもたらされるストレスについては，すでに1970年代に多くの研究者により議論されていた．また，事前に患者に情報を与えることで，ストレスを減らすことができることも報告されてきた．しかし，不確かさの原因，不確かさとストレスの関係，不確かさを減らす方策など，不確かさにまつわる事象の全体を説明できる枠組みが存在していなかった（Mishel, 1984）．

そこで，ミシェルはその当時，心理学の分野で脚光を浴びていたリチャード・ラザルス（Richard S. Lazarus）のストレス・コーピング理論に注目した（Lazarus, 1974）．そして，病気の診断や治療を受ける段階にある患者を想定して，患者の認知する不確かさをストレッサーに見立てることにより，不確かさの認知から評価，コーピング，適応へと至るという病気の不確かさ理論を構築した（Mishel, 1988）．

その後，慢性疾患の増加が社会問題化するにつれて，オリジナル理論は急性期や積極的治療を受ける段階にある患者に適合するが，絶えまない不確かさと折り合って生活している慢性期の患者には必ずしも適合しないなどの批判を受けた．そこで，無秩序と新しい安定への再編成を説明する複雑系を扱う，プリゴジンら（Prigogine & Stengers, 1984）のカオス理論をもとにオリジナル理論の再概念化を試みた（Mishel, 1990）．なお，ミシェル自身は，病気の不確かさの研究に取り組むようになったきっかけは，直腸がんで死期を迎えていた父親が，身体のむくみや衰弱がなぜ起こっているか理解できずに，少しでも予測できることについてはコントロールしようと必死になっているのを見て，不確かさが与える影響の重要性を認識したという個人的な経験であったと述べている（Mishel & Clayton, 2003）．

病気の不確かさ理論とは

1 病気の不確かさ

ミシェルは，不確かさを「病気に関連する出来事に対してはっきりと意味づけられない状態であり，それはある出来事について，十分な手がかりが得られないために，うまく構

表18-1●不確かさの4つの種類

1．病状の曖昧さ（ambiguity）
2．治療やケアシステムの複雑さ（complexity）
3．病名や病気の重症度に関する情報の不足や不一致（lack or inconsistency of information）
4．疾患コースや予後の予測不可能性（unpredictability）

造化したり分類したりできないときに生じる認知的状態である」と定義し，不確かさは，意思決定者が事象や出来事に明確な価値を割り当てたり，事のなりゆきを正確に予測できないときに起こると述べている．さらに，「今後どのようなことが起こり，ある出来事がどのような結果を招き，その出来事がどのような意味をもつのかということについての不確かさは，どんな病人にとっても重大であり，病気や治療に関する不確かさの管理が心理的適応上の課題である」と指摘している（Mishel, 1988）．

なお，病気体験における不確かさとして表18-1の4つをあげている．

2 ミシェルの2つの理論

中範囲理論としてのミシェルの病気の不確かさ理論は2つある．第1の理論は，最初に開発された不確かさ理論で（以下，オリジナル理論とする），病気の診断，治療の段階または病状が下降線をたどっている状況を想定して構築されている．オリジナル理論はストレスの認知，評価を経て適応へと至る一連のプロセスを説明したラザルスのストレス・コーピング理論がその土台にあり（Lazarus, 1974），ストレッサーを不確かさに置き換え，不確かさの認知，評価，コーピングを経て病前の安定した状態を取り戻すという「適応」に目標が置かれている．

第2の理論は，ウォーカーら（Walker & Avant, 1989）の理論構築の方法に従って，オリジナル理論を再概念化し，発展させたものである（以下，再概念化理論とする）．不確かさの定義や3つの主要なテーマ（不確かさの認知，評価，コーピング）はオリジナル理論と共通する．しかし，その基礎にカオス理論を据え，自己組織化と確率論的思考という2つの概念を加えることにより，その人が不確かさの体験で揺らぎながらも，新しい価値システムへと移行し，自己組織化・自己成長を遂げるということを目標に置いている．

1）オリジナル理論（診断前後，急性状況の不確かさ理論）（図18-1）

（1）土台にストレス・コーピング理論

最初ミシェルは，がんの診断時や心筋梗塞発作などの急性状況にある患者を想定して，不確かさの認知から適応へと直線的に移行する病気の不確かさ認知モデルを提示した．ラザルスのストレス・コーピング理論を土台にしていることから，刺激と反応という単純な構図ではなく，反応の媒介となる認知的評価のプロセスを重視している．不確かさの認知から，評価，コーピングを経て，適応へとつながる線形モデルであり，フィードバックループは考慮に入れていない．

（2）適用対象

診断前，または診断がついて医学的治療を受けている急性期または慢性期の病気をもつ患者を主な対象としている．

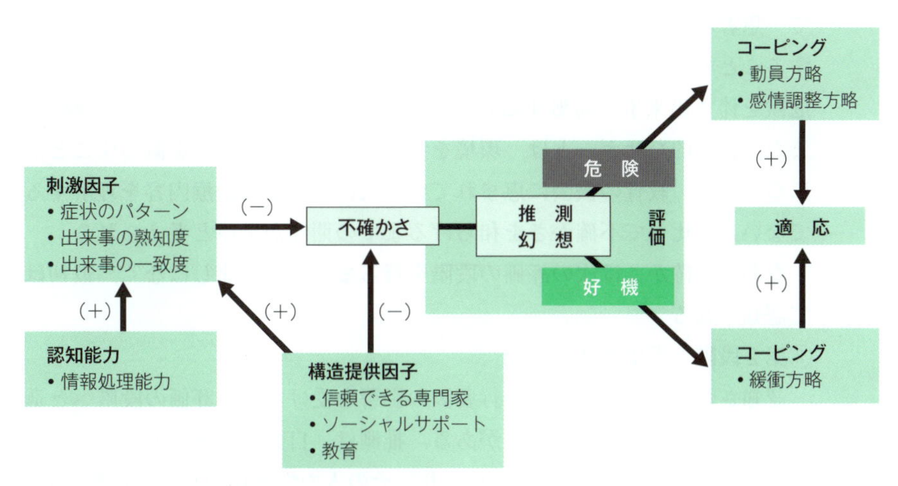

図18-1●不確かさ認知モデル（オリジナルモデル）
Mishel, M. H.（1988）. Uncertainty in illness. Image: *Journal of Nursing Scholarship*, 20(4), 266.

（3）理論の説明

この理論の主要な概念は不確かさと認知スキームであり，治療とその結果の主観的解釈に向けて認知スキームをどのように形成するかを説明している．理論は3つの主要なテーマ，①不確かさの認知と3つの先行要因，②不確かさの評価，③コーピングの選択からなるが，このモデルでは不確かさの認知から適応に至るまで，大きく分けて4段階のプロセスを経ているので，便宜的に4段階に分けて説明する．

①第1段階：不確かさの認知と3つの先行要因

病気や治療に関連する不確かさは，最初の段階では「刺激因子」「認知能力」「構造提供因子」という3つの先行要因の性質に影響を受けて認知される．

第1の先行要因である刺激因子は「症状のパターン」「出来事の熟知度」「出来事の一致度」の3因子からなる．「症状のパターン」には，症状の種類，強さ，持続時間，頻度などがあり，これが一定していると不確かさは減る．「出来事の熟知度」とは，場所，人，治療などを含む医療環境に，その人がどの程度慣れているかということである．ある出来事を繰り返し体験する，または見聞きしていることなどにより，出来事の熟知度が高いと不確かさは減る．「出来事の一致度」とは，その人が病気について予期したことと実際に起こったことがどの程度一致しているかということである．治療の効果を例にあげると，その人が予期した効果と実際の効果との一致度が高ければ高いほど，不確かさは減る．

第2の先行要因である認知能力は，その人の「情報処理能力」を指す．生理学的な機能不全は情報処理能力を弱めるおそれがある．身体疾患自体に加えて，病気に伴う痛み，薬剤や栄養不良なども注意力を低下させ，適切な情報の処理を妨げ，不確かさを誘発する．

第3の先行要因である構造提供因子は「信頼できる専門家」「ソーシャルサポート」「教育」からなる．これらは患者の不確かさの認知に直接的に，または刺激因子を介して間接的に働きかけ，不確かさを減らす．「信頼できる専門家」とは，医師や看護師などの医療提供者に対する患者の信頼の程度を指す．家族・友人・知人などからの「ソーシャルサポート」にはいろいろな働きがあるが，出来事の意味についてのフィードバックをとおして，患者の様々な生活上の危機を予防するのに役立つ．特に重要なのは情報源として機能することである．その他，ネットワークを形成することにより，他のメンバーから様々な危険を伴う出来事に対処するためのノウハウが得られ，不確かさを減らすことができる．また，物質的なサポートは，環境を整えることで不確かさを減らすことができる．「教育」については，教育の機会に恵まれている人は，複雑な治療内容を理解する力があり，そうでない人に比べて不確かさを和らげるまでの期間が早いと考えられる．

なお，不確かさは次の評価の段階を経るまでは善し悪しはなく，最初は中立な状態として認知される．

②第2段階：不確かさの評価

認知された不確かさは，先行要因の影響を受けながら評価の段階へと進む．評価のプロセスには「推測」と「幻想」がある．推測は，自分や自分を取り巻く環境との関係に対する一般的な考え方（belief）からなり，その人の性格傾向をもとに組み立てられる．一方，「幻想」は不確かさによって形成された前向きな見方であり，自分にとって好ましい見方をしようとする考え方に基づいている．

推測または幻想という評価のプロセスを経て，不確かさは「危険」または「好機」のいずれかに評価される．危険とみなされるのは，推測により有害な結果が予測されるときである．一方，好機とみなされるのは，不確かであることがよい結果をもたらすと予測されるときである．好機という評価は「推測」「幻想」いずれの評価プロセスをとっても起こるが，多くの場合は「幻想」から起こる．

③第3段階：コーピングの選択

不確かさが「危険」と評価された場合は，危険を回避するために不確かさを排除または減らすというコーピングが選択される．この場合にとられるコーピングには「動員方略」と「感情調整方略」という2つの経路がある．動員方略には「直接行動を起こす」「用心する」「情報を収集する」といった3つの方法が含まれている．感情調整方略はネガティブな感情，そのなかでも特に不安をコントロールするために用いられる方略であり，「自分を励ます」「出来事に対する見方を変える」「希望的観測をする」などである．感情調整方略は，動員方略では効果がないときに用いられることが多い．

一方，不確かさが「好機」と評価された場合は，不確かな状態を保持するために，新しい刺激をブロックしようとする「緩衝方略」が用いられる．それは「回避」「選択的無関心」「優先順位の見直し」「中和」などである．不確かさが好機とみなされるのは，多くは，死や再発が予想される病気などで，確かであることがむしろ深刻な結果を生むと考えられるときである．つまり，これからも生きていけるという幻想を抱き続けるために，新たな情報は求めず，あえて不確かで漠然とした状況を保持するコーピングを選択するということである．

④第4段階：適応

最終段階には適応が待ち受けている．不確かさの評価が「危険」または「好機」といういずれの場合であっても，それに即した効果的なコーピングがとられると，平衡を取り戻して現状への適応に向かう．なお，適応とはその人が通常の行動であると考えられる範囲の生物・心理・社会的な行動が現れている状態である．

2）再概念化理論（慢性状況の不確かさ理論）

（1）オリジナル理論の限界

前述したオリジナル理論は，生命についても機械論的な見方（自然は精密な機械じかけであり，人間による操作が可能）をし，予測可能であることや制御できることに価値を置く欧米文化のなかで誕生した．機械論が支配する文化では，不確かさは敵であり排除すべきものであった．また，診断前後や医学的治療の段階にある患者を想定して構築されたため，慢性病者にみられる，排除できない不確かさを日々体験しながら生活していく状況や，不確かさに関連する要因が時間の経過につれて変化することを考慮してこなかった．

そこで，現実世界において不確かさが存在することはごく自然なことであり，生命を正確に決定づけることはできないという確率論的な見方を取り入れ，オリジナル理論を発展させる形で，病気の不確かさ理論の再概念化を試みた．そして，不確かさを排除することにではなく，むしろ不確かさをその人の人生や人生の見方に統合していくことに関心を払った（図18-2）．

（2）土台にカオス理論

再概念化理論はオリジナル理論に反するものではなく，カオス理論を基礎に置くことによりオリジナル理論をさらに発展させたものである．ミシェルはカオス理論を取り入れた理由を，カオス理論は開放系のシステムを扱っていて，システム間の関係やシステムと外部環境との相互作用に着目しており，かつ通常の機能からはずれたシステムの活動についても説明できるためであると述べている（Mishel, 1990）．

カオス理論を説明する概念は，伝統的な科学にみられる閉ざされたシステムのなかでの安定性，秩序，均一性，平衡性や線形の関係とは異なる．カオス理論では不規則性，不安定性，多様性，非平衡性や非線形の関係などに注意を転換しており，これらをシステムの健全な変動の一環としてとらえている．また，この世界で起こる事象の多くは，開かれたシステムとして存在しており，周囲の環境と絶えず物質やエネルギーの交換を行っている．開かれたシステムは非平衡状態にあり，サブシステムとしての揺らぎ（fluctuation）を内包している．何らかの条件により，微細な揺らぎが自己加速的な循環を起こして臨界

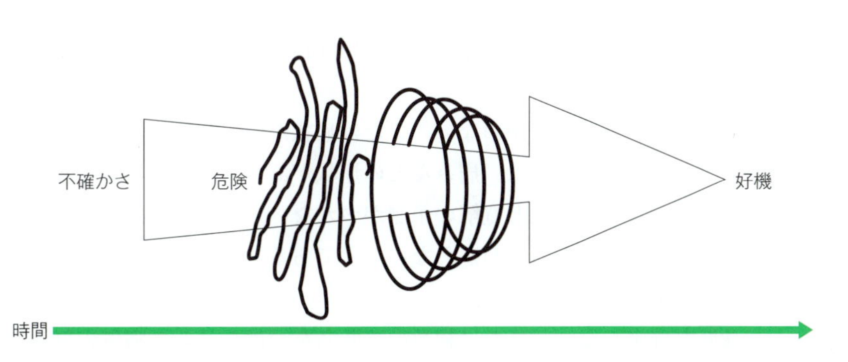

図18-2 ●慢性病の不確かさ（再概念化モデル）

Baliley, D.E. Jr., & Stewart, J.L. (2001). Merle Mishel : Uncertainty in illness, In A.M. Mariner-Tomey & M.R. Alligood (Eds.), In Nursing theorists and their work (pp.560-583). 5th ed. St. Louis, MO : Mosby, 562. with permission from Elsevier.

値に達すると，やがて，より高度で複雑なシステムへと自己組織化していく．

（3）再概念化理論の説明

再概念化理論は，先行要因，不確かさの認知と評価という点ではオリジナル理論と共通の概念をもっているが，オリジナル理論のように不確かさにコーピングすることによって平衡や安定を得て適応するのではなく，成長または自己組織化を認識することを説明している．つまり，再概念化理論では，①時間につれての変化，②不確かさの評価の発展，③人と環境をエネルギーの交換を行うオープンシステムとしてとらえることの強調，④平衡を目指すのではなく，より複雑さが増すことへの志向，という4つのテーマを理論に組み込んでいる（Mishel, 1990）．

この理論で病気の不確かさを説明すると，不確かさは一つの揺らぎとみなされる．それが人間というシステムのなかの1か所で起こった場合は，システム全体に特別大きな影響を及ぼすことはない．また，もし人が不確かさを食い止めることができたなら，生活を侵害することはない．しかし，不確かさが複合し加速された場合は，その人の存在や生活を侵害する．さらに，不確かさによる揺らぎが大きな力をもつ場合は，非線形の反応のなかでの自己触媒作用により，不確かさによる揺らぎがさらに増幅し，人は不安定になり混乱する．なお，それが臨界値に達すると，その人のなかで人生に対する新しい見方が生じ，新しい方向へと自己組織化が起こり，自己変容し，自己成長を遂げる．

人生に対する新しい見方には，確率論的見方や条件付きの見方が含まれる．人はこのような見解に立つと，不確かさが人生において自然なリズムであるということが受け入れられるようになって，選択肢が広がり，人生において何が重要かということについても再評価できるようになる．

また，カオス理論によると，システムが新しいレベルの複雑さで自己組織化を図るには，新しいレベルの安定性を得るために，内部システムで生じた混乱を周囲の環境と交換する必要がある．人が混乱のピークにあって人生に対する新しい見方を形成することができるようになるには外部環境とのエネルギーの交換を伴う相互作用が不可欠である．

（4）慢性病の不確かさの特徴と分類

慢性病の不確かさは，診断，治療，回復などの出来事に関連しており，「症状の不確かさ」「医学的な不確かさ」「日常生活の不確かさ」があるが，日常生活活動に影響を及ぼし，生活のより広い範囲を巻き込むという特徴がある．

①症状の不確かさ

症状のパターンがつかめない，または症状が何を意味するのかがわからないという不確かさである．具体的には，痛みなどの症状があっても深刻なものなのか，様子をみてよいのかわからない，再燃と寛解の予測がつかない，症状が一定しない，経過が読めない．症状がどれくらい続くのかわからないなどである．

②医学的不確かさ

診断が確定しない，または複数の診断名をつけられる．病気の経過に関する見通しが立たない，治療の効果がはっきりしないなどの不確かさである．また，このような状況にあると，周囲から怠けているのではないかと思われ社会的な信用を失い，自分自身も医学的治療を信頼できないという事態に陥りやすい．

③日常生活の不確かさ

慢性病の経過や日常生活に及ぼす影響に関する見通しが立たないなどの不確かさである．

（5）人生に対する新しい見方の形成に影響する要因

人生に対する新しい見方の形成に影響する要因としては，「これまでの人生経験」「身体的状態」「社会資源」「医療提供者」の4つがある．

①これまでの人生経験

慢性病の持続する不確かさのなかで人生を肯定的に受け止めるには，成熟に伴う就職や結婚といった発達危機や，重大な病気や重要他者の死などといった状況危機にどのように対処してきたかということが影響する．これらの危機を肯定的に乗り切ってきた人では慢性病の不確かさをうまく人生に統合することができる．

②身体的状態

痛みなどの症状が強く，不安定な状態では，不確かさを人生に統合するのが難しくなる．

③社会資源と医療提供者

家族や友人などの「社会資源」と医師や看護師などの「医療提供者」は，慢性病の不確かさに混乱している人に対して，「何事にも絶対ということはない」という確率論的な見方で支援することにより，その人が複数の代替案や選択肢がもてるようになり，不確かさを再評価し，「危険」から「好機」へと変化させることが可能になる．たとえば，がんの再発を強くおそれている人に対しては，再発は必然ではなく，起こらないこともあるということに目を向けさせることにより，再発を極度におそれて生活を縮小するのではなく，定期受診で再発の徴候をモニターしながら，充実した日々を送るという選択肢の提案ができる．

（6）不確かさの再評価を妨げる状況

不確かさの再評価を妨げる状況には，表18－2の4つがあげられる．

（7）不確かさとの付き合い方

慢性病の不確かさを人生に統合するには，確かさを執拗に追い求めるのをやめ，不確かさを人生の自然なリズムとして受け入れることが必要となる．そのためには次のような対処が有効である．

①症状や医学的な不確かさへの対処

・病気の図式を描き，標準的枠組みをつくる：病気の経過が正確に予測できない場合は，これまでの経験から自分なりに経過を類推しておく．回復については，自分なりに，これくらいの期間で，これくらいの距離を歩けるようになるなどの目安をもっておく．

表18－2●不確かさの再評価を妨げる4つの状況

1．サポート資源が患者に対して確率論的思考や条件付き見方を促さない状況
2．患者が重要他者の主介護者であり，自分の診断や治療に対する心理的反応が遅れる状況
3．患者がサポート資源から孤立している状況
4．医療提供者が予測可能性や確かさに固執する状況

・予測できないことの管理：予測できないことに振り回されないためには，将来より現在に目を向ける．健康を脅かす出来事を避けるために，自分なりのルールを決めて，生活を制限する．たとえば，感染予防のために人混みを避けるなどである．また，情報に振り回されないように，情報をフィルターにかけ，自分にとってサポーティブな情報を選択的に入手するという方法もある．
・希望の維持：希望をもつことも重要である．不確かであるということは状況が変化することを意味しており，悪い状況は一時的なものであると考える．自分より悪い状況にある人と比較する．自分にとって好ましくない情報を避けるなどである．

②日常生活の不確かさへの対処

・日常生活の標準的枠組みをつくる：健康管理については，処方薬の調整を含めて，自分で決定し計画する．
・肯定的な面に目を向ける：状況の否定的面に目を向けない．悪い結果を考えるのをやめる．病気のつらい経験がもたらした利点に目を向ける（家族の絆が強くなった，人生において他の価値を見出すことができたなど）．
・コントロールできる状況を重視する：日常生活においては，コントロールできることとできないことを見極めて，コントロールできることに重きを置くようにする．体調の悪い日は休養し，体調の良い日に活動するなどである．
・儀礼的な行動を取り入れる：確かな根拠はないが，自分なりにこれを行えば病気をコントロールできると思っている行動をとる．朝起きたらまず，うがいをする．食事は汁ものから手をつけるなどである．
・不確かさと仲良くする：予測できることや，コントロールできることに固執するのをやめ，不確かさや予測できないことを，人生における自然なリズムとしてとらえる．

E 研究の動向

オリジナル理論と再概念化理論に関する研究の動向については，Clayton and Kruzel（2023，pp.54-55）に沿って述べる．

1 オリジナル理論に関する研究

オリジナル理論に関しては，数えられないほどの量的研究があり，その大半は複数あるミシェルの不確かさ尺度のいずれかを用いている．不確かさと3つの先行因子（刺激因子，認知能力，構造提供因子）との関連においては，そのほとんどが理論を支持している．しかし，構造提供因子では否定的な結果もあり，ソーシャルサポートである介護者や家族の不確かさが高い場合と，信頼できる専門家である医療提供者の能力が信頼できない場合や医療提供者から適切な情報を得られない場合であり，いずれも不確かさを軽減できる方向には働かないなどである．

不確かさの評価との関連においては，理論では不確かさを危険または好機ととらえるかはその人の性格傾向に影響を受けるとされており，それを支持する結果として，楽観主義，首尾一貫感覚，臨機応変性が不確かさを低下させるという報告や，ネガティブな結果を予想する性格傾向は不確かさと相互作用して心理的苦痛を生じさせるという報告がある．

一方，不確かさと危険または好機という評価との関係を，自己効力感，マスタリー，ホープ，チャレンジなどの認知的要因が媒介因子となり，不確かさが危険評価に与える影響を減少させるという知見がある．また，不確かさに対するポジティブ評価とネガティブ評価とが同時に共存するという報告もある．

不確かさと適応との関連については，適応の指標として情緒的安定またはQOLを用いている研究が多いが，いずれも不確かさとネガティブな感情，うつ状態，生活に対する満足の低さと関連することが共通した知見である．

以上のことから，オリジナル理論については，ほぼ理論を支持する結果であるが，不確かさと構造提供因子の関係についてはさらなる検討が必要である．

2 再概念化理論に関する研究

再概念化理論に関しては，長期にわたる病気のプロセスの検討を要するためか，量的研究より質的研究が多い．不確かさの体験から，不確かさを人生の一部として受け入れ，人生に対する新しい見方を獲得して自己成長していくことを支持している質的研究としては糖尿病患者や慢性疾患患者，エイズ患者，統合失調症患者，小児がん患者に加えて，心臓移植患者の配偶者やエイズ患者の家族介護者などを対象としたものがあり，不確かさの体験を経て自己成長を遂げるという理論を支持する結果である．

量的研究においては，Mishel and Fleury（1997）が不確かさの体験を経て自己成長するという帰結を測定するために，The Growth Through Uncertainty Scale（GTUS）/不確かさの体験を通しての成長尺度を開発した．これはポジティブな心理的変化と個人的成長を測定する39項目からなる尺度である．GTUSを用いた研究には乳がん患者やがんを患っている子の親に対するものなどがあり，それぞれが不確かさを経て成長することを支持している．

3 不確かさのマネジメントに関する研究

不確かさのマネジメントに関する介入研究も増加している（Guan, Qan'ir & Song, 2021）．ミシェルは共同研究により，再発の不確かさに悩まされる乳がん患者に対して，人生を前向きに変化させるために，自分は再発しないと言い聞かせ気持ちを落ち着かせるセルフトークや，リラクセーションなどの技術と長期的な乳がん治療の副作用や生活上の問題に関する不確かさを解決するためのガイドを収録したCDを患者に提供したうえで，電話を介しての看護介入を4回実施し，不確かさに対応できるよう支援することにより成果を上げている（Gil, Mishel, Belyea, Germino, Porter & Clayton, 2006；Germino, Mishel, Crandell, Porter, Blyler, Jenerette & Gil , 2013）．

4 わが国における不確かさの研究

最初の段階でミシェルの不確かさ理論を紹介したのは安酸（1987）と鈴木（1998）であ

る．それ以降，不確かさ理論への関心が看護教育の現場から，看護実践への現場へと広がりを見せている．それにつれて，不確かさの概念や不確かさ理論を活用した研究が増加し（川田・藤本・小和田・神田，2012），ここ10年間においても大きな進展を見せている．

研究内容としては，それぞれの疾患による病い体験での不確かさを質的研究で明らかにしたもの（大原・吉岡，2022），ミシェルの不確かさ理論に基づく研究の分析（森谷・鈴木，2008；川田他，2012），不確かさ尺度の作成・開発―ミシェルの不確かさ尺度の日本語版の作成（飯塚・水野，2014；野川，2004）や，独自に不確かさ尺度を開発したもの（野川，2012；中島・山崎・藤浪・中山・長田・樋貝・石田，2010），および，不確かさ尺度を用いて，その関連要因や影響要因を検討したもの（今井・横井・西井・玉木・福録，2016；林・習田，2020；野川・西・髙木・伊藤・江口，2020）があるが，野川（2012）が開発した，療養の場を問わず使用できる病気の不確かさ尺度（UUIS）を用い難病患者や慢性疾患患者を対象とした量的研究が徐々に増えている（伊藤・野川，2015；富田・片岡，2016；林・習田，2020；猪飼，2017）．

加えて，不確かさへの対処・マネジメントや看護介入に関する研究（笹井・雄西，2016；長坂・眞嶋，2013）も増加している．

5 その他

特記すべきことは，2020年来の新型コロナウイルス感染症（COVID-19）の世界的な大流行の影響により，COVID-19と不確かさに関する研究が急増しており（Turgut, Güdül Öz, Akgün, Boz.&Yangın, 2022；Lin, Friedman, Qiao, Tam & Li, 2020），COVID-19の世界的なパンデミックにより，病気の不確かさへの関心が看護の領域を超えて，医学や健康コミュニケーションなどの領域にも広がりを見せている．

F 理論の看護実践での活用

ミシェルの２つの理論は，第１には，病気の不確かさを体験している患者の状況アセスメントに活用できる（吉村，2004）．第２には，不確かさを減らしたり，その影響を和らげたり，または不確かさとうまく付き合っていくのに必要な刺激やサポートを教えてくれるため，患者の心理的適応や自己成長を助ける看護援助に活用できる（Brashers, Neidig & Goldsmith, 2004）．

患者の状況に応じて，いずれかの理論を選択してもよいし，状況によっては組み合わせて使用してもよいと考える．

なお，病気の不確かさを測定する尺度（Mishel Uncertainty in Illness Scale：MUIS）も開発されている．MUISは対象ごとに複数あるが，スケールを用いることにより，その人がどのようなことに不確かさを認知しているのかを特定できる．日本で妥当性，信頼性が検証されているCommunity Formを表18－3に示す（野川，2004）．

なお，野川（2012）は，疾患の種類や入院や在宅といった療養の場を問わずに使用できる26項目６下位尺度からなる病気の不確かさ尺度を開発し，普及しはじめているので表18

表18-3 ●MUIS－C日本語版

1. 自分の身体のどこが悪いのかわからない
2. 病気のことで，わからないことがたくさんある
3. 病気がよくなっているのか，悪くなっているのかわからない
4. 症状が今後どれくらい悪化するのか，わからない
5. 医師が病状を説明してくれたが，よくわからない
6. 一つひとつの治療の目的を，よくわかっている(*)
7. 症状は，予測がつかないくらい変化する
8. 説明されたことは，理解している(*)
9. 医師の言うことは，いろいろな意味にとれる
10. 自分の治療は難しすぎて，わかりにくい
11. 薬や治療が効いているかどうか，自分ではわからない
12. 病気の経過が予測できないので，将来の予定が立てられない
13. 病気に波があり，調子のよい日も悪い日もある
14. 自分の病気について，いろいろな人から，様々な意見を聞かされてきた
15. 今後，自分の身体に，何が起こるのかわからない
16. 検査結果が安定しない
17. 自分の受けている治療は，効果がはっきりしていない
18. 治療の影響で，自分にできることとできないことが，しょっちゅう変わる
19. 身体で，ほかに悪いところは，きっと見つからないと思う(*)
20. 今，受けている治療は，成功する見込みがある(*)
21. はっきりとした病気の診断を，受けていない
22. 自分の病気の程度（重いか，軽いか）は，確定している(*)
23. 医師や看護師はわかりやすい言葉を使ってくれるので，言っていることがわかる(*)

※回答肢　5．まったくそうだ　4．そうだ　3．どちらでもない　2．そうでない　1．まったくそうでない
(*) は逆転項目
野川道子（2004）．Mishelの病気の不確かさ尺度（Community Form）日本語版の信頼性・妥当性の検討．日本看護科学会誌，*24*(3)，39-48．より引用

－4に紹介する．

1 オリジナル理論

1）アセスメントと援助の枠組み

オリジナル理論の前提には，不確かさはネガティブな影響を及ぼすものであり，排除または減らすことが望ましいという考えがある．また，このモデルの特徴は不確かさの認知，不確かさの評価，コーピング，そして，適応へと向かう直線的なモデルであるということである．病気に関連する不確かさは3つの先行要因の影響を受けて認知され，その結果が危険と評価されると不確かさを減らすコーピングがとられる．一方，好機と評価された場合は，不確かさを保持する方略がとられる．なお，いずれの方略を用いた場合も，通常の日常生活が送れる程度に心理的な平衡を取り戻し，適応していくということを説明している．

以下に，モデルに沿ってどのようにアセスメントすることができ，援助につなげられるかを説明する．

表18-4●療養の場を問わず使用できる病気の不確かさ尺度（UUIS）

下位尺度	質問項目
①病気性質の曖昧性 4項目	1．病気がどんな経過をたどるのか読めない
	2．自分の病気がどれくらい重いのかわからない
	3．病気が良くなっているのか，悪くなっているのか判断できない
	4．病気が何故よくならないかと思う
②情報解釈の複雑性 4項目	5．本を読んでも病気について詳しくわからない
	6．情報があっても自分の病気とどう関係するのかわからない
	7．検査値が何を意味するのかがわからない
	8．欲しい情報をどうやって手に入れるのかわからない
③病気回復予測不能性 3項目	9．病気が思うようによくならない
	10．このつらさがいつまでつづくのかと思う
	11．努力しても病気は一向によくならない
④生活予測不能性 8項目	12．今後，自分がどうなっていくのかイメージできない
	13．今後，他の人のように普通に生活していけるのかと思う
	14．今後，自分一人でやっていけるのかと思う
	15．今の仕事や役割を続けていけるのかわからない
	16．今後，どれくらい家族に負担をかけることになるのかと思う
	17．これから家族や大切な人がどう生きていくのかと思う
	18．病気のせいで，将来の計画が立てられない
	19．どこまで自分らしさを保って生きていけるのだろうかと思う
⑤闘病力への自信の揺らぎ 3項目	20．自分はこの病気と闘っていけるのだろうかと思う
	21．自分がどの程度この病気に耐えられるだろうかと思う
	22．この先，自分の気力がもつのかと思う
⑥病気意味の手がかり欠如 4項目	23．病気になった原因をあれこれ考える
	24．自分は何故この病気で苦しまなければならないのかと思う
	25．自分が病気になるような何か悪いことをしたのかと思う
	26．自分は病気によって試されているのかと思う

※回答肢　5．そうだ　4．ややそうだ　3．どちらともいえない　2．やや違う　1．違う
野川道子（2012）．療養の場を問わず使用できる病気の不確かさ尺度の開発，日本看護科学会誌，*32*(1)，3-11．

2）アセスメントのポイントと援助の選択

（1）キーとなる概念に基づく情報の収集と整理

①3つの先行要因
- 刺激因子（症状のパターン，出来事の熟知度，出来事の一致度）
- 認知能力（もともとの情報処理能力，病状による情報処理能力への影響）
- 構造提供因子（信頼できる専門家，ソーシャルサポート，教育）

②認知している不確かさの種類，程度

③不確かさの評価（危険，好機）

④用いているコーピング方略とその有効性

⑤適応状態

（2）適応という視点からプロセスに沿って問題を整理し，援助の方向性を見出す

適応という視点から，以下のポイントを押さえてアセスメントする．

①その人がどのような先行要因の影響を受けて，どのような不確かさを，どの程度認知しているのか．

②なぜ，不確かさを危険または好機と評価しているのか．

③なぜ，その人が，そのコーピング方略を選んでいるのか．

④それは有効か否か．適応状態はどうか．

（3）不確かさに作用して，適応を促進できる援助を計画，実施する

不確かさを取り除いたり，または耐えうる程度に減らしたりして，適応を促進するために，3つの先行要因を強化する援助や，有効なコーピング方略の実施を促すことのできる援助を計画，実施する．

なお，不確かさの帰結が患者の人生を破壊するほど重大で，かつそのことに対処できるほどのパワーや資源をもたないと評価した場合は，自分自身を保つために「幻想」というプロセスを経て，さらなる情報が入ってくることをブロックするという「緩衝方略」が用いられることがある．これについては否定したり，無理に新たな情報を提供したりするのではなく，先行要因やコーピングに働きかけて，不確かさと共存できるのを待つことが大切である

（4）評　価

不確かさに対するコントロール感が得られているか，病前のように，日常生活が送れる程度に，心身の状態が安定性を取り戻しているか否かを評価する．

2 再概念化理論

1）アセスメントと援助の枠組み

このモデルの前提には，不確かさは人生における自然なリズムであるため，取り除くことはできないが，人生への見方を変えることにより，不確かさを生活に統合していけるという考えがある．

2）アセスメントのポイントと援助の選択

（1）キーとなる概念に基づく情報の収集と整理

①何に不確かさを認知しているのか

「症状の不確かさ」「医療の不確かさ」「日常生活の不確かさ」などの，何に不確かさを認知しているのかを把握する．

②どのような性質の不確かさか

それぞれの不確かさの性質について「情報の提供などの具体的手段により軽減できる不確かさ」「回復プロセスなどの状況の変化や時間の経過とともに解消できる不確かさ」「再発のおそれなど継続する不確かさ」か，などをアセスメントする．

③新しい見方の形成に影響する要因

人生に対する新しい見方の形成に影響する「これまでの人生経験」「身体的状態」「社会資源」「医療提供者」についてアセスメントする．

これまでの人生において，つらい経験を力強く乗り切ってきているか．身体症状は日常生活に支障ない程度に安定しているか．家族・友人などのソーシャルサポートが機能しているか．経済的に安定しているか．医師・看護師などを信頼し，質問したり相談したりしているか，などである．

④自己変容の状況

自己変容へのプロセスという視点から，プロセスを妨げている問題を整理し，援助の方向性を見出す．

3）不確かさへの介入（自己変容を促進する援助の計画と実施）

前述の2）のアセスメントに基づき，適切な対処法を慢性病者と共に選択し，実施に移す．軽減できる不確かさであれば，情報の提供や具体的行動により不確かさを減らすようにする．状況の変化や時間の経過により軽減する不確かさであれば，心穏やかに待てるよう支援する．継続し，取り除くことができない不確かさであれば，不確かさを人生における自然なリズムであるととらえ直すことができるよう支援する．実施の際は，人生に対する新しい見方の形成を影響する要因がうまく機能するように，十分に活用する．

4）評　価

不確かさの経験をとおして，人生における不確かさを自然なリズムとしてとらえられているか，不確かさと折り合いながら病いと共存し，また意識の拡張や自己成長がみられるかを評価する．

臨床での活用の実際―その1　オリジナル理論

1 事例紹介

Aさんは40歳代の女性である．仕事はパートで看護師をしており，夫と3歳の娘との3人で暮らしている．

出産後から左胸に何となく違和感があったが，授乳中であるせいだろうと思い様子を見ていた．しかし，授乳が終わって1年以上たっても違和感が消えないことが気になりだしたころ，ちょうど乳がん検診無料クーポン券（がん検診推進事業）が届いたため，異常がないことを確認するつもりで検診を受けた．その結果，悪性の可能性があると医師から告げられ細胞診を勧められた．「まさか」と思いつつも細胞診を受け，結果を夫と一緒に聞きに行ったところ，乳がんのⅠ期であり，乳房切除が第一選択であることが伝えられた．そして，乳房の部分切除の場合は1週間程度の入院で，退院2～3週間後から放射線療法のため通院が必要となり，すべて切除した場合も，再建の有無にかかわらず1週間程度の入院になるので，入院の予約を入れたうえでどのような術式を選択するか家族とよく相談するようにと話された．

Aさんは，大学生のときに母親を別のがんで亡くしていたが，自分ががんになるということはまったく予測していなかったため，診断結果を聞いたときは頭が真っ白になった．入院予定日までは10日ほどあった．看護師という仕事柄，周囲に外科での臨床経験者もいたため相談し，セカンドオピニオンを受けた．その結果，手術が第一選択という点では皆共通していたが，部分切除とするかすべて切除し乳房再建するか，再建するとすれば同時にするか後にするかといった点で医師によってニュアンスが違っていた．

自分としてはどれも受け入れがたく，決めかねた．家では子どもが眠った後に毎晩のように「がんだなんて……娘が大きくなるまで生きられないかもしれない」と夫に吐露しては涙し，飲酒でごまかしていた．夫は何も言葉を返せず，ただ聞くしかできなかった．

また，その間「これは遺伝性なのかもしれない．娘も乳がんになるのでは……」と心配になりはじめ，インターネットで遺伝性乳がんについて調べたところ，その可能性が高いように思えてきたため，子どもの健康のためにより安全な食材を通販で探し食事に取り入れ始めた．さらに術後の画像や，経験者のブログから病気や手術についても情報を集めていると，再建後の痛みに長期間苦しんだという記事を見つけ，怖くなった．しかし，子どもがいるため入院は1回で終わらせたいという思いもあり，情報が増えるにつれ，治療については自分で方針を決めるしかないと思うようになってきた．そして，がんを発見してくれた最初の医師に手術を依頼することに決め，「すべて取ったほうが，治る確率は高いのでは」と考え，すべて切除のうえ同時再建術を受ける決断をし，職場に入院前日から2週間の休暇をもらうことにした．

2 アセスメントと援助のポイント

ミシェルのオリジナル理論を活用して情報収集しアセスメントするためのポイントは，「3つの先行要因と認知している不確かさとの関係はどのような状況か」「不確かさをどのように評価しているか，危険もしくは好機のどちらと解釈できるか」「不確かさの程度と，それに対し用いられているコーピング方略は有効に働いているか」「対象者にとっての適応はどのような状態か，どの程度その適応に近づいているか」という点である．

看護援助についてミシェルは，オリジナル理論でそのあり方を明言していない．しかし，この理論をAさんに活用してみると，看護援助は不確かさの認知，評価から適応に向かうプロセスに沿って問題を整理し，対象者にとっての適応とは何かを見定めたうえで，そこに向かうことを促進する援助を計画，実施するというプロセスになる．そして行われる看護実践は，患者にとって不確かさの先行要因のうちの「構造提供因子」となる．

3 事例への活用

Aさんのその後の状況から，オリジナル理論に沿って情報を整理し，援助について検討する．

入院後のAさんは，看護師に「決心して入院したつもりだったけれど，今日手術した同じ部屋の人を見たら怖くなってきた」「もともと胸が小さいから，取ったまま再建しなくても人に気づかれないかもね，私なんかが再建したいって言うのは何だか恥ずかしい」と笑いながら話していたが，表情は硬かった．看護師や同室者は，それを肯定も否定もせずに聴いていた．

手術に向け，改めて医師より次のような説明があった．

<医師の説明>

病期は今のところⅠ期と考え，Aさんの考えも踏まえすべて切除し同時に再建術を行います．手術はセンチネルリンパ節生検を伴い，そこに転移があった場合は腋の下のリンパ節郭清を行います．

手術後に切除した組織を検査して，再発の危険性や薬物への反応があるかどうか（サブタイプ）を評価します．おそらく，再発を予防するために内分泌（ホルモン）療法，化学療法，分子標的治療のいずれか1つは行うことになります．どれが適応になるかは，サブタイプ分類の結果によります．Ⅰ期であれば，標準治療を受ければ10年生存率は90％です．

手術前日になると，看護師の訪室時に「手術についての先生の話はわかったけど，手術後のイメージが湧かない．普段自分も看護師だけど，外科で働いたことがないし，乳がんの治療って私が習った頃と全然違っていてわからなくて……再建って痛いの？　再建したほうが，見た目が不自然で目立つということはないの？」「手術しても再発して，私の母のようにすぐ死ぬかも知れない．10％に入るかもしれない．再建したら，再発に気づきにくいということはないの？」「Ⅰ期なのに，全部取るなんて早まりすぎかも……」などの発言があった．

1）キーとなる概念の情報収集と整理（図18-3）

（1）不確かさの認知と3つの先行要因

Aさんの場合，3つの先行要因のうちの刺激因子である「症状のパターン」に関しては，

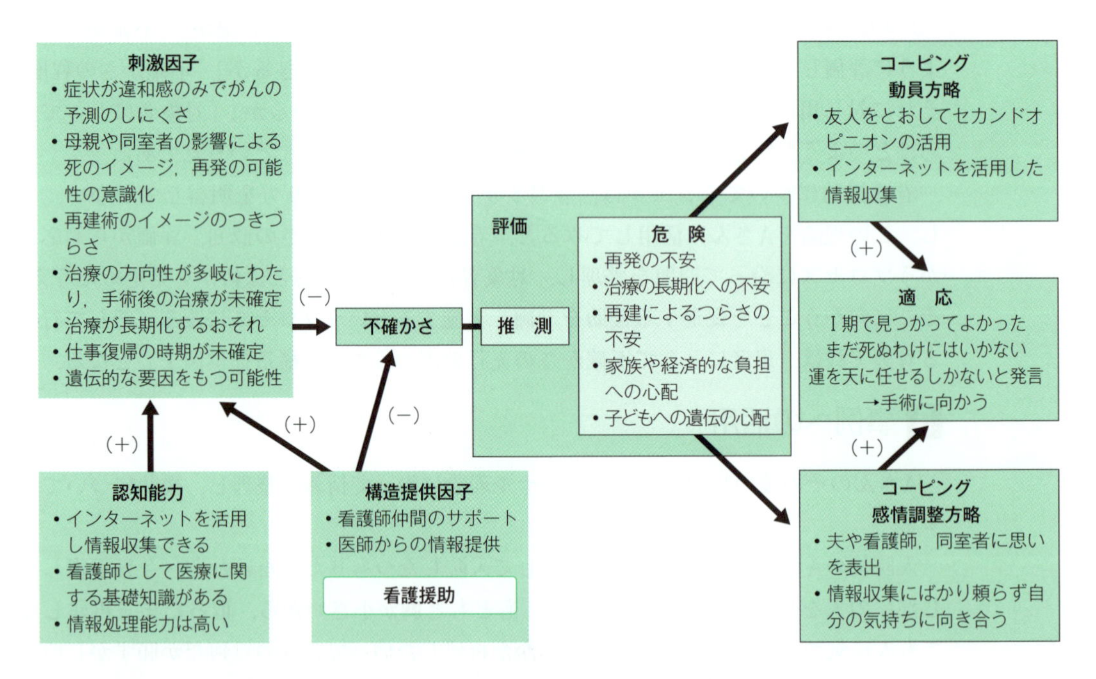

図18-3 ●オリジナル理論を活用し整理したAさんの不確かさに関連する情報

違和感程度の自覚であり，自分ががんであることは予測していなかった．しかし診断の結果から，母親をがんで亡くしたことから病気に対してマイナスのイメージをもったり，新たに得られた情報から予後だけでなく遺伝といった家族に及ぶ危険にまで不確かさを感じている．また「出来事の熟知度」「出来事の一致度」は看護師という職業ではあるが経験知がないために共に低く，術後のイメージがつかないことにより，特に術後早期の身体的なつらさや，その後のボディイメージの変化自体の不確かさ，そしてその影響を受け生活することの不確かさを認知している．

認知能力は，インターネットを活用したり，同僚に相談したりする力があり，看護師として医療に関する基礎知識がある．しかし，がんに関する情報は信頼性も様々で多岐にわたることから，その能力の範囲を超えることも考えられる．

現在の構造提供因子には，医療者からの情報提供や傾聴などが挙げられる．先に述べたように，援助によりこの因子は強化されていく．Aさんの場合，医師からの説明の後，乳がん看護認定看護師がかかわることとなった．看護師はまず，手術内容や術後の状態をイメージできるようクリティカルパスを用いて説明し，術後疼痛コントロールを十分に行ったうえで早期から離床しリハビリを始めることなどについて伝えた．そして治療選択の妥当性や予後の不安については傾聴にとどめ，わからないことや迷い，悩みなどは小さなことでもよいので医師や看護師に相談するよう話した．すると，「手術後の治療まで受けることになったら，お金どうしよう．医療保険には入っているけど，がんの治療ってお金がかかるって言うし……．こんなこと，夫に言えないし……私が仕事に戻らないと，うちはやっていけない．でも仕事にも予定どおり戻れるのかしら……まだ子どもが小さいからしっかり治したいけど，子どものことを考えると，今後は遺伝のことが心配で……」と次々と思いが溢れ出てきていた．術後落ち着いたらソーシャルワーカーや遺伝カウンセラーにつなぐことを伝えた．

このように構造提供因子が加わることにより，不確かさも変化し評価が繰り返される．そしてAさんのように長期的な視点で全体的にアセスメントしていく必要性が生じてくる．手術後の実体験から刺激因子の変化も予測される．したがってAさんに対してはこの後，家族や同病者といったソーシャルサポートの活用も含め，術後から退院後に向けた教育的かかわりをさらに検討する必要がある．

(2) 不確かさの評価（危険・好機）

Aさんは医師からの説明があった日の夜，「いろいろ考えると眠れない」と廊下を歩いたり，デイルームで携帯端末を何時間も見ている姿がみられた．声をかけると，「同じ部屋の人を見ていると，再発だったり，抗がん剤をしていたりで……もし自分もそうなったらと思うと気が滅入ってしまって．でも他の人は私より進行している段階で病院に来たと言っていたので，まだⅠ期で見つかってよかったと思ったりもしています．子どもも小さいし，まだ死ぬわけにはいかない．そんな私を神様は見捨てないわよね．もう運を天に任せるしかないし，これ以上情報を集めるのはやめようと思っています」と話した．

この場合，不確かさを好機ととらえず，すべての不確かさを「危険」と評価している．「Ⅰ期で見つかってよかった」といった発言は，これは再発のリスクを理解したうえでの発言であり，幻想から発したものではないことから「好機」と評価しているともとらえられるものではない．

（3）用いているコーピング方略とその有効性

Aさんが用いているコーピング方略は，インターネットを用いたり，友人に相談しセカンドオピニオンを活用するなど多方面から情報収集を行う「動員方略」に加えて，看護師に思いを表出することをとおして見方を変える「感情調整方略」である．「情報収集をやめる」というコーピングは，緩衝方略ともとらえられるかもしれないが，多くの情報を収集するなかで適切な情報を得て整理することができた結果，それらに振り回されずに自分の思いを大切にするという感情調整方略が同時に取られていると考えることが妥当である．

（4）適応状態

オリジナル理論のゴールは適応であるが，Aさんの場合，「Ⅰ期で見つかってよかった」「運を天に任せるしかない」という発言は，「手術に向かう」適応のレベルに近づきつつあるととらえることができる．しかし，この段階ではまだ不確かさに揺れ，日々をしのぐ状況が続いている．

2）適応の視点からプロセスに沿って問題を整理し，援助の方向性を見出す

看護師は，不確かさにつながる刺激因子を把握し，不確かさの認知との関連をアセスメントするとともに，自らが構造提供因子となり，情報提供や調整的かかわりと，傾聴により不確かさを軽減することを目指す．このときの情報提供や調整と，傾聴をどのように計画するかは，何がその人の不確かさを減じることができるかで判断する．たとえば，予後に関する確率的な情報は特に刺激因子による刺激が大きくなり，それに伴って不確かさを大きくさせる可能性がある．また，時期を見計らう必要性もあり，術前の不確かさが高い状況の段階で，補正下着の話をするなどは時期尚早となる場合もある．

3）不確かさに作用して，適応を促進する援助を計画，実施する

援助の方向性から考えた援助を計画，実施するうえでの主なポイントは，刺激因子の変化や認知能力のレベルをアセスメントしながら，構造提供因子を強化することである．具体的には，不確かさを減じるための情報提供，精神的安定を図るためのかかわり，ソーシャルサポートの調整が考えられる．そしてこのとき，「適応」のレベル，すなわち援助の目標をどこに置くかを十分吟味する．

Aさんの場合，先に述べたように「手術に向かう」ということを現時点での適応のレベルと解釈する．そしてそのための今後の具体的援助内容の例は，以下のようになる．

（1）不確かさを減じるための情報提供

・手術を受けることのとらえや手術内容の理解内容を把握し，イメージ化のためのより具体的な情報提供を必要に応じて行う．
・術後から退院までの回復のプロセスについて説明する．
・経済的な負担を軽減し，就労継続のための社会制度や方策についての情報提供を行う．
・時期をみて，術後の後遺症や生活への支障への対処方法について専門的な視点でエビデンスに基づき指導する．
・病気や治療について学習するための適切な情報源について伝え，正しい情報を選択して取り入れられるよう助言する．

（2）精神的安定を図るためのかかわり
・がんという病気自体のとらえ方や予後の不安を共有する（この点については，積極的な情報提供を行わない）．
・情報提供後の解釈など，日々のやり取りから物事の解釈の仕方を把握し，それに合わせた対応をする．
・個人面談，日々の傾聴姿勢により看護師との信頼関係を深める．
・話を聞く姿勢を整える，常に見守り声をかける，評価や方向転換を促さない返答など，寄り添うかかわりを大切にする．
・病気のことに限らず，家族や仕事に対する思いも共有する．
（3）ソーシャルサポートの調整
・病状・治療の不確かさが増強したときの医師からの説明を調整する．
・社会資源の活用について，医療ソーシャルワーカーなど他の職種と連携をとる．
・夫，娘，母親といった家族関係や，同病者，仕事の仲間など他者からの影響を把握し，必要に応じて調整する．
・がんサロンなどの活用も視野に入れ，社会復帰した同病者との交流などをとおして現実的な情報収集を行う機会を提供する．

4）介入の評価

看護師は，自分が行った構造提供因子としての援助が適切な直接行動方略や感情調整方略，さらには適応につながっているかという視点で評価する．現時点でAさんは手術を受けるという段階での適応に近づきつつあると考えられる．そして，さらに以上の援助を行うことで，術後に課題となるであろう退院後の生活に向けた不確かさを軽減し，新たな適応のレベルに向かうための助けになると考えられる．

がんの場合，病気が意味するものの大きさや不確かさが表出される場合が多い．しかし，その不確かさは完全に排除することはできない．今後何が起きるかは，誰も予測できないという現実を共有し向き合うことで，患者が自らの力で不確かさを受け入れながら生活することができるようかかわることが重要である．したがってオリジナル理論を用いる場合，適応というゴールをどのように設定するかが重要なポイントである．

H 臨床での活用の実際―その2　再概念化理論

1 事例紹介

Bさんは20代後半の男性でクローン病である．仕事は，発症前から現在の職場で営業職として働いている．現在一人暮らしであり，両親と弟が同市内に住んでいる．

1）再燃から寛解までの経過

症状は，診断から1年ほど落ち着いていたが，仕事が忙しくなるとともに不安定になった．内服治療や食事療法，成分栄養療法を継続していても，腹痛と下痢が頻繁に襲ってくるようになり，担当医師に相談したところ，入院して抗TNF-α製剤であるレミケード®の点滴治療を受けるようになった．

幸いレミケード®の効果がすぐに現れ，症状は落ち着いた．会社には病気のことを詳しく話しておらず，「入院が長引くと仕事を解雇されるかもしれない」と思い心配していたが，見舞いに来た上司からは「ゆっくり療養して体調を整えるように」と言われ，ほっとした．その後，外来で治療を継続していくことになった．

2）在宅療養期間（慢性期）

退院後は，仕事にも復帰した．治療を継続していると，いつもは避けていた焼肉とピザを食べても腹痛と下痢が起こらないことに気がついた．会社の飲み会にも参加するようになり，病気が治ったような気持ちになったが，4週ごとの定期受診と，8週ごとのレミケード®の治療は，有給休暇をとりながら継続していた．

治療を開始して2年経過した頃から，レミケード®の点滴後7週間ほど経つと軽い腹痛と下痢が起こるようになり，「治療が効かなくなってきたのではないか」「病気が悪くなったのではないか」「医師から説明されていた副作用による感染症や長期使用による悪性リンパ腫のおそれがあるのではないか」と心配になった．また，仕事は多忙となり，身体の疲れが取れずに休日は寝転んでいることが多くなった．Bさんには大学生のときから付き合っている恋人がいるが，「こんな体ではいつまで仕事を続けられるのかわからないし，彼女と結婚できたとしても子どもをもつことは難しいのではないか」「この先，自分は長生きできるのだろうか」と，悲観的なことばかりが頭に浮かび，気分が落ち込むようになった．

外来受診時に暗い表情をしているBさんのことが気になった看護師は，「何か心配なことがあるのですか．何でも相談していただいてよいのですよ」と声をかけた．するとBさんは「おさまっていた腹痛と下痢がまた出てきたので，治療が効かなくなっているのではないか，副作用が出てきているのではないかと，心配で夜も眠れない」と打ち明けてきた．看護師は，治療の効果が不安定な状況になったことで，症状や医学的治療，日常生活に関する不確かさが複合し，混乱や不安につながっているのではないかと考えた．Bさんが認知している不確かさを整理し，不確かさを減らす介入を検討するために，受診の際に面談時間を設けることにした．

2 アセスメントのポイントと援助の選択

1）キーとなる概念に基づく情報の収集と整理

（1）何に不確かさを認知しているのか

慢性病の不確かさは，「症状の不確かさ」「医学的な不確かさ」「日常生活の不確かさ」の3つに分類されている．それぞれの分類に沿って，以下にアセスメントしていく．

①症状の不確かさ

レミケード®による治療を継続しているにもかかわらず腹痛と下痢が急激に起こるため，いつトイレに駆け込むかも予測がつかなかった．また，同じような食事・日常生活であっても症状が出現することもあり，経過が読めず症状のパターンがつかめない状況に，不確かさの認知が高まっていた．

また，治療を受けていても症状が出現するようになったことで，病状悪化のイメージにつながり，出現している症状の意味に確信がもてなくなっていた．体内の病変部の状態を自分では観察できないため，再燃や腸管狭窄の可能性など，今出現している徴候の判断ができないという不確かさの認知にもつながっていた．

②医学的な不確かさ

医師はBさんの症状を聞き，「長期間続けてきたことで，レミケード®の治療効果が弱まっているのかもしれない．薬の血中濃度を維持するために，1回量を増やすか，投与間隔を短くする必要があるかもしれない．病気を完治させる治療法がまだ確立されていないので，何とか病状を落ち着かせるように方法を考えよう」と説明した．

Bさんは，薬の効果減弱の可能性という治療効果の不確かさや，薬の副作用がどの程度自分に起こるのかという不確かさを認知していた．さらに，特効薬と思って期待していた治療の効果が不確かになったことで医学的治療を信頼できなくなり，感染症や悪性リンパ腫合併へのおそれとともに，「長生きできるのだろうか」といった将来に対する不確かさの認知につながっていた．

③日常生活の不確かさ

Bさんは，食事や仕事など今まで当たり前だった日常生活が一変した．「何を食べたらよいのだろう」「営業先でトイレに行きたくなるかもしれない」「病気のことを知ったら，会社の皆はどんな目で僕を見るだろう」「会社を休んだら，給料はどのくらい減るのだろう．生活していけるのだろうか」など，日々の生活の細かな事柄に対しても不確かさを認知した．さらに，活発だったBさんは休日の外出も控えるようになり，「もうこの先スポーツも旅行もできない……」と，余暇活動の継続にも不確かさを認知していた．

日常生活の不確かさは日々積み重なり，仕事の継続や結婚などライフイベントにかかわる不確かさも複合し，Bさんの不確かさの認知はさらに加速されていた．「病気をもった自分を受け入れてもらえるのか」との思いを面談で語ることもあり，不確かさはBさんの生活だけでなく自己存在感にも影響を及ぼしていると考えられた．

（2）どのような性質の不確かさか

次に，「軽減・解消できる不確かさ」か「継続する不確かさ」かなど，不確かさの性質についてアセスメントし，介入の可能性について検討する．

①情報提供などの具体的な手段により軽減・解消できる不確かさ

症状のパターンをつかみ，新たな症状コントロール手段が確立できれば，ある程度は不確かさを解消できる可能性がある．また，治療の補足説明や専門的な医師からの十分な説明，症状への医学的対処に関する調整など，情報提供や調整によって解消できる不確かさも含まれている．日常生活の不確かさについては，症状や日常生活上の困難への対処方法の再構築や，選択肢を得ること，社会資源を紹介し経済的な問題に対応すること，うまく療養生活の調整を行えている同病者や患者会を紹介するなど，具体的な情報提供により軽減できる不確かさもある．

②回復プロセスなど状況変化や時間経過とともに解消できる不確かさ

症状については，再燃によるものか，または一時的な状態なのかについて経過を追った判断が必要であり，すぐには解消できない不確かさである．時間経過とともに症状が落ち着いた場合には，再び安定を取り戻し不確かさは解消される．また，客観的な治療効果判定となる臨床検査は病院でしか実施できないため，自宅における日々の病状判断や治療効果に対する医学的な不確かさは，検査結果を得ることで解消される部分もある．定期的な検診を受け専門的な判断を得ることは，不確かさを解消することにつながる．

③再発のおそれなど継続する不確かさ

治療効果の程度や効果持続期間，副作用出現の有無・程度などの医学的な不確かさについては，完治する治療法が確立しておらず，現在行われている治療法の多くは副作用が伴うため，完全には取りきれない継続する不確かさである．また，将来自分がどのような生活を送るのか，長生きできるのかといった不確かさは，再燃と寛解を繰り返すクローン病の疾患特性から経過予測ができないため，継続した不確かさであると考えられる．

（3）新しい見方の形成に影響する要因

ここでは，患者自身の経験や身体的状態，患者と相互作用をもつ周囲の環境についてアセスメントし，新しい見方の形成を促進・阻害する要因を明らかにする．

①これまでの人生経験

Bさんはこれまでの人生において，つらいときや人間関係で嫌なことがあったときには，負けたくないという気持ちから，前向きに納得するまで考え取り組んできた．

大学進学時は，いろいろな人と出会い，それぞれに異なる考え方と触れる機会が多く興味や思考の広がりにつながった．また入院した際には，同室者と話したり，入院治療を受ける子どもたちと触れ合うなどして，健康の大切さ・維持することの難しさなど，これまで意識してこなかったことを考える機会となった．

看護師はこれらの生活史を聞き取り，Bさんは困難を前向きにとらえる力や，乗り越える強さをもっていること，また健康について意識を向けられることがわかり，新しい見方の形成を促進する要因をもっていると考えた．しかし，Bさんは20代後半であり，両親を含む重要他者の健康障害などの危機的状況は経験しておらず，人生の危機を乗り越えるような経験が浅いと考えられる．

②身体的状況

Bさんは薬の効果が不安定となり，これまでの療養法では対処できない腹痛と下痢という身体症状を体感している．日常生活に支障をきたしていることから，痛みや不安定な身体状況は不確かさの認知につながり，不確かさを人生に統合することを難しくする可能性がある．

③社会資源

家族は当初大変ショックを受けていたが，母親は「すぐに死ぬ病気じゃないみたいだし，あまり悲観的にならないようにしようよ」とBさんを励まし，入院中は見舞いに訪れ経済的にも支援した．父親も弟も，Bさんの不安な気持ちに耳を傾け，Bさんを励ましてくれた．また，恋人は一人暮らしのBさんに食事をつくるなどいつも身の回りの手助けをしてくれた．また，Bさんが難病を抱えていることを打ち明けたところ，恋人は「不安もあるけど，一緒に頑張ってみたいと思う」と前向きに受け止めてくれた．

職場は人員が少なく忙しいが，Bさんの体調を気遣ってくれた．しかしBさんは，疾患について詳しく話すことで仕事の継続が脅かされるのではないかとおそれ，社内でのトイレに近い座席調整や業務内容の調整など，療養に協力してもらえるような働きかけはしていなかった．

これらのことから，家族や恋人はサポート資源として機能しており，特に母親はBさんに対して確率論的な見方でかかわっていることがわかった．しかし，職場に対して支援体制の調整を行えていないことは，選択肢を狭め，仕事継続に対する不確かさの認知により経済的な基盤や生きがいの喪失というBさんの危険評価につながり，精神的な混乱を増幅する可能性がある．

④医療提供者

クローン病の専門病院を選んで病院を受診した経緯もあり，医師に対して信頼感をもっていた．しかし，これまで外来勤務の看護師とは対面しても話しかけることはほとんどなく，時間をとって相談できる相手とは認識していなかった．しかし，今回は看護師から何でも相談してよいと働きかけたことにより，Bさんが症状悪化により生じた複合する不確かさの体験を吐露することにつながった．看護師が構造提供者として不確かさの性質に応じた具体的な情報提供や確率論的な見方で支援することで，Bさんは複数の代替案や選択肢をもてるようになり，新しい見方の形成を促進する可能性がある．

（4）自己変容の状況

これまでのアセスメントから，自己受容のプロセスを妨げている問題を整理し，援助の方向性を見出す．

Bさんは，症状が強い時期には，症状や医学的な不確かさ，日常生活の不確かさが複合したことで混乱状態にあった．身体状況の不安定さや，他者との関係性の不安定さから自信を失い，混乱し，自己組織化が阻害された状況に陥っていたと考えられる．そのため看護師は，まず医学的処方や療養法の調整を含めたアプローチにより症状の安定化を図り，社会生活上，外部環境の一つとして自己受容にかかわる他者との相互関係を促すことにした．さらに，Bさんが人生に対する新しい見方を形成することで自己組織化や自己受容を促進できるよう，看護師自身も確率論的な見方で支援し，Bさんとの相互作用を維持するようかかわることにした．

2）不確かさへの介入（自己変容を促進する援助の計画と実施）

Bさんは面談のたびに，現在認知している不確かさや不安，困難感について何度も繰り返し訴えた．看護師はBさんの訴えをゆっくり傾聴する時間をもち，同時にアセスメント内容とBさんの訴える内容に合わせて具体的な対処法をBさんと共に考えた．

まず，症状の不確かさへの対処として，薬剤での対応が可能か医師と調整を行い，病状理解を促すために補足説明を行った．Bさんの療養法を支持したうえで，栄養状態改善のために成分栄養療法でカロリー摂取を増やすことを提案した．病気悪化の不確かさに対しては，日々の症状観察が重要となることをBさんと確認し，食事内容や日々の行動・症状を簡単に記録することにした．また，予測できないことを管理できるよう，外出先のトイレ事情や飲食店事情などについて調べてから出かけるなどの工夫を提案し，感染予防のためマスク着用と手洗いの重要性を説明し徹底を勧めた．

また，体調の変化に一喜一憂していたため，症状の成り行きを判断するには時間が必要な場合もあること，その間は最良と考えられる療養法を継続することを提案した．「徴候に対して敏感になることはとてもよいことですが，そのことに一日中気を遣っていると疲れてしまいますよね．今できる対処を続けて，もう少し経過をみてから判断してはどうでしょうか」と新たな視点を提案した．Bさんは「確かに病気に振り回される感じになるね．考えすぎても，それもばからしいかもしれない」と話した．

治療効果や副作用に対する不確かさを認知しているが，継続する不確かさであるため，確率論的見方を促すための介入を行った．疾患の特性として慢性的に経過すること，ここ数年で新たな治療薬が開発されていること，副作用はすべての人に現れるわけではなく，また早期発見・対処のためにも観察や検査を継続しており，医師も注意して経過観察していることを伝えた．Bさんは，「今も海外で研究されているみたいだし，いつか本当に治る日が来ることを信じて，今ある腸を大切にするしかないということですかね」と，未来の治療に対する希望を語った．

日常生活の不確かさについては，新たな対処方法を再構築するため，食事療法について具体的なレベルでBさんと共に検討し，管理栄養士との面談を設けた．また，社会資源の紹介として，医療ソーシャルワーカーとの面談を調整した．

新しい見方の形成に影響する要因に関しては，まずは身体的状況を整えるための援助を行い，そのうえで物事を前向きにとらえて過ごしてきたBさんの強みに着目し，自己受容につながるよう強みとして伝えた．社会資源については，家族や恋人は十分サポートしてくれていたが，職場の環境を整えることでより療養生活を過ごしやすく調整できる可能性があった．「職場の皆に迷惑をかけないよう頑張ってこられたのですね．でも体調が悪い今，自分のからだを一番に優先してもよいのではないでしょうか．がんや慢性疾患にかかる人が増えていますし，遅かれ早かれ誰もが病気になる可能性はあります．よくなったそのときは，Bさんが体調の悪い人を助けるというような気持ちでいてはどうでしょうか」「職場の人に病気のことを話してみるのはどうですか？ そうすることで，療養生活が少し楽になった人もいらっしゃいますよ」と，看護師はBさんのつらい気持ちを理解していることを示しながらも，肯定的な面にも目を向けられるように声をかけた．Bさんは少し考えていたが，「職場の皆に言えるかどうかはわからないけど，上司には話してみようかな」と言って，外来を後にした．

3）介入後の評価（第4段階）

Bさんは，日々の身体状況の観察から，疲れを感じたときには早めに休息をとり食事内容に気をつける，普段から体を冷やさないようにするなど，体調を悪化させないための対処法を新たに獲得することができた．このことは，自分の経過を類推することや症状回復の目安をもつことに役立ち，不確かさはやや軽減された．また，管理栄養士や医療ソーシャルワーカーとの面談を継続することで新たな知識を得ることができ，食事療法や経済的問題に関する不確かさのいくつかは解消され，安心することができた．

職場との調整については，「上司に病気のことを話したら調べてくれて，病気のことをわかろうとしてくれた．事務的な作業に配置換えになったけど，疲れ方が違うし，よかった」「同僚にはあまり話してないけど，少しずつ伝えていこうかな」と話した．上司に病気のことを打ち明け，その自分を受け入れてもらえたことで，他者との相互作用をもつ自信につながったようであった．

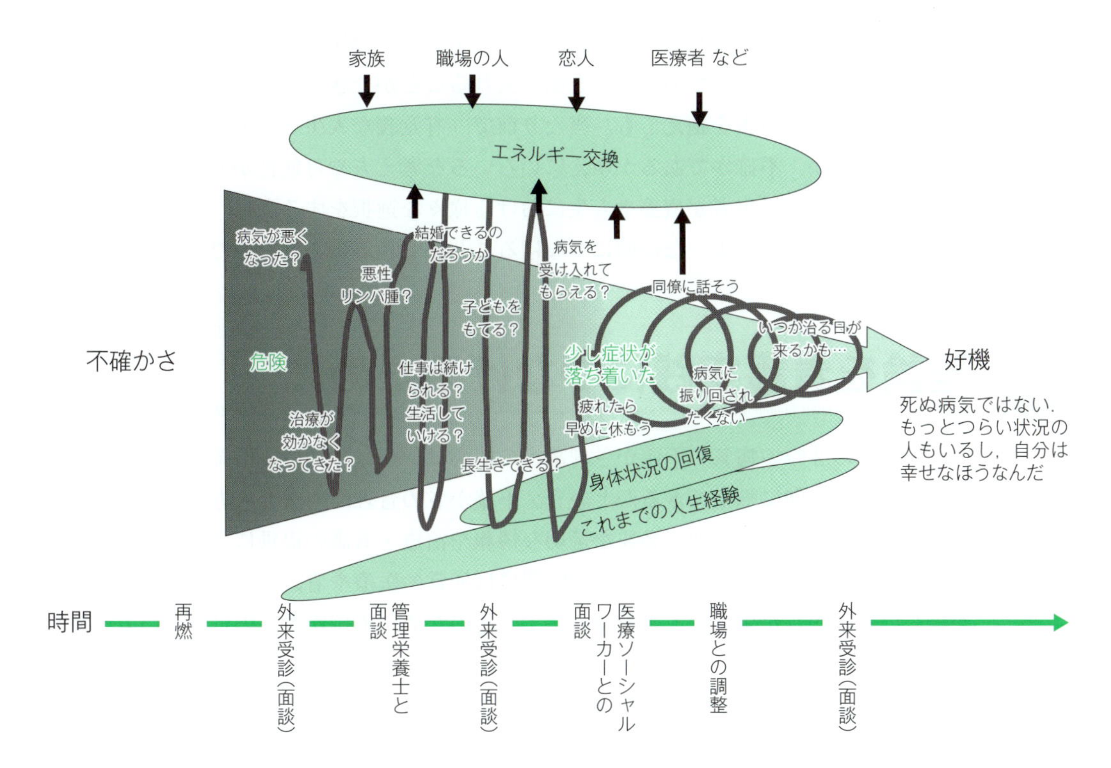

図18-4●再概念化モデルに基づくBさんの不確かさ

Bさんは面談のたびに繰り返し不確かさを訴えていたが，ある外来で「道半ばで，がんや事故で死ぬ人もいる．小さい子どもが病気にかかることもある．それに比べたら，自分は死ぬ病気ではないし，ある程度人生も楽しんできたと思う．これから苦労はあるだろうけど，もっとつらい状況の人がいることを思えば幸せなほうなのかなと思ったよ．彼女と結婚できるのか，それはわからない……．けど，希望はもって体調維持のために努力するよ」と話した．それ以降，不確かさは完全にはなくならないまでも，前向きに療養に取り組み生活している様子を話してくれるようになった．

以上のことから，Bさんは家族や恋人などの重要他者であるソーシャルサポートや信頼できる保健医療福祉の専門家などとの相互作用という外部環境とのエネルギーの交換を繰り返すなかで，新しい人生への見方を形成するという自己組織化が起こり，自己変容し，人生における選択肢が広がり自己成長につながったのではないかと評価できる（図18-4）．

クローン病のように再燃と寛解を繰り返す疾患では，再燃のたびに様々な不確かさが繰り返し訪れる．患者はそのたびに日常生活や社会生活が障害または制限され，生活全体が縮小し，ともすれば自己の内にこもり外界との交流が遮断されてしまう．また，支援者である看護師自身が患者の不確かな状況に飲み込まれ，先行きの見えない状況に援助の方向性を見失うことも多々ある．

しかし，不確かさの再概念化理論に基づき，患者とその援助者の双方が，不確かさが人生における自然なリズムであることを受け入れることができたなら，人生における選択肢が広がり，病気や障害を抱えても，当たり前で，有意義な人生へと変容させていけるのではないだろうか．不確かであるがゆえにいろいろな考え方や可能性があるという視点に立つことができれば，患者が療養や人生における様々な選択をする際に，選択肢を狭めるのではなく，広げられるような援助につなげることができるのではないだろうか．

理論を看護実践につなげるために

ミシェルの２つの病気の不確かさ理論への関心は，病気における不確かさの体験をいかにポジティブ方向に転換できるかという，不確かさの管理や看護介入方法の開発に向かっている．診断や治療の時期に必要な適切な情報や治療・看護の提供による不確かさの軽減に加えて，慢性期や再発，再燃などの時期には通常の医療や看護の提供では取り除くことが難しい不確かさが生活や人生をゆるがす．そのため，不確かさとの付き合い方が鍵を握る．

様々な病気やその人が置かれた様々な状況において，その人や家族が認知する複合する不確かさを人生における自然なリズムとしてとらえて生きていくには，構造提供者の一翼を担う看護師自身が確率論的見方を獲得してかかわり，様々な臨床実践において適切な看護介入を特定し，開発することが求められる．

文献

Baliley, D.E. Jr., & Stewart, J.L. (2001). Marle Mishel : Uncertainty in illness. In A.M. Mariner-Tomey & M.R. Alligood. (Eds.), Nursing theorists and their work (pp.560-583). 5th ed, St. Louis, MO : Mosby, Elsevier, 562.

Brashers, D.E., Neidig, J.L., & Goldsmith, D.J. (2004). Social support and the management of uncertainty for people living with HIV or AIDS. Health Communication, *16*, 305-331.

Clayton, M.F., and Kruzel, M.D (2023). Theory of uncertainty in illness. In M.J. Smith, P.R. Liehr, and R.D.Carpenter. (Eds), Middle range theory for nursing 5th Edition (pp. 43-69), New York, Splinger Publishing.

Germino, B. B., Mishel, M. H., Crandell, J., Porter, L. S., Blyler, D., Jenerette, C., Gil,K.M.(2013). Outcomes of an uncertainty management intervention in younger African American and Caucasian breast cancer survivors, *Oncology Nursing Forum, 40*(1), 82-92.

Gil ,K.M., H Mishel,M.H., Belyea,M., Germino,B., Porter,L.S., Clayton,M.(2006). Benefits of the uncertainty management intervention for African American and white older breast cancer survivors: 20-Month Outcomes. *International Journal of Behavioral Medicine , 13*(4) : 286-294.

Guan, T., Qan'ir, Y., Song,L.(2021). Systematic review of illness uncertainty management interventions for cancer patients and their family caregivers. *Supportive Care in Cancer 29*(4), 1-18.

林幸子，習田明裕（2020）．未治療の未破裂脳動脈瘤を持つ人の病気の不確かさとその関連要因．日本看護研究学会雑誌，*43*(5)，823-834．

飯塚麻紀，水野道代（2014），日本語版 Managing Uncertainty in Illness　Scale-Family Member Form（病気に関する不確かさ尺度-家族用）の信頼性および妥当性の検討．日本看護科学会誌，*34*(1)，245-254．

猪飼やす子（2017）．特発性間質性肺炎患者が認知する病気の不確かさと関連要因の探索．日本看護科学会誌，*37*，399-407．

今井奈妙，横井弓枝，西井彩，玉木文葉，福録恵子（2016）．化学物質過敏症患者の病気に関する不確かさ―MUIS-C と QUIK-R の関連．臨床環境医学，*25*(1)，23-28．

伊藤千春，野川道子（2015）．２型糖尿病患者の病気の不確かさと関連要因．北海道医療大学看護福祉学部学会誌，*11*（1），27-35．

川田智美，藤本桂子，小和田美由紀，神田清子（2012）．患者および家族の不確かさに関する研究内容の分析．KITAKANTO Medical Journal，*62*，175-184．

Lazarus, R.S. (1974). Psychological stress and coping in adaptation and illness. International Journal of *Psychiatry in Medicine, 5*, 321-333.

Lin, D., Friedman, D.B, Qiao, S., Tam, C. C., & Li, X(2020). Information uncertainty: a correlate for acute stress disorder during the COVID-19 outbreak in China. *BMC Public Health, 20*(1), 1-9.

Mishel, M.H. (1984). Perceived uncertainty and stress in illness. *Research in Nursing and Health, 7*, 163-171.

Mishel, M.H. (1988). Uncertainty in illness. Image : *Journal of Nursing Scholarship, 20* (4), 225-232.

Mishel, M.H. (1990). Reconceptualization of the uncertainty in illness theory. Image : *Journal of Nursing Scholarship, 22* (4), 256-262.

Mishel, M.H., & Clayton, M.F. (2003). Uncertainty in illness theory. In M.J. Smith, & P. Liehr. (Eds.), Middle range theory for nursing (pp.25-47). New York : Springer.

Mishel, M.H., Fleury, J., (1997). The Growth Through Uncertainty Scale. Unpublished manuscript. The University of North Carolina at Chapel Hill.

森谷利香, 鈴木純恵 (2008). Mishelのモデルに基づいた「不確かさ」の看護研究の分析―海外文献から見えた難病病者の「不確かさ」への課題. 日本難病看護学会誌, *13* (2), 166-176.

長坂育代, 眞嶋朋子(2013). 外来で化学療法を受ける乳がんの女性が不確かさと折り合いをつけるプロセスを支える看護介入. 日本がん看護学会誌, *27*(1), 21-30

中島登美子, 山崎希, 藤浪千種, 中山真紀子, 長田千奈美, 樋貝繁香, 石田寿子(2010). 育児における将来見通しの不確かさ尺度の信頼性・妥当性の検討. 自治医科大学看護ジャーナル, *7*, 63-71.

野川道子 (2004). Mishelの病気の不確かさ尺度 (Community Form) 日本語版の信頼性・妥当性の検討. 日本看護科学会誌, *24* (3), 39-48.

野川道子 (2012). 療養の場を問わず使用できる病気の不確かさ尺度の開発, 日本看護科学会誌, *32* (1), 3-11.

野川道子, 西光代, 髙木由希, 伊藤加奈子, 江口恵子 (2020). 初発乳がん患者の不確かさの認知と適応, QOLとの関係－共分散構造分析による検討. 日本がん看護学会誌, *34*(1), 94-103.

大原あかり,吉岡さおり (2022). 再発・進行がん患者の疾病体験における意思の揺らぎに関するシステマティックレビュー. 京都府立医科大学看護学科紀要, *32*, 1-12.

Prigogine, I., & Stengers, I. (1984). Order out of chaos : Man's new dialogue with nature.／伏見康治, 伏見謙, 松枝秀明 (訳) (1987). 混沌からの秩序. みすず書房.

笹井知子, 雄西智恵美 (2016). 診断から初回治療導入期における肺がん患者の不確かさの管理. 日本がん看護学会誌, *30*(1), 73-81.

鈴木真知子(1998). 不確かさの概念分析. 日本看護科学会誌, *18*(1), 40-47.

富田真佐子, 片岡優実 (2016). 炎症性腸疾患患者における病気の不確かさの特徴と関連要因の探索. 日本慢性看護学会誌, *10* (1), 2-10.

Turgut, Y., Güdül Öz, H.,Akgün, M., Boz, İ.&Yangın, H.(2022). Qualitative exploration of nurses' experiences of the COVID-19 pandemic using the reconceptualized uncertainty in Illness theory: An interpretive descriptive study. *Journal of Advanced Nursing, 78*(7), 2111-2122.

Walker, L.O., & Avant, K.C. (1989). Strategies for theory construction in nursing. Norwalk,Conn : Appleton-Century-Crofts.

安酸史子 (1987). 不確かさ―ソーシャル・サポートと適応の媒介因子. 看護研究, *20*(4), 23-31.

吉村雅世 (2004). 不確かさの概念モデルを用いた老年女性の積極的な変化の考察. 奈良県立医科大学看護短期大学部紀要, *8*, 83-88.

●危機・ストレス・不確かさの認知や対処に関する理論

19 レジリエンス

理論との出会い

脳卒中の後遺症によって身体的・精神的・社会的な逆境に直面し，どうにもならない思いを抱えながらも周囲を気遣い，さらに同じ病いに苦しむ人々のために活動する患者会の方々の生きざまは，ストレス・コーピングや障害受容の概念では説明できないと感じていたときに，筆者は「レジリエンス」の考え方に出会った．「レジリエンス」は精神的回復力と称され，それは固定されたものではなく，変化し続けていく動的過程である．レジリエンスは，発病モデルの対局にある回復モデル（田辺，2009），つまり回復過程を促すモデルであり，ナイチンゲール（1954）が病気とは「回復過程である」と述べたことに通じる概念も含んでいる．レジリエンスは特別な能力や特性でなく，誰もが備えている個人の潜在的な回復力であるという見解に，筆者は看護に通じるものを感じたことを覚えている．つまり，レジリエンスの育成によって，回避することのできない疾患やそれに伴う後遺症などに翻弄され，自身のもてる力を発揮できずにいる忸怩たる思いや，やり場のない怒りから，ポジティヴな思考に展開していくことができることを意味している．これは，現時点の患者の精神的・心理的状態を知るにとどまっていた従来の対象理解のための理論から，個人に備わっている回復力を引き出すような教育的看護介入によって，現状に変化を与える可能性を示唆している．

理論家紹介

レジリエンスの概念を初めて提唱したのは，マイケル・ラター（Michael Rutter：1933‐2021）とされている（Rutter, 1985）．ラターは，「深刻な状況に対する個人の抵抗力」とし，ストレスに対する防御に影響するストレス反応の個人差である「深刻な危険性にもかかわらず，適応的な機能を維持しようとする現象」であると定義した．また，これまでの研究からレジリエンスは動的な概念であるとしている（Rutter, 2012）．

ラターは，モーズリー病院精神科名誉顧問，王立ロンドン大学精神医学心理学神経科学研究所発達精神病理学科教授として，1966年から2021年７月に退官するまで務めた．40年以上にわたってmaternal deprivation（母性剥奪）の影響について研究を行っており，特に遺伝と環境の相互作用，経験が生体に及ぼす生物学的影響，心理社会的逆境（特に施設養育）による影響の研究と神経発達障害に強い関心を寄せている（Rutter, 2010）．ラター

キー概念（庄司，2009）

□レジリエンス（resilience）：リスクあるいは逆境という状況において，それらを跳ね返す個人内特性および過程.

□防御因子（protective factors）：リスクあるいは逆境という状況において，特に良好な転帰（outcomes）あるいは発達と関連した個人（気質・対処能力・自己効力感・自尊心・頑健性・知的能力など），良好な対人関係・支援などの測定可能な特徴.

□促進因子（promotive factors）：（逆境やリスクのレベルにかかわらず）一般的に良好な転帰（outcomes）あるいは発達と関連した個人内要因（性格特性や生活習慣など），環境要因（他者・家族からのサポート）などの測定可能な特徴.

□逆境（adversity）：持続的あるいは反復的なネガティブ体験．通常は複数のストレッサーが関与している.

□リスク（risk）：リスクあるいは逆境という状況において，将来ネガティブなあるいは望ましくない転帰（outcomes）をもたらす確率を高めること.

□リスク因子（risk factors）：リスクと関連した個人，対人関係などの測定可能な特徴.

□脆弱性（vulnerability）：リスクあるいは逆境という状況において特定されたネガティブな転帰（outcomes）への影響の受けやすさ.

は，英国で最初の児童精神医学の教授で，「児童心理学の父」と紹介されている．2002年に『Review of General Psychology』に発表された調査では，20世紀に最も引用された心理学者として68番目にランクされている．また，CBE（Commander of the Order of the British Empire：大英帝国勲章），FRS（Fellow of the Royal Society：王立協会フェロー），FRCP（Fellow of the Royal College of Physicians：王立内科医協会フェロー），FRCPsych（Fellow of the Royal College of Psychiatrists：王立精神協会フェロー），FMedSci（Fellow of the Academy of Medical Science：イギリス医学院フェロー）の授与やルーフェン，エジンバラ，シカゴ，ミネソタ，ゲント，ウォーリック，ケンブリッチ，エールなどの大学から名誉学位を授与されている.

主な著書には，『Rutter's child and adolescent psychiatry』（邦題『新版 児童青年精神医学』2015）をはじめ，邦題『イギリス・ルーマニア養子研究から社会的養護への示唆―施設から養子縁組された子どもに関する質問』（2012），『母親剥奪理論の功罪―マターナル・デプリベーションの再検討』（1979），『母親剥奪理論の功罪<続>』（1984），『子どもの精神医学』（1983）他，自閉症に関する多数の書籍があり，1974－1994年まで『自閉症と発達障害研究の進歩』の欧州編集長であった.

理論誕生の歴史的背景

レジリエンスは，その定義についても研究者間での統一がみられず，様々に用いられてきた．『オックスフォード英語辞典』によると，resilienceの本来の意味は「外力による歪みを跳ね返す力」で，stress の「外力による歪み」と対をなす術語として物理学分野で用いられている（加藤，2009）．精神医学では，産業化の進んだ1800年代からストレスやトラウマなどの術語が用いられ，発病過程の探求とその因子の解明から導き出された脆弱性モデルやストレスモデルでの治療が行われていた．しかし，それらのモデルでの治療効果が現れないなか，深刻なストレスを体験した人々のなかに，これらの体験を契機に人格成長（posttraumatic growth）を遂げる現象が観察された．ワーナーは，周産期に何らかの問題を抱えた子どもを対象に，成人になるまでその発育に注目した追跡調査を行った（Werner, 1989）．その結果，1/3 は明らかな危険因子をもつ一方で，1/3 は健康な成人に成長したことが明らかになり，この健康な人々について，精神医学領域において最初に「レジリエンス」の語を用いた．環境に恵まれない，トラウマを負った子どもたちの治療戦略として，レジリエンス概念が用いられるようになり，治療を推進するうえで，これまでの発病過程の因子の解明から，病気を跳ね返すレジリエンス因子に焦点が移行した．看護学分野では，2000年代からレジリエンス研究が活発に行われてきている．さらに，NANDA-Ⅰ（North American Nursing Diagnosis Association-International）看護診断 2009－2011版の〈領域９　コーピング/ストレス耐性〉《類２　コーピング反応》の診断名として「レジリエンス障害」「レジリエンス低下リスク状態」「レジリエンス促進準備」が追加され，各々の定義，診断指標，関連因子，危険因子が明示された（Herdman, 2008）．そうした，レジリエンスの用語が臨床看護に取り入れられたことを機に，2010年以降日本国内においては，概念の曖昧さはあるものの，レジリエンスの看護研究が増加している（阿久津・中村，2014）．

レジリエンスとは

レジリエンスは，困難な状況にある者のなかに適応的な発達・行動をする者とそうでない者との相違についての研究全般で用いられているため，研究者によって「個人内特性」や「変化の過程」などの様々な定義がなされている．先行研究でなされた定義は，以下のようなものがある．

1 個人内特性に関する定義

・「逆境や障害に直面してもそれを糧としてコンピテンシーを高め成長・成熟する能力や心理的特性」（Werner, 1993）
・「逆境に直面したときにそれを克服し，その経験によって強化される場合や変容される人がもつ適応力」（Grotberg, 2003）
・「特別な能力や特性ではなく，どの世代の人でも伸ばすことができ，その経験を自己の成長の糧として受け入れる状態に導く特性」（Grotberg, 2003）
・「困難で脅威な状況にさらされることで一時的に心理的不健康の状態に陥っても，それを乗り越え，精神的病理を示さず，よく適応している状態」（小塩・中谷・金子・長峰，

2002）

・「非常にストレスフルな出来事を経験したり，困難な状況になっても精神的健康や社会的適応行動を維持する，あるいは回復する心理的特性」（石毛・無藤，2005）

2 変化の過程に関する定義

・「困難で，脅威な状況にもかかわらず得られる望ましい結果やその結果が得られる過程，あるいはその過程を支える許容力や結果」（Masten, Best & Garmezy, 1990）

・「逆境にあっても心理的あるいは社会的な不適応症状や問題行動に陥ることを是正し，前向きに適応することができる動的過程」（Luthar, Cicchetti & Becker, 2000）

高辻（2002）は，以上のことから「レジリエンスは個人内特性だけではなく，個人の置かれた環境への適応プロセス全体も含めた包括的概念である」としている．

3 レジリエンスの構成要素

米国心理学会は，レジリエンスの構成要素として，①現実的な計画を立てそれを成し遂げていく力，②自分を肯定的にとらえて自分の能力を信頼できる力，③コミュニケーション能力と問題解決能力，④強い感情や衝動をマネージメントできる力を挙げている（American Psychological Association, 2008）．

4 看護学分野におけるレジリエンス

大久保・杉田・藤田・刀根（2012）によると，日本国内の看護学分野におけるレジリエンス研究では，対象が過去もしくは現在置かれている何らかのリスク状態から回復しようとする個人に内在する力やその過程，結果であり，変化もしくは促進できる可能性を備えているものと定義づけられている傾向があったとしている．

5 レジリエンスモデル

レジリエンスは，ストレス状況下において一時的に傷つきながらもそこから立ち直って

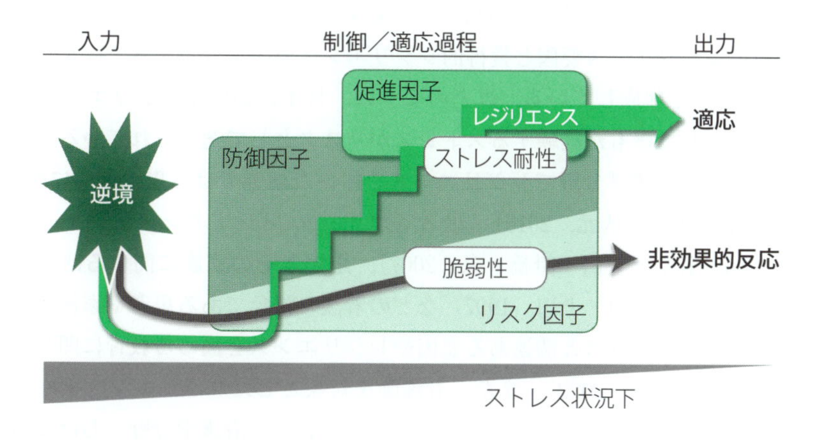

図19-1●レジリエンスモデル

いく過程や結果である．このことから，逆境によるストレス状況下でリスク因子と対をなす逆境に打ち勝つことを促す，個人の気質・家族・外部の特性などの内的・外的資源である防御因子による「制御／適応過程」を経て，脆弱性ゆえの非効果的反応（不適応）やストレス耐性による適応をも含んだレジリエンスを促進する因子（個人内要因や環境要因）を活用しながら状況に適応することができる精神的回復力といえる．筆者は，ここからレジリエンスモデルを図19-1のように考える．

研究の動向

レジリエンスの研究は，石原・中丸（2007）によると，Wernerの1955年からの継続的な追跡調査に続き，統合失調症の母親をもつ子ども（Garmezy, 1974），慢性疾患（Wells & Schwebel, 1987），虐待（Crittendon, 1985；Cicchetti & Rogosch, 1997），戦争（Elder & Clipp, 1989），社会的経済的不利（Osborn, 1990；Reynolds, 1998），コミュニティの破壊（Cowen, et al., 1997），破壊的なライフイベント（Garmezy, Masten & Tellegen, 1984；Grossman, Beinashowitz, Sakurai, Finnin & Flaherty, 1992），生活におけるストレス（Luthar & Zigler, 1991；Luthar, Doernberger & Zigler, 1993）まで，そのテーマは広がっているとしている．レジリエンス概念に生活上のストレッサーが含まれるようになったことで，心的外傷を対象とした研究がみられるようになり，外傷後ストレス障害（posttraumatic stress disorder：PTSD）の発症要因を探る研究が，1990年代に主流となっていった．しかし，危険因子が特定されてもその解決にはならないことから，レジリエンス概念は拡大され，危険因子とともに防御因子が注目されるようになった．

日本におけるレジリエンス研究の歴史は浅く，諸外国の研究結果から得られた個人内特性に関する測定尺度を参考に開発が行われ，その測定尺度の信頼性，妥当性についての検討が行われている．小塩他（2002）は，精神的回復尺度を作成し，ネガティヴなライフイベントからの立ち直りを導く心理特性を，森・清水・石田・冨永・Hiew（2002）は，レジリエンス尺度を作成し，レジリエンスの構成因子を抽出し，自己教育力との関連を調査している．また，得津（2003）は，家族レジリエンス尺度を作成し，平野（2010）は，資質的レジリエンス要因と獲得的レジリエンス要因を分類する二次元レジリエンス要因尺度（BRS）を作成している．以上のように，日本におけるレジリエンス研究は，ライフイベントとして誰もが経験するストレスがリスクとして選定されている．

一方，看護学分野でレジリエンスを用いた研究では，患者支援に関する研究（石井他，2007；高取・秋元，2013），患者（患児）のレジリエンスに関する研究（仁尾・藤原，2006；若崎・谷口・掛橋・森，2007），患児とその家族に関する研究（河上，2007；小林他，2002；澤田・上田，1997）などの看護の対象である患者や家族から，看護学生に対してのレジリエンスと関連ある要因やレジリエンスを高める教育に関した研究がなされている（乾・宮林，2022）．また，看護師を対象としたレジリエンスをめぐる研究の課題に関するもの（砂見，2018）なども報告されている．看護学分野における傾向として，レジリエンスを力や能力としてとらえた結果，対象となる患者やその家族がもつレジリエンスを高め，疾患や療養生活によるストレスからの回復を促す援助を試みる研究（大久保他，2012）や看護学生のストレスからの立ち直りや看護師の支援者としてのレジリエンス能力に関する研究が多かった．

概念の拡大に伴って，レジリエンス研究においてはその表現にも統一性が要求されだしている．“resilience”と“resiliency”は辞書的な意味合いは同じであっても，レジリエンス研究のなかで個人内要因を示すときに使用される表現が“resiliency”であり，研究が個人の特色でなく，過程に焦点化されるときの表現には“resilience”が使用されるべきであるとしている（Luthar, et al., 2000）．加藤（2009）は，“resiliency”は防御因子，回復因子，“resilience”は防御，回復に向けた力動的過程であり，“resilience”は，“resiliency”の上位概念としている．

F 理論の看護実践での活用

1 教育的看護介入への活用

レジリエンスは，NANDA-Ⅰ看護診断のコーピング反応に分類されていることからもわかるように，看護学分野では，「困難な状況や危機に対して，肯定的な反応パターンを維持する能力」とみることができる．個人の内的能力と周囲との関係性が，危機的状況に陥った際の立ち直りに大きく影響することから，内的能力や周囲との関係性のアセスメントおよび個人に備わっている回復力を引き出すような教育的看護介入への活用が期待できる．

2 アセスメントと援助のポイント

レジリエンスを高める援助をするには，以下に示した，「個人の内的能力」と「周囲との関係性」におけるポイントについて，アセスメントしながら，その人個人が，自身の人生における主人公として内的能力を発揮し，周囲との関係性を維持できるよう，その人の意向を尊重しながら援助することが求められる．

1）個人の内的能力

①現実的な計画を立て，それを成し遂げていく力．
②自分を肯定的にとらえて自分の能力を信頼できる力．
③コミュニケーション能力と問題解決能力．
④強い感情や衝動をマネジメントできる力．

2）周囲との関係性

①信頼できる知人との関係性を維持する．
②肯定的な見方をする知人（友人・家族）の存在．

臨床での活用の実際

ここでは，脳卒中を発症したAさんの経過をとおして，レジリエンスの臨床での活用について紹介する．

1 事例紹介

Aさん，40歳代の男性で職業はタクシー運転手であった．趣味のパークゴルフ中に，腰が砕けた感じで動けなくなり，救急車で近隣の病院に搬送され，脳内出血と診断された．入院2日後に本人の希望で専門病院に転院した．入院時の意識レベル（Japan Come Scale：JCS）は1，徒手筋力テスト（manual muscle testing：MMT）は右上肢1，右下肢3であったが，退院時は右上肢3，右下肢4であり，FIM（Functional Independence Measure）は，入院5日目56/126，30日目88/126，90日目126/126まで回復した．Aさんは，独身で一人暮らしであるが，近所に兄妹が住んでいる．入院中は，職場の同僚や友人，パークゴルフ仲間が見舞いに訪れていた．

2 レジリエンスの構成要素に基づく展開

突然の発症から入院生活を余儀なくされ，右半身不完全麻痺の後遺症を有したAさんは，「どうなっていくのかわからない」と回復の見通しの立たないなか，“病いの見積もり”については“希望的予測”を述べていた．しかし，その経過とともに“見積もりの修正”“生活の見直しと療養法の実行”へと変化していった．入院中，黙々と病棟での自主トレに励んでいたAさんの入院から退院後の様子について，その時々の語りから，前述のアセスメントと援助のポイントに沿って，レジリエンスの構成要素を抽出することで，病者が体験しているレジリエンスの様相を示す．

1）個人の内的能力

（1）現実的な計画を立て，それを成し遂げていく力

退院後の職場復帰を見据えてのAさんの行動は，医療者からみれば危険行動に類似されるものである．入院中から病院でのリハビリでは確認できない自身の運転技術の再獲得に向けて計画的に行動していた．

・「院内での自主トレは，階段昇降，院内歩行，月に1回は近くの公園まで院外散歩をしている．杖なし歩行は理学療法士に注意されながらも隠れて練習していた．手の練習は，作業療法士から提案されている文字を書くのは好きでないし，実用性も少ないからやっていない．車のハンドル操作は外泊時に練習して慣れていくようにしている．今後の計画は，今月末で退院し，1か月自宅での運転リハビリや身体を慣らしてから職場復帰予定で会社と話をしている．運転の練習は週末外泊で公道運転もしているが，ペダル移動がスムーズじゃないことが課題だと感じている」（発症2か月）

しかし，退院後，タクシー運転手としての運転技術がおぼつかないことから，職場復帰を断念し，その後の生活を修正している．

・「自宅近くでは車の運転をしているが，市内は交通量が多いから危ないのと，医師に車

の運転は許可されていないので，車での通院はできない．若干，ブレーキを踏むのが遅くなるから，早め早めに踏むようにしているが，タクシーは客あってのことで，客の乗車中だと危ないから，運転に自信はあるが，営業運転はまだ無理だと思う」（退院２週間）

・「車は，一人で乗っている分には何ともないが，お金をもらってお客さんを乗せるとなると，安全運転をしていても他の車の運転に対しての急ブレーキや急ハンドルの対応は難しい．万が一事故を起こした場合，会社にも迷惑をかけるから，いったん退職することにした．会社は自信がついたら戻ってきたらいいと言ってくれている．保険も任意継続にしてもらい，失業保険をもらいながら，雪道の運転は危ないので，雪解けを待って，体調が戻った頃に再開を考えている」（退院１か月）

（２）自分を肯定的にとらえて自分の能力を信頼できる力

ベッド上で臥床していると回復がみえないが，リハビリを開始したことで，回復を体感し，見通しも希望的である．

・「ベッドにいては，病気がよくなったのか，進んでいるのかわからないが，リハビリに行くと，右足が全然運べなかったのが運べるようになった，効果でてきたなと感じる」（発症１か月）

また，安全な場所を自分なりに見つけ，自主トレを行いながら回復を評価している．

・「トイレでの練習はダメだと理学療法士に注意されたが，トイレは，手すりが縦にあるから倒れそうになっても大丈夫だから，そこが練習には一番安全．でも，右足に力が入らないから，まだダメだと思う」（発症１か月）

週末外泊で行っている運転の自主トレでは，回復の実感と課題を見出している．

・「まっすぐ走るのは大丈夫．何ともないが，右折とか左折のときに右をかばうのか車の軌跡が膨らみ送りハンドルになること，足の感覚が弱いので，ブレーキからクラッチに移るときペダルを見ていないと真ん中に乗らない．朝・夕練習していたが，これは練習しないといけない，バックは問題ない．今週末も外泊して練習するつもり」（発症３か月）

退院後は，意図的に趣味を活かして回復を図っていた．

・「手は釣りしたり，ゲートボールしているから結構いい．リールも巻けるし，ボール打った後もちゃんとクラブ持っていられる．力がついてきた．自分の趣味を活かして動くようにしている」（退院１か月）

（３）コミュニケーション能力と問題解決能力

Aさんは，行動範囲拡大のために医療者との交渉に既成事実をつくることや要求を小出しにすることなどの方略を用いていた．

・「この間，トイレに行こうとしたら車いすがなくて，５mくらいだったから歩いて行った．それを先生（PT）に言ったら怒って，だから早く杖を使うことになったと思う．でも自分では短い距離だからちゃんと行けて帰れたから大丈夫なんだけどね．私が急がしたから早く杖歩行にかわった」（発症１か月）

そういった，自身が用いている方略をもとに，病棟内単独歩行の許可がもらえないと話す同室の患者に次のような助言をしていた．

・「初めは昼間だけとか，トイレだけとか言って許可をもらわないと，すんなりとはいかない，考えて頼まないと，いっぺんには無理だ」（発症２か月）

（4）強い感情や衝動をマネジメントできる力

病気になったことで，友人からの夜更かしにつながる誘いを断るなど，再発をしない生活の仕方に友人との付き合い方を変えていた.

・「病気になって無理をしなくなった．退院してからもアルコールは初め全然飲まなかったし，最近少し飲むようになったけど，量は前に比べればグーンと減っている．夜更かしもしなくなって，以前の同僚からは『毎日１時２時だった人がどうしたのよ，付き合いづらくなったな』って言われるが，生活パターンがまじめ人間になった」（退院１か月）

また，入院前の生活について見直しを行い，主体的な療養生活を実行していた.

・「病気になる前の食事が悪かったし，規則正しい生活を送っていなかったことに気づき，食事と生活のリズムに気をつけている．この病気になってから３食，食べるようになった．それまでは，仕事があるときは，朝と昼だけで，仕事が夜になると終わってからアルコールを飲んでいた．朝ごはん食べても美味しいと思って食べたことはなかった．病気になってから３食，食べるようになって，かえって体調が良くなった．二日酔いはしないし，朝目覚めても起きられないことはない．病気のお陰で規則正しい生活をするようになった」（退院１か月）

2）周囲との関係性

（1）信頼できる知人との関係性を維持する

入院中も会社の同僚や趣味の仲間の面会を受けていたが，退院後も関係性を維持し，さらに親密になっていると感じていた.

・「釣りもやっているし，パークゴルフも誘われて行っている．趣味のほうに適度に行っていれば運動にもなるから誘われれば行っている．会社では，月例会の大会があるので，退職しても，『いつあるぞー』とか『練習に行くぞ』って電話がかかってくるので，パークゴルフには，結構行っている」（退院１か月）

・「病気になる前より親密になった感じがする．みんな心配してくれる．集まりがあるときに『何かあるときは声をかけてくれ，会社を辞めても仲間は仲間だから』と自分から言っている．友達には恵まれている，地元にいる限り関係性を壊したくないと思っている」（退院１か月）

（2）肯定的な見方をする知人（友人・家族）の存在

歩行機能が向上したことについて，回復を期待してくれる見舞い客の訪問を次のように説明した.

・「だいぶ歩けるようになった．自分だけだったら，しなかったけど見舞い客が来ていたから，歩けるのを見せようと思って，結構歩いた」（発症２か月）

家族関係も入院によって親密化したと感じていた.

・「入院中の支えは，兄妹だね．今回の入院では，迷惑かけたし，世話になったから，もう少し動けるようになったら少しずつ恩返しというか，何かあれば助けていきたい．退院後も週に１，２回は自宅に来てくれる」（退院１か月）

発病当初，回復の不確かさから受身的な療養法の実践者であったAさんは，家族や同僚，知人の元の生活に戻って来いというエールを受けて変化していった．Aさんの内的能力や周囲との関係性は病いを体験して，その経過のなかで変化していった．Aさんが自分なりに身体の変化に向き合い，その時々の状態に加減しながら行っていた自主トレは，Aさんがたびたび「怒られた」と表現していたように臨床サイドのとらえていたAさんの機能評価とにはズレが生じていた．そのなかでAさんは，無謀とも思える自己流のリハビリから，自身の身体回復レベルを評価し，回復予測の修正を繰り返しながら，療養法を身につけていったと考えられる．予測に反した回復の停滞や希望どおりの回復には至らなかったものの，その変化に適応することが生きていくことであり，周囲の人々との信頼関係を維持し，肯定的な見方をする知人の存在がそれには必要不可欠であったといえる．

つまり，看護介入においては，患者の言動から危険行動がみられたとしても，単にそれを注意するのではなく，療養法の実践者である患者のその時々の思いやそのことに対する考えに耳を傾けることで，患者の内的能力を見出すこと．さらに，看護師自らが患者の可能性を信じ，患者の言動に対して肯定的な見方をする存在として，患者に寄り添い，個人の内的能力が発揮できるよう，家族や友人と共に患者の強みを見きわめ強化していく教育的介入が必要であるといえる．

理論を看護実践につなげるために

米国心理学会は，レジリエンスを得るための方法として，①関係性をつくること，②危機は克服できると思う，③変化を受け入れる，④目標に向けて進む，⑤断固とした行動をとる，⑥自己発見のための機会を探す，⑦自分に対する肯定的な見方をもつ，⑧物事のとらえ方についての展望をもつ，⑨希望に満ちた見方をもつ，⑩自分自身を大切にする，を挙げている．Aさんは，入院中に退院後の生活を見据えて，自己流リハビリともいえる車の運転を試験外泊で繰り返しながら，自身の回復力を査定していた．

右半身不完全麻痺の後遺症から車の運転は困難との見解であったが，運転手としての職場復帰を目指していたAさんは，週末外泊で繰り返し車の運転の練習をし，個人で乗車することが可能な程度まで，その機能を取り戻している．しかし，人命にもかかわる職業としての運転手としては，万全でないことを自覚し，職場復帰に猶予期間を設けるなど，自身の可能性に挑戦しながらも冷静に身体機能を評価していた．Aさんの入院中の行動は，医療者からみれば，「病識がない，無謀な」と思われかねない危険行動であった．しかし，自身の心身の変化に向き合い，そこから新たな解決策を見出し，諦めずに突き進む姿は，レジリエンスそのものであり，人は変化しうる存在であることを体現化しているといえる．

脳卒中後の患者が置かれた状況に，抗うでもなく，服従するでもなく，淡々と日常生活を送る様子は，自己価値の喪失といった危機的状況からの立ち直り過程であり，病気体験や周囲との関係性の変化のなかで，個人のもつ潜在的な回復力としてのレジリエンスの獲得過程でもあるといえる.

文　献

阿久津美代，中村美鈴（2014）．レジリエンスをめぐる看護研究に関する文献レビュー．自治医科大学看護学ジャーナル，*12*，3-11.

American Psychological Association. The Road to Resilience.
〈http://apa.org/helpcenter/road-resilience.aspx〉
〈https://advising.unc.edu/wp-content/uploads/sites/341/2020/07/The-Road-to-Resiliency.pdf 〉[2023.Appil.29]

Cicchetti, D., & Rogosch, F. A. (1997). The role of self-organization in the promotion of resilience in maltreated children. *Development and Psychopathology*, *9849*, 797-815.

Cowen, E. L., Wyman, P. A., Work, W. C., Kim, J. Y., Fagen, D. B., & Magnus, K. B. (1997). Follow up study of young stress-affected & stress-resilient urban children. *Development and Psychopathology*, *9*(3), 564-577.

Crittendon, P. (1985). Maltreated infants: Vulnerability and resilience. *Journal of Child Psychiatry and Psychology*, *26*, 85-96.

Elder, G. H., & Clipp, E. C. (1989). Combat experience and emotional health: Impairment and resilience in later life. *Journal of Personality*, *57*, 311-341.

Garmezy, N. (1974). The study of competence in children at risk for severe psychopathology (p.547). In: Anthony, EJ.; Koupernik, C., ed. The child in his family: Children at Psychiatric risk: Ⅲ.Wiley; New York:.

Garmezy, N., Masten, A. S., & Tellegen, A. (1984). The study of stress and competence in children: A building block for developmental psychopathology. *Child Development*, *55*, 97-111.

Grossman, F. K., Beinashowitz, L., Sakurai, M., Finnin, L. & Flaherty, M. (1992). Risk and resilience in young adolescents. *Journal of Youth and Adolescence*, *21*, 529-550.

Grotberg, E. H. (2003). What is resilience?　In E. H. Grotberg (Ed.), Resilience for today: Gainning strength from adversity (pp.1-29). Westport, Connecticut: Praeger Publishers.

Herdman, H. (2008)／中木高夫（訳）(2009)．NANDA-I看護診断―定義と分類2009－2011（pp.324-329），医学書院.

平野真理（2010）．レジリエンスの資質的要因・獲得的要因の分類の試み―二次元レジリエンス要因尺度（BRS）の作成．パーソナリティ研究，*19*(2)，94-106.

乾美由紀，宮林郁子（2022）．最近5年間の看護学生のレジリエンスに関する要因とレジリエンス強化に関する文献検討，清泉女学院大学看護学研究紀要，*2*（1），33-40.

石毛みどり，無籐隆（2005）．中学生における精神健康とレジリエンスおよびソーシャルサポートとの関連―受験期の学業場面に着目して．教育心理学研究，*53*，356-367.

石原由紀子，中丸澄子（2007）．レジリエンスについて―その概念，研究の歴史と展望．広島文教女子大学紀要，*42*，53-81.

石井京子，藤原千恵子，河上智香，西村明子，新家一輝，町浦美智子，他（2007）．患者のレジリエンスを引き出す看護者の支援とその支援に関与する要因分析．日本看護研究学会雑誌，*30*(2)，21-29.

加藤敏（2009）．現代精神医学におけるレジリアンスの概念の意義．加藤敏，八木剛平（編），レジリアンス―現代精神医学の新しいパラダイム（pp.9-11）．金原出版.

河上智香（2007）．在宅中心静脈栄養法を施行している学童期の子どもと親のレジリエンス．看護研究，*42*，27-35.

小林正夫，松原紫，平賀健太郎，原美智子，浜本和子，上田一博（2002）．血液・腫瘍性疾患患児のレジリエンス―入院，両親の関わりおよび年齢による影響．日本小児血液学会雑誌，*16*(3)，129-134.

小塩真司，中谷素之，金子一史，長峰伸治（2002）．ネガティブな出来事からの立ち直りを導く心理的特性―精神的回復力尺度の作成．カウンセリング研究，*35*(1)，57-65.

Luthar, S.S., Cicchetti, D., & Becker, B. (2000). The construct of resilience : A critical evaluation and guidelines for future work, *Child Development*, *71*(3), 543-562.

Luthar, S. S., Doernberger, C. H., & Zigler, E. (1993). Resilience is not a unidimensional construct: Insights from a perspective study on inner-city adolescents. *Development and Psychopathology*, *5*, 703-717.

Luthar, S. S. & Zigler, E. (1991). Vullnerabillty and competence: A view of research on resilience in chilidhood. *American Journal of Orthpsychiatry*, *61*, 6-22.

Masten, A. S., Best, K. M., & Garmezy, N. (1990). Resilience and development: Contributions from the study of children who overcome adversity. *Development and Psychopathology*, *2*, 425-444.

森敏昭，清水益治，石田潤，冨永美穂子，Hiew, C. C. (2002)．大学生の自己教育力とレジリエンスの関係．学校教育実践学研究，*8*，179-187.

Nightingale, F. (1954)／湯槇ます，薄井坦子，小玉香津子，田村真，小南吉彦（訳）(2000)．看護覚え書－看護であること・看護でないこと，改訳第6版，現代社，13-20.

仁尾かおり，藤原千恵子（2006）．先天性疾患をもつ思春期にある人のレジリエンスの特徴．日本小児看護学会誌，*15*(2)，22-29.

大久保麻矢，杉田理恵子，藤田佳代子，刀根洋子（2012）．看護学分野におけるレジリエンス研究の傾向分析―国内研究の動向．目白大学健康科学研究，*5*，53-59.

Osborn, A. F. (1990). Resilience children: A longitudinal study of high achieving socially disadvantaged children. *Early Child Development and Care*, *62*, 23-47.

Reynolds, A. (1998). Resilience among black urban youth: Prevalence, intervention effects, and mechanisms of influence. *American Journal of Orthpsychiatry*, *68*, 84-100.

Rutter, M. (1985). Resilience in the face of adversity : Protective factors and resistance to psychiatric disorder. *British Journal of Psychiatry*, *147*, 598-611.

Rutter, M. (2012). Resilience as a dynamic concept. *Development and Psychopathology*, *24*, 335-344.

Rutter, M., Bishop, D., Pine, D., Scott, S., Stevenson, J., Taylor, E., et al. (編) (2010)／長尾圭造, 氏家武, 小野善郎, 吉田敬子 (監訳) (2015). 新版 児童青年精神医学. 明石書店. 著者紹介頁.

澤田和美, 上田礼子 (1997). 病気の乳幼児と母親の養育性―強靭性 (Resilience) の育成の視点から. 小児保健研究, *56*(4), 562-568.

庄司順一 (2009). リジリエンスについて. 人間福祉学研究, *2*(1), 35-47.

砂見緩子 (2018). 看護師のレジリエンスの概念分析. 聖路加看護学会誌, *22* (1), 13-20.

高取朋美, 秋元典子 (2013). 手術を受けた初発乳がん患者のresilience (レジリエンス) を支える要因. 日本看護研究学会雑誌, *36*(4), 65-74.

高辻千恵 (2002). 幼児の園生活におけるレジリエンス尺度の作成と対人葛藤場面への反応による妥当性の検討. 教育心理学研究, *50*(4), 427-435.

田辺英 (2009). 第３章医学哲学からみた発病モデルと回復 (レジリアンス) モデル―自然治癒力思想の興亡. 加藤敏・八木剛平 (編), レジリアンス現代精神医学の新しいパラダイム (pp.51-74). 金原出版.

得津慎子 (2003). 家族レジリエンス尺度作成に向けて. 関西福祉科学大学紀要, *7*, 119-132.

若崎淳子, 谷口敏代, 掛橋千賀子, 森將晏 (2007). 成人期初発乳がん患者の術後のQOLに関する要因探索. 日本クリティカルケア看護学会誌, *3*(2), 43-55.

Wells, R. D. & Schwebel, A. I. (1987). Chronically ill children and their mothers: Predictors of resilience and vulnerability to hospitalization and surgical stress. *Developmental and Behavioral Pediatrics*, *8*, 83-89.

Werner, E. E. (1989). High-risk children in young adulthood, a longitudinal study from birth to 32 years. *American Journal of Orthopsychiatry*, *59*(1), 72-81.

Werner, E. E. (1993). Risk, resilience and recovery: perspectives from the Kauai longitudinal study. *Development and Psychopathology*, *5*, 505-513.

行動変容，健康行動に関する理論

20 保健信念モデル

A 理論との出会い

保健信念モデルは，保健行動に関する実践や研究に活用されている理論の一つである．筆者が保健信念モデルと出会ったのは，大学の講義で行動変容に関する理論の説明を受けたときである．本モデルを，実習で出会った対象者の行動を整理するために，看護計画を立案する際に活用し，実習レポートを記述したと記憶している．

保健行動に関する理論は，保健信念モデル以外にも多数存在する．保健行動に関する研究が数多く行われているのは，人々が行動する，もしくは行動変容する際に，どのような要因が作用するのかという疑問が，看護実践や研究の場で頻回に生じるからであろう．行動変容に関する理論のなかでも，保健信念モデルは様々な学問領域で活用されている．また，取り上げられている概念は，他の理論でも共通して用いられているという特徴がある．

本理論を活用することで，看護の対象者の状況を把握し，ニーズを理解することができる．また，行動変容のための潜在的要因を検討する際に，本理論の概念を検討することが有用である．それにより，対象者のニーズを多角的に検討し，より対象者に合致した看護支援方法を選択することが可能になる．

B 理論家紹介

保健信念モデルは，アーウィン・ローゼンストック（Irwin Rosenstock）が疾病への罹患性の認識，疾病への重篤性の認識，行動変容する際の利益と障壁の認識，そして行動のきっかけを定義し（Rosenstock, 1966），さらにマーシャル・ベッカー（Marshall Becker）らがモデルとして図式化した理論である（Becker, Drachman & Kirscht, 1974）．

ベッカーは，1940年生まれで，公衆衛生学の教育や*Health Education Quarterly*誌などの編集を行い，多くの功績を残している．1993年の11月，自宅で死亡したベッカーを偲び，追悼の記事が*Health Education Quarterly*誌に掲載された（Clark, 1994）．その記事によると，保健信念モデルを構築し，病気の治療へのコンプライアンスに関する研究のパイオニアとして紹介されている．保健信念モデルを発表した1974年当時は，ジョンズ・ホプキンス大学の公衆衛生学部・医学部の准教授であった．その10年後に，保健信念モデルに関する総説を執筆した1984年当時には，ミシガン大学の保健行動・健康教育学部の学科長・教授を務め，その後，副学長を歴任した．教育・研究に力を注ぎ，優れた教員であっ

キー概念

- □保健信念モデル（health belief model）：推奨される予防的保健行動をとる見込みを，①疾病の罹患性，②疾病の重篤性，③予防行動の利益，④予防行動の障壁からなる4つの認識つまり保健信念との関連で示したモデル．
- □保健信念（health belief）：健康・疾病状態や保健行動に関する認識・信条・信念．
- □保健行動（health-related behavior）：健康保持，回復，増進を目的として，人々が行う行動（宗像，1999）．
- □予防的保健行動（preventive health behavior）：一般に自覚症状がなく，病気を意識していない段階で，病気につながる行動を避けたり，予防的措置をとったり，病気の早期発見を行おうとする行動（宗像，1999）．
- □病気対処行動（illness behavior）：自覚症状があって，病気になっていると感じ，その状態から回復するために病気に対処（coping）しようとする行動（宗像，1999）．
- □病者役割行動（sick role behavior）：自らを病気であると認識している人が，その病気回復のために行う行動．
- □疾病への罹患性の認識（perceived susceptability to disease "X"）：ある状況で病気に罹りやすい危険性の主観的認識（Janz & Becker, 1984）．
- □疾病への重篤性（つらさ）の認識（perceived seriousness (severity) of disease "X"）：病気に罹患することやそれにより起こる健康状態の重篤性を心配する感情．
- □予防行動の利益の認識（perceived benefits of preventive action）：自分にとって予防行動が有益で，実行可能であるという認識（Rosenstock, 1966）．
- □予防行動の障壁の認識（perceived burriers to preventive action）：予防行動自体が高価，危険（副作用・医原性結果など），不快（苦しい・困難・混乱する），不便，時間がかかるなどのものであるという認識（Janz & Becker, 1984）．
- □行動のきっかけ（cues to action）：行動を始動させるためのきっかけや刺激（Rosenstock, 1966）．
- □コンプライアンス（compliance）：医療従事者が患者の健康のために必要であると考え，勧めた指示に患者が応じ，それを遵守しようとすること（宗像，1999）．

たと評されている．保健行動に関する研究論文だけでも，120本と記載されている．『Health belief model and personal health behavior』という著書が有名である．

また，米国社会学協会からのLeo G. Reeder Award，ミシガン大学からのDistinguished Faculty Achievement Award，米国公衆衛生協会からのMayhew Derryberry Award，米国公衆衛生教育学会からのDistinguished Fellow Awardなど多くの賞を受賞した（Clark, 1994）．

理論誕生の歴史的背景

ローゼンストック（Rosenstock, 1974）の理論誕生の背景に関する論述によると，1950

年代の初めに，公衆衛生サービスは疾病治療よりも疾病予防に焦点が当てられていた．しかし，結核，子宮頸がん，歯科疾患，リウマチ熱，ポリオ，インフルエンザという様々な検診は受診率が低かった．これらの検診が無料もしくは低料金で受診が可能であったのにもかかわらず，受診行動がとられなかったことから，予防的保健行動に関する議論が起こった．

予防的保健行動に関する理論を検討する必要性が高まるなか，ローゼンストック（Rosenstock, 1966）は，人々がどのようにして保健サービスを利用するのかという疑問についてレビューを行い，4つの概念を明記した．それらは，①疾病への罹患性の認識，②疾病への重篤性の認識，③行動変容する際の利益と障壁の認識，そして④行動のきっかけである．

その後，ベッカー（Becker, 1974）は，これらの4つの概念を図式化した．ベッカーが，保健信念モデルを図式化したことにより，概念の関連を検討する研究が進められてきた．1974～1984年の10年間における保健信念モデルのレビューによると，研究で焦点を当てている保健行動は，インフルエンザ予防接種，遺伝病のスクリーニングから，糖尿病や末期の腎疾患などの慢性病に罹患している人々の行動まで，幅広く適用されてきている（Janz & Becker, 1984）．つまり，理論開発当初の疾病予防行動から慢性疾患のセルフケア行動まで，理論の応用が進められている．

保健信念モデルとは

1 保健信念モデル

保健信念モデルは，個人の保健信念に焦点を当て，予防的保健行動をとる際のメカニズムを示している．保健信念モデルでは，推奨される予防的保健行動をとる見込みは，①疾病への罹患性，②疾病への重篤性，③予防行動の利益，④予防行動の障壁からなる4つの認識，つまり保健信念（health belief）と関連すると説明している．

さらに，ベッカーとメイマン（Becker & Maiman, 1975）は，以下のような具体的な説明を記述している．人々が予防的保健行動をとる場合は，個々人の主観的な状態に関連し，①その人が特定の疾病に罹患する可能性と，その疾病に罹患した場合の重篤性の両方で決定づけられ，②その罹患性や重篤性を軽減できる推奨される保健行動があることがわかっていても，身体的・心理的・経済的・その他の犠牲や障壁などを天秤にかけることで，その実行のしやすさや効果を主観的に判断して，実行するかどうかを決定する．③適切な保健行動を起こすには，そのためのきっかけが必要で，この引き金として，内的要因（身体状況の知覚），あるいは外的要因（他者との交流やマスメディアの情報）のようなものが考えられる．

2 保健信念モデルの構成概念

保健信念モデルは，検診受診などの疾病予防行動を説明する理論として開発された．その後，前述したように慢性疾患などの疾病対処や疾病管理行動，セルフケア行動まで，その行動の対象を拡大してきている．そのため，保健信念モデルは様々な改訂が行われている．まず，ベッカーら（Becker, Drachman & Kirscht, 1974）が図式化した保健信念モデルを訳出して図20-1に示した．以下，主な構成概念について説明する．

1）疾病への罹患性の認識

個人はある状況下で病気に罹りやすいという危険性を認識している．この認識は，個々人により多様であり，個人のなかでも変化することが指摘されている（Rosenstock, 1966）．この病気に罹りやすいという主観的な認識を，罹患性の認識として取り上げている．

2）疾病への重篤性（つらさ）の認識

病気に罹患することの重篤性を心配する感情である．重篤性には，先行研究からの知見をもとに（Robbins, 1962），医療的な帰結（死・障害・痛みなど）と社会的帰結の予測（仕事・家庭生活・社会的関係への影響など）の両方の評価が含まれるとされている（Janz & Becker, 1984）．また，重篤性の程度は，病気になることへの感情的喚起の程度と病気により起こる健康状態による困難さの認識で評価される（Rosenstock, 1966）．

3）予防行動の利益の認識

自分にとって，予防行動が疾病への脅威を減少させるための選択肢のなかでも有益で，実行可能であるという認識とされている．

4）予防行動の障壁の認識

予防行動自体が，高価，危険（副作用・医原性結果など），不快（苦しい・困難・混乱する），不便，時間がかかるものであるなどという認識（Janz & Becker, 1984）である．

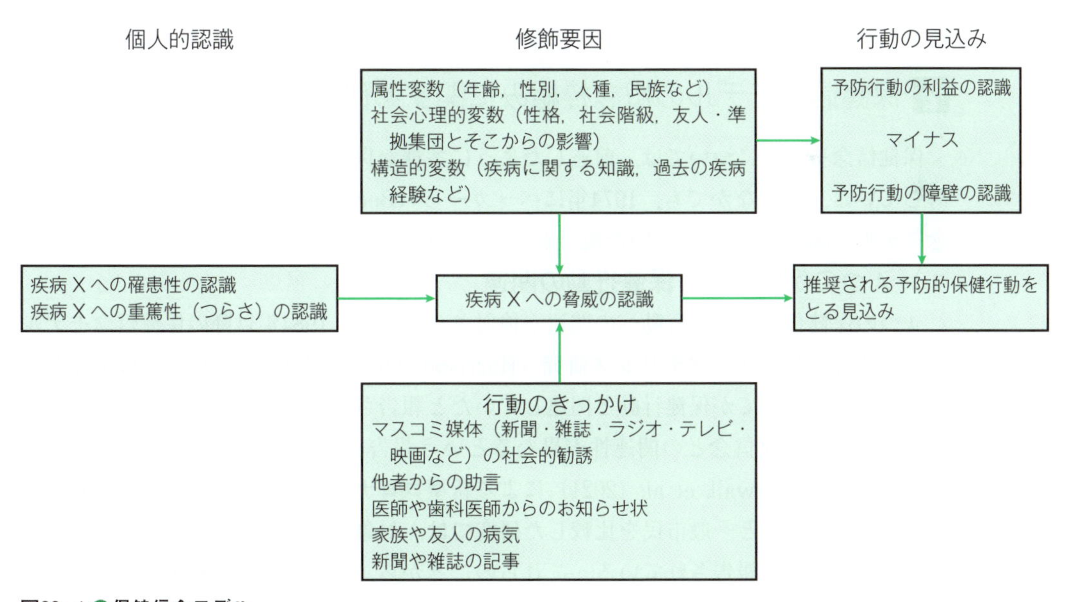

図20-1●保健信念モデル
Becker. M., Drachman. R., & Kirscht. J. (1974). A new approach to explaining sick-role behavior in low-income populations. *American Journal of Public Health, 64*, 206.より引用改変

5）行動のきっかけ

行動を始動させるためのきっかけや刺激（Rosenstock, 1966）である．このきっかけは，内的（身体状況の認識など）もしくは外的（人との相互作用，マスコミ媒体の情報など）に生じると説明されている．行動のきっかけは，ある特定の保健行動に焦点が当てられたときに，より効果的になることも指摘されている（Becker & Maiman, 1975）．

E 研究の動向

1 保健信念モデルで検討されている保健行動

ベッカーが保健信念モデルの概念枠組みを示してから，様々な研究者が，保健信念モデルを活用している．焦点が当てられている保健行動も多様である．保健信念モデルに関する研究レビュー（Janz & Becker, 1984）によると，インフルエンザ予防接種に関する研究が1970年代に行われている．さらに乳がんの自己検診などの検診に関する研究，運動・喫煙・シートベルト利用などの予防的保健行動に関する研究，高血圧治療や糖尿病治療へのコンプライアンスに関する研究などの病者役割行動に関する研究が行われてきている．つまり，予防的保健行動に焦点を当てた研究から保健信念モデルが活用され，次第に病者役割行動にも研究の範囲が広げられてきた様子が把握できる．

その後も，代替療法（Chang, Wallis & Tiralongo, 2012），マンモグラフィー検診やエイズ予防行動（Janz, Champion & Strecher, 2002），月経前症候群（Ayaz-Alkaya, Yaman-Sözbir, & Terzi, 2020），新型コロナウィルスワクチン接種（Al-Metwail, Al-Jumaili, Al-Alag, & Sorofman, 2021；Youssef, Abou-Abbas, Berry, Youssef, & Hassan, 2022）など，保健信念モデルを用いて多様な保健行動のメカニズムが継続検討されている．

2 保健信念モデルの概念枠組みに関する研究

保健信念モデルについては，前述したように多様な保健行動について多くの研究者が検討している．そのなかでも，1974年にベッカーら（Becker, et al., 1974）が示した保健信念モデル（図20-1）に基づいた検討が，数多く行われている．

1）4つの保健信念と保健行動の関連

4つの保健信念と保健行動への関連が検討されている．1984年以降の保健信念モデルに関する研究知見のメタアナリシス研究（Harrison, Mullen & Green, 1992）によると，4つの保健信念すべてが保健行動と関連していたと報告されている．一方，保健行動の種類により4つの保健信念との関連性が異なるという報告（Janz & Becker, 1984）がみられる．また，Al-Metwail, et al.（2021）による新型コロナウィルスワクチン接種行動に関して保健医療従事者と一般市民を比較した研究では，対象の特性により4つの保健信念との関連性が異なると報告されている．これらのことから，対象者の特性や焦点を当てる保健行動により，4つの保健信念と保健行動との関連性が異なると考えられる．

2）保健信念モデルの概念枠組み

ベッカー自身もモデルについて検討しており，1974年に示した図20-1のモデルを，1975年の論文（Becker & Maiman, 1975）では変更している．その変更点は，修正要因の構造的変数を削除していること，修正要因の属性・社会心理的変数から個人的認識に向けて矢印を加えていることである．わが国で広く活用されているのは，この1974年のモデルに1975年のモデルを加えたモデルである（宗像，1999）．後に，セルフエフィカシーの概念も保健信念モデルに加えることが言及されているが，モデルの図式化は行われていなかった（Rosenstock, Strecher & Becker, 1988）．

さらに，保健信念モデルが行動に焦点を当てることを拡大する一方で，病者役割行動に限定したモデル（Becker, 1974）など，ある特定の保健行動に焦点を当てたモデル化も進められている．

わが国において，保健信念モデルの概念枠組みを検討している畑（2009）は，改訂ヘルスビリーフモデル（図20-2）を公表している．それによると，①他の因子との定量的関係がはっきりしていない属性変数・社会心理的変数・構造的変数をモデルからはずしたこと，②判断と行動化の過程を分離し，行動のきっかけと行動への障害を実現因子としてまとめたこと，③疾病の主観的評価と行動の主観的評価を互いに対応する位置に置いたことが，主な改訂のポイントと記述されている．また，疾病への恐れは，評定が困難であるため除かれている．

今後も，モデルを検証する研究が行われ，モデルの改訂が行われると予測される．

3 保健信念モデルの測定尺度と尺度を用いた看護介入プログラムの開発

保健信念モデルの測定尺度には，乳がん予防行動に関する尺度（Champion, 1984；Champion, et al., 2008），骨粗鬆症予防行動に関する尺度（Kim, Horan, Gendler & Patel, 1991）などが開発されている．

乳がん予防行動に関する尺度は，罹患性，重篤性，利益，障壁および動機づけの5下位尺度構成で開発された（Champion, 1984）．「自分は乳がんに罹患する可能性が高い」など6項目からなる罹患性，「乳がんに罹ると思うと怖い」など12項目からなる重篤性，「乳房自己検診を行うことは将来の問題を予防する」など5項目からなる利益，「毎月乳房自己検診をするのは恥ずかしい」など7項目からなる障壁，「私はバランスのよい食事をしている」など8項目からなる動機づけの，全39項目が設定された．全項目に，「強くそう思う」から「全然そう思わない」の5段階リッカートスケールで評価を求める尺度である．301名の女性において妥当性が検討され，クロンバック α 係数は0.60～0.78と報告されている．この尺度をもとにして，後に，改訂版が公表されている（Champion, et al., 2008）．この尺度は，罹患性4項目，利益4項目，障壁19項目，自己効力感10項目，恐れ8項目の，全45項目で構成されている．344名のアフリカ系米国人女性で妥当性を検討したところ，クロンバック α 係数は0.73～0.94と報告されている．

この乳がん予防行動に関する保健信念モデル尺度は，日本語版も開発され，介入プログラムの評価に用いられている（鈴木他，2018）．乳がん既往のない女性42人を対象に，乳

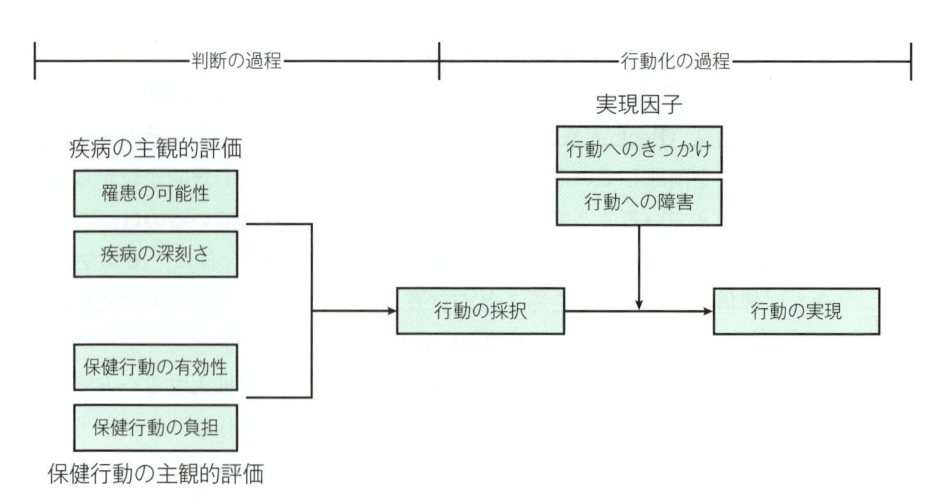

図20-2●改訂ヘルスビリーフモデル

「畑栄一：ヘルスビリーフモデル，行動科学（畑栄一，土井由利子編），改訂第2版，p.45，2009，南江堂」より許可を得て転載．

がん早期発見のための教育プログラムを，看護師および乳がん体験者との協働で75～90分の講義と演習を組み合わせた集団教育を実施した（鈴木他，2018）．その結果，定期的な乳房自己検診の実施率が介入前に比較して介入6か月後と1年後に有意に高く，マンモグラフィ検診受診率も介入前と比較して介入1年後に有意に高くなっていた．尺度の得点は，下位尺度「乳房自己検診の自己効力感」で介入前と比べて介入1か月後，6か月後，1年後で得点が有意に上昇していた（鈴木他，2018）．

これらのように，尺度開発と尺度を用いた研究知見が積み重ねられてきている．今後も，尺度の活用，新しい尺度の開発が行われると考える．

F 理論の看護実践での活用

1 どのような対象や状況に活用できるか

保健信念モデルは，信念や認識という認知領域の概念が理論の中心とされているため，成人期・老年期の対象に活用可能である．

また，保健行動に関する理論であるため，予防的保健行動，病気対処行動，病者役割行動などの分野で本理論を適用することができる．前述したとおり，がん検診や健診，生活習慣病予防行動，高血圧や糖尿病への病気対処行動などに活用されてきている．

2 看護実践のどのようなことに活用できるか

保健信念モデルは，看護過程におけるアセスメントおよび看護計画の立案の際に，有用な枠組みを提供できる．本理論の示す概念をアセスメント項目として活用し，アセスメントを効率的に実施することが可能となる．また，そのアセスメント結果から看護計画を立案し，対象者のニーズに合致した看護の実践を可能にする．

臨床での活用の実際

1 事例紹介

Aさん，54歳，男性，妻と2人暮らし．長男は，今年から就職して隣町に暮らしている．Aさんは，建設会社の課長であり，会食の機会や超過勤務が多く，休日は家でテレビを見て過ごしている．

Aさんは，毎年会社の健康診断を受診しているが，最近肥満症を指摘され，血圧が高めになってきており，保健指導で食事について気をつけるようにと指摘されていた．年度末の多忙な時期に，得意先との会食後，自宅に戻り就寝したところ側背部に激痛を感じ，救急車で救急外来を受診し，緊急入院となった．入院後，腹部X線検査，血液・尿検査，腹部超音波検査などが行われ，腎結石との診断を受けた．鎮痛薬を使用した疼痛緩和を図りながら，さらに検査が行われ，体外衝撃波結石破砕術の適用となった．

術後，排石が確認され，痛みも消失したため，受け持ちのO看護師が退院指導を計画することとなった．入院からAさんと妻の言動を振り返り，以下にまとめる．

会社の健診で指摘されていたように，40歳くらいから太り始めていたこと，血圧まで高くなってきていたので心配していたとAさんはこれまでの経験を振り返った．仕事が忙しく，自分の身体のことは一番に考えられない毎日だったが，突然の背中の痛みに驚き，今回の入院や治療を受けることとなり，これまでの生活に対する「バチ」が当たったと思っている。同僚の男性も腎結石や尿路結石になったという話を聞いていた．そのときは他人事だったが，二度とこんなにひどい痛みを体験したくないので，今後どのように生活していったらいいのか教えてほしい．とはいえ，仕事は頑張りたいし，会食なども避けられないと語った．O看護師がこれまでの生活の様子を尋ねると，平日は，昼食と夕食はほぼ外食であり，夕食は得意先との会食でアルコールも飲むことが多いこと，朝食は前日の会食で遅く帰っているので食欲がなく，コーヒーを飲むだけとなることが多いこと，休日は昼頃まで寝てしまい，2食しか食べないと語った．運動については，以前は長男とのキャッチボールや会社の仲間と野球をしていたが，長男も大学や就職活動で忙しくなり，自分自身も仕事が忙しくなり，ここ5年くらいは，運動する機会がないとのことだった．O看護師がこれまでの体調やかかった病気について尋ねると，大きな病気にはかかったことはなく，体調は良いほうだったと思う，ただ太り始めて身体が重く感じてきていたことやスーツがきつくなりサイズを大きくしていること，血圧も高めになっていると言われてきているので，生活習慣病やもっとひどい病気になったらと心配していると語った．病気について話題にしているテレビや雑誌の記事を気にして読むようになり，突然死したらなどと考えてしまうこともある．長男は就職したので独り立ちしていくと思うが，妻に迷惑をかけたり一人にしたりするようでは申し訳ないと話した．また，会社にも突然の入院となり部下や会社に迷惑をかけていると思うこと，今後は気をつけていきたいと語った．O看護師がAさんの妻からも話を伺うと，今回は急な入院と治療で驚いていること，Aさんの痛みが激しく心配だったこと，これからの生活で気をつけることを教えてもらい，2人で頑張ってみたいと語った．長男が就職したので，これからはパートタイムなどをしながら，Aさんと2人でいろいろと楽しもうと考えていたと語った．

2 理論に照らしてのアセスメントと援助のポイント

1）アセスメントのポイント

保健信念モデルに示されている，個人的認識，修飾要因，行動のきっかけ，行動の見込みについて，本人の言動から情報を収集する．また，キーパーソンからも情報を収集することは有用である．これらの収集した情報を，保健信念モデル図に当てはめて整理し，対象者の置かれている状況をアセスメントする．モデル図の矢印の流れに従い，対象者が予防的保健行動をとる見込みについてアセスメントする．さらに，モデル図に記載した内容を確認し，どのような情報や支援があれば，対象者がより予防的保健行動をとりやすくなるかを評価する．

2）看護計画の立案と実施のポイント

アセスメントに基づいて，対象者が予防的保健行動を実施できるような看護援助を計画する．対象者の状況に適した情報提供や看護支援内容を検討することが重要である．修飾要因でアセスメントした対象者の特性や力を最大限引き出せるように，個人的認識，行動のきっかけ，行動の見込みのどこに対してどのような看護支援を提供できるかを計画する．

看護の実施にあたっては，対象者および家族などのキーパーソンなどの反応に着目し，保健行動が変容するように支援する．また，この実施プロセスを記述する．

3）実施した看護の評価のポイント

保健信念モデル図に，看護の実施プロセスを整理し，看護援助の実施後の評価の際に検討する．評価では，計画したように支援が実施できたか，支援に対する対象者の反応はどのようであったか，行動変容は可能となったかなどを検討する。

ある一定期間での看護援助のみでは十分な行動変容に至らない場合も考えられる．継続的支援を展開する際にも，保健信念モデルに沿って看護支援を実施したプロセスの記述を見直し，より効果的な看護計画となるよう修正し，支援する．このように看護過程を展開し，対象者の行動変容を支援する．

なお，モデルを開発したベッカーは看護実践への活用については説明していないが，保健信念モデルを参考に看護実践への活用を筆者が検討し，以下説明する．

3 活用例

1）事例のアセスメント

前述した事例のアセスメントの実際を以下にまとめる．

（1）個人的認識

①疾病への罹患性の認識

・同僚が疾病に罹患したと聞いており，自分も腎結石になる可能性を感じていた．

②疾病への重篤性（深刻さ）の認識

・腎結石が重大なものであるとは認識していなかった．

・激痛の体験をしたので，腎結石を深刻に受け止めている．

（2）修飾要因

①属性変数

成人期，男性，日本人，妻と2人暮らし．

②心理社会的変数

普段から家族とコミュニケーションをとり，穏やかな印象である．課長として勤めているため，部下や会社への責任を感じている．

③構造的変数

腎結石については同僚が罹患したことを知っているが，疾病に関する知識はほとんどない．また，過去の疾病経験もない．

（3）行動のきっかけ

①マスコミ媒体の社会的勧誘

・テレビや雑誌などの特集で，生活習慣病に関する話題は取り上げられることが多くなっている状況である．腎結石に関連する情報の提供頻度は高くはない．

②他者からの助言

・医師・看護職者からは，これまでは助言を受けていない．

・今回の入院で医師・看護師から腎結石に関する説明を受けた．

・会社の健診後の保健指導の助言を記憶しており，気にかけていた．

③家族や友人の病気

・同僚で腎結石や尿路結石に罹患した人がいるが，詳しくは聞いていない．

・家族や親しい友人の病気の罹患についての情報は得られていない．

④新聞や雑誌の記事

・新聞や雑誌を読み，病気についての話題を気にして読んでいる．

（4）行動の見込み

①予防行動の利益の認識

・腎結石については，痛みが激しかったため，同じ体験をしたくない．

・生活で気をつけることを学習し，妻や会社に迷惑をかけたくない．

②予防行動の障壁の認識

・仕事は頑張りたいし，会食なども避けられない．

③利益と障壁の認識の差

・腎結石での激しい痛みを経験したため，障壁よりは利益を強く認識している状況である．

2）援助計画と援助の実際

上記のアセスメントを，保健信念モデルの図に整理すると図20-3のようになる．これらをもとに，看護計画を立案していった．看護計画の立案にあたり，今回のような激痛の体験をしたくないというAさんの予防行動の利益を強く認識している点に注目した．なお，看護計画のポイントを，図20-3の矢印吹き出しに示した．

（1）個人的認識と修飾要因

個人的認識では，糖尿病への罹患性の認識が低いが同僚が罹患していたので自分も罹患する可能性を感じていた．重篤性についても，罹患前は認識していなかったが，今回の強い痛みの体験から，重篤性の認識が高まってきている．罹患性と重篤性の認識が，今回の腎結石による痛みの体験から，高まってきており，行動変容を促す重要なポイントであるとアセスメントされた．そこで，腎結石が発生するメカニズムをはじめとした腎結石という疾病について説明した．また，腎結石は再発する可能性があること，一方で再発を予防する健康管理行動がとることができることを説明し，Aさんの生活習慣や仕事の様子などを伺いつつ，どのように行動を変えていくことが可能かについて話し合った．

（2）予防行動の利益の認識と障壁の認識

Aさんは，予防行動の利益の認識を高く感じている一方で，障壁の認識も感じている状態であった．そこで，利益の認識を高められるように，腎結石による激しい痛みを再度体験しないように腎結石の再発を予防する重要性をAさんと共に確認した．Aさんの妻も今

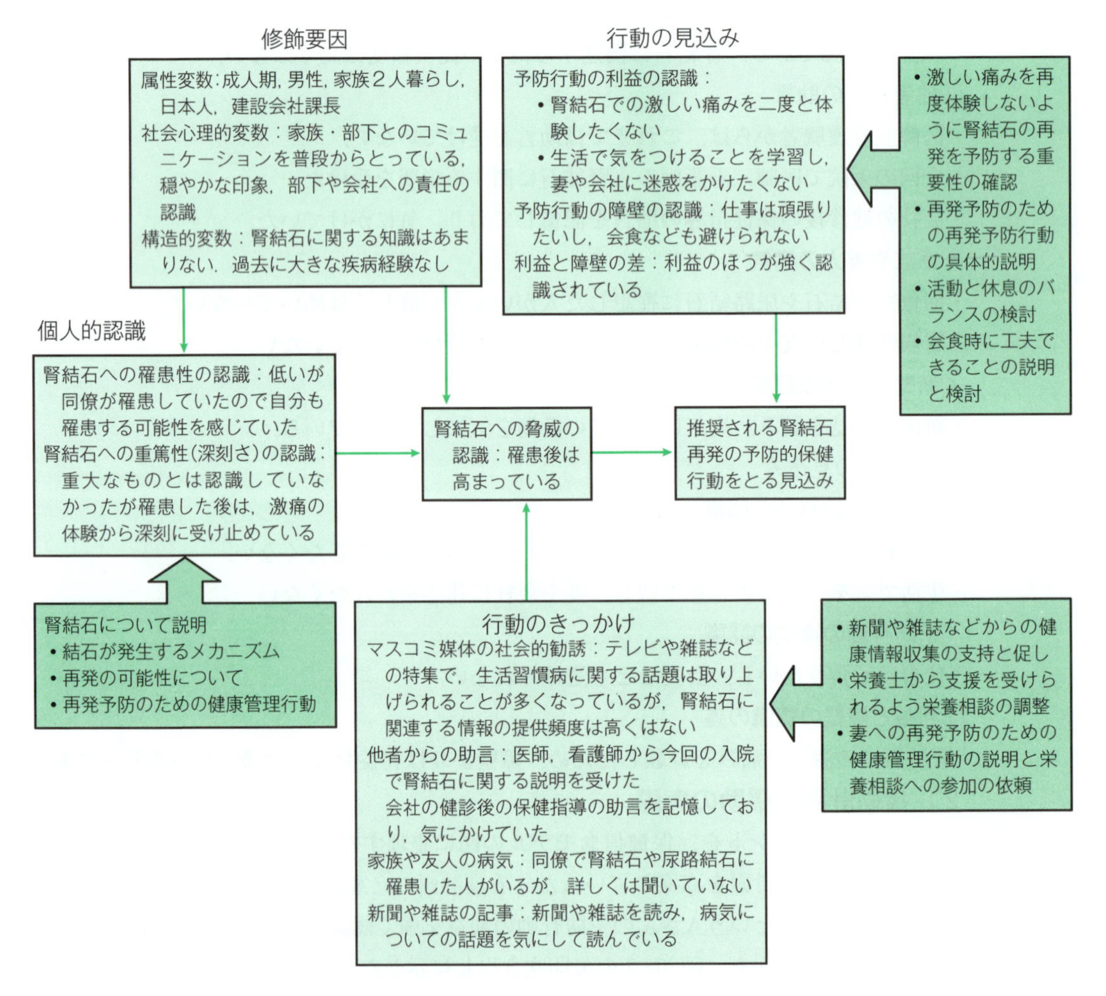

図20-3●Aさんのアセスメントと看護支援の実際

回の痛みの発現と入院さらに治療という突然の出来事に驚いていたため，Aさんの妻にも同席してもらい，再発予防の重要性を確認した．また，再発を予防するための具体的な予防行動について説明する必要性があるとアセスメントした．食事内容と食事時間の工夫，飲水，活動と休息のバランスについて，Aさんと妻の生活の様子を確認しつつ，具体的に提案し，2人が実現可能な方法を検討した．

また，予防行動の障壁の認識として，仕事は頑張りたいし，会食なども避けられないことから，会食時に工夫できることを説明し，具体的方法についてAさんと共に検討した．これにより，障壁の認識がさらに低下し，利益の認識が相対的に高まるよう意図した．Aさんからは，会食時に結石につながりやすい食品から別の食品を選択するよう工夫してみることや，会食の終わりの頃まで食べ続けないようにして夕食から就寝までの時間を長くできるようにしてみようと思うなどの発言が聞かれた．

（3）行動のきっかけ

Aさんは，新聞や雑誌などの情報を気にかけていたので，これらの健康情報収集が大切であると支持し，これからも腎結石だけでなく，血圧や肥満に関する内容なども着目していってほしいと情報収集を促した．また，栄養士から支援を受けられるよう栄養相談の調整を行い，Aさんの妻にも一緒に参加して話を聞いてほしいと伝えた．その後，2人で栄養相談に参加し，「知らないことが多かった．2人で健康でいられるように退院したらいろいろと注意してみます」と語った．

（4）退院間近のAさんの様子

Aさんは，体外衝撃波結石破砕術後の急性疼痛や合併症もみられず，順調に回復していった．入院加療中から，「もう二度と激痛を体験したくない」と話し，医師や看護師，栄養士と積極的に話し，退院後の生活について考えていた．看護師にも栄養士から指導された内容について話し，一緒にAさんの生活に適した腎結石の再発予防のための予防行動を具体的に検討することができた．また，Aさんと妻から，今回は大変な体験であったが，これから注意してより健康に2人で生きていきたいと再確認する姿がみられた．

3）評　価

図20-3に示したように，保健信念モデルを活用し，Aさんの情報収集を行い，アセスメントに基づき看護計画を立案し，看護支援を行った．今回の突然の痛みの発生からの一連の入院治療を体験し，Aさんは腎結石への罹患性および重篤性の認識を高めており，さらに腎結石への脅威の認識は最大となった状態であった．つまり，推奨される腎結石の予防的保健行動をとる見込みが高まっている状況であった．その一方で，行動の見込みの，予防行動の障壁の認識が少なからず存在したこと，行動のきっかけでは，マスコミ媒体や新聞や雑誌の記事の活用，他者からの助言などは十分とはいえない状況であった．これらのことからAさんに対して，保健信念モデルの概念図を活用し情報を整理することにより，Aさんの置かれている状況が把握しやすくなり，情報収集が行いやすくなった．また，アセスメントし，支援計画を立案し実施することも効果的に行えたと思われる．

その結果，Aさんに起きた変化を図20-4に示す．保健信念モデルを活用した看護支援により，Aさんは妻と共に栄養指導を受け，食事内容や飲水などの留意点を確認できた．また，看護支援を受けて，妻と共に生活習慣，活動と休養のバランスなどに気をつけた

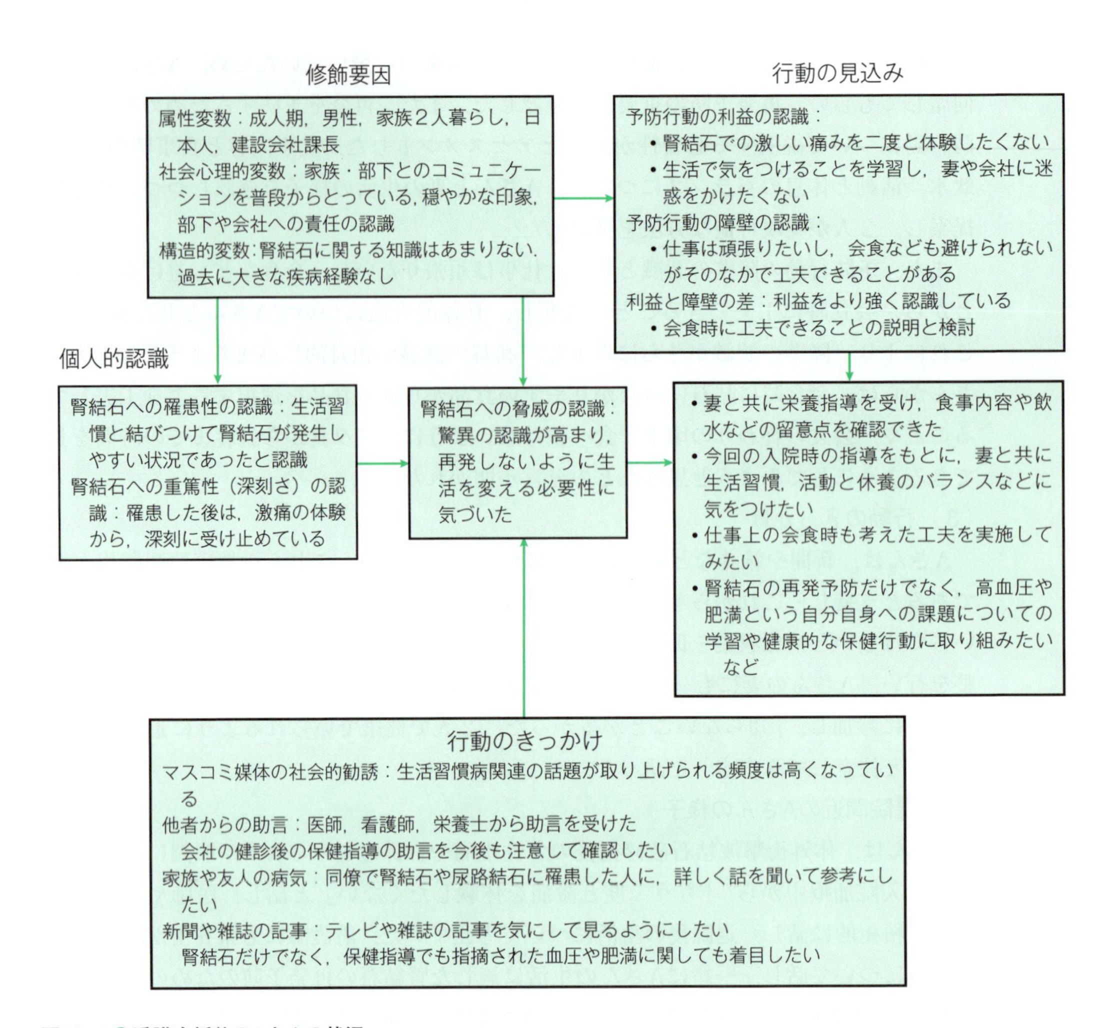

図20-4●看護支援後のAさんの状況

い，退院後の仕事上の会食時にも考えた工夫を実施してみたいと語った．さらに，腎結石の再発予防だけでなく，高血圧や肥満という自分自身への課題についての学習や健康的な保健行動に取り組みたいという発言もみられ，これらのことから推奨される腎結石再発の予防的保健行動をとる見込みが増加したと考える．

臨床での活用事例として，腎結石を発症したAさんの看護の実際について記述した．Aさんから生活についてよく話を聴き，理論に沿って整理することで，情報収集が必要な項目や情報収集した内容の整理が可能となった．これらの状況把握を的確かつタイムリーに行うことで，より効果的な看護支援が展開できると考える．今後，退院したAさんと妻が保健行動を実施し，困難な状況に遭遇することも考えられる．その際にも，再度モデルを活用してアセスメントし，Aさんと妻に適した支援の実施が望まれる．

理論を看護実践につなげるために

保健信念モデルは，よりよい保健行動が実行できるようになるための行動変容に関する理論の一つである．保健信念モデルの概念のうち，予防行動の利益と障壁の認識については，他の行動変容に関する理論でも活用されている．保健行動の種類により4つの信念との関連が異なるという研究知見もあることから，焦点をあてる保健行動の種類に留意して保健信念モデルを活用していく必要がある．看護を実践し研究していくうえで，看護師は様々な理論を学習し，対象者の状況をアセスメントするのに適した理論を採用することが重要である．

保健信念モデルは，看護を展開する際に対象者が行動変容を起こしていない状況に着目し，その背景や関連する要因を検討するために有用である．また，看護支援の評価のためにも重要な理論の一つである．たとえば，ある特定集団の行動変容を意図した看護支援を行う際に，本理論が示している要因や4つの信念のデータを収集しながら行うことで，効果を評価するなどの活用が可能である．

看護の実践および研究で，保健信念モデルを活用し，検討し続けることが望まれる．

文献

Al-Metwali, B. Z., Al- Jumaili, A. A., Al-Alag, Z. A., & Sorofman, B. (2021). Exploring the acceptance of COVID-19 vaccine among healthcare workers and general population using health belief model. *Journal of Evaluation in Clinical Practice, 27*, 1112-1122.

Ayaz-Alkaya, S., Yaman-Sözbir, S., & Terzi, H. (2020). The effect of Health Belief Model-based health education programme on coping with premenstrual syndrome: a randomized controlled trial. *International Journal of Nursing Practice, 26*, e12816.

Becker, M. (1974). The health belief model and sick role behavior. *Health Education Monographs, 2*(4), 409-419.

Becker, M., Drachman, R., & Kirscht, J. (1974). A new approach to explaining sick-role behavior in low-income populations. *American Journal of Public Health, 64*, 205-216.

Becker, H., & Maiman, L. (1975). Sociobehavioral determinants of compliance with health and medical care recommendations. *Medical Care, 8*(1), 10-24.

Champion, V. (1984). Instrument development for health belief model constructs. *Advances in Nursing Science, 6*(3), 73-85.

Champion, V., Monahan, P., Springston, J., Russell, K., Zollinger, T., Saywell, R., et al. (2008). Measuring mammography and breast cancer beliefs in African American women. *Journal of Health Psychology, 13*(6), 827-837.

Chang, A., Wallis, M., & Tiralongo, E. (2012). Predictors of complementary and alternative medicine use by people with type 2 diabetes. *Journal of Advanced Nursing, 68*(6), 1256-1266.

Clark, N. (1994). In Memoriam : Marshall H. Becker, PhD, MPH 1940-1993. *Health Education Quarterly, 21*, 1-2.

Harrison, J., Mullen, P., & Green, L. (1992). A meta-analysis of studies of the health belief model with adults. *Health Education Research Theory & Practice, 7*(1), 107-116.

畑栄一（2009）．ヘルスビリーフモデル．畑栄一，土井由利子（編），行動科学―健康づくりのための理論と応用（pp.35-47），改訂第2版．南江堂．

Janz, N., & Becker, M. (1984). The health belief model : A decade later. *Health Education Quarterly, 11*(1), 1-47.

Janz, N., Champion, V., & Strecher, V. (2002). The health belief model. In K. Glanz, B., Rimer, & F. Marcus. (Eds.), Health behavior and health education. Theory, research and practice. 3rd ed. (pp.45-66). San Francisco : Jossey-Bass.

Kim, K., Horan, M., Gendler, P., & Patel, M. (1991). Development and evaluation of the osteoporosis health belief scale. *Research in Nursing & Health, 14*, 155-163.

宗像恒次（1999）．保健行動学入門．宗像恒次（編），最新 行動科学からみた健康と病気（pp.84-123）．メヂカルフレンド社．

Robbins, P. (1962). Some explorations into the nature of anxieties relating to illness. *Genetic Psychology Monographs, 66*, 91-141.

Rosenstock, I. (1966). Why people use health services. *The Milbank Memorial Fund Quarterly, 44*, 94-127.

Rosenstock, I. (1974). Historical origins of the health belief model. Health Education Monographs, *2*(4), 328-335.

Rosenstock, I., Strecher, V., & Becker, M. (1988). Social learning theory and the health belief model. *Health Education Quarterly, 15*(2), 175-183.

鈴木久美，大畑美里，林直子，府川晃子，大阪和可子，池口佳子他（2018）．乳がん早期発見のための乳房セルフケアを促す教育プログラムの効果．日本がん看護学会誌，*32*，12-22.

Youssef, D., Abou-Abbas, L., Berry, A., Youssef, J., & Hassan, H. (2022). Determinants of acceptance of Coronavirus disease-2019(COVID-19) vaccine among Lebanese health care workers using health belief model. *PLoS ONE, 17*(2), e0264128.

●行動変容，健康行動に関する理論

21 自己効力感

理論との出会い

自己効力感という言葉を初めて聞いたのは，大学時代に卒業研究のテーマについて友人たちと話していたときのことである．友人の一人が自己効力感についてその概念を簡単に説明してくれた．そのときは「そういう概念があるんだ．何の役に立つのだろう？」と漠然と疑問をもっただけで，それ以上追求することもなく終わってしまった．

その後数年を経て，筆者は訪問看護師として慢性疾患やがんの患者・家族の看護に携わるようになった．病院とは異なり，居宅におけるケアの主体は患者と家族である．訪問看護師の役割は直接的なケアを行うことはもちろんだが，患者と家族が医療者のいないなかで症状をマネジメントでき，ケアをできるようにする，つまり彼らのセルフマネジメント能力を高めることであった．患者・家族のセルフマネジメント能力を高める看護を学ぶなかで，学生時代に友人が説明してくれた自己効力感が臨床の場において活用されていることを知った．

現在，医学の進歩のおかげで，慢性疾患患者はセルフマネジメントを行うことで良好な身体状況を長期に保つことが可能になった．また，入院期間の短縮化が推進され，患者や家族がセルフマネジメントしなければならない状況にもある．自己効力感は行動変容の理論であり，看護師が患者・家族のセルフマネジメントに向けて教育する際に具体的な示唆を与えてくれる．

B 理論家紹介

アルバート・バンデューラ（Albert Bandura, 1925-2021）は，1925年にカナダのアルバータ州で生まれた．カナダのブリティッシュコロンビア大学を卒業し，1951年に修士号を，1952年に博士号を米国のアイオワ大学において取得している．同大学病院やウィチタ・ガイダンスセンターなどで臨床経験を経た後，1953年から2010年まで教授を務め，その後，名誉教授の称号が授与された（the David Starr Jordan Professor of Social Science in Psychology, Emeritus, in the School of Humanities and Sciences）．1974年には米国心理学会の会長を務めた．

1960年代，彼は他者（モデル）の攻撃的行動を観察させるだけで，子どもが攻撃的行動を模倣することを実証するなど，共同研究者と共に観察学習の理論の確立のために多くの

キー概念

- □結果予期（outcome expectancy）：ある行動がどのような結果を生み出すかという予期．結果予期には，「身体」「社会」「自己評価」の3つがある．
- □効力予期（efficacy expectancyまたはefficacy belief）：ある行動をどの程度うまく遂行できるかという予期．効力予期には，「水準」「強さ」「一般性」の3つの次元がある．
- □自己効力感（self-efficacy）：自己の「効力予期」のことであり，自分がある行動をどのくらいうまくできるかという行動遂行可能性の予期（認知）である．
- □情報源（sources of self-efficacy）：自己効力感を変化させる情報源で，「成功体験」「代理体験」「言語的説得」「生理的，感情的状態」がある．
- □成功体験（enactive mastery experience）：実際に課題となる行動を行い，成功体験をすること．4つの自己効力感の情報源のうちで，最も強力な影響力をもつ．
- □代理体験（vicarious experience）：他者（モデル）が役割を遂行する様を見て，自分の遂行可能性を予測すること．
- □言語的説得（verbal persuasion）：言語を用いて，遂行可能性を高めること．他者からの言葉だけではなく，自己を認め，評価することも含まれる．
- □生理的，感情的状態（physical and affective states）：行動に伴う生理的反応や感情の受け止め方．

研究を行った．バンデューラは研究を進めるうちに，人間の学習における認知的機能に焦点を当てるようになり，1971年に『Social learning theory』（邦訳『人間行動の形成と自己制御』）という本を書いた．1977年に同名の著書（邦訳『社会的学習理論』）が出版され，認知過程がより重視されるようになった．その著書のなかで，彼は自己効力感や個人，行動，環境の相互決定論について論じている．彼はその後も自らの理論を発展させ，「社会的認知理論」としている．自己効力感については，1977年の論文『Self-efficacy：Toward a unifying theory of behavioral change』に始まり，1995年の『Self-efficacy in changing societies』（邦訳『激動社会の中の自己効力』），1997年の『Self-efficacy：The exercise of control』などの著作がある．

1980年に米国心理学会より優れた科学的功績に対して贈られるAward for Distinguished Scientific Contributionsを，1989年にThe William James Award，2004年にJames McKeen Cattell Award for Distinguished Achievements in Psychological Scienceなど，多数の受賞歴がある．The American Academy of Arts and Sciences，The Institute of Medicine of the National Academy of Sciencesのメンバーに選出され，19の大学から名誉学位を授与されている．2015年には，米国政府が科学者に授与する最高の栄誉賞である米国国家科学賞（National Medal of Science）を受賞した．2021年7月26日に95歳で亡くなった．

理論誕生の歴史的背景

自己効力感は，社会的学習理論（社会的認知理論）の一つである．社会的学習という言葉は，バンデューラの他にミラーら（Miller & Dollard, 1941）によっても使用されていたが，意味は異なっていた．

ミラーらは，ネズミと子どもを対象とした弁別学習の実験から，学習者が他者の行動を観察し，その行動を実際にまねて報酬を受けることで行動が強化されるという模倣の考え方を示した．しかし，バンデューラはこの考え方を人間の模倣行動を説明するには不十分であると考えた．人間の場合，モデルの反応を観察し，モデルがどのような方法で反応するかを学習することによってモデルと同様の行動をすることができると考え，子どもを対象とした攻撃行動の観察学習の実験によってその考えを証明した．バンデューラのこの考えは，実際にその行動を行わなくても，また報酬による強化がなくても学習が成り立つという点が，ミラーらの主張と異なっている．バンデューラはこれを観察学習とよんだ．彼は観察学習の研究を進めるにつれて，学習における認知的機能の役割を重要視するようになった．1971年に発表された『Social learning theory』（邦訳『人間行動の形成と自己制御』）のなかでは，バンデューラは行動の制御過程として刺激制御，強化制御，および認知的制御について述べ，これら3つの制御過程に大きな影響を与えているのは自己認知であると考えるようになった．1977年の『Social learning theory』（邦訳『社会的学習理論』）において，ある行動をどのくらいできると思っているかについての自己認知である，自己効力感が論じられた．

自己効力感とは

私たちは，何かをするときに，「～ができる」という見通しや確信をもっているがために行動化することができる．このような自分が行おうとしている行動に対する遂行可能感を自己効力感またはセルフエフィカシー（self-efficacy）という．たとえば，インターネットで何かを調べる場合，「自分はパソコンを操作して，インターネットで調べることができる」という見通しをもっていることによって行動化されるのである．反対に，「自分にはパソコンなんて使えない」と感じる場合，すなわち自己効力感が低い場合には行動化はされにくい．このように，自己効力感の高低は行動化されるか否かを左右する．それは，例にあげたような日常的な行動にとどまらず，慢性疾患患者が症状マネジメントのために自己の生活習慣を変容させる場合にも影響を及ぼす．

バンデューラは，人間の行動を決定する要因として，「先行要因」「結果要因」「認知要因」の3つをあげ，それらの要因が複雑に絡み合って，人と行動と環境という三者間の相互作用の循環が形成されているとしている（図21-1）．そして，人は単に刺激に反応しているのではなく，刺激を解釈しており，刺激が特定の行動の生じやすさに影響するのは，その予期機能によってであると述べている．「バンデューラは刺激と反応を媒介するもの

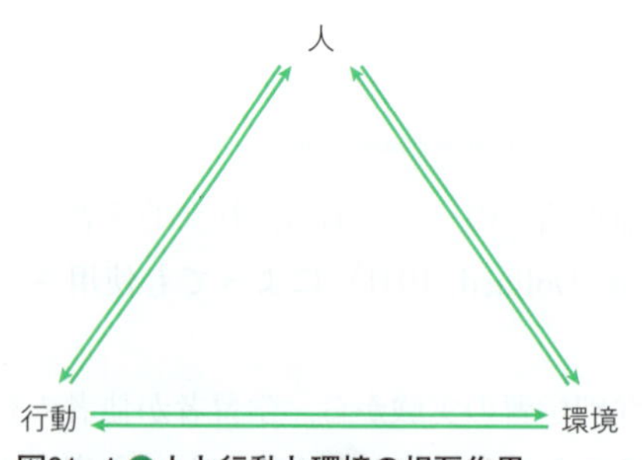

図21-1●人と行動と環境の相互作用
Bandura, A. (1997). Theoretical perspectives. In A. Bandura. Self-efficacy : The exercise of control (p.6). New York : Freeman. より引用改変

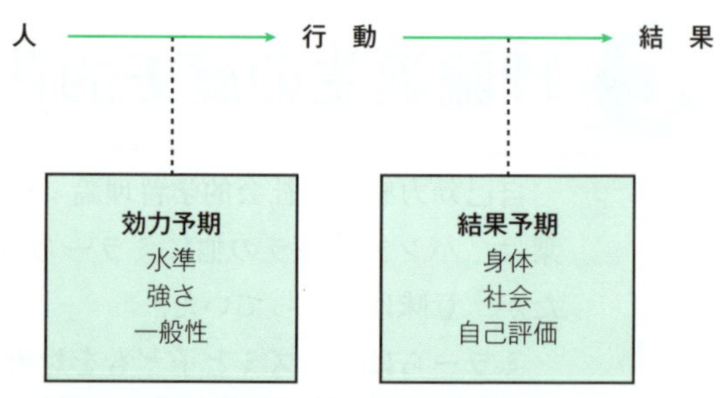

図21-2●結果予期と効力予期の関係
Bandura, A. (1997). Theoretical perspectives. In A. Bandura. Self-efficacy : The exercise of control (p.22). New York : Freeman. より引用

として，予期機能を取り上げ，それが行動変容にどのような機能を果たしているのかを明らかにしようとした」（坂野，2002，p.3）のである．

この行動変容の先行要因としての「予期機能」には，「結果予期」と「効力予期」がある（図21-2）．

1 結果予期

結果予期とは，ある行動がどのような結果を生み出すかという予期である．肯定的な結果を予期する場合は行動化が促進され，反対に否定的な結果が予期される場合には，行動化はされにくい．結果予期には，「身体」「社会」「自己評価」の3つがある．

「身体」についての予期では，その行動を行うと身体的に快や心地よさを感じられるだろうと予測される場合は肯定的な結果予期であり，反対に，痛みや不快感を感じるだろうと予測される場合は，否定的な結果予期となる．たとえば，運動として毎朝30分の散歩をすることを考えたときに，「毎朝散歩をすることは，気分がよいだろう」と予測する場合は肯定的な結果予期であり，「毎朝散歩のために早起きをすることはつらいし，30分も歩くなんて疲れそうだ」と予測する場合は，否定的な結果予期である．

「社会」についての予期では，その行動を行うことで，誰かが称賛してくれたり，社会的に認められることを予測する場合は肯定的な結果予期となり，反対に，他人から非難されたり，罰を与えられることが予測された場合には否定的な結果予期となる．

「自己評価」は，その行動を行うことで自分自身が満足できたり，自尊心が高まるだろうと予測される場合には肯定的な結果予期となり，反対に，自分自身が不満足だったり，自己を非難することになるだろうと予測される場合は否定的な結果予期となる．

以上のように，結果予期には肯定的なものと否定的なものがあり，いずれが大きいかで，課題となっている行動が遂行されるか否かに影響を与える．

2 効力予期

効力予期とは，必要な行動をどの程度うまく遂行できるかという予期のことをいう．自己効力感は自己の効力予期のことであり，自分が必要な行動をどのくらいうまくできるかを予期することを指す．

効力予期には，「水準」「強さ」「一般性」についての３つの次元がある．

「水準」は，ある行動を容易なものから困難なものへと並べたときに，どの程度の行動であれば行うことができるかという見通しや解決可能かという予期のレベルのことをいう．

「強さ」は，各水準の行動を，それぞれどのくらい確実に行えるかという確信の程度のことである．

「一般性」とは，特定の状況における行動に対する自己効力感が，場面や状況を越えてどの程度広がりをもつかということを指す．

減量をしている人が運動を始めようとするときのことを例にして考えてみる．毎朝10分家の周りを散歩する，毎朝20分公園を散歩する，毎朝30分公園を散歩する，毎朝30分公園を早歩きで歩く，毎朝30分公園をジョギングするというように，容易なことから困難なものへと並べたときに，自分は「毎朝30分公園を散歩する」ことまでできると予測することが「水準」である．「強さ」は，「毎朝10分家の周りを散歩する」ことは100％くらいの確率でできそうだが，「毎朝30分公園を散歩する」ことは50％くらいの確率でしかできそうにないと予測することである．この場合の「一般性」とは，毎朝の散歩やジョギングが行動化できるという自己効力感が形成された場合に，１駅であれば地下鉄に乗らずに歩いてみるなど，他の場面でも運動が行動化されることをいう．

また，自己効力感には特定場面におけるものと，それよりも長期的な影響を及ぼす，一種の性格特性のような一般性自己効力感がある．前者の例では，看護師が採血を行う際に自分がどの程度うまくできるかを予期することがあげられる．

3 結果予期と効力予期の関連

バンデューラは，結果予期が高いよりも効力予期が高いほうが行動は起こしやすく，効力予期（自己効力）を高めることが行動変容には有効であると述べている．たとえば，禁煙することについて，「将来肺がんになる危険性を低くすることができる」と肯定的な結果予期をもっていても，結局禁煙をしない人は多い．それは「自分は禁煙できる」という効力予期が低いためであると考えられる．

上記で述べた結果予期と効力予期の組み合わせのパターンは，人間の行動や情緒に影響を与える．バンデューラはそれを図21－３のように示している．

4 自己効力感の４つの情報源

自己効力感が変化する情報源には「成功体験」「代理体験」「言語的説得」「生理的，感情的状態」の４つがある．これら４つの情報源は，影響し合って自己効力感を上昇させたり，低下させたりしている．自己効力に影響する４つの情報と方略を表21－１に示した．

１）成功体験

実際に課題となる行動を行い，成功体験をすることをいう．成功体験は４つの自己効力感の情報源のうちで，最も強力な影響力をもつ．ある行動がうまくいって成功感や達成感を感じた後には，同じ行動に対して「自分はまたできるだろう」と予測し，自己効力感が上昇する．反対に，失敗感を感じた後には「また失敗するかもしれない」と予測し，自己

効力予期 (efficacy beliefs) ＼ 結果予期（outcome expectancies）	−	+
+	抗議（protest） 不平（grievance） 社会的行動（social activism） 環境の変化（milieu change）	生産的な活動への参加 （productive engagement） 向上心（aspiration） 個人的満足 （personal satisfaction）
−	あきらめ（resignation） 無気力（apathy）	自己評価の低下 （self-devaluation） 落胆（despondency）

図21-3●結果予期と効力予期の関係

Bandura, A. (1997). Theoretical perspectives. In A. Bandura. Self-efficacy : The exercise of control (p.22). New York : Freeman. より引用

効力感は低下する．

2）代理体験

他人の行動を観察することで，「自分にもできそうだ」と感じたり，失敗している人を見て，「自分もできないだろう」と感じることである．つまり，他者（モデル）の役割を遂行する様を見て，自分の遂行可能性を予測することである．モデルと自分との類似性が高いほど，モデルの成功や失敗の影響を受けやすくなる．

3）言語的説得

「あなたにはこれをやることができる」「よくできている」と他者から言われたり，認められることで自己効力感は増す．このように言語を用いて遂行可能性を高めることを言語的説得という．言語的説得だけで自己効力感を形成することは難しいが，成功体験や代理体験に付加することによって，自己効力感を高めたり，低下させたりすることができる．また，他者から言われることだけでなく，自分自身の行動を認め，評価することも言語的説得である．

4）生理的，感情的状態

人は，自分がストレスや緊張でドキドキするなどの生理的な反応を感じると自分の遂行能力が低下しているとみなす．また，気分も自己効力感の判断に影響を与え，肯定的な気分のときには自己効力感は高まるが，不安なときや落ち込んだ気分のときには低下する．

生理的反応や感情状態はその強さではなく，それらをその人がどのように受け止め，解釈するのかが自己効力感を左右する．

E 研究の動向

自己効力感に関する研究は，不安や抑うつのマネジメントや，糖尿病や腎不全，がんなど慢性疾患のマネジメント，患者だけではなく介護者を対象としたもの，看護教育に関するものなど広範囲にわたっている．自己効力感は，適応の予測概念であり，自己効力感を

表21-1 ●自己効力に影響する4つの情報と方略

	自己効力感を下げる情報	自己効力感を高める情報	方　略
成功体験	• 失敗体験の累積 • 学習性無力感	• 自分で行動し達成できたという成功体験の累積	• 行動形成法（シェイピング法） • ステップバイステップ法
代理体験	• 自分より優れた人・恵まれた人ができるのを見る	• 自分と同じ状況で，同じ目標をもっている人の成功体験や問題解決法を学ぶ	• モデリングの対象を選ぶ • 方法論の学習
言語的説得	• やっても認められない • 一方的叱責 • 無関心 • 無視	• 専門性に優れた魅力的な人から励まされたりほめられたりする • きちんと評価される • 言葉や態度で支援され，「信じられている」「認められている」と感じる • 自己評価	• 契約書（相互契約の確認書）を取り交わす • 患者がアクションプランを立てる • 自己強化
生理的，感情的状態	• 疲労，不安，痛み，緊張 • マイナスの思い込み	• できないという思い込みから自由になる • 課題を遂行したときに生理的・心理的に良好な反応が起こり自覚する	• 思い込みを論破する • リフレイミング • ポジティブシンキング • 自己の気づきを高める（セルフモニタリング） • リラクセーション

安酸史子（2020）．改訂3版 糖尿病患者のセルフマネジメント教育―エンパワメントと自己効力．メディカ出版，127．より転載一部改変

高めることは治療へのアドヒアランスとセルフケア行動を高め，心身の症状を軽減することが報告されている．以下にその一部を紹介する．

Kershow, Yoon, Katapodi and Northouse（2015）は進行がん患者とその家族介護者において縦断的な研究を行い，疾病管理の自己効力感が高いほど各自の精神的健康が高く，患者の自己効力感の高さは介護者の身体的健康に影響を与えていたことを報告している．Shahrour and Dardas（2020）はCOVID-19の最中にある看護師の苦悩に対して，看護師のコーピング自己効力感が防御的な因子の一つであったとしている．また，看護師を対象とした新興感染症へのケア意図を計画的行動理論に基づき実施した研究では，患者に対するケアの自己効力感が最も強力な予測因子であった（Lee & Kang, 2020）．

自己効力理論に基づく介入プログラムが実施され，その効果が報告されている．Zhang et al（2014）は看護師主導の自己効力感を強化するプログラムを大腸がん患者に実施し，その効果を介入3か月後と半年後に評価した．その結果，QOLには介入群と非介入群に有意な差がなかったが，介入群の自己効力感は高く，症状の深刻さ，症状による障害，不安，気分の落ち込みは介入群のほうが低かったことを報告している．Remezani, Sharifirad, Rajati, Rajati and Mohebi（2019）は自己力理論を用いた透析患者のセルフケアを促進する教育介入プログラムを実施し，介入群のほうが3か月後の自己効力感，知識，セルフケアが高かったことを報告している．

日本における研究では，江本（2000）が自己効力感の概念分析を行っており，最近の研究では，中高年関節リウマチ患者の健康行動に対する自己効力感には，疾患活動性，日常

性動作の障害度，不安，抑うつ，ソーシャルサポートが有意に関連していたことが報告されている（佐藤・池田，2022）．

自己効力感を測定できる尺度の開発が行われ，多くの研究で用いられている．日本においては，坂野・東條（1986）の一般的セルフエフィカシー尺度，Sherer et al（1982）が開発した尺度の日本語版である特性的自己効力感尺度（成田他，1995）などに代表される，一般性自己効力感を測定する尺度の使用頻度が高い．しかし，自己効力感はその状況や文脈に影響を受けるため，研究対象とする状況に適合した尺度を用いる必要がある．そのため，進行がん患者の介護者の自己効力感尺度（Ugalde, Krishnasamy & Schofield, 2013），がん患者の社会的関係性への対処効力感尺度（Merluzzi et al, 2019），褥瘡マネジメント自己効力感尺度（Dellafiore et al, 2019）など海外では多くの尺度が開発されている．日本でも，慢性疾患の健康行動に対するセルフエフィカシー尺度（金・嶋田・坂野，1996），日本語版母乳育児継続の自己効力感尺度（中田，2015），急性期病院における認知機能障害高齢者に対する看護実践自己効力感尺度（鈴木・吉村・長田・金森，2019）などの開発が行われている．

理論の看護実践での活用

自己効力感は，セルフマネジメントが必要な慢性疾患患者への介入や，禁煙や減量といった予防的な介入など，対象者に何らかの行動変容を支援する看護に活用できる．

1 アセスメントと援助の枠組み

対象者の結果予期，効力予期をアセスメントすること，そのうえで4つの情報源を活用したアプローチを行うこと，課題となる行動の水準を考慮して簡単にできそうなことから徐々に難しいことをしていくように計画することがポイントである．

1）キーとなる概念に基づく情報収集とアセスメント

（1）結果予期のアセスメント

・対象者はその行動をとった場合，どのような結果になると考えているのか．
・対象者の考えている結果予期は妥当かどうか．
・対象者はなぜ，そのような結果になると考えているのか．

（2）効力予期のアセスメント

・対象者はどの程度自分でその行動ができそうだと考えているのか．

（3）4つの情報源のアセスメント

対象者の効力予期を高めている要因，または低めている要因は何かを4つの情報源からアセスメントする．

①成功体験

・課題となっている行動の過去における成功体験または失敗体験はどのようなものだったか．

②代理体験
・モデルの存在の有無.
・モデルとしている人（こと）が，対象者に適合しているか.
・行動化に必要な問題解決方法を学習しているか.
③言語的説得
・対象者が行動化することを励ましたり，認めたりしてくれる人や機会の有無.
・対象者が行動化したことを，他者から認められていると感じているか.
・対象者が自分自身の努力を認め，励ましているか.
④生理的，感情的状態
・課題となっている行動を遂行するときの生理的な反応を，対象者がどう自覚しているか.
・課題となっている行動を遂行するにあたって，対象者の感情的状態はどうか.

2）行動を遂行できるような看護を計画，実施する

（1）結果予期を高める

対象者の結果予期が低い場合，なぜそのような結果に至ると対象者が考えているのかを明らかにしたうえで，結果予期を高めるような介入を行う.

（2）効力予期を高める

4つの情報源に働きかける.

①成功体験

実際に行動化し，成功の体験ができるようにする．その際には，課題を段階的にし，簡単で実行可能なことから始め，成功体験を積み重ねる方法（シェイピング法）が有効である.

②代理体験

対象者と同じような状況にある人の行動を遂行する場面を見る，成功体験の話を聞くなどすることで，対象者は行動に対する代理体験ができ，自己効力感が高まる．モデルとなるような人がいない場合は，同病者やすでに治療を終了した人を紹介するなど，モデルとなりうる人と知り合える機会を提供する．また，自己注射や創部の処置などの医療的処置については，看護師がモデルとなって手技を見せることができる．同病者の出演しているテレビ番組，手記などもモデルとして活用できる.

しかし，条件がそろいすぎているモデルの場合，「自分には無理だ」とかえって自己効力感を低めてしまうことがある．たとえば，元看護師の糖尿病患者が上手にインスリン注射や食事療法ができていたとしても，対象者は「自分とは専門的な知識の差がありすぎる．やっぱり自分には注射や食事療法なんて無理だ」と感じてしまうだろう．したがって，対象者と類似している状況にある人をモデルとして選択することが効果的である.

さらに，行動化するためには具体的な問題解決方法を示すことが必要である．塩分を制限するために，「しょうゆはかけずにつけて食べるようにする」など，対象者が行動をイメージできるように教育を行う.

③言語的説得

他者から，行動を遂行できたことをほめられたり，励まされたりする機会を設ける．特

に，専門性が高く，信頼している人から評価された場合に，自己効力感は強化されるため，看護師は対象者が行っていることに関心を示し，できている点を称賛することが大切である．課題となる行動ができていない場合，非難したり叱責したりすると自己効力感は低下し，意欲を失わせてしまう．小さなことでもできている点を見つけて評価することが必要である．

他者からの評価だけでなく，対象者が自分自身の努力を認め，励ますことも言語的説得であるため，対象者自身が自分の行っていることを評価できるように支援する．目標を達成したら自分に報酬を与えることもその一つである．

④生理的，感情的状態

不安を感じているときやうつ的なときは自己効力感が低下し，反対によい気分のときには自己効力感が高まるため，リラックスできるような環境を提供する．課題を遂行するときに「失敗したのは自分に能力がないからだ」など対象者が誤った原因帰属をしている場合には，「目標が悪かったからではないか」と視点を変えるようなかかわり（リフレイミング）が必要である．

課題となる行動と体調や気持ちを記録して，気づきを高めること（セルフモニタリング）も有効である．

G 臨床での活用の実際

1 事例紹介

Aさん，47歳，妻44歳と14歳の子どもの3人暮らしである．

建築会社で事務の係長をしている．仕事はデスクワークが中心だが，週の半分は残業がある．10年前にIgA腎症による慢性腎不全と診断され，それ以降，定期受診を欠かさず，妻の協力も得ながらたんぱく質50g/日，塩分6g未満/日，摂取エネルギー2000kcalの食事療法に取り組んできた．1年ほど前の外来受診の際，医師から「まだ先だけど，透析導入について少しずつ考えて行ってもらいたい」と腎代替療法に関するDVDを渡されたことがあった．Aさんは妻とそのDVDを視聴し，腹膜透析，血液透析について初めて具体的に考えるようになった．インターネットでも透析に関する情報を集め，妻とは，仕事を続けることを考えると，できれば腹膜透析のほうがよいのではないかと話し合い，その後の定期受診の際に医師に希望を伝えた．やがてAさんの腎機能は低下していった．20XX年7月頃からは倦怠感が増強し，仕事から帰ってくるとほとんどソファやベッドで横になっている状態が続き，尿毒症の症状による吐き気のため，食事もほとんど摂れなくなった．心配した妻が受診を勧めたが，Aさんは次の定期受診まで大丈夫，といって聞かなかった．

8月のある日，Aさんから妻に「調子が悪くて動けない．職場まで迎えに来てほしい」と連絡があった．妻は病院に連絡し，Aさんをそのまま病院に連れて行った．受診の結果，医師は「これ以上は保存的な治療では対処できない．透析を始めたほうがよいと思う」と透析導入を勧めた．Aさんは大変ショックを受けた様子で，返答ができないでいた．妻に「毎日ぐったりして，とってもつらそう．透析して体が楽になるなら，そのほうがいいんじゃない？」と言われ，「…仕方ないのかな」と渋々同意した．Aさんは妻，医師と再度相談のうえ，腹膜透析を選択した．Aさんはそのまま入院となり，腹膜透析のカテーテル留置手術が行われた．

術後，Aさんには，腹膜透析を自宅で行うための教育が行われることになった．Aさんは，腹膜透析に関して，「どんな仕組みかよくわからないけど，これができれば，体が楽になるんですよね．頑張ってみます」と前向きな発言をする一方，「頑張ってきたつもりだったけど，何がいけなかったんでしょう？　ついに透析しなければならない体になってしまった」と落胆している様子があった．腹膜透析に関しては「自分でできるんだろうか？」「何かあったらどうしよう」などの不安が聞かれた．また，「こんな管が入って，好きな温泉にも行けない体になった」「日中も治療が必要なんでしょ？　仕事があるのにどうしよう」「どんな生活になるのかイメージがわかない」との言葉があった．

看護師はAさんの様子を見て，退院後にAさんが腹膜透析をしながらの生活を，自分でマネジメントできるような看護介入が必要であると考えた．

2 理論での展開

1）キーとなる概念に基づく情報収集とアセスメント

（1）結果予期のアセスメント

Aさんは，「どんな仕組みかよくわからないけど，これができれば，体が楽になるんですよね．頑張ってみます」と，腹膜透析を行うことで体調がよくなることを期待しており，結果予期は高いといえる．今後の教育をとおして腹膜透析の理解を深め，より腹膜透析に対する結果予期を高めることが可能である．

（2）効力予期のアセスメント

Aさんの「自分でできるんだろうか？」「何かあったらどうしよう」という発言や「こんな管が入って，好きな温泉にも行けない体になった」「どんな生活になるのかイメージがわかない」などの発言から，腹膜透析の手技や管理方法，腹膜透析をしながらの生活に対する効力予期が低い状況にあるといえる．以下，4つの情報源ごとにアセスメントを行う．

①成功体験

Aさんは慢性腎不全の保存期において，定期受診を欠かさず，妻の協力を得ながら食事療法にも取り組めたという成功体験をもっている．これまでセルフマネジメントができたという体験は，今後の腹膜透析のセルフマネジメントにも生かされると考える．しかし，「頑張ってきたつもりだったけど，何がいけなかったんでしょう？　ついに透析しなければならない体になってしまった」の言葉からは，Aさんは，透析が必要になったのはセルフマネジメントが失敗したからだと失敗体験ととらえ，自己効力感が低下していると考えられる．

今後に向けては，入院中の腹膜透析の教育のなかで，手技や器械操作について成功体験を重ねることが，退院後のセルフマネジメントに有益である．

②代理体験

１年ほど前に医師から渡されたDVDで腹膜透析の動画を見たことによる代理体験をしている．しかし，「どうやって生活をすればよいのかイメージがわかない」「何かあったらどうしよう」の言葉から，その代理体験は，腹膜透析の漠然としたイメージにとどまっており，具体的な腹膜透析の手技や管理，腹膜透析をしながらの生活を描くまでのモデルとはなっていない．また，周囲に腹膜透析を行っている人はいない．これらのことから，手技に関しては看護師がモデルとなるとともに，Aさんと類似した状況にある患者の情報が得られるようにすることが有効である．また，Aさんは「こんな管が入って，好きな温泉にも行けない体になった」と自身が感じていることを言語化して看護師に伝えることができており，それらについては具体的な対処を学習できるように介入していく．

③言語的説得

医療者は専門家の立場から，腎不全保存期にセルフマネジメントに継続して取り組めていたことを称賛し，セルフマネジメント力があることにAさんが気づけるようにかかわることが必要である．今後の入院中の教育においては，できている点を具体的に言葉で評価し，伝えていくことが有効である．また，Aさん本人が自身のできていることを評価できるようにすることも重要である．退院後も，そのようなかかわりを継続していくことが，Aさんのセルフマネジメントを促進するうえで望ましい．

④生理的，感情的状態

これまで透析導入にならないように頑張ってきたこともあり，Aさんは透析が必要になった状況に落胆している．「何かあったらどうしよう」などの不安もあり，これらの感情は自己効力感を低めている．「日中も治療が必要なんでしょ？　仕事もあるのにどうしよう」と言っているが，持続携行式腹膜透析（continuous ambulatory peritoneal dialysis：CAPD）と自動腹膜透析（automated peritoneal dialysis：APD）のどちらを選択するのかAさんと医師の間で十分な話し合いができていない，または誤解が生じている可能性があり，確認が必要である．「こんな管が入って，好きな温泉にも行けない体になった」といった思い込みがあり，修正することで不安を軽減することが可能である．また，術後には出口部の痛みや透析液排出時の痛みが予測され，そのようななかで腹膜透析の教育を行うことは効力感を低める可能性がある．一方で，腹膜透析を行い，尿毒症による症状の改善が実感できれば，自己効力感が高まると予測される．

2）自己効力感を高めるための看護介入の実際と結果および評価

（1）結果予期を高める

看護師は，Aさんと透析に至った経過を振り返った．７月からこれまで倦怠感が強く，家ではほとんど横になって過ごしていたこと，吐き気が強く食事が満足に食べられず，自分は一体どうなるのかと不安に思っていたこと，妻が心配して受診を勧めてくれたが，透析導入となるのが怖くて受診を避けていたことを吐露した．話すうちに，「本当に，透析をすると体が楽になるんでしょうか？」とAさんから質問があった．看護師は，腹膜透析の原理を伝え，透析を行うことで倦怠感や嘔気は軽減し，仕事や日常生活は支障なく送れるようになることを伝えた（結果予期「身体」を高める働きかけ）．Aさんは「やっぱりそうですよね．こうなってしまったからには，やらなくちゃいけないですよね」と語った．また，食事に関しては以前よりも果物などを多く食べられるメリットもあることを伝えたところ（結果予期「身体」を高める働きかけ），「悪いことばかりでもないんですね」と笑顔が見られた．「妻には心配をかけちゃったから，安心させるためにも早く腹膜透析をマスターして帰らなくちゃ」と語った（結果予期「社会」）．

（2）効力予期を高める

手術翌日に医師と看護師が透析液の注入と排液を行い，腹膜透析が可能であることを確認した．Aさんにはその後数日間CAPDを実施してからAPDの指導を行った．

①成功体験

APDは，清潔操作，透析液の準備，自動腹膜灌流装置への透析液のセッティング，透析液と回路の接続，回路のプライミング，紫外線照射器による透析回路と腹膜透析カテーテルとの接続，透析終了時の回路と腹膜透析カテーテルとの切り離し，その後の排液タンクの廃棄と洗浄，腹膜透析に使用したごみの処理，といった手技の獲得が必要である．看護師はパンフレットを用いて，説明しながらAさんに手技を見せ，次に，看護師の指示を受けながらAさんが実施，看護師の見守りのもとAさんが実施，と段階を踏んでAさんが成功体験を積むことができるようにかかわった．Aさんは予定どおりに手技を獲得し「やってみると思っていたより結構簡単ですね」と自信をもてた様子であった．ある夜，排液と注液のアラームが一晩に2回鳴り，看護師はAさんと一緒にアラームの原因の確認と対処を行った．いずれも透析のカテーテルがAさんの体の下になり閉塞していたことが原因であった．翌日，同様のアラームが鳴った際には，Aさんが自ら対応できた．「昨日はアラームが鳴っても自分で対応できました．入院中にこういう対応を知れてよかったです」と述べていた．

②代理体験

上記で述べたように，看護師は説明しながら手技を見せることがAさんにとって代理体験となり，「これだったらできそう」という効力予期が高まるようにかかわった．イラストや写真付きのAPDのパンフレットは，Aさんからわかりやすいと好評で，指導時以外にもよく読んでいる様子が見られた．

看護師は，Aさんと一緒に，仕事がある日のスケジュールを確認した．Aさんの場合，8時に出勤することから，7時には透析を終えている必要がある．そこから逆算し，22時から腹膜透析を開始することとした．また，起床後には排液の色を確認すること，その後排液の処理，排液タンクの洗浄を自宅ではトイレおよび風呂場で行うなど，Aさんが具体的にイメージできるようにした．それらに加えて，Aさんと同様にAPDを導入した患者の経過や，日常生活で工夫していることについて伝えた．そのなかの一つに，カテーテルが引っかからないよう，専用ベルトを使用している人もいるが，ポシェットを自作して使っている人もいるという話があった．その話をAさんから聞いた妻は，皮膚が弱いAさんのために，メッシュ素材でポシェットを作ってくれた．また，Aさんは久しぶりに腹膜透析をしている人のブログや動画サイトを見るようになった．「どれくらいの量の物品が一度に来るのかイメージがついた」「腹膜透析をしていても旅行にも行けるんですね」など，腹膜透析後の生活のイメージ作りに役立っている様子だった．看護師からは，個人のブログや動画サイトには必ずしも正しい情報でないものもあるため，病院の指導内容と異なる

表21-2●自己効力に影響する情報と方略を活用したAさんに対する看護の展開

4つの情報源	情報収集とアセスメントのポイント	アセスメント		具体的な介入	介入の結果および評価
		自己効力感を下げる情報	自己効力感を高める情報と介入の方向性	方　略	自己効力感を高めた情報
成功体験	•課題となっている行動の過去における成功体験または失敗体験はどのようなものだったか	**失敗体験の累積** •これまでのセルフマネジメントを肯定的に評価せず，透析導入になったことに対して，セルフマネジメントが悪かったからだ，と考えている **学習性無力感** •なし	**自分で行動し達成できたという成功体験の累積** •APDの手技や器械操作について成功体験を重ねられるように支援する	**行動形成法，ステップバイステップ法** •APDの手順ごとに，看護師の説明，見学，看護師が指示しながらのAさんの実施，看護師の見守りのもとでのAさんの実施と段階を踏んで手技が獲得できるように指導を計画した	**自分で行動し達成できたという成功体験の累積** •Aさんは予定どおりにAPDの手技を獲得し，成功体験を重ね，自信をもてた様子だった．アラームへの対応も自分でできるようになった
代理体験	•モデルの存在の有無 •モデルとしている人（こと）が対象者に適合しているか •行動化に必要な問題解決方法を学習しているか	**自分より優れた人・恵まれた人ができるのを見る** •モデルになりうる同病者は身近にいない	**自分と同じ状況で，同じ目標をもっている人の成功体験や問題解決法を学ぶ** •Aさんと類似した状況にある患者の情報が得られるようにする •AさんがAPDやAPDをしながらの生活についてイメージがもてるようにする •困難と感じていることへの対処を具体的に学習できるように介入する	**モデリングの対象を選ぶ** •看護師が説明し，手技を見せた •イラストや写真付きのパンフレットを渡し，指導に用いた •APDを行っている患者の経過や日常生活で工夫していることをAさんに伝えた **方法論の学習** •Aさんと一緒に仕事がある日のスケジュールを考えた •APDのトラブル発生時の対処方法と連絡先を指導した •個人のブログや動画サイトには必ずしも正しい情報でないものがあるため，指導と異なる点や疑問点は医療者に確認するように伝えた	**自分と同じ状況で，同じ目標をもっている人の成功体験や問題解決法を学ぶ** •看護師の説明と手技をモデルとしてAPDの手技を獲得した •APDのパンフレットをよく読み学んだ •看護師からAPDを行っている患者の経験や工夫を学び，カテーテルを収めるポシェットを妻に作ってもらうなど一部を取り入れた •APDを行っている人のブログや動画を見て，同病者の成功体験や問題解決法を学び，実際にそれらを活用する際には医療者に確認が必要な場合もあることを学んだ •APDをしながらの生活のイメージができ，トラブル発生時の対応を，学んだ
言語的説得	•対象者が行動化することを励ましたり，認めたりしてくれる人や機	**やっても認められない，一方的叱責，無関心，無視** •Aさんはこれまでセルフマネジメントできてい	**専門的に優れた魅力的な人から励まされたりほめられたりする，きちんと評価される，言葉や態**	•慢性腎不全保存期のセルフマネジメントを称賛し，APDに向けて励ました •入院中のAPDの手	**専門的に優れた魅力的な人から励まされたりほめられたりする，きちんと評価される，言葉や態度で支援され，「信じられ**

表21-2 ●自己効力に影響する情報と方略を活用したAさんに対する看護の展開（つづき）

4つの情報源	情報収集とアセスメントのポイント	アセスメント		具体的な介入	介入の結果および評価
		自己効力感を下げる情報	自己効力感を高める情報と介入の方向性	方略	自己効力感を高めた情報
言語的説得	会の有無 • 対象者が行動化したことを，他者から認められていると感じているか • 対象者が自分自身の努力を認め，励ましているか	たことを肯定的に評価せず，透析導入になったことに対して，自分のセルフマネジメントが悪かったからだ，と考えている • 看護師はAさんが腎不全保存期に継続的にセルフマネジメントに取り組めていたことに対して，肯定的な評価を伝えていない	**度で支援され，「信じられている」「認められている」と感じる** • 看護師より，A氏に肯定的な評価を言葉や態度で伝える必要がある • 上記のかかわりは，入院中だけではなく，退院後もセルフマネジメントを励まし，認めてくれる人や機会があることが望ましい **自己評価** • Aさんが自分自身のできていることを評価できるようにする	技の獲得，熱心な態度を評価した • 外来看護師もAさんのセルフマネジメントに対して支持的にかかわった **契約書（相互契約の確認書）を取り交わす・患者がアクションプランを立てる** • 契約書は取り交わしていないが，クリニカルパスや，指導予定をAさんと共有した **自己強化** • 看護師は，検査値の確認を継続するように伝えた． • APDノートへの記載を指導した	**ている」「認められている」と感じる** • 看護師より，これまでのセルフマネジメント，APDへの取り組みを称賛された • 外来受診時，看護師より退院後のAPD管理を支持された **自己評価** • APDを行う生活にも慣れ，スムーズにできるようになった，検査結果は安定している，と自己評価した
生理的，感情的状態	• 課題となっている行動を遂行するときの生理的な反応を，対象者がどう自覚しているか • 課題となっている行動を遂行するにあたって，対象者の感情的状態はどうか	**疲労，不安，痛み，緊張** • 透析導入となったことに落胆し，不安があることが，セルフマネジメントに対する自己効力感を低めている • APDの指導が術後間もなく行われるが，術後疼痛がある状態が予測される．また，排液時に腹痛を生じることもある．これらの痛みが自己効力感の低下に影響する可能性がある **マイナスの思い込み** • 「日中も治療が必要かもしれない」「好きな温泉にも行けない体になった」と誤解や思い込みがある	**できないという思い込みから自由になる** • 誤解や思い込みを修正することで不安や困難感の軽減を図る **課題を遂行したときに生理的・心理的に良好な反応が起こり自覚する** • セルフマネジメントができたときのAさんの生理的，心理的な自覚を介入の効果として確認する	• 出口部の痛みに対して，鎮痛剤で緩和を図った．排液時の腹痛の程度を観察した **思い込みを論破する，リフレイミング，ポジティブシンキング** • 医師と治療に関する話し合いの場をもち，日中に透析液交換の必要がないAPDを行うことを確認した • 温泉へは感染に留意し，入浴用パックを使用して入ることが可能であると伝えた **リラクセーション** 用いていない	**できないという思い込みから自由になる** • 夜間のみの透析でよいとわかり，安心し，できそうだと思った • 温泉に入れないという思い込みに気づき，思ったよりも自由に過ごせることがわかったと，前向きな発言があった **課題を遂行したときに生理的・心理的に良好な反応が起こり自覚する** • APDを行ったことで，倦怠感や嘔気が軽減した

ところや，疑問点があれば確認してほしいことを伝えた．漠然としていた「何かあったらどうしよう」という不安は，指導を受けて手技が上達したこと，APDのトラブル発生時の対処方法や連絡先がわかったことで解消されていった．

③言語的説得

看護師は保存期にセルフマネジメントができていたことを称賛し，これまでセルフマネジメントができたAさんなら，腹膜透析が導入されても同様にマネジメントできるであろうと励ました．また，手順や手技を正確にできること，パンフレットを読み，インターネットやSNSなどで自ら情報を集めるAさんの熱心な態度を評価した．Aさんに今後も保存期に行ってきたように検査値の確認を継続することと，APD記録ノートをつけることを指導した．

退院時に引継ぎを受けた外来看護師は，APDノートを確認し，Aさんが腹膜透析治療をスケジュールどおりに行い，退院後も食事療法に取り組めていることを確認し，支持した．Aさんは，「APDを行う生活にも慣れて，準備も片づけもスムーズにできるようになった」「検査結果も安定している」と自己評価していた．

④生理的，感情的状態

術後しばらくは出口部の疼痛があったため，鎮痛剤を投与することで緩和を図った．透析液の排出時の痛みは時々あるものの，「大丈夫」とのことであった．Aさんは，透析が必要になったことに落胆していたが，透析の実施により，倦怠感や嘔気が軽減し，それにつれて気持ちも上向きになっていった．「仕事をしているので，日中の透析液の交換が必要になったらどうしようって心配してたんです．職場の人の目もあるし．B先生と話して，夜間だけの透析でいいって言われて，それだったらできそうだと思いました」と，APDとなったことで，安心した様子がみられた．「こんな管が入って，好きな温泉にも行けない体になった」といった思い込みに対しては，医師と相談し，感染しないように注意が必要ではあるが，出口部を保護用具で覆っての入浴は可能であると説明した．Aさんからは「そういうこともできるんですね．でも，感染が怖いので，温泉は控え目にします．旅行にも行けるし，思ったよりも自由に過ごせることがわかりました」と，前向きな発言がみられた．

その後Aさんは，会社にも復帰し，APDをしながらの生活に慣れていった．出口部の感染や腹膜炎を起こすことなく経過しており，保存期同様に食事療法にも継続的に取り組んでいる．カリウム制限が緩和されたため，好物である果物を楽しんでいる．

慢性疾患患者は，セルフケアを獲得しても，病状の進行に伴い，また新なセルフケアを獲得し，生活を再構築する必要に迫られる．その際には，以前の成功体験を土台に，４つの情報源に働きかけ，自己効力感を高めてセルフマネジメントの獲得，継続へと支援していく必要がある．

理論を看護実践につなげるために

自己効力感の理論は，対象者がどのような結果予期と効力予期を抱いているのかというアセスメントの視点を提供し，介入を考える場合には，4つの情報源を用いることができる．比較的わかりやすく，看護実践に活用しやすい理論である．

自己効力感は，行動する人の認知に着目した理論であり，それは言い換えれば対象者がどう考えているか，どう思っているかを知る対象理解という看護の基本に通じる．それゆえ，この理論を用いた看護実践は，専門家の一方的な教育・指導ではなく，対象者の気持ちを尊重し，対象者自らが主体的に取り組めるような支援を可能にするものと考える．

文献

Bandura, A. (1971). Social learning theory. NY : General Learning Press./原野広太郎，福島脩美訳（1977）. 人間行動の形成と自己制御，第3版（pp.1-189）. 金子書房.

Bandura, A. (1977). Self- efficacy : Toward a unifying theory of behavioral change. *Psychological Review, 84*(2). 191-215.

Bandura, A. (1977). Social learning theory. Englewood Cliffs, NJ : Prentice-Hall./原野広太郎（監訳）（1979）. 社会的学習理論（pp.1-249）. 金子書房.

Bandura, A. (Ed.)（1995）/本明寛，野口京子（監訳）（1997）. 激動社会の中の自己効力（pp.1-352）. 金子書房.

Bandura, A. (1997). Theoretical perspectives. In A. Bandura. Self-efficacy : The exercise of control (pp.1-604). New York : Freeman.

Dellafiore, F., Arrigoni, C., Ghizzardi,G., Baroni, I., Conte, G., Turrini,F., Castiello, G., Margon, A., Pittella, F., & Caruso,R.(2019). Development and validation of the pressure ulcer management self-efficacy scale for nurses. *Journal of Clinical Nursing, 28*, 3177-3188.

江本リナ（2000）. 自己効力感の概念分析．日本看護科学学会誌，*20*（2），39-45.

Kershow,T., Yoon, H., Katapodi, M., & Northouse, L. (2015). The interdependence of advanced cancer patients' and their family caregivers' mental health, physical health, and self-efficacy over time. *Annals of Behavioral Medicine, 49*(6), 901-911. DOI: 10.1007/s12160-015-9743-y

金外淑，嶋田洋徳，坂野雄二（1996）. 慢性疾患患者の健康行動に対するセルフ・エフィカシーとストレス反応との関連．心身医学，*36*(6), 499-505.

Lee, J., & Kang, S. J. (2020). Factors influencing nurses' intention to care for patients with emerging infectious diseases: Application of the theory of planned behavior. *Nursing & Health Sciences, 22*(1), 82-90. DOI: 10.1111/nhs.12652

Merluzzi, T.V., Serpentini, S., Philip, E., Yang, M., Scalamanca-Balen, N., Ruhf,C, A, H., & Catarinella, A. (2019). Social relationship coping efficacy: A new construct in understanding social support and close personal relationships in persons with cancer. *Psycho-Oncology, 28*, 85-91. DOI: 10.1002/pon.4913

Miller, N.E., & Dollard, J. (1941). Social learning and Imitation. New Haven : Yale University Press.

中田かおり（2015）日本語版母乳育児継続の自己効力感尺度の開発と信頼性・妥当性の検討. 日本助産学会誌．*29*（2），262-271.

成田健一，下中順子，中里克治，河合千恵子，佐藤眞一，長田由紀子（1995）．特性的自己効力感尺度の検討―生涯発達的利用の可能性を探る．日本教育心理学会誌，*43*，306-314.

Remezani, T., Sharifirad, G., Rajati, F., Rajati, M., & Mohebi, S. (2019) . Effect of educational intervention on promoting self-care in hemodialysis patients: Applying the self-efficacy theory. *Journal of Education and Health Promotion. 8*:65. doi: 10.4103/jehp.jehp_148_18

坂野雄二（2002). 人間行動とセルフ・エフィカシー．坂野雄二，前田基成（編著），セルフ・エフィカシーの臨床心理学（pp.2-11). 北大路書房.

坂野雄二，東條光彦（1986). 一般性セルフ・エフィカシー尺度作成の試み．行動療法研究，*12*，73-82.

佐藤由佳，池田由紀（2022）．中高年関節リウマチ患者の健康行動に対する自己効力感に関連する要因．日本慢性看護学会誌，*16*，1-10. Doi:10.34523/jscicn.202216002

Shahrour, G,. & Ali Dardas, L. (2020). Acute stress disorder, coping self-efficacy and subsequent psychological distress among nurses amid COVID-19. *Journal of Nursing Management, 28*(7), 1686-1895. DOI: 10.1111/jonm.13124

Sherer, M., Maddux, J.E., Mercandante, B., Prentice -Dunn, S., Jacobs, B., & Rogers, R.W. (1982). The self-efficacy scale : Construction and validation. *Psychological Reports, 51*, 663-671.

鈴木みずえ，吉村浩美，長田久雄，金森雅夫（2019）認知機能障害高齢者に対する看護実践上の自信の測定―急性期病院の看護における自己効力感の測定尺度の開発．日本早期認知症学会誌，*12*（1），52-59.

Ugalde, A. Krishnasamy, M., & Schofield, P. (2013). Development of an instrument to measure self-efficacy in caregivers of

people with advanced cancer. *Psycho-Oncology, 22*.1428-1434.
安酸史子（2020). 改訂3版　糖尿病患者のセルフマネジメント教育―エンパワメントと自己効力（p.127). メディカ出版.
Zang, M., Chan, S. W., You, L., Wen, Y., Peng, L., Liu, W., & Zheng, M. (2014). The effectiveness of a self-efficacy-enhancing intervention for Chinese patients with colorectal cancer: a randomized controlled trial with 6-month follow up. *International Journal of Nursing Studies, 51*(8), 1083-1892. doi: 10.1016/j.ijnurstu.2013.12.005.

●行動変容，健康行動に関する理論

22 トランスセオレティカルモデル（変化ステージモデル）

A 理論との出会い

トランスセオレティカルモデル（transtheoretical model：TTM）は，プロチャスカらによって開発されたモデルであり，「多理論統合モデル」や「変化ステージモデル」などとよばれている．

筆者がこのモデルに出会ったのは，1990年代後半，糖尿病を中心とした内科病棟に勤務していた頃であった．当時の筆者は，糖尿病教室や，受け持ち患者への糖尿病自己管理のための教育・指導を担当し，糖尿病をもつ人が不健康な生活行動を変えられるような看護に取り組んでいた．糖尿病をもつ人は，しばしば自身の身体によくない生活習慣が問題となる．したがって，それを変えていくには，糖尿病に関する正しい知識をもつことが重要であると考え，知識の提供を中心とした働きかけを行っていた．時に，糖尿病の合併症の怖さを伝えて望ましい行動をとれるように促すこともあった．しかし，それでいったん改善されたとしても，継続するのは難しく，時が経てば元に戻ってしまう人や，なかには「自分は糖尿病ではない」「指導された食事はできない」「アルコールもタバコも自分の人生には必要なものでやめるつもりはない」などと話す人も少なくなかった．

筆者はこのような反応を示す人々をどのように理解し，サポートしていけばよいのかと悩んでいた．そんなある日，糖尿病に関する講演会で，糖尿病専門医の石井均が糖尿病患者への心理的アプローチを紹介しているのを聞いた．この講演会のなかで，石井はTTMを「多理論統合モデル」と訳し，「変化ステージモデル」として紹介していた．そこで筆者は，人が行動を変えていく過程には，「ステージ」というものがあり，それに合わせた介入が効果的にその人の行動を変えていくのを促し助ける，という考え方を知った．筆者は，糖尿病をもつ人に対して，知識提供を中心とした指導型のアプローチを行っているなかで感じていた，今，自分が行っていることが「その人のためになっているのだろうか」「その人の望む支援とずれていて，的はずれなのではないか」という疑問は，糖尿病をもつその人のステージに合っていない働きかけを行っていないことが，その理由の一つであると気づいた．この出来事をきっかけに筆者は，「変化ステージモデル」そして，TTMを学び深め，何らかの行動を変えていく必要があるという健康課題をもっている人に対して，このモデルの活用を試みるようになった．

行動変容を支援する必要がある場合には，その人の今いるステージを知ることで，その人に合った介入法を導き出すことができる。そして，目に見える行動の変化がなくても，行動を変えていくことを考えはじめるなどの，その人の状況を理解できる．TTMは，行

キー概念

□変化ステージ（stage of change）：人が行動を変化させるときにたどるステージであり，「前熟考期」「熟考期」「準備期」「実行期」「完了期」からなる．

□変化のプロセス（process of change）：人が変化のステージを進めるうえでたどるプロセスであり，「経験的プロセス」と「行動的プロセス」からなる．

□意思決定バランス（decisional balance）：行動の変化に伴い，個人が自覚する良い面（pros)と悪い面（cons）のバランスを意味する．

□自己効力感（self-efficacy）：個人が行動を変化させる際に，多様に異なる困難な状況（high risk situation）においても逆戻りすることなく，その行動を継続して行うことができる見込み感をいう．

動変容が健康課題となっている人の変化のプロセスを理解し，看護師がサポートをしていくときに活用できる有効な理論の一つであるといえる．

B 理論家紹介

ジェームズ・プロチャスカ（James O. Prochaska，1942-2023）は，健康心理学者である．米国ウェイン州立大学で心理学を専攻し，1969年にPh.Dを取得した．1969年から，ロードアイランド大学に勤務し，同大学のがん予防研究センターのディレクター兼臨床心理学および健康心理学の教授を務め，2020，同大学名誉教授．2023年７月６日に永眠．

主な研究業績としてトランスセオレティカルモデル（transtheoretical model）の開発がある．さらに，このモデルを喫煙，食事，運動などの健康関連の行動，精神健康関連の行動に応用した研究，がんやその他の慢性疾患の予防をテーマにした研究が多数あり，プロチャスカが行ったこのような健康行動，精神保健，およびヘルスプロモーションにおける研究は，国際的に高く評価されている．

『Changing to thrive』『Changing for good』『Systems of psychotherapy』『The transtheoretical approach』の他，400以上の出版物があり，論文は170本を超える．主な受賞歴として，米国心理学会から心理学の最も引用された５人の著者の１人として表彰，ロバート・ウッド・ジョンソン財団からの革新賞，米国がん協会からの臨床研究のための名誉勲章の他，最も優れた臨床心理学者のトップ３にも選ばれている（The University of Rhode Island, 2023)．

C 理論誕生の歴史的背景

TTM開発のきっかけは，プロチャスカの個人的な体験がもとになっている．プロチャスカの父親は，抑うつとアルコール依存症をもっていたが，心理療法を信用せず，心理学から得られる素晴らしい知見を利用しないままに，プロチャスカが大学１年生のときに亡くなった．このときに何が起きたのかを理解するために，プロチャスカは心理学の勉強を始め，「依存症などの人が自ら行動を変えていくために役立つ方法はないのか」「人が行動変容するときに助けとなる方法を知りたい」と考えたことが研究の発端となっている（Prochaska，2003；Prochaska，Norcross，Diclemente, 1994）．

1950年代はおよそ36であった心理療法の体系は，1990年代には400以上あるといわれていた．プロチャスカは，世の中には，行動変容に関する心理療法が数多く存在するが，主要な心理療法には，共通する部分があるのではないかと考え，学派の「異文化」研究を行った．そして，様々な心理学派を統合しようと，それぞれの心理学体系で推奨され，実践されている行動変容に関する原則とプロセスの抽出を試みた（Prochaska, 1979）．その結果，すべての心理療法にみられる行動変容を説明する「変化のプロセスの原則」を特定した．

次に，プロチャスカは，人が自発的に行動を変えようと取り組むときに，様々な行動変容のなかで，どの変化のプロセスを頻繁に用いるかを決定するための共同研究をカルロ・ディクレメンテ（Carlo C. Diclemente）にもちかけた．誰からも指導を受けずに行う行動変容の取り組みは，ほぼ同じ確率で失敗していることから，喫煙者の行動変容の研究を行うことにした．対象者を喫煙者にしたのは，喫煙者の割合は，薬物やアルコール依存症，過食の人の割合よりも多いことから，禁煙に成功した人の数も多いと考えられたためである．専門家の助けなしに禁煙しようとした200人へのインタビューにより，禁煙に成功した人たちの変容は，主要な心理療法や行動変容の体系には属しておらず，一連のステージを経て行われるということを発見した．そしてこれを「変化ステージ」と呼ぶことにした（Prochaska & Diclemente, 1983）．

プロチャスカとディクレメンテは，変化ステージは単純で段階的なものであると考えていた．しかし，多くの人は，どこかで失敗したり，つまずいたりすることで，努力しようとする前のステージに戻ったりして，何回も行動変化のプロセスを繰り返しながら行動変容に成功していた．そこで，変化ステージは，一方方向の直線的に進むのではなく，スパイラル状に進んでいくと考えた．そして，これを「変化のスパイラルモデル（spiral of change)」とした．

プロチャスカとディクレメンテは，喫煙の行動変容に関する研究を行ったことをきっかけに，人が禁煙するのに役立つような行動変容モデルを導き出したいと考えた．禁煙は，肺がんや肺気腫，その他，様々な心血管イベントを発症させる大きなリスクであり，経済損失を伴う，国家的な問題である．プロチャスカとディクレメンテが行っている研究は，喫煙者の行動変容についての社会的な利益と合致するものであったため，米国立衛生研究所の助成金を獲得することができた．そこに，当時，博士課程の学生であったジョン・ノークロス（John C. Norcross）が研究グループに加わり，変化ステージと変化のプロセスには，系統的な関係があることが突き止めた（Prochaska，Diclemente, Norcross, 1992）．そして，各ステージにはふさわしいプロセスがあり，あるステージをうまく終えるには，ある特定のプロセスを経る必要があることがわかってきた．このようにして，後述する4つの概念をもつTTMが開発された.

 トランスセオレティカルモデルとは

1 トランスセオレティカル

TTMは，人が行動を変化させようとするとき，一つの理論だけが常に当てはまるわけではないとうことを前提に，介入に関する主要な理論から，変化のプロセスの原則を抽出し統合しているということから，トランスセオレティカル（transtheoretical，理論横断的な）といわれている.

2 トランスセオレティカルモデルを構成する4つの概念

TTMの構成概念は，「変化ステージ」「変化のプロセス」「意思決定バランス」「自己効力感」の4つである（図22-1）.

1）変化ステージ

変化ステージとは，「前熟考期」「熟考期」「準備期」「実行期」「維持期」「完了期」である（表22-1）. 完了期までのステージは，一方方向の直線的に進むのではなく，スパイラル状に進む（スパイラルモデル）と考えられている.

（1）前熟考期

自分の行動を変えようという気持ちはなく，問題を抱えているという事実に抵抗を示したり，否定したりするステージである. 6か月以内に行動を変えようと考えていない場合

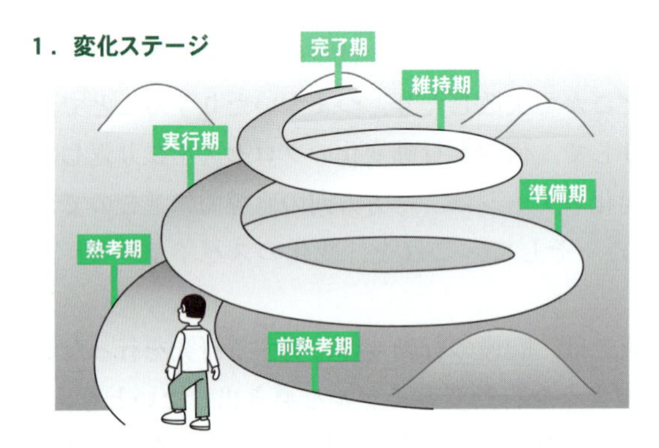

2．変化のプロセス

経験的プロセス
①意識の高揚
②感情体験
③環境の再評価
④自己の再評価
⑤社会的解放

行動的プロセス
⑥逆条件づけ
⑦援助関係の利用
⑧強化マネジメント
⑨自己解放
⑩刺激のコントロール

3．意思決定バランス

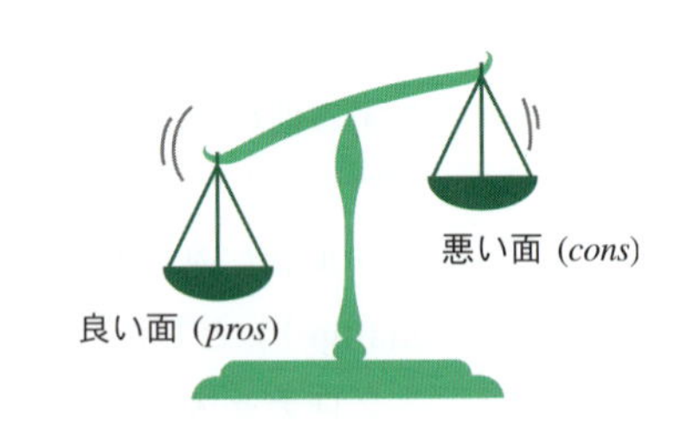

4．自己効力感

図22-1●トランスセオレティカルモデルの4つの概念

表22-1●変化ステージにおける最も有効な変化のプロセス

ステージ	主に用いられる最も有効な変化のプロセス
前熟考期	意識の高揚，感情体験，環境の再評価
熟考期	自己の再評価，意識の高揚，感情体験
準備期	自己解放，意識の高揚，感情体験
実行期	逆条件づけ，援助関係の利用，強化マネジメント，刺激のコントロール
維持期	逆条件づけ，援助関係の利用，強化マネジメント，刺激のコントロール
完了期	

＊プロチャスカら（Prochaska, Redding & Evers, 2008）の論文では，「社会的解放」はステージとの関連性が明確でないことから削除されている．

は，このステージと考える．このステージには，①自分の行動が今後どのような結果をもたらすのか十分な知識をもっていない，②過去に行動変容に取り組んだが，うまくいかずやる気を失っているという２つのタイプの人がいる．前熟考期から熟考期に移ろうとする場合，問題行動を変えることのよい面に対する認識を高めることが課題である．

（２）熟考期

自分の問題に気づき，真剣にその問題を解決しようと努力する時期である．６か月以内に行動を変えようと考えていれば，このステージにあたる．このステージは，問題の原因と解決法を理解しようと努力し，行動するための意思決定が準備期への移行のポイントとなる．この意思決定は，問題行動のよい面と悪い面の評価によって行われる．変化に伴う費用と便益のバランスがアンビバレンス（相反する感情を同時にもつこと）を生み，行動する代わりに考え続け，長期的にこの段階にとどまる人（慢性的に熟考期にいる人）がいる．熟考期から準備期への移行への支援は，悪い面に対する認識を低下させることが課題となる．

（３）準備期

近い将来，行動を変化させるための計画をし，行動を変化させる前の最後の調整を行っているステージである．１か月以内に行動を変えようと考え，すでにその方向性でいくつかの行動段階を経ている時期は，このステージにあたる．ここには，望ましい水準での行動を実行していない場合も含まれる．準備状態は，行動変容することの良い面・悪い面を，どのように考えているかによって決まる．変化ステージを進めるためには，悪い面を減らし良い面を増やすことが課題である．

（４）実行期

これまで準備してきたことを実行に移し，自分の行動や環境を明確に変える時期である．行動を変えて６か月未満の時期は，このステージと考える．このステージは，健康への恩恵を得る望ましい水準で行動を始めており，様々な逆条件づけの行動を試し，刺激をコントロールするなどして，問題行動に逆戻りしそうな気持ちや誘惑に立ち向かっている．自分が取り組んでいることへの自己効力感を高め，自信をもてるようになることが課題である．

（5）維持期

長期にわたって健康への恩恵を得る望ましい水準で行動を継続しているステージである．行動を変えて，6か月以上経過している時期は，このステージにあたる．行動変容の維持を強く決意していないと，前熟考期または熟考期への逆戻りが起こりやすい．一時的なつまずきや逆戻りの予防に努めながら継続するうちに，自己効力感のレベルは高まっていく．自分の行動がどのように周囲の人々に影響しているかを評価したり，行っていることの価値を明確にしたりしながら，行動変容の継続が課題である．

（6）完了期

過去の問題となる行動を再び始める誘惑が存在せず，脅威をもたらさなくなっているステージである．この段階の人は，どんなに落ち込み，不安，退屈，孤独，怒りやストレスを感じることがあったとしても，以前の不健康な習慣に戻ることはない．

2）変化のプロセス

変化のプロセスには10のプロセスが特定されており，これは大きく2つのカテゴリーに分類される（表22-2）．

一つは「経験的プロセス」で，人々が自分の経験をもとにして情報を得るプロセスのことであり，主に個人の信念，価値観や感情を変化させるときに有効な内的・潜在的な活動として，ステージの初期に用いられる．

もう一つは「行動的プロセス」で，情報がその人の環境から生じているプロセスのことである．これは，行動を変えることを強化したり支援したりするなどして，長期にわたって維持していくことに役立つ外的・顕在的な活動であり，ステージが進むに従って用いられるようになる．

（1）経験的プロセス

「経験的プロセス」として，以下の5つがある．

①意識の高揚：自分自身と問題に関する情報を集める（観察，直面，解釈，読書など）．

②感情体験：問題と解決策に対する感情を体験したり表現したりする（サイコドラマ，喪失に対して深く悲しむこと，ロールプレイなど）．

③環境の再評価：自分自身の問題と自分自身が，周りの人や環境に与えている影響を評価する（共感トレーニング，ドキュメンタリー（記録），家族の介入など）．

④自己の再評価：自分自身の問題と自分自身に対して，感情面と認知面に関する評価を確認する（価値の明確化，イメージすること，感情体験の修正など）．

⑤社会的解放：問題行動をとらないように社会的な選択肢を増やす（権利の拡大，政治的介入など）．

（2）行動的プロセス

「行動的プロセス」として，以下の5つがある．

⑥逆条件づけ：問題行動の代わりとなる他の行動を実行する（脱感作，アサーション，自己肯定など）．

⑦援助関係の利用：支援者からの援助を得る（治療を通じたサポート，セルフヘルプグループ，ラポールの形成など）．

⑧強化マネジメント：行動変容ができたことに対して，自分に褒美を与える，あるいは他

表22- 2 ●変化のプロセス

変化のプロセス		定　義
経験的プロセス	①意識の高揚 (consciousness raising)	個人が抱える問題行動の変化に役立つ新しい情報や方法を探すことや，理解しようと努力すること
	②感情体験 (dramatic relief)	問題行動と潜在的な解決策について，変化しないことによるマイナス面の影響について，種々の感情を経験すること
	③環境の再評価 (environmental reevaluation)	問題行動を続けることや，健康行動を実践することが，周りの人や環境に，どのような影響を与えているのかを明らかにし，それについて考えること
	④自己の再評価 (self-reevaluation)	問題行動を続けることや，健康行動を実践することが自分にどのような影響を与えているのかを明らかにし，それについて考えること
	⑤社会的解放 (social liberation)	行動変化を後押しする方向で社会が変わりつつあることに気づくこと
行動的プロセス	⑥逆条件づけ (countering)	問題行動の代わりとなる新しい行動や考えを取り入れて問題行動と置き換えること
	⑦援助関係の利用 (helping relationships)	行動変化する際に社会的な支援を求めて利用すること
	⑧強化マネジメント (counter conditioning)	問題行動を制御したり，維持したりする際に随伴する内容を変化させること
	⑨自己解放 (self-liberation)	行動変化を強く決意して，表明すること．誰もが変化できるという信念を含む
	⑩刺激のコントロール (stimulus control)	問題行動のきっかけとなる要因や状況をコントロールすること．刺激を避け，健康行動をとるきっかけとなる刺激を増やすこと

人から褒美を受ける（目的達成時に自分への褒美，条件つき契約，外的・内的な強化など）．

⑨自己解放：行動変容することを選択，または決意する，あるいは，行動変容する能力を信じる（新年の決意，他者への公言・公約など）．

⑩刺激のコントロール：問題行動を引き起こす刺激を避ける．健康行動をとるきっかけとなる刺激を増やす（回避行動や環境の再調整，セルフヘルプグループなど）．

3）意思決定バランス

意思決定バランスとは，ジャニスとマン（Janis & Mann, 1977）により提唱された意思決定理論の主要な構成概念で，行動変容に伴い個人が自覚する良い面（pros）と悪い面（cons）のバランスを意味する（表22- 3）．変化ステージが低い段階では行動変容することの良い面より悪い面のほうを強く感じているが，ステージが進むに従って悪い面を感じなくなり，逆に良い面を強く感じるようになる．通常，準備期あたりで，悪い面と良い面が逆転するといわれる．

4）自己効力感

自己効力感は，バンデューラ（Bandurg, 1982）の自己効力理論から取り入れられたものである（表22- 4）．自己効力感は，バンデューラ（1977）により提唱された社会的認

表22-3 ●意思決定バランス

	定 義
意思決定バランス (decisional balance)	行動変化に伴い個人が自覚する良い面（*pros*）と悪い面（*cons*）のバランスを意味する
良い面（*pros*）	変化による良い面（便益）
悪い面（*cons*）	変化による悪い面（費用）

表22-4 ●自己効力感

	定 義
自己効力感（self-efficacy）	個人が行動変容するとき，多様に異なる困難な状況（high risk situation）においても逆戻りすることなくその行動を継続して行うことができる見込み感のこと
自信（confidence）	自己効力感の構成要素の一つで，困難な状況に直面しているときに，健康行動を継続できる自信のこと
誘惑（temptation）	自己効力感の構成要素の一つで，困難な状況に直面しているときに，問題行動に誘う誘惑のこと

知理論の中心的な構成要素で，「自分は不健康行動やハイリスクな行動に逆戻りせずに，ハイリスクな状況に対処できる」という状況特異的な自信のことをいう．

個人が行動変容する際，多様に異なる困難な状況（high risk situation）においても逆戻りすることなく，その行動を継続して行うことができる見込み感のことをいう．一般に変化ステージの低い段階では自己効力感は低く，ステージが進むに従って高くなるといわれる．

3 ４つの概念の関係性

TTMの４つの概念の関係性は，次のように説明される．

「変化ステージ」は，健康行動を変化させようとするレディネス（準備性）と実際の行動によって前熟考期から完了期までの６つのステージに分類される．

「変化のプロセス」は，それぞれのステージが次のステージが次のステージに進むときに共通して用いられる認知・行動的方略である．

「意思決定バランス」では，これらのステージが進むに従って，行動を変化させるためのよい面（pros）と悪い面（cons）のパランスが変化することを示している．

最後に，「自己効力感」では，変わることができるという自信の大きさ，変わる能力（ability）を説明し，ステージが進むに従って，「できる」という自己効力感は上昇していくといわれる．

10の変化のプロセスは，どのステージでも状況に応じて用いられるが，変化ステージと変化のプロセスには系統的な関係があり（表22-5），あるステージを効果的にうまく終えるには，ある特定のプロセスを用いる必要があるとされる．

したがって，このモデルを介入に用いるときは，クライエント（行動を変化させようと

表22-5 ●変化ステージと変化ステージに対応する変化のプロセス

TTM概念	前熟考期	熟考期	準備期	実行期	維持期	完了期
1)変化ステージ ステージは，一方向の直線的に進むのではなく，スパイラル状に進む	自分の行動を変えようという気持ちはなく，問題を抱えているという事実に抵抗を示したり，否定したりする	自分の問題に気づき，真剣にその問題を解決しようと努力する	近い将来，行動を変化させるための計画をし，行動を変化させる前の最後の調整を行っている	これまで準備してきたことを実行に移し，自分の行動や環境を明確に変える	長期にわたって健康への恩恵を得る望ましい水準で行動を継続している	過去の問題となる行動を再び始める誘惑が存在せず，脅威をもたらさなくなっている
2)変化のプロセス	意識の高揚 感情体験 環境の再評価	自己の再評価 意識の高揚 感情体験	自己解放 意識の高揚 感情体験	逆条件づけ 援助関係の利用 強化マネジメント 刺激のコントロール	逆条件づけ 援助関係の利用 強化マネジメン 刺激のコントロール	
3)意思決定 バランス	問題行動を変えることのよい面に対する認識を高める	悪い面に対する認識を低下させる	悪い面を減らし，良い面を増やす			
4)自己効力感 「自信」「誘惑」	一般に変化ステージのない段階では自己効力感は低く，ステージが進むに従って高くなる →					
5)変化ステージに応じたアプローチ(例)	• 行動を変えることへの抵抗や否定的な気持ちを聴いて理解する（困っていることの支援） • 行動を変えることの良い面を高めるきっかけとなるように知識を伝える（指導や説得するようなかかわりをしない）	• 行動を変えることへの抵抗や否定的な気持ちの背景にある経験や知識の不足などを理解する • 抱える問題に気づけるように，情報を提供（多すぎず，少なすぎず）し，共に考える	• 達成可能な課題を設定し，実行可能な方法で，取り組めるように支援する • 具体的に取り組む計画の作成を支援する（歩数の記録など）	• 取り組みを振り返り，成功体験，失敗体験などを聞く • 自信がもてるようにできたところを称賛する • 誘惑や失敗のリスクに対する対策を立て，支援する • 家族や友人の協力や支援を考える	• 継続していくなかで感じた疑問や失敗体験は，逆戻りのリスクにつながるため，経過を聞き対応する • 地域の活動を紹介し，活用を提案し，計画の追加修正を支援する • 自信がもてるように成果を伝える	

している人）が，今，どのステージにいるのかを評価し，それに合った変化のプロセスを用いた介入が効果的である．

初期のステージである前熟考期にある場合は，行動を変えることの良い面よりも悪い面を強く感じている．そのため，この時期には，経験的プロセスの「意識の高揚」「感情体験」「環境の再評価」を用いて，良い面に目を向けられるように働きかけ，自己効力感を高められるような介入を行うことが有効と考える．

TTMは，人がいかに行動を変容させていくかを説明する「説明モデル」と，行動変容を支援するための「介入モデル」があり，この2つの機能を併せもつことがTTMの強みであるといえる．

E 研究の動向

TTMに関する研究は，禁煙に関する研究から始まり，広範囲の健康行動，メンタルヘルス行動，そして，ヘルスプロモーションなどの研究・応用へと拡大している．

わが国におけるTTMに関する研究は，禁煙教育プログラムの開発や介入研究から始まり，運動行動，食行動，検診の受診行動などに拡大した．ヘルスプロモーションの分野，がんや糖尿病などの慢性疾患の分野，うつ病や不安障害などのメンタルヘルスの分野，学校教育の分野でも活用され，TTMを用いた介入プログラムの開発や，TTMに基づいた介入プログラムの健康行動の変容への効果や有用性の検証する研究が行われ，多くの研究で有用性が示唆されている．また，TTMの「変化ステージ」「変化のプロセス」「意思決定バランス」「自己効力感」の4つの構成要素を測定するための尺度開発に関する研究（大曽・工藤，2021），TTMの構成要素間の関係を検討する調査研究も行われている．

近年の情報通信技術（information and communication technology：ICT），人工知能（artificial intelligence：AI）の発達により，デジタルヘルスの分野（WHO，2019）において，TTMを用いた研究が国内外で増加傾向にある．健康上の課題となっている行動変容を促進するために，TTMを用いた介入において，スマートフォンやウェアラブル端末などのデバイスを用いてインターネットやモバイルアプリなどのデジタルツールを使用する方法を探る研究などが始まっており（竹中・吉田・石川・山蔦，2022），今後，効果検証され議論されていくものと考えられる．

F 理論の看護実践での活用

TTMは，1983年に喫煙者を対象とした研究論文が発表されて以降，喫煙行動への適用にとどまらず，食行動，身体活動・運動，検診の受診行動など幅広く活用されている．

がん，心臓，糖尿病などの慢性疾患の多くは，高脂肪・高カロリーの食事，運動不足，喫煙などの良くない生活習慣が関連している．慢性疾患の予防や管理には，バランスの良い食事，定期的な運動などの生活習慣を整えていく必要があるが，慣れ親しんできた生活習慣のなかで行動を変えることは難しい．TTMは，看護師が保健医療の現場で，生活習慣の改善など，健康課題となっている何らかの行動を変えていく必要がある人への看護介入に活用できる．TTMは，人がいかに行動を変容させていくかを説明する「説明モデル」と，行動変容を支援するための「介入モデル」があり，この2つの機能を併せもつことがTTMの強みである．

【TTMを用いた看護の展開】

TTMを用いた看護展開は，以下の流れで進められる．

1）ターゲットとなる行動の設定

問題となっている不健康な行動を一つ設定する．

2）クライエントの変化ステージの明確化

クライエントが今，どの変化ステージにいるのかを明らかにする．一人のクライエントに，複数の行動変容が求められる状況にある場合もあるが，TTMでは，複数の行動を一つの変化ステージとしてとらえて介入するのではなく，行動ごとにステージを設定する．クライエントの言動や看護師による質問により，現在の変化ステージをクライエントと共に明確にする．

3）変化ステージへの対応状況のアセスメントとそれに対応した支援

クライエントと面談をし，クライエントのこれまでの生活や身体の状況，病気との付き合い方など，クライエントの背景を知り，対処の仕方の理解を深める．クライエントは，現在の変化ステージにおいて，「変化のプロセス」「意思決定バランス」をどのように用いているのか，アセスメントする．また，「自己効力感」や「変化ステージ」と「変化のプロセス」の対応状況をアセスメントする．クライエントの「変化のプロセス」「意思決定バランス」に対応したアプローチを行い，自己効力感を高め，ステージの移行を支援する．

臨床での活用の実際

1 事例紹介

Aさん，68歳，女性，主婦．夫と2人暮らし（子どもはいない）．診断名は2型糖尿病．

既往歴として，65歳のときに右手首（橈骨遠位端）骨折（玄関の段差につまずいて，約4週間ギプス治療）．

1）これまでの経過

1年前に地域住民対象の健康診断で高血糖を指摘され，Bクリニックを受診したところ2型糖尿病と診断された．Bクリニックからの紹介で，糖尿病精査および糖尿病教育目的でC病院糖尿病内科に入院した．検査の結果，重症化した合併症はないことかわかり，退院後は，Bクリニックに通院しながら，糖尿病の食事療法，運動療法，糖尿病治療薬（内服）でコントロールすることになった．

退院後，Aさんは，Bクリニックで月1回通院し，糖尿病治療と自己管理を続けている．主治医は，Aさんが座位中心の生活をしており，転倒の既往があることや体格のわりに足が細いことが気になり，「運動といわなくても体を動かすことは大切ですよ」「糖尿病をよくするためにも少しは歩いてはどうですか」と尋ねた．Aさんは，食事を守っているから，歩かなくても大丈夫」「体を動かすのはもともと苦手で好きではない」などと体を動かすことに否定的な発言が続いていた．

2）治療方針

食事と運動の生活習慣改善および糖尿病治療薬（内服）による血糖コントロールを行

い，糖尿病合併症の進展阻止，重症化を予防する．必要時，Bクリニックと C 病院が連携し糖尿病を管理する．

3）治療法

食事療法1,400Kcal，運動療法5,000歩/日，薬物療法（内服）：グルコバイ100mg 1 錠毎食直前．

4）データ（最新）

身長151cm，体重57kg（極端な体重の増減なし）．BMI 24，HbA1c 6.5%，空腹時血糖値142mg/dL，中性脂肪82 mg/dL，総コレステロール245mg/dL，HDLコレステロール71mg/dL，LDLコレステロール169 mg/dL，血圧130/80mmHg，合併症は糖尿病神経障害，糖尿病腎症（3 期A），糖尿病性単純網膜症．

2 看護の実際

1）ターゲットとなる行動を設定する

本事例では，Aさんの運動習慣がないことを医師が気になり，介入を始めたことがスタートである．医師の介入の目標は，日常生活のなかに「歩く」（5,000歩/日）ことができるようになることである．

Aさんは，「医師から運動についての話をされているが，自分としては，運動は苦手だし，まだするつもりはない」と話し，必要性を感じていない様子であった．そこで医師は，外来で糖尿病の療養支援を行っている看護師にAさんへの看護支援を依頼した．Aさんのターゲットになる行動は，「運動」「歩く」であり，介入開始時の変化ステージは，前熟考期であった．

2）変化ステージとそれに対応したアプローチ

（1）前熟考期

行動を変えることに抵抗を示したり，否定したりする前熟考期にあるクライエントに対して，医師や看護師は対応に困ることがある．しかし，クライエントの側からみれば，自分が求めていないことへのかかわりは支援の意味をもたず負担となり，クライエント自身が困っていることへの支援とずれを生じる可能性がある．

そこで，前熟考期にあるクライエントへの支援では，クライエント自身が困っていることを知ることから始め，課題となっている行動と関連づけ，考えるきっかけづくりが必要である．きっかけづくりには，このステージに有効なアプローチを活用することができる．

このステージでは，「変化のプロセス」への支援として，①意識の高揚，②感情体験，③「環境の再評価」があり，「意思決定バランス」への支援として，問題行動を変えることのよい面に対する認識を高めることが有効とされる．

以下，該当する主な箇所に，対応する変化のプロセスを①のように数字で示す（表22-2 参照）．

【前熟考期にあるAさんへのアプローチ（初回面談）】

看護師は，これまでの生活や身体状況，病気との付き合い方などの背景を聞いて理解することから始めた（①②③）．

Aさんは小さい頃から運動しない生活をしていた．3年前に玄関先の段差でつまずき，転倒．手をついて手首を骨折し，「歩いて転んだら怖いなと思う」と心配そうな表情で言う．看護師が「怖い思いをされたんですね」と話すと，「そうなんです」と洗濯物を干すときによろけたことがあり，「足が弱っていると思う」と不安そうな表情で語った．「どうすればいいんですかね」と質問する．そこで看護師は，歩くことの少ない足を一緒にみて，指輪っかテストを行ったところ，Aさんはフレイルのリスクがあることがわかった．Aさんは，転倒したら夫にも迷惑をかける（③）という．看護師は，糖尿病とフレイルの関係を説明し，歩くことで足を強くし転ばない体づくりをしていけることを伝えた（意思決定バランス）．「糖尿病をよりよい状態にしていくためにも，歩いたほうがいいんですかね」と尋ねる．看護師が「そうですね．一緒に考えてみましょう」と話すと，「お願いします」と言った．Aさんは，熟考期に移行していった．

（2）熟考期

熟考期は，行動するための意思決定が準備期への移行のポイントとなる．この意思決定は，問題行動の良い面と悪い面の評価によって行われる．

このステージでは，「変化のプロセス」への支援として，①意識の高揚，②感情体験，④自己の再評価（自分自身の問題と自分自身に対して，感情面と認知面に関する評価を確認する）があり，「意思決定バランス」（表22-3参照）の支援として，悪い面に対する認識を低下させることが有効とされる．

【熟考期にあるAさんへのアプローチ（2・3回目の面談）】

看護師はAさんに前回面談後，考えたことや気づいたことなどを尋ねた（①②④）．Aさんは，糖尿病教室や医師からの説明で，運動療法が糖尿病によいということは知っていたが，食事療法に取り組んでいたし，運動習慣がなくても生活上の支障はなかったので問題ないと思っていた．しかし，足が弱ってきていることを実感してからは，歩くことも必要なのではないかと考えるようになった．「動くとお腹空くので食べ過ぎてしまうのは困るし，やり方間違えて転ぶのも心配」と話している（意思決定バランス）．

Aさんは自宅から歩いて5分の大型スーパーに2回/週，買い物に行っている．看護師は，運動という前に，買い物にいく回数を増やすことも一つの方法であることを伝え話し合った．糖尿病教室で学んだ内容を思い出してもらいながら，歩き方や靴を一緒に確認したり，歩くことの効果についての質問に対して補足説明をした．Aさんは「歩くときに気をつける点を教えてもらえたので安心した」（②）と話す．

Aさんは，「運動」「歩く」ことを今までと違う何か特別なことをすることだと考えていたが，すでに行っていることの回数を増やすことなら今までと変わらないかもしれないと考えるようになった（④）．転倒の心配については歩き方や靴について確認することで心配する気持ちも軽減していった（②）．「お腹が空くかもしれない」との心配を実際に確認することや，おやつの食べ方の工夫などの発言があり，「歩く」ことを前向きに考えるようになっている．Aさんは，準備期に移行していったと考える．

（3）準備期

準備期は，行動を変化させる前の最後の調整を行っているステージである．ここには，望ましい水準での行動を実行していない場合も含まれる．このステージでは，「変化のプロセス」への支援として，①意識の高揚，②感情体験，⑨自己解放（行動変容することを選択，または決意する，あるいは，行動変容する能力を信じる）を助けること，「意思決定バランス」への支援として，悪い面を減らし良い面を増やすことが有効とされる．

【準備期にあるAさんへのアプローチ（4回目の面談）】

看護師はAさんに前回面談後，考えたことや気づいたことなどを尋ねた（①②⑨）．Aさんは，家でもう一度考えてみたという．「運動」に対して，消極的であったが，すでに行っていることを基盤にするならできるかもしれないという．「運動すると，お腹が空いて食べすぎるかもしれないが，実際に確認することや，おやつのとり方の工夫できるのではないか」（①⑨）と話す．

Aさんは，身体活動を増やすことで，糖尿病管理にもよく，フレイルを予防していくことを理解して，身体活動を増やしてみることを決断し，「やってみます」（⑨，意思決定バランス）と準備を始めた．医師に運動（歩行）の目安を確認，Aさんは週5回の買い物に行くことから始める．1日何歩歩いているか（万歩計を購入），歩数が増えるとお腹が空くか調べる，歩き方と靴について気をつける点は，説明を受け意識して歩く計画を立案し，紙にまとめた（⑨）．Aさんは，実行期に移行した．

（4）実行期

実行期は，これまで準備してきたことを実行に移し，自分の行動や環境を明確に変えるステージである．

「変化のプロセス」への支援として，⑥逆条件づけ，⑦援助関係の利用，⑧強化マネジメント，⑩刺激のコントロールが有効とされる．

【実行期にあるAさんへのアプローチ（5回目の面談）】

看護師は前回面談後，Aさんがどのような取り組みの状況や感じたことなどを尋ね，自由に語ってもらった（⑥⑦⑧⑩）．

Aさんは，大型スーパーに5回/週行く計画を6回にした．1日の歩数を確認すると，2,000歩程度であり，少し遠回りをしたりして4,000歩まで増やしてみた．一人で歩くのは，つまらないと感じてこのままでは続けられない．以前，友人が散歩に誘ってくれたので，一緒に散歩しようかなと話す（⑦）．お腹が空くか心配したが特に気にならなかった．歩きやすい靴を購入し，歩き方と靴に気をつけることはできたと話す．看護師はAさんの努力や取り組みを賞賛した．

少しのことかもしれないが，行動を起こしたのは初めてで，自分でも驚いていると話す．友人と歩くと，服装とか歩き方などいろいろ教えてもらうことができ勉強になる（自己効力感の向上：モデリング）．たまには近所の方とも歩いて，少し遠くのカフェにランチに行こうという話も出ていて，嬉しい．夫も一緒に歩こうかと言ってくれる（⑦）．「友人と歩くときは会話しながらだけど，こんなのでも運動になるの？」などと質問する．看護師は，有酸素運動について説明したところ，今のペースで良いことがわかり安心した」と話した．その後も，Aさんは5,000歩/日程度の歩行を続け，維持期に移行していった．

（5）維持期

維持期は，長期にわたって健康への恩恵を得る望ましい水準で行動を継続しているステージであるが，行動変容の維持を強く意識していないと，前熟考期または熟考期への逆戻りが起こりやすい時期でもある．そのため，一時的なつまずきや逆戻りの予防に努めながら継続し，自己効力感のレベルを高めていけるような支援が必要になる．「変化のプロセス」への支援として，⑥逆条件づけ，⑦援助関係の利用，⑧強化マネジメント，⑩刺激のコントロールを助けることが有効とされる．

【維持期にあるAさんへのアプローチ（10回目の面談：行動を変えて8か月後）】

看護師は前回面談後，Aさんの取り組みの状況や今の気持ちなどを尋ね，自由に語ってもらった（⑥⑦⑧⑩）．

Aさんは，1日5,000歩の散歩を行うようになって，友人や夫との時間が増えた．以前は，テレビを見て過ごすことが中心だったが，散歩をして体を動かすようになり，足にも力がついたような気がする．生活にハリがでた．テレビも見るけど，見たいものを決めて，だらだらと見続けることはなくなった（⑩）．体重や検査データも安定している．足もしっかりして，トラブルもないと話す．「歩くことはフレイルや認知症の予防にもなると聞いた．引き続き頑張りたい」と話す．

看護師は，Aさんがよい体験をしていることを嬉しく思い，これからも応援していきたいと思っていることを伝えた（⑧）．友人と歩く際に活用できるサービスとして，地方自治体が行っているスマートフォンの専用のアプリで歩数をポイント化し，景品などに交換できる取り組みがあることを伝えた（⑥）．アプリについて教えてもらったので，それも活用していきたいと話す．

この時期は，逆戻りするリスクもある．Aさんの実行のプロセスに寄り添い，必要時にサポートできる存在として，変化ステージの最終目標となる完了期への支援を継続する．看護師はAさんに，応援していること，困ったときには相談に乗ることを伝えた．

3 評　価

本事例では，Aさんの運動習慣がないことを医師が気になり，介入が始まった．Aさんは，看護師との面談のなかで，Aさんが「足が弱っている」と不安に感じていたことと，「歩く」という行動がつながる体験をした．看護師は，各ステージの特徴や，変化のプロセスを知ることで，Aさんのステージに合わせた支援を考え，Aさんの変化のプロセスを支援に活用することができた．そのことにより，Aさんは，その後の変化ステージの移行に向けた，有効な変化のプロセスを用いた取り組みを行い，維持期へと移行することができた．

本事例では，変化ステージに対する変化のプロセスは，適切に対応できており，変化ステージは大きく逆戻りすることはなかった．しかし，変化ステージはスパイラルに進むことが知られており，いつでも逆戻りする可能性はある．したがって，維持期に至っても逆戻りのリスクもあることを理解して，今後の支援を継続していく必要がある．

H 理論を看護実践につなげるために

TTMは，行動変容に関連する多くの理論を統合して開発されたものである，そのため，行動を変えていくことが必要になった患者を援助するときには，「変化ステージ」「変化のプロセス」「意思決定バランス」「自己効力感」の4つの概念と，それらの関係性をよく理解したうえで活用することが大切である．人の行動を6つの変化ステージにはっきりと分けることは難しく，人の病いの体験を変化ステージに分けてよいのかという議論もある．また患者のこれまでの生活や病いのプロセスを理解することなく，TTMを安易に使い，簡単にステージ分類をして「あの人は熟考期だから…」と，分類するような使い方は，TTM開発の意図とは違うものである．喫煙のように不健康な行動であると，はっきりしている場合は，TTMによる介入の有用性が検証されているが，糖尿病の食事療法のように様々な要因が関連している複雑な行動に対しては，クライエントの生活史や価値観，思いなどをよく聴いたうえで，TTMを展開していくことが必要である．

文献

Bandura.A.(1977). Self-efficacy : Toward unifying theory of behavioral change. *Psychological Reveiw*, *84*.191-215.

Bandura.A.(1982). Self-efficacy mechanism in human agency. *American Psychologist*, *37*, 122-147.

Burbank.PM..&Riebe.D.(eds)(2002)/竹中晃二（訳）(2005). メディカルフィットネスシリーズ　高齢者の運動と行動変容ートランスセオレティカル・モデルを用いた介入. ブックハウスHD.

Cancer Prevention Research Center (2023). Transtheoreticalmodel (https://web.uri.edu/cprc/transtheoretical-model/[2023, Jun18]

石井均（2007）. 医療者にとって「多理論統合モデルとは（変化ステージモデル）」とは何か　Prochaska J.O先生（ロードアイランド大学教授）に聞く. 糖尿病診療マスター, *5*(2), 181-192.

Janis, I., &Mann,L.(1977). Decision Making: A Psychological Analysis of Conflict, Choice, and Commitment. Free Press.

高知恵, 渡邊香織, 園田奈央, 安本理抄, 都筑千景, 森本明子（2023）. 中高年女性の閉経後の生活習慣病に関連する症状の知識と行動変容ステージ一特定健診受診との関連. 日本女性医学学会雑誌, *30*（3）, 365-375.

松本千秋（2009）. トランスセオレティカル・モデル（変化のステージモデル）. 黒田裕子（監）.看護診断のためのよくわかる中範囲理論（pp.38-40）. 学習研究社.

松本千秋（2009）. 変化のステージモデル.医療・保健スタッフのための保健行動理論の基礎ー生活習慣病を中心に (pp.29-36). 医歯薬出版.

松浦和代（2005）. 変化のステージモデル.佐藤栄子（編）. 看護を理解する 人間を理解するための事例を通してやさしく学ぶ　中範囲理論入門 (pp.276-284). 日総研出版.

村上大介（2003）. トランスセオレティカルモデルを用いた研究に関する文献検討ー看護における行動変容ステージの活用. 東北文化学園大学看護学科紀要, *12*(1), 1-9.

中村正和, 赤松利恵 (2005). 汎理論モデル（行動の変容ステージモデル）に関する国内. 海外の研究紹介, 禁煙.チェンジング・フォーグッド (pp.367-375). 法研.

中村正和,増居志津子, 大島明 (2002). 個別健康教育ワーキンググループ（編）, 個別健康教育 禁煙サポートマニュアル（改訂版）. 法研.

岡浩一朗（2000）. 行動変容のトランスセオレティカルモデルに基づく運動アドヒレンス研究の動向, 体育学研究, *45*,543-561.

大曽基宜, 工藤晶子（2021）. 小学校高学年児童と中学生における早寝早起きの変容ステージと意志決定バランス尺度開発. 学校保健研究, *62*, 371-384.

Prochaska, J.O. (1979). Systems of psychotherapy : A transtheretical analysis. Homewood, IL : Dorsey Press.

Prochaska, J.O. (2018). Systems of Psychotherapy: A Transtheoretical Analysis 9th Edition Oxford University Press.

Prochaska.J.O.（2003）. 糖尿病の心理学に貢献した人々第4回変化ステージモデルの父と.糖尿病診療マスター, *1* (6). 691-695.

University of Rhode Island (2023). James Prochaska , <https://web.uri.edu/psychology/meet/james-prochaska/>[2023, September11]

Prochaska. J.O., & DiClemente, C.C. (1983). Stages and processes of self change of smoking toward an integrative model of change. *Journal of Consulting and Clinical Psychology*. *51*, 390-395.

Prochaska, J.O., & DiClemente, C.C. (1994). The transtheoretical approach: Crossing traditional boundaries of therapy. Krieger Publishing Company.

Prochaska, J.O., & DiClemente, C.C. (2005). The transtheoretical approach, Handbook of psychotherapy integration. John C. N.,Marvin R. G. (Editor)., Oxford University Press, USA.

Prochaska, J.O., DiClemente. C.C., & Norcross, J.C. (1992). In search of how people change applications to addictive behaviors. *The American Psychologist*, *47*(9), 1102-1114.

Prochaska, J.O. Norcross, J.C., & Diclemente. C.C. (1994). Canging for good.／中村正和, 赤松利恵（訳）(2005). チェンジング・フォー・グッド. 法研.

Prochaska, J.O., Norcross, J.C. (2009). System of psychotherapy : A transtheoretical analysis. 7th ed. CA Brooks cole.

Prochaska. J.O. Redding, CA,, & Evers, K.E. (2008). The transtheoretical model and stages of Change (p.105). In K. Glanz

Prochaska, J. O., Redding, C. A., & Evers, K. E. (2008). Chapter 5 The transtheoretical model and stages of change, Glanz ,K., Rimer ,B.K., Viswanath ,K. (Eds). Health behavior and health education Theory research and Practice ,4th ed .(pp.,97-122). Jossey-Bass. California.

酒井麻衣子（2023）．健康関連サービスにおける健康行動理論の応用可能性. 商学論纂, *64*（5･6）, 85-87.

竹中晃二, 吉田椋, 石川菜々子, 山蔦圭輔 (2022). web利用の行動変容型介入「健康心理学研究に使わない手はない」, 日本健康心理学会大会発表論文集, *35* , 18

World Health Organization (2019). WHO Guideline Recommendations on digital.
<https://www.who.int/publications/i/item/9789241550505>[2023, May 1]

●看護の対象者や看護師の認識変容に関する理論

23 エンパワーメント

理論との出会い

筆者がエンパワーメントという用語に出会ったのは，ヘルスプロモーション理論を学習していたときである．大学院の仲間と教員とディスカッションしたことが思い出される．その際に，エンパワーメントの理論は，個人・集団・地域という様々な対象について適用可能なものであり，それぞれの対象の力を引き出すプロセスという特徴をもつことが印象的であった．また，これらの特徴は，看護学における人間や環境，ケアのとらえ方と類似する概念であることが理解できた．

近年，わが国において，看護職の活躍する場と役割が広がってきている．病院内における看護の高度化・複雑化，訪問看護ステーションや地域包括支援センターなどにおける新たな役割，災害時や文化の異なる国際看護の場における活躍などである．このような状況において，エンパワーメントの理論を理解し，活用することにより，看護師・保健師・助産師それぞれの，個々の対象者・集団・組織や地域という対象のパワーレスな状態をアセスメントし，対象の力を最大限に引き出すように看護することが可能となる．

また，看護師自身や看護師の集団においても，パワーレスな状態をアセスメントし，方策を立てて対処することが可能となり，ひいては，よりエンパワーされ効果的にケアを行える看護師・職能集団となるために，本理論が活用可能と考える．

B 理論家紹介

エンパワーメントはパウロ・フレイレ（Paulo Freire, 1921-1997）の行った識字教育から誕生したとされる．フレイレの著書『被抑圧者の教育学』日本語版の解説（Freire, 1970　小沢・楠原・柿沼・伊藤訳，1979）および『希望の教育学』（Freire, 1992　里見訳，2001）から，フレイレを紹介すると以下のようになる．

フレイレは，1921年にブラジル北東部のペルナンブコ州都レシフェで，州警兵という公務員の父とカトリック教信者の母の間に生まれ，識字率が50%未満のなか，父から文字を学習した．教育歴は，レシフェ大学法学部で哲学および言語心理学を学習し，1959年，教育哲学に関する学位論文を提出した．

職歴・研究歴は，世界各国で活躍していたため多様である．ブラジルにおいて，中学校のポルトガル語教師，社会事業団の教育文化局顧問，同局長を務めた．1960年代からは民

キー概念

□**エンパワーメント（empowerment）**：健康に影響を及ぼす行動や意思決定を，人々がよりよくコントロールできるようになるプロセスである（WHO, 1998）.
□**イネイブリング（enabling）**：健康を増進し守るために，人的・物的資源を活用することによって，自らを力づける（エンパワーする）べく，個人や集団が協働して行動することをいう（WHO, 1998）.
□**傾聴（listening）**：自分の価値観や主観を押しつけるのではなく，対象者の発する言葉の意味や言葉の背景にある感情に関心をもちながら，注意深く熱心に聴くことである（広瀬, 2003）.
□**ヘルスプロモーション（health promotion）**：人々が自らの健康をコントロールし，改善できるようにするプロセスである（WHO, 1998）.
□**ヘルスリテラシー（health literacy）**：認識面や社会生活上のスキル，健康増進や維持に必要な情報にアクセスし，理解し，利用していくための個人的な意欲や能力である（WHO, 1998）.
□**健康教育（health education）**：個人（家族）・集団・地域が直面している健康課題を解決するために，自ら必要な知識を獲得し，意思決定や行動ができるようにする意図的な援助である.
□**パートナーシップ（partnership）**：看護師と対象が対等な関係のなかで合意した目標に向かって協働する関係をいう.
□**パワーレス（powerless）な状態**：生活や人生で起こる課題に対して，自分でコントロールする力のない・コントロールしきれないという状態.

衆文化運動を組織し，識字運動を展開した．当時のブラジルの教育省や大統領もフレイレの方法を採用し，「全国成人識字計画」が展開された．しかし，1964年のクーデターにより投獄され，その後チリに亡命した．チリにおいて「成人教育計画省」の仕事に携わり，チリ大学などでも教鞭をとった．1969年からは米国に渡り，ハーバード大学の客員教授となった．1970年には，ジュネーブにある「世界教会協議会」の教育局特別顧問として，アフリカにおける識字教育に携わった．ヨーロッパ各地の大学でも活躍後，1982年民主化されたブラジルに帰国した．1989～1991年はサンパウロ市教育長として，スラム街の識字教育などの公的教育改革に力を注いだ.

主な研究業績としては，従来の教育を銀行型教育として批判し，対話と行動を重視する課題提起教育の理論化があげられる．また，識字教育の実践者，理論家，教育者として活躍した．論文は多数あり，主な論文，著書は，『自由の実践としての教育』『伝達か交流か？』『自由のための文化行動』『被抑圧者の教育学』『希望の教育学』などであり，様々な言語に訳され，世界中で読まれている.

理論誕生の歴史的背景

エンパワーメントは，17世紀に「公的な権威や法律的な権限を与えること」という法律用語として用いられたのが最初といわれる（久木田，1998）．広く使用されるようになったのは，第二次世界大戦後，米国における公民権運動（1950～1960年代）およびフェミニズム運動（1970年代）などの社会変革活動が契機となっていることが解説されている．これらの運動の共通点は，貧困や抑圧などによりパワーレスな状態となった人々が自分たちの置かれている状況を把握し，自らの力を取り戻して力を発揮していくプロセスをたどった点である．

そのようななか，フレイレは，1960～1970年代に，識字教育を実践し，抑圧された人々にエンパワーメントを起こした．これらの実践から，傾聴し，対話し，行動するというプロセスを明らかにし，論文，著書として発表した．

その後，社会変革活動だけでなく，発展途上国の開発などの国際協力分野や，教育，医療，看護の学問分野でも使用されている．

エンパワーメントとは

1 エンパワーメント

エンパワーメントの定義は，様々な研究者により定義されている．ワラーシュタインとバーンシュタイン（Wallerstein & Bernstein, 1988）は，「人々が生活しているコミュニティやさらに大きな社会において，人生をコントロールする力を得るために，人々や組織そしてコミュニティの参加を促進するような社会的行動のプロセス」と定義している．世界保健機関（WHO）では，「健康に影響を及ぼす行動や意思決定を，人々がよりよくコントロールできるようになるプロセス」と定義している（World Health Organization, 1998）.

2 エンパワーメント理論

フレイレにより，エンパワーメント教育の基礎となる「傾聴－対話－行動アプローチ」が提案された．以下，ワラーシュタインとバーンシュタイン（Wallerstein & Bernstein, 1988）および吉田（1998）の文献を参照し，解説する．また，そのポイントを表23-1にまとめた．

1）傾　聴

第1段階の「傾聴」とは，対象が感じている問題を理解する段階である．患者－看護師・集団・地域（community）という，それぞれ傾聴し合う人々は対等なパートナーであり，課題を明らかにし，優先順位を決定する．この傾聴し合う人々に意思決定の権力があり，従来の健康教育者が地域をアセスメントし課題を決定する方法とは異なっている．

表23-1 ●エンパワーメント理論

エンパワーメントの段階	特　徴	援助者としてのかかわりのポイント
第１段階：傾聴	〔対象が感じている問題を理解する段階〕 • 対等なパートナーとして，課題を明らかにし，優先順位を決定する • 対象にとっての重要な情緒的・社会的問題を確認する • 対象が優先事項を決定することができるようになる	• 対等なパートナーとしての関係を構築する • 援助者の価値観や主観を押しつけない
第２段階：対話	〔問題提起の方法を用いて，調査すべき課題について話し合う段階〕 • 課題が理解されるような，現実を具体的に表現した「コード」を作成し，話し合う	• ５つの問いを活用しながら，批判的思考が起こるように支援する ①何を考え，何を感じたのか ②グループとして，課題の多様なレベルを定義する ③生活のなかでの似たような経験を共有する ④なぜこの課題が存在するのかを質問し合う ⑤課題に対する行動計画を開発する
第３段階：行動	〔対話により想起された課題について行動し，ポジティブな変化を起こす段階〕 • 現実の社会で分析した結果を思考し，新しい経験を基礎に，より深い熟考のサイクルをたどる • 自分自身や所属する地域のための行動計画を作成するとともに，自分自身や周囲の人々の生活を変えうるとの信念をもつ	• 行動するときの困難を共に乗り越える姿勢で接する • 知識を活用して，行動の優先順位をつけることをサポートする

傾聴は継続的なプロセスであり，初期のニーズアセスメントが行われた後も，傾聴が行われる．この傾聴により，対象にとっての重要な情緒的・社会的問題を確認し，優先事項を決定することができるようになる．また，対象のパワーレスな状態を客観視するためにも重要な段階である．

2）対　話

第２段階の「対話」とは，問題提起の方法を用いて，調査すべき課題について話し合う段階である．フレイレは，対話を行うために「成文（codifications）」もしくは「記号表現・コード（codes）」をつくり出すことを提案している．この「コード」は，多様な形式で地域の課題が理解されるような現実を具体的に表現したものであり，ロールプレイ，物語，スライド，写真，歌などである．また「コード」は，討論参加者が情緒的・社会的反応を投影できるようになる仕掛けとなっている．ファシリテーターは対話を進めるために，次の５つの問いの段階を活用する．

①何を考え何を感じたのかを話すように求める．
②自分たち自身で，課題の多様なレベルを定義するように求める．
③生活のなかでの似たような経験を共有するように求める．
④なぜこの課題が存在するのかを質問するように求める．
⑤課題に対する行動計画を開発するように求める．

「コード」はこれらの対話の進行のなかから発生する．また，この段階を用いることにより，個人的分析から社会的分析や行動のレベルへと対話を進めることができる．これらの集団での対話は，自分の社会での境遇の根本的な原因，すなわち個人の生活の社会経済的・政治的・文化的・歴史的背景を分析するための，批判的思考（問題提起）を目的としている．

3）行　動

第3段階の「行動」は，対話により想起された課題について行動し，ポジティブな変化を起こす段階である．現実の社会で人々は分析した結果を思考し，彼らの新しい経験を基礎により深い熟考のサイクルをたどり始める．行動－熟考－行動のスパイラルにより，人々は学習し文化的・社会的・歴史的障壁に打ち勝つことに取り組むことができるようになる．このように，人々が自分自身の地域のための行動計画を作成するとき，同時に彼らは，彼ら自身や周囲の人々の生活を変えうるとの信念をもつに至るといわれる．

3 エンパワーメントのレベルと構造

1）エンパワーメントのレベル

エンパワーメントは様々な状況で発生し，その発生するレベルについて，様々な議論が行われている．

ワラーシュタイン（Wallerstein, 1992）やイスラエルら（Israel, Checkoway, Schulz & Zimmerman, 1994）は，エンパワーメントの3種類のレベルとして，個人のエンパワーメント，組織のエンパワーメント，そして地域のエンパワーメントを提示している．一方，ムレル（Murrell, 1985）は，個人，二者間，小グループ，組織，地域，社会という6つのレベルに区分している．共通してみられるのは，エンパワーメントは個人・組織・地域という3つのレベルに区分される点である（図23－1）．

2）エンパワーメントの構造　レベル間の関連

ギブソン（Gibson, 1991）は看護に関するエンパワーメントモデルを提示した．クライエント領域，看護師領域，クライエント－看護師の相互作用，環境（個人，家族，地域，ヘルスケアシステム）の4つの要素で示されている（図23－2）．エンパワーメントの構造

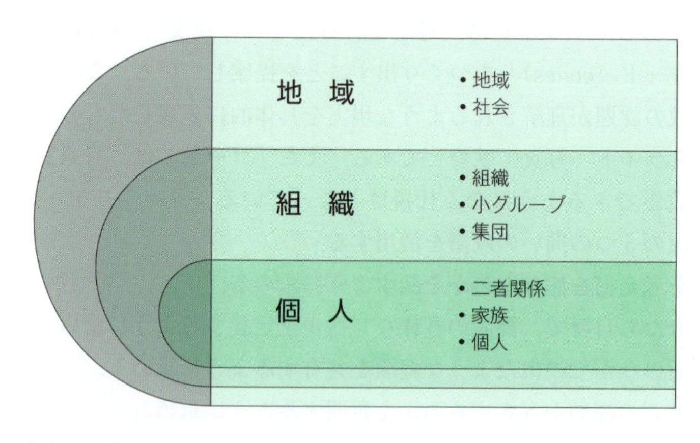

図23－1●エンパワーメントのレベル

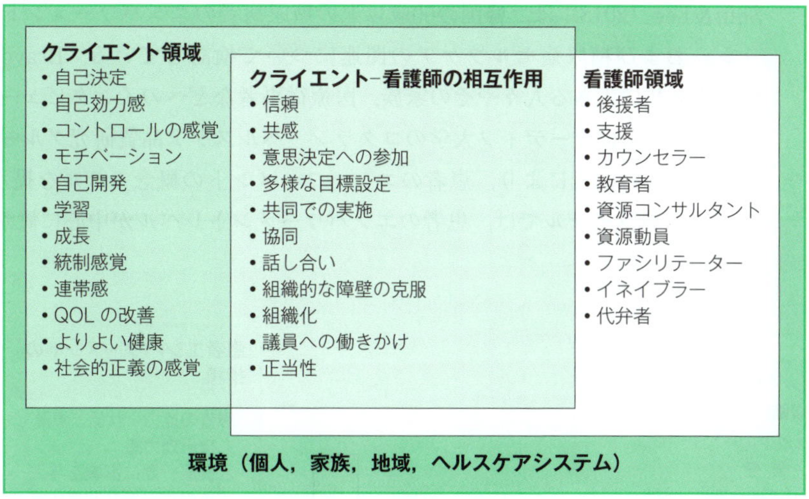

クライエント領域
- 自己決定
- 自己効力感
- コントロールの感覚
- モチベーション
- 自己開発
- 学習
- 成長
- 統制感覚
- 連帯感
- QOL の改善
- よりよい健康
- 社会的正義の感覚

クライエント−看護師の相互作用
- 信頼
- 共感
- 意思決定への参加
- 多様な目標設定
- 共同での実施
- 協同
- 話し合い
- 組織的な障壁の克服
- 組織化
- 議員への働きかけ
- 正当性

看護師領域
- 後援者
- 支援
- カウンセラー
- 教育者
- 資源コンサルタント
- 資源動員
- ファシリテーター
- イネイブラー
- 代弁者

環境（個人，家族，地域，ヘルスケアシステム）

図23−2●看護エンパワーメントモデル
Gibson, C. (1991). A concept analysis of empowerment. *Journal of Advanced Nursing*, 16, 354-361. (Figure 1. 359) より引用

を，クライエント，看護師，クライエントと看護師の相互作用，および環境として示し，これらのエンパワーメントのレベルが重なって影響し合う様子が示されている（Gibson, 1991）．エンパワーメントレベル間の関連については，個人レベルと地域レベルのエンパワーメントの関連（Wallerstein, 1992），個人レベル，集団レベル，地域組織レベルの関連（Labonte, 1994）など，いくつかのモデルが提示されている．エンパワーメントについて研究や実践を行う際には，エンパワーメントのレベルとそのレベルの関連についても留意する必要がある．

研究の動向

エンパワーメントに関する研究は，健康な人から慢性病と共に生きる人を対象にした研究まで，幅広い健康状態の人々を対象に行われている．以下にエンパワーメントのレベル別に研究の動向をまとめる．

1　個人レベルのエンパワーメントに着目した研究

Mora et al（2018）は，スウェーデンの先天性心疾患に罹患している10代の約500人を対象にした研究で，若年慢性疾患患者のエンパワーメント尺度を開発している．5つの下位尺度「知識と理解」「個人的コントロール」「アイデンティティ」「意思決定」「他者への権能付与」からなる15項目の尺度として示されている．また，Anderson, Funnell, Fitzgerald, & Marrero（2000）は，375人の糖尿病患者の分析から3つの下位尺度「糖尿病の心理社会的側面の管理」「不満の評価と変化へのレディネス」「糖尿病に関する目的の設定達成」からなる28項目糖尿病エンパワーメント尺度を開発した．この尺度を用いて

Shin&Lee（2018）は，韓国の60歳以上の糖尿病者のエンパワーメントとヘルスケアリテラシーおよび糖尿病セルフケアの関連について検討している．Bravo et al（2015）は，慢性病と共に生きる人々やその家族，医療従事者などへのインタビュー，先行研究の知見の統合，さらにカーディフ大学のコクラン・ヘルスケア品質研究グループのクリティークを用いた混合研究により，患者のエンパワーメントの概念モデルを提示している（図23-3）．この概念モデルでは，患者のエンパワーメントレベルが中心に置かれており，患者・

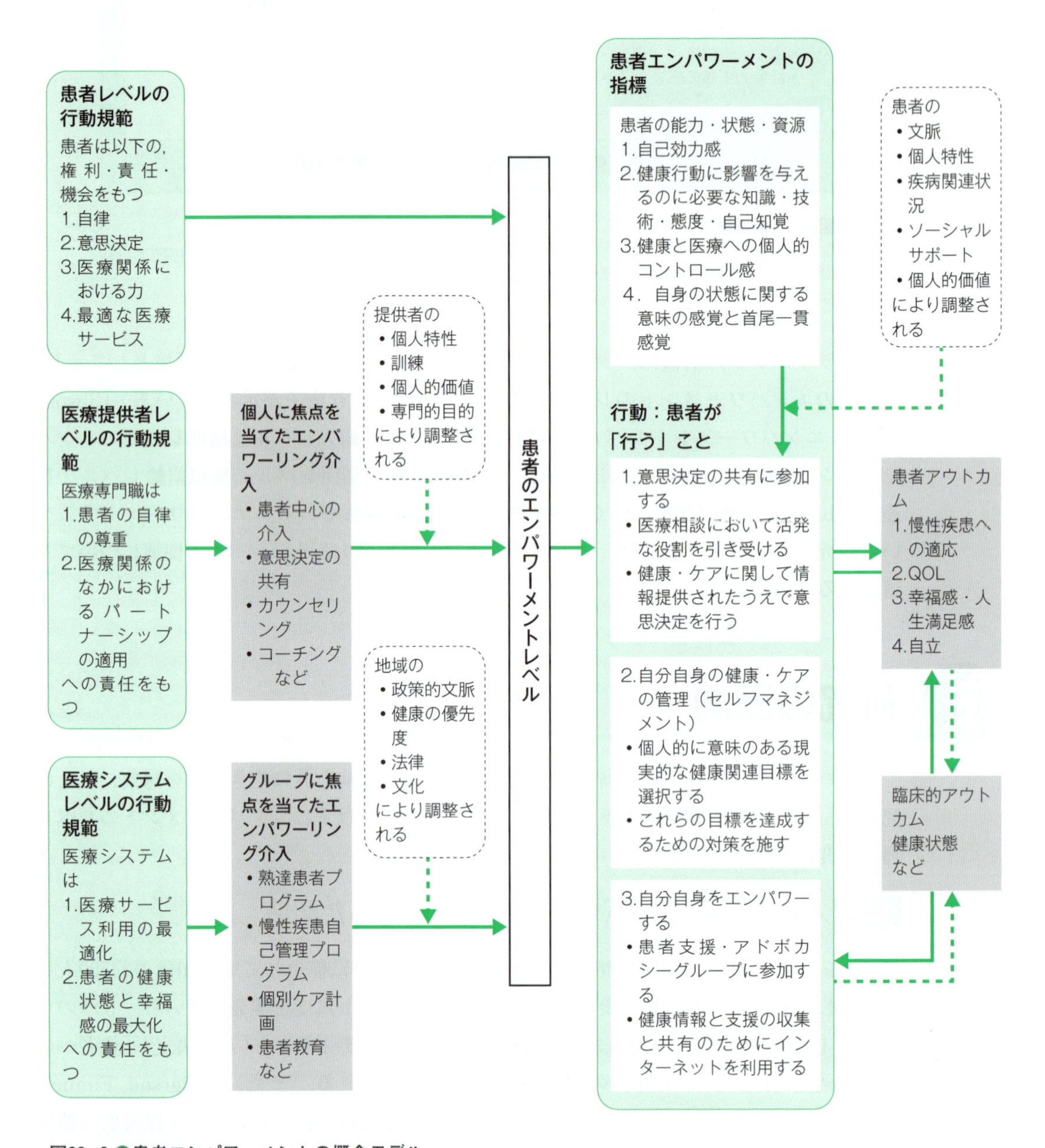

図23-3 ●患者エンパワーメントの概念モデル
Bravo, P., et al. (2015). Conceptualising patient empowerment : a mixed methods study. *BMC Health Services Research*, 15, 252. Fig.2 より筆者訳出

医療提供者・医療システムという3つのレベルの行動規範と個人とグループに焦点をあてたエンパワーメント介入が患者のエンパワーメントレベルに作用すると示されている．また，患者の個人特性などが行動を調整することや，医療提供者・地域により個人・グループに焦点をあてたエンパワーリング介入が調整される可能性があることが点線で示されている．患者エンパワーメントの指標と患者が行うことが具体的に提示されており，さらに患者アウトカムと臨床的アウトカムに患者エンパワーメントが向かっていく様子が示されている．

健康な人々に関する研究では，佐藤他（2018）が，高齢者のエンパワーメントに着目した介護予防支援ガイドを作成し，ガイドの有効性の検討が行われていた．

また，看護学生や看護師に関する研究では，原（2021）による看護学生のエンパワーメントの測定尺度の開発に向けた構成概念の検討が行われており，今後の尺度開発につながっていくと思われる．ニュージーランド（Connolly, Jacobs & Scott, 2018）とスペイン（Garcia-Sierra & Fernández-Castro，2018）では，看護師のエンパワーメントとリーダーシップとの関連について検討されていた．

2 家族のエンパワーメントに着目した研究

家族のエンパワーメントに関する研究では，佐藤・荒木田・金子・三輪（2020）による乳児をもつ親の家族エンパワーメント尺度の開発が行われている．825人の父親および母親からのデータをもとに，5つの下位尺度「家族との関係性」「育児の効力感」「地域とのつながり」「親役割達成感」「サービスの認知と活用」からなる26項目の尺度として報告している．また，佐鹿他（2020）は，医療的ケア児とその家族のエンパワーメントに着目し，10人の医療的ケア児の母親を対象に質的記述的研究を実施している．「親としての願いと原動力」を源として，医療的ケア児の社会生活を支える親がエンパワーメントしていく過程が論述されている．

3 地域レベルのエンパワーメントに着目した研究

地域レベルのエンパワーメントについては，保健推進員に関する研究が行われていた（松井・佐藤・石丸・宮﨑，2018；松井，2021）．まず，地域の健康づくりにかかわる保健推進員のエンパワーメントの様相を，14件の先行研究の知見をもとに整理していた（松井他，2018）．さらに，これらの知見に基づき，保健推進員のエンパワーメントを通じた地域の健康づくり推進のための協働モデル案を作成し，管理期保健師4人による内的妥当性の評価および保健推進員と共同経験をもつ保健師3人と保健推進員8人による有効性・実用性の評価を行い，保健推進員のエンパワーメントをとおした地域の健康づくり推進のための協働モデルとして提示している（松井，2021）．このモデルのなかで，エンパワーメントは保健推進員および保健師の双方に発生しており，保健師と保健推進員の協働を支えている様子が示されている．

エンパワーメントのレベル別に研究の動向を検討してきた．エンパワーメントの概念を用いた尺度開発が多数行われており，さらに開発した尺度を活用した量的研究が行われ，エンパワーメントの様相とエンパワーメントとセルフケア，リーダーシップというような関連する要因の検討へと探求が進められている．また，エンパワーメントの様相から，モデルの開発が行われており，今後のエンパワーメントを活用したプログラム開発や評価へとつながっていくと予測される．

理論の看護実践での活用

エンパワーメント理論は，よりよい対象者の状況を検討しニーズを明らかにするために活用することができる．また，より対象のニーズに合致した支援方法の検討に活用できる．

理論を開発したフレイレは看護実践への活用については説明していないが，エンパワーメント理論を参考に，看護実践への活用を著者が検討し，以下説明する．

初めに，これまでの研究結果の概観から示唆された看護のアセスメント，看護計画の立案，評価のポイントを表23-2に示した．

1 エンパワーメントレベルに着目したアセスメント

援助の焦点を当てるエンパワーメントレベルを明確にし，対象のアセスメントを行う．いずれのレベルにおいても，対象が感じている課題を把握し，対象の力をアセスメントする．たとえば，対象の自己効力感，自己決定の方法，モチベーション，学習状況などをアセスメントする．

その際に，焦点を当てるレベル以外のレベルにも着目し，環境要因としてアセスメントする．たとえば，対象の力に影響を及ぼしている組織の目的や地域の意思決定方法，慣習などに注目しアセスメントする．

2 看護計画の立案・支援

信頼関係を築き，対象が感じている課題に焦点を当てて話し合う．この際に，留意するポイントは，課題の優先順位をつけられるように支援すること，多様な目標を設定できるように支援することである．必要に応じて，専門知識の提供を行う．

また，課題を話し合うときや行動化しているときに，障壁にぶつかる可能性がある．これらの障壁を予測し，話し合いや行動がスムーズにいくように支援したり，障壁を克服できるよう調整することも支援の方法として計画する．

批判的思考が起こるように，対象が思いや考えを表出できるように支援したり，生活上の経験を話し合い，共有することを支援することも重要である．また，対象が質問できる雰囲気をかもし出すように配慮し，課題に対する行動計画が自由に検討できるようにサポートする．

3 支援の評価

対象それぞれの力や感覚がどのように変化したかを評価する．たとえば，自己効力感，

表23-2●エンパワーメント理論の看護への活用：アセスメント，看護計画の立案，評価のポイント

エンパワーメントのレベル／看護過程	個人レベル	組織レベル	地域レベル
看護アセスメント	• 対象が感じている課題を把握する • 対象の力をアセスメントする（自己効力感，自己決定の方法，モチベーション，学習状況など）	• 集団の感じている課題を把握する • 組織の目的を把握する • 組織の力をアセスメントする	• 地域の感じている課題を把握する • 地域のなかでの意思決定方法や慣習を把握する • 地域特性や力をアセスメントする
看護計画の立案・支援	• 信頼関係を築き，課題に焦点を当てて話し合う • 多様な目標を設定できるように支援する • 障壁を克服できるよう調整する	• 信頼関係を築き，課題に焦点を当てて話し合う • 批判的思考が起こるよう支援する • グループディスカッションをファシリテートする	• 信頼関係を築き，課題に焦点を当てて話し合う • 批判的思考が起こるように支援する
評　価	• 行動に関する以下のような感覚の高まり〔自己効力感，動機づけ，セルフエスティーム，希望（ホープ），ローカスオブコントロールなど〕 • 課題に対して行動を起こす • 新たな課題を見出そうとする	• 組織の構成員において，自己効力感，動機づけなどの感覚が高まる • 課題に対して組織として行動を起こす	• 地域の構成員において，自己効力感，動機づけなどの感覚が高まる • 地域活動や意思決定への参加増加 • 社会的ネットワークやつながりの感覚の増大 • 地域の自己決定能力の高まり • 保健政策の改善，公平化の推進

動機づけ，セルフエスティーム，希望（ホープ）およびローカスオブコントロールなどである．これらの項目について，既存の尺度などを活用して変化を把握することも有用であろう．

また，実際に生じた行動についても，観察やプロセスレコードなどを用いて，質的に評価を行う．たとえば，課題に対してどのような行動を起こしたのかや，新たな課題を見出そうとして行動したかなどである．

地域のエンパワーメントを評価する際には，上記に加えて，地域活動や意思決定などへの参加の増加，社会的ネットワークやつながりの感覚の増大，地域の自己決定能力の高まり，保健施策の改善，公平化の推進などの項目も評価として検討可能であると考える．

4 看護師側のアセスメントと評価

エンパワーメントが起こるとき，支援している看護師側にもエンパワーメントが生じる．看護師側に生じたエンパワーメントを評価するために，看護師側のアセスメントを行い，支援後に評価することも重要である．

支援前には，看護師の力量や課題に関する関心をアセスメントしておくことが，効果的な支援の実施や評価のために大切である．

他職種と協働して対象の課題を解決するよう支援し，評価する．評価のポイントは以下のとおりである．看護師の力量の高まりについては，支援技術の変化，対象との関係構築能力や他の専門職者との連携能力などの変化で評価する．看護師自身の自己効力感の高まりや，対象とのかかわりを通じた看護師自身の学習の促進なども評価の視点としてあげられる．

エンパワーメント理論を看護実践で活用する際には，対象のレベルを明確にすること，焦点を当てるレベル以外のエンパワーメントレベルとの関係や影響に留意すること，看護師自身も評価することなどが重要であると考える．

臨床での活用の実際

1 事例紹介

Aさん，50代男性．妻と長女（高校１年生），長男（中学２年生），実母（70代）の５人暮らしだった．Aさんは，働き盛りのときに右脳梗塞を発症した．発症後，左片麻痺による日常生活動作が不自由になり，また同室者とのトラブルが少し生じていた．Aさんの妻は，病前は専業主婦をしていたが，夫の発症以来，家計を支えるために保険会社に就職した．

2 経　過

発症から３週間が経過した時点で，脳神経外科病棟からリハビリ病棟に転棟した．Aさんは，右大脳半球を損傷していたため，場にそぐわない言動があり，対人関係にトラブルを生じていた．

たとえば，病棟でAさんが肩こり予防のためマッサージ器具を大きく振り上げながら車椅子で廊下を通過し，他の患者から「おまえ危ないから，やめろ！　周りの人間が迷惑しているのが，わからないのか！」と大きな声で怒鳴られ，けんかになったこともあった．このような周囲の人々とのトラブルが絶えず，患者たちはAさんに少し距離をおくようになっていた．Aさんとその周囲の人々との人間関係の調整が必要であった．

ある晩，Aさんの精神的ストレスは高まり，130～140回/分程度の発作性頻脈を生じた．循環器科の医師が診察したが，Aさんの不安と興奮はピークに達していた．担当看護師は，

Aさんの不安や興奮が鎮まる方法を検討した．Aさんの不安や興奮の主な原因は，他の患者とのトラブルと考えられ，看護師がAさんとその周囲の人々との調整役割を行うこととした．また，患者同士の喧嘩が傷害事件に発展しないように，床頭台の引き出しに保管してあった果物用ナイフは，家族に持ち帰ってもらった．他に，夜間の尿意切迫があり，すぐに排尿介助を対応してもらえない場合に，発作性頻脈が生じていたというエピソードから，できるだけ早くナースコールの対応をするように看護計画を立案した．加えて，尿器を使って自分のタイミングで排尿できるように，尿器による自己採尿の練習に取り組んだ．

しかし，またしてもAさんの発作性頻脈が生じた．Aさんは，心臓の鼓動が数え切れない早さで鳴っていることに，ますます精神的に不安定になった．担当看護師と妻とで良い方法はないか考えあぐねているとき，妻より「少し落ち着くまで，私が病院に通って主人の傍にいます」と長時間面会の申し出があった．担当看護師は，妻が日中は仕事をしていることや長時間の面会により十分休むことができなくなる可能性があり，妻とも話し合いを重ねたが，Aさんの発作性頻脈が落ち着くまでという条件で，長時間の面会という方法で調整を図った．

約１週間，妻の長時間面会により，Aさんの発作性頻脈は徐々に落ち着いた．しかし，妻は，慣れない労働，夫の付き添い，家庭のことで，身体的にも精神的にも消耗し，パワーレスな状態に陥っていた．担当看護師より，慢性疾患看護専門看護師（以下，慢性CNS）に，Aさんとその妻の支援について看護相談があった．

3 エンパワーメントを活用した支援の実際

担当看護師は，Aさんに対する看護計画として，次のようなことを実施していた．まずは，①発作性頻脈に対して精神的ストレスや不安を緩和すること，②Aさんと周囲の人々との人間関係を調整すること，安全を確保すること，③夜間排尿の自立をめざした排泄支援を実施した．慢性CNSは，看護チーム全体で話し合って情報を共有するように，看護カンファレンスにかけることを提案した．

一方，担当看護師は，Aさんの精神状態の安定のためには，妻の支えが必要ではあるが，このまま妻に長時間の面会を継続することで，妻自身に重い負担をかけていることに迷いを感じていた．そこで，慢性CNSは，担当看護師と共に「家族看護エンパワーメントモデル」を活用したAさんの家族のアセスメントを行った．

家族アセスメント

Aさんの家族は，一家の大黒柱であった夫が脳梗塞に倒れてしまい，妻が家計を支えるために初めて労働していることを確認した．Aさんの母親は，自立した生活レベルで，調理や洗濯などの家事動作をできる限り応援してくれていた．子どもたちにとっては，突然父親が入院して家庭から不在になっていたところに，母親も父親の付き添いのために自宅を空けるようになり，家庭内のコミュニケーションが激減していた．また，子どもたちの衣食住の生活環境は，病前と比較して大きく変化した．

以上のことから，病前と比較して家庭内のパワーバランスが大きく変化していることを確認した．また，家族間の役割調整や対処行動は十分に発揮できているのか，家族の力が低下しているのではないかを確認し，支援する必要があるという看護方針を立てた．

以上のアセスメントから，エンパワーメントを活用して，1）傾聴，2）対話，3）行動の３つのステップで看護を展開した（表23-３）．

1）第１段階：傾聴

エンパワーメントの段階として，第１段階の「傾聴」では，対象が感じている問題を理解することが重要である．対象にとって重要な情緒的・社会的問題を確認し，支援者の価値観を押しつけないことをポイントとした．

具体的には，Aさんに対しては，Aさんの感じている問題やつらさを最優先した．第一は，発作性頻脈に対するストレスの緩和策である．Aさんにとって，病棟患者とのトラブルがストレスと考えられたため，できるだけ周囲の人々と円滑に話せるように，看護師が患者同士の間に入って人間関係を調整した．また，Aさんの精神的安定を確保するために，可能な限り妻の面会時間を調整した．

また，Aさんの妻に対しては，妻が仕事，介護，子育てのすべてに負担がかかっており，パワーレスな状態になっていることをアセスメントした．家族の様子を傾聴することで，家族の日常生活から，妻に負担がかかっているだけでなく，子どもたちにも影響が出ていることを推察した．

表23-３●Aさんと妻に対する介入のポイント一覧

	Aさんに対する介入のポイント	Aさんの妻に対する介入のポイント
第１段階：傾聴	•発作性頻脈を予防するためのストレスの緩和策をとった •看護師が患者同士の間に入って人間関係の調整した •Aさんの妻に可能な範囲で面会時間を調整（早朝，夜間）した	•妻が仕事，介護，子育てのすべての負担がかかっており，パワーレスな状態になっていることを察知 •家族の様子を傾聴すること •家族の日常生活から子どもたちにも影響が出ていることを確認
第２段階：対話	•気分転換が図るため窓際の位置へベッドを移動，環境調整した •排尿動作のセルフケアを再獲得した	•家族の面会を促すことで，家族のコミュニケーションを円滑にし，家族が寄り添い，それぞれの立場で取り組むことは何か，考えるためのきっかけづくりをした
第３段階：行動	**Aさんの変化** •家族のために多重課題でも投げ出すことなく一生懸命働いてくれている妻に対して，少しでも負担がかからないように，長時間の面会がなくともリハビリを頑張ることを決心した	**Aさんの妻の変化** •妻自身が，子どもたちに父親の病状を説明したり，今後の家族の見通しを話し合うことが大切だと気づくことができた．また，子どもたちにしっかり夫の病状を理解してもらったうえで，家族の課題に対して共同解決者として存在することを認識することができた

Ns：毎日，病院から仕事に通われて大変ではないですか？
妻：はい．でも大丈夫です．何とかなりますから．主人のことで病棟の皆さんにご迷惑をおかけして申し訳ありません．
Ns：奥様にご負担をおかけしてしまって申し訳ありません．ご主人も奥様もご自宅を空けている状態で，ご自宅のほうはどうされているのですか？
妻：義母が家事を応援してくれていますから，子どもたちもできる限り手伝うと約束してくれていますので，もうちょっと主人が落ち着くまでは……．少しくらい自宅が散らかっていても死にはしません．今は，他人様に迷惑をかけないようにしなければ……．
Ns：Aさんですが，最近，脈拍も少し落ち着いてきましたし，そろそろ面会をはずしてみてもいいのではないかと考えました．奥様に，これ以上ご負担をおかけするのは，申し訳ないと思いまして……．それにご家庭のことも心配です．
妻：……．実は，子どもと姑がうまくいってないみたいなんです．おかずは煮物ばかりで口に合わないとか，学校の様子をあれこれ聞かれて，うるさがっているみたいで．子どもたちも部活や友達で自分の世界があるので……あれこれと聞かれるのが嫌みたいです．子どもたちには「お父さんが大変な時期なんだから」と言い聞かせているんですけど，……私も，急に仕事に出るようになって慌ててしまって．と涙を浮かべて語った．
Ns：そうでしたか……．いろいろなご心配なことが起こっていたのですね．奥様の力をお借りして，Aさんのピンチを救っていただきました．今度は，奥様やご家族の生活が良くなるように一緒に考えさせていただけませんか？
妻：ありがとうございます．

担当看護師・慢性CNSは，妻と付き添いの評価を行い，Aさんの発作性頻脈は治まってきたため，妻を自宅に帰すべきであるという考えに至った．また，妻の付き添いによって，Aさんが精神的に落ち着き，安定した療養生活を過ごすことができたことを労ったうえで，長時間の面会を中止し，妻が家庭内に戻って家族と共に過ごす時間を大切にすることを提案した．そして，妻が，Aさんに妻の長時間面会をいったん中止にすることを提案できるように支援した．

2）第2段階：対話

次に，第2段階の「対話」では，問題の提起をして調査すべき課題について話し合う段階である．看護師は，事前に妻と話し合い，妻の状況を率直にAさんに話すことを提案した．話し合いでは，Aさんの立場，妻の立場で今感じていることを話し合うことで，お互いの立場を理解し合うことを助言した．

Aさんと妻との話し合いでは，看護師が同席した．Aさんは，脳梗塞を発症してから頼りにしてきた妻が初めて体力的に厳しい状況を告げられ，とても驚いた様子だった．しかし，家族のために多重課題でも投げ出すことなく一生懸命働いてくれている妻に，少しでも負担がかからないように，自力でも頑張る決心をしてくれた．

妻：実は，今日はお父さんに相談があって来たのよ．そろそろ長時間の面会を中止しようと思うんだけど，お父さんどう思う？

Aさん：え！　なんで？

Ns：Aさん，最近心臓のほうは落ち着いてきたみたいですね．夜は眠れていますか？

Aさん：あ～．大丈夫だよ．でも夜中にバクバクすると本当にびっくりするよ！　あ～もういよいよお迎えが来たかなって思うよ．

妻：私も久しぶりに働きに出て，お父さんの面会もして，家のこともやってで，私の体も参っちゃったの．お父さん，もう私の扶養にならないといけないんだよ．私が倒れちゃ，家族みんな困るんだよ．

Aさん：……．それじゃ困るな……．

Ns：Aさん，奥さんはAさんの大変なときに力を貸してくれたんだから，今度はAさんが困った奥さんの力になるときなんじゃないかな．あとね．病室なんだけど，窓際が空いたから，ベッドを移動したらどうかなと思いまして．

Aさん：トイレが近い部屋だから，部屋は代わりたくないと思っていたけど，部屋のなかでの移動だったらいいよ．

Ns：じゃあ，明日にでも決行しましょう！

妻：あと，そろそろ子どもたちに病院に連れて来てもいいかしら？　リハビリを頑張るお父さんの姿を見たら，子どもたちも今の状況がわかると思うし……ダメ？

Aさん：そうだな．今まで，自分たちは自分たち，子どもたちは子どもたちで，それぞれで頑張るっていう感じで，お互いの生活を見せ合うこともなかったかもしれないな……．

妻：じゃあ，今度の日曜，子どもたちを連れて来るわ．

Aさん：うん．わかった．

担当看護師・慢性CNSは，Aさんが少しでも気分転換が図れるように，窓際の位置にベッドを移動して，環境を調整した．また排尿動作は，自分で尿器を使って採尿できるようになったため，夜間排尿のタイミングが間に合うようになった．また，家族の面会を促すことで，家族のコミュニケーションを円滑にし，家族が寄り添い，それぞれの立場で取り組むことは何か，家族同士が考えるきっかけになるのではないかと考えた．

3）第3段階：行動

最後に，第3段階の「行動」では，対話によって想起された課題について行動し，ポジティブな変化を起こす段階である．妻は，これまで一人で家族の問題を背負って，夫の介護を最優先にしてきた．しかし，家族の面会をきっかけとして，子どもたちに対して夫の病状を説明したり，今後の家族の見通しを語ったりすることなく過ごしてきた妻自身に気づくことができた．また，子どもたちにしっかり夫の病状を理解してもらったうえで，家族の課題に対して共同解決者として，子どもたちの存在を認知することができた．

次の日曜日，病室でAさんの家族は久しぶりにみんながそろった．子どもたちは，母親から父親の様子を聞いていたが，初めて車椅子の父親を見て真剣な面持ちでいた．看護師は今，Aさんがリハビリテーションを頑張っていること，心臓に発作を抱えているので，不安やストレスをかけないために病棟で工夫していることを説明した．子どもたちは，子どもなりに父親の病状を受け止め，理解して帰った．面会もできるだけ週末は，子どもたちを連れて病室に来るようになり，家族が顔を合わせる機会となった．

2週間後，母親から「子どもたちがすごく変わった」と話があった．家事の分担をするようになり，長女は夕食の調理，長男は茶碗洗いとお風呂掃除を手伝うように変化した．また，家族のコミュニケーション方法として，メールでやりとりする回数が増えたようだった．

4 評 価

エンパワーメントを活用した点では，Aさんに「傾聴」と「対話」を繰り返したことで，Aさんは，生命危機を感じていた時期は妻に長時間面会してもらったことで支えられていたこと，妻の危機を救うためには，今度は自分自身もできることを頑張ろうという「行動化」につながった．また，Aさんの妻に「傾聴」と「対話」を繰り返したことで，仕事，介護，子育てなどに多重課題で過度な負担がかかっていることを自覚した．また，子どもたちにも病院の面会をしてもらったことで，家族間のコミュニケーションが円滑になり，家族成員それぞれが自分たちのできることから役割を果たそうと変化することにつながったと考えられる．

担当看護師は，①発作性頻脈に対して精神的ストレスや不安を緩和すること，②Aさんと周囲の人々との人間関係を調整すること，安全を確保すること，③夜間排尿の自立をめざした排泄支援を実施した．その結果，Aさんの発作性頻脈は安定化することができた．また，Aさんと周囲の人々とのトラブルは，傷害事件などに発展することはなく，言い争いがあった場合は，すぐに医療者が介入するように環境調整できた．夜間の排尿は，日中はトイレ動作，夜間は尿器で自己採尿することができた．

理論を看護実践につなげるために

エンパワーメントの理論は，フレイレの実践に基づいてエンパワーメントを起こすための支援のポイントがまとめられている．前述したとおり，エンパワーメントの傾聴，対話，行動という3段階に沿って，臨床での活用の実際を解説した．このことにより，エンパワーメントの理論と看護実践との関係が理解しやすくなったと考える．活用例のように，看護のポイントをまとめることで，エンパワーメントを起こす看護の要素を検討していくことができる．

エンパワーメントのレベルが，個人，組織，地域というように多様であり，レベル別に研究が進められている．エンパワーメントの様相が探求され，その知見に基づいた尺度化に関する研究も多数みられた．さらに，エンパワーメントを引き起こす看護支援ガイドの開発研究というように研究が進められてきている．

今後も，エンパワーメントの理論を多様な状況で研究し，その研究知見を活用して看護実践を行い，エンパワーメントを引き起こす看護実践の確立を目指すことが，看護実践家および研究者の双方が向かうべき課題である．

文献

Anderson R. M., Funnell M. M., Fitzgerald J. T., & Marrero D. G. (2000). The diabetes empowerment scale. Diabetes Care, *23*(6), 739-743.

Bravo, P., Edwards, A., Barr, P. J., Scholl, I., Elwyn, G., McAllister, M. et al. (2015). Conceptualising patient empowerment: A mixed methods study. BMC Health Services Research, *15*, 252.

Connolly, M., Jacobs, S., & Scott, K. (2018). Clinical leadership, structural empowerment and psychological empowerment of registered nurses working in an emergency department. Journal of Nursing Management, *26*, 881-887.

Freire, P. (1970)／小沢有作，楠原彰，柿沼秀雄，伊藤周（訳）(1979). 被抑圧者の教育学．亜紀書房.

Freire, P. (1992)／里見実（訳）(2001). 希望の教育学．太郎次郎社.

Garcia-Sierra, R., & Fernández-Castro, J. (2018). Relationships between leadership, structural empowerment, and engagement in nurses. Journal of Advanced Nursing, *74*, 2809-2819.

Gibson, C. (1991). A concept analysis of empowerment. Journal of Advanced Nursing, *16*, 354-361.

原あずみ(2021). 臨地実習における看護学生のエンパワーメント：測定尺度の開発に向けた構成概念の検討．日本看護科学会誌，*41*，220-229.

広瀬寛子（2003）．看護カウンセリング．医学書院，64.

Israel, B., Checkoway, B., Schulz, A., & Zimmerman, M. (1994). Health education and community empowerment : conceptualizing and measuring perceptions of individual, organizational, and community control. Health Education Quarterly, *21* (2). 149-170.

久木田純（1998). エンパワーメントとは何か．久木田純，渡辺文夫（編). エンパワーメント―人間尊重社会の新しいパラダイム（pp.10-34). 至文堂.

Labonte, R. (1994). Health promotion and empowerment : Reflecetion on professional practice. Health Education Quarterly, *21*(2). 253-268.

松井理恵（2021）．保健推進員のエンパワメントを通した地域の健康づくり推進のための協働モデルの内容妥当性，有効性，実用性の検証．千葉看護学会誌，*27*(1)，81-92.

松井理恵，佐藤由美，石丸美奈，宮﨑美砂子（2018）．地域の健康づくりにかかわる保健推進員のエンパワメントの様相．千葉看護学会誌，*23*(2)，11-20.

Mora, M. A., Luyckx, K., Sparud-Lundin, C., Peeters, M., van Staa, A., Sattoe, J., et al. (2018). Patient empowerment in young persons with chronic conditions: Psychometric properties of the Gothenburg young persons empowerment scale (GYPES). PLOS ONE, *13*(7), e0201007.

Murrell, K.L. (1985). The development of a theory of empowerment: Rethinking power for organization development. Organization Development Journal, *3* (2), 34-38.

佐鹿孝子，久保恭子，川合美奈，藤沼小智子，坂口由紀子，宍戸路佳（2020）．医療的ケア児の社会生活を支える親のエンパワーメントの過程．日本小児看護学会誌，*29*，175-183.

佐藤美樹，荒木田美香子，金子仁子，三輪眞知子（2020）．幼児を持つ親の家族エンパワメント尺度の開発．日本公衆衛生雑誌，*67*(2)，121-133.

佐藤紀子，雨宮有子，細谷紀子，飯野理恵，丸山美紀，井出成美（2018）．高齢者のエンパワメントに着目した介護予防支援ガイドの作成．千葉看護学会誌，*24*(1)，1-11.

Shin, K. S., & Lee, E. (2018). Relationships of health literacy to self-care behaviors in people with diabetes aged 60 and above: Empowerment as a mediator. Journal of Nursing Research, *74*, 2363-2372.

Wallerstein, N. (1992). Powerlessness, empowerment, and health : Implications for health promotion programs. American Journal of Health Promotion, *6* (3). 197-205.

Wallerstein, N., & Bernstein, E. (1988). Empowerment education : Freire's ideas adapted to health education. Health Education Quarterly, *15* (4), 379-394.

World Health Organization. (1998)／佐甲隆（訳）(2003). WHOヘルスプロモーション用語集．三重県松坂保健所．〈http://www1.ocn.ne.jp/~sako/glossary.html〉［2016, March, 29］.

吉田亨（1998). 健康とエンパワーメント．久木田純，渡辺文夫（編)，エンパワーメント―人間尊重社会の新しいパラダイム（pp.146-152). 至文堂.

●認識の変容に焦点を当てた理論

24 成人教育（アンドラゴジー）

理論との出会い

筆者が「成人教育」や「アンドラゴジー」という言葉を初めて耳にしたのは，短大を卒業し看護師として約10年働いた後，編入学した大学の講義のなかであった．「大人には大人の教育理論が体系づけられている」，これを知ったとき，目からうろこが落ちたように思えた．それまでの看護師経験のなかで多くの患者教育，スタッフ指導を行ってきたが，うまくいかずに悩んだ日々が思い出された．この理論をもっと早く知っていれば，過去の困難な事例ももう少し何とかなったかもしれない，そんな悔しい気持ちになったことを覚えている．また，このとき筆者自身が30歳を超えて大学で学ぶという「成人としての学習者」の立場を経験している真っ只中であったため，自分自身を理論の成人学習者と重ね，大学で教える先生を理論のなかの指導者・支援者と照らし合わせて考えやすく，余計にこの理論が自分のなかでフィットし，浸透していった．

「成人は，学習において自己決定（主導）的でありたいという深い心理的ニーズをもっている」「これまでの人生のなかで蓄積されている豊かな経験は学習の資源となる」という考え方は，特に印象深かった．やはりそのとき，学部生とまったく同じ学習ではもの足りなさを覚え，もっと学びたいという強い欲求にかられ興味のある本や文献を読みあさったり，先生や仲間とディスカッションすることが楽しくて仕方なかった．また，学ぶことは常に自分の経験の振り返りにつながり，そこから新たなアイデアや方略に結びついていった．このようにして，大人としての「自ら学び方を学ぶ」経験を重ねていったこと，これがまさにアンドラゴジーの原理そのものであり，頭で理解するというだけでなく，実際に体験し自分の「経験」として蓄積されたことが，現在の教育者としての実践に大きな影響を与えているのではないかと思う．

理論家紹介

米国の成人教育学者マルカム・ノールズ（Malcom S. Knowles, 1913–1997）は，成人の特性を生かした教育の学問体系をアンドラゴジー（andoragogy）と名づけ，基礎理論から実践まで体系化を図った．

ノールズは，1913年に米国北西部のモンタナ州に生まれた．1934年にハーバード大学を卒業，その後，全米青年育成事業（National Youth Administration）で，非常勤講師と

キー概念

□**アンドラゴジー（andragogy）**：成人教育における主要な概念．ギリシャ語のaner（成人を意味する）とagogus（指導を意味する）からなり，成人の特性を生かした成人の学習支援論の体系をいう．ノールズは，「大人の学習を援助する技術と科学」と定義した．

□**ペダゴジー（pedagogy）**：ギリシャ語のpaid（「子ども」を意味する）とagogus（「指導」を意味する）からなり，子どもへの学習支援体系をいう．ノールズは，「子どもの学習を援助する技術と科学」と定義した．子どもの学習は，大人に比べると，依存的で，教師主導で行われ，将来のための知識や技術の習得が中心となる．

□**ジェロゴジー（gerogogy）**：成人教育のなかでも高齢者を主な対象とする生涯教育をいう．高齢の学習者は，年をとるにつれて依存的な自己概念をもつようになったり，社会的な役割が減少するため，生きがいなど新たな学習課題が必要になる．また，生理的な要因に大きな影響を受けるなど，高齢である学習者特有の特徴をもつ．高齢者には，高齢者の特徴を生かした学習支援を行う必要があるという考え方で，その体系をいう．

□**自己主導型学習（self-directed learning）**：個人あるいは集団が自分自身の学習について計画・実行・評価に対する第一義的な責任を率先してとる過程をいう．訳語として，他に，自己決定型学習や自己管理型学習，自己方向づけ学習などが用いられている．

□**レディネス（readiness）**：ある学習を効率的・効果的に行うときに必要とされる身体的・精神的準備状態をいう．すでに学びや体験によって蓄積されている知識や技能，経験知，身体的な能力などによって，課題に取り組むにふさわしい時期があり，その課題に対して，それに関連する準備状態が成立していれば，その学習は効率よく効果的なものとなり，逆に準備状態が成立していないと，いくら素晴らしい学習内容であっても学習効率は上がらないといわれている．

□**内（発）的動機づけ（intrinsic motivation）**：好奇心や関心によってもたらされる動機づけであり，賞罰や報酬に依存しない行動である．自分で課題を設定しそれを達成しようとする状況においては，自分が中心となって自発的に思考し，問題を解決するという自律性，そして解決によってもたらされる達成感や有能感を得ることで，動機につながる．モチベーションの源泉が自己の内面にあるものをいう．

□**外（発）的動機づけ（extrinsic motivation）**：義務や賞罰，強制などによってもたらされる動機づけをいう．モチベーションの源泉が自己の外側にあるものをいう．

□**学習契約（learning contract）**：学習者自らが，自己主導的な学習者になるために，自らの学習について自分自身で取り決めを行うことをいう．学習目的，学習リソース，学習方法，学習評価の方法などを明確にし，自己診断結果に基づき自己の学習の到達目標を決定していくという学習の過程での契約を指す．

□**生涯学習（lifelong learning）**：人が生涯にわたって学び，学習活動を続けていくことをいう．学校教育に限らず，人は，社会や職場，家庭などにおいて，自分のキャリアを切り開いたり，趣味や娯楽，ライフワークとしてなど，何か新しいものを学び続けていくものである．生涯を通じ，継続して自らを高めることは，生きていくうえでの糧となり，高い価値があるといわれている．

して失業青少年に対する雇用のための職業訓練プログラム編成の仕事に就いた．また，大学時代から20代後半にかけて，ノールズのその後の研究人生に大きな影響を与えたアルフレッド・ホワイトヘッド（Alfred N. Whitehead）とエデュアード・リンデマン（Eduard C. Lindeman）に出会っている．ノールズは，リンデマンこそが彼の真の師だと述べており，リンデマンの『成人教育の意味』（Lindeman, 1926　堀訳, 1996）は，その後のノールズの成人教育論のアイデアとインスピレーションの源となる．1940〜1950年まで，ボストン，デトロイト，シカゴのYMCAにて成人教育の実践に携わり，実践にかかわりながら，1946年シカゴ大学の大学院に入学した．シリル・ハウル（Cyril O. Houle）の指導のもと成人教育の研究を進め，1949年に修士号を取得した．その内容をもとに，1950年に『Informal adult education』を刊行した．1951〜1959年まで，米国成人教育協会（Adult Education Association of the USA）の事務局長につき，1960年，47歳のときにシカゴ大学から博士号を授与され，1961年からボストン大学の教授となる．

1962年に，最初の米国成人教育史とされる『A history of the adult education movement in the USA』を刊行した．1968年に，「Andragogy, not pedagogy」なる論文が『Adult Leadership』誌に掲載され，その後，1970年に，主著となる『The modern practice of adult education：Andragogy versus pedagogy』を刊行した．1974年からノースキャロライナ州立大学に移り，1979年に定年退職している．定年後も，1980年『The modern practice of adult education : From pedagogy to andragogy』邦題『成人教育の現代的実践―ペダゴジーからアンドラゴジーへ』（Knowles, 1980　堀・三輪監訳，2002），1984年『Andragogy in action』など，多くの成果を著し，精力的に著作と読書活動に取り組み，1997年に84歳で永眠した．

 理論誕生の歴史的背景

「アンドラゴジー」という言葉を成人教育学の名称で最初に使用したのは，1920年代初期，ドイツのローゼンストック（Rosenstock, E.）らであったといわれているが，当時，「教育」は子どもになされるものであるという考えが主流であったため，アンドラゴジーが社会的な承認を得るには至らなかった．米国で最初にアンドラゴジーという言葉を用いたのはリンデマンで，彼は成人の特性に注目し，「生活の意味」の探求を成人教育の目標とした主著『成人教育の意味』（Lindeman, 1926　堀訳，1996）を刊行している．成人教育は，生涯教育時代の到来という時代の流れとともに，子どもの教育と対等ないしはそれ以上に成人の教育も重要視されるようになってきた経緯がある．

その間，臨床心理学，発達心理学，老年学，社会学，人類学など他の分野から，成人学習に関する多くの知識が蓄積されていき，成人教育の研究者たちは，これらの知識を包括的で一貫した成人学習の理論へと融合させていく．そして，リンデマンら多くの研究者の影響を受け，アンドラゴジーを米国のプラグマティック（実用主義的）な風土のなかで開花させ発展させていったのがノールズである．ノールズは，アンドラゴジーを「大人の学習を援助する技術と科学（the art and science of helping adults learn）」と定義し，実践

を方向づける教育原理へと体系化していった．当初ノールズは，アンドラゴジーとペダゴジー（子どもの学習を援助する技術と科学）を区別し，対立するモデルとみなしていた．しかし，近年は，ペダゴジーの考え方が現実的な場合はいつでも，学習者の年齢に関係なく，ペダゴジー的なモデルがふさわしいであろうし，逆もまたそうであると主張し，アンドラゴジーとペダゴジーを連続したものととらえ，むしろ一つのスペクトルの両端としてみたほうが現実的であるという考え方が一般的となってきている．

D 成人教育（アンドラゴジー）とは

1 アンドラゴジーとは

アンドラゴジー（andragogy）とは，ギリシャ語のaner（「成人」を意味する）とagogus（「指導」を意味する）からなり，成人の特性を生かした成人の学習支援論の体系をいう．

近代以降の教育学は，子どもを対象とする教育学（ペダゴジー，pedagogy）を基盤に，教師主導型学習（teacher-directed learning）を学習モデルとして発達してきたが，1960年代以降，大人の学習支援のための教育学，アンドラゴジーが提唱され，体系化された．代表的な成人教育学者であるノールズは，アンドラゴジーを「大人の学習を援助する技術と科学」と定義し，その理論体系には成人教育モデルとそのモデルに依拠した学習展開の過程デザインおよびその実施への指導技術までを含んでいる．

ところで，成人教育学（アンドラゴジー）における「成人」とは何か，その定義は難しい．ノールズ（Knowls, 1980）は，「成人には辞書的定義や法律的定義など多くの定義があるが，『教育的にはどのような人を成人として扱うべきか』という点からみると，社会的定義と心理的定義が考えられ，それらの程度によるのではないか」と述べている．前者の定義を用いるならば，たとえば配偶者や親，責任ある市民など，われわれの文化が成人の典型的な社会的役割だとみなす役割を遂行する程度に応じて，その人を成人とし，後者では自分自身の生活に本来的な責任を感じる程度に応じてその人は成人であるということになる．

アンドラゴジーでは，学習の全段階において教師が主導権をもつことを前提とするペダゴジーとは異なり，成人学習者が自らの学習に自己主導性（self-directedness）を発揮できることを重視する自己主導型学習（self-directed learning）が提起されている．自己主導型学習とは，個人あるいは集団が自ら学習を開始し，自らの学習の計画，実施，評価の責任を引き受ける学習の過程をいう．そこでの教育者には，学習環境づくりや情報・リソースの提供，助言など，直接・間接的な学習援助者・支援者としての役割が期待される．

また，学習者の経験が，学習過程のなかで構築されていくとするペダゴジーの考え方に対して，アンドラゴジーにおける学習者の経験は，成人がすでに経験し蓄積している過去の経験に焦点を当てるものであり，その経験こそが，学習の豊かなリソースになるとの前提に立っている．渡邊（2002）は，「大人は新しい事象に出会ったとき，過去の経験のなかから同一の経験や類似の経験を見つけ出し，それと対比・検討することによって，抽象的な解釈をよりリアルな感覚をもって裏書きし，『生きた知識』として内面化しようとする．この意味で大人の人生経験は『学習のリソース』として貴重であり，それゆえ，豊かな人生経験をもった成人学習者は，学習の場に活用すべき豊かな『リソース』をもち込むことのできる存在となりうる」と述べている．また，一方で，経験によって学んだものは，個人が直接かかわり，実感し，思考した結果として得られたものであるため，個人に深く浸透し，個人の考え方や価値観の形成に大きく影響しうる．そのように形成された価値観や考え方は個人と同一化してしまう傾向にあるため，修正が困難である場合も多い．たとえば，過度な偏食によるダイエットが成功し，理想の体形を手に入れた実体験がある場合は，その誤った危険な行動によるダイエット法を修正することに抵抗感や強い不安を感じ，似たような誤ったダイエット法を繰り返すといったケースがそうである．

したがって，成人を支援するためにはまず，その学習に関する学習者の経験を引き出し，個人がどのような経験をしているのか，その経験が個人にどのような影響を及ぼしているのかを理解したうえで，個人の経験をもとにした学習を学習者自らが納得して，計画・実施できるように支援していくことが重要になってくる．

ここまでに述べてきたように，アンドラゴジーにおいて前提となっているのは，青少年から成人へ移行するにつれて発達する成人学習者の特徴である．以下にその特徴をあげる．

2 成人学習者の特徴

1）学習者の自己概念

人間が成熟するにつれて，その自己概念は，依存的なものから自己主導的（self-directing）なものに変化していくという特徴がある．まだ他者から面倒をみられる必要のある子どもの場合は，自己概念も依存的・受動的であることが多いが，自己アイデンティティ確立後の成人にとっては，自発性や自律性が自己概念の重要な位置を占める．成人の自発性を尊重した学習こそ成人の特性を生かした学習形態であり，ノールズは「自己主導型学習（self-directed learning）」とよんだ．

2）学習者の経験の役割

年齢，人生経験を重ねるにつれて，経験の蓄えが増大し，それが学習への豊富な資源になるという特徴がある．子どもが学習する際に利用する教材としての経験，教科書執筆者や教師のものが多いが，成人の場合は，すでに自分が経験したことを学習の際の資源（教材）として利用する．したがって，成人教育では，成人の経験をうまく開発する方法を探っていくことが重要となる．

3）学習者のレディネス

成熟するにつれて，次第に社会的役割の発達課題に定位されるようになるという特徴がある．子どもの場合は，心身の発達段階や社会・学校からの圧力によって学習へのレディネスが生じることが多いが，成人の場合は，社会的役割や社会的発達課題を遂行しようとするところから生じることが多い．したがって，成人教育では，学習者がどのような社会的役割を達成すべき時期にいるのかを自覚している必要があり，また，指導者は学習者の知識や経験を踏まえ，その役割達成に対する学習の準備段階がどの程度かということを十分に把握しておくことが重要となる．

4）学習への方向づけ

社会のなかで自立して生活している成人は，将来役に立つ学習ではなく，現在自分が直面する生活上の問題や課題への対応という形で学習に参加するという特徴がある．子どもの学習は，将来の社会生活に対する準備として行われ，すぐにその応用が求められるものではない．成人の学習は，生活状況やそれに伴う困難さが軽視できないものである以上，生活していく力を開発するという側面が重要となり，問題解決的なカリキュラムや生活に根ざした教材がより適しているといえる．

5）学習への動機づけ

成人の学習への動機づけは，外的なもの（昇進や給与など）もあるが，より重要な動機づけの要因は，自尊心や自己実現などの内的なものであるという特徴がある．子どもの場合は，まだ明確な価値観や価値基準をもち合わせてないため，親や教師からの報酬や叱責といった外的なものが物事の価値を決める指標となり，学習への動機づけに影響する．成人の場合は，内的動機づけが中心となるため，学びたいと思うことには学習成果が得られやすいが，必要性を認めないものに関しては，その学習は成立しにくいといった面ももつ．それゆえ，個々の学習者のニーズに応じて学習順序や内容，量を変更するような工夫も必要となってくる．

なお，ノールズは晩年，アンドラゴジー第6の柱を提示しつつあった．それは，「成人は，学習を開始する前に，なぜその学習をするのかを知る必要がある」という「学習の必要性」についてであった．したがって，成人学習の支援者は，学習の前に，学習者がなぜその学習をするのかを「知る必要性」に気づけるようにしていく必要がある．

3 ペダゴジーとアンドラゴジーの考え方の比較

表24-1に，ペダゴジーとアンドラゴジーの考え方の比較を示した．ただし，アンドラゴジーとペダゴジーを比較して理解する際，注意しておかなければならない重要な点がある．それは，この2つのモデルは一見対立的だが，人間の教育をトータルで考えたとき，ないしは継続教育の観点からみると，両モデルは連続した線上にある相互補完的な関係のものであり，ペダゴジーからアンドラゴジーモデルへその原理が推移していくものであるという点である．このことに関してノールズも，青少年を対象とする学校教育におけるアンドラゴジー原理の実践や，成人教育におけるペダゴジー原理の適用分野の存在を確認する過程で，両者は1つの教育システムとなるべき2つのサブシステムとして位置づけることを主張している．それにもかかわらず，二分法的な教育モデルの構造化は，子どもの教育と成人の教育のそれぞれのあり方を確認し，両者の学習を指導する原理を確立していくうえで，独自の価値と有用性をもっているといえる．この点を理解したうえで，ペダゴジーとアンドラゴジーそれぞれの特徴の理解を深めていただきたい．

ノールズは，前述した成人学習者の5つの特徴を実際の学習の計画・実行・評価のサイクルに組み込んでいった．その具体的内容については，「理論の看護実践での活用」で詳

表24-1●ペダゴジーとアンドラゴジーの考え方の比較

項　目	ペダゴジー	アンドラゴジー
1）学習者の自己概念	学習者の役割は，依存的なものである．教師は，何を，いつ，どのようにして学ぶか，あるいは学んだかどうかを決定する強い責任をもつよう社会から期待されている	人間が成長するにつれて，依存的状態から自己決定性が増大する．教師は，この変化を促進し，高めるという責任をもつ．成人は，一般的には自己決定的でありたいという深い心理的ニーズをもっている
2）学習者の経験の役割	学習者が学習状況にもち込む経験は，あまり価値を置かれない．これから経験を積み重ねていく段階であり，経験を学習資源にすることは難しい 教育における基本的技法は，講義や視聴覚教材の提示など伝達的手法が中心である	人間が成長・発達するにつれて，経験を蓄積するようになり，これは豊かな学習資源となる．さらに，人々は受動的に受け取った学習よりも，経験から得た学習によりいっそう意味を付与する 教育の基本的技法は，討論や問題解決事例学習，シミュレーション法，実習などの経験的手法が適している
3）学習者のレディネス	社会からのプレッシャーが十分強ければ，人々は社会（特に学校）が学ぶべきだということをすべて学習しようとする．同年齢の多くの人々は，同じことを学ぶ準備がある．学習は，画一的で学習者に段階ごとの進展がみられる，かなり標準化されたカリキュラムのなかに組み込まれるべきである	現実問題の課題や問題によりうまく対処しうる学習の必要性を実感したときに，人々は何かを学習しようとする．教育者は，学習者が自らの「知への探求」を発見するための条件をつくり，そのための道具や手法を提供する責任をもつ．また，学習プログラムは，生活への応用という点から組み立てられ，学習者の学習へのレディネスに沿って，順序づけられるべきである
4）学習への方向づけ	学習者は，教育を教科内容を習得するプロセスとしてみる．彼らが理解する事柄の多くは，人生のもう少し後になってから有用になるものである．カリキュラムは教科の論理に従った（古代史から現代史へ，単純な数学・科学から複雑なものへなど）教科の単元（コースなど）へと組織化されるべきである．人々は，学習への方向づけにおいて，教科中心的である	学習者は，教育を自分の生活上の可能性を十分開くような力を高めていく過程としてみる．彼らは今日得たあらゆる知識や技能を，明日をより効果的に生きるために応用できるよう望む．それゆえ，学習経験は，能力開発の観点から組織化されるべきである．人々は，学習への方向づけにおいて，課題達成中心的である
5）学習への動機づけ	報酬や罰などによる外的動機づけの場合が多い	昇進や給与増などの外的要因も学習への動機づけとなるが，興味・関心，自己実現など，内的動機づけによる要因のほうが外的要因より重要となる場合が多い

Knowles, M.S. (1980). The modern practice of adult education : From pedagogy to andragogy./ 堀薫夫，三輪健二（監訳）(2002). 成人教育の現実的実践―ペダゴジーからアンドラゴジーへ．鳳書房，38. より転載一部改変

しく述べる．

4 成人教育の指導者が考慮すべき視点

最後に，成人教育の視点に基づいて教育する際，指導者が考慮すべき別の視点があることを加えておく．それは，「自己主導型学習こそが成人教育の本質である」という考え方が通用しにくい場合も多々あるということである．成人学習者は，それまで自分が受けて

きた教育経験や社会経験から，教育の場には指示を与えてくれる教師がつきものだと思っており，教師から教えてもらうことを口を開けて待っているという状況が往々にしてあるのである．成人は，生活や興味・関心のあることには，自己主導的で完全に自立した学習者であるかもしれないが，ワークショップや講座，研修など，いわゆる子どもの頃に受けた学校教育の場と似たような状況下では，自分たちより豊富な知識をもっているであろう指導者に，できるだけ楽な方法でその知識を授けてくれるよう期待している．そして，その期待が裏切られたときには，混乱したり時に腹を立てたりし，学習者としての権利が無視されたと感じてしまうことがある．

ペダゴジーモデルとアンドラゴジーモデルという2つのモデルは，良い・悪いという評価や，子ども・成人という区分を示すものではなく，むしろ，特定の状況における特定の学習への適切さという点から検討されるべきであろう．たとえ，経験豊富な成人の学習者であったとしても，学ぶ内容がまったくそれまでとは異なった領域である場合には，その学習者が自己決定的な探求を開始できるほど十分に内容を理解するまでは，教師に依存的であるほうがよいとする考えもノールズ（Knowls, 1980）は著書のなかで述べている．指導者の立場をとる場合には，この点にも留意しておく必要がある．

E 研究の動向

欧米において，看護学分野にアンドラゴジーを導入・活用している研究は，看護教育のためのカリキュラムの検討やナースプラクティショナー教育などといった高度な実践を求められる看護師に対する教育法に関するものが多い．

わが国における，いわゆる「教育学」の分野では，アンドラゴジーに関する研究は，学問体系として紹介された1970年代後半以来，主に，社会教育，生涯教育という視点から多く扱われている．医療の分野では，医学教育において，2001年に大幅なカリキュラム改訂が行われ，モデル・コア・カリキュラムとなり，成人教育に基づいたSDL（self-directed learning）の手法の一つであるチュートリアル教育（PBL-tutorial）が導入され，看護学教育より一歩進んで成人教育の考え方が取り入れられ（鈴木，2012），従来の講義中心の画一的な教育ではなく，成人学習者の特性を生かした教授方法への転換が試みられた．また，最近では，医師，看護師などの専門家向けのセミナーなどでも成人教育の考え方を導入したもの（木村・村井・中道・堅田，2013；五十嵐，2016；高田・東岡，2017）が主流となってきている．このように，成人教育の考え方は，医療分野でも広く浸透してきている．しかし，文献を概観すると，成人教育の理論の説明や教育・研修・セミナーなどへの活用方法に関するもの（春田・錦織，2014；森，2014；川原，2016；三輪，2017）が多くを占め，成人教育を組み入れた成果に対する客観的評価や根拠につながるような研究は少なく，研究数自体あまり伸びていないのが現状である．

成人教育を活用した教育の実践例が看護分野においても増えていくことが容易に予想される．実際に，患者教育に成人教育の考え方を取り入れた事例検討（藤村，2018；笠谷，2021）も少数であるが増えつつある．今後は、成人教育の活用の成果が客観的に評価され，根拠につながるような研究が進んでいくことを期待したい.

F 理論の看護実践での活用

臨床現場での教育や指導場面を思い浮かべてみると，その対象の多くは成人である．たとえば，病院内では毎日のように，医師が研修医を，先輩看護師が新人看護師を，その他，様々な職種の先輩が後輩を教育・指導している．さらに，患者とのかかわりのなかで考えると，主に患者教育の場面では，食事制限を必要とする患者に対する食事指導，内服や自己注射を必要とする患者に対する服薬指導，自己注射手技の指導，退院を控えた患者への退院指導など，その機会は無数に存在し，ほぼ日常的に成人教育が行われていることがわかる．このように，ありとあらゆる場面において成人教育が実際に行われている臨床現場で，患者や後輩といった学習者を教育・指導する看護職者にとって，アンドラゴジーの概念を理解し，効果的に活用していく力を身につけておくことは必要不可欠ではないだろうか.

1 自己主導型学習を促進する支援

一般的に，実際の教育や指導場面で教える立場に立つと，ついつい，知識をひけらかすかのようにたくさん教えたくなったり，学習者のことを思うあまり，あれもこれも知っておいてもらいたいという気持ちになり，指導する側が主導権を握った一方的な指導になりがちである．ここで，アンドラゴジーの原理を思い出し，あれもこれも教えたいという欲求を少し抑えてほしい．成人である学習者がすでに自己主導的な段階であるにもかかわらず，指導する側が多くの指示を与えたり，学習の過程をコントロールしようとすると，学習者は学習による充足感を得ることができず，不満足感を募らせたり，モチベーションを低下させたりする可能性が高い．また指導する側に対して失望感や怒りといった感情をもつ場合もある．これでは，せっかく学習者のためと思って行った教育・指導が何の意味ももたなくなり，むしろ逆効果になってしまう.

臨床現場において，成人を対象に教育をする機会の多い看護師は，教育や指導を受ける対象の多くが，その人がこれまで生きてきた人生のなかですでに相当の経験の蓄積があり，その人自身の価値観をもっているということを前提とし，学習者の経験や価値観を尊重し，活かしながら，学習者の自己主導型学習を促進できるような支援を意識的に行っていくことが重要である．そして，その視点こそが，臨床現場において成人を対象とする患者教育やスタッフ教育が成功するか否かの鍵となってくると言っても過言ではないだろう.

2 アンドラゴジカルステップ（サイクル）

では，実際にアンドラゴジーの考え方を看護実践に活用するにはどのようにすればよいのだろうか．アンドラゴジーモデルの実践への示唆として紹介されている7段階の循環的なプロセスについて以下に説明する．これをアンドラゴジカルステップ（サイクル）という.

1）学習の雰囲気づくり

学習者の主体的参加を可能にする「雰囲気（learning climate）」づくりの段階である．主体的参加を可能にするためには，物理的・心理的環境共に学習者である成人にとって，安らぎを感じるものにすべきであり，学習者が受容され，尊重され，支持されていると思える雰囲気が大切である．指導者との関係も共同探求者としての相互性があり，また，学習者間も友好的で表現の自由が保障されていること，学習の場が評価的にならず，座席の配置，椅子など調度品，照明なども学習者がくつろげるものを整え，温かく自由な雰囲気となるように工夫する．

2）学習プログラムの相互的計画化

学習者が教育の計画立案において指導者と対等の役割を果たせるような学習プログラムの「相互的計画化（mutual planning）」の構造やメカニズムを確立する段階である．学習者が学習活動のあらゆる段階を計画するあらゆる側面に関与でき，学習者の考えやニーズが反映されやすいような仕組みを学習者と共に考えていく．そうすることで，学習者の学習への関心や意欲の向上につながる．

3）学習者のニーズの診断

学習者自身が学習欲求を「自己診断（self-diagnosis）」し，学習への必要性と達成への内発的動機づけを自覚的に組織化する段階である．学習者のニーズの診断では，以下の3つのステップを踏む．

①ある課題の達成モデルや必要とされる能力を明らかにする．この段階では，自分が望む，たとえば「よき」親，「よき」話し手，「よき」看護師，そして「よく」なるために必要な能力などについて何らかのイメージを形成する．

②学習者が現在の自分の能力，状況を明らかにし，現時点での達成レベルを自己診断する．

③①と②のギャップ，つまり，望ましい能力モデルのレベルと現時点での自分の達成レベルとの間に存在するギャップを診断する．

4）学習の方向性の設定

学習者自身が学習活動を計画・実施し，その結果を自己評価できるような形で学習目標を明確化し公式化する段階である．学習の目標は，学習後の評価指標となるため，より具体的である必要がある．目標は学習者と指導者が相互に参加して設定することが望ましく，その結果，学習者と指導者が目標を共有することになる．

5）学習計画のデザイン

学習目標を達成するために，学習内容を選択したり，学習形態や学習場面の役割を設定したりすることにより，「学習経験のパターン」をデザインする段階である．成人の学習は自己主導型である特徴から，学習者のニーズに合った計画になることはいうまでもないが，学習の責任を学習者が自覚する機会ともなりうる．

6）学習活動の実施

これまでの段階をとおして準備された学習のデザインを学習活動に適用し「実施する」段階である．実施の際も，学習者が主体的であることが大前提であるため，指導者は，教えるという機能よりも情報提供や相談を受ける，共に考えるという共同探求者としての役割を担う．

7）学習成果の評価と学習ニーズの再診断

学習と結果を学習者自身が評価し，学習目標と結果とのギャップを再診断する段階である．目標達成ができたかどうかの評価に加え，それまでの過程を評価したり，できなかった際の原因などについても考察し，プログラム全体の評価を行う．再診断によって，新たな学習のニーズが明確になったり，学習の能力自体を高めていくことにつながる．

アンドラゴジカルステップ（サイクル）の過程の理解を助けるために，ペダゴジーの要素との比較を表24-2に，実践過程のサイクルを図24-1に示す．

このような過程のなかに，アンドラゴジーの考え方が盛り込まれ，自己主導型の学習が進むことで，さらに次の学習ニーズが生まれ，継続的な学習がなされていく．学習の過程

表24-2 ●ペダゴジーとアンドラゴジーのプロセスの諸要素

段　階	ペダゴジー	アンドラゴジー
1）学習の雰囲気づくり	緊張した，低い信頼関係，フォーマル，冷たい，離れている，権威志向，競争的，診断的	リラックスした，信頼できる，相互に尊敬し合う，インフォーマル，温かい，共同的，支持的
2）学習プログラムの相互的計画化	主として教師による	教師と学習支援者とが相互的に計画する
3）学習者のニーズの診断	主として教師による	教師と学習者との相互診断による
4）学習の方向性の設定	主として教師による	教師と学習者との相互調整による
5）学習計画のデザイン	教師による内容の計画 コースの概要 論理的な順序づけ	学習者との学習契約 （共同）学習プロジェクト レディネスに基づく順序づけ
6）学習活動の実施	伝達的技法 割り当てられた読書	探求プロジェクト 個人学習 経験開発的技法
7）学習成果の評価と学習ニーズの再診断	教師による 集団の基準による	学習支援者や専門家による判定 学習者が集めた証拠による 達成基準による

Knowles, M.S.（1980）. The modern practice of adult education : From pedagogy to andragogy./ 堀薫夫，三輪健二（監訳）（2002）. 成人教育の現実的実践―ペダゴジーからアンドラゴジーへ．鳳書房，513．より転載一部改変

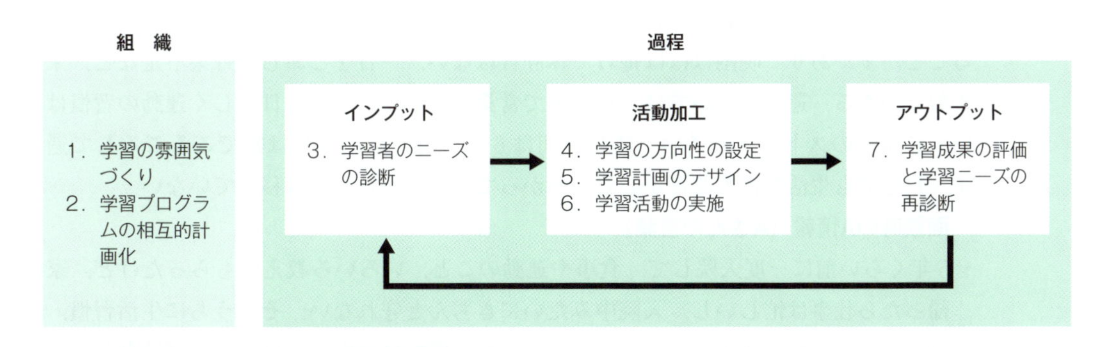

図24-1 ●アンドラゴジーの実践過程のサイクル
池田秀男，三浦清一郎，山本恒夫，浅井経子（1987）．成人教育の理解．実務教育出版，33．より転載一部改変

や成果は，個人の生活に組み込まれ，浸透し，その人らしい価値観や習慣形成へとつながっていく．

G 臨床での活用の実際

リンデマンやノールズは，アンドラゴジーの方法の一つとして，小集団による学習方法を重視している．ノールズは，ディスカッション法に加え，ロールプレイやバズセッションなどの方法，教育カウンセリングや契約学習など独自の方法の提案や大規模な集団における討議法の紹介など，多岐にわたる成人教育の方法を検討している．彼が紹介している具体例には，集団を対象としたものが多く，それについては，論文や書籍を参考にしてほしい．ここでは，成人教育の考え方を，糖尿病をもつ成人患者の事例をとおして検討する．

1 事例紹介

Aさん，55歳，男性．

病名：2型糖尿病．

家族構成：妻と次男（大学生）との3人暮らし．長男は就職して県外に住む．

職業：営業職．

現病歴：10年前に糖尿病を指摘されたが放置．5年前頃から頻尿や口渇，倦怠感などが著しくなり，教育入院にて療養指導を受け内服治療を開始した．退院後，しばらくは食事に気を配り，運動も試みていたが，仕事が忙しくなると，以前のように食生活は乱れ，運動も行わなくなった．内服も忘れることがしばしばあった．定期受診は継続しHbA1c値は7～8％で推移し再入院を勧められていたが，仕事を理由に断ってきた．先日の受診時，HbA1c 9.4％と上昇，足の裏がジンジンするとの訴えがあり，合併症の精査とインスリン導入目的で入院となる．

5年前に禁煙（それまで20本/日，30年喫煙歴有）．仕事柄，付き合いも多く飲酒の機会が多い．

生活習慣：食事について，朝食はパンとコーヒー，昼食時間は営業回りの都合に合わせるため一定でなく，短時間で食べられる麺類が多い．夕食は22時を過ぎることや食べ過ぎることが多々あり．晩酌はほぼ毎日で休肝日はない．一日をとおして野菜不足など，栄養の偏りがある．運動については，車通勤で営業も車を使用し，毎日忙しく運動の習慣はない．仕事上のストレスも多い．睡眠時間は6～7時間/日．休日は家でごろごろして過ごす．自分でも生活習慣の改善が必要とわかってはいるが行動には移せていない．

面談時のA情報（Aさんの言葉）：

・5年くらい前に一度入院して，食事や運動のこと，いろいろ教えてもらったけど，家に帰ったら仕事は忙しいし，入院中みたいにきちんと守れない．そのうちに生活習慣，意識しなくなって，元の生活に戻ってしまった．頭ではわかってはいるんだけどねぇ….

・外来にはちゃんと通ってたけど，先生からは，いつも同じことを言われて，そんな理想ばっかり言われたって，どうせできないし，正直，はいはい，って感じで聞き流していた．
・足のジンジンする感じが出てきて，以前，習ったことを思い出した．いろいろとネットで調べたら，足を切断している人のブログがあって，恐ろしくなってきた．
・まさか自分がインスリンを打たないといけなくなるなんて思わなかった．糖尿病を甘くみてたな…，しかし，自分で毎日注射するんですが，怖いなあ….
・血糖値も自分で測るの？　大変だなあ．仕事しながらそんなのできるだろうか．
・まだ息子にもお金がかかるし，家のローンもまだ残ってる，もうしばらく頑張って働かないといけない．これ以上悪くならないようにしないと….
・今まで必死に働いて，家族を支えてきたけど，これからは，妻や息子に心配や迷惑をかけるな，申し訳ないな．

2 理論の活用

本事例について，成人教育の考え方を活用して，まず，Aさんの成人学習者としての特徴をみていく．

1）学習者の自己概念

Aさんの自発性や自律性に目を向ける：Aさんは，実際に足の症状を自覚するまでは，糖尿病とは向き合えておらず，教育入院後も，しばらくすると以前の不摂生な生活に戻ってしまっていた．しかし，合併症出現により，糖尿病が仕事や生活に悪影響を及ぼしかねない重大性を認識し，糖尿病と向き合う姿勢に変化している．糖尿病に対して今までは，大丈夫だろう，どうにかなるだとうとどこか他人事のように感じていたAさんであったが，現在は，自分事としてとらえ，治療に対して自己主導的に取り組もうとする意思や態度がうかがえる．

2）学習者の経験の役割

Aさんのこれまでの人生で蓄えてきた豊富な経験を引き出し学習資源として活用する：Aさんは，これまで，仕事上，また夫，親として，様々な経験をし，多くの困難や課題を乗り越え生きてきたはずである．健康上の成功体験としては5年前の禁煙がある．30年間という長期にわたる喫煙生活をやめるきっかけは何だったのか，どのように禁煙に成功したのかなど，健康的な行動に変容したプロセスや心理的変化を一緒に振り返り，成功した経験を想起し，ともに称賛することで，やればできるという自信をよみがえらせる．これまでの人生のなかで，自分で意思決定し，それを実行し成功した経験や困難に打ち勝った経験を引き出し，Aさんの糖尿病療養生活に学習資源として活用していくことが大切である．

3）学習者のレディネス

Aさんが抱えている社会的役割の達成課題に目を向け，Aさんのレディネス状態を把握する：Aさんは，50歳代と働き盛りであり，会社での地位や役割も大きいと考えられる．社会的役割を果たすためにも，糖尿病をコントロールし，仕事と両立する必要がある．また，Aさんは大学生の息子や家のローンなど，経済的にもまだまだ頑張らないといけない，これ以上悪化するわけにはいかないと自分を奮い立たせており，治療に積極的に取り組む準備状態にある．

学習という面でも，Aさんは，合併症について，自らインターネットを調べ，同病者のブログを見るなどし，病気の進行や患者の体験について学ぶ行動をとっている．糖尿病について，積極的に知る，学ぶ姿勢に変化しており，Aさんにとって新たな治療であるインスリン治療についても，積極的に学習し手技を獲得できる可能性が高い．

4）学習への方向付け

医療者の視点からの問題だけでなく，Aさんが現在抱えている生活上の問題に目を向ける：Aさんの糖尿病に向き合う態度は変化し，積極的に治療に取り組む姿勢やレディネスはあるもののインスリン注射や血糖自己測定に対して不安の言葉を発している．新たに学習する治療手技であるため，順を追った丁寧な指導を行うと同時に，Aさんと背景の似ている同年代で仕事をしながらインスリン注射をしている同病者に会ってもらい，モデリング効果によって，Aさんのインスリン注射に対するハードルを低くし，自分にもできるという自信をつけてもらえるようにする．また，手技獲得後は，インスリン治療を生活のなかにどのように組み込めば，治療と仕事の両立が可能か，Aさんの一日のスケジュールを振り返りながら，具体的に，いつどのようにインスリン注射を行えば仕事に影響が少ないか，低血糖時はどのように対応すればよいかなど，Aさんの意見を尊重しながらAさんと治療同盟を組み，共に考えていくかかわりを心がける．

また，妻に迷惑をかけることを申し訳なく思っているため，自分にできること，妻に協力してもらうことを妻と一緒に考えることや，妻に感謝の気持ちを伝えることの大切さについても共有する．

3 アンドラゴジカルステップ（サイクル）に沿った看護展開

Aさんの成人学習者としての特徴として，糖尿病と向き合う姿勢に変化した段階で，治療に対して自己主導的に取り組むことのできるレディネス状態といえる．過去に禁煙に成功した経験をもち，また，病気や合併症について知る，学ぶ行動も積極的にとるようになっていることから，健康的な行動への変容が期待できる．Aさんにとって，仕事をこのまま続けるということが，自分のためにも家族のためにも重要で，新たな治療をうまく生活に組み込み，糖尿病がこれ以上悪化しないように治療への参画の意思も強く感じられる．ただ，Aさんにとって新しく学習する必要のある治療であるため技術の獲得や仕事との両立などの面で不安があることも語っている．このようなAさんの成人学習者としての特徴を踏まえたうえで，アンドラゴジカルステップに沿って看護展開していく（図24-2）．

1）学習の雰囲気づくり

Aさんは，インスリン注射や自己血糖測定を行うことに対して不安をもっているため，落ち着いて学ぶことのできる静かな環境を確保するようにする．パンフレットなどを用いて教育指導することで，インスリン注射や血糖自己測定の実際の実施時以外でもイメージトレーニング学習をできるようにし，質問などがあればいつでも対応できることを伝える．Aさんができたことは褒め，共に喜び，課題がある部分については，次回，改善できるよう励ましサポートする．Aさんがモチベーションを向上・維持しながら安心して学習を進められるよう雰囲気づくりを心がける．

2）学習プログラムの相互的計画化

糖尿病教室に再度参加し，食事療法や運動療法の学習（復習）を行い，並行して，インスリン注射，血糖自己測定の手技習得の学習を行うことの共通認識をもつ．

不安に感じているインスリン注射，血糖自己測定の手技は，まずは看護師がやってみせ，徐々にAさんに移行，手技が確立するまで看護師が見守りを行い，段階を追って自立できるようAさんを支える．

手技習得後は，インスリン注射，血糖自己測定を生活のなかにどのように組み込めば，治療と仕事の両立が可能か，Aさんの一日のスケジュールを想定し話し合いながら，具体

組　織	過　程		
	インプット	活動加工	アウトプット
1．学習の雰囲気づくり 机・椅子の配置，静かな環境，看護師が座る位置・醸し出す雰囲気 **2．学習プログラムの相互的計画化** Aさんが学習過程のすべての局面で参加できるような支援構造をAさんと共に計画	**3．学習者のニーズ診断** ・自己注射や血糖自己測定に対する不安や抵抗がある ・Aさんの生活に自己注射や血糖自己測定を具体的にどう組み見込めるかイメージできてない	**4．学習の方向性の設定** ・まず，自己注射や血糖自己測定に対する不安や抵抗の軽減を試みる ・手技習得後に，自己注射や血糖自己測定をどう生活に組み込めるかを共に考えていく **5．学習計画のデザイン** ・看護師主導から徐々に自己主導型に移行し，安心して手技を学べ，徐々に自信をつけられるようなアプローチ ・モデリング（同病で同年代の患者モデル）アプローチ ・手技習得後は，Aさんの一日のスケジュールを振り返ってもらい，どこで，どのように自己注射や血糖自己測定を行うか，具体案を一緒に考える **6．学習活動の実際** ・Aさんは，当初，自己注射や血糖自己測定を行う自信のなさを訴えていたが，Aさんのペースに合わせゆっくり練習してもらったこと，また同病者の手技を見たりすることにより徐々に不安が軽減し，自信がもてるようになり手技は習得できた ・退院後の生活を看護師と一緒に振り返り，看護師の助言を活かしながら，仕事中の自己注射や血糖自己測定を行う場所の交渉や低血糖時の具体的対策案など具体的な計画を立てることができた	**7．学習成果の評価と学習ニーズの再評価** インスリン注射や自己血糖測定においてAさんのペースを考え徐々に進めたこと，またモデリング効果も発揮され，抵抗感が軽減され，スムーズに手技の習得ができた ・Aさんの一日のスケジュールを想定しながら具体的な対策を看護師と一緒に考えることができた ・現時点では，まだ看護師の助言が必要である ・今後，Aさん主導で，臨機応変に対応できる力を身につけられるよう食生活や運動計画も併せたアプローチを進めていく

図24-2●Aさんのアンドラゴジーの実践過程のサイクル

案を一緒に考える.

3）学習者のニーズの診断

Aさんのインスリン注射，血糖自己測定に対する不安や抵抗の軽減を図りながら技術指導を行う必要がある.

また，インスリン注射や血糖自己測定を生活にどう組み込んでいくか，具体的な計画をAさん主導で共に考えるニーズがある.

4）学習の方向性の設定

Aさんの目標としては，まず，インスリン注射や血糖自己測定に対する不安や抵抗感が軽減し，手技の獲得に安心して臨むことができる.手技獲得の過程では，看護師指導の依存型から，徐々にAさん主導の自己主導型に移行し，完全に自立できる.

手技獲得後は，インスリン注射や血糖自己測定を生 活にどのように組み込めばよいか，退院後の生活をイメージできることを目標とする.

5）学習計画のデザイン

インスリン注射や血糖自己測定の手技は，まずは看護師がやって見せ，徐々にAさんに移行，手技が確立するまで看護師が見守りを行い，段階を追って自立できるようにする.また，Aさんと背景の似ている同年代で仕事をしながらインスリン注射をしている同病者に会う機会を設定し，自分にもできるという感覚をもってもらうことでAさんのインスリン注射などに対する不安や抵抗感の軽減を図り，Aさんが新しい治療に安心して取り組めるようにする.

手技習得後は，インスリン注射や血糖自己測定を生活にどのように組み込めば，治療と仕事の両立が可能か，Aさんの一日のスケジュールなどを一緒に振り返りながら，仕事中の自己注射や血糖自己測定はどこでどのように行うか，低血糖への対応はどうするかなど，具体的な計画を共に考え，Aさんが退院後のインスリン治療をしながらの仕事や生活をイメージできるようにする.

6）学習活動の実施

インスリン注射や血糖自己測定について，初めて看護師がやって見せたときは，Aさんは「こんなこと，自分にできるだろうか…」と抵抗感を見せたが，同年代で仕事をしながらインスリン注射をしている同病者が自己注射や血糖自己測定をしているのを実際に見，話しを聞くことで，自分にもできるかもしれないと自信をもつことができた.配布したパンフレットを見ながら徐々に手技を獲得し，すぐに看護師の見守りの必要もなくなり一人で実施できるようになった.

退院後，インスリン注射や血糖自己測定を生活にどのように組み込んでいけばよいかについて具体的な計画を看護師と一緒に立て，昼食時のインスリン注射や血糖自己測定を実施する場所は，少し慣れるまで，昼前に小さな会議室を15分程度借りられないか会社と交渉することや，外回りをしている日はレストランのトイレで行わざるを得ないこと，また，低血糖対策として，机の引き出しや持ち歩くカバンの中にお菓子やブドウ糖を常に入れておくなど具体的な案を考えることができた.

7）学習成果の評価と学習ニーズの再診断

インスリン注射や血糖自己測定に対する不安や抵抗感は，同病者と会い，話をすることで軽減され，モデリング効果が発揮された．Aさんは自分にもできるという自信につながり，その後の自己注射などの学習はスムーズに進み，手技習得に至った．

インスリン注射や血糖自己測定を生活にどのように組み込めばよいか，退院後の生活をイメージすることについては，Aさんの一日のスケジュールを看護師と一緒に振り返りながら行ったが，Aさん主導では，実際の生活のなかのどの場面で何が必要か，どんなことが予測されるかなどを考えることは難しく，看護師が様々な生活の場面を細かく質問することによって初めて「こんなことも考えておく必要があるのか，こんなことも気をつけないといけないのか…」と気づき，対策を一緒に考えるという状況であった．Aさんが主導的に治療を生活に組み入れるアイデアを出せるようになるには，さらに退院後の生活を一緒にイメージし対策案を考える作業を繰り返す必要があり，徐々に看護師主導からAさん主導に移行させていくアプローチが大切である．

加えて，薬物療法のみでは糖尿病のコントロールはうまくいかないため，食生活や運動についても，退院後の目標について話し合い，具体的な計画を立てる必要がある．

H 理論を看護実践につなげるために

アンドラゴジーの考え方は，比較的理解しやすく，成人である自分自身の学習経験からも納得できるものではないだろうか．しかし，この考え方を看護実践に活かすとなると，話は別である．患者教育の場で，どれだけ学習者である患者に対して，成人教育の視点をもってかかわることができているだろうか．果たして，学習者の有している経験に即した知識や生活のなかに刻み込まれた知恵や工夫，学習者のもつ能力を引き出し，学習者が自己主導的な学習をしていけるような教育方法をとっているであろうか．教育方法の工夫や探求をしないで，患者の理解力が足りない，言うことを聞いてくれないなどと日々ぼやいているにとどまってはいないだろうか．まずは，振り返って考えてみてほしい．

この理論を看護実践につなげるために，自分の行っている看護実践について，成人の学習者の特徴およびアンドラゴジカルステップに沿って，問い直すことからスタートしてみるのも一つである．自分が理想とする教育や教育者と今の自分の教育能力を査定し，そのギャップを埋め，目指したい教育者になるために成人学習者として，成長していく過程を踏むという経験をしてみることも役に立つであろう．そして，臨床での活用の実際で事例紹介をしたように，学習者としての患者に患者教育を実践していく場合，成人の有している自尊心や生活者体験，内面化された教育観などを踏まえた成人教育の実践を，常に意識してかかわる．そうした看護実践の経験を重ね，それを研究につなげていき，看護の領域における成人教育というものを確立していくことが，今後の課題である．

文　献

麻生誠（1994）．生涯発達と生涯教育―ゆたかな生涯学習社会を目指して．放送大学教育振興会．

Balsamo, D., & Martin, I.S.（1995）. Developing the sociology of health in nurse education：Towards a more critical curriculum—part1：Andragogy and sociology in Project 2000. *Nurse Education Today, 15*(6). 427-432.

Chikotas, N.E.（2008）. Theoretical links supporting the use of problem-based learning in the education of the nurse

practitioner. *Nursing Education Perspectives, 29*(6), 359-362.
Cranton, P. (1992).／入江直子・三輪建二訳（1999). おとなの学びを拓く. 鳳書房.
Dewey, J. (1975).／松野安雄（訳）(1975). 民主主義と教育. 岩波書店.
江頭典江, 堀薫夫（2008). 看護学生の学習への意識に関する調査研究―成人学生と一般学生の対比. 大阪教育大学紀要 Ⅳ, *56*(2), 159-173.
藤村賢宏（2018). 内服, 運動, 食事の自己管理が必要な2型糖尿病患者のアンドラゴジーに基づいた教育ができた事例. 月刊ナーシング, *38*(12), 132-134.
原田広枝, 山本千恵子, 宮園夏美, 前野有佳里（2007). おとなの「学び」の分析―看護教員養成講習会受講生の経験した学びから. 九州大学医学部保健学科紀要, *8*, 85-92.
春田淳志, 錦織宏（2014). 医療専門職の多職種連携に関する理論について. 医学教育, *45*(3), 121-134.
堀薫夫, 三輪建二（2006). 生涯学習と自己実現. 放送大学教育振興会.
五十嵐寛（2016). 成人教育と授業設計の観点から今後のセミナーを考える. 日臨麻会誌, *36*（3), 339-344.
池田秀男, 三浦清一郎, 山本恒夫, 浅井経子（1987). 成人教育の理解. 実務教育出版.
笠谷莉子（2021). 初回心筋梗塞を発症した壮年期患者におけるアンドラゴジー理論を用いた成人教育の一事例. 旭中央病院医報, *43*, 53-55.
川原千香子（2016). 臨床での成人教育のテクニック・スキル. 救急看護ケア・アセスメントとトリアージ, *5*（5), 53-58.
木村久恵, 村井嘉子, 中道淳子, 堅田智香子(2013). 看護教員養成講習会を受講する中堅看護師に内在するニーズ. 石川看護雑誌, *10*, 57-64.
Knowles, M.S. (1950). Informal adult education. Guide for educators based on the writer's experience as a programme organizer in the YMCA. New York：Association Press.
Knowles, M.S. (1962). A history of the adult education movement in the USA. New York：Krieger.
Knowles, M.S. (1970). The modern practice of adult education：Andragogy versus pedagogy. Englewood, NJ：Printice Hall.
Knowles, M.S. (1975). Self-directed learning：A guide for learners and teachers.／渡邊洋子監訳（2005). 学習者と教育者のための自己主導型学習ガイド―ともに創る学習のすすめ. 明石書店.
Knowles, M.S. (1980). The modern practice of adult education：From pedagogy to andoragogy.／堀薫夫, 三輪健二（監訳）(2002). 成人教育の現代的実践―ペダゴジーからアンドラゴジーへ. 鳳書房.
Knowles, M.S. (1984). Andragogy in action：Applying modern principles of adult education. SF：Jossey-Bass.
Knowles M.S., Holton, E.F., & Swanson, S.A. (1998). The adult Learner. Houston：Gulf.
Lindeman, E. (1926)／堀薫夫（訳）(1996). 成人教育の意味. 学文社.
松永保子（2008). 成人教育の特徴. *Neonatal Care, 21*(6), 554-559.
松浦和代（2007). 小児看護に活用したい生涯学習・成人教育の基礎理論. 小児看護, *30*（11), 1589-1593.
三輪建二（2017). 成人教育学と看護教育ー成人学習者への学習支援論. 上智大学総合人間科学部看護学科紀要, *3*, 3-13.
宮上多加子（2006). 家族の認知症介護実践力に関する研究―成人の特徴に基づいた生涯学習支援の検討. 高知女子大学紀要, *55*, 1-12.
森淳一郎（2014). 学生がより積極的に参加する講義を実現するために. 信州医誌, *62*（1), 25-32.
森田孝夫（2005). 医学教育論―教育原理, 成人教育学, 専門家（プロフェッショナル）教育理論より医学教育を考える. *Journal of Nara Medical Association, 56*(2), 81-90.
任和子（編）(2008). OJTを成功に導く看護現任教育ステップアップガイド―実践！ 21の教育プログラム. ナーシングビジネス, メディカ出版.
鈴木康美（2012). 我が国の看護と医療の領域における成人教育・成人学習に関する文献考察, 人間文化創成科学叢, *15*, 211-219.
高田由紀子, 東岡宏明（2017). 実働訓練への参加を通してみた院内災害教育の課題. *Japanese Journal of Disaster Medicine*, *22*（2), 210-218.
渡邊洋子（2002). 生涯学習時代の成人教育学. 明石書店, 153-155.
渡邊洋子（2007). シミュレーション学習に活きる成人教育理論. 救急医学, *31*, 1447-1450.
渡邊洋子（2007). 成人教育学の基本原理と提起―職業人教育への示唆. 医学教育, *38*, 151-160.
安酸史子, 吉田澄恵, 鈴木純恵（編）(2007). 成人看護学概論. メディカ出版.

● 看護の対象者や看護師の認識変容に関する理論

25 リフレクション

A 理論との出会い

新人看護師として循環器・内科病棟に配属された当時，筆者は心電図モニターを見ながら，患者の身体に何が起こっているのかを読み解きたいと思った．日勤が終わった後に，知識を得ようとセミナーにも参加した．当時は，知識を得ることが自己の成長につながると思っていた．

しかし，心電図を学び知ることはできたが，知識が身についているという実感はなく，常に徒労感と焦燥感のようなものがあった．ただ単に“心電図の知識をもっている勉強熱心な看護師さん”となり，いったい自分は看護師として何を目指しているのか，わからないでいた．また，学んだ知識を看護実践に生かすには，どうしたらいいのだろうという問いを自分に課し，考え続けてきた．

そんな臨床課題を抱えて修士課程に進学したとき，指導教授の教えにより熟練看護師の実践に注目した．熟練看護師がケアを行うとなぜかわからないけれども，患者によりよい成果を生むという研究があることを知った．そこで研究を行い，学びを深めるなかで，熟練看護師は既存の知識のみではなく，自己の経験を活用していることを理解することができた．そして，「看護は実証主義にもなりきれず，経験主義のみでもなく，そのことが看護のユニークさである」という樋口康子先生（元日本赤十字看護大学学長）の言葉に，これまで悩み続けていた問いに対する一筋の光に巡り合えた気がした．

それからは，自分の目指す看護の焦点が定まり，パトリシア・ベナー（Patricia Benner），ドナルド・ショーン（Donald A. Schön），ジョン・デューイ（John Dewey）と関心が広がりながらも，繰り返し〈経験を積む〉ことがどういうことなのかを考え続けてきた．そして，「実際に何かをやってみて，そこから何かが起こってくるかを知ることで，人は学習するのである」（Dewey, 1938）という行為をしながらその状況をとらえ，次の行為につなげている省察（せいさつ）的実践家像はまさしく看護師そのものであることを実感した．

同時に，実践を記述し，そこに何が起こっているのかを考え，次の実践につなげていくという事例から学ぶ取り組みを，看護師たちと繰り返し行うようになっていった．自己の実践から学び，次の実践につなげていく，これこそが既存の知識のみでは得ることができなかった筆者の求めていたことであり，実践に役立つと実感できる学ぶ方法であった．

このように，実践を行い，実践から学ぶことを繰り返し，理論で検討していくことが，リフレクションであることに気がついた．当時，事例から学ぶことは低くみられがちであった．しかし，決してそうではなく，むしろ実践は言語化されていない知識の宝庫である

キー概念

□**技術的熟達者（technical expert）**：現実の問題に対処するために専門的知識や科学的技術を合理的に適応する実践家として専門家をみる見方である．19世紀の実証主義の影響を受けた理論と実践という二項対立的思考に基づいて，厳密な科学的手法で解明される基礎とよばれる純粋科学を頂点に，応用科学とそれらを適用する臨床実践という知識と技術の階層構造，研究と実践の階層分化がつくり出されてきた．専門は細分化され，実践家には問題を解決するための標準化された知識・技術を獲得することが求められてきた．

□**省察的実践家（reflective practitioner）**：専門家の専門性とは，活動過程における知と省察それ自体にあるとする考え方であり，思考と活動，理論と実践という二項対立を克服した専門家モデルである．既存の科学と技術を適応して問題に解決を与えるのではなく，複雑に入り組んだ状況のなかで実践をとおして問いを発し，探究・研究を進めていく者である．省察的実践家の知をとらえるキー概念として「行為のなかの知」「行為のなかの省察」「状況との対話」という3つの概念がある．

□**リフレクション（reflection）**：リフレクションの定義は様々である．デューイは「実際に何かをやってみて，そこから何かが起こってくるかを知ることで，人は学習する」と述べた．その後，様々な研究者が定義を行っているが，「実践を記述・描写・分析・評価する」回顧的な「実践の経験を振り返り吟味するプロセス」としているものもある（田村・津田，2008）．本節では，回顧的な振り返りではなく，ショーンの中心概念である「行為しながら考える」という実践的思考に焦点を当てた．

□**行為のなかの省察（reflection-in-action）**：活動の流れのなかで瞬時に生じては消えてゆくつかの間の探求としての思考である．これは必ずしも言語の媒介を必要とはせず，行為者自身にとっては即興的で無自覚的なものである．ここでは，状況との対話が起こり，ある状況のなかでかかわる対象について，何らかの驚きや不確かさを感じたとき，いったい何が起こっているのかと問い，それらを解決するべき新たな状況をかたちづくりながら，それでよかったのかという探究を行うことである．

□**状況との対話（conversation with situation）**：専門家が存在する問題を解決しようとするとき，状況を理解し，状況を変えようとすることである．状況のなかに新しい物語を顕在化させ，それを厳密に探究し，理解が進んでいることを確かめ，その状況に関する経験を修正し，新しい現象を描き出す．状況との対話によって，問題の枠組みの転換を行い，予期しない変化を意味づけすることが可能になり，理解が進んでいくというプロセスが生じ，新しい現象を描き出すのである．

□**行為についての省察（reflection-on-action）**：「行為を行いながらではなく，その行為の後で，その行為について一般論として解釈する学び方」（安酸，2015）である．その行為についての学びを広げたり，深める役割を果たすことができる．個別の状況で行った行為を記述など言語化し，そのときの判断や思い，考えを表出していくプロセスである．行為のなかの省察をたどり，判断の適切さなどを実践を離れて省察することで，同じような状況に出会ったときに，専門家としてどう行為を行えばいいのか，状況との対話が豊かになるのである．

ことや，理論的に説明できることであることに勇気づけられた．

理論家紹介

ドナルド・ショーン（Donald A. Schön, 1930–1997）は1930年，米国のボストンに生まれた．エール大学で哲学を専攻し，ハーバード大学大学院でジョン・デューイの“探求の理論”を踏まえた実践的な意思決定過程に関する論文を書き，1955年に博士号を取得した．

1957年〜1963年まで，産業問題に関する調査研究教育機関「アーサー・D・リトル社産業研究所」の主任研究員として，新製品開発や組織改革のコンサルタント活動を行った後，1963年より，ケネディ政権下の商務省で初代応用技術研究所所長となった．

その後，マサチューセッツ工科大学（MIT）の都市地域研究開発学科長となり，建築家養成教育の改革とその研究に携わった．地域研究・地域計画部門におけるコアカリキュラム改革の委員会座長として，学部の構成員や院生の参画を得て大学院における専門教育の現状について検討し，実験的な授業プロジェクトを展開している．ショーンはこうした取り組みをとおして，自身の実践と省察を行った．

また，クリス・アージリス（Chris Argyris）と共に，学校や企業における職業人の学習とその組織を主題とした『Theory in practice：Increasing professional effectiveness（実践のなかの理論）』（1974），『Organization learning：A theory of action perspective（組織学習）』（1978）を出版している．組織における知の拘束とその転換の必要性を論じた２冊の著書は，1983年に発表された『The reflective practitioner：How professionals think in action』（邦題『省察的実践とは何か―プロフェッショナルの行為と思考』Schön, 1983　柳沢・三輪訳，2007）の前提となっており，組織学習の中核的概念であるダブルループ・ラーニングの考え方を提示した．これは，問題に対して既存の目的や前提そのものを疑い，それらも含めて軌道修正を行うことであり，実践の省察とその再構成という省察的実践の鍵概念と密接につながっている．『省察的実践とは何か』は，1970年代の大学教育と組織学習に関する共同研究と，ショーン自身が大学院時代から積み重ねてきたテーマを発展させ，実践の認識論の枠組みを再構成したものである．

その後，ショーンは1987年に『Educating the reflective practitioner（省察的実践者の教育）』を著し，専門職大学院の組織やカリキュラムマネジメントにおいて，実習におけるコーチングの実践過程の分析とその意味の解明に焦点を当てた．このカリキュラム改革のプロジェクトは，経験を積んだ実践者への継続教育において効果をもたらすものであると考察している．

1997年にショーンはがんにより63歳で死去した．没後，MITの最高位の名誉教授号が授与されている．また，音楽の才もあり，パリのソルボンヌ大学，国立音楽院でクラリネットを学び，各校を首席で卒業している．

理論誕生の歴史的背景

1 専門家の抱える現実と課題

1980年代，米国ではテクノロジーの飛躍的な発展と複雑化する多文化状況と経済不況のなかで，専門家と社会の関係が厳しく問われた．生命科学を基礎とする医療の発展と倫理の関係，医療者と患者の関係，精神的な危機をもつ人々に対応するために普及したカウンセラーなど，専門家は人々の生活の隅々まで拡大した．一方，専門家の使命と権限と責任が厳しく問われる時代となった．

実証科学を基礎とする医師・弁護士などは，基礎科学と応用技術に知的体系が整備されたメジャーな専門家として社会に認知されてきた．一方，看護師や教師，社会福祉士のような人間を対象とする複雑な実践を行っている専門家は，その性格上，基礎科学や応用技術をもとに知の体系化を行うことが困難な領域であり，マイナーな専門家とされてきた．しかし，ショーンは看護師や教師などは，技術的合理性を基盤とする医師などの専門性の原理の枠を超えた専門的な実践を遂行していると主張した．

医療の高度化，先進化，患者の高齢化，慢性疾患の増加などから，現代の患者は複雑な状況を生き，また，直面する問題も複合的である．現代の専門家は，専門分化した自らの領域を超える課題に患者と共に立ち向かっている（Schön, 1983　柳沢他訳，2007）．

2 新たな専門家像

ショーンは，このような複雑な状況にかかわる専門職を，新しい専門家の登場と位置づけ，「技術的合理性」に基づく「技術的熟達者」から，「行為のなかの省察」に基づく「省察的実践家」として命名した（Schön, 1983　柳沢他訳，2007）．

省察的実践家は，患者が抱える複雑で複合的な課題に，「状況との対話」に基づく「行為のなかの省察」として特徴づけられる実践的認識論によって対処し，患者と共に本質的で複合的な問題に立ち向かう実践を行っている．

専門家は，実践によって知の生成（知を生み出すこと，knowing）を行っている．それは，学問の世界で評価される「ハード」な知と，それに対する「技（artistry）」「直観（intuition）」など専門家の実践において価値があるとされる能力を意味する．専門家は，行為の最中に直観的な知の生成を省察（reflection）する能力を独自で不確実で矛盾をはらんだ実践状況に適応するために用いているのである．

行為のなかの省察とは

1 リフレクションの概念

リフレクション（reflection）は，アージリスとショーンによって広められた概念である（Argyris & Schön, 1978）が，その歴史は古い（Bulman & Schutz, 2013　田村・池西・津田訳，2014）．古代ギリシャの哲学者であるアリストテレスは，自らの世界に対する見識を発展させるためには，感情や想像力に注意を払う必要があるとし，実世界のなかで考え，経験を養うことが大切であるとした．教育者で哲学者でもあるデューイは，リフレクションを「その人の信念の根拠を評価すること」（Dewey, 1938）と定義し，リフレクティブな思考は，目的をもって考えることであるとし，知識は実践から生まれるとするプラグマティズム[注1)]を示した．思考は直接，行動とつながっていなければならないことを強調し，理論と実践はどちらも重要であることを主張した．つまり，経験の質はリフレクションの確保によって向上させることができることを示している．

さらに，デューイは経験について，次の2点を強調している．

一つは，連続性の原理である．経験は連続したものであり，個別に起こるものではなく，引き続き起こる，のちの経験の質に影響を与える．もう一つは，相互作用の原理である．経験は個人と環境の相互作用によって起こるとしている．

これらをとおしデューイは，リフレクション[注2)]は自分の実践を他者にオープンにし，検討してもらうことに意味があり，批判を受け入れて行動することが必要になると述べている．

注1）プラグマティズム：思考の意味や真偽を行動や生起した事象の成果により決定する考え方．19世紀後半の米国で生まれ，発展した反形而上学的傾向の哲学思想．

注2）リフレクション（reflection）と訳語：反省，振り返り，内省，省察などの訳語が充てられている．「反省」は，自己の過去の行為について批判的な考察を加えることを意味するため，過去への志向と批判的考察性が出てしまいかねないこと，「振り返り」は，批判的な考察というニュアンスは減退するが，過去への志向性が残ること，「内省」は自分の内面を見つめることのみが重要視される可能性があること，などが検討されている．

2 実践を省察する

1）標準化された知識体系

専門的職業（profession）とは，個別の問題にその領域での原理原則を適応することを意味しており，経験を積み重ねることで，この原理原則を豊かに展開させている．専門的職業は，今日，高度に専門分化している．専門家が専門家として尊厳を得ることができる実質的な領域は知識領域である．専門家には習得しなければならない熟達した知を生産し，その知を適応させていく技術が必要である．

専門家の独自性は，「ある理論を前提とする特殊な技能を身につけている」（Schön, 1983　佐藤・秋田訳，2001）ことにある．専門家が身につけている体系的な知の基盤は，①専門分化していること，②境界がはっきりしていること，③科学的であること，④標準化されていることであり，このなかで特に重要なのが④の標準化である．

つまり，実践において，ある問題が解決されたときに体系的な知が標準化されていないと，うまくいったことであっても再現性はなく，熟練の専門家が身につけている知が問題の解決に何ら関連しないことになってしまうのである．問題とその解決に十分な関連があり，それゆえに問題を解決する人をプロフェショナルと名づけることができる．専門家は具体的な問題に，極めて一般的な標準化された原則を適応するのである．

専門家は標準化された原則を用いて，現状を分析しより好ましいものに変えていくプロセスに本質的にかかわっている．そのプロセスは，初めから存在しているものではない．実践をとおして，複雑な問題を解決しようとするなかで生み出されるのである．それは考えて実践することを指している．

2）行為のなかの省察

日常生活のなかで，人は意識しないまま自然と直観的に行動している．専門家の普段の仕事も，無意識のなかで自己の経験をもとに行っている．有能な専門家は，原則にそぐわないような状況や言語化ができないような現象であっても，それを正しく認識することができる．しかし，その適切な判断基準を言葉で説明しなくても，判断し，説明できないままに実践している．

その一方で，普通の人も専門家も自分がしていることについて，行為のなかで「あれ？」と思い，それが気になり，どうしてなのかと問い，振り返ることがある．そのときに行っているのが「このように判断するときの基準はなんだろう」「この技術を行うとき，どんな手順があるのだろう」「この問題を解決するためにどんな枠組みをもっているのか」という問いである．

このような問いを立てるとき，専門家は起こっている現象に当惑していたり，または，関心を抱いていることが多い．専門家はそのような現象を理解するにつれて，行為のなかで無意識になっていることを振り返るようになる．さらに，無意識のままではなく，それを表に出して検討し，再構築を行い，次の（将来の）行為のなかで省察を行う．

この行為のなかの省察（reflection in action）のプロセス全体が，専門家による状況のもつ不確実性や不安定さ，独自性，倫理的な問題に対応する際に用いる「技」の中心部分である（図25-１）．また，行為のなかの省察の構造（表25-１）とこれを行う能力（表25-２）が明らかになっている．

3）状況との対話

専門家は表25-２の能力を駆使して状況との対話を行う．状況との対話とは，個別性があり不確実な状況との省察的な対話のプロセスである（表25-３）．

これは，専門家にとって普段行っている何でもないやり方であるが，直観的に重要なも

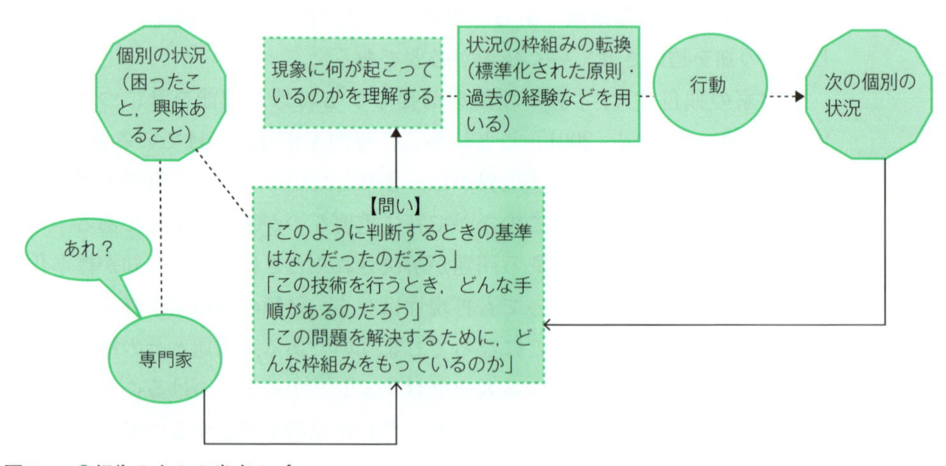

図25-１●行為のなかの省察のプロセス

表25-1●行為のなかの省察の構造

（1）専門家は実践の問題を個別の事例として取り組んでいる （2）専門家はこれまでの経験と関係させながら行為を行っている（これまでの経験と無関係ではない） （3）目の前の実践状況の個別性にも注意を払っている （4）専門家は標準的な解決策につながる手がかりを探す行動をとらずに，問題状況に個別の特徴を発見しようとし，徐々に発見していったものから，そこでのかかわりをデザインする （5）状況は複雑であり，問題を発見することのなかに問題が存在している （6）問題は前もって与えられているわけではなく，専門家は問題を提示するが，必ずしも適切ではなく，問題の枠組みのつくり方を検討する必要があり，その問題状況に新たな意味づけを行う

Schön, D.A.（1983）／柳沢昌一，三輪建二（訳）（2007）．省察的実践とは何か—プロフェッショナルの行為と思考．鳳書房，148．より筆者作成

表25-2●行為のなかの省察を行う能力

①膨大な情報を選別して管理する能力 ②ひらめきと推論の長い道筋を紡ぎだす能力 ③探求の流れを中断することなしに同時に複数のものの見方を保つ能力

Schön, D.A.（1983）／柳沢昌一，三輪建二（訳）（2007）．省察的実践とは何か—プロフェッショナルの行為と思考．鳳書房，148．より筆者作成

表25-3●状況との対話のプロセス

①状況の問題を設定し，問題を解決しようと試みる ②その問題の枠組みを転換させ，状況を再形成する．その際，状況のなかに入り込み，起こっていることの真の意味や特定のやり方をしている理由を内省しながら試みる ③専門家は，手だてを講じる・結果を見出す・意味づけ・評価・さらに手立てを講ずる，という行為の組み合わせを行う．さらに，講じた手立てを組み合わせるなかで，状況を理解し，問題を解決し，機会を利用する ④枠組みを転換した問題に取り組み，その取り組みからどのような結果や意味が引き出されるかを明らかにする試みを行う ⑤専門家が講じる手立ては，状況に新たな意味を与え，予期せぬ変化をもたらす．つまり，状況は過去を物語り，専門家はそれに耳を傾ける．そして聞こえてきた事柄を理解しながら，再び状況の枠組みを転換する

Schön, D.A.（1983）／柳沢昌一，三輪建二（訳）（2007）．省察的実践とは何か—プロフェッショナルの行為と思考．鳳書房，150．より筆者作成

のと認識している思考のプロセスである．また，個別の状況のなかに，その状況特有のパターンを見出し，さらに何が起こっているのかを探求し，問題を解き明かそうと試みる．この思考は，評価・行為・再評価を通ってらせん状に進むことで，個別で不確かな状況を変化させることができる．

専門家は，今，目の前にある状況を理解する→状況を解決しようとする→新しい状況を顕在化させ，〈本当にそれでいいのか〉と探求し，状況への自分の理解が進んでいることを確かめ，同時にその状況に関する自分の経験を修正し新しい状況を描き出す．個別の状況を検討し確認する作業をとおして，今，目の前にある状況は次の反応を示すことになる．専門家はこの反応を振り返りながら行為し，〈こういうことだったのか〉という新し

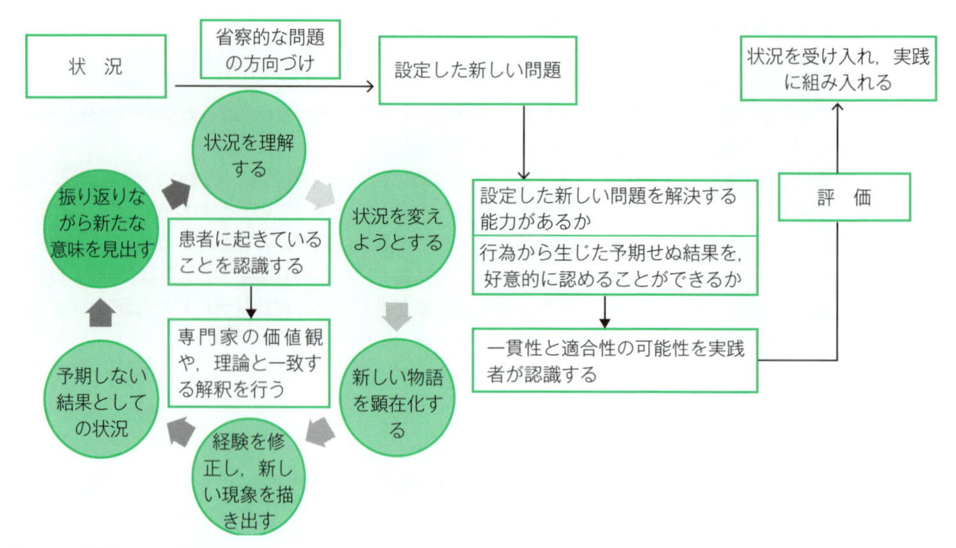

図25-2●状況との対話

い意味を見出し，次の実践に入っていく．

専門家は，今，起きていることを認識し，次第に自分のもつ価値観や理論と一致する解釈へと結びつけるのである．さらに，部分的な解釈を行い，専門領域の基礎知識や標準的な考え方と照らし合わせながら解釈と統合を行い，専門領域の理論と一致させてゆく．その状況に応じながら，新たな枠組みの転換を行っている．次に，専門家は，設定した新しい問題を解決する能力が自分にあるかどうか，行為から生じた予期せぬ結果を好意的に認めることができるかどうかによって，新たな問題を評価する（図25-2）．

このような状況との対話のなかで専門家は，自分が見出した問題がその状況に沿って一貫性のあるものであるかを確認し，状況との省察的な対話を継続する．この省察的な対話を継続する能力が，状況をとらえ直し，問題の核心に近づくことを導くのである．

4）過去の経験から学び活用する

専門家は直面する状況のなかに，すでに知っている知識や過去の経験が存在していることを認識し活用している．すでに知っているということは，既存の知識と過去の経験からの学びのことである．過去の経験から学んだことをそのまま適用することをしないのが専門家である．なぜなら，目の前にある個別の状況に，過去の例と同じようにかかわることは，個別性を無視してしまうからである．

専門家は過去の経験から，こういう場合はこうすればいいという成功体験から，いくつかのパターンをつくり出している．目の前の状況を比較することで，これまで理解してきたことや行ってきたことの類似点や相違点を省察し，対応のパターンを増やしてゆくことができる．これが知の生成であり，専門家のレパートリーを増やしていくプロセスである．つまり，専門家は既存の知識や経験を基盤として個別の状況に対応しているのである．

3 理解し合う専門家と患者の相互の関係

専門家の実践は過去の状況とつながり，現在に至っている．そのプロセスにはそのプロセスなりの意味が生じていることを知っている．それと同様に，患者も自分が経験してきた病気のプロセスを理解し，自分にとってどういう意味があるのかを考え，どう行動するかを計画する能力をもっている．

専門家と患者の関係において，省察的実践を行うことによって，専門家が患者の病いの体験に近づくことができ，相互に理解し合うことが可能になる．このときに専門家が省察的実践家としての役目を果たし，患者との関係がいかに変化するのかを予測してかかわることが重要である．たとえば，○○がんという病名を口にできない患者では，患者がその病名を口にできないことの意味を探り，病気の現実を患者が受け入れることができないことを理解し，患者自らが病気の多様性や位置づけなどを理解できるプロセスを受け止めることが，相互の関係のなかで行われる．

患者が自分に起きていることをどのように意味づけ，理解することができるか，専門家は患者との省察的な対話をとおして，患者の能力の熟達度を見出しそのプロセスから患者を理解してゆく．

省察的実践家である専門家が陥りやすいこととして，十分な知識をもち技術的に有能であっても，患者との対話のなかで，患者の抱えている問題の本質に迫れないことがある．その理由として，専門家は患者を理解しようと試みるが，反対に，患者は自分を理解してもらおうとする視点が乏しいことが挙げられる．省察的実践家として，状況との対話を行うことの意義はここにある．

専門家が，自分の病名を口にできない患者の状況を理解せず，同意もできないときには，患者は専門家と対立し，専門家が自分にとって意味ある存在であるのかを見きわめて，専門家の能力を査定している．

4 患者に必要とされる自己教育者としての専門家

専門家は，自分自身の実践を探究することで得た知の生成を用いて，患者と向き合うことのできる存在となることが期待されている．そのため専門家は，今までなじんできたことに満足するのではなく，新しい能力を見出し自分の力を発揮していくことが求められる．専門家にとっての新しい満足感は，そのほとんどが発見によるものである．その発見とは，自分のケアが患者にとって何を意味するのかを知ることであり，実践によって得ることができる知である．

このように専門家が省察的実践を行うことは，それぞれが実践の探究者（researcher-in-practice）になり，自己教育を継続的に進めていくことになる．専門家が実践の探究者となるとき，専門家自身が状況を新たにとらえることができる存在となり，不確実性によって生じた誤りを認識し，自己防衛ではなく，むしろ新たな取り組みを行うことができる存在として変容するのである．

省察的実践を行わない実践者と専門家の違いは，実践における満足感の源泉の違い，能力に対する要求の違いである（表22-4）．患者にとって必要なのは，情報を欲し，知るこ

表25-4 ●実践家と専門家

実践家（expert）	専門家（reflective practitioner）
自分では不確かだと思っても，専門家として体系的に学んできたことを前提に，知っているものとしてふるまう	専門家として体系的に学んできたことを前提にしているが，状況において関連する重要な知識をもっているのは自分だけではないことを知っている
患者と距離を置き，専門家としての役割を保持する 患者に自分が専門家であることを伝える一方で，患者にとって甘味料のような温かさや共感を伝える	患者の感情や考えに沿ってつながることを探求する．置かれている状況のなかで患者が私のもっている知識に気がつき，それが患者にとって重要であるということを大事に思ってくれることを認識する
患者の反応から，プロフェッショナルとしての規定された姿があるかどうか確かめる	プロフェッショナルとしての決まりきったかかわりから抜け出し，患者との真の関係をもつことを探求する

Schön, D.A. (1983). The reflective practitioner：How professionals think in action. Basic books, 300より引用改変

とのみを求めている専門家ではなく，患者が専門家の良いと考える方法を望まないとき，それがなぜなのかを理解する努力を行う人である．それは，専門家にとって良いとされる方法のみを押しつけるのではなく，状況に沿って，別の方法を用いることに恐怖心や面倒くささを抱くことなく，関心を注いでくれる人なのである．

E 研究の動向

近年のリフレクションに関する研究の動向を概観すると，看護学生や看護師を対象とした論文がほとんどであり，文献レビューが2件，看護師のリフレクション能力の測定尺度が1件開発されている．

看護基礎教育モデル・コア・カリキュラムにおいて，看護学士課程を修了する学生が習得すべき5つの能力が示されている（文部科学省，2017）．その能力の一つに「専門職として研鑽し続ける基本能力」がある．看護基礎教育において，リフレクションは学生の実践力を高める学習ツールとして活用され，学生の自己理解の深まり（松永・前田，2013），他者の評価を受け入れた行動の修正（栗原・嘉手苅，2021），自己教育力の向上（吉澤，2019），リフレクションを取り入れた学内実習プログラム作成（井波，2021）などが報告されている．

一方，看護師は，日々の業務に追われ，自身の看護実践を振り返る機会を失い，時間の余裕もなくなっている現状がある．また，2～3年目の看護師は専門職として自律していく時期であるが，自己の方向性を見失いやすいこと，看護実践の意味づけを行うことの難しさが指摘されている（新田・影山・奥田，2022）．看護師を対象にした研究では，新人看護師（武藤・前田，2018），2年目看護師（児玉・東サトエ，2017；浦上・奥田・深田，2022）などがあり，看護師はリフレクションにより，自己理解の深まりや強みに気がつくことで自信を形成し，看護実践に必要な能力を高めることが明らかとなり，継続教育におけるリフレクションの有用性が報告されている．

また，リフレクション研修での学びや気づきの実践の場での活用や，その様相についての報告がある．東めぐみ・河口（2022）は同一病棟の看護師が看護実践を語り合う会を5回開催し，語り合いに参加した看護師が気づきを得て，実践で気づきを活用している実際を明らかにした．看護師は，他者の語りを聴くことで新たな視点や発想への気づきを得，この気づきは意識化され，次の実践で新たな行動となり，個人や病棟の取り組みに変化が生じた実際を報告している．また，新田他（2022）は新人レベルの看護師による，リフレクションを行っている様相を明らかにした．新人レベルの看護師は【主体的な学習】と【安心して語れる場】を基盤として，他者との実践の振り返りをとおし，【他者の関わりによる新たな意味付け】【自己理解の深まり】によってより良い気づきをもたらし【実践への還元】である意図的に自分の行為を振り返ることを繰り返し，【成長実感】を得ていることが報告されている．

これらの報告では，日々の実践での自分の行為に疑問をもち，自分で考えることによって，リフレクションを促進することが示唆されている．また，一人で疑問を解決しようとするのではなく，先輩看護師が語りやすい場を創り，後輩看護師が先輩看護師に自ら支援を求める行動をとる相互に学び合う実際が明らかになった．

また，継続教育において，リフレクションを取り入れたプログラム開発や，リフレクション教育に関するプログラム開発，および，プログラムの評価に関する報告が増えている（倉田・青木・永田，2019；池内・上野，2020）．

文献レビューでは Collaborative Reflection の概念分析（小山，2021）や，リフレクション支援の効果に関する評価方法（近藤，2020）が報告されている．看護学生がとらえる「生活者」について（菊地・若林，2022）では，実習における学生の直接体験をリフレクションすることが「生活者」としての患者を理解する支援になることが報告されている．

これらから，リフレクションが看護師の成長に欠かせない取り組みであること，そのためのプログラムの開発とその評価，リフレクションからの学びの学習転移と活用，そしてリフレクション支援へと研究は発展していることがうかがわれた．

F 理論の看護実践での活用

バルマンは看護におけるリフレクションを「経験から学び自身を批判的にみつめ，実践のなかで考えが変化し，より良く行うため」(Bulman & Schutz, 2013　田村他監訳, 2014, p.8）であると述べている．患者へのより良いケアを提供するために，省察的実践の構造を理解したうえで，“行為についての省察”を行う枠組みを活用することが求められる．

実践を語り議論するとき，「適切なリフレクションや分析をしないまま，何が起こったのかについての表面的な説明から次にやるべきことの早まった判断によろめく」(Bulman, et al., 2013　田村他監訳, 2014, p.8）ことが起こるため，枠組みを活用することが推奨されている．枠組みはあくまでもガイドラインであり，“行為についての省察”を手助けする手段であり，規定するものではないことを理解する．

ジョーンズ（Johns, 2009）は，枠組みは初心者の省察的実践家にリフレクションの幅と深さへの方法を与えるかもしれないが，リフレクションを理解できると考えるのはおろかであると述べている．

“行為についての省察”を行うための枠組みをいくつか紹介する．

ギブズら（Gibbs, Farmer & Eastcott, 1988）はリフレクション学習の枠組みを作成し，6つのステージのリフレクティブ・サイクルを開発した（図25-3，表25-5）．このサイクルは表25-2のように詳細な説明があり，両者を合わせて活用することが重要であるとバルマンは述べている（Bulman, et al., 2013　田村他監訳，2014）．

ジョーンズ（Johns, 2009）は，一連の質問で組み立てられた“行為についての省察”のためのモデルを開発した（Model for Structured Reflection：MSR）．これは，省察的実践家が自己の経験に敏感に反応したり，“行為のなかの省察”のプロセスを明らかにしたり，その意味づけを行うことを手助けするものである（表25-6）．ジョーンズは“行為についての省察”をする最良の状態に専門家を置くために，このモデルを開発した．

看護師は，実践において“行為のなかの省察”を日常的に行っている．上記に代表される枠組みを用いて，“行為についての省察”の学習をすることで，次のような実践が可能になる（図25-4）．

（1）個別の状況として看護問題をとらえる

個別の状況にある問題のとらえ方は，その状況に沿って看護師が患者とのかかわりや観察をとおして見出していく．はじめから問題が存在しているわけではなく，患者の置かれ

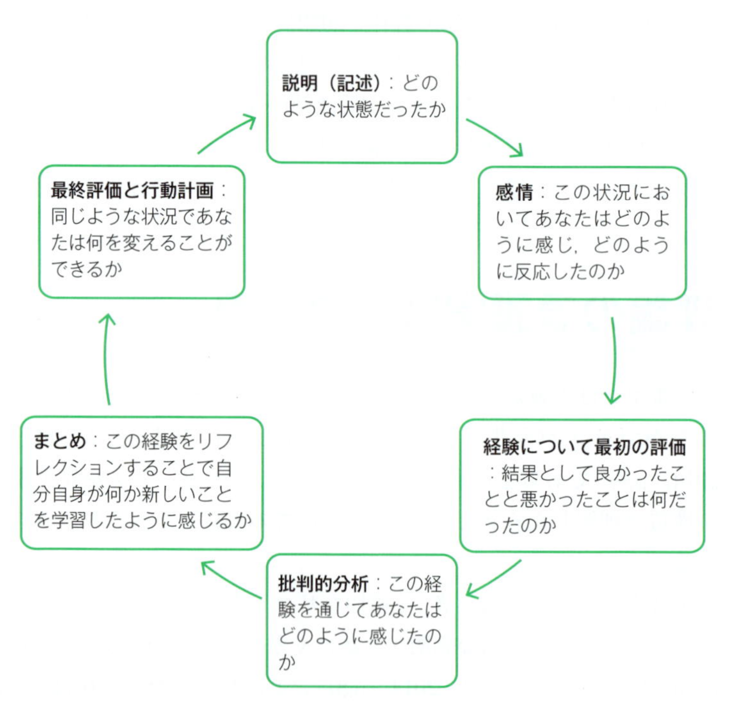

図25-3●Gibbsのリフレクティブ・サイクル
Bulman, C.,Schutz, S.（Eds.）（2013）／田村由美，池西悦子，津田紀子（監訳）（2014）．看護における反省的実践．看護の科学社，310．より転載一部改変

表25-5 ●Gibbsによるフレームワーク

説明（記述）	〈どのような状況だったのか．何が起こったのか〉 ・どのような状況だったのかを記述する ・判断や結論を出さずに記述に集中すること
感情	〈この状況においてあなたはどのように感じ，どのように反応したのか〉 ・あなたの感情に焦点を当て続ける．分析はまだ行わないこと
経験についての最初の評価	〈経験について良かったことと悪かったことは何だったのか〉 ・この経験を通じてあなたが気にかかったこと（肯定的・否定的）の核心を見出すために，最初にどのように感じたか，どのように反応したかを検討する．そうすることで，主要な課題を認識し，対応することができる．その後，批判的分析に移る ・注意事項：集中することが重要であるため，1つ，2つの課題を選択する．多くの「表面的な事柄をざっと眺める」より，さらに深い批判的な分析が行える
批判的分析	〈この経験を通じてどのように感じたか〉 ・何が起こったのか，状況を批判的に分析する．他の人の経験はあなたと似ているのか，違うのか．分析の結果，浮かび上がってくる課題はどのようなものか，このことは，前の経験とどのようにつながっているのか ・注意事項：分析を深め，意味を見出すために，あなたの経験とは違う知識や信念を活用する．たとえば，専門家，指導者，政策，研究，倫理学などを参考にあなたの経験と照らし合わせてみる
まとめ	〈この経験を行為についての省察をすることで，何か新しいことを学習したように感じるか〉 ・自己への気づきはあったか，実践について新たに学習したことがどのようなことであったか ・この経験を通じて新たに学習したことのなかで，一般的について何を勧めたいか
最終評価と行動計画	〈同じような状況であなたは何を変えることができるか〉 ・同じような状況が再び発生した場合，あなたはどのように行動するか ・あなたが学習を通じて得た知識を次回の実践に生かしていくために，どのようなステップを踏むか ・同じような状況で，今回よりうまく対処することができたかどうか判断する方法とは何か

Bulman, C., Schutz, S. (Eds.)(2013)／田村由美，池西悦子，津田紀子（監訳）(2014)．看護における反省的実践．看護の科学社，311．より転載一部改変

ている状況から問題を見出すことができる．

（2）とらえた看護問題の整合性を患者の反応から確かめる

状況から見出した看護問題に対して，本当にそれでいいのかという問いかけを行うことが重要である．実践をしながら患者の反応を確認し，その患者の反応から〈本当にこの方法でよいのか〉と考え，違う方法を検討していくことは，看護師がすぐにできることである．

（3）患者のとらえ方（理解）

ショーンは自己教育者としての専門家像を明らかにしている．たとえば，看護師は患者に「病識のない患者」とレッテルを貼ることがある．一方，患者も，自分の要求を理解してくれる看護師であるか判断する力をもっていることにショーンは言及している．看護師

表25-6 ●Model for Structured Reflection（MSR）

反省的実践を振り返るときの手がかり
・意識をはっきりと認識する ・何か重要だと思う経験についての記述に焦点を当てる ・どのような課題が重要で注意を払う必要があるのか ・この状況において私はどう感じたのか．どうしてそう感じたのか ・他の人がどう感じていたのか ・私が達成しようとしたのはどのようなものか．私は有効に対処できたか ・どのような知を私はもち合わせていたのか．もっているべきだったのか ・私の行為は私の信念とどのくらい一致しているか ・このことは以前の経験とどうつながっているか ・同じような状況が起こったとき，より良く対処することができるか ・患者・他の人，自分自身，それぞれについて別の行為によりどのような結果がもたらされるか ・私にどのような要素が働くことで新たな方法で対応できるか ・どのような考察を得ることができるか ・必要とされる実践を実現することが私にとって可能か

Bulman, C., Schutz, S.（Eds.）（2013）／田村由美，池西悦子，津田紀子（監訳）（2014）．看護における反省的実践．看護の科学社，315．より転載一部改変

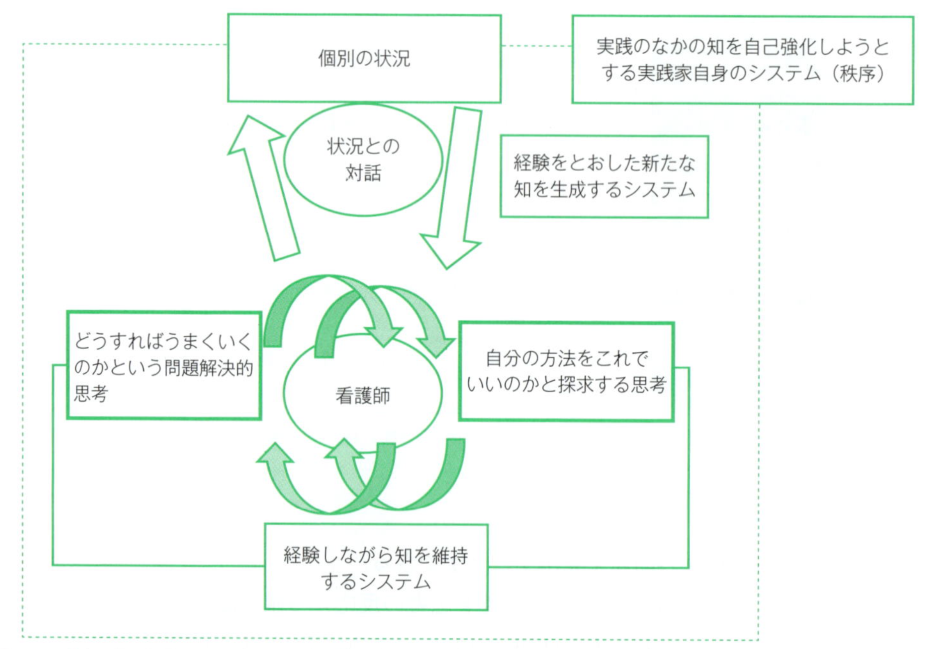

図25-4 ●個別の状況と対話する２つの思考

は自分の業務のために情報を取るという，知ることのみを主とせずに，〈本当にこの方法でよいのか〉と，違うやり方を積極的に取り入れてゆく勇気が必要である．〈患者にとってこの行為はどういう意味があるのか〉と考えながら実践することが，患者の満足感を得ることにつながり，その患者の反応から学ぶことによってやりがいや成長に通じる．

臨床での活用の実際

この事例は，新人看護師教育の6か月目研修を行ったときのものである，ファシリテータによる「最近印象に残った患者とのかかわりを語りましょう」という問いかけに，新人看護師が印象に残った場面を語った事例である．

この事例から，看護師の省察的実践，省察的実践を振り返ることをとおして学んでゆくプロセス，省察的実践の学習システムについて検討したい．さらに，省察的実践から学ぶための他者の役割を検討する．

〈新人看護師の語り：最近，印象に残った患者とのかかわり〉

ADL全介助のAさん．痛みが全身にあり，特に下肢痛があり，体位変換時にポジショニングを行っている．

いつも先輩と2人でポジショニングをするため，Aさんのポジショニングは足を伸ばした体位が楽であると思っていた．ポジショニングのあと，Aさんに「どうですか？」と確認すると，「うん，楽だと思う……」という返事をもらってた．この体位が楽なのかなと思いつつ，でも，その返事が〈本当かな〉と引っかかった．

私は看護師として一人前でないし，判断や技術が未熟であるため，先輩と一緒のときには先輩の方法でポジショニングを行っていた．

あるときに，時間的に余裕があった．Aさんにポジショニングを行う前に「どうしたいですか」と聞いた．Aさんは「足を立ててほしい」と言った．私はありったけのクッションを使って足を体育座りのようにAさんの足を立てた．Aさんは「とても楽だ」と，いつもと違う返事をしてくれた．Aさんは喜んでくれたと感じ，よかったと思った．

新人看護師はこのように語った．この語りから行動しながら考える専門家について考える．

1 状況との省察的な対話

入職して半年の新人看護師が，不確かな看護の場面において，どのように専門に省察的な対話を行っているのかを考えてみたい．

1）Aさんにとってのポジショニングに対応する（個別の状況に対応する）（図25-5）

新人看護師の探求は，あらかじめ設定されている「ADL全介助の患者に対し，より良いポジショニングを行う」という問題に応えようとするところから始まる．

新人看護師はポジショニングを行い，先輩と共に下肢の位置を確認し，足を伸ばす体位がAさんにとっての安楽な肢位だと思っていた．

このことは，新人看護師は，先輩たちとの実践をとおして，「Aさんには足を伸ばしたポジショニングが好ましい」という，「個別の状況」に対する知識を生成し活用していることである．

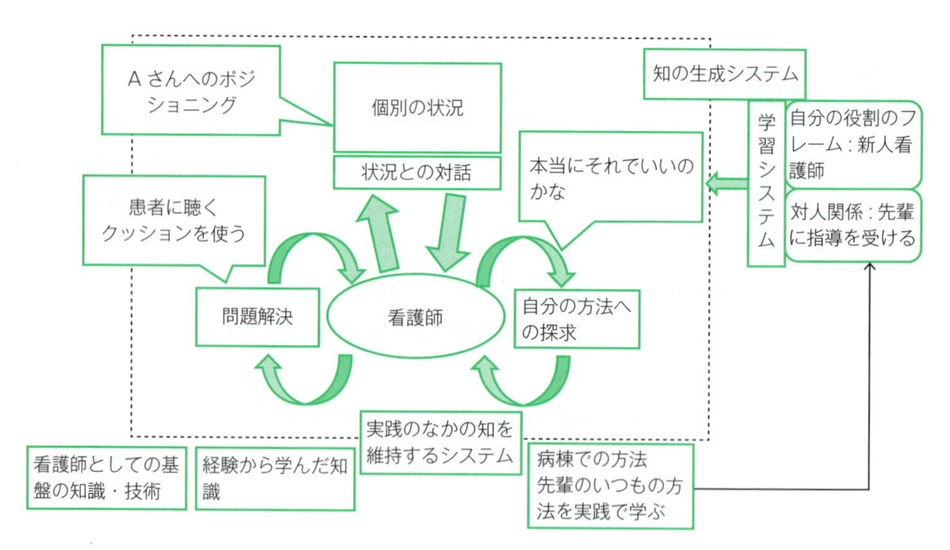

図25-5●新人看護師の実践における2つの思考

2）Aさんの「うん，楽だと思う」という返事に対し〈本当かな〉と心を開く

新人看護師はAさんの安楽な肢位は足を伸ばした状態であることを学びつつ，Aさんの「うん，楽だと思う」という返事が〈本当かな〉と気になりだした．しかし，先輩と一緒の体位変換時には，〈本当かな〉という思いをAさんに確認できないでいた．

ここでは新人看護師は，あらかじめ先輩との体位変換で学んでいた「足を伸ばすのが安楽な肢位」という状況から，〈本当はそうではないのではないか〉という新たな状況を認識しつつある段階といえる．また，足を伸ばした方法で本当によいのかという，自己の行為への問いかけ（省察）でもある．

3）従来の方法から効果的な方法は何かと試みる

ある日，時間的に余裕があり，新人看護師はAさんの体位変換を行うチャンスがあった．新人看護師は「（先輩の行う）伝統的なやり方と新しい方法のどちらが効果的かをはかる」ために，Aさんに体位変換の前に「どうしたいですか？」と聞いてみた．Aさんは「ほんとうは足を立てたほうが楽なんだ」と自分の思いを伝えた．新人看護師は「ありったけのクッションを使って」Aさんのポジショニングを行った．Aさんは「とても楽だ」と「いつもと違う返事」をしてくれた．

Aさんの反応は新人看護師の予測どおり，「本当は足を立ててほしい」という新たな状況へと展開した．その結果として，Aさんにとってのこのときの安楽な肢位をとることができた．自分の「本当かな」という気づきから「どうしたいですか」と聞くことで，Aさんから「とても楽だ」との言葉を得ることができた．このことは，「新たな問いや目標を立てることができる」レパートリーが増えた瞬間でもあった．Aさんの「とても楽だ」という言葉は，新人看護師にとって，経験からの重要な学びと知の生成を確かにしてくれる成果である．

4）探求へ向かう姿勢

新人看護師はAさんの状況と自分との間に「明確な境界」を引いていない．「明確な境界」とは，新人看護師の価値観によってAさんをとらえることである．つまり，新人看護師が先輩と行うポジショニングで「私はまだ未熟だから」と考えているため，Aさんに対し，実践者としてその状況に探求的に向き合う姿勢とはなっていない．「余裕がない」という言葉も同様である．

しかし，「本当かな」と一瞬考えることで，新人看護師は探求への姿勢をもつことになる．Aさんの本当の思いを確認し，何をすればいいのかがわかったことにより，「ありったけのクッションをつかって，A さんの望むポジショニングをあれこれ」と行うことができた．このことは，新人看護師がAさんの望む体位をとるための状況を自ら創り（再形成し），Aさんと共に新たなポジショニングを行ったといえる．

新人看護師は果敢に状況に向かって，「ありたっけのクッションを使って」対応しているのである．

ここでは次のことを学ぶことができる．

①新人看護師は先輩と共にAさんの状況を学び，足を伸ばすことがよいという自分の枠組みをつくって行動していること．

②それを行いながら（行わざるを得ない状況にいながら），その自分の枠組みを壊すことで，新たな状況を開くことができる．

③先輩看護師の陥っている状況を学ぶことができる．先輩看護師は，実践から学んだ「Aさんには足を伸ばしたほうがいい」という枠組みを続けている．そのため，先輩看護師はそれに気がつくことがだんだんと難しくなり，手立ての変更がほとんど利かなくなっている．

5）手だてを講ずることとそれを言語化すること

新人看護師がAさんへのポジショニングを経験として積み重ねるには，〈意味づけ〉を行い，〈さらに手立てを講ずる〉ことが必要である．講じた手立てである実践を言語化することで，他者からのフィードバックを得ることができ，自分の行為を省察することが可能になる．

新人看護師のこの語りは，何気ないAさんとのポジショニングの行為に新たな意味を与えることを物語っている．新人看護師が向き合っているAさんの状況は「足を伸ばしたほうがよい」という過去を物語り，専門家である新人看護師はそれに耳を傾ける．そして聞こえてきた〈本当にこれでいいのかな〉という自分の問いとその状況を理解しながら，次のポジショニングの機会において，状況の枠組みを転換していることを学ぶ機会となる．

2 新人看護師の臨床での学習システム（図25-6）

1）制度化された実践のなかに役割が埋み込まれる

新人看護師は入職して，チームの一員として看護実践を行う．先輩看護師と共にAさんへの体位変換を行い，ポジショニングを行ってきた．その繰り返される行為のなかで，新人看護師は「Aさんにとって楽なのは足を伸ばした肢位」ということを学んでいく．このポジショニングは先輩たちが経験をとおして，Aさんにとっての安楽な肢位を考え積み上げてきた行為であるともいえる．

先輩たちのこの行為は間違ってはいないかもしれないが，経験から自分たちなりの安楽

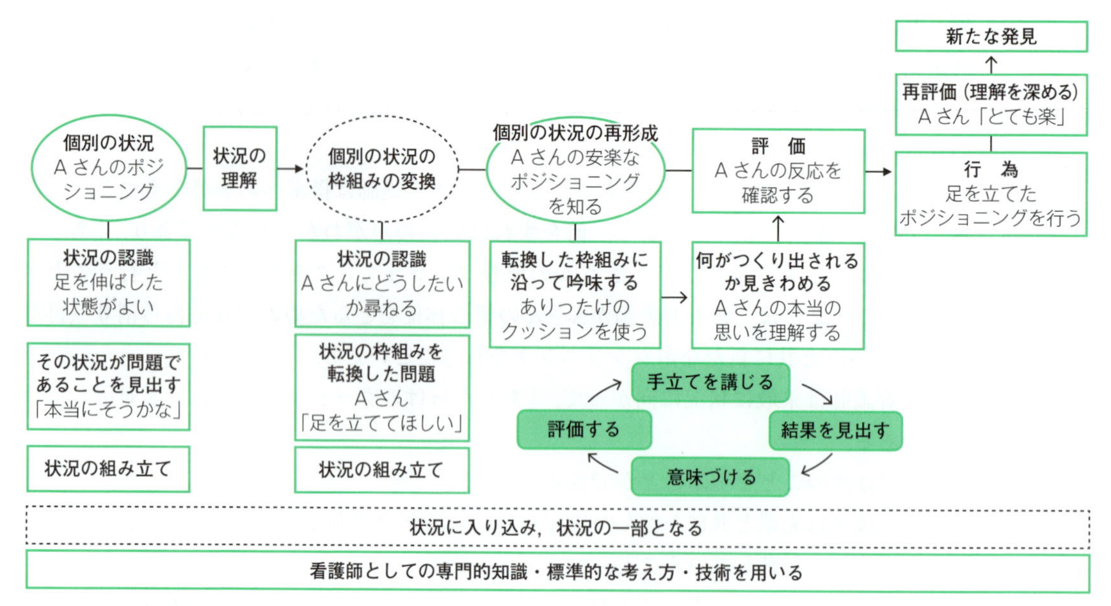

図25-6●新人看護師の省察と状況との対話の構造

な肢位を見出しているため，「Aさんにとってどうか」という問いが，いつの間にか失われた状況だと考えられる．そして，新人看護師は先輩たちと同様に，いつの間にかAさんは足を伸ばしたほうがよいという枠組みのなかでポジショニングを行っている．

2）役割フレーム

新人看護師はこのように先輩たちとの協働によって，Aさんにとってのポジショニングを学んでいくが，「本当かな」という問いを立てることができた．

なぜ，もっと早く気がつかないのかという疑問をもつ人もいると思うため，新人看護師の状況を考えてみよう．

看護師となって半年の新人看護師は，安楽な肢位のとり方の基本をすでに基礎看護教育で学習している．それをAさんに適応するときに，先輩の方法を学ぶことから実践は始まる．新人看護師にとって，全介助の患者は，最初から一人で担当することができないため，「本当かな」と気がついても，先輩が「本当かな」と気がつかない限り，自分からは言えない状況なのである．その理由について新人看護師は，「自分は新人であり経験が少なく，先輩の判断や行為のほうが適切である」と語った．このことをショーンは「臨床での学習システム」と述べた。

新人看護師は，先輩看護師との関係性において実践から学ぶのである．

3 省察的実践から学ぶための他者の役割

新人看護師の語りは，研修でファシリテータによる「印象に残った事例について語りましょう」の問いかけによって語られた．また，グループでは同じ新人看護師同士であり，安心して語ることができる環境にあった．

1）実践を語ることと聞くこと

新人看護師はグループメンバーに実践を語ることで，質問を受けたり感想を聞くことができた．それによって，最初に語られていなかった内容が少しずつ語られていき，詳しい内容が浮き彫りになった．このようにファシリテータは語りを整理しつつ，埋もれている実践を語ってもらう役割がある．

新人看護師が語った後，グループメンバーのD看護師は「私は今，余裕がない．話しを聞いて，自分は患者さんのことが考えられていなかったと思った．どうしてこういうことが考えられたのか」と尋ねた．新人看護師は，「私もいつも忙しく体位変換をしている．先輩たちがいつもAさんに行っているポジショニングは，足を伸ばした状況でとっているので，私はAさんにとってはそれでいいのかなと思い込んでいた．でも，Aさんの反応から本当にそうなのかと思うようになっていた」と語った．

C看護師は，「Aさんになぜ，〈どうしたいか〉と聞けたのか．聞きたくても先輩と一緒だと言えない」と同じ立場での意見を述べた．新人看護師は「Aさんの表情や〈いいと思う〉という言い方が気になっていた．でも，自分は仕事がまだ一人前ではないし，先輩の方法が適切ではないかと思っていた」と，率直な思いを語ることができた．

ファシリテータは議論を深めるために，「先輩の方法とはどういう方法だったのか」と尋ねた．新人看護師は少し言いにくそうに「私たちは，多くの患者さんの体位変換をしなくてはいけないし，時間で行うこともある．私は技術が未熟で，一人ではAさんの体位変換をできないから，受け持ちであっても先輩と一緒に行うし，技術も先輩の方法を学んでいる．先輩はポジショニングをとりながらAさんに確認しているが，ほぼ終わったときに確認するために，Aさんは思いが言いにくいのかなと思っていた．でも，私もまだ，一人前ではないし，きちんと仕事ができないので言えなかった」と，そのときの思いを語った．

「でも，ある日，たまたま自分に時間の余裕ができ，これならAさんに聞くことができると，部屋に行った．Aさんのことが気になっていたため，体位変換を始める前に〈どうしたいですか〉と聞くと，〈足を立ててほしい〉と言った．Aさんは本当はこうしてほしかったんだと思った．それで，頑張ってポジショニングを行った」と語ることができた．

少し間を置いた後，D看護師は，「う～ん．すごいと思う．Aさんを尊重したケアだと思う」と静かに語った．ファシリテータはメンバーの様子を見ながら，「そうですね．私もそう思う．このポジショニングは，Aさんにとってどういうケアだったのでしょうか？」とさらに尋ねた．新人看護師は「Aさんは，本当は足を立ててほしい，と言いたかったのが言えなかったのだと思う．それが言えたのでAさんの思いを尊重したケアだと思う」と言った．

C看護師は「最初にAさんに聞くことが大事だと思う．いつもそうだからと言って，足を伸ばしたほうがいいわけではないことが伝わった」と学びを語った．

ファシリテータは，「自分の仕事の状況によっては，Aさんに最初に聞けないこともあるのですね」と，ケアを行ううえでの限界を確認した．先輩のケアを否定するのではなく，状況から学ぶ視点が必要であると考えたからである．新人看護師は「自分がまだ未熟だから，いまは，先輩から学んでいるところだと思う．実際に忙しいのが現状で，タイムマネジメントも必要である」と，現状との比較を行うことができた．

E看護師は「患者さんにとってどうなのかを忘れないでいることが大事だと思う．自分に余裕があるかわからないけれど，そうしなくてはいけないことを忘れてはいけないと思う」と，時間に追われる現状のなかで，何を大事にしていけばいいかを語ることができた．ファシリテータは新人看護師の現状が，時間に追われる状況であることを理解しつつ，大切にしている看護を見出せていることを確認し，次の実践につなげるための問いとして，「この事例を次の実践にどうやって活かしていけるでしょうか」と投げかけた．

メンバーは「自分に余裕をもつ」「患者さんがどうしたいのか聞く」などの実践可能な意見を語り，新人看護師は「今回の経験から，まずは患者さんの思いを聞く」と，自己の実践を次の行動に結びつける引き出しを増やすことができた．

たった15分の検討であるが，印象に残った場面を語る環境をもつこと，実践をありのままに語ること，その実践を語るときに“状況との対話”の存在を知り，どのように実践を語ることが必要なのかを知っていることが求められる．

つまり，実践から学ぶことができることを熟知しているファシリテータがいること，語られた内容を肯定的に検討し，その行為の意味をフィードバックできる仲間がいることなどの環境があることで，「行為のなかの省察」を「行為についての省察」として経験から学ぶことができる．

4 今後どうしたいか

新人看護師が省察的な実践を行っていることが，語りから明らかになった．また，実践での知識の生成とそれを活用する学習システムの存在を表すことができた．今後はさらに熟練した省察的な実践や，その発達過程を明らかにしていくことが求められる．また，「本当かな」という気づきへの支援を探求することも必要であると考える．

そのことによって，看護師が自らの省察的な実践から知識の生成を行っていることに気がつき，「本当にこれでいいのか」という実践的な問いを意図的に行うことができると考える．

H 理論を看護実践につなげるために

行為のなかの省察は私たち看護師にとって，普段の実践のなかで実際に行っていることである．しかし，このことはほとんど意識されることがなく，何事もないようにケアは提供されている．当たり前に行っているケアが，いかに患者にとって意味あることなのかをもっと意識することが重要である．

その人にとっての問題をいかに解決できるかという専門家としての根拠をもった思考と，もう一つ，本当にその方法でいいのかという自分の方法を探究する思考をもち続けることが，省察的実践家であり続ける一つの方法なのである．

文献

Argyris,C., & Schön D.A.(1974). Theory in practice : Increasing professional effectiveness. San Francisco : Jossey-Bass Publishers.

Argyris, C., &Schön, D.A.（1978）. Organisational leaning: A theory of action perspective. Massachusetts: Addison-Wesley.

Bulman, C.,Schutz, S.（Eds.）（2013）／田村由美，池西悦子，津田紀子（監訳）（2014）．看護における反省的実践．看護の科学社．

デューイ（1938）／市村尚久（訳）（2004）．経験と教育．講談社学術文庫．

Gibbs, G., Farmer, B. and Eastcott, D.（1988）. Learning by doing. A guide to teaching and earning methods. Far Easttern University, Birmingham Polytechnic, Birmingham.

東めぐみ，河口てる子（2022）．看護実践の語り合いによる看護師の気づきと行動―看護実践を語る会を用いたアクションリサーチ．日本看護科学会誌，*42*，91-100.

池内晃子，上野恭子（2020）．精神科看護師の批判的思考態度を促進するためのリフレクションを用いた教育プログラムの効果―統合失調症患者の身体症状の判断に焦点を当てて．日本精神保健看護学会誌，*29*（2），9-18.

井波千穂子（2021）．COVID-19と教育の新たな取り組み　リフレクションを組み込んだ学内助産額実習プログラム．東都大学紀要，*11*（1），115-123.

Johns, C.（2009）. Becoming a reflective practitioner, 3rd ed. Oxford : Wiley-Blackwell.

菊地真弓，若林弥生（2022）．臨地実習における看護学生の「生活者」の理解に関する文献検討．了徳寺大学研究紀要，*16*，285-296.

栗原幸子，嘉手苅英子（2021）．看護技術習得の初期段階のある学制の技術試験におけるリフレクションのパターン．日本看護学教育学会誌，*31*（2），31-43.

倉田節子，青木由美恵，永田真弓（2019）．混合病棟における小児看護初心者への教育担当を育成するための研修プログラムンの作成とその評価．日本小児看護学会誌，*28*,191-199.

児玉美幸，東サトエ（2017）．卒後2年目看護師の行うリフレクションがキャリア開発に与える意味と継続教育方法の検討．南九州看護研究誌，*15*（1），11-20.

小山理英（2021）．Collaborative Reflectionの概念分析－Walker & Abantの手法を用いて．日本赤十字看護学会誌，1-9.

近藤絵美（2020）．看護実践における看護専門職へのリフレクション支援の効果に関する評価方法―文献レビュー．千葉看護研究学会誌，*26*（1），8.

松永麻起子，前田ひとみ（2013）臨地実習のリフレクションから導かれた看護学生の気づきと批判的思考態度に関する研究．日本看護学教育学会誌，*23*（1），43-52.

武藤雅子，前田ひとみ（2018）．新人看護師のリフレクション支援に向けたプリセプター育成プログラムの検討．日本看護科学学会誌，*38*，27-36.

文部科学省，平成29年　大学における看護系人材養成の在り方に関する検討会報告書．2017．〈https://www.mext.go.jp/b_menu/shingi/chousa/koutou/078/gaiyou/__icsFiles/afieldfile/2017/10/31/1397885_1.pdf〉[2023. March 5]

新田桃子，影山雪絵，奥田玲子（2022）．新人レベル看護師の臨床におけるリフレクションの様相　卒後3年目看護師へのインタビューから．米子医誌，*73*，11-20.

Schön, D.A.（1983）／佐藤学，秋田喜代美（訳）（2001）．専門家の知恵―反省的実践家は行為しながら考える．ゆみる書房．

Schön, D.A.（1983）／柳沢昌一，三輪建二（訳）（2007）．省察的実践とは何か―プロフェッショナルの行為と思考．鳳書房．

Schön, D.A.（1983）. The reflective practitioner : How professionals think in action. NewYork : Basic books.

Schön, D.A.（1987）. Educating the reflective practitioner. San Francisco : Jossey-Bass Publishers.

田村由美，津田紀子（2008）．リフレクションとは何か．看護研究，*41*（3），171-183.

浦上真衣，奥田玲子，深田美香（2022）．リフレクション研修は卒後2年目看護師に何をもたらしたか　リフレクション能力と「大切にしている看護」の変化．米子医誌，*73*，31-44.

安酸史子編（2015）．経験型実習教育―看護師を育む理論と実践．医学書院．

吉澤裕子（2019）．看護学生の自己教育力の向上を目指した取り組み―リフレクションの成果と課題．旭川大学保健福祉学部研究紀要，*11*，1-5

●看護の対象者や看護師の認識変容に関する理論

26 看護の教育的関わりモデル

A 理論との出会い

「看護の教育的関わりモデル」は，日本の看護のリサーチグループである「患者教育研究会」により開発された．しかし，患者教育研究会の代表である著者の河口てる子も，他の構成メンバー21名も自分たちが理論家であるとは，露とも思っていない．確かに患者教育に関する良質な看護実践に名前をつけ概念化し，概念モデルとして公表，公開してきたので理論作成者ではあるが，理論家ではない，と思っている．

「患者教育研究会」は，結成29年になるが，結成のきっかけは，1994年夏に行われた日本看護科学学会研究活動委員会主催の研究討論会であった．その頃の看護界は基礎教育の４年制大学化が決定，開始されたばかりで，看護の研究はわずかであり，他分野に比べ極度に貧弱であったため，学問として，てこ入れが必要であった．そのため日本看護科学学会の研究活動委員会は，1993年７月，会員に対して看護に必要な研究課題を質問紙調査し，研究課題の研究を支援することにした（河口他，1994）．委員会はその調査で７つの研究課題を抽出し，研究課題ごとに研究参加者を公募して，研究討論会を開催した．その討論会の研究課題の１つが「患者教育，指導方法」であった．全国から学士会別館に参集した「患者教育，指導方法」応募会員は，研究討論会の終了後，患者教育研究会を結成し，東西３か所に分かれて検討を始めた．１年後，研究会は，会の検討場所を東京１か所に移し，月１回のペースで集合・検討を続け，時には２泊３日の合宿集中検討を実施しながら，概念とモデルのブラッシュアップを続けた．

モデルは，良質な看護実践の抽出から概念化され，概念間の関係性検討からモデルの構築，モデルの検証までに至っている．モデル名は初期の「患者教育のための看護実践モデルVer.1」から「看護の教育的関わりモデルVer.4」と変更され，現在はVer.8である（図26-１）．実践から生まれた概念，理論であるので，実践家の承認と賛同，臨床への活用を重視している．

B 理論家紹介

患者教育研究会は，前述したように日本看護科学学会研究活動委員会主催の研究討論会が始まりである．研究会代表の河口は，その研究活動委員会（川島みどり委員長）の委員の一人で庶務担当（事務局が日本赤十字看護大学）であったため，研究グループの発展を企画・運営していた．結成当時の患者教育研究会メンバーは，日本看護科学学会会員で全員が大学・短大の所属，40歳前後の若手研究者が中心であった．メンバーの領域は慢性看護学領域だけでなく，クリティカルケア看護学や母性看護学領域の研究者も含まれる10数名で開始し，その後，若い研究者や臨床看護師，専門看護師・認定看護師を加えながら，最大時35名となり，20年以上が経過した現在は会員22名となっている（表26-１参照）．

初期の１回の事例分析に集まるメンバーは，最少４名最多22名，平均すると12.5名であった．教育分野の研究者が６割強，臨床の看護師が３割，その他大学院生などが少々であった．毎月１回東京の会場（日本赤十字看護大学，慶應義塾看護短期大学，駿河台日本大学病院，八重洲倶楽部会議室，AP品川会議室など）か，会員の所属施設（九州大学，福岡県立大学，山形大学など）に集合し，毎年のように２泊３日の夏合宿を実施し研修施設で集中分析するなどした．その間，メンバーの所属や身分・職位は次々と変わり，若手研究者がいつの間にか定年前後の教授や看護部長となっている．

研究会の特徴は，当初から研究者と実践家との協働で研究を続けたことであり，ほとんどが女性の集団である会の特徴から子育て中のメンバーが参加しやすい環境を用意するという，メンバーの家族にも配慮した会議や研修運営であった．結果，夏合宿では，９～17時はメンバーだけの集中分析・検討時間であるが，朝・夕は子ども，配偶者，祖父母ら家族を巻き込んでの交流となった．

患者教育研究会は，このように29年にわたり患者教育事例を中心に分析を続け，これらの分析結果は看護系学会への発表，看護系雑誌への特集記事の掲載，学会誌への研究論文，そして書籍『熟練看護師のプロの技見せます！慢性看護の患者教育―患者の行動変容

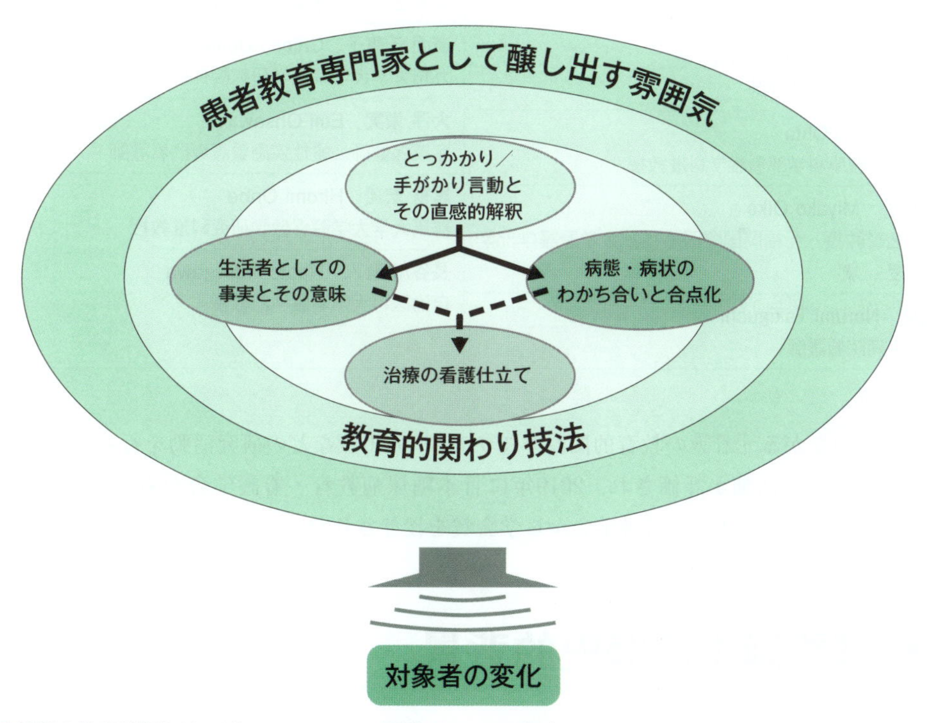

図26-１●看護の教育的関わりモデル Version 8.0（通称：ＴＫモデル）

表26-1●「患者教育研究会」メンバー（2023年7月現在：22名）

<table>
<tr><th colspan="2">〈研究会代表〉</th></tr>
<tr><td colspan="2">河口てる子　Teruko Kawaguchi
聖隷クリストファー大学看護学部特任教授，日本赤十字北海道看護大学名誉学長・名誉教授
1976年大阪大学医療技術短期大学部卒業，1978年聖路加看護大学卒業，
1992年東京大学大学院医学系研究科修了・博士（保健学）取得
1978年聖路加国際病院看護師(外科・内科)勤務，1992年日本赤十字看護大学講師，助教授，1996年大阪大学医学部保健学科助教授，1998年日本赤十字看護大学教授，
2011年日本赤十字北海道看護大学学長・教授，2023年聖隷クリストファー大学特任教授</td></tr>
<tr><th colspan="2">〈メンバー（入会順）〉</th></tr>
<tr><td>安酸 史子　Fumiko Yasukata
日本赤十字北海道看護大学学長・教授</td><td>伊藤 ひろみ　Hiromi Itoh
元砂川市立病院看護部長</td></tr>
<tr><td>小林 貴子　Takako Kobayashi
横浜創英大学看護学部教授</td><td>井上 智恵　Tomoe Inoue
京都済生会病院慢性疾患看護専門看護師</td></tr>
<tr><td>岡 美智代　Michiyo Oka
群馬大学大学院保健学研究科教授</td><td>伊波 早苗　Sanae Iha
淡海医療センター総括看護部長・慢性疾患看護専門看護師</td></tr>
<tr><td>小平 京子　Kyoko Kodaira
関西看護医療大学研究科長・特任教授</td><td>横山 悦子　Etsuko Yokoyama
順天堂大学保健看護学部教授</td></tr>
<tr><td>林 優子　Yuko Hayashi
大阪医科薬科大学名誉教授</td><td>近藤 ふさえ　Fusae Kondo
長岡崇徳大学看護学部教授，順天堂大学保健看護学部名誉教授</td></tr>
<tr><td>小長谷 百絵　Momoe Konagaya
新潟県立看護大学教授</td><td>東 めぐみ　Migemi Higashi
順天堂大学保健看護学部教授・慢性疾患看護専門看護師</td></tr>
<tr><td>小田 和美　Kazumi Oda
札幌市立大学看護学部教授</td><td>道面 千恵子　Chieko Domen
九州大学大学院医学研究院保健学部門助教</td></tr>
<tr><td>下村 裕子　Hiroko Shimomura
元日本赤十字看護大学講師</td><td>大澤 栄実　Emi Ohsawa
産業保健師・慢性疾患看護専門看護師</td></tr>
<tr><td>太田 美帆　Miho Ohta
東京家政大学健康科学部看護学科准教授</td><td>恩幣 宏美　Hiromi Onbe
群馬大学大学院保健学研究科准教授</td></tr>
<tr><td>大池 美也子　Miyako Oike
九州大学名誉教授，元福岡国際医療福祉大学看護学部学部長・教授</td><td>長谷川 直人　Naoto Hasegawa
自治医科大学看護学部教授</td></tr>
<tr><td>滝口 成美　Narumi Takiguchi
大森赤十字病院看護師</td><td></td></tr>
</table>

につながる「看護の教育的関わりモデル」』の出版などの研究活動を行ってきた．その研究成果や活動が評価され，2019年に日本糖尿病教育・看護学会からフロンティア賞を，2020年には日本慢性看護学会から学会賞を授与された．

理論誕生の歴史的背景

日本では，第2次世界大戦が終わった後，経済の高度成長から生活は豊かに，食生活は

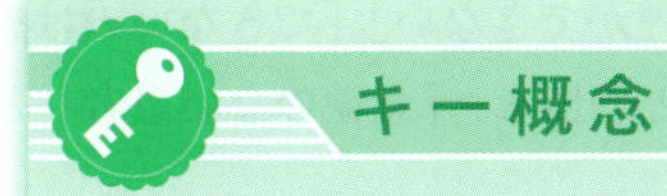

キー概念

□**とっかかり/手がかり言動とその直感的解釈**：対象者が発する言語的・非言語的な信号・合図・情報を看護職者が心で直ちに感じ，吟味・探索を経て，理解したこと．

□**生活者としての事実とその意味**：生活者である対象者が，病気や生活の出来事をどのようにとらえ，感じているかを，看護職者が対象者との関わりをとおして見出し，理解するとともに，対象者に話したり，伝えたり，確認し合ったりするプロセス．

□**病態・病状のわかち合いと合点化**：対象者が病状・療養をどのようにとらえているのかを看護職者が理解・納得し，対象者の認知・感情・体感に合わせ，対象者なりに病態・病状・治療が腑に落ちるように支援するプロセス．

□**治療の看護仕立て**：看護職者が，治療を，対象者の意思・病状・認知・生活に合わせて，対象者が実行できるように工夫し調整すること．

□**教育的関わり技法**：基盤作り技法群・協同探索技法群・取り組み支援技法群で構成され，看護職者が対象者に心を開いて信頼関係を築くとき，対象者と共に療養生活上の困難事を理解するとき，困難事への取り組みを支援するときに活用される実践的具体的な関わり方・やり方．

□**患者教育専門家として醸し出す雰囲気（professional learning climate：PLC）**：専門的な知識と経験に裏づけられ，効果的な患者教育の成果を導く，専門家に身についている態度あるいは雰囲気．

□**対象者の変化**：このモデルのアウトカム（outcome）であり，感情，認知，言動，徴候（検査データ）や症状などが変化あるいは維持すること．

注）本モデルでは，看護職者とは看護師・保健師・助産師などのことであり，対象者は患者・患者家族・入所者・利用者などのことである．

欧米化し，生活活動量は少なくなった．栄養状態の改善や医療の進歩から感染症の減少，急性疾患の減少は顕著であったが，代わりに慢性疾患が増加した．特に生活習慣病といわれる糖尿病や高血圧などが増加し，患者の自己管理の必要性がいわれるようになった．疾患の自己管理には，患者教育が必要であるが，1990年頃まで医療者による系統的な患者教育はほとんど行われていなかった．糖尿病の増加により，多くの病院で糖尿病教室が行われるようになったが，教育内容は病態，検査データや食事療法，運動療法の方法を教えるといった医学的情報提供のみであった．

医師・看護師は，医学的知識はもっているものの，教育の方法についての知識・技術はもっていなかった．また，看護の基礎教育では，患者教育は看護師の重要な役割と教えられてきたが，実際は看護師が教育に関わることはあまりなく，患者教育といえば，患者に医学的知識を情報提供することで，患者の自己管理への行動変容は起きると信じられていた（保健行動のKABモデル）．

しかし，情報提供では，短期の行動変容は起きても，長期の維持は難しく，やがて自己管理はできずに糖尿病コントロール状態は悪くなる一方であった．このように自己管理ができず，疾患のコントロール状態が悪いと，多くの医師や看護師は，「糖尿病の自己管理方法も合併症のリスクも知っているのに自己管理ができない」「できないのは患者に意欲がないせいだ」と，理解力不足か，意欲がないと判断し，「意欲のない患者」とレッテルを貼ってしまいがちであった．

なぜ，患者は自己管理ができないのか，どうしたら患者が行動変容し，自己管理ができるようになるのか．この命題は，患者教育に携わる医療者の共通の課題であった．やがて，患者の心理や心理状態に応じたアプローチの概念・理論が欧米から紹介されるようになり，それらを活用した指導・支援も行われるようになった．セルフエフィカシー，プロチャスカの変容理論（変容ステージと変容プロセス），成人患者のための学習理論，ヘルスビリーフモデルなどがあげられる．しかし，自己決定，自己主張を是とする欧米と協調を是とする日本では，自己決定を中心としたアプローチ方法では，必ずしも効果的ではなく，そもそも自己決定になれていない患者にどのようにアプローチしていいのかわからない看護師が多かった．

そういう時代に患者教育研究会は発足した．何を手がかりに研究を開始するか，研究の最初の糸口は，「熟練看護師が行っている教育では，しばしば患者が自己管理に向かって（自主的に）行動変容している」「しかも，患者はその看護師に絶対の信頼を置くようになる」という気づきであった．その気づきから，行動変容のきっかけとなった熟練看護師の患者教育を具体的に記述，分析すれば，効果的な患者教育の方法を明らかにできるのではないかと考えた．そのため，まずはこれら熟練看護師の「技」を記述，分析し，その要素を抽出することにした（河口，2001）．

患者の心理や行動を説明する概念や理論は多いが，支援する側の看護師に着目した理論は少ない．「看護の教育的関わりモデル」は，看護師が患者の行動をどのように判断し，支援するかに着目した理論である．

「看護の教育的関わりモデル」とは

「看護の教育的関わりモデル」は，看護師の教育実践力を高めることを目的に，熟練看護師の高度な教育実践を記述，分析し，可視化したモデルである．研究者と実践家が一緒になっていくつもの患者教育事例を分析・討議していったなかで，患者が変わっていった7つの関わりに関する主要構成概念が抽出され，検討，定義された（図26-2）．その7つの構成概念とは，「とっかかり/手がかり言動とその直感的解釈」「生活者としての事実とその意味」「病態・病状のわかち合いと合点化」「治療の看護仕立て」「教育的関わり技法」「患者教育専門家として醸し出す雰囲気professional learning climate」「対象者の変化」である．

1 とっかかり/手がかり言動とその直感的解釈

患者と関わった多くの事例において，患者の行動が変化するときには，看護師が「何か変だ」と感じ，気になる「とっかかり」の場面がある．その場面での出来事が，その後の関わりの手がかりとなり，教育的関わりの入り口になっていた．教育的関わりの入り口は，看護師が介入するときのきっかけであり，患者との関係において，看護師が違和感と

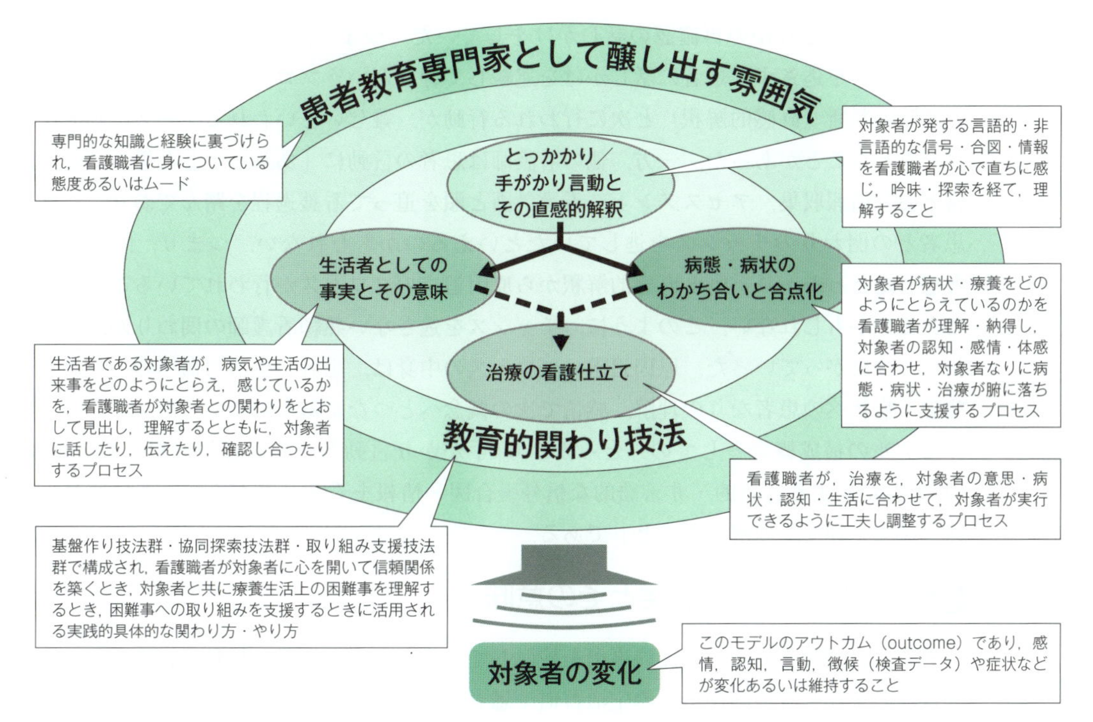

図26-2 ●看護の教育的関わりモデル Version 8.0（通称：ＴＫモデル）

して感じたり，患者が思っていることをわかろうとする瞬間に現れる．それは，見過ごしてしまうほどの小さな表情，態度の変化など，患者の言動が引き金になっていた．そしてこの関わりが発展していくことで，患者からの信頼を得られることにつながり，患者の行動が変化していった．

このように患者が行動変容した関わり事例の最初の「とっかかり言動」が，このモデルの入り口として位置づけられた．また，この言動により関わりに「取りかかる」だけではなく，関わりの手がかりとしていたので，「とっかかり/手がかり言動」とした（小林，2003）．

また，「とっかかり/手がかり言動」をとらえたときには，同時に「直感的解釈」も瞬時に行われていた．直感的解釈とは，「患者のとっかかった言動を看護師が心でただちに感じ，看護師側から理解したこと」であり（横山，2006），意図的な解釈だけでなく，無意図的な解釈（何となく大事だと感じること）を含んでいる．これは瞬時の解釈であり，論理的なアセスメントとは異なっている．また直感的に解釈する瞬間とは，いままでの看護の経験のなかで意味づけられたことが共鳴したかのように無意識的に刺激を受け，瞬間的に「何かヘン」「おやっ」「ここが重要！」などの身体感覚を伴ったときと考えられている．また瞬時に理解したとはいえ，熟練看護師の豊富な経験により吟味・探索を経ている解釈は，それなりに妥当なものである．

しかも患者の言動に「あれっ？」と思った熟練看護師は，直感的解釈からすぐに次の「探索的な言葉かけ」を行っていた．その言葉かけに対する患者の反応に対して，熟練看護師は豊富な経験から，ある予想，これではないかという解釈をしていた．さらにその解釈が正しいかどうかの再確認の話しかけをしていた．つまり，「あれっ？」と思ったときにチャンスを逃さず，患者に話しかけを連続して行うというプロセスが存在していた．この瞬時の判断（直感的解釈）と次に行われる行動が，難しいといわれるケースに劇的な変化をみせることがあった．一方，他の看護師は患者の言動に「あれっ？」と思っても，通常どおり情報収集，アセスメント，看護計画と順を追って看護過程を踏んでおり，これは患者との関わりのチャンスを逃していたといえるのかもしれない．つまり，「あれっ？」と感じたとっかかり言動と直感的解釈から原因追求のプロセスが行われていることが重要であるのかもしれない．このように，チャンスを逃さない熟練看護師の関わりが，問題解決へとつながっていった．原因追求のプロセスの中身は，患者の生活習慣へのこだわりや病態・病状への患者なりの理解，感情で次の概念へとつながるものであった．

モデルの構成概念としての「とっかかり/手がかり言動とその直感的解釈」の定義は，「対象者が発する言語的・非言語的な信号・合図・情報を看護職者が心で直ちに感じ，吟味・探索を経て，理解したこと」である．

2 生活者としての事実とその意味

患者教育研究会で多くの実践事例を検討していくうちに，患者が行動変容に至ったケースは，いずれも看護師が患者の生活習慣や患者の価値観（患者が大切にしていること）に配慮し，それに基づいて療養生活を支援したとき，行動変容していた．一方，病気の治療のためであれば生活を変えるべきであるという前提に立つ看護師は，患者の生活に関する多くの情報を得ていても，治療のために患者が生活を変えるのは当然であるとし，患者抜きで療養生活を計画する事例が多くあった．それらの事例では，行動変容は全く起きないか，あっても短期間だけで大部分は元の生活に戻っていた．そして，このように生活に治療をうまく組み込むことができず自己管理ができない患者には，それは患者のせいであると，責任転嫁していた．

本研究会では，患者の価値観と自己決定を尊重することを前提としているが，患者の価値観と自己決定を尊重するということは，まず，この患者の生活を知ることである．患者の生きてきた歴史のなかで培われた価値観，信条，大切にしていること，その人らしい生き方に気づき，受け入れることから始まる．たとえば，「外食が好きですぐ食べ歩きをしてしまうのです」という主婦に対して，「食事療法が守られていない」と怒るのではなく，「外食することは本人の楽しみになっている」と患者にとっての意味をとらえ，日曜日はお昼近くまで寝坊したいというサラリーマンには，週末の朝のインスリン時間を一緒に検討するなど，患者がこだわっている生活習慣や価値観に気づき，配慮するのである．大切にしている価値観（こだわり）や生活習慣は変えず，それ以外の療養方法や治療法のほうを変える提案をするのである．まずは，その人の生活の事実（食べ歩きをしている，日曜日はお昼近くまで寝坊していて，朝のインスリンを打っていない）と，その人にとっての意味（外食がとても好きで生きがいになっている，日曜日はどうしても朝寝坊したい）に気づくことから始まったのである．そして，時には本人も気づいていないこだわり（その意味）に看護師が気づき，それを対象者に伝えることにより，本人の気づきと価値観の変化が起こり，行動が変わることもあった．

看護師は，日々の関わりや援助をとおして，対象者の「生活そのものの事実」や健康障害によってそれまで対象者が意識していなかった「その人にとっての生活の大切さや意味」を浮き彫りにし，理解する．そして，その患者にとっての意味を日々の関わりや援助をとおして，対象者と話したり，伝えたり，対象者と共に確認し合ったりする．患者はこのプロセスをとおして，初めて自分にとってのその習慣の意味に気づく．たとえば，療養生活が必要になるまで意識化することも表面化することもなかった，元気なときは当たり前だった，病気になってその事実を突きつけられて初めて考えた，療養生活が必要になって変化した，ことなど対象者自身も気がついていなかった「その人にとっての意味」に気づいたり，意識したりする．看護師が対象者の生活を知り，その生活のなかのちょっとした習慣に対して，対象者にとっての意味に気づき，その意味を話したり，伝えたり，確認し合ったりする．

看護は，客観的な生活という現象（事実）をみているだけではなく，「生活している人」を対象にしていることから，「生活の事実」だけでなく，「生活者にとっての意味」が重要である．人は，今までを生きてきて，今を生きていて，これからを生きていく存在である．研究会では「生活者」について，「その人の生きてきた個の歴史のなかで培われた生活習慣や生活信条を持ちながら生きている人」と定義し，「生活者としての事実とその意味」概念は，「生活者である対象者が，病気や生活の出来事をどのようにとらえ，感じているかを，看護職者が対象者との関わりをとおして見出し，理解するとともに，対象者に話したり，伝えたり，確認し合ったりするプロセス」と定義している．

3 病態・病状のわかち合いと合点化

病気の自己管理をしていくためには，当然のように，病気を理解していることが求められる．そのため，看護師は，患者が自己管理や治療を受け入れないと，病状を理解していないためだと判断して，「病識がない」「理解が悪い」「知識不足」ととらえてしまいがちである．また，病気について自分なりに考えたうえでの管理を行っている患者には，「自己流」で行っていると否定的にとらえることもよく起こる．さらに，「自己流」で療養行動を行っている患者では，看護師が医学的に最適な知識を伝えるだけの指導を行っても，看護師が期待する自己管理への行動変容がないことが多いため，ますます医療者の言うことを聞かない患者とされてしまう．患者が長年行ってきた療養行動や患者自身が納得して行っている行動の修正は難しいものである．

病気の理解を促していくためには，医学的情報を与えるだけでなく，患者がもともとどのような知識をもち，どのように解釈しているのかを把握することが理解につながる．そのうえで，患者が実感をもって納得することができるよう支援し，そうした理解のし直しを促していくプロセスが必要となる．研究会では，患者が納得するプロセスを「合点化」と命名しているが，どのようなプロセスで患者が合点化するのであろうか．

合点化プロセスを明らかにするため，患者が勧められた治療を拒否するような事例，たとえば人工透析が必要となった患者が透析を拒否していた事例について，医師から患者の説得を依頼された専門看護師がどのような関わりによって患者の理解と合点化に至ったかを語ってもらった．なぜ患者がそのような療養法をしてきたのか，なぜそのようなまるで治療の拒否のような態度をとるのか，患者に話してもらった結果，看護師自身が患者の療養と言動に納得した（腑に落ちた）．そしてそれを患者に伝えると，患者は今まで家族にも理解してもらえなかった自分の療養を看護師に理解してもらえたことに涙した．つまり，看護師・患者とも相互に理解し合い，わかち合いになったのである．そのわかち合いは，患者を孤独から救い，わかってもらった安心から看護師の説明を受け入れる素地となった．患者は，落ち着き，心に余裕ができたのか，病状と今後の治療を客観的，冷静に考えることができるようになった．一方，看護師は患者がどのように病態を理解していたかを理解すると，卓越した手法で病状･治療を説明し，結果，患者は病状理解と治療の必要性について，心から「わかった」と納得（合点）し，やがて，治療の受け入れに至った．

この過程での新しい発見は，患者に治療を受け入れさせよう，納得させようとしていた看護師のほうに患者の理解が必要だったという点にある．つまり，患者の合点化には，患者と看護師の双方が互いにわかり合うこと，特に，看護師が患者の療養行動に合点する必要があり，それを伝え，わかち合うことにより合点化が完了したのである．

看護師は患者の療養生活をじっくり聴くなかで，患者の疾患理解がどのようなものであるか，患者の療養生活はどのようなものであったか，どのような苦労をしつつ療養してきたかについて理解し，患者の言動が腑に落ちる，という．患者の病状の理解や行動の本当の意味，長年の療養生活の大変さやつらさを看護師が知って理解し，患者の言動について腑に落ちる．患者は今まで医師や看護師，時には家族にも理解されなかった長年の自分の努力や苦労を看護師に理解してもらい，「初めて，わかってもらえた」という．勧められた治療の拒否という片意地張っていた状態から，少し冷静さを取り戻すことができ，冷静さを取り戻すと客観的に自分の病状を見直すことができる．また，看護師にとっては，患者の認識や感情が理解できて，初めてこれからどう管理していくのか，どういった療養が可能なのかを患者と共に話し合っていくことができる．

患者の病状の理解と納得を得るプロセスは，患者の感情レベルまで掘り下げないと解決できない場合があり，説明の工夫レベルでは達成できないことが多い．信念をもって療養をしてきた患者にとって，今の病状とリスクの説明だけで納得することは少ないのである．

「病態・病状のわかち合いと合点化」は，熟練看護師が，患者の病態や病状の理解を促すためにどのように支援しているのかを説明しており，その定義は，「対象者が病状・療養をどのようにとらえているのかを看護職者が理解・納得し，対象者の認知・感情・体感に合わせ，対象者なりに病態・病状・治療が腑に落ちるように支援するプロセス」である．

4 治療の看護仕立て

病気のコントロールのための療養行動がうまくいかない患者に対して，将来の危険性を説明してもなかなか生活習慣を変えられないことがよくある．もしかしたら，その患者は遠い将来の合併症よりも，明日のリストラを心配しているのかもしれない．毎日の仕事が忙しく治療より仕事や家族との関係を優先したため，あるいは特殊な生活スタイルなのかもしれない．何度も自己管理を試みて，そのたびに短期で挫折したのかもしれない．このような患者に熟練看護師が支援を行った結果，うまくいくことがあるが，看護師はどのような支援を行ったのであろうか．

看護師が患者に治療（療養）の仕方についての教育的支援をするとき，単にテキストに載ったままの方法を説明しているわけではない．看護師は，療養法を患者に合わせてアレンジし提供する．これをこのモデルでは「治療の看護仕立て」とよんでいる．

「治療の看護仕立て」は「看護職者が，治療を，患者の意思・病状・認知・生活に合わせて，対象者が実行できるように工夫し調整すること」と定義している．すなわち，スタンダードな療養・治療を患者の意思・病状・認知・生活に合わせてアレンジし提供する．患者の大事にしている生活のあり方を尊重し，それに合った療養方法を指導しようとするときには，当然看護師にその人に合った治療を選べるだけの知識・技術が必要である．

たとえば，看護師は，患者の「糖尿病であると思っていない」や「腎臓が悪いと思っていない」という認知に合わせて，糖尿病や合併症の病態，食事療法の必要性などの知識を提供する．また，資料やデータを示してほしいという希望に合わせて，診断基準を示したり，血糖測定の値を病院食の内容と照らす，蛋白質の多い食品や個々の食品のカロリーを糖尿病の食品交換表で確認するなど判断の根拠を提供する．そして，その医学・生活・心理的専門知識と技術を駆使して，「病状とその将来の見通し」をコントロールの改善と腎症進行の遅延が見込めると判断し，「仕事を優先したい」ことや「家族の生活を変えたくない」という意思を尊重し，「自分が実行可能な食事療法の方法」として外食が中心の生活を変えないで食事療法する方法を習得できるように支援を行うのである．

これまでの教育的支援の方法は，医療者が「適切」と判断する治療・療養方法を患者に習得してもらい，生活をできるだけ「適切」な方法に近づけることを患者に要求してきた．

「治療の看護仕立て」には，生活を理想的な治療に近づけるのではなく，治療を患者の生活に近づけるという発想の転換がある．患者の今営んでいる生活はその人の価値観や人生観を反映したもので，生活を変えられるか変えられないかは，その人の意思や認知を知ることによって看護師は推測することができる．患者が変えられない生活と療養方法の工夫，それらを調整しすり合わせることによって，患者が「これならやれる」という方法を見出していくのが目的である．生活習慣を変える必要がある病気はたいてい慢性病で，慢性病は治癒することがなく，病気と長期間，ほとんどは一生付き合っていかねばならない．生活の調整も，実行できて続けられなければ意味がないのである．

このように複雑で難しいケースでは，患者の自己決定を尊重するといっても看護師もその決定の責任の一端を担うわけで，患者への安易な妥協をしているわけではない．しかし，できないことを強要しても患者は治療を実施できないままであり，それならば，患者が積極的・主体的に治療に携わり，病状が今より少しでも改善する方法を選択すべきと考えるのである．

「治療の看護仕立て」は，初期の分析段階では「療養指導に関する知識・技術」「病気・治療に関する知識・技術」とされており，保健師助産師看護師法の規定の範囲内で工夫することであった．しかし，現実に患者が生活に強いこだわりがある場合は，スタンダードな治療では，工夫に限界があり，患者の健康状態の改善は難しい．そのなかで熟練看護師は，医師との強い信頼関係と了解のもと，スタンダードな治療からもう一歩進んだ治療を実施していた．

つまり，ここで言う「治療の看護仕立て」は，看護師が患者の「生活者としての事実とその意味」のなかで，患者の日常生活習慣を知り，生活のなかで「こだわっていること」「大切にしていること」「絶対変えたくないこと」を理解し，できるだけ患者の自己決定に添って，療養生活を計画するうえで，医学的な専門的知識を駆使して治療のアレンジを行い，時にそのアレンジは医行為にまで踏み込んでいたということである．そしてその医行為を含むケアは，患者の生活上の満足度を上げ，同時に疾患のコントロール状態を改善させていた．

よりよいケアには，医行為を含むケアが必要な場合もあり，2015年の看護師による医行為，特定行為の波がやっと熟練看護師の行為に追いついてきた．十分な医学的知識・技術，および医師の承認，具体的なプロトコールは必須であるが，それらがそろえば，ケアの向上が図れるのである．

5 教育的関わり技法

教育的関わり技法とは，患者教育の熟練看護師が実践している実践的具体的な関わり方・やり方を技法として表したもので，「とっかかり／手がかり言動とその直感的解釈」「生活者としての事実とその意味」「病態・病状のわかち合いと合点化」「治療の看護仕立て」を進めていくうえでの「道具」としての技法である．基盤作り技法群・協同探索技法群・取り組み支援技法群で構成され，「看護職者が対象者に心を開いて信頼関係を築くとき，対象者と共に療養生活上の困難事を理解するとき，困難事への取り組みを支援するときに活用される実践的具体的な関わり方・やり方」と定義されている．

これらの技法を活用することにより，患者の思いや主体性，自己決定を大切にしながら，困難事の解決に向けた具体的な支援を行うことができる．

1）基盤作り技法群

看護師が心を開き，患者に語ってもらう技法群．患者教育アプローチを有効に進めるために，患者との心理的距離を近づけることを目的としており，「看護者が心を開く技法」「寄り添い技法」「呼び水技法」「自己表現の機会を保障する技法」がある．挨拶をする，自己紹介をする，目線を合わせるなど，人と人が関係性をもち始める第一歩から技法として位置づけて，患者との関わりの基盤作りをしていく技法群である（表26-2）．

2）協同探索技法群

患者の療養生活における困難事を明確化し，その意味を理解する技法群．患者が自己管理を自分の生活のなかに取り入れられない理由を探ることを目的としており，「問いかけ技法」「話を聴く技法」「あたりをつける技法」「確認の技法」がある．患者のこれまでの生活を問う，病気・療養に関する思いを聴く，その人のこだわっているところをキャッチする，復唱するなどによって，患者と共に今何が患者の困り事になっているのかについて探索していく技法群である（表26-3）．

3）取り組み支援技法群

困難事を緩和しながらその人らしい療養生活が送れるような方法を共に見出し，その取り組みを手助けする技法群．患者が困難だと感じていることの解決に向けて，意見を聞きながら具体的な提案を行い，患者が自分に合った方法を自己決定できるようにすることを

表26-2 ●基盤作り技法群の技法

技　法	内　容
看護師が心を開く技法	・挨拶
	・自己紹介
	・目線を合わせる
寄り添い技法	・患者の気持ちに同意する
	・できそうにない気持ちを受け止める
呼び水技法	・看護師が関心をもって尋ねる
	・看護師が自分の思いを伝える
	・小さなことでもやっていることを認める
自己表現の機会を保障する技法	・看護師の話をどう理解したかを表現できる機会を与える
	・感情，意見，考えを表出する機会を与える

表26-3 ●協同探索技法群の技法

技　法	内　容
問いかけ技法	・これまでの生活を問う
	・病気や療養法の認識について問う
話を聴く技法	・病気・療養に関する思いを聴く
	・生活について聴く
あたりをつける技法	・その人のこだわっているところをキャッチする
	・何を求めているのかあたりをつける
確認の技法	・復唱する
	・患者の話したことを要約する
	・患者の表現されていない感情や思いについて看護師が解釈したことを伝える

目的としている.「気づきを高める技法」「療養方法の提案に関する技法」「自己決定を促す技法」「療養行動のフィードバックに関する技法」「(療養行動を維持習慣化するための)具体的な手段としての技法」があり，患者の興味・関心のあることから始める，患者の強みを活用する，ライフスタイルをもとに対処できそうな方法を提案する，実現可能な具体的な目標を設定するなどによって，患者が自分の困り事を解決するために取り組んで具体的に行動できるようにする技法群である（表26-4）.

6 患者教育専門家として醸し出す雰囲気（professional learning climate）

「患者教育専門家として醸し出す雰囲気（professional learning climate：PLC)」は,「看護の教育的関わりモデル」において，他の概念がうまく機能するためのプロモーターの役割を果たす重要な概念である．研究会では，早い時期から患者教育の専門家に必要な要素

表26-4●取り組み支援技法群の技法

技　法	内　容
気づきを高める技法	・患者の興味・関心のあることから始める
	・患者の強みを活用する
	・セルフモニタリングを活用する
療養方法の提案に関する技法	・グラフ，写真，解剖図などの視聴覚教材を活用する
	・ライフスタイルをもとに対処できそうな方法を提案する
	・専門職としての意見を添える
自己決定を促す技法	・実現可能な具体的な目標を設定する
	・決定権を委ねる
	・待つ
	・必要な情報を整理する手段を提案する
療養行動のフィードバックに関する技法	・経過を一緒に確認する
	・できていることを認める，励ます
	・次回へ向けての目標や行動の確認をする
（療養行動を維持習慣化するための）具体的な手段としての技法	・ステップ・バイ・ステップ法を活用する
	・一緒に行う
	・イベント対処の方法を提示する

として看護師の醸し出す雰囲気や姿勢に注目してきた．看護師の雰囲気や姿勢は，知識や技術と異なり，明確に定義することは困難であるが，いくつものエピソード事例を検討するなかで，熟練看護師が関わるとなぜか患者がスムーズに変わるが，プロセスレコードには十分に記載されていない看護師の雰囲気や姿勢が話題になった．文字にすれば同じ言動であっても，看護師の雰囲気や態度が異なれば異なる結果になるのではないかと話し合った．

関わりのまずさが示された事例では，「どうして患者の話を聴かないで決めつけてしまうんだろう」，患者役割行動をとることが当たり前だと思い込んでいる事例では，「できて当たり前ではなくできなくて当たり前から始めないと，患者さんはつらいね」などと意見が出ていた．そうした検討を繰り返すなかで，患者教育に携わる看護師に備わっていてほしい雰囲気や姿勢は，重要な構成要素だという合意を得るに至った．また，この看護師の醸し出す雰囲気が生得的なものか後天的なものか，訓練可能な要素なのかに関しても議論をした．結論としては，こうした患者教育専門家の雰囲気や姿勢は，よりよい患者教育を志向して実践を繰り返す熟練看護師が経験知として身につけた知であるという意見の一致をみた．特徴としては，こうした看護師の雰囲気や姿勢は，①専門的なものであり，後天的に訓練可能であること，②患者の学習への動機づけに間接的あるいは直接的に影響し，患者教育の成果（outcome）が得られやすくなること，③効果的な患者教育を実践している熟練看護師の専門的な知識や技術には，こうした雰囲気や態度が身についた能力として組み込まれている可能性が高く，これがないとハウツー的な知識や技術だけでは効果的な患者教育にはなりにくいこと，などである．

「看護の教育的関わりモデル」は，考え方の前提として，①患者主体であること，②患者一人ひとりは異なっていること，③人（看護師）は人（患者）を変えられない，という哲学といってもよい考え方が，単なる知識としてではなく，態度から滲み出てきていると考えられている．PLCは，患者教育専門家としての安定した雰囲気・態度であり，患者の反応に影響すると考えているが，特に患者が病気を受容できていない場合，治療・検査に不満がある場合，医師など病院関係者へ不信感のある場合には，PLCの程度により効果に顕著な差が現れると考えている．

PLCは，「専門的な知識と経験に裏づけられ，効果的な患者教育の成果を導く，専門家に身についている態度あるいは雰囲気」と定義したが，PLCは，雰囲気や姿勢といった具体的には説明し難い概念である．そのため，PLCの雰囲気や姿勢がにじみ出たときの看護師の行為・言動を同時に分析した．その結果，看護師が1）心配を示す，2）尊重する，3）信じる，4）謙虚な態度である，5）リラックスできる空間を創造する，6）聴く姿勢を示す，7）個人的な気持ちを話す，8）共に歩む姿勢を見せる，9）熱意を示す，10）ユーモアとウィットを言う，11）毅然とした態度を示す，の行為・言動の時に同時にPLCが醸し出されており，それらをPLCの要素として明示した．

以下，PLCの11の要素について説明する．

1）心配を示す

患者の幸福と成長・発達への願いや望みを抱きながら，患者の心配事や困り事に対して看護師として心配していることを態度で表すこと．熟練看護師は，少ない患者情報から，疾病の特徴的な進行過程や生活全般への影響などについて推測することができる．患者がまだ自分のこととして認識していない将来の予測について専門家として心配していることを，押しつけにならない配慮をしながら伝えていた．「足の循環障害が起きていないだろうか」や「忙しい状況のなかで療養行動はできているのだろうか」「視力が低下しているなかで，インスリンの目盛りはちゃんと見えるだろうか」などと危惧し，もし看護師からの介入がなければさらに悪化するのではないかと心配する．医療者が患者のことを親身になり，心配している態度を示すことは，患者の安寧につながる．そして，心配事が解消されれば，患者と共に安堵し，ねぎらいの言葉をかけることも含まれる．

2）尊重する

患者と看護師としての関係の前に，人間対人間の関係として，患者の潜在能力に対して畏敬の念をもち，患者の成長・発達しようとする努力に向けられる敬意の気持ちである．患者指導の過程で，患者が療養行動をしたくないと発言したり，否定的な言動を繰り返すときであっても，患者がそういう気持ちになっていることに対して，医療者の論理を押しつけて否定するのではなく，これまでの患者の生き方が反映された価値観や信念を尊重することを意味する．食事の摂り方を変えないという患者の発言に対して，食事の摂り方を変えさせようと説得したり指導したりするのではなく，患者の変化しうる可能性を尊重して関わっていくことなどで示される．実行可能性のある計画案を一緒に考え，計画案を立案することへの参加や選択に対する患者の自己決定を尊重することを意味する．

3）信じる

もうどうでもいいんだと発言する患者であっても，病気と共に生きている患者一人ひとりがどこかに良くなりたいという希望や願いがあることを信じて関わることを意味する．どうせ無理だろうと決めつけたり，どうせ嘘に決まっているなどと疑ってかかるのではなく，患者の言葉をまずは信じてきちんと受け止める．血糖コントロールが不良な患者の場合，「言われたことはきちんと守っています」と主張するときには，食事療法や服薬コンプライアンスに問題がある可能性は否定できないとしても，患者の言葉を信じて一緒に原因を考える姿勢を示すことなどで表される態度である．

4）謙虚な態度である

看護師は，医療に関する多くの知識と技術をもっている．そのため，コンプライアンスの低い患者には，患者の話を十分に聴かずに専門的な知識を披露して指導してしまいがちだが，わかっていてもできないと悩む患者にとっては，看護師の指導が耳に入ってこない可能性がある．患者は，これまでの人生を生きてきた自分の生活の主人公であり，病気と共に生きる生活のなかでの知恵を兼ね備えた生活のプロともいえる．看護師が知っていて理解していることは，病態や治療上のことに関しては患者より詳しいとしても，生活者としての患者のことは一部分しか知らない．知的謙虚さをもって患者と対峙することで，患者の努力や生活の知恵を聴くことができる．

5）リラックスできる空間を創造する

患者は，病院に来るだけで緊張してしまうことも多く，そうでなくても忙しそうな医療者に自分が療養生活上で困っていることを気楽に相談できないことが多い．そのため患者の緊張感を和らげ，安心して感情を表出したり，落ち着いて自分のことを振り返ったり，看護師と打ち解けた対話をしながら今後のことを考えるために，リラックスできる空間が必要になる．熟練看護師は意図的にそうした空間を創造していた．たとえば，待合室か個室のどちらで対応するかを判断したり，目線の高さや椅子の位置で患者との物理的距離を調整し，患者が安心して話せる空間をつくる．患者に不愉快な思いをさせないために，自分の身だしなみにも気を配る．患者と心地よい対話ができるように，声の大きさや調子，表情，言葉遣いにも配慮する．どんなに忙しい状況でも，患者に「忙しそうだから遠慮しよう」と思わせないように，笑顔を絶やさず，落ち着いた態度で，患者へ身体を向け，視線を合わせて対応することなどで，患者がリラックスできる空間を創造していた．

6）聴く姿勢を示す

患者が自分の話をしっかり聴いてもらっていると思えるように，患者の話を聴く姿勢を示すことである．熟練看護師は，患者の病気に対するつらさや怒り，時には医療者への不満などに対しても，まずは意見をはさまずに黙って患者の話を聴いていた．そして，患者が気持ちを落ち着かせて考える時間を与え，その時間から生じた沈黙も受け入れ，患者が語り始めるのを待つ．患者の意向と医療者の意向が一致しない場合でも，まずは患者の思いを理解しようとし，看護師の内面に生じる主張や感情をコントロールしながら，一貫して聴く態度を継続して示す．看護師が聞く姿勢を示すことで，患者はさらに語ろうという気持ちになる．患者が，病気について感じたり考えたり望んでいることを語り，看護師に聞き入れられたと感じることは，患者が自ら変化するきっかけになる．

7）個人的な気持ちを話す

患者に看護師が個人的な気持ちを話すことで，親しみを感じやすくなり，患者が人間的な弱みなどを見せやすくなる．冬の寒いときに散歩をしたくないという患者に対し，「私も朝早く，歩いてみたんですが，寒いときに起きるのは大変ですね．でも歩き出すと気持ちよいものなんですね」と看護師が話しかけたところ，患者から「やる気はあるけど，起きるのが億劫になって…」と自分の気持ちや「頑張って起きて歩いたときには，確かに気持ちよかったことを思い出しました．何とか頑張ってみます」と話して帰られたということもある．できていないことを事務的に指摘するのでなく，このように同じ人間として感じる気持ちを率直に口にして，個人的な気持ちを話すことで，患者は看護師が自分の気持ちをわかってくれていると感じ，患者自身も自分の個人的な気持ちを話しやすくなり，行動変容のきっかけにつながりやすくなる．

8）共に歩む姿勢を見せる

医療従事者が共に歩む姿勢を見せることは，慢性病と共に生きている患者にとっては，大きな励ましになり，安心感を感じるようである．患者が自分のことを話し出したときに，あたかも自分のことか自分の家族のことのように親身に患者の相談に乗り，一緒に解決策を考えたり，とことん付き合っていく姿勢を示す看護師は，患者にとっては心強い存在といえる．患者に関わる医療従事者全員がチームとして共に歩む姿勢を見せることが最も望ましい．医療チームのコーディネーターとして，患者と共に歩むように調整することは，看護師の重要な役割になる．血糖値は様々な要因によって影響されるので，必ずしも食事量と運動量だけによって決定されるわけではない．教えられた食事療法や運動療法を実行してもなお，血糖コントロールが上手く調節できないこともある．患者の話に耳を傾け，一緒に原因を考え，対策を考えていく姿勢を示すことは，長期にわたる自己管理を支えるためには必要な態度といえる．

9）熱意を示す

長期にわたる自己管理をするなかで，患者は疲れてしまったり，投げやりになってしまうことがある．それなりに頑張っていても合併症が出現したり，血糖コントロール不良が続くと，無力感に陥る．そうしたときに熱意をもって関わってくれる看護師の存在は，患者にとっては頼りになる味方である．患者に「僕のことはほっといてくれ」と言われたり，煩わしそうな顔を見せられたり，明らかに看護師の話を聞いていない態度をとられると，看護師のほうが無力感に陥ったり，どうしていいかわからなくなったりすることがある．患者にどのような反応をされても，あきらめずに患者のことを考え続け，熱意を示し続けることは，看護師にとって忍耐と努力を必要とする．熱意を示すことで，一度でも患者が看護師の言うことに耳を傾けるようになったり，看護師の熱意にほだされて行動を変えてくれたりすると，熱意を示して患者に関わることの意義を看護師自身が認識できるようになる．

10）ユーモアとウィットを言う

一般的に日本人はユーモアとウィットを苦手とする人が多く，特に看護という仕事をするなかでユーモアとウィットを上手に活用する人は少ない．事例検討では，食事制限が守れず，饅頭を食べてしまったという患者に対して，患者を責めるのではなく食べた饅頭を責めて，「この饅頭がいけない，このあんこがいけない，これを売っていたお店が…」と食べられた饅頭を必死に攻めて怒ったというエピソードがあった．途中から患者も一緒になって笑い，そのあとで，どうしても饅頭が食べたくなったときにはどうしたらよいか一緒に考えることができた．病気が完治する見込みが立たなかったり，病状が進行していくことを治療で止められないとき，患者が自己管理しているつもりでも合併症が出現したときなど，医療者も患者と一緒に無力感を感じやすい．そういうときに医療者とのユーモアやウィットに富んだ会話は，患者の気持ちをほぐし，肩の力を抜いて，また新たに療養行動をとる気持ちが芽生える．

11）毅然とした態度を示す

これまで述べてきた要素は，ケアリングマインドとかカウンセリングマインドと解釈できる雰囲気や姿勢だと思えるが，この「毅然とした態度」という要素は最後に抽出されたもので，看護師の凛とした厳しさを伴った態度になる．患者に合わせるだけでなく，時には専門家としての毅然とした態度を示すことが，結果として患者からの信頼を得，感謝されることにつながることがある．いつも優しく話を聴いてくれていた看護師が，時に患者の発言や態度に対して毅然とした態度で真剣に叱ることは，患者が受け入れたくない現実と向き合うきっかけになることがある．

なお，PLCの11の要素は言動と雰囲気は伴うものであるので，理解は得られると思われるが，このマインドを測定するとなると困難が予想される．

7 患者の変化（概念名は「対象者の変化」）

研究会では，疾患コントロール状態にばかり目を向けて指導してきた従来の患者教育のあり方は効果的でないばかりか，患者をうつ状態に追い込むことも多いと経験的にとらえている．実際に食事療法を長期に続けている患者は10％程度であるという実態調査から，「できないのが普通」というスタンスに立って，患者を責めないで，一緒に問題解決を探っていく教育のあり方への転換を推奨し，「看護の教育的関わりモデル」を開発してきた．熟練看護師たちのすぐれた実践知を，精神論や経験論で片づけてしまわないで，初心者にも説明できるモデルを作成することで，看護師の実践力を高めることが目的であった．

患者の変化として，疾患のコントロール状態だけに注目しないことは合意事項であるが，では，モデルでは，患者の何を望ましい変化として見ているのか．

病棟や外来での関わりでは，患者と直接言葉を交わすことができないこともあるが，熟練看護師はちょっとした機会に直感的に患者の気になる状況を感じ取り，意図的に関わり，望ましい変化が見られたかどうかを確認している．患者の可能性を信じて長期の見通しをもって関わるので，その反応によっては焦らずにタイミングを見ようと判断したり，さらに時間をつくって直接会話をする．望ましい変化は，短期的に到達できないこともあるが，患者の可能性を信じて焦らないで，関わる意思を継続してもち続け，望ましい変化が見られることを目標に関わりつづける．“今ここ”での小さな患者の変化を確認する目をもっている必要があるが，一つひとつの変化に一喜一憂しないで長期の見通しのもと，おおらかな気持ちで患者の変化を見守ることが重要と考えている．

望ましい変化に向かう一歩の前進として，生理学的なデータの変化には反映されない「感情」「言動」「認知」の小さな変化をもとらえている．たとえば，過体重の患者が2kg

の減量を目標にして，アクションプランとして食事療法と運動療法を具体的に立てたとする．全く体重に変化がなかったときであっても，アクションプランで立てた「週に1度は朝の散歩」をしたという場合，「0」から「1」に行動を始めたことを患者の変化として評価する．そうした，まだ客観的指標での成果の出ていない小さな成功体験の積み重ねが，時間はかかっても生理学的な変化にも結びつくと考えている．そのため，データだけではない患者の変化をとらえる目とやる気を維持できるように評価するスキルも大切だと考えている．なかには，患者の努力では病気の進行が止められなくて悪化する場合もある．そうした場合には，患者が無力感に陥ってしまい絶望感にさいなまれることもあるが，そういう状況のときであっても，人間は最後の最後まで希望を抱くことが可能である．その希望を一緒に見出すことができたということがあれば，それは貴重な患者の変化であると考えている．

患者の「感情」「言動」「認知」「データ」などについては，「患者の気になる状況」と「望ましい変化」が存在する（表26-5）．実際の患者の変化は直線的なものではなく，特に感情に関しては，同時に両方の感情がみられることもよくある．たとえば，「まだ不安だけど少しだけ気持ちが楽になった」「話を聴いてもらって救われた気分です．でもなんで私がこんな思いをしなければならないかと情けない気持ちは変わりません」などというように，複雑なものである．そうした患者の変化を丁寧に感じ取って，ベクトルとしては望ましい変化に向かっていくように意図的に関わっていくのだと考えている．

表26-5 ●患者の変化

	患者の気になる状況	望ましい変化
感　情	悲しみ，恐怖，怒り，不安，つらい，苦しい，重たい気持ち，先が見えない，突き落とされる感じ，情けない，憤り，不信感，不満，自己効力感が低い，無力感，希望がない，感情表出が少ない，自覚的QOLの低下	安心，喜び，気が楽になる，気が軽くなる，救われた気持ち，ほっとする，信頼，満足，自己効力感が高い，気力がでてきた，希望が出てきた，自覚的QOLの改善
言　動	アクションプランを実施しない，血糖測定をしてこない，非効果的な療養行動，人任せ，治療中断，定期通院しない，眼をそらす，質問しない，腕を組む，のけぞる，緊張した声のトーン，隙だらけの背中，肩を落とす，悲しげな背中，涙，日常生活に支障がある，家庭内での役割を果たせない，他人事のこととして病気をとらえた発言	眼を見て話す，質問してくる，アクションプランを実施する，血糖測定をしてくる，自己選択，自己決定，自分から話しかける，定期通院，柔らかな声のトーン，日常生活に支障がない，社会的な役割を果たすことができる，自分のこととして病気をとらえている発言
認　知	わからない，データの意味が解釈できない，療養行動に必要な知識不足	わかった，合点がいく，納得，データの意味を解釈できる
表　情	硬い表情，こわばった顔，眉間のしわ，口角がゆがむ	目の輝き，穏やかな表情，笑顔
徴候（検査データ）や症状	コントロール不良，悪化，改善せず，合併症の出現，HbA1c	コントロール良好，悪化しない(維持)，自覚症状改善
環境（人的・物的）	家族の過干渉，職場の同僚や上司の無理解，融通の利かない生活環境	穏やかな家族の見守り，職場の同僚や上司の協力，融通の利く生活環境

データなどは数値や検査結果でわかるので，あえて患者に確認しなくても知ることができるが，「感情」「言動」「認知」に関しては，患者をみること（見る・観る，看る），患者の話をきくこと（聞く・聴く）をとおしてしかわからない．その際に，「どうせこうだろう」と先入見をもって「みたり」「きいたり」すると，患者の言動の解釈にバイアスがかかるので，注意をする必要がある．

これらから患者の変化，すなわち概念名「対象者の変化」の定義は，「このモデルのアウトカム（outcome）であり，感情，認知，言動，徴候（検査データ）や症状などが変化あるいは維持すること」とした．

8 構成概念間の関係

7つの概念で構成されるこのモデルの概念間の関係は，まず「とっかかり／手がかり言動とその直感的解釈」は，「生活者としての事実とその意味」「病態・病状のわかち合いと合点化」により「治療の看護仕立て」を発展させる糸口である．そして「生活者としての事実とその意味」により浮き彫りになった対象者にとっての意味が尊重されて，「治療の看護仕立て」につながる．また，「病態・病状のわかち合いと合点化」により対象者の病態や治療への理解と納得が得られ，より積極的に療養を行う機会となる．「教育的関わり技法」は，これら4つの概念のなかで活用される具体的な技法であり，「患者教育専門家として醸し出す雰囲気」は，それぞれの機能を増幅させ促進する役割を果たしている．これら看護師の良質な教育的関わりにより，「対象者の変化」がもたらされる．

つまり，患者のよりよい健康に向かって，看護師と患者との関わりのなかで，看護師が「あれっ？」と思ったそのときから，看護のあらゆる場面において，看護師が患者に関心を寄せて関係性を育み，病気や治療への理解・受け止め，患者の生活習慣やこだわりに耳を傾け，理解・尊重し，機会を見ながら，患者と共にその人の療法・方法を見出し，時には治療のほうを患者の習慣に引き寄せるように修正することにより，患者の変化がもたらされると考えている．

9 モデルの前提となる人間観

この「看護の教育的関わりモデル」は，看護師の教育実践力を高めることを目的に，熟練看護師の高度な教育実践を記述，分析し，可視化したモデルである．この研究を開始したときより，患者教育研究会のメンバー間では，患者教育の対象となる「人」に対するある共通の考えをもって討議している．すなわち，人は，①主体的な存在である，②一人ひとりは異なっている，③自分自身で変わる存在である，という人間観である．この人間観では，「人が人を変えるのではない，人は自ら気づき，そして行動する存在である」ので，その気づきや行動の手助けをするのが，患者教育における看護師の役目だと考えている．ゆえに，このモデルにおいて看護師は，患者と相互主体的に関わり合いながら，患者の生活者としての価値観を尊重し，看護の専門的能力を駆使して，生活と健康を支援する．

研究の動向

「看護の教育的関わりモデル」は，日本の看護研究者・臨床看護師グループ「患者教育研究会」で開発され，20数年にわたって発表されているため，研究の中心は，開発した患者教育研究会によるものが大部分である．医中誌による検索では，看護の教育的関わりモデルをキーワードに検索して抽出された論文が31件，うち研究会メンバーの著者27件，研究会メンバー以外の著者４件であった．研究会メンバー以外の著者４件の内訳は，事例報告３件，学会抄録１件であった．７つの構成概念のなかで，特に研究会メンバー以外の研究論文の多いのが「患者教育専門家として醸し出す雰囲気（PLC）」であり，全部で14件，そのうち研究会メンバーの著者６件，研究会メンバー以外の著者８件であった．研究会以外の著者の内訳は，研究論文３件，事例報告１件，学会抄録４件であった．それ以外の６構成概念では，教育的関わり技法が１件あったが他の５概念（とっかかり／手がかり言動とその直感的解釈，生活者としての事実とその意味，病態・病状のわかち合いと合点化，治療の看護仕立て，対象者の変化）は，研究会メンバーの発表のみであった．

研究会メンバーによる発表学会は，会の発足が日本看護科学学会の研究討論会であったため，日本看護科学学会が多く，患者教育の研究テーマということで，糖尿病関連から日本糖尿病教育・看護学会，次に慢性疾患関連で日本慢性看護学会，日本難病看護学会と続いている．研究分野は，慢性看護学分野以外に急性期看護学，母性看護学，看護教育学，在宅看護学などと広く用いられている．研究会は，モデルとモデルの構成概念の解説をいくつかの雑誌に掲載したのちは，モデルを用いたアクションリサーチを３か所で実施し，モデルの経験的効果を明らかにした（東他, 2015；大池他, 2016）．

本モデルと構成概念は，事例研究により開発された経緯もあり，モデルの適応やモデルを用いてケアの効果を説明した事例報告がいくつかある．明石・吉田（2008）は「看護者のかかわりにより患者が療養生活を受け入れられた一事例」を報告し，モデルの関わりから自身の関わりを解釈・説明している．

研究会メンバー以外の研究で最も多いPLCでは，多くの学会発表がなされている．また，特筆すべきは，最も尺度化しにくいと思われる構成概念であるPLCを尺度化して調査研究するものがいくつかあった．胸部外科病棟での研究では，退院指導と患者の行動変容の関係をPLCの10の要素を用いて４段階評価を行い研究している（畔柳・渡辺・栗原，2017）．また，妊婦による助産師の評価に使っている研究では，亀田他（2011）が，出産クラス受講前後の妊婦の自己効力感と指導者のPLCとの関連を調査するため，PLCを10項目のリッカート尺度で測定し，関連を調べている．なお，PLCの要素は11であるが，11番目の「毅然とした態度を示す」は尺度項目としては使用されていない．また，菱谷・渡邊・石川・齋藤（2019）は，亀田他のPLC尺度を使って，妊婦の出産準備感と助産師のPLCとの関連を助産師外来で行い，助産師の PLC 尺度得点が高いほど，出産準備感の〔施設・医療者とのコンタクト〕尺度得点が高まるとの結果を得ている．

患者教育研究会による学会発表は，日本看護科学学会では第17・19・20・25・29回に演題発表し，第26・33回には交流集会を行った．日本慢性看護学会では第２回に研究交流ワークショップ，第12・13回に交流集会，日本糖尿病教育・看護学会学術集会では第17回にシンポジウム，第19・21回は演題発表，第23・24・25・26・27・28回には交流集会を開催した．日本糖尿病学会の教育講演会である「糖尿病の進歩」では，第42回糖尿病の進歩（2008）に，このモデルの教育講演が，同一会場で朝9時から午後4時までの6時間を連続で使い，各概念を説明する機会が与えられた（患者教育研究会HP, 2023）．海外発表は，2007年 に18th International Nursing Research Congress Focusing on Evidence-Based Practice（Vienna）で3演題，2011年にはCancunで開催された International Nursing Research Conference for the World Academy of Nursing Scienceで4演題発表した（患者教育研究会HP, 2023）．

看護系雑誌への掲載では，2003年に『看護研究』，2006年『プラクティス』，2006年『看護学雑誌』，2011年『ナーシングトゥディ』で特集が組まれ連載された．2018年にはモデルを解説した書籍がメディカ出版から発刊された．

理論の看護実践での活用

1 どのような対象や状況に活用できるか

主として患者への教育実践と若手看護師への教育の2つに活用できる．

患者に関しては，医学的に推奨できる自己管理を期待する看護師と患者の生活習慣や価値観が相容れず，行動変容が難しいと看護師が考える事例，いわゆる難渋事例に活用できる．看護の教育的関わりモデルを用いて，患者を理解する視点を広げ，看護師の実践を振り返ることにより，解決の糸口や突破口を見出すことが期待できる．患者教育・健康教育が必要な状況であれば，慢性看護領域だけではなく，母性，周術期などでも活用されており，汎用性があると考えている．

2つ目は，若手の看護師や看護学生への教育という面で活用できる．若手の看護師や看護学生は，患者教育というと教える医学的情報ばかりに目が行きがちで，時間内に医学的情報を教え込もうと必死になる．医学的情報を与えれば，患者は期待どおりに自己管理を実施するかといえば，そうでないことはすでに先行研究で明らかであるが，さてどうしたらよいかはわからない．中堅以上の看護師になると，患者教育に関する看護実践は，患者の反応を見つつ経験による直感や臨床判断にて，今待つときなのか，感情的な支えになるときなのか，説得するときなのかを決めている．これら熟練看護師の患者教育は，効果的であるが，見えにくい．また，これらを若手看護師や看護学生に納得のいくように説明するのは難しい．熟練看護師の看護実践が若手看護師や看護学生に理解されないと，良質な患者教育は広まらず，患者にもその恩恵が届かない．

そこで，このモデルを使って，若手看護師や看護学生に自身の判断と看護行為の根拠を説明することに活用する．臨床の看護師が，自身の臨床判断による看護行為の妥当性を説明するためには，根拠となる概念や理論・モデルが必要である．理論を用いて根拠を説明すれば，若手看護師や看護学生にも理解でき，良質な患者教育が広く行われる．「看護の教育的関わりモデル」は，熟練看護師の教育的関わりに関する看護実践のなかから良質な実践を取り出し，概念化，モデル化したものであるので，行為の妥当性やなぜ効果があるのかの説明が容易である．熟練看護師は，看護の教育的関わりモデルとその構成概念を使って，自身の高度な看護実践を若手看護師や看護学生に理路整然と説明し，納得してもらうことができるのである．多くの熟練看護師が，良質な看護実践をしていても，同僚看護師や若い看護師に納得のいくように説明できず，悶々としていたのが，本モデルに出会い，自身の看護実践の理論的背景と根拠を得て，自信をもってケアにあたり，他の看護師に説明できるようになったと感想を寄せている．

2 看護実践のどのようなことに活用できるか

最後に，看護師が専門家として成長するためには経験を振り返り，自らの実践を意味づけることが重要である．看護の教育的関わりモデルは，臨床の看護師が「これでよかったか」と思ったとき，自分の実践の何が患者にとって意味があったのか，なぜ患者との間にずれが生じてしまったのか，振り返りに活用することができる．そのような振り返りを繰り返すことで，気づきを得ることができ，自身の実践がより見えてきて，患者にとっての上質な看護実践が経験知として身につくと考えられる．

G 臨床での活用の実際

1 事例紹介

Aさんは，80歳代の男性，糖尿病性腎症で慢性腎臓病（chronic kidney disease：CKD）．重症度分類はG５A３である．妻と２人暮らしで，近くに住んでいる長女が生活をサポートしていた．40歳頃に糖尿病を指摘され，75歳頃から腎機能が低下し始め，今後透析が必要になる可能性が高いことを伝えられていた．その頃から，腎機能を維持するために食塩摂取量を減らすように努力していたが，徐々に腎機能が低下してきていた．

・20XX年４月１日

風邪をきっかけに血清クレアチニン（Cr）値が5.6 mg/dLまで上昇したため，この日の外来診察で，主治医は血液透析の開始に備えてシャントを造設する時期にきているとAさんに伝えた．しかし，Aさんは高齢を理由に「透析はしたくない」「透析をするくらいなら死ぬ」と繰り返したため，主治医は慢性疾患看護専門看護師Bにシャント造設術に同意をするように説得してほしいと面談を依頼した．

B看護師はAさんに自己紹介をし，面談を始めることになった経緯を伝え，「医師から病状をどのように説明されていますか？」と尋ねた．Aさんは「透析をする時期に来ているから，その準備をしましょうと言われました．透析はしたくないです」と答えた．B看護師は，Aさんに「透析はしたくないのですね」と伝えたが，Aさんの言葉が続かなかったため，Aさんと病状理解を共有したほうがよいと考え，病状の説明をした．すると，Aさんは「透析をしないように頑張ってきたのに…，困ったことになった．悪あがきをしなくちゃ」とつぶやいた．B看護師がどのように頑張ってきたのかを尋ねると，Aさんは糖尿病と診断されてからの経過や，腎機能低下を指摘されてから，どれだけ気をつけて食事をしてきたのかを話し始めた．B看護師は「透析にならないように頑張ってこられたのですね」と声をかけ，「一緒に悪あがきをしましょう」と伝えた．しかし，Aさんが「いろいろ考えると眠れなくなってしまう」と話したため，この日の面談を終えた．

・20XX年４月22日

３週間後の診察ではCr値が5.8mg/dLとなり，主治医はAさんに再度，シャントを造設したほうがよいと伝えた．Aさんは診察後の面談でB看護師に「手術を受けたほうがいいって言われた」「まだ風邪がしっかり治っていないので，今はしたくない」と話したため，面談を終えた．

・20XX年５月６日

２週間後，Cr値は6.2mg/dLとなり，主治医はAさんにシャント造設術が待てない状況になってきていると伝えた．診察後，AさんはB看護師に「体調も変わっていないのに，シャントの手術の話をされた」と不服そうに訴えた．B看護師は尿毒症症状が出ていないか一つひとつ確認し，症状が出現したときは必ず受診するように話したが，Aさんは「今はどこも何ともない．だから手術はしたくない．もうこれ以上話さないでほしい」と話した．

・20XX年５月13日

１週間後，Aさんは相談室を訪ね，B看護師に「２～３日前から足が浮腫んできた．動くとハーハーすることもあって心配」と訴えた．B看護師はAさんに溢水の症状が出てきているため診察が必要な状態であることを伝え，外来受診ができるように調整した．診察では，胸部X線で胸水貯留が認められ，利尿剤の内服が追加された．

診察後の面談で，B看護師は，Aさんに溢水の症状がなぜ現れたのかをパンフレットを用いて説明した．そして，透析をしたくない気持ちを十分理解はしていることを伝えたうえで，透析を始めるタイミングについて説明し，どのタイミングを選ぶかはAさん自身であり，どのような選択をしてもその選択を尊重すると伝えた．Aさんは「ちゃんと決められなくて」と話していたが，B看護師は「自分で納得して治療を受けることが大切なので，時間をかけて考えてよいですよ」と伝えた．

・20XX年５月20日

１週間後，Aさんは主治医に「シャントの手術を受けます」と返事をした．

・20XX年５月23日

シャント造設術後，B看護師が病室を訪ねると，Aさんは清々しい表情をしており，笑顔を見せていた．B看護師は，「無事にシャントができてよかったです。このシャントを大切にしてくださいね」と伝え，シャントに触れた．Aさんに触れてみるかと尋ねると，Aさんは臆することなくシャントに触れ，「宝物やな」とつぶやいた．

・20XX年６月13日

３週間後，透析を受けているAさんを訪ねると，AさんはB看護師に，透析導入に至る思いを振り返るように語った．それをB看護師は傾聴し，「自分で透析をすると決めて，今こうして透析を受けていることが大事だと思います」と伝えた．

2 モデルに照らしての援助のポイント

腎機能の低下が進み透析が必要な状況となり，主治医からはシャント造設術に同意をするように説得してほしいと依頼があったが，Aさんは「透析はしたくない」と話していた．そこでB看護師は，Aさん自身が透析と共に生きていくことを決意できるようにしたいと考えた．

まず，【とっかかり/手がかり言動とその直感的解釈】として「悪あがきをしなくちゃ」という透析を受けたくない気持ちの表現を関わりの糸口とした．「透析をしないように頑張ってきたのに…」という【生活者としての事実とその意味】に着目してAさんの訴えを聴き，いま透析することを受け止められないでいる思いを浮き彫りにした．【病態・病状のわかち合いと合点化】として，透析が必要な身体状況であることを実感したとき，Aさんが理解できるように病状を説明した．併せて，【治療の看護仕立て】としては検査値から尿毒症出現の時期を見通し，透析開始のタイミングについて選択肢を説明し，自ら決定することを待つことにした．これら4つのキー概念に基づく実践で活用される道具となる【教育的関わり技法】には，〈寄り添い技法〉〈気づきを高める技法〉〈自己決定を促す技法〉などがあり，透析開始のタイミングをAさん自身が決められるように促していた．さらに，B看護師には【患者教育専門家として醸し出す雰囲気】があったことで，Aさんが自ら透析開始を決定したという【対象者の変化】につながった．

Aさんの事例をモデルのキー概念に適用すると，図26-3のようになる．以下，各キー

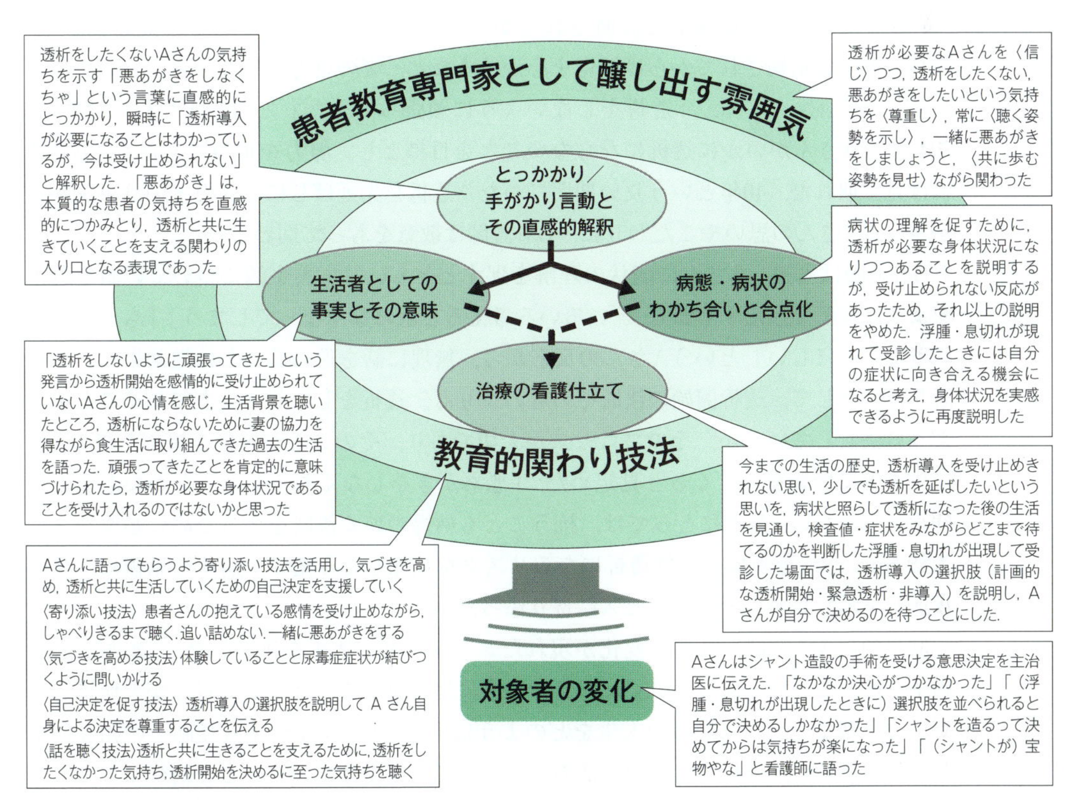

図26-3●看護の教育的関わりモデル（Version 8.0）のAさん事例への適用

概念に基づく看護の実際を解説する．

3 キー概念に基づく看護の実際

1）とっかかり/手がかり言動とその直感的解釈

B看護師は主治医からAさんがシャント造設術を拒否しているため説得してほしいと依頼を受けた．Aさんは40年の糖尿病歴があり，近い将来には透析も必要となると繰り返し伝えられていた．それにもかかわらず透析を拒否する理由をB看護師は知りたいと考え，一方で80歳代まで透析にならずに生活してきたことに着目し，面談に臨んだ．

現在のAさんの腎機能と症状を結びつけながら具体的に時間をかけて説明すると，Aさんは「透析をしないように頑張ってきたのに…困ったことになった．悪あがきをしなくちゃ」とつぶやいた．

この「悪あがきをしなくちゃ」の言葉にB看護師はとっかかり，直感的に「透析導入は避けられないことをAさんはわかっているが，透析が必要な身体であるということを今は受け止められない」と解釈した．Aさんは透析をしない生活への未練によって頑なに拒否しているのではなく，40年来，自己管理を頑張ってきたことに対するAさんの自信や誇りをB看護師は尊重する必要があると感じ取った．「悪あがきをしなくちゃ」は，B看護師がAさんの気持ちを直感的に理解し，透析と共に生きていくことを支えるための，モデルを活用した関わりの入り口となる表現である．

2）生活者としての事実とその意味

Aさんは40年前に糖尿病と診断されてから，「これじゃいけない」と暴飲暴食をやめ，腎機能低下を指摘されてからは減塩を心がけるなど，妻の協力を得ながら，食事を中心に生活に気を配っていた．「透析をしないように頑張ってきた」と語るAさんの言葉には，これまでAさんがいかに透析にならないことを目標とし，努力を重ねてきたか，B看護師には見て取れた．40年という長い期間にわたり透析を先延ばしにできたという事実からうかがえるAさんの思いやこだわりに，B看護師は敬意をもって関わった．

B看護師は当初，Aさんに病状の理解を促すとともに，療養生活についての話を引き出すように接してきた．しかし，「いろいろ考えると眠れなくなってしまう」「もうこれ以上話さないでほしい」というAさんの反応から，無理に話を進めることは逆効果であると判断した．そして，透析開始の決断そのものよりも，透析をしながら生きていくことをどのように決断していくか，そのプロセスが大切であり，そのことが透析を決めた後のAさんの生き方に影響をしてくると見定めた．「悪あがきをしなくちゃ」と，なかなか透析を受け止められないAさんにとっては，抗うことも納得のいく決断をするために必要なプロセスである．B看護師は，緊急透析になるリスクを承知したうえで，病状を見極め，今後の見通しを示しながらそのプロセスに寄り添った．

結果的にAさんは，身体の変化が現れたタイミングで透析を決断した．「悪あがき」の猶予を得ることで，何事もすぐにあきらめずに努力をすることなどの自分が大切にしてきたことを踏まえ，これからの人生をどのように生きていくのか，B看護師との相互作用をとおして見出し，透析を自分の生活の一部として引き受けていくことを納得できた．

3）病態・病状のわかち合いと合点化

B看護師は，初回の面談でAさんに今の身体の状態を理解してもらうために，風邪がきっかけでCr値が悪化している可能性があること，次回の検査でも改善していなければ透析の準備となるシャント造設術をする必要があること，いずれ現れる可能性がある尿毒症症状を説明し，身体への負担を考えるとシャントを造設したうえで計画的に透析を開始したほうがいいのではないかと伝えた．しかし，Aさんが「いろいろ考えると眠れなくなってしまう」と話したため，これ以上の説明はやめた．

3週間後，Cr値が5.8mg/dLに上昇したことについて，B看護師はAさんに，風邪で一時的に悪くなったのではなく，腎機能がさらに低下していると考えられると伝えた．緊急で透析を始めることになると身体への負担が大きくなるため，それを避けるためにもシャント造設術をして準備を進めたほうがいいことを伝えたが，Aさんが「まだ風邪がしっかり治っていないので，今はしたくない」と話したため，面談を終えた．

2週間後にCr値が6.2mg/dLとなった際には，B看護師は尿毒症症状が出ていないか一つひとつ確認し，「しんどくなったり，ご飯が食べられなくなったり，身体が浮腫んできたり，動いて息切れしたりする症状は，腎臓が悲鳴を上げているサインですので，このような症状が出てきたら必ず受診してくださいね」と具体的に説明したが，Aさんは「今はどこも何ともない．だから手術はしたくない．もうこれ以上話さないでほしい」と話した．

1週間後，下肢浮腫と息苦しさが出てきた際，B看護師は，Aさんに溢水の症状がなぜ現れたのかをパンフレットを用いて説明した．そして，これらの症状を取るためには利尿剤が必要だが，それを内服することでCr値が上昇し透析が必要な状況になる可能性が高くなることも併せて説明した．

B看護師は，説明した尿毒症症状と体験した症状が結びついたとき，Aさんは透析が必要な身体になっていると納得できると考えていた．腎機能が徐々に低下し，シャント造設まで時間の猶予がないと思われるときには患者を説得しがちになるが，B看護師はAさんの「透析はしたくない」心情をキャッチしながら，体調の変化を確認し，Cr値の上昇が意味することを伝え続けた．このようなプロセスを経て，Aさんは自身の体調の変化に気づき，透析が避けられないところまで来ていることを納得できた．

4）治療の看護仕立て

初回面談の前にB看護師はAさんの経過を確認すると，直近の採血でCr値が上昇していた．Cr値の上昇は風邪の影響による一時的な上昇の可能性もあったが，尿蛋白も多く2〜3か月以内に透析が必要な状態になる可能性もあった．いずれにしても，Aさんの年齢を考慮するとシャントを造設し，計画的に血液透析を開始するほうが身体への負担が少ないと考えた．

初回面接では，Aさんの「悪あがき」という言葉を聴き，その時間をとることが可能かを判断した．この時点でCr値が5.6mg/dLであり，まだ尿毒症の症状が現れていなかった．Cr値8.0 mg/dLを超えて尿毒症の症状が出てくるともう待てなくなる，そこまでは検査値と症状の経過をみながら，Aさんが「悪あがきをする」時間をとり，待つことができるとB看護師は予測した．

Aさんに浮腫と息苦しさという溢水の症状が出てきた際には，いよいよ透析を開始しないといけない状態になっていると判断した．Aさんは診察を受け，利尿剤の内服が開始されたが，それにより腎機能がさらに悪化する可能性が高い状況になった．B看護師はこれまでシャントを造設し計画的に透析を開始したほうが身体の負担が少ないと考えてAさんの面談をしていたが，シャント造設術後の初回穿刺まで2週間程度要すことを考慮すると，計画的な透析開始は難しいと判断した．そして，Aさん自身が決められるように，透析を始めるタイミング（シャントを造設したうえでの計画的な透析開始，カテーテル挿入による緊急の透析開始）とともに非導入の選択肢もあること，そのタイミングのメリットやデメリットがあることを説明した．主治医とも相談し，カテーテル挿入による緊急透析になったとしても，Aさん自身が自分で決めて透析を開始することを優先し，Aさん自身による決定を待つことにした．

このように，病状とリスクについての見通しのもと，どこまで待てるのかを判断し，Aさんの「悪あがき」に合わせて透析開始を待つことが治療の看護仕立てであった．

5）教育的関わり技法

初回面談の際，B看護師は，Aさんはなぜ透析をしたくないと言っているのかを知りたいと思い，病状をどのようにとらえているかを確認すると，「透析はしたくない」と硬い表情で話した．一般的に看護師は，患者が拒否の感情を表したときに「どうして透析をしたくないのですか」と尋ねがちであるが，患者は詰問されていると感じるかもしれない．ここで「透析はしたくないんですね」とAさんの言葉を繰り返したのは，気持ちをしっかり受け止めたことを伝えるための〈寄り添い技法〉であると同時に，意図的にAさんの「透析はしたくない」という思いを受け止める〈確認の技法〉も活用した．

Aさんは溢水の症状を感じて相談室を訪ねて来ていたが，B看護師はAさんと共にその症状を確認することで，透析を開始したほうがよい症状が出てきているという〈気づきを高める技法〉を活用していた．そして，透析開始のタイミングについて必要な情報を整理できるように説明し，選ぶのはAさん自身であり，どのような選択をしてもその選択を尊重することを伝えた．このような〈自己決定を促す技法〉によりAさんの決断を意図的に待つ背景には，これまでの経緯から，Aさん自身が気持ちの整理をする時間が必要という判断があった．Aさんは「ちゃんと決められなくて」と話していたが，B看護師は「自分で納得して治療を受けることが大切なので，時間をかけて考えて良いですよ」と，決定権をゆだねることも伝えた．

透析開始後，B看護師は，Aさんが抗っていたことも含めてこれまでの経過を語ることで，透析にならないように頑張ってきたことがAさん自身の強みであることに気づき，透析開始後の生活を考えていけるように〈話を聴く技法〉を用いて傾聴した．

初回面接から透析開始まで，B看護師は，Aさんの透析をしたくない思いに寄り添い，尿毒症症状が現れた際には気づきを高め，Aさんらしい自己決定ができるように，様々な技法を駆使していた．その時々の技法の積み重ねがAさんの考えや行動に影響し，透析と共に生きていくことへの支援につながった．

6）患者教育専門家として醸し出す雰囲気（professional leaning climate：PLC）

Aさんを説得してほしいと主治医より依頼されたB看護師は，Aさんの身体状態から近い将来，透析が必要になることを予測したが，「透析はしたくない」と繰り返すにはAさんなりの理由があると考えた．このため，初対面の面談では，いきなり透析についての話をするのではなく，〈謙虚な態度である〉ことを保ちながら，病気に関する主治医の説明をAさんがどのように理解しているかを確認した．Aさんは「これまで頑張ってきたのに，困ったことになった．悪あがきをしなくちゃ」と話し，B看護師は長年にわたって気をつけながら療養生活を営んでいたAさんなりの理由が理解できた．B看護師は Aさんなりの頑張りへの理解を深め，Aさんを〈信じる〉ことや〈尊重する〉という態度を示すとともに，「いろいろ考えると眠れなくなる」ことへの〈心配を示す〉配慮をしながら，一緒に悪あがきするという〈共に歩む姿勢〉を伝え，初回の面談を終えた．

その後，B看護師はAさんの病状を把握しながら，診察に合わせて面談を継続し，「今は（シャント造設術を）したくない」「今はどこも何ともない．それなのに手術はしたくない」など，その時々のAさんの思いに〈聴く姿勢を示し〉続けた．

Aさんに溢水症状が現れ，計画的な透析導入が難しいと予測されたとき，B看護師はまず，これまでの面談から「Aさんが透析をしたくない思いを理解しています」とAさんの思いを〈尊重〉していることを伝えた．そのうえで，透析開始のタイミングの選択肢を提示し，どの選択肢であろうと，その結果は，Aさんだけの責任ではなく医療者の責任でもあることを〈毅然とした態度〉で話した．そして，「納得して治療を受けることが大切なので，時間をかけて考えてよいですよ」とAさん自身の決める力を〈信じる〉ことにした．その1週間後の診察時，Aさんは「シャントの手術を受けます」と医師に伝えた．

B看護師は，Aさんの立場を深く理解し〈信じる〉〈尊重する〉，また〈聴く姿勢を示す〉という一貫した態度をとっていた．このように括弧〈　〉で示したPLCの各要素は，B看護師の価値観や信念を具現化したものであり，それらが雰囲気としてAさんに伝わっていた．そして，「透析はしたくない」「もうこれ以上話さないでほしい」と抵抗していたAさんが，個人的な思考や感情を語るようになり，Aさん自身による決定につながる支援となっていた．

7）対象者の変化

入院してシャント造設をしたAさんを訪室すると，清々しい表情をしており，時折笑顔を見せていた．Aさんに「無事にシャントができてよかったです。このシャントを大切にしてくださいね」と伝え，シャントに触れた．Aさんに触れてみるかと尋ねると，臆することなくシャントに触れ「宝物やな」と呟いた．その言葉を聞いたB看護師は，シャント管理の方法を説明した．Aさんは「もっと早く決めればよかった．不甲斐ない」と再び呟いたが，B看護師は「いっぱい悩んだから，今がありますね」とAさんに伝えた．

初回透析後，AさんはB看護師に「シャントを造るように言われたときは，こんなことになると思っていなかった．死んでもいいって言っていたけど，息が苦しくなったときにまだ死にたくないと思った．今は透析をしてよかったと思う．どこかで透析をしないといけないことはわかっていたけど，なかなか決心がつかなかった．透析を勧められると嫌って言えるけど，選択肢を並べられると自分で決めるしかなかった．シャントを造ると決めてからは気持ちが楽になった．これからは透析と仲良くやっていこうと思うよ」と語った．Aさんの思いを聴き，B看護師は「症状がなければ，自分が透析になるとは思えないので，決心できなかったのも仕方ないです．振り返るともっと前から始めておけばよかったと思うかもしれませんが，今こうして，自分で透析をすると決めてしていることが大事だと思います」と肯定した．

Aさんが自分で透析開始を決定できたことが看護の教育的関わりの主要なアウトカムといえる．そして，AさんがB看護師に自分の歩んできた経過やその時々の感情を語り，「悪あがき」をしてきた一つひとつの事柄を自分のなかで肯定的に受け止められるようになったことが，今後，透析と共に生きていくことの覚悟につながった．

腎代替療法の意思決定支援をする際，患者が選択した療法によって今後の治療が変わるため，医療者はどの治療を選択したかに注目しがちである．しかし，患者は自分が選択した治療と共に今後を生きていくことになる．そのためには，どの治療を選択したかではなく，どのように選択したのかその決断のプロセスが重要になる．当初，主治医とB看護師は，Aさんの身体の負担を考えて計画的にシャントを造設し透析開始をしたいと考えていた．しかし，Aさんの「悪あがきをしなくちゃ」という言葉を聴き，透析を受け止めるには抗うことも必要だと考え，Aさん自身による決定を優先することにした．このように，Aさんなりに抗うプロセスを共に歩み，透析開始をAさんが主体的に決定できることを支えたB看護師の実践は，看護の教育的関わりモデルの前提となる「人が人を変えるのではなく，人は自ら気づき，そして行動する」という人間観に基づいた実践と言えよう．

H 理論を看護実践につなげるために

「看護師による患者教育をもっと良くしたい」という願いから，熟練看護師の優れた看護実践の可視化・言語化を目的に，患者教育研究会はモデル開発を続けてきた．月１回の研究会では，研究会メンバーが，自らの患者教育の実践場面，学生への教育場面，臨床現場で見聞きしたエピソードなどを交互に語り，それらを他メンバーが否定せずに聴き，応答していた．繰り返し語られた内容とそれを掘り下げていく対話は，患者教育を行う看護師が，どのような心構えで，患者の何をみて，何を意図して，どのように対応したのか，患者の反応（行動変容）はどうだったのか，それはなぜかを明確にしていった．このような実践の語りとメンバー間の対話によって，看護の教育的関わりモデルの構成概念が形づくられ，それらの概念が経験的に検証された．同時に，モデル自体が，研究会メンバーにとって，患者教育の実践の拠り所となっていった．「モデルと共に自分も成長した」というメンバー共通の思いが示すように，モデル開発自体が，研究会メンバーにとっての患者への看護実践，学生への教育実践と深く結びついていた．

モデル開発と共に，臨床看護師にモデルを活用してもらうため，毎年，公開講座や学術集会の交流集会などで，事例を交えてモデルや各概念の紹介をしてきた．患者教育に強い関心のある臨床看護師の方々の反応は，実践するうえでの気づきを得たり，視野が広がったり，試行錯誤して実践してきたことに「これでよいのだ」と保証を得る機会になったりするものであった．

看護の教育的関わりモデルの中範囲理論としての実践に対する機能（役割）は，健康に関する課題に直面している患者に対して，何が患者にとって良いのか，どうしたら効果的な患者教育となるのか，患者との関わりから見出していく実践の指針となることである．たとえば，日々の業務に追われるスタッフナースが，ふと，「これでよいのか」と立ち止まりたくなったとき，目の前の患者が何に困っていて何を求めているのかを考える手がかりになる．また，自分が当たり前と思ってきた実践について「これでよかったのか」と疑問に思ったとき，モデルを活用して自分の実践を見直し，患者にとっての上質な実践とは何かを明確にできる．さらに，認定看護師や専門看護師などの上級ナースは，スタッフナースたちが「困った患者だ」と悩む事例について，看護の教育的関わりモデルを用いて，何が起きているのかを整理し，患者と看護チームの双方にとってより良い方略は何かを話し合うなど，看護チームとしての実践の質向上を牽引することが可能である．

現在，患者教育研究会では，各概念の概念分析の作業を進め，より整合性のあるモデルに洗練し，理解の得られやすいモデルにしていくことに取り組んでいる，併せて，臨床看護師により広くモデルを活用してもらうために紙面や学術集会などでの発信も絶やさずに続けていきたい．

文献

明石千香子，吉田沢子（2008）．看護者のかかわりにより患者が療養生活を受け入れられた一事例．日本糖尿病教育・看護学会誌，*12*(1)，45-51．

畔柳聖子，渡辺恵，栗原公子（2017）．胸部外科病棟看護師の患者指導についての検討—醸し出す雰囲気（PLC）の10要素から考える．共済医報，*66*（3），303-307．

長谷川直人，安酸史子，太田美帆，道面千恵子，患者教育研究会（2011）．行動変容のプロモーター患者教育専門家として醸し出す雰囲気（PLC：Professional Learning Climate）．ナーシング・トゥデイ，*26*(6) ,39-43．

東めぐみ，山本千恵子，患者教育研究会（2006）．連載/糖尿病advanced care—合併症を持つ人へのアプローチ(6)，心筋梗塞の経過に沿った関わり—「こんなに厳重な制限が必要なのかな」．看護学雑誌，*70*(6),535-540．

東めぐみ，近藤ふさえ，横山悦子，小長谷百絵，小平京子，岡美智代，太田美帆，河口てる子，下村裕子，大澤栄美，井上智恵，大池美也子，小林貴子，林優子，安酸史子，伊波早苗，長谷川直人，滝口成美，伊藤ひろみ，小田和美，恩幣宏美，道面千恵子，下田ゆかり（2015）．「看護の教育的関わりモデル」を用いたアクションリサーチ．日本看護科学会誌，*35*，235-246．

菱谷純子，渡邊淳子，石川紀子，齋藤益子（2019）．妊婦の出産準備感と助産師のProfessional Learning Climateとの関連　助産師外来における検討．日本母子看護学会誌．*12*(2)．11-19．

伊波早苗，小田和美，丹下幸子，土屋陽子，小平京子（2006）．糖尿病患者に提供する実践知としての知識・技術—疾患・治療に関する知識・技術の看護仕立て．プラクティス，*23*(5)，533-538．

井上智恵，小林貴子，村上佐智子，患者教育研究会（2006）．連載/糖尿病advanced care—合併症を持つ人へのアプローチ②，糖尿病フットケアー—ふとこぼれた言葉をキャッチして．看護学雑誌，*70*(2)，177-182．

井上智恵，林優子，竹山聡美，患者教育研究会（2006）．連載/糖尿病advanced care—合併症を持つ人へのアプローチ⑤，透析導入が間近になった糖尿病腎症の患者—気になる表情や態度に踏みとどまって．看護学雑誌，*70*(5)，479-485．

伊藤ひろみ，小平京子，小林貴子，小長谷百絵，横山悦子，患者教育研究会（2011）．患者が出しているサインを捉えるとっかかり/手がかり言動とその直感的解釈．ナーシング・トゥデイ，*26*(6)，19-22．

亀田幸枝，島田啓子，渡邊由佳，濱近まり，谷内美有紀，村井恵，秋山野恵（2011）．出産クラス受講前後の妊婦の自己効力感と指導者のProfessional Learning Climateとの関連性．金沢大学つるま保健学会誌，*34*(2)，115-122，

河口てる子，村嶋幸代，川村佐和子，橘雅子，本田彰子，堀内成子，川島みどり（1994）．日本看護科学学会研究活動委員会報告　看護研究活動推進における情報交換と研究ネットワークの必要性．日本看護科学会誌，*14*(2)，53-58．

河口てる子（2001）．慢性疾患患者の主体性，自己決定とセルフケア推進のための患者教育方法の開発，平成9年度-平成12年度科学研究費補助金（基盤研究B2）研究成果報告書（河口てる子代表）．1-110．

河口てる子，患者教育研究会（2003）．患者教育のための「看護実践モデル」開発の試み—看護師によるとっかかり／手がかり言動とその直感的解釈，生活と生活者の視点，教育の理論と技法，そしてProfessional Learning Climate．看護研究，*36*(3)，177-185．

河口てる子，患者教育研究会（2006）．新連/載糖尿病advanced care—合併症を持つ人へのアプローチ①，どこでも糖尿病患者さんに遭遇する時代のアドバンスドケア—「看護職者の教育的関わりモデル」を使ったケア．看護学雑誌，*70*(1), 68-72.

河口てる子（2006）．糖尿病教育のための「看護の教育的関わりモデルVer.4.2」—熟練看護師のアドバンスドケアを可視化する．プラクティス，*23*(5), 511-518.

河口てる子，患者教育研究会（2011）. 大池美也子，安酸史子，下村裕子，林優子，小林貴子，岡美智代，近藤ふさえ，小長谷百絵，横山悦子，井上智恵，東めぐみ，小平京子，伊波早苗，大澤栄実，滝口成美，長谷川直人，伊藤ひろみ，小田和美，太田美帆，道面千恵子，恩幣宏美，下田ゆかり，丹下幸子．患者教育の新しい風看護の教育的関わりモデルVer.6.4とは．ナーシング・トゥデイ，*26*(6), 12-18.

河口てる子編（2018）．熟練看護師のプロの技見せます！ 慢性看護の患者教育ー患者の行動変容につながる「看護の教育的関わりモデル」．メディカ出版．

患者教育研究会. 研究成果（特別寄稿，解説など）.
〈https://plaza.umin.ac.jp/tkmodel/research/magazine.html〉［2023.July1］

患者教育研究会. 研究成果（学会シンポジウム，演題発表）.
〈https://plaza.umin.ac.jp/tkmodel/research/symposium.html〉［2023.July1］

小林貴子，小長谷百絵，小平京子，井上智恵，松田悦子，伊藤ひろみ，土屋陽子，患者教育研究会（2003）．「看護実践モデル」における「とっかかり／手がかり言動とその直感的解釈」．看護研究，*36*(3), 187-197.

小林貴子，小長谷百絵，横山悦子，小平京子，伊藤ひろみ，河口てる子（2018）．「看護の教育的関わりモデル」における「とっかかり／手がかり言動とその直感的解釈」—「直感（観）/intuition」の文献検討による考察．横浜創英大学研究論集，*5*, 9-17.

小平京子，伊藤ひろみ，患者教育研究会（2006）．連載/糖尿病advanced care—合併症を持つ人へのアプローチ⑨，糖尿病網膜症患者の"逃げたい"思いによりそう—「こういう状況が逃げている感じになっている」．看護学雑誌，*70*(9), 857-862.

小長谷百絵，土屋陽子，患者教育研究会（2006）．連載/糖尿病advanced care—合併症を持つ人へのアプローチ⑧，思春期の1型糖尿病患者—「病気についてこんなに話すことができたのは初めて」．看護学雑誌，*70*(8), 767-772.

近藤ふさえ，滝口成美，患者教育研究会（2006），連載/糖尿病advanced care—合併症を持つ人へのアプローチ⑦，感染症には気をつけよう—「何かありそう．何だろう」とひっかかりを感じたら．看護学雑誌，*70*(7), 665-670.

近藤ふさえ，林優子，滝口成美，河口てる子，東めぐみ，小林貴子，岡美智代，小田和美，横山悦子，安酸史子，患者教育研究会（2022）．COVID-19によって気づかされる生活者としての事実とその意味．日本保健医療行動科学会雑誌，*36*(2), 50-55.

小田和美，下村裕子，患者教育研究会（2006）．連載/糖尿病advanced care—合併症を持つ人へのアプローチ④，糖尿病と脳梗塞の微妙な関係—「糖尿病ってわからない」！？ 看護学雑誌，*70*(4), 383-388.

岡美智代，伊波早苗，滝口成美，近藤ふさえ，中野裕子，神田清子，患者教育研究会（2003）．行動変容を促す技法とその理論・概念的背景．*36*(3), 213-223.

岡美智代，近藤ふさえ，滝口成美，山田栄実，佐名木宏美（2006）．段階的探索・解決型教育方法を活用した糖尿病患者教育．プラクティス，*23*(5), 539-544.

恩幣宏美，岡美智代，滝口成美，近藤ふさえ，患者教育研究会（2011）．行動変容を支える協同探索型関わり技法．ナーシング・トゥデイ，*26*(6), 34-38.

大池美也子，東めぐみ，安酸史子，山本千恵子（2006）．糖尿病患者教育におけるProfessional Learning Climate．プラクティス，*23*(5), 545-551.

大池美也子，長谷川直人，道面千恵子，滝口成美，伊藤ひろみ，伊波早苗，安酸史子，河口てる子，下村裕子，小林貴子，井上智恵，横山悦子，東めぐみ，小田和美，近藤ふさえ，小長谷百絵，大澤栄実，岡美智代，林優子，小平京子，太田美帆，恩幣宏美，下田ゆかり（2016）．「看護の教育的関わりモデル」を活用した教員とのアクションリサーチによる看護師の実践に対する認識の変化．日本看護科学会誌，*36*, 19-26.

大澤栄実，東めぐみ，大池美也子，患者教育研究会（2011）．看護の教育的関わりモデルで看護師はどう変わるのか．ナーシング・トゥデイ，*26*(6), 44-50.

佐名木宏美，岡美智代，患者教育研究会（2006）．連載/糖尿病advanced care—合併症を持つ人へのアプローチ⑩，糖尿病腎症から透析となった患者へのアプローチ—血圧低下がある患者の看護から考えて．看護学雑誌，*70*(10), 957-962.

下村裕子，河口てる子，林優子，土方ふじ子，大池美也子，患者教育研究会（2003）．看護が捉える「生活者」の視点—対象者理解と行動変容の「かぎ」．看護研究，*36*(3), 199-211.

下村裕子，林優子，井上智恵，河口てる子（2006）．看護が生活者の視点でかかわるということ—糖尿病患者の理解と行動変容の「かぎ」．プラクティス，*23*(5), 525-531.

下村裕子，林優子，井上智恵，患者教育研究会（2011）．生活者としての理解生活者としての事実とその意味のわかち合い．ナーシング・トゥデイ，*26*(6), 23-28.

山田栄実，大池美也子，患者教育研究会（2006）．連載/糖尿病advanced care—合併症を持つ人へのアプローチ③，周術期の糖尿病患者への関わり．看護学雑誌，*70*(3),267-272.

安酸史子，大池美也子，東めぐみ，太田美帆，患者教育研究会（2003）．患者教育に必要な看護職者のProfessional Learning Climate．*36*(3), 225-236.

安酸史子，患者教育研究会（2006）．連載/糖尿病advanced care—合併症を持つ人へのアプローチ⑫最終回，「看護の教育的関わりモデル」の今後の展望—看護職者の教育実践力を高めるために．看護学雑誌，*70*(12), 1157-1160.

横山悦子，今野康子（2006）. 患者教育研究会．連載/糖尿病advanced care—合併症を持つ人へのアプローチ⑪，妊娠糖尿病初妊婦への関わり—「血糖測定をやりたくない」．看護学雑誌，*70*(11), 1055-1060.

横山悦子，小林貴子，小平京子，小長谷百絵，伊藤ひろみ（2006）．行動変容に困難をきたしている糖尿病患者への教育的かかわりの入口—とっかかり/手がかり言動とその直感的解釈．プラクティス，*23*(5), 519-524.

索　引

欧文索引

【U】

【V】

和文索引

【あ】

【い】

【え】

【お】

【か】

【き】

【く】

【け】

【こ】

【さ】

【し】

【す】

【せ】

【そ】

【た】

【ち】

【て】

【と】

【な】

【に】

【の】

【は】

【ひ】

【ふ】

看護実践に活かす中範囲理論 第3版

2010年6月4日 第1版第1刷発行
2016年10月28日 第2版第1刷発行
2023年11月30日 第3版第1刷発行
2025年3月17日 第3版第2刷発行

定価（本体4,200円＋税）

編　著　野川道子・桑原ゆみ・神田直樹 ©

<検印省略>

発行者　亀井　淳

発行所　株式会社 メヂカルフレンド社

〒102-0073　東京都千代田区九段北3丁目2番4号
麹町郵便局私書箱48号　電話(03)3264-6611　振替00100-0-114708
https://www.medical-friend.jp

Printed in Japan 落丁・乱丁本はお取り替えいたします
ISBN978-4-8392-1699-3　C3047

印刷・製本／㈱太平印刷社
107089-104